編集復刻版

「秋丸機関」関係資料集成　第20巻

牧野邦昭　編

不二出版

〈編集復刻にあたって〉

一、使用した底本の所蔵館については、「全巻収録内容」に記載しております。ご協力に感謝申し上げます。

一、本編集復刻版の解説（牧野邦昭）は、第5回配本に別冊として付します。

一、資料の収録順については、牧野邦昭と不二出版の判断により分類毎に分けた上で、資料のシリーズ、作成年月日を元に整序しました。

一、本編集復刻版は、原本を適宜縮小し、白黒、四面付方式にて収録しました。ただし資料中、色がついていないと内容を理解することが出来ない部分に関してはカラーで収録しました。

一、本編集復刻版は、できるかぎり副本を求めましたが、頁の欠落、破損などを補充できなかった部分があります。また、より鮮明な印刷になるよう努めましたが、原本自体の状態によって、印字が不鮮明あるいは判読不可能な箇所があります。判読不可能な箇所については、不二出版の組版によって内容を補った場合があります。

一、資料の中には、人権の視点から見て不適切な語句・表現・論もありますが、歴史的資料の復刻という性質上、そのまま収録しました。

（不二出版）

［第20巻　収録内容］

資料番号——資料名●発行年月——復刻版頁

九五—経研資料調第九〇号ノ一　東亜共栄圏の政治的経済的基本問題研究(上巻)●一九四二・一二——1
九六—経研資料調第九〇号ノ二　東亜共栄圏の政治的経済的基本問題研究(下)●一九四二・一二——123
九七—経研資料調第九一号　大東亜共栄圏の国防地政学●一九四二・一二——287
九八—経研資料調第三四号　戦争指導と政治の関係研究●一九四一・一二——333

［全巻収録内容］

Ⅰ　機関動向・総論

配本	巻	資料番号	資料名	分類	発行年月	底本所蔵館
第１回配本	第１巻	一	秘　経研目録第一号　資料月報	機関動向	一九四〇年四月	福島大学食農学類
第１回配本	第１巻	二	経研目録第三号　資料目録	機関動向	一九四〇年六月	福島大学食農学類
第１回配本	第１巻	三	経研目録第四号　資料目録	機関動向	一九四〇年七月	福島大学食農学類
第１回配本	第１巻	四	経研目年第一号　資料年報	機関動向	一九四〇年一二月	牧野邦昭所有
第１回配本	第１巻	五	秘　班報　第一号	機関動向	一九四〇年八月	福島大学食農学類
第１回配本	第１巻	六	秘　班報　第二号	機関動向	一九四〇年九月	福島大学食農学類
第１回配本	第１巻	七	班報　第三号	機関動向	一九四〇年一〇月	福島大学食農学類
第１回配本	第１巻	八	秘　経研訳第四号　マックス・ウエルナア著　列強の抗戦力	総論	一九四〇年七月	牧野邦昭所有
第１回配本	第２巻	九	経研資料工作第一号　第一次欧州戦争ニ於ケル主要交戦国経済統制法令輯録	総論	一九四〇年八月	東京大学経済学部資料室
第１回配本	第２巻	一〇	経研資料工作第二号　第二次欧州戦争ニ於ケル交戦各国経済統制法令輯録	総論	一九四〇年八月	東京大学経済学部資料室
第１回配本	第２巻	一一	極秘　第一　物的資源力ヨリ見タル各国経済抗戦力ノ判断	総論	一九四〇年九月	福島大学食農学類
第１回配本	第２巻	一二	経研資料工作第一号　第二次欧州戦争に於ける経済戦関係日誌　第一年度（自一九三九年九月一日至一九四〇年八月三一日）	総論	一九四〇年九月	東京大学経済学図書館
第２回配本	第３巻	一三	経研資料工作第一号ノ二　第二次欧州戦争に於ける経済戦関係日誌　第二年度（自一九四〇年九月一日至一九四一年八月三一日）	総論	一九四一年九月	東京大学経済学図書館
第２回配本	第３巻	一四	経研資料工作第一号ノ三　第二次欧州戦争に於ける経済戦関係日誌　第三年度（自一九四一年九月一日至一九四二年八月三一日）	総論	一九四二年九月	東京大学経済学図書館
第２回配本	第３巻	一五	経研資料調第四号　主要各国国際収支要覧	総論	一九四〇年一二月	国立公文書館
第２回配本	第３巻	一六	秘　経研報告第一号（中間報告）　経済戦争の本義	総論	一九四一年三月	防衛省防衛研究所
第２回配本	第３巻	一七	重要記事索引上ノ準拠項目一覧表（七、二九）	総論		防衛省防衛研究所
第２回配本	第４巻	一八	極秘　経研資料調第十一号　抗戦力より観たる各国統治組織の研究	総論	一九四一年四月	東京大学経済学部資料室
第２回配本	第４巻	一九	秘　抗戦力判断資料第一号　抗戦力より観たる列強の統治組織	総論	一九四一年四月	北海道大学附属図書館
第２回配本	第４巻	二〇	部外秘　経研情報第一七号　海外経済情報　昭和十六年四月十五日	総論	一九四一年四月	国立公文書館
第２回配本	第４巻	二一	部外秘　経研情報第二二号　海外経済情報　昭和十六年六月三十日	総論	一九四一年六月	国立公文書館
第２回配本	第４巻	二二	部外秘　経研情報第二三号　海外経済情報　昭和十六年七月十五日	総論	一九四一年七月	国立公文書館
第２回配本	第４巻	二三	経研資料調第二十七号　レオン・ドーデの「総力戦」論	総論	一九四一年九月	東京大学経済学部資料室
第２回配本	第４巻	二四	経研資料調第三七号　経済戦争史の研究	総論	一九四一年一二月	防衛省防衛研究所

Ⅱ　連合国

配本	巻	資料番号	資料名	分類	発行年月	底本所蔵館
第３回配本	第５巻	二五	英国の農産資源力	イギリス		福島大学食農学類
		二六	経研資料工第五号　第一次大戦に於ける英国の戦時貿易政策	イギリス	一九四一年一月	東京大学経済学部資料室
		二七	極秘　経研資料調第十四号　英国に於ける統帥と政治の連絡体制	イギリス	一九四一年五月	東京大学経済学部資料室
		二八	秘　抗戦力判断資料第二号（其一）　経済的抗戦要素としての印度及緬甸	イギリス	一九四一年八月	防衛省防衛研究所
	第６巻	二九	秘　抗戦力判断資料第二号（其二）　経済的抗戦要素としての印度及緬甸	イギリス	一九四一年八月	防衛省防衛研究所
		三〇	秘　抗戦力判断資料第二号（其三）　経済的抗戦要素としての印度及緬甸	イギリス	一九四一年八月	防衛省防衛研究所
		三一	秘　抗戦力判断資料第二号（其四）　経済的抗戦要素としての印度及緬甸	イギリス	一九四一年八月	防衛省防衛研究所
		三二	極秘　第一部　物的資源力ヨリ見タル英国ノ抗戦力	イギリス	一九四〇年一一月	福島大学食農学類
		三三	［英国　綿花・大麻・亜麻・黄麻・ヒマシ油・桐油・生綿・生護謨］	イギリス		福島大学食農学類
	第７巻	三四	秘　抗戦力判断資料第四号（其一）　第一編　物的資源力より見たる英国の抗戦力	イギリス	一九四一年一二月	東京大学経済学部資料室
		三五	秘　抗戦力判断資料第四号（其二）　第二編　人的資源より見たる英国の抗戦力	イギリス	一九四二年二月	東京大学経済学部資料室
		三六	抗戦力判断資料第四号（其三）　第三編　資本力より見たる英国の抗戦力	イギリス	一九四二年九月	北海道大学附属図書館
第４回配本	第８巻	三七	抗戦力判断資料第四号（其四）　第四編　生産機構より見たる英国の抗戦力	イギリス	一九四二年一月	北海道大学附属図書館
		三八	部外秘　抗戦力判断資料第四号（其五）　第五編　貿易及び配給機構より見たる英国の抗戦力	イギリス	一九四二年七月	防衛省防衛研究所
		三九	抗戦力判断資料第四号（其六）　第六編　交通機構より見たる英国の抗戦力	イギリス	一九四二年八月	北海道大学附属図書館
	第９巻	四〇	秘　経研資料調第三九号　濠洲の政治経済情況	イギリス	一九四二年一月	国立公文書館
		四一	秘　経研資料調第四〇号　生産機構ヨリ見タル濠洲及新西蘭ノ抗戦力	イギリス	一九四二年一月	国立公文書館
		四二	秘　経研資料調第六九号　南阿連邦経済力調査	イギリス	一九四二年四月	国立公文書館
		四三	秘　経研資料調第七〇号　南阿連邦政治経済研究	イギリス	一九四二年四月	東京大学経済学部資料室
		四四	アメリカ合衆国の農産資源力	アメリカ		福島大学食農学類
		四五	極秘　経研資料調第十六号　一九四〇年度米国貿易の地域的考察並に国別、品種別	アメリカ	一九四一年五月	東京大学経済学部資料室
		四六	極秘　第一部　物的資源力ヨリ見タル米国ノ抗戦力	アメリカ	一九四〇年一一月	福島大学食農学類
		四七	抗戦力判断資料第五号（其一）　第一編　物的資源力より見たる米国の抗戦力	アメリカ	一九四二年三月	東京大学経済学部資料室
	第10巻	四八	抗戦力判断資料第五号（其二）　第二編　人的資源より見たる米国の抗戦力	アメリカ	一九四二年三月	東京大学経済学部資料室
		四九	秘　抗戦力判断資料第五号（其三）　第三編　生産機構より見たる米国の抗戦力	アメリカ	一九四二年四月	防衛省防衛研究所
		五〇	抗戦力判断資料第五号（其四）　第四編　資本力より見たる米国の抗戦力	アメリカ	一九四二年六月	北海道大学附属図書館
		五一	抗戦力判断資料第五号（其五）　第五編　配給及貿易機構より見たる米国の抗戦力	アメリカ	一九四二年六月	北海道大学附属図書館
		五二	抗戦力判断資料第五号（其六）　第六編　交通機構より見たる米国の抗戦力	アメリカ	一九四二年八月	北海道大学附属図書館
		五三	経研報告第一号　英米合作経済抗戦力調査（其一）	英米	一九四一年七月	東京大学経済学部資料室
		五四	極秘　経研報告第二号　英米合作経済抗戦力調査（其二）	英米	一九四一年七月	東京大学経済学部資料室
		五五	極秘　経研報告第二号別冊　英米合作経済抗戦力戦略点検討表	英米	一九四一年七月	大東文化大学図書館

区分	配本	巻	資料番号	資料名	分類	発行年月	底本所蔵館
Ⅱ　連合国	第５回配本	第11巻	五六	極秘　ソ連経済抗戦力判断研究関係書綴	ソ連	一九四一年二月	防衛省防衛研究所
			五七	極秘　経研資料工作第十三号　極東ソ領占領後ノ通貨・経済工作案	ソ連	一九四一年八月	防衛省防衛研究所
			五八	極秘　経研資料工作第一八号　東部蘇連ニ於ケル緊急通貨工作案	ソ連	一九四二年三月	防衛省防衛研究所
			五九	極秘　経研資料調第七二号　蘇連邦経済力調査	ソ連	一九四二年五月	防衛省防衛研究所
			六〇	極秘　経研資料調第七三号（其二）　蘇連邦経済調査資料（下巻）	ソ連	一九四二年四月	石巻専修大学図書館
			六一	部外秘　経研資料調第七四号　ソ連農産資源の地理的分布の調査	ソ連	一九四二年五月	防衛省防衛研究所
		第12巻	六二	経研資料工作第四号　支那事変経済戦関係日誌　第一輯	中国	一九四一年三月	一橋大学経済研究所資料室
			六三	経研資料工作第一六号　支那事変経済戦関係日誌　第二輯	中国	一九四二年一月	静岡大学附属図書館
			六四	極秘　経研資料調第十二号　支那民族資本の経済戦略的考察	中国	一九四一年四月	東京大学経済学部資料室
			六五	秘　経研資料調第二〇号　支那沿岸密貿易の実証的研究	中国	一九四一年六月	国立国会図書館
			六六	秘　経研資料工作第一七号　上海市場ノ再建方策	中国	一九四二年三月	防衛省防衛研究所
Ⅲ　枢軸国	第６回配本	第13巻	六七	極秘　［「独逸組」研究項目、分担者、委嘱者の表］	ドイツ		福島大学食農学類
			六八	独逸の農産資源力	ドイツ		福島大学食農学類
			六九	極秘　第一部　物的資源力ヨリ見タル独逸ノ抗戦力	ドイツ	一九四〇年一一月	福島大学食農学類
			七〇	抗戦力判断資料第三号（其一）　第一編　物的資源力より見たる独逸の抗戦力	ドイツ	一九四一年一〇月	東京大学経済学部資料室
			七一	秘　抗戦力判断資料第三号（其二）　第二編　人的資源力より見たる独逸の抗戦力	ドイツ	一九四二年二月	東京大学経済学部資料室
			七二	秘　抗戦力判断資料第三号（其三）　第三編　資本力より見たる独逸の抗戦力	ドイツ	一九四二年一月	牧野邦昭所有
		第14巻	七三	秘　抗戦力判断資料第三号（其四）　第四編　生産機構より見たる独逸の抗戦力	ドイツ	一九四二年二月	東京大学経済学部資料室
			七四	秘　抗戦力判断資料第三号（其五）　第五編　配給及び貿易機構より見たる独逸の抗戦力	ドイツ	一九四二年一月	東京大学経済学部資料室
			七五	秘　抗戦力判断資料第三号（其六）　第六編　交通機構より見たる独逸の抗戦力	ドイツ	一九四二年三月	東京大学経済学部資料室
		第15巻	七六	経研資料調第一七号　独逸食糧公的管理の研究（要約篇）―戦時食糧経済の防衛措置―	ドイツ	一九四一年六月	国立公文書館
			七七	経研資料調第一八号　独逸食糧公的管理の研究	ドイツ	一九四一年六月	東京大学経済学図書館
			七八	経研資料調第二一号　独逸の占領地区に於ける通貨工作	ドイツ	一九四一年七月	東京大学経済学部資料室
			七九	極秘　経研報告第三号　独逸経済抗戦力調査	ドイツ	一九四一年七月	静岡大学附属図書館
			八〇	経研資料調第二十八号　独逸戦時に活躍するトッド工作隊	ドイツ	一九四一年一〇月	東京大学経済学部資料室
			八一	経研資料調第三五号　第一次大戦に於ける独逸戦時食糧経済	ドイツ	一九四一年一二月	東京大学経済学部資料室
			八二	秘　経研資料調第六五号　独逸大東亜圏間の相互的経済依存関係の研究　―物資交流の視点に於ける―	ドイツ	一九四二年三月	東京大学経済学図書館

Ⅲ　枢軸国

配本	巻	資料番号	資料名	分類	発行年月	底本所蔵館
第7回配本	第16巻	八三	部外秘　経研資料調第六八号（其一）　独逸に於ける労働統制の立法的研究（上巻）	ドイツ	一九四二年　四月	東京大学経済学図書館
		八四	部外秘　経研資料調第六八号（其二）　独逸に於ける労働統制の立法的研究（下巻）	ドイツ	一九四二年　四月	東京大学経済学図書館
	第17巻	八五	部外秘　経研資料調第八九号　ナチス独逸に於ける人口並に厚生政策立法の研究	ドイツ	一九四二年一一月	昭和館
	第18巻	八六	秘　経研資料調第三三号　伊国経済抗戦力調査	イタリア	一九四一年一二月	国立国会図書館
		八七	経研資料調第八八号　ファシスタイタリアの国家社会機構の研究　第二部　政治編	イタリア	一九四二年一一月	東京大学経済学図書館
		八八	経研資料調第二三号　全体主義国家に於ける権利法の研究	独伊	一九四一年　七月	東京大学東洋文化研究所
		八九	経研資料調査第一号　貿易額ヨリ見タル我国ノ対外依存状況	日本	一九四〇年　九月	東京大学経済学部資料室
		九〇	秘　経研資料調第二四号　日米貿易断交ノ影響ト其ノ対策	日本	一九四一年　七月	東京大学経済学図書館
第8回配本	第19巻	九一	経研資料調第三〇号　南方諸地域兵要経済資料	日本	一九四一年一二月	防衛省防衛研究所
		九二	極秘　経研資料調第五一号　占領地幣制確立方策	日本	一九四二年　二月	東京大学経済学図書館
		九三	部外秘　経研資料工作第二三号　南方労力対策要綱	日本	一九四二年　六月	東京大学東洋文化研究所
		九四	極秘　経研資料調第七九号　昭和十七年度ニ於ケル南方物資流入ニヨル帝国物的国力推移ノ具体的検討	日本	一九四二年　六月	防衛省防衛研究所
	第20巻	九五	経研資料調第九〇号ノ一　東亜共栄圏の政治的経済的基本問題研究（上巻）	日本	一九四二年一二月	一橋大学附属図書館
		九六	経研資料調第九〇号ノ二　東亜共栄圏の政治的経済的基本問題研究（下）	日本	一九四二年一二月	一橋大学附属図書館
		九七	経研資料調第九一号　大東亜共栄圏の国防地政学	日本	一九四二年一二月	昭和館
		九八	経研資料調第三四号　戦争指導と政治の関係研究	全体	一九四一年一二月	専修大学図書館

※極秘、秘等の表記については、底本とした資料の記載に拠りました。
※収録順は、牧野邦昭と不二出版の判断により分類毎に分けた上で、資料のシリーズ、作成年月日を元に整序しました。
※第五回配本、第六回配本の巻割りに一部変更がございます。
※刊行開始後に発見された資料を資料番号九八として追加収録しました。

經研資料調第九〇號ノ一

東亞共榮圏の政治的經濟的基本問題研究（上巻）

昭和十七年十二月
陸軍省主計課別班

東亞共榮圏の政治的經濟的基本問題研究（上巻）

例言

本研究の項目、目的左の如し。

一、研究項目

「東亜共栄圏の見地より、日満支の政治的・経済的結合に関する原則及び政策の研究」

一、研究目的

「東亜共栄圏確立の見地より、日満支を一体とする有機的結合関係を促進する為の政治的・経済的指導原理及び政策を闡明するにあり」

右研究に依り大東亜共栄圏の中核圏をなす日満支の一体化を促進す可き諸施策の立案に資せんが為に本書を配布するものなり。

陸軍省主計課別班

総目次

研究担當者　今中次麿・鎌田庄太郎
山内正樹・成宮嘉造

第一部　總論

担當者　今中次麿

目次

第一章　國防國家

國防國家（Wehrstaat）は第十九世紀的軍事國家又は軍閥政治（Militärstaat）とは異る觀念である。軍事國家は、軍事を専門に担當する階級が政治を支配することを意味する。例へば封建的庄園的武家政治や、近代保守主義的國家に於ける軍閥の政治干與などを意味するものであつた。

これに反し現代の國防國家は、戰爭遂行のために要請されるに至つた國家の總力戰態勢にもとづくものであつて、一階級や小数権力者の専断的政治支配を許さない。要するにそれは戰爭の豫想及び戰爭に直面しての全國民の挙國態勢に関する理念である。

したがつて國防國家は、國際戰爭を前提とする。のみならず現代戰爭の要請する思想上・技術上の新しい型式を前提とする。その新しい型式が「總力戰」（total war）である。

一

二

總力戰は、新しい科学的武器の発達及びその著大なる消耗並に戰時経済思想その他各種戰爭遂行技術の発達にもとづくものであつて、總ての戰時及び準戰國家体制を、戰爭完遂の方向に向つて集中、制約せんとする。即ち

(1)　國家機構の改革
(2)　國防國民（Wehrvolk）の組織
(3)　國防経済（Wehrwirtschaft）の変革性
(4)　経済戰（Wirtschaftskrieg）の整備
(5)　思想戰（Seelenkrieg）

などに於て、各々新しい型式を要求する。

國家機構に於ては、立憲制度と不離関係に結合してゐた自由法治主義を解消して、一つの新しい國家主義的統制主義を挿入するものである。ナチス＝ドイツでは、権威主義（Autoritätsprinzip）及び指導者主義（Führerprinzip）となり、イタリアではファシズムのコルポラチズム（Corporatism）となり、ソ聯ではプロレタリア独裁制となつてゐるのであるが、日本

では独特の國家総動員法の発動によって、憲法第二章の所謂臣民自由権の非常的制限となり、これに基く新しい勅令の発動によって、現に國防國家が実現せられてゐるのである。英・米・佛亦概ね大同小異の形態をとってゐる。

この新しい國家形体は、必ずしも舊來の立憲制度を全的に解消したものではない。法理論的には、尚舊立憲制はそのまゝ生存しつゝ、むしろその基礎の上に於ての非常体制の原理が実現せられてゐるのである。もとよりこの非常体制が、何時か再び常規体制に復帰するか否かは、政治問題であって、法理的問題の関するところではない。

國防國民とは、戰場の第一線に對する、銃後の第二線の意味が著しく異るに至り、総力戰の下では第一線のみが、戰場たるのでなく、第二線も亦一種の戰場と親られるために、國民は第二線に於ても武装的組織化を要求せられることを意味する。

防空・防諜・経済戰・思想戰の発達が、その主たる原因である。ドイツのナチスやイタリアのファシズムは、そのために発生したものではなかったが、現

三

在に於ては、ソ聯の共産党と共に、國防國民の組織化に役立ってゐる。

日本に於ては近く独特なる発達をなせる翼賛運動を通じてこれがなされつゝあるけれども、日本ではいまだ後述する経済戰の組織にまでこの翼賛運動が入り込んでゐない。そこでは各種の企業統制、配給及び消費統制の特殊的並列的組織が、見出され、國民経済に對する統制は翼賛運動の傘下に必ずしも統一されてはゐない。

ドイツに於ける等族制度（*Ständestaat*）やイタリアに於けるコルポラチズムは、最もよく綜合せられたる國民組織として注目せらるべきである。

満洲國は、肇國以來、國防國家の観念を多分に採用して來たのであり、中華民國も亦、革命政府として、本來組織的に非常性を有してゐたが故に、前者の満洲帝國協和會、後者の中國國民党を通じて、そこにはすでに國防國家と國防國民の体制は或る程度まで事実上実現されてゐるものと見てよいであらう。

現代國防國家の最も重要なる特徴は、國民経済の上に発生せる変革である。但しその変革的方向と変革の限界とは、これを明確にして置く必要がある。

四

國防國家の経済は、云ふまでもなく戰争経済であり、準戰・臨戰・戰後経済に関するものであるが、現段階に於ては、臨戰的戰時経済であることは云ふまでもない。それに関する問題は、これを三つに分けて考察する必要がある。

(1) 経済政策の問題
(2) 財政政策の問題
(3) 純経済理論の問題

國防國家に於ける経済政策は、これを國家主義的管理経済と名付けることができよう。それは資本制を基調とする統制経済の一種であるが、その統制が、資本自体の恣意的な統制に任されてゐないで、國防國家の運営の目的に添ふよう、國家主義的に、國家によって統制せられる國民経済であり、國家の管理に任された資本主義的統制経済であるが故に、これを管理経済と云ふ。

管理経済の下では、財産の私有はもとより是認されてをり、資本の運営も一應その恣意に任されてゐるが、その中、とくに國防國家の運営上必要なるもの、または反対に有害なるものに制肘を加へて、國民経済を右の目的に向ふ管理運

五

営しやうとするものである。したがって、その限度に於て、全体的計画があるけれども、その限界外に於ては、あくまで自由なる経済生活が許容されてゐる。この國民経済の機構は、新しいものであって、前大戰までは、これを見ることができなかった。

財政政策の上にも、國防國家は、新しい原理を要請する。それは所謂、総力戰たる戰闘の新しい型式から來る要求でもあるけれども、封鎖的自足経済の確立の必要から、外債によらずして戰費の源泉は、あくまで國内に求められ、増税の不足額は、内債を以て補填さられる。

とくに巨額にのぼる現代戰の戰費支出のために惹起される通貨の極度の膨脹による危機の防止のために、一面では通貨の管理が行はれ、他面では物價の抑制が行はれる。

通貨管理の結果こゝに久しく行はれた國際通貨の性格は一変して、所謂管理通貨となり、貨幣は漸次、物資又は労力に対する交換切符たるが如き性格を持つやうになり、しかも貨幣の蓄積は必ずしも富の蓄積を意味せず、貨幣を有す

六

ることは、直ちに物資及び労力を支配し得ることを意味せざるに至らんとしつゝある。

したがつて通貨の價値の保障のためには、物價及び労賃俸給の抑制を必要とし、それによつて通貨の機能は、なほ維持せられてはゐるが、他方かやうな抑制は、労務の供出や物資の生産を奨励し得た從來の自由競爭制度に比し、生産能率の減退をまぬかれない。しかも國防國家は、最も戰時消耗を要するのであつて、生産の能率を高度化する必要がある。

かやうな能率の高度化と減退といふ事実上の矛盾を如実に包含してゐるものがこの國防國家であるが、この矛盾克服の方法として、こゝに精神動員の役割が認められる。かくして問題は、経済の範囲を越える。

かやうに國防國家に於ては、その機構の上に少からざる変革を伴ふが故に、その経済は最早、從來の経済理論のまゝではこれを規律し得ない。まづその変化を純理上の問題として採り上げて見るならば、

(1) 貨幣経済より物の経済へ

(2) 世界経済より廣域圏自足経済へ

國防國家は、貨幣経済の上に立たず、貨幣の自然的機能を抑制しつゝ、ひたすら物の増産、とくに戰爭に必要なる物の増産を中心として経済の上に立つてゐるけれども、貨幣経済の基調を存続せしめつゝ、しかもその機能を抑制してゐるが故に、各方面の物資の生産に影響を與へ、物の増産は、戰爭必需品のみでなく、あらゆる物の生産について必要となり、國民経済に対する所謂編成替えの要求が起つてきてゐるのである。

また、國防國家は、経済的他國依存を切断しやうとするが故に、國民経済は自己充足的構成を持たんとする要求を含んで居り、かくして一面には支配圏の拡大を必要とすると同時に、他面ではその支配圏を封鎖的に完成しやうとする。こゝに所謂「廣域圏」の問題が起るのである。

第二章　廣域圏

國防國家は、すでに民族國家の単位に於て完成されず、こゝに「廣域圏」（*Grossraum*）の要求を生ずる。廣域圏の現代的意義は、これを二つの立場から考察することが出来る。一は國際政治の理念としてゞあり、二は植民政策の理念としてゞある。

先づこれを國際政治の理念に於て見るに、國家が廣域なる生存領域を獲得せんとするために主張した理念には、次のやうな変遷がある。

(1) *Greek Imperialism* 又は *Roman Imperialism* として知られる世界制覇の理念。これはすでに *Thucydides* によつて主張された"*raison d'État*"（*Staatsräson*）の原理の上に立つものであつて、國際政治に於ける権謀術数の承認である。云ふまでもなくこれは *Machiavellism* に於て成熟した。

(2) 大民族主義、或は汎民族主義であつて、民族國家の生存権の要求。それは國際政治の上に於て、民族國家の *raison déter* の至上性を主張するものである。*Pan-Slavism*, *Pan-Germanism*, *Pan-Americanism* 等その実例があり、近代民族國家の勃興の反映である。*Friedrich List* や *Friedrich Naumann* の"*Mittel-Europa*"の如きその代表的理論である。

(3) 廣域圏。これは大英帝國の構成が、一面に於ては示唆を與へ、他面に於ては第二次世界大戰を契機として主唱された「欧洲聯邦」論に於て理論化せられつゝある。

次にこれを植民政策の理念として見るに、

(1) 重商主義（*Mercantilism*）時代に於ては貴金属を中心とするところの資源の領有が、植民地獲得の主要な理由であつて、その領有の形式は、封鎖的独占であり、それを領有することによつて、重商主義的に、母國と植民地との綜合経済を自足的に確立しようといふ理念を含んでゐる。

(2) 重農主義（Physiocrats）又は自由主義（Liberalism）の下では、増殖する人口の移植や増大する生産力とくに商品の販路の獲得のために、領域又は市場への支配を樹立せんとする。前者の如く支配的ではなく、自由交易の原則が認められ、各植民地の解放的傾向が顕著であるが、それは自由競争に於て指導的勢力を有するが故に、それが可能なのである。

(3) 植民政策の消滅的傾向とともに、政治的・法制的には民族や種族の自決権や自治権の承認が、大勢となつてくる。しかもなほ植民地的な支配は、純経済的な部面に於て、益々深刻化せられる。ここに現代の特徴がある。それはすでに國民経済の内容が、民族國家の領域を越え、國民経済相互の上に、緊密な國際性が、発生してきたからである。

かやうな段階に於ける國防國家確立の要求として現はれてきたものが廣域圏の理論であつた。

廣域圏の法的秩序は、必ずしも聯邦制たるを要しない。たゞ之を純粋の國際法的平等権関係となすことなく、また反対に、これを全く植民地的屬領となす

一一

ことでもない。両者の中間的型式に於て見出されることが、その特徴である。ソ聯を一種の廣域圏と見れば、それは聯邦制であるけれども、そのうちにも自治州あり、民族区あり、種々の結合関係を含む。大英帝國の如き典型的な廣域圏は、すでに近時植民的観念を離れて、各自治自主的國家の聯合とせられてゐる。これを統合するものに帝國議會がある。

独逸占領地域に對する独逸の支配は、まだ成熟的ではないけれども、一種の新しい廣域圏の型式を示しつゝある。各國家の主権性は必ずしもこれを否定しないけれども、その内政への種々の形式に於ての干渉的支配が樹立せられてゐる。しかもそれは舊來の保護國関係や國家の國際的結合関係と同一視せられるものではない。

保護國関係に於ては被保護國の軍事や外交や財政などが保護國の支配下に置かれてゐるけれども、廣域圏内の各國家の間では、かやうな支配関係でなく、平等な合意的関係が認められる。しかもそれによつて財政や外交や軍事などに於ける協力又は共同方針が確立せられてゐる。それは一種の國際法的同盟関係

一二

の如くであるけれども、單にその部分のみを見れば、明に同盟條約の締結であるけれども、それは決してかやうな部分的提携でなくして、遥に綜合的全面的な関係である。即ち政治・外交・軍事・財政・経済・文化の全部面に亙っての提携である。したがってこの関係の最も成熟的な型式は聯邦制度（Federal Union, Bundestaat）である。しかし聯邦制度にまで成熟せざる各種の段階をも含めて、廣域圏は上述の意味に概念せらるべきであらう。

廣域圏の政治的要求は、國防國家の完成にあること上述の如くである。これに関聯してその経済的要求がどこにあるかは自ら明であるやうに、現代総力戦の要求たる、経済的自足性と、極端に過大な戰争的消耗に堪へ得るところの経済的單位を確立することが、廣域圏経済の要求である。故にそれは豊富な経済力を基礎とするアウタルキーとしての経済單位である。

しかしこれらの豊な経済力は、舊植民政策時代に行はれたやうに、それを母國に集中運搬して、單に母國を富裕ならしめるために存在するのではない。かやうな舊式植民政策は今日ではすでに経済的であるとは考へられない。資源に

一三

しても労働にしても、その最も経済的な運営は、その最も合理的な組織であつて、在るものを在る場所に在らしめつゝ、その在る場所に於て運営することが、最も経済的なのである。この意味に於て、廣域圏経済は掠奪経済に非ずして、有無融通の経済であり、相互扶助の経済である。その政治的意義が、民族的相互扶助であるやうに、その経済的意義も亦地域的相互扶助であるのである。

対内的には、かく相互扶助であるけれども、對外的には、封鎖的である。即ち、一つの廣域圏は、他の廣域圏に對して封鎖的である。かくして廣域圏は何らかの程度に於て相互に封鎖的なるが故に、各々それ自体としては一層アウタルキーを完備せざるを得ない。しかし経済上のアウタルヤーを完備するためには、地理的制約を受けることを免れない。自然それは種々の異る條件の地域をその中に包含する必要に迫られる。重商主義時代に貴金屬の生産が、領有の対象であつたのに反して、國防國家では、鉄・石炭・石油その他の軍需資源や、熱帯生産物を必要とする。それのみならず、衣服・食糧の自足性を確保するための考慮を必要とする。

一四

廣範圏はかやうな各種の資源に於て恵まれてゐるのみでなく、これを経済的に統一して相互扶助的綜合組織の下に置かれねばならない。例へば人的配置と資本の分配、農耕及び産業についての立地計画が必要であるが、それは純経済的見地からの要求の外に、國防的要求によつて制約せられる。

かくして廣域圏経済は、二元的原理の指導をうける。國防的に必要でも、経済的に不合理なものは成り立たないし、経済的に合理的でも國防的に有害なものは避けられねばならぬ。

かくして廣域圏は、多くの面に於て、新しい経済関係の創造的政策を必要とする。その点に於て特に考究を要する課題としては、

(1) 産業及び農耕立地計画と人口配分政策との関聯的考究

(2) 金融経済の基礎に於ての各地経済の一体化、例へば通貨の統一と物價及び物資の均衡維持についての考究

(3) 民族的特性と各民族経済の歴史的段階的對立の経済的反映及びそれに伴ふ各地方の経済的特性及び對立と経済綜合性との関係の考究

(4) 廣域圏に於ては、交通政策が、とくに重要な地位を占める。

次に廣域圏の確立の必要なる問題は、文化的統一である。先づその國防國家的観念が共通でなくてはならない。*Carl Schmitt* の所謂 "*Freund-Feind-Verhältnisse*"（政治は敵を目標としての味方同志の団結であるとする説）であるとは、此の場合に最もよく適合する。敵性に對する共同の意識と、廣域圏内に於ける同志的感情の強化は、廣域圏文化政策の目標であるが、そのためには、不断に意思の疏通と生活の緊密化とを必要とするが故に、言語・教育・藝術などの文化的生産の上に於ける協力が必要である。

かくして「運命の共同体」（*Schicksalsgemeinschaft*）は、民族の國家より（*Otto Bauer* は民族運命共同体とせり）廣域圏の國民に拡大せられつゝあるのである。

第三章　東亜共栄圏

國防國家的要請としての一つの廣域圏の具体的実現が、この東亜共栄圏である。

東亜共栄圏は地勢的に太平洋の西岸に位置する沿海諸地域を包含して太平洋を西方より管理すべき地位にあり、然も背後に、世界に於て最も多くの人口を含む大陸と、最も古くより発達せる世界文化の中心地とを包含して居つて、極めて優勝的なる地位を占めてゐるけれども、寒温熱の三帯に亘り、各異れる文化段階の各異れる人種的居住地を包含してゐるために、その統一は一様にはなし難く、各々その特性とその場所とに相應した綜合が必要となる。しかしこれが適切に行はれさへすれば、かく多くの異質的要素を含んでゐるだけ、それだけ世界に於て最も有望なる廣域圏たらねばならない。況やその自然的資源と人口の豊かさに於て[illegible]はなしのである。

しかしかやうな成果を得るためには、今後相當永年間に亘る研究的実践的努力を必要とすることは云ふまでもない。

東亜共栄圏は、東は太平洋をへだてて米國大陸に対し、西は印度及び印度洋を通じて西欧及び亜弗利加大陸に連り、北は蒙古及びシベリアを通じて欧露に接続して居る。かやうに拡大する扇形の地域に於て、要の役割を占めるものは日本及び支那である。この両國家の協調成るに非れば、到底この廣域圏の完成を期待することが出来難い。

しかもその日支両國が現に相争闘してゐるのであるから、先づこの紛争の解決こそ急務とせねばならぬのであるが、重慶政府は今尚この大勢を悟らないのであつて、事態はすでに最悪の状態に陥つてゐる。日支関係も亦世界戦争とともに解決する以外に、手段はないやうに考へられる。

東亜共栄圏は、もとより日本勃興の産物たること云ふまでもないけれども、事態は最早それ以上の問題にまで発展し、東亜民族を支配せし既存の欧米諸勢力を駆逐して、各民族の政治的・文化的・経済的発展を保衛することが、現代

の任務となつてゐる。

例へば欧米人が遠くその母國を離れて東亜に支配の手を延ぶべき理由はなく、また欧米人が常に東亜人を支配すべき使命もあるわけではない。欧米が支配的地位にあるやうに、同じく東洋も亦支配的であらねばならない。そのことは東亜諸民族の協力と結束に待つ以外にこれを現実とする方法はない。たまたまこの新しい使命に、日本が誘導者の地位を占め得たところに、東亜に於ける日本の役割が見出されるのである。

東亜共栄圏の存在意義は、東亜諸民族が各々既存の政治的文化的経済的抑圧から救ひ出されるといふことであつて、そのことが現状に於ては、同時に欧米の政治力・文化力・経済力の支配を切断するといふことに外ならない。

東亜共栄圏の機構及び秩序は、これを到達するに必要な内容を持つことである。したがつてそれは必ずしも一つの國家と成るを要しないのであつて、所謂廣域圏たる所以であるが、従つてそれは母國と植民地の関係や、聯邦関係たることを要するものではない。要はたゞ平等な國際的對立國家であつてはならな

いのであつて、互に相協力して、一つの目的に邁進しつゝある協動団体たることを要する。

南方圏は暫く措き、先づこの中核たるべき本論の主題たる日満支の相互関係も亦、この原理によつて構成さるべきであらう。

法制的には現に、日満支は基本條約及び共同宣言によつて結合されてゐるところの、一つの國際法的同盟條約関係であるけれども、日独伊の枢軸同盟條約に於ける思想的・軍事的関係よりも遙かに緊密なる関係であつて、軍事思想のみならず外交財政経済政策上一定の共同部面を有し、所謂「合作」を実現せんとしてゐる。それは互に各國の自主独立を尊重しつゝ、互に相扶助協力を目的とする秩序である。

東亜共栄圏の経済は、最も先進的な日本の國民経済を中心としての、綜合的國防経済でなくてはならない。その中心的方向は、食糧及び衣料の融通、共通金融経済圏の確立、生産の國防的綜合であるが、各民族は互にその文化的・歴史的・経済的段階を異にしてゐるが故に、その合作は決して単純ではあり得な

い。次にその根本的問題の所在を日満支について見やう。

(1) 資本

國防國家は、管理経済ではあるがなほ資本主義経済の基調を脱するものではないから、その経済は、先づ資本の性質と勢力とに依存してゐる。

日本資本が高度金融資本たるに反し、支那・満洲の経済は、主として地代と商業資本に依存してゐて、僅に支那に低度産業資本の発達を見られ得るのみであるが、その産業資本もいまだ産業資本として独立的な純粋性を有するものではない。

かやうに商業資本と地代収入の上に立つてゐる経済が、封建時代の特色であつてこゝにその資本の封建性を認めることができるのである。

封建的資本の特質は、個人的資本でなしに家族的資本であることであり、また高利貸資本たることである。したがつて、これを株式化することが困難であつて、工場産業に動員することが出来ず、譬ひそれができても極めて高金利であつて合理的運営の困難が伴ふ。したがつてその生産は、手工業を中

心とし、家内工業の域を多く脱しない。

(2) 生産

かやうな資本の特性は、技術の発達を阻害し、科学的技術よりも、家傳的な技術に依存せしめ、そこから親方徒弟の奉公形式を以てする技術教育の組織としてのギルドの存在を必然的ならしめ、社會生活に於ける近代的自由交易制は発達せず、所謂「等族制」（Stände, estate）を維持せしめ、保甲及び隣保の組織は、同時に同職的組合制として存在することゝなる。これが未だ封建的合作社の盛行される所以である。故にこれを近代的産業組合や労働組合などと同一視してはならないのであつて、封建的ギルドの残滓である。

(3) 流通

かやうな封建性経済の流通は、商業ギルドそのものによつて統制せられることを原則とする。國家にも個人にも、いまだこれを統制する能力がない。所謂問屋の支配が絶對的であることを、この時代の特色とする。

充分に信用経済の発達がないために、貨幣はいまだ硬貨に依存する度合が高く、且つその貨幣流通に於てはメタリズムの傾向が顕著であり、物價は、商業ギルド（即ち問家）の吊上げ、買惜みによつて支配される。

(4) 雇傭

すでに譜代奉公ではないが、いまだ年季奉公であり、自由労働はいまだ発達しない。労働も亦ギルド的構成を有する。

(5) 地代

商業利潤と共に地代は、封建的経済の最も重要な基礎をなすものであるが、この段階の社會に於ては、政治的支配階級は地代の利益によつて基礎づけられてをり、所謂大地主的勢力は牢固として抜き難いものである。この勢力を制圧しなければ、政治を指導することは困難である。特に地方行政に於て地主と警察とは、他方農業ギルドや商業ギルドに對立するものとして、常に官僚的地盤となるものである。即ち法律秩序の強制者としての官僚の勢力的基礎は、彼らが直接に所有する司法権と警察行政権並にこの地主的勢力的基礎

二三

そのものに外ならないのである。

(6) 財政

財政の基礎は、地代に課せられたる地税である。商業交易は、商業ギルドに壟断されてゐて、むしろ政権に対立する勢力となり、それに對する統制は、種々の意味に於て政治上重要な問題を蔵してゐる。國家の近代化と民族統一運動の成熟のためには、分裂的な地代勢力を抑圧して、この商業的勢力の助成とその資本主義的発展を可能にすることが必要である。

(7) 人口

封建的人口の特徴は、その社會の家族主義的特性に依存して、人口の分布が散漫であり、且つ増殖の率が低いことである。人口増殖と民族政策とは、國防國家に於て極めて主要なる問題である。したがつて之を可能にするためには、いかになすべきか。それには産業立地計画が最も有效である。例へば必要とする地域に人口を移植せんとするときは、その地域に産業を興し、その産業を中心として産業都市を建設することである。農業移民はその一手段

二四

であるが、農業は人口の増加に益するところが少いから、工業都市の建設の方が有效である。近代の人口増加は皆工業建設の賜であつた。それを技工的に促進することは、今日ではすでに各國で試験済みの事実である。産業立地計画は、まことにこの意味に於てこそ重要なのである。資本主義的産業経営は、利潤に依存したのであるが、國防國家の管理主義的産業経営は、立地計画に依存せねばならない。この國防的立地計画とは、單に資源と國防線の配置を基準とするに止まらないで、むしろ人口増殖、人口配置を根幹として考究せらるべきものであるだらう。

(8) 経済統制

高度資本主義國家に統制が必要であるやうに、低度資本主義段階の成立にも統制が必要である。しかしこの二つの統制は質的に相違せざるを得ない。後者はすでに重商主義（*Mercantilism*）と稱する歴史的概念によつて把握され得るものであり、これに反して前者は現に國家主義的管理経済として新しい型式を創造しつゝあるところのものである。故に両者を混同すること

二五

は正しくない。支那や満洲に於て必要なものは後者であつて、むしろ重商主義的なものである。尤も第十七紀や徳川時代・明治初期に行はれた重商主義が現代そのまゝ行はるべきではあるまい。それは現代一般の國際経済環境が変遷してきてゐるからである。しかし基本的には、その歴史性に於てこれを一種の重商主義とすることができやう。

(9) 通貨

封建的経済の特徴は、通貨の統一が缺けてゐることである。しかし一九三五年に法幣の統一が行はれたために、一應この問題は解決の緒についてゐた。たゞそれがスターリング・ブロックに依存してゐたといふことが、東亜共栄圏の成立と矛盾するのである。東亜共栄圏の通貨は、先進國日本の圓に聯携して統一化せられる必要がある。満洲國及び蒙疆は、すでに之を完成し、北支特殊地域に於ても、同一方法が既にとられた。支那が中華民國として一体たるべきことを前提とするならば、その通貨も亦一致統合されなくてはならない。聯銀券・儲備券・軍票などの並存は、悪性なる投機に隙を與へるのみ

二六

であり、更に舊通貨法幣の以然たる存在は、重慶に對する経済攻勢の未だ熟成してゐないことを実證するものである。聯銀券と儲備券とは、儲備券の確立後當然統一せらるべきであり、両者は軍票と等價を維持すべきやう工作せられねばならない。しかして軍票は内地圓價と等價たるべきものなるが故に、かくして等價圓系リンク通貨の制定を必要とするのである。

(10) 交通

海陸空とも交通は殆んど日本の独占に帰してゐるので、その計画化は極めて容易であるが、東亜共栄圏のこの廣大な地域の綜合経済を確立するためには、交通機関の発達が何よりも急務である。特に支那及び満洲國に於ける交通機関の発達なしには、その経済力を促進せしめることは出来ない。交通機関の発達は、工業立地計画と聯関せしめられ、工業建設による「點」の散布を、交通の発達によつて「線」に連結すべきものであり、且つこれらの點なしには線は完成し難いのである。

第三に東亜共栄圏の文化問題について見やう。(1)言語、(2)教育及び(3)民族及び種族の綜合性の問題がある。

二七

(1) 言語に於て傳統的に欧米第三ヶ國語を使用することは最も遺憾であつて、相互に圏内民族語を理解することは互を知る上に最も必要である。しかし文化は高きより低きに流れる。したがつて言語も亦文化高き民族の語が指導性を持つべきであらう。支那の歴史に於て北狄が南進して漢族を政治的に支配した幾多の場合を見るに、文化は却つて漢族の優秀性が指導的地位を維持したのであつて、武力や政治力が決して文化の力を決定するものでないことを知らねばならぬ。東亜共栄圏に於て日本文化が支配性を持つとすれば、それは武力的政治的效果に非ずして、日本の文化的先進性に據るのである。言語も亦従つて日本語が指導的であらねばならない。

(2) 教育は各民族及び種族の異れる傳統を互に近からしめ、欧米の支配に對する東亜の保衛についての精神的統一の強化に寄與せねばならない。したがつて漸次各異れる教育制度も接近せしめられ、諸地方から文化的中心日本に留学の便宜を與へるやうにせねばならない。

(3) 民族及び種族の對立は、常に分裂の原因である。由來種族は人種的血液の對立にもとづくが故に、その混化は婚姻によるの外、これをなすことが出来ない。これに反して民族は、本來同一の政治的統一生活を持たうとする種族の多数が、久しい歴史的努力の間に樹立した精神的文化的一体性に外ならない。故にそれは変化しないものではないが、その民族の歴史的傳統が、政治的な又は文化的な豊かさを持つてゐればゐるほど、これを解消することは困難である。

東亜共栄圏内に於て、最も偉大なる民族は日本民族と漢民族とである。その民族的融合は到底不可能に近いが、共栄圏の意義を知ることによつて互に協力的精神を裕に持つやうにならねばならない。

満洲國に於ては、現に五族の協和が國是とせられてゐる。これは共栄圏民族政策の模型を供するものである。しかしその中核体は日本民族と漢民族である。たゞ朝鮮民族の介在は最も困難な問題である。何となれば朝鮮は地域的にも歴史的にも、民族としての政治的独立を完成する素質を欠き、一種の

二九

少数民族の取扱ひを受くることはやむを得ないからである。民族はすべて自己の独立的政治権力を持たうとするものであるが、朝鮮に於てはかやうな希望が充されないので問題が残存する。日本民族へ同化し終るか、しからざれば自治的行政地域として日本の統治下に満足するかが、その民族政策上の可能的方法であるが、現実的には同化政策の方向へ向ひつゝあるものであるであらう。しかしそれによつて朝鮮民族の精神的安定を確立するためには、朝鮮民族が日本民族と同一高度の文化と徳性を獲得し、それを條件として、日本民族との生活上の平等を獲得することであるだらう。現在の段階では、かやうな方向に向つて同化教育を遂行するところに中心点が横つてゐる。満洲國の民族問題は実はかやうな朝鮮民族問題と漢民族問題とである。

但し被抑壓民族をその抑圧から解放することなしには民族問題は解決せられない。東亜共栄圏の目標も亦そこにあるであらう。しかしかやうな解放は経済的でなくてはならない。しからざれば、政治的解放は完成せられない。例へば欧米の抑圧から解放せられても、彼等が経済的自立能力を持たなけれ

三〇

ば、その解放を維持することが出來ない。しかしこの經濟的解放を可能にする方法は、必ずしも政治的解放を與へることではない。換言すれば經濟的に解放せられることが、民族としての被抑圧性から脱却することであり、經濟的に自立し得る民族は、必然、政治的解放を得ることが出來るからである。

その意味に於て共栄圏内の各民族が、經濟的自主性を得たときこそ、民族の民族に對する搾取のない眞の共栄圏が完成されるのである。そして民族が經濟的自主性を獲得することは、その民族社會が近代化され、工業化されることによつてのみ可能である。即ちその封建制を打破することが、その植民地性を解消することである。

東亜共栄圏内に於て、かやうな經濟的可能性を有し、且つ自立性を有する民族は、独立の一國家をなすだらう。これに反して經濟的近代化は可能であつても、その民族として經濟的自立性なき民族は國家をなさないで、種々の政治形式を以つて指導國家日本に從屬するだらう。それはやむを得ないことである。支那及び満洲はすでに一國家として完成されてゐる。こゝには最早

三一

かやうな問題はない。

三二

第四章　日満支共栄政策（其一）

日満支は東亜共栄圏の中核体として、その物質的・精神的結合の強化を計らねばならない。ついては、日満支三ケ國が、東亜共栄圏に対して、夫れ夫れいかなる任務を有するかを明かにせねばならない。

日満支はその歴史的・社會的及び自然的要因を互に異にするが故に、その負ふべき任務は必ずしも同一ではない。各々その特性に相應して、その任務は決定せられねばならない。

一、日本

日本は東亜共栄の指導國家として、その廣域圏秩序の保全・動向・運営を行ふについてその計画の起案者であり、推進力であるが、その任務は、資本・技術・文化の優勝と、武力の指導性とに於て、認められねばならない。

三三

(1) 資本

満洲に於ては、當初日本財閥の資本を拒否し、比較的零細資本を集めてその要求を充さうとした。しかしそれは質に於ては要求を充したとしても量に於て必ずしも要求に充たなかつた。例へばソ聯のやうに、私有財産を共産化し、すべての資本を國家に集中した場合にあつてさへ、その建國は今日までにすでに二十ケ年を越えて漸くこの域に達したに過ぎない。經濟的・文化的に遥に低位にある満洲の建國を完成するには、より以上の努力を要するわけであるが、満洲の場合には、財産の共産化は行はれなかつたのであるから、中央政府の有せし資本は舊政権より継承せる極めて僅少なるものしかなかつた筈である。かやうな微細なる資本を以て建國することは、到底至難な事柄であつた。

但し満洲に於て流入資本を國家主義的に統制したことは確に賢明なる策であつて、すべての資本を一應中央に集中し、中央の計画に從つてこの資本を運轉したと云ふことは、今日の満洲國建設の成功の一因であつたこと

三四

は云ふまでもない。

嘗て、國策的會社として満洲には満鉄があつたけれども、満鉄は必ずしも満洲國建設の計画に添ふてその事業を運営してきたものではない。それは従来全く植民地會社の性格を有してゐたのである。かやうな性格は、財閥には有利であつても、國家建設には矛盾したものである。

そこで日本資本を制限なく、且つ無條件に満洲國政府へ貢献する機會が認められ、そして豊富に日本資本を満洲國政府が、自己の計画に従つて流用することができたならば、それは最も有効であつたと云ふべきである。何國の資本であつても、その自由な投資を認めず、政府への國債の形式をもつて、これを受け入れ、しかもそれを領土的・権益的担保権と結合せしめないならば、適當なる程度のものは、決して國家建設と矛盾すべきものではないのである。いかなる國家と雖も、外債なくして國家を運営してゐるものはない。要はたゞ侵略政策と結合せる外債が、排斥せらるべきである。

三五

しかしいまだ國家の基礎鞏固ならず、またその政府の財政裕ならざる場合には、容易に外債を引受ける者はなく、したがつて、引受ける者があつても、それは政治性を有する担保を要求する。これが植民地化の源因をなすものである。

満洲國の場合も亦かやうなる実情にあつたわけであつて、たまたま日本資本の援助とその合理的統制とによつて、今日をなし得たのである。

支那についても亦同様であつて、日本の資本が自由に支那に投資せられるならば、日支関係は嘗ての如く、衝突を免れないであらう。支那には低度乍ら一應すでに民族産業資本の相當の発達があるが故に、従来のごとき日本軽工業の進出が、今後も無統制に認められるならば、到底日本資本と支那資本とは融合することが出来ない。その衝突はすでに今日紡績事業などに於て起つてゐるのである。

したがつて支那では満洲國の場合に比し、稍々緩ではあつたが、北支開発會社及び中支新興會社の如き國策會社をして、日本資本の對支流入を統制せしめたことは、まことに適當なことであつた。但しここに零細資本を集めようとする試みは、満洲國の場合と等しく無益に終るのである。

満洲國の建設といひ、支那の統一完成といひ、それは結局國家近代化の工作に外ならないのであるから、資本の蓄積を必要とすることが著しい。第十七世紀のマアカンチリズムの下ではこのために貴金属の蓄積を必要とし、明治維新は、鎌倉時代以来の商業資本の蓄積と徳川時代に於て、新井白石の貴金属流出防止――即ち鎖國政策があつたために、兎に角可能だつたのである。支那満洲では鎖國政策は、外出勢力の圧迫によつて困難で失敗に終り、近代的資本の蓄積が遂に出来なかつたのである。

故に満洲國及び中華民國の現段階は、國家主義的に國民経済を統制し、その富の外國流出を抑制しつゝ、漸次國内資本の生長を待つことを急務とするのである。したがつて、日本の投資も亦かやうな方向に添ふて行はるべきであつて、私的利潤の追求のためであつてはならない。

即ち日本の立場から見れば、資本を送ることによつて、日本國防國家の建設に必要な物的資源を得、日本経済の重工業化に役立たしめ、併せて満洲國及び中華民國の資本の不足を補ひ、両國家の近代化助成の資金として役立たしめるといふことである。

三八

しかしそのためには、現地民族資本、換言すれば地場資本の動員と日本資本の流入とが矛盾してはならない。実は現にこの矛盾は発生しつゝあるのであつて、地場資本の動員は、今日いまだ全く手についてゐない実情であるが、これを如何にして解決するか。それについては各満洲及び支那について述べることとしたい。

(2)　技術

東亜共栄圏は、欧米廣域圏に對立する一つの廣域圏であるから、他のものに對立できるだけの実力を備へねばならない。そのために必要なるものは、一には資源であるが、他は最も発達せる技術である。

支那のごときは、古来文化の極めて発達せし國柄ではあつたが、歴史的に停滞してしまつたために、近代技術を持つことが甚だ乏しい。資本と技術との欠乏は、近代國家の最も基本的な欠陷と云はねばならない。故にそこにいかに精巧な手工業的技術があつても、今日直ちに多くこれを評價することは出來ない。

技術に於ては當然、日本の指導性が重要視される。それと同時に、満支に於ては技術者の養成及び技術的科学教育の発達が助成促進されねばならない。またそれは可能でもある。

(3) 文化

満洲國は、支那の植民地であつたため、そこには優れた文化が存在しないけれども、支那は最古の文化を有する古い國家であるから、文化に於て優れてゐないとは言へない。のみならず、支那人自身固有の文化に誇りを持つてゐる。その点ではむしろ日本人の方が、後進國民たるのかも知れぬ。しかし、問題は、現代文化に於て存するのであつて、その固有性や歴史性にのみ存するのではない。故に現代文化に於ては、支那も亦日本に学ばねばならない。

三九

二、支那

現代支那の東亜共栄圏に寄與し得るものはその廣大なる地域とその上に住んでゐる人口と、その土地の中に埋藏されてゐる無限の天然資源とである。

(1) 土地

あの廣大なる土地を有し乍ら、現代支那は食糧の自給性を持たない。それは土地所有形式が、いまだ封建的大土地所有制を脱却しないからである。耕地はその土地と人口の割合に狹少である。かやうな封建的土地所有形式の下では、耕作者は不在地主の收奪をうけ、地主は封建的武力の搾取をうけるために、土地の改良も、耕地の改良も促進せられないからである。

孫文は民生主義の一綱領として「耕者有其田」を掲げた。これは土地所有の近代化を意味してゐる。自由農民の成立、したがつて民權的封建打破運動の発生を促進することである。

先づ政府は農民の負債救済を行はねばならない。かくして土地処分に一定の制限的統制を加へて耕者の地位を保障すると同時に、土地税を中央政府に於て直接に管理し、その税率と收納方法とを合理化せねばならない。このことは一面には封建的地主的勢力を抑制することであり、他面には、政府の財政を保障することである。

支那の農業生産について期待すべきものは食糧と衣料である。米麦及び雜穀と棉花とである。その他海塩及び岩塩がある。これらは技術的改良と同時に、土地制度と農村組織の改善を必要とする。先づ農業上の各種合作社は政府の統制下に置かねばならない。

(2) 資源

資源の開発には、最も資本を要する。技術も亦必要である。しかし農業問題よりは簡單である。現在重要資源は、いまだ非占領地域に存在するものが多い。ただ螢石が占領地域内に存在するのみで、稀少非鉄礦物は、例へば、アンチモニーの湖南省新化附近に於ける、タングステンの江西省南部、湖南省、廣東省北部などに於ける、モリブデンの福建・廣東・湖南などに於ける、水銀の四川省及び湖南省に於ける皆殆んど重慶勢力下にある。

四一

その他、桐油・錫・アルミニウムなど亦大体同様である。したがつてその利用は、和平の全面化を必要とする。

礦業權は從來國有又は省有と私有とに分れてゐるが、現にいまだ大部の公有は重慶側に屬し、南京側には私有資本と充分に還元し來つてゐない。これは重慶政權の存在によつてやむを得ないのであるが、治安の改善せられない限り十分の效果を期待し難い。

軽工業資本は大体、支那に一任し、日本は重工業資本を担當すべきである。すべて企業は合辦よりも日支別々に經營し、相互の競爭はこれを別途に統制すべきである。軽工業も必しもこれを全部撤退する必要はないが、支那民族資本による産業の発達をさまたげざるやう、その餘地を存して置かねばならない。このことが、支那民族資本の還元復帰を促進する所以である。

重工業は支那に建設するよりも、むしろその資源を利用して日本内地に建設すべきであらう。それは技術と交通関係上、その方が安全だからであ

四二

る。

(3) 人口

支那は労働力の源泉である。安價にして豊富である。その労働力の輸入についてなほ考究の餘地があるであらう。労働力輸入の障害となるものは、治安と通貨関係である。日満支が金融及び通貨の上で、互に封鎖的状態にあるやうでは、労働力の輸入は出来ない。この疏通を計るためには、物資及び通貨の均衡を作ることが何よりも重要である。

三、満洲

満洲國は北方に対する緩衝地域として外力の東漸を阻止するだけの設備を持たねばならない。この意味に於て中華民國とは、稍々その使命を異にするものがあらう。

張政權下の満洲は、植民地にすぎず、多少の商業資本及び手工業の発達はあつたとしても、農業國家たるの域を脱せるものに非ず、これを近代独立國家に育生することは、一つの大事業といふべきである。

四三

現下の満洲國に於て注意せらるべき問題は土着地主的勢力と満系官僚との関係、満系地場商業資本の利用方法、農業増産方法及び労働力補給を中心とする人口問題などであらう。

(1) 地主

満系官僚的勢力の基礎は、土地所有的勢力であつて、これが地方行政の上に反映して、司法及び行政を支配することは、満洲國の封建化を促進するものであつて、厳に戒めねばならない。この危險を防止する方法は、日系内面指導の統一化と、土地税体系の整備と、その徴集系統の中央集權化にある。かくしてすべての勢力を中央に集中することが必要である。

(2) 地場資本

土着資本としての商業地場資本の問題は、二つに分れる。一はそれが本来含有するところの社會的勢力の問題であり、二はその利用引出しに関する問題である。商業地場資本の勢力の基礎は、商業ギルドであつて、舊満洲政權時代の經済は専らその支配下に置かれてゐた。この事実はわが徳川

四四

時代の武家的封建的勢力と商業資本との関係を一考すれば、極めて明である。この経済支配勢力を打破するためにはギルドの崩壊を必要とし、ギルドの崩壊は自由交易の発達を助成するにある。徳川末期に於ける徳川幕府の政策は、まさにこれであつたのであるが、現段階に於ける満洲國の問題としては、日系産業資本との對立的問題があり、今日満洲國に於て必要なるものは、商業資本ならで産業資本であり、地場商業資本を産業資本として引出さねばならないことである。

商業資本はたえず商品に換置されて、常に現物を貯蓄するの便があるけれども、産業資本は設備としての固定資本に注入されるために、その産業の経営が好成績ならざる場合、投下資本を還元することが困難である。即ち一は動産資本を主とするのに反し、他は不動産資本を主とするといふ差違があり、しかも土地の如き比較的價値の安定せる不動産は別として、消耗性を有する工場や機械の如き資本は、その合理的運営がなされない限り、資本そのものの減退を免れないが故に、商業資本家にとつては、一種の危

四五

險性が感ぜられるのである。

近代の銀行制度も亦その形式は商業的であつても、実質は産業資本たりまた金融資本なるが故に、商業的地場資本は、また銀行にも集つて来ないのであつて、貨幣と商品との交替を反復してゐるにすぎないのである。せいぜい比較的安全なる高利貸資本たり、また土地投機資本たるに止まる。

したがつてかやうな地場資本を利用せんがために、これを誘導するところの方法は、現にいまだ手工業的段階にある土着産業としての、例へば油房、柞蚕のごときものを中心として相互的對人信用の上に立てる合資會社を組織せしめ、これを徐々に拡大して行くのが、最も適當な方法であると考へられる。但しこの場合、日本の優勝的資本がそれらの事業に介入してその利潤を獲得せんとするやうなことがあれば、到底地場資本を助成することはできないから、日本の好意ある協力が必要となるのである。

(3) 増産

満洲國の現に當面してゐる増産難の原因は、農産收買機構改悪の結果に

四六

よる点が多いやうである。拡大再生産のためには、経済的循環が円滑に行はれることが必要である。従来の満洲に於ては、商業資本と農村生活との間に自然の経済的循環が行はれてゐた。この自然的秩序を技巧的に破壊したことが、現下の増産難の直接の原因である。この矛盾を除去する方法は地場資本の機構を利用し、その組織を通じて増産奨励と農産物の供出を行はしめることである。例へば米麦・雑穀の如き、新しい日系資本による機構を通じて集貨せんとするためには、逆に供出は減退し、しかも無用の奨励金を地場資本へ献納するやうな結果に陥つたのである。さうでなしにむしろ舊來の地場商人に奨励金を交附して、農産集貨を督励したならば、利益を均等に日満両方に頒ち、満系資本も増産計画に協力するに至る筈である。要するに日本内地の統制経済方式を無批判に外地へ適用しつゝあるところに、すべての失敗が醸し出されつゝある。各地の特性や慣行に相應した適切な政策を樹立することが最も必要なことである。

(4)　労働力

満洲は土地廣くして人口稀薄である。これは植民地の特性である。人口移植がここに始めて必要であるが、人口増殖は産業資本の発達と相並行するのであつて、農業的段階には人口増殖は困難である。したがつて人口問題の発生は、産業革命以後のことであり、且つ常に産業勃興と並行するのである。この理由により、人口増殖をはからんとすれば産業を興さねばならない。また人口の地域的配布をはからんとすれば、産業の地域的分布をはかる必要がある。要するに産業の勃興と産業都市の建設である。例へばソ聯はウラル＝クズネツクやシベリア各地の産業基地を建設することによつて人口のウラル以東への配布を行つた。このことは私の早くより満洲國について主張してゐるところである。農業集団移民も亦必要がないわけではないが、それよりも産業発展に伴ふ人口の移動は、遥に急激であり、また多量である。

満洲國には、山東の季節労働者の移入問題がある。最近それが困難を告げてゐて種々の原因があげられてゐるが、根本問題は、金融為替関係であつて、満洲國が支那に對する逆貿易を防衛せんがために布いてゐる極端な為替統制の結果といふべきである。これと同一関係は北支と日本との間にもあり、また軽度に於ては中支と日本との間にもある。この事実は、同一廣域経済圏の内部に於て、生産力の不均衡と、物の分配の不均等とがあるからである。同一共栄圏と稱せられ乍ら、日満支互に自主的な分裂的関税壁を繞らして、経済圏を隔絶してゐる。かやうな隔絶は、共栄圏の成立を妨げる最も根本的な源泉である。この矛盾を打破するためには、金融政策によらずして、むしろ生産力の部面に於て策が建てられねばならない。換言すれば日満支各地域の物資交易が、何れの國にとつても逆調に陥らないやうに、互に均等に有無相交換の出来るやうな生産力の培養が必要とせられる。要するに為替の決済に於て均衡が保たれねばならぬ。しかし若しもそのことが事実上不可能であり、生産力の均等化が困難であるとすれば、

貨幣制度そのものが再考されねばならないのである。例へば満洲國の國幣は、日本圓とパーではあり得ないのであり、聯銀券とも亦打歩を有せざるを得ないのである。それを強いてパーに維持しようとするところに物の移動を阻害する矛盾が発生し来つたのであり、このことは支那と日本との間にも亦同じく主張せられ得るのである。

しかし廣域経済圏の理想としては、通貨を一つにすることである。さうすればかやうな問題は起らないのである。とくに東亜共栄圏は社會性並に歴史性の懸隔甚しき地域を一つに統一しやうとする点に根本的な困難があるのであつて、英帝國やソ聯邦にもその傾向はないではないが、東亜共栄圏の場合ほど甚くはないのである。英帝國やソ聯邦の場合には殆ど唯一の通貨が融通してゐるけれども、東亜共栄圏の場合には、互に制度の異る通貨が對立してゐる。これは一つに統一せられねばならない。もとより中華民國及び満洲國はともに独立國家なるが故に、それ自体の財政高権を持つ必要があり、自己の通貨制度を持たねばならないけれども、その基準は、

これを統一的に、且つその國々の現実生産力と財政状態の実情に相應して確定せられねばならないのである。

第五章　日満支共栄政策（其二）

以上の綜合的根本方針に基き、特に重要なる問題について細論せるものが、次の各篇である。

〔第二篇　各　論〕

第一章　日本から満支に對する經濟的要求の研究

第二章　日満支一体化に於て、満洲國の占むる地位についての研究

第三章　新政權の財政確立と重慶の占領地域に於ける經濟勢力打破を目的とする新幣制の問題の研究

第四章　中華民國の行政政策の見地より見たる日支合作の諸問題並にその對策の研究

第五章　日支産業合作に関する根本原則の研究（未完）

以上の諸研究に對する綜合的結論を次に述べる。

一、日満支物資供給関係（各論第一章参照）

現に日本の國防國家建設に必要であつて、満支に仰がねばならない資材、並に反対に満支の建設について日本から供給せねばならぬもの、それを相互につき合せて見て、いかなる結果が出るかといふことを見たいと思つたのが本章の研究だつたのであるが、必要なる調査資料の不備によつて適確なる計数を求めることが出來なかつたために、単なる概観に終つてゐる。

日本政府は、先づかやうな調査資料を整備しなければ、日満支の物資計画を正確に立てることはできない。

先づこの研究に現はれたる結果のみから見ても、日満支相互の必需物資の過不足が明瞭でない。しかし大体に於ていまだ相互交流物資の間に整理の可能性のあることが認められる。相互に資材の過不足が統計的に明にせられた上、過剰資材にして他方に必要なるものは、その何パーセントを充し得るかを明にし、その結果を生産計画の上に実現せねばならないのであつて、物動計画は、最早、日満支別単位であつてはならない。

本章の研究に於て、最も必要なものは、中支及び北支幣制の創立に伴ふ物資裏附けに向つて日本から幾何の物的援助が可能であるかの、日本物動計画上のポテンシャリテーを明にすることであつたが、之亦資料不足のため不成功に終つてゐる。今日幣制の創立について考へねばならないことは、金準備よりも、むしろ貨幣の流通量と、それの對象となつてゐる商品の物的数量との関係に外ならないのである。この二つの関係が正しく十分に充されてさへゐれば、金準備は不要であり、また通貨も不換紙幣で十分にその價値を維持し得るのである。第三章の研究と併せて本章に於けるかやうな研究が必要なのである。

本章の研究中に於ては、僅に日満、日支相互の資材要求関係が明にせられてゐる点が本論の研究に役立つてゐるにすぎない。例へばその　六－九頁（北支及び　七一－七二頁（日満間）、一六一－一七頁及び（下巻参照）

支蒙疆と日本間）、三八－三九頁及び（下巻参照）（中支日本間）、頁及び五二－五三頁（南支日本間）である。

現状に於ては、日満支共栄圏は、満支の負担たるよりも、遙かに日本の負担であることは、單に武力関係のみではない。今後相當年間なほ物資の上に於て、日本は満支を援助しなければならないのであつて、そのための日本生産力の膨張は、必然的に免れ難いところであり、資本はそれに追隨して自然に増大する筈である。

かやうな物資、ひいては資本の増大の源泉はどこにあるかと云へば、日本人の技術と労働力に潜在してゐるのであつて、決して物そのものに存するのではない。

もとより絶對に天然に存在しないものを作り出す能力は人間にはないけれども、加工し、化学的工作により、必要は生産の母たる力を持つてゐるのである。故にたとへ天然に存在する物といへども、労働力と技術とが加はらないならば、物資は生産せられない。故に根本問題は、物の地理的分布ではなしに技術の科学的向上と労働力の組織並に生産経営の合理的樹立そのものであることを知る必要があり、この理を知つて、この立場から物動計画は樹立されねばならない。故に問題は社會的たるのである。

二、満洲國民経済の問題（各論第二章参照）

本章の問題は、東亜共栄圏としてのアウタルキー経済圏の一環として、満洲が負担しつゝある地位を論じたのであつて、経済問題に関する限り、要点に触れた研究がなされてゐる。

十周年を迎へた満洲國は、漸くその國家的基礎を樹立したのではあるが、いまだ種々の点に於て再検討を要すべき問題を包藏してゐる。これらの問題の核心に触れることが本章の意図であつた。

先づ生産財の生産部門について見るに、これは全く新しい建設を要するのであるから、満洲國の日本に對する依存性が最も強いのはこの点である。したがつて日本國力の如何によつて影響をうけることが多い。

この意味で劃期的となるのは、支那事変の勃発である。事変の勃発のために、日本は事変の完遂に國力を集中する必要が生じたために、満洲國の建設に今まで通り餘力を傾けることが困難になつた。のみならず、満洲國の對支依存性に再考の餘地が起つてきた。従来支那から輸入せられた日常生活品の如きは停屯を来すに至つたわけであるから、それは當然、満洲國の生産力に影響を及ぼすに至つた。のみならず、支那との交易の停屯は、支那を通じて来る第三外國との取引の減退をも惹起した。かくして満洲國の生産力建設速度の鈍化が起つてゐる。

この傾向の解決として生産力の重点主義的集中が主張されてゐる。例へばその農業生産の高度化や、特に有利なる鉄石炭の生産の如きものに集中するといふことである。従来これらの問題は、日本側の生産関係と矛盾するといふ意味に於て、屡々疑問視されたのであるけれども、現代の共栄圏政策の下では、かやうな日満経済の對立観は廃棄されて、その綜合的観念が主張される必要があらう。

次に消費財の生産部門に於ては、満洲建國當初日本資本の輸出によつて、

前者と共に共栄の実をあげたのであつたが、支那事変勃発以後、この部門も亦前者と等しく下向過程をたどるに至つた。とくにこの部門に於て著しく認められるかやうな原因は、日本の円ブロック輸出制限といふ政策であつて、大藏省を中心とする重金政策が、最も禍をなしてゐると考へられる。

即ち外貨獲得の目的にそはない輸出入を一切抑へて、これを外貨獲得へ奉仕せしめやうとしたこの政策は、當時著しく共栄圏の発展を阻害したことは、今日では万人の認めるところとなつてゐる。この重金主義こそ、廣域圏の封鎖経済主義と、物動本位主義とを忘れた舊式思想であつたといはねばならない。

同じ傾向は農業生産部門に於ても認められるところであつて、農業部門では昭和十四年下半期以後とくにその生産力低下が著しくなつた。しかし農業部門でとくに注目すべきは、満洲農業経済固有の條件である。それは㈠小作率が高すぎて農業技術及び農地改良が行はれないこと、㈡小作期間が短かすぎて（大半一年未満）同じく改善の餘地なきこと及び㈢農地狭小にすぎるこ

と（大凡四〇晌未満）である。

第四にインフレーションの問題があるが、これは急激な資本の増大にもかかはらず、その多くが或は軍事的方面に、或は固定性の強い重工業部門に投下せられたこと、同時に上述の諸原因による生産減退に伴ふ資金還流の停滞などが原因をなしてゐる。即ち通貨の流通量に対し商品物資の量が相應してないのである。

かくして日本資本による消費物資の減退は土着資本を通じての商品に對する需要を高め、その方面には却って利潤の蓄積が高められるやうな現象を惹起した。

しかし土着資本も、その蓄積資本を投資する方法は他にないために、商品の蓄積や、労働力の仲介や、土地投機によって、凡そ満洲國建設とは平行しない不生産的方向に動いて行ってゐるのである。

この土着資本を生産化することは、前述せし如く、その本来の商業資本たる性質を轉じて徐々にこれを産業資本へ育成して行くことだらうと思はれる。

五九

しかし本章では、それよりも最近の農産物收買機構改革の事情とその失敗とが、よく明にせられてゐる。

三、中支新幣制論（各論第三章参照）

日満支合作の成否は、通貨関係の安定によって決定せられると云っても過言ではない。しかるに満洲と北支には一應すでに通貨制度の確定を見て居るにも拘はらず、中支に於てはいまだその確定を見ざるのみならず、しかもすでに、華興券に於て一度失敗したる経験すら有するのである。したがって中支の通貨制度が確立せられることは、日満支合作の半以上の成功としなければならないであらう。

この通貨問題を考究するに當って、先づ考ふべきことは、貨幣論の原則的な問題であって、既成貨幣制度を對稱とする分析的貨幣理論にあらで、貨幣制度の新創立を前提とする政策的貨幣理論が必要であることである。

その上に中支の貨幣問題は、現に重慶側の法幣が流通して居り、しかも武力と政治力と経済力とがいまだ十分に滲徹せざる地帯に於ける新通貨制定の

六〇

問題である。それが政治的・政策的貨幣理論を必要とする所以である。

舊法幣がまづ禁圧せらるべきか否かが問題であるが、それを疑問視するは経済論的立論にのみ依存する結果であって、政治的に考慮すれば、重慶側の通貨を占領地域に流通せしめることの不合理なことは、餘りにも明なことである。したがって先づわれらは、経済論的に、いかなる立場からこの法幣を打倒し得るかを研究せんとすることを目的とする。

これを可能ならしむる條件としては、法幣打倒によって生ずる結果が先づ問題となる。即ち(一)民族資本の吸收及び物資の收買を困難ならしめはしないか、(二)法幣に代る新幣制を維持する経済的能力があるや否や、そして(三)この新幣制維持の経済力が何であるか、といふやうな問題である。

本章に於ては、中支に於ける通貨の對立に批判を加へ、通貨は一種でなくてはならぬことを明にし、軍票と儲備券とを如何に関係づけるべきかを論じて、儲備券が軍票の流通圏を地盤として、これにとって代る必要を説いてゐる。

六一

そして儲備券のリンク関係について論じ、法幣リンク制を否定し、日本圓にリンクすることを主張してゐる。但し儲備券と圓とのリンク比率を如何に確定すべきかが問題であるが、一對一、一對二、及び一對四の諸案が考へられ比較考慮を要求せられてゐる。一對二は本論の起草當時、儲備券のリンクせる法幣と軍票との為替相場を基準としてもの、そして一對四は米貨ドルを中心として法幣と日本圓との購買力を比較して案出されたものである。

しかしこれらは現實にさうである如く絶えず動揺浮動的のものであるから、恒久的の基準は一対一であるべきであって、それが維持せられるやう両地域の物資及び生産力の発展をはかるべきであらうと思ふ。

法幣の禁止については、一定の期限を定めて、一定の比價の下に漸次回收すべきであるが、先づ南京に始めて、蘇州杭州に及び、更に上海に實施して最後に農村に至ることとする。また引替え率も漸次遞減することによって回收を促進することとする。

この案は、その後実施された法幣禁止と一部相通ずるものはあるが、軍票

六二

と二元建になってゐること、及び軍票リンク制実現の際の実際相場を基準として換算率が定められた点に多少の出入がある。したがって法幣禁止と軍票リンク制は実施されても、中支幣制の問題はなほ残存してゐると云はねばならない。

なほこの新幣制を維持する上に必要な問題が実に物資補給の問題であって、こゝに今後の成否がかゝってゐると云はねばならないが、それについては、また貿易統制が重要となり、これは既に実施されてゐるから論及の必要がないけれども、更に重要な問題は、南京政府の財政収入源の点である。

若し南京政府の財政状態が悪化するやうなこととなれば、不換紙幣は自然濫発を免れないのであって、幣制の維持が困難となるからである。この点が今後如何になるか、こゝに中支の経済問題の鍵があると云はねばならない。

南京政府の財政を維持改善するためには財源を確定せねばならない。その最も有望なる財源は、海関収入であるが、現在では國際関係の閉塞のために、それは殆んど東亜共栄圏内との貿易に限定されてゐる。所謂圓ブロック内の

六三

収入に外ならない。したがってその収支を統制する方法は、對圓ブロック内に於ける生産力の對立関係に帰着する。即ち貿易収支を均衡ならしむるだけの生産力が、南京政権下に存在することを要する。こゝに於てこの政権地域の生産を振興することが必要となる。そのためには、先づ治安の改善と和平地域の拡大が何よりも大切である。

しかるに支那には幸にして華僑の発展が著しくその送金が巨額にのぼる。現在ではそれが十分にいまだ南京側に復帰してゐない。これへの和平工作が必要であるが、大東亜戦争の結果、彼等の間にも漸次和平気運も高まりつゝあるからこの工作は有望といはねばならない。

また香港及び南支に於て日和見をつゞけてゐた支那産業資本も、香港占領により、吸収の可能性が高まってきた。更にこれらの遊休産業資本に、投資の希望と機會とを與へることが必要である。これらの多くは今まで金融為替投機資本として浮動して居って、中支経済の不安を助成する禍根であった。その意味からも、これに正業の機會を與へることが、何よりも南京政権の財

六四

政を強化する所以であって、それはまた翻って、幣制の安定確立と相互作用をなしてゐるといはねばならない。

四　中華民國特に南京新政権強化の行政政策（各論第四章参照）

本章は行政法の専門家たる筆者が問題の渦中にあって親しく経験を通じつつ執筆したるものであり、しかも昭和十六年の夏期数ヶ月に亘り現地各地方を自ら調整しつゝ考案せる内容に基くものであるから、本研究中の圧巻であり、分量と内容と、ともに参考とすべきものが多いのみならず、殆ど問題を網羅して餘すところがない。なほ上海租界論も含まれてゐたのであるが、情勢の進展のため不要となりたるにつき割愛せられたるものである。

本章はその目次によって、内容の大略を知ることができるけれども、最初に事変前の地方行政制度を説き、次にその現行制度を説明し、更に興亜建國の行政政策に論及してゐる。いまその行政政策の内容について見るに、大体次の如き要旨となってゐる。

(1)　指導原理としての更生三民主義の支持、即ち汪精衞主席の主張する修正

六五

三民主義を以て和平建國の方針となすべきである。

(2)　建設についての基本諸問題

先づ原料的には事変前の状態の復舊を根本方針となしつゝ、その共栄圏原理と矛盾する点を改善するにつとめつゝ、占領地域に於ける政策を、軍事より政治・経済・思想・教育・宣傳の綜合的工作に移行せしめ、軍事四分、その他六分の割合をもって建設を促進すべきであるとする。また和平工作を、点及び線より面に拡大し、その工作機構内に於ける日本側諸機関を簡単化且つ統合化し、南京中央機関及び各省機関に限定集中し、縣以下は軍事と経済部門に於ての側面的指導に止め、政治・思想・教育などは、原則方針の樹立及び執行の監察の範囲に止めて、他は中國側の自主に一任すべきである。更に将来の問題としては中國大衆には、わが台湾本島人程度の自治行政担當の能力が認められるから、漸次これを目標として暫定自治制を布き、凡そ十年後の成績を斟酌しつつ成績よき縣行政より憲政の基礎たる眞正自治制を布くべきである。そして出来るだけ日本の犠牲と負担

六六

を軽減するにつとめる。

(3) 地方行政諸政策

先づ軍事については、建軍、討伐及び撤兵の三問題がある。建軍は日本軍が駐屯せる間に完成せらるゝを要し、各行政的建設と並行せねばならぬ。國軍と地方行政権とを遮断し、軍事は常に中央政府の命令によりてのみ活動するものとする。國軍は新募兵、帰順兵、地方雑軍を以て編成し、その中に土木・開墾・道路建設を担當する特殊部隊の編成を考究する。建軍は同時に建設でなくてはならないからである。討伐に於ては主として遊撃戦区を國軍に担當せしめる方針をとる。全面和平完成に至るまでは日本軍の撤退は至難である。但し建軍の進展による國軍との交替はもとより可能であり、かくして駐兵を減少することが出来ればもとより幸である。

地方行政組織改革としては、(イ)級制の整備即ち省・縣・鎮郷の三級制に改め、特別市を省と、また普通市を縣と同格に列せしめる。(ロ)省を縮小し省政府と云ふが如き、政府の用語は中央政府に限定して地方には廃止すべ

きである。(ハ)縣・市・鎮・郷は各自治制を持つべく指導される。そのために省の財源を縣に移し、縣財政の確立を図るべきである。

吏治政策に於て、公務員登用、訓練及び待遇を論じ、文官考試の極端な分科化を難じ、これを統合して、行政・技術・司法の三科となし、暫定的に邊区文官考試を別科として残存すべしとする。これは文官の知見の狭隘化を改善するためである。中國には今なほ賣官や私党の弊風が存在する。監察院の必要な所以であるが、更に官吏の訓練や待遇の改善が必要である。その方法が委細に亘って述べられてゐる。

治安政策上重大な地区は、軍隊により、然らざる地域は武装警察隊及び自衛団による。自衛団の基礎としては保甲制度がすでに布かれてゐる。清郷地区の設定は成功的のものと認められる。故にこれを漸次拡大すべきであるが、尚改善せねばならない点は、軍事と経済との提携聯絡の緊密化である。

地方財政政策としては、徴税機関、徴税方法、財政収支、地方公債、税

目などの改善と整理統合の具体的内容が説かれてゐる。この問題こそは、和平建設の最も基本的重要性を持つものと云はねばならない。要するに封建的弊風を打破して近代的徴税制度並に財政制度を確立することが、その根本方針である。

財政を強化するものは國民経済の発達である。先づ経済の和平建設即ち復興が主要である。當面窮乏化の原因は、労働力の減退、流通経済の停滞及び通貨價値の慘落と物價暴騰である。

土地政策は耕者有其田の原則を実現することであって、不在地主を抑圧し、耕地の處分を統制することである。

農村対策としては、農民の負債整理を必要とし、農産能率の上昇が可能であることである。また合作社を特務機関の統制下より國民政府へ返還し、これを農民組織下の地盤とすることが必要である。

工業政策に於ては、生産の向上と價格統制を必要とする。軍管理工場の返還は先づ生活必需品工場を第一とし、次で軽工業に及び、重工業を最後

とする。統制は必需品に於て必要であるが、紡績業の統制は不必要であって、日本側は単にこれを助成するに止め、國民政府の政策に一任すべきである。手工業は支那の優れたる遺産なるが故に、これを尊重せねばならぬ。事変後機械工業の衰微の影響をうけて却って手工業の振興を見た。軍需工業などに之を利用すれば益する所少くあるまい。

鉱業については、鉱業法の規定により(イ)國営鉱区、(ロ)國家保留鉱区、(ハ)公営鉱区、及び(ニ)民営鉱区が指定され、民営区は、前三者以外のものにつき中國人に限り許容されてゐるのみならず、外國資本は全資本の四十九パーセント以内に限り参加を認められる。但し所謂小鉱区には外國資本を許容せず、また十年を限り民営を許可する。國営区は例外として二十年を限り、民営に委任することが許されてゐる。鉱業は國防國家建設には最も重要なるものであるから、日支合辦國営として保留し、たゞ小鉱区のみ速に元所有主に返還して事業の再興を圖らしむべきである。しかし鉱業の発達に関聯して必要なるは、労働力の補給及び輸送機関の改善及び建設であ

る。この問題は農産物及び工業生産と併せ考究せらるゝ必要がある。労働力の補給方法としては、機械化の促進及び労働人口登録制の実施が考へられる。

交通政策に関しては、先づ鉄道の問題がある。鉄道は軍の行動及び産業促進上最も必要なものであるから、日本軍の撤退後少くも一ヶ年間までは返還すべきでない。愈々返還する場合に於ては、華北及び蒙疆については日支合弁まで譲歩して可なるべく、また華中及び華南については、鉱区附属鉄道を除き、東亜共同防衛のためには無條件共同使用に提供すべきことを條件としてこれを國府に返還すべきである。但し、現行鉄道運賃は、民生の程度に比し、高價に過ぎるが故に、低下の必要がある。

所謂電政（有線及び無線電信、市区及び長距離電話）は事変中最もよく統一化されたが、益々改善せられつゝあることは、鉄道とともに日本技術の進出に負ふところが多い。航政（航水及び航空）及び公路行政亦同一である。その返還處理方針亦鉄道の場合に準ずるが、華北及び蒙疆の航空事

七一

業は日支合弁として存続せしめたい。

最後に物資の配給統制並に消費統制について論ぜられてゐる。軍部の管理により現状は漸次良好に向ひつつあるけれども、いまだその統一的・合理的計画が十分でない。先づ統制の衝に當る人物に當を得てゐないものがあり、識見を缺く場合や舊体制的見解を脱却せず事態の現状に添ふ方針がとられない場合が多い。次には配給と消費とを適合せしめるための参考資料として、統計が整備されてゐない。第三に統制中央機関の機構を改善すべきである（下巻　頁参照）。第四に為替相場安定を必要とする。現在の如く軍票強化方針一天張では、投機を盛にするのみである。根本問題としては、法幣と儲備券との聯携を切断することが必要である。運輸能力の発揮によつて配給が、必要な消費地に合理的に向けられねばならぬ。配給品についての合理的價格的統制が必要である（下巻　頁参照）。

物資の配給と関聯して、各種統制機構の批判がなされてゐる。例へば「中支那軍票交換用物資配給組合」「日本輸入配給組合聯合會」「中國特産

七二

物買付組合」について述べられてゐるが、とくにこれらの機関に巣喰ふて居る悪質下請負商人の駆逐が問題とされてゐる。

以上経済諸政策について教育政策が述べられてゐる。三民主義的教育宗旨の党化方針は、そのものとして非難すべきではないとしても、それが孫文遺教の精神を離れて、或は抗日となり、或は欧化主義に傾くことは、此際断然修正を要する。また教育制度に於ては最初の日本摸倣は、その後米國摸倣に改められてゐたが、この点當然支那の実情に則した改革が要望される。改革方針としては中國廿七年四月党臨時全國代表大會の戦時各級教育実施方案綱要が参照せられる。

次に民衆運動の再組織化が論じられる。舊來の現行法令によれば、許容された団体は農會・工會・漁會・商會その他にて計十二種の団体に限られ、三民主義の指導方針に基く民衆組織原則が定められてゐた。新政権に至つて更に興亜建國の指導方針が加へられたのみならず、教育団体、青年団体慈善・幇會・同郷及び特殊団体を追加し、抗日団体及共産主義団体に徹底

七三

的弾圧を加へたのである。しかし新國民政府の民衆運動は、いまだ消極的傾向を脱しないが故に、日本もこれを援助して、積極的に展開せしめる必要がある。

次に慈善団体及び社會事業団体について述べられてゐるが、とくに直接間接に事変の影響による罹災民の救済が重要である。しかし彼等を徒らに救済に依頼せしめず、生産力に向つて動員することが必要である。

最後に各種の合作社問題が論じられてゐる。これは中央政府の指導下に置かれることを原則とし、その方針によつて活動することが必要である。但し交戦区附近の合作社は、日本軍の指導下に立ち（湖北・湖南・江西・河南）特定物資の非占領地への流出を阻止し、必要物資の現地調辦に協力せしめられねばならない。合作社は本来民衆の自治的機関であつて、必ずしも中央政府の施政方針と合致するものではない。これを放置すれば、却つて分裂的下部運動の基礎となる虞がある。現下の事情に於ては、特に上の方針を下部に透徹せしめることが必要なのであるから、合作社に對する

七四

指導と監督とは、極めて必要であり、またその構成員に對する中央政府の意図の滲透が必要であり、従って社員の訓練が行はれねばならない。

五、日支産業合作に関する根本原則（各論第五章の豫定）

本章は遂に未完成に終ったため、本論の綜合的研究に少からざる支障を惹起したのであったが、第四章の行政政策のうちで、綜合的に触れられてゐるが故に、それによっては不満足ながら補ひたいと思ふ。しかし日支両國産業の矛盾なき発展は、共栄圏政策上、最も困難にして、且つ最も重要なる問題であるから、純粋にこれを経済理論的立場より研究する必要があるのである。

例へば重工業の配置、日支両軽工業の分担及び協定の方法、及び日支両資本の合弁の方式などが、そこで考究せられねばならぬ。更に東亜アウタルキー圏の完成の意味からしての産業の計画的分布の方式など重要な問題が多い。

以上各章に説述された諸原理を基礎としてこれらの問題を考察するに、重工業は大体、日本及び満洲國に配置せらるべく、日支産業の協定については、第一に企業別により分担が考慮され、更に同一企業相互に於ける市場並に利潤の

七五

協定が考へられる。産業一般の自足性を確立する点に関しては、食糧及び衣料を確保することが、最先の問題であり、幸に日本は食糧に於て自足的なるが故に、農業國たる満洲及び支那の食糧不足は、是非解決せられなければならない問題である。衣料に於ては、羊毛・綿花及びパルプのうち、最も困難なるものは羊毛であるが、綿花は食糧自給と衝突しないやうにして、支那に於て供給せられるやうにしたいものである。羊毛の不足は別に、綿糸・パルプ・蚕糸をもって代替せられるやう研究する必要があらう。

日満支の一体化は、更に南方圏を加へることによって、稍々容易化せられるに至ったのである。それは資源の餘猶が生じたからである。しかし日満支はその歴史性に於て、またその文化に於て最も東亜的要素を持ち、東亜の指導的民族たるのである。この意味に於て益々協力して自らの東亜的自覚と矜持とを高めねばならない。

七六

第二部　日本からの満支に對する経済的要求

担當者　鎌田庄太郎

事変及國防完備上、日本から満支に對する経済的要求、特に北支・中支の新常制の確立に伴ふ物資援助とその可能性の限界及び満洲・北支開発に必要なる資材輸出能力の具体的計画の闡明

目次

五

六

序説

私に與へられた問題は、次の三つに分類される。即ち日本からの満支に對する経済的要求、特に對日供給物資関係即ち所謂円ブロック輸入の問題、及び中支北支の新幣制の確立に伴ふ物資援助とその可能性の限界並に満洲北支開発に必要なる資材輸出能力の具体的計画の三点である。即ち第一の問題は東亜共栄圏の建設に當つて當然問題となり得るものであり、從つて之は現状に於ての可能性の問題と高度國防國家の建設といふ見地よりする當為の問題とに分つて考究せられねばならないが、第二の中支北支の新幣制の確立に伴ふ物資援助及びその可能性の限界の問題は同時に又満洲北支開発に必要なる資材輸出能力の問題と密接不可分の問題となる。何故かならば、中支北支に新幣制を確立することは同時に日本と両地域との流通関係の円滑化を図ることであり、而も之を裏付けするものは勿論物資であり、從つて流通関係を円滑ならしむるために必要

一

なる資材輸出能力の問題は、自ら第二の問題と同一となる。即ち問題は物資の面から之を見れば、對日供給、對日期待の二点に集約される。而してこの日満支三國の流通の関係に於ては當然ザインの問題とゾルレンの混淆を惹起し易いが故に先づ現状に於て可能なる範囲に於ける對日供給関係を第一部、対日期待関係を第二部として取扱ふこととする。

二

第一篇　日本からの満支に對する経済的要求

日本側からの円ブロックに對する経済的要求としては、種々あるが、具体的に表現せられるものは物資供給の関係に於てゞあり、現段階的意義に於ては日本物資動員計画に如何に寄與するかといふことである。従つて高度國防國家の概念の明確なる規定を見ざる現在に於ては勢ひ現在の物資動員態勢に於て満支の占むる地位を決定し、更に満支の現状よりして取得可能なるべき範囲を確定し日本に對し積極的寄與を確保するが如く措置するを要する。

尚、日本に對する満洲、或は支那を考究する場合、満洲は支那に比して一應日本に對する不可分関係を有する独立國として國開発の相當程度の進展を示して居り、治安も亦一應の安定感を有するも、支那に於ては、未成熟支那資本主義の発展途上に於ける汪政権下に経済的諸力を育成すると共に既存経済構成の

三

汪政権的再編成後に日本に寄與せしめねばならず、従つて過去に於ける支那経済指導力たりし英米資本主義の覆滅の跡に新秩序を建設せねばならない　従つて支那よりの日本に對する経済的供給は相當程度の時間的余裕を必要とするであらう。

かくの如き見地よりして一應日本物動は何を要求してゐたか、先づこれについて述べやう。

四

第一章　満洲よりの對日供給（昭和十六年度物資動員計画基礎案による）

資源名	数量
普通鋼鋼材	七二、六一三瓩
〃　鍛鋼	一二〇〃
〃　鋳鋼	二、一三四〃
〃　鋼塊	四九、〇〇〇〃
普通銑	五三六、〇〇〇〃
低燐銑	一九〇、〇〇〇〃
屑銑	一二、三〇〇〃
鉄鉱石	一五三、〇〇〇〃
特殊鋼	二、五三五〃
モリブデン鉱	一五〇瓩
耐火煉瓦	二六、〇〇〇〃
鉛	二、一〇〇〃
鉛鉱	六、〇〇〇〃
亜鉛鉱	七、五〇〇〃
アルミニウム	一、八二七〃
蛍石	一三、三〇八〃
ピッチ	九、〇〇〇〃
ピッチコークス	一、五〇〇〃
マグネシウム	三〇〇〃
石綿（　）	一五〇〃
石綿（普）	三、〇一〇〃
雲母（普）	二五〃
羊毛	一〇、一〇〇俵

五

人絹用パルプ	二〇、〇〇〇英噸
製紙用パルプ	五、四〇〇〃
亜麻	七、〇〇〇瓲
大麻	三、〇五〇〃
黄麻	一、〇〇〇〃
牛皮	八〇〇〃
豚皮	二、五〇〇〃
兎毛皮	一五〇千枚
羊毛皮	三五〇千枚
屑ゴム	一〇〇瓲
満洲材	一七五、〇〇〇立米
有煙炭	三、四六二千瓲
コークス	三五、〇〇〇瓲
航空揮発油	一、〇〇〇竏
重油	一〇二、〇〇〇竏
工業塩	三八九、三七五瓲
食料塩	二三五、〇〇〇〃
漁業塩	六一、二〇〇〃
ソーダ灰	七、九七七〃
塩酸	一一四〃
晒粉	一〇三・五〃
濃硝酸	八一〇〃
硫酸	四五瓲
セメント	四〇〇、〇〇〇〃
ブロム	二〇〃
純ベンゾール	一、八〇〇〃
其他ベンゾール	二、六二八〃
トルオール	一、二〇〇〃
クレゾール	一一五瓲
アセトン	一〇〃
ブチル・アルコール	五三〃
無水アルコール類	一一八竏
含水アルコール	二、一四八〃
ヒマシ	一四、〇〇〇瓲
ヒマシ油	四、〇一〇〃
硫酸アンモン	一五〇、〇〇〇〃
カリ	三、〇〇八〃
米	二一二石
玉蜀黍	一六一千瓲
高粱	五〇〃
麬	八九〃
大豆	六六一、〇〇〇瓲
牛肉	一〇、〇〇〇瓲

以上に依り明なる如く満洲よりの対日供給は昭和製鋼所、本渓湖煤鉄公司、東邊道開発株式會社を主体とする鉄類、満洲鉱山、熱河鉱山、満洲鉛鉱を中心とする鉛・亜鉛等非鉄金属類、満洲軽金属株式會社のアルミニウム生産、又化学工業部門に於ては満洲電気化学工業株式會社、満洲石油株式會社、吉林人造石油株式會社、満洲油化工業株式會社、満洲合成燃料株式會社、株式會社満洲石炭液化研究所、大同酒精株式會社、満洲曹達株式會社、満洲豆稈パルプ株式會社等の諸會社の活動に依り上記数量の確保を図って居る。之等各種物資生産の自然的基礎に就て考ふるに大要左の如くである。

第二章　満洲國に於ける自然的基礎

一、石　炭

埋藏量四十八億瓩、最古のものは南部満洲に限られ、古生代、二疊、石炭紀に沈積生成せる本溪湖、煙台、牛心台、五湖嘴等に産し多くは無煙炭、半無煙炭又は高度瀝青炭にして概して良質、火力強く、粘結力に富み骸炭に適當なるもの多し。中生代に屬するものは西安、田師付溝、八道溝（以上奉天）、缸窰、奶子山、火石嶺、老頭児溝、穆稜（以上吉林）、鶴立崗、札賚諾爾（以上黒龍江）、新印、北票（以上熱河）等の石炭にして多くは瀝青炭に屬し、かなり粘結性のものあるも、北満に産する一部の石炭は寧ろ褐炭に近し、新生代第三紀の生成に係るものは有名なる撫順炭田にして著しき有煙の瀝青炭なるも、炭層の厚さ一〇〇米を超え世界無比の厚層なり、炭質は揮発分多く、粘結性に乏しい。

二、鉄　鑛

鉄鉱は南満洲、北部朝鮮の古期炭層中に廣く分布し、特に縞状鉄鉱と呼ぶもの多し。鞍山弓張嶺はその適例なり。赤鉄鉱及び磁鉄鉱の外に珪酸を縞状に混ぜるを以て赤鉄珪岩とも稱せらる。概して含鉄品位三五―四〇％の貧鉱多く、鞍山製鉄所の調査に依れば鞍山の鉄鉱埋藏量は約七億瓩、外に廟児溝二億瓩、弓張嶺三―五億瓩、その他四億瓩合計一六.五億瓩にして、主要なるものは凡て南部満洲に限らる。是れ鉄鉱鉱床の概して古期炭層中に存するに依る。

廟児溝鉱山は本溪湖の東南に位し、鉱床は一種の磁鉄鉱、石英片岩にして其露頭五哩以上も続く、此の鉱石は大部分は二〇―四〇％の鉄分を有する貧鉱なれども其鉱量に至りては莫大なり。目下採掘せられ本溪湖に於て製錬せらるゝ鉱石は此磁鉄鉱石英片岩中の一部にして、磁鉄鉱の特別に集中したる部分なり。此富鉱は磁鉄鉱粒の集合体にして鉄分六〇％以上を含むこと稀ならず、石英も多量に含まれ又屡々脆き性質を示すことあり、此富鉱部は厚さ数十尺に達し、上磐下磐の貧鉱即ち磁鉄鉱石英片岩に移化す、富鉱部貧鉱部を合すれば鉱床の

厚さ二〇〇尺以上に達すること稀ならず。

要するに此鉱床は太古代の成層鉱床にして其本源は或種の鉄鉱（褐鉄鉱、赤鉄鉱、菱鉄鉱）又は含水珪酸を多量に含む層なりしが動力的変質を受け母岩と共に再結晶をなし、磁鉄鉱石英片岩となりしものと考へらる。

鞍山鉄鉱々床

鞍山站駅の東方二里余距りたる大孤山鉱床は長さ三九〇〇間、高さ一〇〇〇尺に近く全部含鉄鉱珪岩（磁鉄鉱及赤鉄鉱を含む）及び石英片岩よりなり鉱石はその性質、廟児溝のものに酷似するもの多し、鉱床の厚さは三〇〇尺以上に達する個處あれども走向の方向に一様に採掘に價する鉱石の存在するに非ず。鉱石の最高品位のものは五〇％の鉄を含めども其量少く四〇％内外の鉄を含む鉱石を目的として採掘しつゝあり。鞍山站駅の西南僅かに数町にして鉄道を夾みて東鞍山、西鞍山の鉄鉱床あり、何れも大孤山の鉱床と全く同一の鉱床にして西鞍山の方面に於て稍品位高き鉱石得らる。

三、礬土頁岩

耐火粘土の一種にアルミナを多量（四五―七五％）に含有するものは特に礬土頁岩と呼ばれ、日本産木節粘土（三〇―三六％アルミナ）に比し遥かにアルミナ多く、最近アルミニウム原鉱として大いに注目せらるゝに至れり。然し乍ら、通常アルミニウム原料の鉱石はボーキサイト Al_2O_3- SiO にしてアルミナの含有量相似たるも、礬土頁岩にはアルミニウム精錬に最も障害となる珪酸分 SiO 比較的多く（一〇―二〇％）含有し居るも現在に於ては遂に工業的にアルミナの製錬に成功し、現下國際情勢の急変に伴ひ ビンタン、ジョホールよりのボーキサイトの輸入難克服の重大方策として愈々礬土の使用が要請せられるに至った。

四、菱苦土鑛

菱苦土鉱は本邦に殆ど無き鉱物なるも満洲には大石橋の東方数十粁の間に巾数粁の帯状をなし原生代岩層中に層状に分布し、其延長の一部と信ぜらるゝも

のは朝鮮咸鏡南道端川郡に及ぶ。主産地は官馬山、牛心山、白虎山、牛家堡子、火石嶺、麻耳峪等にして、著しく結晶質優良のもの多く苦土の含有量四五―四七%に及ぶ。色は白、淡褐、淡紅或は灰色を呈し、又黒色の縞状を呈せるものあり、銘量甚だ豊富にして数十億瓩に達し、常に白雲岩と共に産す。

菱苦土鉱は現在主に製鋼用耐火材料（マグネシア煉瓦）として日本内地の需要に應じ年額三万瓩内外本邦に輸出せらる。一部は満洲其他に於て一旦焙焼せるものに鋸屑その他の少量を添加し、水で捏ねてセメントの如く塗料に供し、又金属マグネシウムを製するに至った。

五、油母頁岩

将来石炭の露天掘の為に剥離せらるべき油母頁岩の量三億二千瓩の内、約二億瓩を利用することを得、即ち採取原油を五%とすれば、これより一千万瓩を得、現在世界無比の製油工場完成し、年二百七十七万瓩余の頁岩より原油十四万五千瓩、硫安二万二千瓩を採取し、更に原油より重油六万五千瓩、粗蝋二万瓩、揮発油一万六千瓩を得、此内重油は海軍の燃料に供し、粗蝋は山口縣徳山に送り精製し、更にパラフィン七千瓩、重油六千瓩を得、硫安は肥料として南支那、南洋方面に供給す。

六、珪石

大連及び旅順管内の珪石は旅順龍頭又は大孤山珪石として知られ、八幡製鉄所その他の耐火原料となる。

七、鉛鑛

鉛鉱は鉱脈或は鉱塊として現出し、その産地として十数ヶ所知らるるも、共に鉱床の状態の不規則にして大企業に適するもの少く、奉天省青城子鉱山、及び錦西縣楊家杖子は主なる鉛鉱山にして共に含銀方鉛鉱脈を稍豊富に産す。

（註）昭和十二年満洲鉛鉱株式會社が設立され、鉱山は安奉線附近の盤嶺、施嶺、馬鹿溝、及び熱河省の忙手溝の諸鉱山を経営しあり。

八、銅鑛

間島の天宝山、吉林省の盤石銅山、安東縣の西方銅鉱嶺、本渓湖の東馬鹿溝等あるも、何れも鉱床の規模狭少にして目下稼行中のものなし。

九、石綿、蛍石

関東洲金州に賦存しあり。

第三章　北支蒙疆よりの對日供給（昭和十六年度物資動員計画基礎案による）

資源名	数量
普通銑	五〇、〇〇〇瓩
鉄鑛石	五九八、〇〇〇〃
（龍烟	五五〇、〇〇〇〃）
タングステン鑛	一八〇〃
屑銅	五〇〇〃
ボーキサイト	一二〇、〇〇〇〃
蛍石	九、七〇〇〃
鱗状黒鉛	一五〇〃

高級石綿
普通石綿
高級雲母
普通雲母
紡績用棉花
製綿用棉花
羊毛
大麻
黄麻
牛皮
豚皮
羊毛皮
有煙炭
無煙炭
コークス
工業塩
食料塩
漁業塩
セメント
桐油

二・四〃
一、二〇八〃
〇・八〃
八〇六・六〃
三三八、二〇〇担
七一、五〇〇〃
四六、〇〇〇俵
一、五〇〇瓲
二、〇〇〇〃
四、一六〇〃
一〇〇〃
二、〇九五・八枚
三、九九〇萬瓲
二五〇萬瓲
一九
二〇
三、〇八七瓲
四九三、二〇〇〃
三一三、三八五〃
八、五〇〇〃
三五〇〃
〇・三〃

以上を以て見るに北支蒙疆は地域的には極めて廣大に且つ資源豊かなるも、現在は作戦遂行中にして資本、技術の積極的進出なきため對日供給物資は極めて少量であるが、次に見る如く資源的分布は極めて有望であるが、之が開発は適格、迅速に處置せられねばならない。

第四章　北支蒙疆に於ける自然的基礎

一、鉄　鑛

(イ)　察哈爾省

主要鉱區は煙筒山及び龍関、龍烟鉄鉱と呼ばれる。埋藏量は前者は一、四〇〇万瓲、後者は七、一〇〇万瓲（註一）、全省九、〇〇〇万瓲と推定、品位煙筒山五〇%、龍関六〇%、採掘権は龍烟鉄鉱公司なりしが、現在は龍烟鉄鉱株式會社（資金二、〇〇〇万円、北支開発・蒙疆政府折半出資）が開発中。煙筒山は京綏線宣化駅より千粁、龍関は七百粁の地点にあり。

(ロ)　河北省

〃縣の司家営、張家莊、　家莊に亘り約三千万瓲の埋藏あり（註二）、品位は三〇%未満の貧鉱、永平鉄鉱公司の所有なるも未採掘、臨　及び撫寧縣界に鷄冠山鉄鉱あり、埋藏量七二万瓲、井　鉄鉱は五百万瓲の埋藏量あり、また

二一

易縣の鉄鉱は百十万瓲と稱せらるゝも未採掘。

(ハ)　河南省

修武縣に百万瓲の埋藏あり、鳳凰嶺鉄鉱は赤鉄鉱を産し四八・七%と云はる。泌陽縣の東北の紅砂　堌堆鉄鉱では赤鉄鉱、褐鉄鉱を産す。武安縣の埋藏量は百万瓲で紅山鉄鉱あるも未採掘、その他泌陽縣及び伊陽縣、龍王溝鉄鉱等の鉱床あり

(ニ)　山東省

臨淄、長山、新城縣境に金嶺鎮鉱山あり、日支合弁の魯大公司の所有で金嶺鎮駅（膠済線）より北方七粁の地にあり。山東第一の鉄山にして一、三〇〇万瓲の埋藏量と云はる（註三）。　産状は石灰岩と閃緑岩との接触部で鉱石は磁鉄鉱、赤鉄鉱にして品位は五五―六六%、燐、硫黄分少く良鉱なり。この他南部に費縣に費縣鉄鉱あり。埋藏量六〇万瓲に過ぎず。

(ホ)　山西省

二疊石炭紀含炭層の下底より赤鉄鉱及褐鉄鉱を産す。一ヶ所に多量に埋藏

二二

量のある鉱床ではなく薄く廣く散布せるを集むる故に大資源たることを得ず。

(ヘ)　綏遠省

固陽縣に七〇万瓲、武川縣に一〇〇〇万瓲、武川縣白雲鄂博は赤鉄鉱及輝鉄鉱で磁鉄鉱及褐鉄鉱は震旦系石灰岩中に散在すと云ふ。鉄鉱石の含鉄量は六七%で埋藏鉱石は三－四〇〇万瓲(註四)。

固陽縣東南九十支里の邵不亥、其の東方の軍懷梁に鉄を産するも良質ならず、固陽縣南二十支里の公義明村に低山あり、地表より高さ七〇米、長さ百米、巾四十米の全山が磁鉄鉱を含む片麻岩よりなり、磁鉄鉱は約二分の一を占め七十万瓲に達する見込。又清水縣柳青村には鉄分を豊富に含む頁岩あり。

(ト)　陝西省

・　雒南鳳縣鉄山、鎮南鉄山、長安縣南山等に賦存するも鉱量不明。

(チ)　甘粛省

成縣に隴南鉄廠あり。

（註一）　一説に龍烟約二億屯（蒙疆）説あり。

二三

（註二）　冀東貧鉱八、〇〇〇万瓲。
（註三）　金嶺鎮一〇〇〇万瓲。
（註四）　白雲鄂博三、四〇〇万瓲。

二、金

金は北支那の花崗岩、片麻岩地方に於て石英脈中に胚胎する場合多し。又古生層の水成岩を貫く玢岩中の石英脈にも伴ひ又硫化鉄鉱脈中にも賦存す。金鉱脈の存在する地方は湖北、湖南、山東、四川の諸省を主とし冲積鉱床としては甘粛、四川、新疆、蒙古地方に分布すと云ふ(註一)。

(イ)　山東省

砂金のみならず鉱脈中にも賦存し全支中最も有望なる金鉱地で就中、招遠、平度両金山が著名、招遠金山は招遠縣城より東北三十支里にあり、古より稼行され、鉱床は片麻岩中の含金石英脈で黄鉄鉱を伴ふ。鉱脈の規模雄大にして、鉱脈の数九條、中には巾四十八尺に及ぶものあり、品位種々なるも十万

二四

分の五に達するものあり。

平度金山は平度縣城の北東七十支里にあり片麻岩中の含金石英脈で傾斜五〇－八〇度巾八尺位、品位十万分の一位なり。牟平縣では金手山、亀山、汲上日雲山等に分布し金手山は鉱石一瓲に就き十二瓦を含有し沂水縣紅石橋金山は砂金毎立方米より金四分を含み棲霞縣下唐山は毎瓲金三分を含むと云ふ。

(ロ)　河北省

河北省の金鉱は昌平、密雲、遷安、遵化、盧龍、撫寧、臨楡、興隆諸縣に亘り産出するも重要なるは冀北金鉱公司で河北省の官民合弁事業にして、同公司は遵化馬蘭峪、長城外七撥及び密雲縣の三ヶ所にて採掘す。

(ハ)　河南省

山高、洛寧、宜陽、淅川、盧氏、南召、南鄕、方城、魯山の各縣に産し、山高縣には砂金鉱区三あり。

(ニ)　甘粛省

砂金を産し皆祁連山北麓にあり、現在採掘のものは高台縣浪擺河一帯なり。

二五

張掖西南の梨樹河、永登西南の鎮美灘にも産出あり、含金石英脈は南山系変質岩中に存する故、その分布する附近の溝渠中には砂金あり。

（註）　支那地質調査所に於ては山東及四川省に對して莫大なる價値を認めてゐる。

三、銀　鉱

河北省、山西省の北部の太古代片麻岩中に存し又河北省の北部古生代石灰岩中にも多少の銀鉱存するも現在稼行せず。

其の他河北省の遵化縣の東北洪山口、山東省の棲霞、膠縣、安卬、郯城諸縣及び山西省の大同文永、察哈爾省の興和、沽源、張北、豊鎮の諸縣に銀鉛鉱或は鉛鉱が埋藏され、将来多少の産出あるものと見られる。

四、ニツケル鑛

山東省済南府に近い挑科莊銅山の鉱石中に二－三%のニツケルを含有すると

二六

いはれる。

五、銅　鑛

最大の銅産出を見るは雲南及び四川両省なるも分布は極めて廣く、新疆、福建、貴州、江蘇、浙江、河北、河南、山東、山西、陝西、湖北、湖南に埋藏せらる。山西省では黄河の北岸垣曲、聞喜、絳縣の各地に亘り埋藏量十万瓲（品位百分の二銅）と稱せられ、河北省では宛手縣、定縣、來縣等に分布し、河南省では洛源、南召、伊陽、盧山、内郷、鎭平の各縣、山東省にては歴城縣に鉱床あり、各省とも稼行され居る所少からざるも将來の開発には多くを望み得ない。

六、鉛　鑛

湖南省の水口山最大にして一九三二年亜鉛鉱一〇、六二〇瓲（品位三八%）、鉛鉱四、九五五瓲（品位五八%）を産せり。山東省の鉛鉱中淄川縣、博山縣の國

営鉱区は埋藏量二七、一〇〇瓲、含方鉛鉱頁岩の一種で未だ採掘せられず、膠縣鉛鉱は金手欄にあり、久登縣には鸚鵡山に鉱区あるも未採掘なり、山西省には大同縣鎭邊堡、文水縣陷字溝にあり、察哈爾省沽源縣、興知縣、張北縣、豊鎭縣等に存し、興知縣の鉛鉱は五〇—七〇%、河南省にも諸縣に産し、盧氏縣東南部欒川一帯の鉱区は面積大にして鉱質も良好なり。

七、満俺鉱

河北省の撫寧縣は黒色酸化マンガンを含み同省の昌平縣の満俺は軟満俺鉱で西湖村に於て石灰岩、火成岩の接触帯に不規則の脈状をなし、土人等黒色顔料として私掘せしことありしも官廳より採掘を禁ぜらる。

八、タングステン鉱

タングステンは北支にては河北省遷安縣鸚鵡山、撫寧縣、臨楡縣等に産す。

九、アルミニウム原鉱

アルミニウムの原鉱たる礬土頁岩は山東省の淄川、博山一帯に頗る豊富に埋藏され、その面積三九〇、六四三アールに達すと云はる。平均厚度二・五一三米、露出は博山の北部約千五百万瓲と推定され博山より淄川に至る間に二億三千万瓲と見積られ、其の他淄川東北の黄莊、南定瓦村一帯及西南の刀虎峪、磁窯塢等にも及び又章邱炭田中にも礬土頁岩の露出多し。磁窯塢より沖山青龍山を経て明水西方の赫山に至る間、文祖埠村一帯にも埋藏され結局淄博章邱両炭田中の礬土頁岩の埋藏量は七億瓲に達すべしと言はる。

礬土頁岩の分析の結果は次の如く極めて有望である。

	アルミナ	酸化鉄	溶滓	揮発物
里山礬土頁岩上部	四六・三〇	六・一三	三三・一六	一四・二六
同　下部	五一・七九	五・二三	二九・〇八	一三・八二
石廟山	五九・一三	二・七三	二二・七四	一四・九五
金鶏山	五三・七四	二・五四	二八・一六	一四・八一

一〇、石墨（黒鉛）

石墨は綏遠、河南、山西、河北及び山東省に産す。綏遠省は紅山に産し、質柔軟で片麻岩中に生じ、層厚僅かに二寸なり。又興和縣南の二道溝黄土窰片麻岩中にも産し、長石、石英、雲母と共存し片麻岩の組成鉱物なり。山東省には石頭莊、月石莊に産し、山西省天鎭縣の水磨村、河北省の虎山周口店及び平山、河南省の内郷、鎭平、確山地方、陝西省の顯縣釋戦溝等に産す。

一一、雲　母

雲母は主に山東省及び綏遠省に産し、山東省では諸城縣石門子附近に良質のものを出し、平度縣泉水眠にも産地あり、綏遠省にては、豊鎭縣天皮山、興和縣代青山、固陽縣城東南の石人塔等に産し、興和縣には百万瓲の埋藏ありと謂

はれ、二道溝では花崗岩脈中にも雲母の結晶ありて大なるものは幅一尺に及ぶものありと云ふ。

一二、塩

支那に於ける塩資源は極めて豊富で井塩、石塩、池塩、海塩の四種を産す。井塩は四川省の自流井或は雲南等に産し、塩分が地下水に溶解せるものを汲上げて製塩するもので、石塩は塩分が岩石中に浸徹してゐるのを水にて流出し之を乾燥して製し、湖南、湖北に多く産す。池塩は湖塩とも云ひ山西、甘粛、青海、蒙古地方に産し、塩湖及び乾涸せる塩湖より採取するものなり。海塩は云ふまでもなく、海水より製し、河北、山東は北支に於ける唯一の産地なり。山東省は支那に於ける主要塩産地で、塩田は渤海方面では永利場、王官場、信陽場、莱州場、黄海方面では濤碓場、金口場、青島場等に分れ、一年中七月の梅雨期と冬期塩田の氷結する時期を除き製塩に適す。五、六両月産額最も多く天日製塩法に依る。

三一

塩質は濤碓場の淡黄色なると、永利場の灰色で稍々苦味あるを除き他は明白色で味甘鹹なり。所謂山東塩にして販路は省内消費の外、安徽、河南、江蘇等に移出し、青島塩は朝鮮、日本、香港等に輸出す。

河北省の塩産地区は豊財場及芦台場よりなり長芦塩区と称せらる。豊財場は面積七〇四七畝、天津縣に属し塘沽、東沽、鄧沽、新河の四灘を包括し、芦台場は寧河縣に属し南溝、中溝、北溝の三灘よりなり面積七三九二九畝を占む。

湖塩の産地たる山西省の産塩区は河東区と称せられ解池を主産地とし、此他にも品質不良なるも晋北、太谷、平遥、應州、朔州等の各地方に多量採掘せらる。

綏遠省に於ける塩産地は多くオルドス地方にあり、杭錦旗の白塩湖（塩湖）及び湖（曹達湖）、鄂托克旗の紅塩湖（塩湖）等は著名なる産塩湖なり。

察哈爾省は各所に塩湖散在するも、達漠斯諾爾及び蘇尼特の二塩池最著名で蒙古人の採集に係り販路は満洲國、東蒙古一帯、張家口多倫方面に亘って居る。

三二

一三、石油

支那の石油地帯は西部高原地域を主とし、新疆省北部より同省の南山及甘粛省敦煌に至り更に又甘粛省東部より陝西省北部に至り、南は秦嶺を越えて四川省赤色盆地に達し、西蔵高原の一半を繞る地域に延び、特に陝西、四川、甘粛省の埋蔵量豊富なり。現に陝西省北部、四川省中部及甘粛の西北部にては小規模の採取行はる。又甘粛省では西部地方即ち敦煌より玉門、酒家に至る区域は埋蔵最も多く、品質は燈油分七〇%、揮発油分一四－一六%なりと云ふ。陝西省の油田は極めて廣範囲に亘り、既に発見されたる油井数三十に及び北は米脂より南は宣君、同官に至り、西は安塞、東は黄河の流域に及び、総延長約七百里巾員二百里に達し特に膚施、延川、延長の埋蔵量豊富なり。

一四、石　炭

北支資源中第一に挙げらるものは石炭にしてその埋蔵量に就ては推定区々なるも、実業部地質調査所の推定に依れば支那の石炭埋蔵量は二四三六億瓲に

三三

上り、米國及び加奈陀に次ぎ世界第三位なり。而して石炭資源は主に北支に集中され、山西省のみで既に全支の半数を占め北支八省にて全支埋蔵量の八九%に及ぶ。殊に山西省の無煙炭資源は圧倒的にして、全支の八割以上に及ぶ。

北支各省石炭埋蔵量及炭種（単位　百万瓲）

	瀝青炭	無煙炭	其の他	計	%
山西	九七、九八五	三六、四七一	二、六七一	一三七、一二七	五二・一七
陝西	七六、二〇〇	七五〇	—	七六、九五〇	二九・五三
河南	一、九九四	四、六三〇	—	六、六二四	二・七二
河北	二、〇八八	九八一	二	三、〇七一	一・二六
山東	一、六一三	二六	—	一、六三九	〇・六七
察哈爾	四八七	一七	—	五〇四	〇・二一
綏遠	三三七	五八	二二	四一七	〇・一七

三四

甘肅及び寧夏、青海	—	—	—	六〇〇〇	二・四六
計	一六五、七〇〇	四二、九三三	二、六九五	二一七、三三二	八九・二三

（註）　%は全支埋蔵量に對する比率なり。

（一）　河北省

全支の埋蔵量の五二%を占むる山西省の炭業が殆ど未開拓に等しい状態にあるに對し、河北省では埋蔵量は全支の一・二六%に過ぎざるも出炭量は全支生産高の四割以上を占む。然も開灤、井陘炭坑の如き大炭坑を有するは地の利を得し為である。

縣別主要炭坑埋蔵量並に產狀を記せば次の如し。

炭田	所在地	面積（平方粁）	炭層（米）	埋蔵量（百万瓲）	炭質
開灤	灤縣開平鎮	四四・〇	一〇—一二・〇	六九〇	高度瀝青炭
井陘	井陘縣崗頭村	二九・〇	五—一三・〇	二二一	瀝青炭
臨城	臨城縣西北	四五・〇	五—一三・〇	四五〇	瀝青炭
齋堂	宛平縣	二〇・〇	六—一二・〇	二五〇	無煙炭・瀝青炭

開灤炭坑は支那第一の炭坑で、開灤鉱務局の経営にかゝり北支の主要石炭供給炭坑のみならず上海、其他揚子江沿岸諸港、福建、廣東の沿海地方にも供給す。炭質は高度瀝青炭で粘結性強く、製鉄用コークス製造に適し我邦冶金用として不可欠のものなり。

井陘炭坑は井陘縣の東北崗頭村に在り、地質系統は二疊石炭紀に属し、炭質は瀝青炭でコークス製造に適す。販路は順德及び保定等なり。

（二）　山東省

山東省の石炭は膠濟鉄道沿線地区と津浦鉄道沿線地区に分つことを得、前者は博山炭田、淄川炭田、坊子炭田及び章邱炭田があり、後者には嶧縣炭田等あり。

炭田	面積（平方粁）	炭層（米）	埋蔵量（百万瓲）	炭質
嶧縣炭田	三〇	六〜一〇	一〇〇	高度瀝青炭
博山炭田	二〇	三・五〜七	四六〇	半瀝青炭無煙炭
淄川炭田	一二〇	六・〇	五八〇	半瀝青炭半無煙炭
章邱炭田	一〇〇	二・〇	四三〇	半瀝青炭、無煙炭
坊子炭田（濰縣）	一二	三・〇	一四	瀝青炭

（三）　山西省

山西省は石炭埋蔵量に於ては全支の過半を占むるも、出炭量に於ては河北省の三分の一に及ばず、かく開発の遅れたるは、地方需要の不振、課税の過重も一因なるも、最大の原因は省外輸送の運賃高で、輸出港は塘沽なるが、大同より四百五十粁、平安より五百粁に當り殊に正太線の運賃高率にして山西炭は他炭に比し二倍乃至四倍の高率運賃を負担して居る為なりと云ふ。山

西省特に省北の品質は極めて優秀で無煙炭も瀝青炭も灰分五・五%内外なり。

大同炭田は埋蔵量九十六億瓲と見積られ、著名な営業所は大同保晋分公司、晋北鉱務局、同寶公司、寶恒公司等あり。

平定地方の平定保晋公司は正太線陽泉附近にあり、埋蔵量一億二千万瓲と見積られ炭質良く無煙炭大塊をなして産す。販路は地元並に北京・天津・上海・石家荘・太原等なり。壽陽保晋公司は壽陽縣陳家河にありて半無煙炭で日産百瓲内外なり。晋城保晋分公司は晋城縣五里鋪及び河東村の両所に在りて、炭種は無煙炭なり。建昌公司は平定縣蔡窪溝にあり、無煙炭を産す。

南部の臨汾炭区は埋蔵量三百十億瓲と稱せらるゝも大公司なく出炭量少し。炭質は瀝青炭で公司としては美利公司、晋興公司等が知らる。太原炭区は埋蔵量八十一億瓲、瀝青炭、半無煙炭で太原縣南峪挑園に生吉公司あり。寧武炭区は埋蔵量七十八億瓲で瀝青炭を産するも、交通不便にして産炭少く渾源地方は埋蔵量十五億瓲で交通不便にて開発遅れ、隰縣地方の黄河東岸は百八十二億瓲の埋蔵量あり、瀝青炭で産額少し。

(四) 察哈爾省

石炭埋藏量は五億四百万瓩と云はれ、殆ど瀝青炭なり。開発遅々として小規模の工法採炭が行はれて居るに過ぎず、鉱區は蔚縣、宣化、万全、赤城、懐來等の十三縣に分布す。

寶興公司の採炭地は宣化縣王帯山西南の楡樹地にして埋藏量は二百十七万瓩、炭質は瀝青炭なり。

原豊公司の炭坑は王帯山北麓の絲溝にあり、区内埋藏量三百五十万瓩、地層はジュラ紀で瀝青炭なり。天興公司は武家溝にあり、ジュラ紀層で可採埋藏量三百五十万瓩、炭質は半無煙炭で木炭代用ともなり家庭用に適す。

(五) 陝西省

陝西省の石炭埋藏量は全支の二九.五％に當り、山西に次ぐ石炭國なり。この中省の中部の古生代炭田最有望の二疊石炭紀に屬し、陝北地方はジュラ紀炭層で分布廣きも炭層概して薄し。また南秦嶺山中は変質作用を受け北部中部の瀝青炭に對し南部は無煙炭を多く産す。

(六) 綏遠省

石炭埋藏量は四億千七百万瓩と云はれ、瀝青炭を主とす。歸綏・薩拉斉・固陽・包頭の諸縣に分布し、主炭田は固陽縣の石拐炭田なり、又薩拉斉の北にある童城茂炭田は埋藏量三千七百万瓩、その南にある揚坑埃炭田は千二百万瓩の埋藏ありて、瀝青炭に屬す。柳樹湾炭田は無煙炭にして、黒牛溝炭田は二千四百万瓩埋藏し、半無煙炭なり。薩拉斉の西北にある寛广子炭田は瀝青炭にして帰化盆地の泥炭区は第四紀に屬し埋藏量千百万瓩なりと云ふ。

第五章　中支よりの對日供給（昭和十六年度物資動員計画基礎案に依る）

資源名	数量
普通鋼鋼材	四〇瓩
屑鉄	二六七〇〇〃
鉄鉱石	一九〇、〇〇〇〃
屑銅	五〇〇〃
蛍石	二〇〇〇〃
紡績用棉花	三五五、〇〇〇担
製綿用棉花	二四、〇〇〇〃
苧麻	一七、〇〇〇瓩

資源名	数量
牛皮	二、六四〇瓩
豚皮	二五〇〃
有煙炭	三千瓩
普通揮発油	六〇竏
工業塩	五、〇〇〇瓩
食料塩	一〃
生漆	一二〇〃
燐鉱石	五〇、〇〇〇〃
米	二〇石

前記表によりて明なる如く、満洲或は北支の對日供給に比して非常に差異あるは蓋し止むを得ざるの現実であらう。中支は概ね作戰地域であり、英米勢力の未だ倒滅せられざる所であるが故に資源的に見て尚我國の十分なる支配下には入って來ないのである。

第六章　中支に於ける自然的基礎

一　鉄鑛

中支の鉄鉱は埋蔵量に於て北支に稍劣るも採掘高に於ては著しく多額にして大冶・桃冲・當塗等の大鉄鉱床ありて採掘高は九十三万二千瓲に達し、支那に於ては最も産出額の大なる地帯なり。而も支那の製鉄業は猶進歩せず多くは日本へ鉱石の儘輸出する状態にあり、中支七省の鉄鉱埋蔵量は左表の如し。

中支鉄鑛埋蔵量

鑛山名	埋蔵量
鳳凰山（江蘇省）	四四三七千瓲
利國驛（〃）	三、〇〇〇〃
銅官山（安徽省）	四九二一〃

鑛山名	埋蔵量
鶏冠山（安徽省）	四〇〇〇千瓲
當塗（〃）	六二九八〃
長龍山（〃）	四六四五〃
大冶漢冶萍公司（湖北省）	一〇、五〇〇〃
大冶、象鼻山（〃）	八、八〇〇〃
靈鄕（〃）	六三四〇〃
宜都（〃）	四〇〇〇〃
鄂城（〃）	一〇、〇〇〇〃
城門山（江西省）	六三〇〇〃
蓮花（〃）	六二九九〃
萍鄕（〃）	二〇〇〇〃
瑞昌銅登山（〃）	五八〇〃
茶陵（湖南省）	三九〇〇〃
沅陵（〃）	一〇五〇〃
寧鄕（湖南省）	一一八四〇〃
安化（〃）	二一六〇〃
錫鉱山（〃）	三六〇〇〃
攸縣（〃）	四〇〇〇〃
綦江（四川省）	一〇〇〇〃
建德淳安（浙江省）	二〇二四〃
長興（〃）	五一三〇〃
合計	一一六八二四〃

(一)湖北省

湖北省の鉄鉱埋蔵地は梁子湖附近に有名な大冶、象鼻山、鄂城・靈鄕あり、宜昌近くの宜都及び四川省境の建始等主要地にして、安徽省と共に支那最高の採掘を行へり。

大冶鉄山は大冶縣にありて、鉱床は得道湾と鉄山との二ヶ所に分る。鉱床は石英閃緑岩と石灰岩との境界に沿ふて賦存し、鉱石は赤鉄鉱を主とし、磁鉄鉱を副とし小量の黄鉄鉱、黄銅鉱を混ゆる緻密塊状のものなり。鉱石は一般に鉄六〇%、硫黄〇・一―三%、燐〇・〇一―〇・一%、満俺〇・二―〇・八%、銅〇・九%以下、珪酸一・〇―一〇・〇%なり。

(二)浙江省

長興・臨安・建徳・平陽・余杭・遂昌・杭縣・淳安・寧海等に埋蔵し、就中長興著名にて景牛山・李家巷・高湾山・土五洞・密蜂洞・金牛山・白龍洞・青山等の鉱山あり、景牛山は太湖の西南、縣城の東一八支里にして、鉱石は赤鉄鉱及褐鉄鉱にして鉄三〇―五〇%なり、其他縉雲・麗水・松陽・瑞安に砂鉄を産す。

(三)安徽省

本省には繁昌縣の桃冲鉄山、銅陵縣の銅官山、當塗縣の大凹山及鶏冠山鉄山あり、桃冲鉄山は揚子江南繁昌縣内にありて磁鉄鉱を主として鉱石は本邦へも輸入せる。この他南陵・潜山にも賦存し、潜山は安慶の西方湖北省界に近く砂鉄を産す。地質調査所による埋蔵量を示せば次の如し。

當塗（大平）	六二九八
銅官山	四九二〇
長龍山（繁昌縣）	四六四五
鵝冠山	四〇〇〇

(四) 江蘇省

本省の産地は銅山縣（叙州）の利國駅・裘家山・東馬山・西馬山・銅山・鳥勵家湾山及江寧縣の南京を去る五十五支里の鳳凰山を主とし、其の他句容鎮江等にも少量産す。銅山縣のものは石灰岩と火成岩との間に不規則の塊状をなし、鉄五〇％以上にして砂質のものと泥質のものとあり、含有量は五十五％にして埋蔵量は四四〇万瓲と推算さる。

二、アンチモン鉱

アンチモン鉱は支那の特産物にして世界産額の約七割を占めその市場を司配

四七

す。支那の産額中大半は湖南省より産出す。湖南省の産地は資江流域にては新化縣の錫鉱山寶慶縣の龍山、新寧縣の塩顛、安化縣の馬響、益陽縣の板溪等にして、沅江流域にては辰谿・沅陵・叙浦の懷化、鳳凰縣の杜望及び永順縣、湘江流域にては宜章より産す。新化縣の錫鉱山にては鉱塊の大なるものは長さ五米、巾三・五米、約六七〇瓲の大塊を採掘せしことあり。又四川省の天全・寶興・酉陽・秀山縣及び浙江省の淳安・遂安・開化・昌化等にもアンチモン鉱埋藏す。湖南省の鉱脈は細脈多く、錫鉱山にては細脈集って一大鉱床を形成す。湖南省に於ける埋藏量は新化錫鉱山附近に二二〇、〇〇〇瓲益陽板溪に二五七、〇〇〇瓲、宜章長城嶺に七二〇、〇〇〇瓲と称せらる。

三、錫鉱

錫鉱は南支に多く中支にては湖南省と江西省とに産す。湖南省にては永州・道州・江華常寧の桂陽、臨武等南部の諸縣に多く産す。

江西省の錫は章水の流域にて大庾・崇義・上猶・南康諸縣を主とし、タング

四八

ステン鉱と共に産す。大庾縣の砂錫の産地は西華山・九龍脳・石龍・漂塘・下龍・洪水寨・生龍口・大龍山等なり。

四、タングステン鉱

江西省

支那のタングステン産額は世界産額の過半を占め（註）而も江西省はその大半を占め、湖南省にも少量産出す。全支の埋藏量九四九、四八九瓲の大半は江西省之を占め、その分布は南部廣東省界に近き地方に於て、殊に最南端の龍南は埋藏量並に産額多く、品質最も優れ、大庾・崇義の二縣界地方之に次ぐ。

江西省に於ける埋藏量を示せば次の如し。

贛縣	石〆坑牛欄坑	六〇、八七五瓲
南康	青山致新地鴨嘴山一帯	一一三、一四一〃
大庾	西華山老虎頭	二三一、八四〇〃
安遠	仁風盆古山	一〇九、八九二〃

四九

計	五八九、五四〇瓲

江西省に於ける各縣主要産地次の如し。

贛縣	大湖江・翠花園・黄婆地・東埠頭・梓花壟・牛欄湖・哈湖
安遠縣	仁風・盆古山
龍南縣	亀尾山
含昌縣	豊田墟・白鵞墟
大庾縣	西華山・洪水寨・生龍口・九亀脳・一籮穜・石龍・漂塘・大龍山、鴨子脳・下龍・鉄角寨・和坑・大山・棕樹坑・知在牌
南康縣	青山・湾水棄
崇義縣	朱道脳・阿聶都龍柯樹・揚眉

（註）世界タングステンの約六三％は支那が生産す。

五、鉛鉱及亜鉛鉱

銀・鉛・亜鉛鉱の産地は湖南省を第一とし、雲南・四川・福建・浙江省等之

五〇

に次ぐ．

埋藏量は湖南省の水口山最大にして最も名あり．四川省にては會理及び天全両縣に産し天全縣には小山子・土地啇等の鉱山あり、會理縣には會昌公司あり．

六、銅　鑛

中支の銅鉱山は四川省北西部、湖北省北西部及び南東部、浙江省北東部等を主産地とす．

四川省にては彭縣著名にして、其他會理を中心とする地方に相當埋藏さる。彭縣にては現在商弁の彭縣銅鉱局ありて馬松嶺・花梯子・半截河・和尚山等の銅山を経営し、年産鉱石約四千三百瓲、精銅約三十瓲なり．其他寶興銅鉱（栄縣）、前後聚壩銅鉱（栄縣）等あり．

浙江省にては海塩・寧海・象山・臨海・桐盧・遂安・淳安縣に産し、江蘇省にては句谷の銅冶山・手巾山・赤山、江寧縣の金牛山・牛首山・紫霞山・丹徒縣・溧水縣・溧陽縣、上元縣の銅夾山・棲霞山・龍澤等に産す．

五一

七、水銀鉱

湖南省を主とし辰州（沅陵縣）より鳳凰縣を経て貴州銅仁縣に亘る沅江流域に産するもの有名なり。硫化水銀鉱を辰砂と稱するは此の辰州附近に産するによる．

其他浙江省の余姚（龍泉山）、四川省の綦江・茂州・龍安・天全・酉陽等に産するも湖南省を第一とし年に二三十瓲を産す。

八、蒼鉛鉱

蒼鉛は廣東省に大鉱山ありて世界的に知らるゝも、中支にては江西及び湖南に産し、その量遥かに廣東省に及ばず、江西省にては大庾・安遠・會昌等に産す．安遠の産地は北方百二十支里の仁風山、大庾は西二十支里の西華山に産す．

九、マンガン鉱

江西省　　楽平縣城に近き楽平鉱山

五二

湖南省　　道縣の南山橋

江蘇省　　東海縣屏錦山胞山

浙江省　　諸曁・金杭・昌化・平陽・泰順・臨海・杭縣・義烏・楽清の諸縣

一〇、非金属鉱物

石　膏　　湖北省應城縣に大沈澱鉱床あり、品質良好、本邦に輸入す．

湖南の湘潭、浙江の銭塘、四川の太平雅安、青神地方。

螢　石　　浙江省新昌縣看牛山及び大畝山有名、俗に上海螢石として本邦に輸入す．

硝　石　　四川省茂縣、眉山、威遠。

湖南省にも産す。

雲　母　　浙江省の東陽

四川省の仁壽

江西省の九江

五三

黒　鉛　　浙江省の東陽

江西省の安福・萍郷・興國

湖南省の耒陽

石　綿　　四川省の平武・茂縣・雅安・越雋・南江・廣元．

寶石類

水晶　　浙江省の呉興・東陽・江山・遂安・雲和

江西省の上饒・萍郷・星子

瑪瑙　　浙江省杭縣

四川省楽山

硬玉　　四川省灌縣

琥珀　　四川省の大寧・巫山・梁縣・大竹・梁山

一一、塩

含塩層の存在は四川省及び雲南省最も多く、湖北湖南省にも小区域あり。四

五四

川省の産塩地は其の鹵地の廣域に亘り全省を通じ二十七ヶ所に上る。蓋し四川鹵地は往時湖底なりと稱せられ、岩塩及び井塩豊富なり。大体に北部産地は嘉陵江流域及涪江、沱江貫流の地にあり。

南部は金沙江、岷江の合流点附近に多し。四川省の塩井は機械掘にて井底の塩水をポンプにて汲上げ鉄鍋中にて煮沸し食塩を製す。

湖南省にては湘潭地方に産し、湖北省にては應城附近に塩砿を産す。

海塩は江蘇、浙江の沿岸地方より主に産す。江蘇省よりは両淮塩を産す。産地は揚子江口より山東省の南端に亘る海岸地方、淮水及び揚子江の沖積地に属す。揚子江以南の江蘇、浙江二省の沿岸地方及び舟山列島内にては海濱の塩場にて海塩を製し、両浙塩と稱せらる。

一二、石　油

支那には埋蔵量貧弱、僅かに陝西・甘粛、四川、新疆方面に賦存するに過ぎず。埋蔵量は世界総額の二％弱なり。

五五

一三、石　炭

中支石炭の埋蔵量は全支の六・五％に過ぎぬが炭砿としては萍郷・華東・准南・大通・富源等は優秀なるものなり。

五六

第七章　南支よりの對日供給（昭和十六年度物資動員計画基礎案に依る）

資源名	数量
鉄鉱石	五〇九、〇〇〇瓲
タングステン鉱	二〇〃
黄麻	一、〇〇〇〃
牛皮	六一六〃
豚皮	一八〇〃
工業塩	一〇、〇〇〇〃
桐油	二一〃
松脂	一〇〇〃

南支よりの供給は未だ多くを期待出来ず、僅かに海南島よりの鉄鉱石が著しいのみである。

五七

その他錫、タングステン等世界的に著名なる生産地域なるも未だ對日供給に出廻らず多くを期待し得ない実情にある。

五八

第二篇　満洲北支開発に必要なる資材輸出能力

—中支北支の新幣制の確立に伴ふ物資援助とその可能性の限界—

序

満支の開発は事変進行中の現段階に於ては極めて困難なる問題である。此の第二篇に於ての解答は第一篇に於て採り上げた對日供給と表裏の関係に在るものであり、第一篇に於て見来りたる自然的基礎に立って如何に各資源が有効に我方に動き来るか、その資源動員の方向を決定づけるための、即ち日満支綜合開発計畫遂行の為の円ブロック向輸出能力の問題であらねばならない。従つて又新法幣裏付物資も自ら又此の中に包含されてゐるのである。

五九

要するに現実の問題として極めて明なることは各地域の経済開発の要求に對して日本からの對満、對支の資材輸出の形をとって現はれてくるのがこの問題に對する解答である。

六〇

第一章　對満輸出

第一節　満洲國産業開発

満洲國は第一篇に於て述べた如く円ブロック内に於て最も我國物資動員計畫上寄與する處多き地位を占めてゐる。従って若し北支・中支が、諸條件を満洲國と均しくする時は資材輸出の点に就ても亦満洲國が最大である筈であるが、現実的には以下に見る如く必ずしもさうではない。

満洲が多くの資材を日本よりの輸入に俟たねばならない理由は言ふまでもなく満洲國自体の開発計畫があるからである。即ち、満洲國は昭和八年以来満洲國経済建設綱要を決定し、九年一般産業に関する聲明書を発表して之を敷衍し十年七月の日満経済共同委員會協定の成立に依って日満ブロック結成の基本が決定し、此の根本方針に依って十一年春から満洲産業開発五ヶ年計畫案の樹立

六一

が計畫され十二年よりその実行に入った。然るに十二年七月に支那事変勃発せるため、國防経済の二方面よりこれが修正を余儀なくせられ、日本の産業四ヶ年計畫とタイアップして修正産業開発五ヶ年計畫が決定された。

更に之に就て詳説すれば、満洲國経済建設綱要は昭和八年三月一日次の如き内容を以て発表された。即ち「無統制なる資本主義経済の弊害に鑑み、之に所要の國家統制を加へて資本の效果を活用し、以て國民経済全体の健全且つ潑剌たる発展を図らんとす。斯くして國民大衆の経済生活を豊富安固ならしめ、其の國民生活を向上し國力を充実し、併せて世界経済の発展に貢献し、文化の向上を図り以て建國の大理想たる模範國を実現するは経済建設究極の目標なり。

(一)　國民全体の利益を基調とし利源の開拓、実業振興の利益が一部階級に壟断さるるの弊を除き万民共栄たらしむ。

(二)　國内賦存の凡有資源を有效に開発し、経済各部門の綜合的発達を計るため重要経済部門には國家統制を加へ合理化方策を講ずる。

(三)　利源の開拓、実業の奨励に當りては、門戸開放、機會均等の精神に則り

六二

廣く世界に資源を求め特に先進諸國の技術經驗その他凡有文明の粋を集めてこれを有效適切に利用す。

(四) 東亜經濟の融合合理化を目途とし、まづ善隣日本國との相互依存の經濟關係に鑑み同國との協調に重心を置き相互扶助の關係を益々緊密ならしむ。

叙上の四方針は經濟建設の根本方針たるを以て凡有場合に徹底遵奉し其の完成を期するものとす」

上記の經濟統制根本方策に基き、現下状勢上実現可能且最善の手段として左記範囲に於て國民經濟の統制を行ふ方針を開示した。

(一) 國防的若くは公共的性質を有する重要事業は公營又は特殊會社をして經營せしむるを原則とす。

(二) 右以外の産業及び資源等各般の經濟事項は民間の自由經營に委す。唯特に國民の福利を重じ其の生計を維持するために生産・消費の両面に亘り必要なる調節を行ふ。

即ち満洲國は統制經濟政策を採るが、統制産業として公営又は特殊會社をし

六三

く經營せしめるものは國防的若くは公共的性質を有する重要事業に限り、その他は民間の自由企業とする方針が決定されたのである。

これは武藤関東軍司令官時代に発表されたものであるが、本庄将軍時代は遥かに急進的であり、"資本家入るべからず"とし、"日本の改造は満洲から導き度い。それが困難であるとしても、満洲から金融資本及び政党の勢力を絶對に排斥したい"との決意はあつたのであるが、武藤將軍の代るに及んで橘氏の云ふ通り"出先に対する中央、下層に對する上層の優越的地位の回復、その結果として現はれたる武藤レヂームの性質が、本庄レヂームに對して著しく妥協的且つ漸進的であることは多言を要せぬ所であつた。"

かくの如き漸進的な妥協的な經濟建設綱要は尚資本の不安を解消してゐなかつたので翌九年六月「一般産業に關する聲明」を発して統制事業と自由企業の範囲を明示し、以て可及的資本家誘導の政策を採らざるを得ざるに至つた。

この「一般産業に關する聲明」は「國防上重要なる産業、公共公益的事業及び一般産業の根本基礎たる石炭、石油、自動車、硫安、曹達、採木等の事業に

六四

就ては特別の措置を講ずることゝせるが、その他の一般産業に就ては事業性質に應じ時に或る程度の行政的統制を加ふることあるべきも、大体廣く民間の進出經營を歓迎する」とし統制事業と自由企業との關係を明ならしめたが満洲國に於ては統制事業と自由企業の限界を明瞭ならしむべき準據法を欠いてゐたため、これが決定は一に政府當局の行政的裁断に依る外なく、企業活動の圓滑を阻害する虞れ極めて多く、準據法の制定が要望され、かくて昭和十二年五月一日重要産業統制法が公布され、同月十日実施され「重要事業を営まんとする者は命令の定むる所に依り主管部大臣の許可を受くべし」と重要産業の許可主義を明にした。而して許可を受くべき「重要産業は勅令を以て之を定む」ることとし(第一條)、之を定むる勅令重要産業統制法施行に關する件が同時に公布された。その第一條に依れば統制事業たる重要産業は次の通りである。

兵器製造業
航空機製造業
自動車製造業

六五

液体燃料製造業(鉱油及無水アルコール)
鉄・鋼・アルミニウム・マグネシユウム・鉛・亜鉛・金・銀及び銅の精錬業(金及び銀の湿式精錬を除く)
炭礦業(年産五万瓲未満のものを除く)
毛織物製造業(手織機に依るものを除く)
綿糸紡績業
綿織物製造業(手織機に依るものを除く)
麻製造業(年産五十瓲以上のもの)
麻紡織業(手織機に依るものを除く)
製粉業(日産能力五百袋以上のもの)
麦酒製造業
製糖業
煙草製造業(紙巻煙草年一千万本以上生産を為すもの)
曹達製造業(天然曹達の精製業を除く)

六六

肥料製造業（硫酸アムモニウム、硝酸アムモニウム、過燐酸石灰及び石灰窒素）
パルプ製造業
油房業（抽出式のもの又は圧搾機十五台以上を具ふるもの）
セメント製造業
燐寸製造業

第二節　満洲國産業開発五ヶ年計画

第一節に述べたるが如き状況にあった満洲國産業開発は其の後の客観的状勢によって五ヶ年計画として登場した。即ち昭和十二年ワシントン、ロンドン両海軍條約の失效に依り世界的再軍備拡張の白熱時代を生み、旁々之れに伴ふ世界的封鎖経済政策の重圧は、我が國並に盟邦満洲國の四周を蔽ひ、軍拡と自給自足政策への推進を余儀なくせしめた。この國際環境に對する現実の要求と、

六七

緊迫せる準戦時経済体制確立の要求に即應すべく、登場したのが満洲國産業開発五ヶ年計画である。

この計画の目標は上記國際情勢と國防強化の要求に應じ、その重点を國防産業に置き、自給自足と國民生活の安定をその中心目標とするものであった。このことは昭和十二年一月二十日全満省長會議に於て、國務総理張景恵のなせる「素より國勢全般の有機的発展を期するに在りと雖も、就中、國際環境の現状に鑑み、その重点を（一）非常時局に即應すべき経済建設と（二）民生の向上安定及び國防治安の確保に置き、これを稍々永年に亘り計画的に遂行せんとするものなり」と云ふ訓辞によるも明かである。

六八

満洲産業開発五ヶ年計画

工　鉱工業部門

開発目標並所要資金

種別			開発目標	現在能力	差引増設	同上資金
鉄鋼業	鋼		二、三五〇 千瓲	五八〇 千瓲	一、七七〇 千瓲	八八、五〇〇 千円
	銑鉄		二、四〇〇	八五〇	一、五五〇	一〇八、五〇〇
	鉱石		六、六〇〇	二、七〇〇	三、九〇〇	三一、四四〇
	小計		一	一	一	二二八、四四〇
液体燃料	石炭液化	撫順	一〇〇 千瓲	一 千瓲	（二〇）八〇	一六、〇〇〇 三七、六〇〇
		阜新	二〇〇	一	（一〇〇）一〇〇	六〇、〇〇〇 四〇、〇〇〇
		舒蘭	一五〇	一	一五〇	五〇、〇〇〇
		四平街	五〇	一四	三六	一八、〇〇〇
		小計	五〇〇	一四	四八六	二三一、六〇〇
	頁岩	撫順	五〇〇	一四	四八六	二二一、六〇〇
		三姓	三〇〇	一四〇	（一六〇）二〇〇	一四九、〇〇〇 二二、〇〇〇
	油	小計	八〇〇	一四〇	六六〇	八一、九〇〇
	酒精		五六	六	五〇	一三、八〇〇
	累計		一	一	一	三一七、三〇〇
石炭			二四、六〇〇 千瓲 褐炭 九〇〇	一一、七〇〇 千瓲	（八、三〇〇）※ 四六〇〇 九〇〇	（八九、五一〇）※ 五〇、六〇〇 九、九〇〇
電力			一、二〇〇 千KW （水力）三五〇 （火力）八五〇	（火力）四二〇 千KW	七八〇 千KW （水力）三五〇 （火力）四三〇	二一四、五〇〇
車輌	機関車		一、四一四（六〇）	六五〇（一〇）	七六四（五〇）	（現行計画）二〇、八一三
	客貨車		一四、五二〇（六八〇〇）	六、九〇〇（六八〇〇）	七、六二〇（一）	
	機関車		二五〇（二五）	一	二五〇（二五）	（五ヶ年計画完成に順應する拡張計画）七、〇〇〇

六九

七〇

輌 客貨車	三九七〇（三五〇）	ー	三九七〇（三五〇）	
輌 小計	ー	ー	ー	二七、八一三
アルミニウム	二〇、〇〇〇瓲	ー	四〇、〇〇〇瓲 一六、〇〇〇	六、〇〇〇 三二、〇〇〇
マグネシウム	二〇〇	ー	二〇〇	五六〇
パルプ	一二〇千瓲	七〇千瓲	五〇千瓲	一五、〇〇〇
塩	八七五	二七五	（一四五）※ 四五五	（三七五〇）※ 一二、〇〇〇
採金	五ヶ年計 二〇〇、〇〇〇千円	年約 一〇、〇〇〇千円	ー	五〇、〇〇〇
ソーダ灰	七二千瓲	三六千瓲	三六千瓲	四〇〇〇
石綿	五	ー	五	五〇〇
鉛	一三・四	三・二	一〇・二	四八〇〇
畜肉加工	五〇	ー	ー	七〇〇〇
自動車	四〇〇〇台	ー	ー	二〇、〇〇〇
兵器（戦車を含む）	現在能力の約五倍	ー	ー	一〇〇、〇〇〇
飛行機	二四〇〇台		二四〇〇台	三〇、〇〇〇
合計	ー	ー	ー	一二二三、六七三

（備考）　※新造能力

七一

七二

上記計画中特に注目すべきは、

(イ) 兵器・飛行機・自動車・車輌等の軍需関係産業の確立を期すること、

(ロ) 鉄・液体燃料・石炭・電力等の基礎的重要産業を開発し特に国防上必要なる鉄、液体燃料の開発に重点を置くこと

の二点である。

Ⅱ. 農畜産部門

農産関係に於ては米・小麦・大麦・燕麦・ルーサン・洋麻・亜麻・苧麻・棉花等の軍需作物の外に黄色葉煙草・甜菜・大豆・高粱・粟・玉蜀黍等の増産に努力することとし、畜産部門に於ては馬・緬羊・牛・豚・獣肉等の増産計画を樹立し、資金関係としては農産関係に於て一億三千五百四十二万七千円、畜産関係に於て一億四千二百九十二万七千円の計画である。

Ⅲ 交通通信部門

交通通信部門中、鉄道関係に於ては、國鉄既定線建設、第四次鉄道建設、國鉄既定線改良、其他鉄道建設等の所要資金五億七千三百万円、港湾関係は羅神及雄基築港、壺盧島築港に三千六百八十万円、國道（自動車交通）六千二百万円、通信関係五千万円、合計七億二千百八十万円。

他に移民関係資金二億七千四百万円

Ⅳ. 所要資金分担区分総括表

種別	所要資金合計	出資分担区分 日本政府	満洲政府	満鉄	民間出資	社債借入金
鉱工業部門	一二二三、六七三千円	八〇、〇〇〇千円	四一七、六六二千円	二五六、二四〇千円	二四六、五二一千円	二二四、四二〇千円
農畜産部門	一四二、九二七	ー	一四二、九二七	ー	ー	ー
交通通信部門	七二一、八〇〇	六、六〇〇	六八、〇〇〇	六一一、二〇〇	三六、〇〇〇	ー
移民	二七四、〇〇〇	一一、五〇〇	一〇、五〇〇	七、〇〇〇	七、〇〇〇	二三八、〇〇〇
総計	二、三六二、四〇〇	九八、一〇〇	六三九、〇九八	八七四、四四〇	二八九、五二一	四六二、四二〇

（備考）　所要資金と出資分担区分との間には株式振當上より来る約百五十万円の誤差あり。

七三

七四

以上の如き拡充計画が支那事変勃発に據り修正されることは當然である。即ち準戦体制から戦時体制に（或は事変体制に）突入した日本経済の切実なる要求が、急角度の轉換と大修正を招来したのである。

昭和十三年五月開催された「満洲國産業開発五ヶ年計画修正會議」の席上、星野総務長官は左の如き修正理由を挙げた。

(一) 支那事変の勃発により、日満を一体としさらに北支をも考慮する広範囲の経済圏が形成さるゝに至ったこと、

(二) 日本政府に於て、本年より生産力拡充四ヶ年計画を立案されたので、こ

れと相呼應する日滿一体の実行計画とする必要の生じたこと。

(三) 日産の満洲進出による満洲重工業開発會社の設立は、五ヶ年計画の規模、程度を加速度化し得る実行体制を整へ、且つ五ヶ年計画立案後新資源の賦存、物資需給関係が漸次明瞭となり、計画の改訂を必然ならしめたこと。

而して更に星野長官は同じ會議に於て、修正は主として鉱工業部門につき、その目標及び年次につき積極的修正を加へる必要を認め、この計画修正は主として鉱工業部門に関するもので、その他の部門中、交通、通信部門に関しては、他部門に於ける計画の規模拡張に對應し、更に積極的修正の必要ありと述べ、修正の重点が鉱工業部門に置かれ、その他の部門は重工業拡張に伴ふ附随的拡張に過ぎないものであることを卒直に認めてゐる。

七五

第三節　修正五ヶ年計画

部門	當初計画	修正計画	倍数	修正所要資金
(1) 鉱工業				四〇〇〇、〇〇〇千円
銑鉄	二五〇千瓲	五、〇〇〇千瓲	二・〇	
鋼	二、三五〇	三、五〇〇	一・五	七〇〇、〇〇〇
石炭	二七、〇〇〇	三七、〇〇〇	一・四	三〇〇、〇〇〇
石炭液化	五〇	二、四〇〇	四・八	一、一〇〇、〇〇〇
パルプ	一二〇	四〇〇	三・三	三〇〇、〇〇〇
塩	八七六	一、〇〇〇	一・一	
採金	四〇、〇〇〇瓩	七五、〇〇〇瓩	一・九	
電力	一、二〇〇千KW	二、五〇〇千KW	二・一	
(2) 農畜産				一四〇、〇〇〇
(3) 交通通信				六四〇、〇〇〇
(4) 移民				二三〇、〇〇〇
総計				五、〇〇〇、〇〇〇

七六

先づ此の計画と當初計画とを比較するに、資金関係に就ても約倍となつて居る。これは武内文彬氏の指摘して居る如く、

(一) 机上プランより、各事業會社の増産計画を基礎とせる具体的実行的案に進化したこと

(二) 事業経営の採算上、重要物資の外、副産物の工業化をも計画中に取入れたこと

(三) 昭和十三年七月の日満経済協議會に於て、日本の物資動員計画遂行の必要に基き、鉄、石炭等重要物資の輸出を増加するに至つたこと。

(四) 資材の値上り等に依る資金増加を招来したこと」

等に依る。

七七

前述星野長官の説明の如く、重工業部門に修正の重点が置かれたことはこの両計画を比較すれば明である。即ち五十億円の中鉱工業部門が四十億円、即ち資金総額の八〇%を占めてゐる。

この開発計画の第一年度に於ての難問題は人の知る如く、資金調達と、機械其他資材並に技術の供給不足の問題であつた。従来資金導入の独占的王座を占めてゐた満鉄の、資金ルートとしての役割が低下したので満洲國は新資金ルート発見を余儀なくされた。かくて、満洲中央銀行、満洲興業銀行が生れ、資金ルートの動員強化を図り、資金自弁率の高度化に力めた。然し乍ら多の世人が疑念を持つ如く、封建経済から資本主義経済の段階に入つたばかりの満洲國にこの資金が円滑に調達されるであらうか。「とにかく五ヶ年計画の資金は差當り、日満両國特に日本資金に依存せざるを得ざるべく、円資金中心で事を片付ける外あるまい。亦資金依存必至となると、さらに問題は資金と共に物の調達といふ大きなより根本的な問題に端と突き當つて来ざるを得なくなる。それは第三國より調達せんとする資金は実は機械その他資材の輸入に割當てんとする

七八

部分が、圧倒的部分を占めてゐるであらうと信ぜられるからである。要するに困難は二重になるものと覚悟しなければならない」と云ふ武内氏の懐く懸念は実に日本物資動員計画中の満洲向資材輸出として具体的に表現されるのである。

以上些か冗長と思はれるが満洲國建國に続く経済建設の面を見求つた。満洲國の如く十年に及ぶ歴史を持ち、円ブロック内に於て最も古い傳統を有する國が他の新興政権支配下にある、北支・中支等よりも対日供給がより多かるべきは當然であり、従って又上記計画遂行により多く資材を要するは當然であらう。果して上記計画遂行所要資材輸出はどの程度に可能であらうか。次に昭和十五年度計画を見よう。

第四節　満関向輸出資材

八〇

資源名	数量
普通鋼鋼材	四五五、三五八瓲 七九
普通銑	八〇、〇一〇瓲
鍛鋳鋼	一二、三一四〃
特殊鋼鋼材	一六、五八四〃
ニッケル	二〃
屑鉄	六、四四〇〃
電気銅	一一、〇二八〃
屑銅	一、〇〇〇〃
鉛	五、六一八〃
亜鉛	一、九八六〃
錫	一、一二四〃
アンチモン	一三三〃
水銀	六、八四〇瓩
アルミニウム	五七〇瓲
鱗状黒鉛	二〇〇〃
マグネシウム	五〃
石綿（高）	七二・五〃
石綿（普）	五六九・五〃
雲母（高）	四〃
雲母（普）	六一〃
紡績用棉花	二八〇、四一三担
羊毛	七、六九〇俵
人絹用パルプ	二四、五四二噸
黄麻	二〇〇瓲
マニラ麻	六八四〃
牛皮	四八二〃
生ゴム	一、三六七〃
屑ゴム	九九〇〃
坑木	五七、〇一五[illegible]

八一

八二

資源名	数量
枕木	五〇、〇〇〇丁
電柱	五〇、〇〇〇〃
米材	二、五〇〇[illegible]
南洋材	四、八一六〃
チーク	四〇〃
リグナムバイタ	二五瓲
有煙炭	二〇[illegible]
無煙炭	五〇〃
機械油	一〇、〇〇〇瓲
半固体機械油	三〇〇〃
苛性ソーダ	四、〇〇〇〃
液体塩素	三〃
塩酸	五、〇〇〇〃
晒粉	二、五〇〇〃

石炭酸	三〇〇〃
クレゾール	五〃
硝酸	一、〇〇〇〃
硫酸	二〇、〇〇〇〃
硫化鉄鉱	一七〇、〇〇〇〃
硼砂	五〇〃
アセトン	五〇〃
醋酸	二〇〇〃
メタノール	四〇〃
ブチルアルコール類	二〇〃
カーバイド	一二、〇〇〇〃
セメント	三五〇、〇〇〇〃
除虫菊	六、六〇〇貫
アラビアゴム	〇・七瓲

八三

トラガントゴム	三瓲
セラック	五〃
松脂	二三〃
其他ゴム及樹脂	二九〃
カゼイン	三三七〃
エチレングリコール	一五〃
カーボンブラック	三七〃
酸化チタン	五五〃
其他の染料及顔料	一七千円
其他の塗料及填充料	四五〃
カリ	二瓲
キニーネ	一、二三四〃
キナ皮	三・四〃
吐根	九九〃

八四

サントニン	二一七〃
クレオソート	四瓲
カカオ脂	二・五〃
麥角	一、九一六瓩
テオブロミン	五五七〃
ブロム水素酸スコポラミン	一〃
硫酸アトロピン	二八〃
ホミカ	二〇瓲
乳糖	五九〃
セネガ根	三、〇〇〇瓩
塩酸ピロカルピン	八〃
酵母	一・二瓲
其他薬品	四六七・五千円
國産金属工作機械	八、五〇〇千円

八五

米	五二五千石
小麦	五四四〃
其他罐詰	二三、〇一三瓲
砂糖	一、二〇〇千担

八六

右の如き十五年度物資動員計画に依り、最重要視せられたる普通鋼鋼材の配当別区分を例示し、全般的状況を推知するの具とすれば次の如くである。

即ち満洲に於ける普通鋼鋼材の全需要を八六五、八五八瓲と押へ、それに對する供給内譯は國内生産四〇八、〇〇〇瓲、對日期待四五五、三五八瓲、対三國期待二、五〇〇瓲であり、これが軍需の一部、准軍需たる満鉄、電々、満航等及び官需としての満洲國、関東州、大使館等へ、又石炭、電気、鉄鋼、金、兵器、車輌、非鉄金属、特殊鋼、軽金属、液体燃料、開拓民、工作機械、化学等よりなる生産拡充関係、又洋灰、中小炭礦、中小金山、機械工業、交通、其他の鉱業、鉄鋼、化学、瓦斯、ゴム工業、農畜産、林業、パルプ、其他等の準生拡産業、又民生、紡績、製紙、毛織物、農畜産、都市交通其の他の非計画産業及其の他の純民需用、又日満一体の見地より特配の生産拡充用資材として鉄鋼、人石、軽金属、船舶等に割當てゐる。

八七

第二章　對北支輸出

第一節　北支産業開発

北支資源の開発は事変後起った問題ではない。事変前主として興中公司を中心とする準國策的開発計画が論ぜられ津石（天津・石家莊間）鉄道の敷設、白河水利事業、塘沽築港、龍烟鉄鉱の開発、井陘炭鉱の開発、棉花の改良増産計画等が日程に上ってゐたが、それは北支那開発株式會社理事、鑑谷氏の云ふ如く「それは日満支経済ブロックとして多分に資本主義的な要素を加味したるものであった。所が今次聖戦の結果として我國ではもとよりのこと、又支那自身も政治的一大転換を余儀なくせられ、茲に日満支経済関係は事変前とは別な意味での世界史的な政治機構を造成すべき最大要素として登場し来ったのである」。故に北支経済開発は方にかゝる歴史的背景を持ち、日本の大陸政策の必

八八

然的な方向を指示してゐるものでなければならない。事変後経済開発は當然最も重要な事柄となり、今日に於ては治安工作と並んで北支政治経済の中心問題となってゐる。しかも今日に於ては経済開発は單にそれだけの意味ではなく、経済復舊開発が北支生産力の復舊拡充を通じ北支経済発展の中心動力となり得ると同時に之を通じて新秩序の実体的基礎となり得る点に開発の新しい意味がある。然らば開発は如何に行はれてゐたかについて須らく之を見やう。

事変後の北支経済の應急的復舊事業は臨機的必要に應じて行はれつゝあったが、北支経済開発の綜合的方針の樹立が急務とされ他方開発中軸機関の設置が緊急となり十二年末、開発に関する積極的方針が決定すると同時に、企画院を中心に駐屯軍、関東軍等の間に北支開発委員會の設置が決定され、十三年三月十一日北支派遣軍最高顧問として平生釟三郎氏が着任し、愈々綜合開発会社の設立及開発計画が順次発展するに至り、開発の最高指導機関として三月二十六日日華経済協議會が結成された。即ち同協議會は開発の最高方針を審議決定し通貨・金融、商工業、鉱業、農業、通商の各部會の企画立案を審議するもので

八九

あり、審議されたる事項は日支各機関協力して之を実行に移し、これが目的達成のため協力機関として臨時政府に実業部が設置された。

第二節　北支鉱工業開発五ヶ年計画

北支鉱工業開発五ヶ年計画は、平戦両時に於ける日満ブロックの必要とする資源の開発補給に重点を置き、併せて北支重要鉱工業の開発進展を策し、之等部門に不抜の日本勢力を扶植し有事の際必要とする資材の獲得確保に遺憾なからしむると共に、北支民衆の利益を基調とする北支産業の開発を期する為、概ね左記要旨に依り各種産業を開発し以て北支経済の発展に寄與すると共に帝國国力の進展に資するものとす。

一、日満ブロック進展の為に必要とする鉄、石炭、液体燃料、塩等重要産業の日本勢力下に於ける確立を期す。

二、電力・曹達・採金・硫安・パルプ・礬土頁岩・セメント・石灰等前項絶対

九〇

必要資源の開発に關聯する諸産業乃至基礎的重要鉱工業の日本勢力下に於ける開発を策す。

三、紡績・羊毛・製粉・煙草・ゴム工業等の雑工業に於ける日本資本勢力の進出は、能ふ限り関係當局に於て便宜乃至援助を供與するも原則として之を自然の進出に放任す。

四、北支重要鉱工業一般に關する日本勢力の扶植関係は冀東、冀察並山東の現況に即し之等に適應する如く其の濃度を按配善処す。

以上の如き方針の下に指導、開発せられて来たのである。

鉄鋼業

鉄鋼業に関しては遵化・灤縣・盧龍・龍烟・琢鹿・金嶺鎮の（第一篇自然的基礎参照）鉄鉱資源を確保して唐山、天津及金嶺鎮に製鉄所を新設し、唐山製鉄所は年産四十万瓲の銑鉄、天津製鉄所は年産五十八万瓲（石景山製鉄所年産八万瓲を含む）の銑鉄並十万瓲の鋼材、金嶺鎮製鉄所は年産二十万瓲の銑鉄を

九一

夫々生産せしめ、北支需要の銑鋼を供給せしむる外年額一〇〇万瓲見當の銑鉄を日本に輸出せしむ。

液体燃料

液体燃料の生産補給は差當り天津製鉄所の石炭瓦斯を利用し北支需要の揮発油を供給せしめ、豫て本邦需要の液体燃料供給の一助たらしむる目的を以て、年産十万瓲を目標に瓦斯合成法に依る液化工場を天津に新設せしむる外、出来得べくんば山西炭田の一大開発と之が利用に依る石炭液化工業を確立せしむ。

石炭

炭業に関しては現存魯大公司及石炭輸出會社の新設（又は輸出組合の結成）を中心とし、年額一千万瓲の日本向輸出を目標に北支石炭資源の開発拡充を策せしむ。尚出来得べくんば山西炭田の一大開発を策し本邦需要炭の供給に遺憾なからしむ。

九二

塩

塩業に関しては現行興中公司並山東塩業會社に依る長蘆塩並青島塩の輸出を促進する外、更に休晒塩田の復活を図らしむると共に適地に新設塩田を開設せしめて、年額百万瓲（原塩二十万瓲、洗滌塩七十五万瓲見當）見當の工業用塩を日本に輸出せしむるものとす。

採金

冀東防共自治区域内に於ける綜合的採金事業の奨励を期すると共に、山東省招遠金鉱の積極的開発を策せしむ。

電力

電力に関しては冀東地区に於ては灤河水力の利用及開灤雑炭並門頭溝無煙炭の利用による火力発電を中心とし、山東に於ては淄川の粗悪炭を利用する火力発電を中心として、諸鉱工業其の他需要を考慮し前者は大約四十四万K.W、後

九三

者は大約十五万KWの発電施設を完成せしむるものとす。

ソーダ灰

長蘆塩利用に依る曹達製造會社を新設せしめて差當り曹達灰日産百瓲を目標に其施設を完備せしめ、漸次苛性ソーダ生産其他に進ましむ。

硫安

金嶺鎮製鉄所の余剰瓦斯並附近産炭を利用し且山東其他地方に於ける棉花の栽培に貢献せしむる為、年産五万瓲を目標とする硫安製造會社を新設せしむ

パルプ

北支に於ける棉花稈を利用するパルプ會社を新設し、差當り年産五万瓲を目標に製紙（差當り）乃至人絹パルプの製造に當らしむ。

九四

礬土頁岩

差當り開平礬土頁岩三五、〇〇〇瓲を採掘、之を安東に輸送して鴨綠江水電利用に依り金屬アルミニウム八、〇〇〇瓲の製造原料たらしむ。

（註）　この三五〇〇〇瓲案は現在に於ては約十五万瓲乃至二十万瓲の増産を以て、馬來・蘭印よりのボーキサイト輸入杜絶に對處すべく計画中。

セメント

北支経済建設の進捗に呼應する爲唐山啓新セメントへの日本勢力の進出を策し、日本勢力下に於て建設せらるゝ諸事業へのセメント配給を円滑ならしむ。

以上が大陸経済會議準備小委員會の開発計画案の略述である。

昭和十三年十二月興亜院が設置され、華北連絡部の設立とともに北支経済開発は内閣に設けられた秘密委員會第三委員會を解散してその指導に移り、爾來興亜院の指揮下に開発は行はれ來つたが、更に日満支を通ずる物資動員計画の

九五

設定によって北支開発を資材の面から制約するに至った。この具体的表現が物動計画上の北支向資材配當である。尚こゝに具体的な数字を示す前に物動、生拡関係を外部から分析した意見を引用しやう。即ち云ふ、「北支物動の様貌は我々の窺ひ得ぬものであるが、本來物動は生産力拡充計画の基礎の上に立つべきものであると云ふ意味で物動、生拡の前身である産業開発四ヶ年計画を見れば所要資金十四億の中四億五千万円が鉄道・港湾に向けられてゐる、未だ着手の豫期せられぬ石炭液化に要する経費四億六千万円を引き去た残りの所要資金の約五割を占め、他の半分が鉄、石炭、塩、電気に當てられてゐる」。従つて、「産業開発四ヶ年計画の用途別資金より大体に於て交通、港湾中心の謂はば開発の準備段階にあると云ふことが出來やう。之は別の観点よりも見られる。開発の中心機関たる北支那開発株式會社の昭和十四年度豫算四億二千万円中華北交通に對する資金は現物出資一億五千万円、融資一億五千万円であり、総資金の七割に當る」。「昭和十四年度は総体的に事変前の水準への復帰を目指すことであり、特に鉄道の復舊、港湾施設の拡張が中心であり、開発會社の子會社が

九六

次第に設立を見るに至って愈々本格的の開発に向はんとする態勢を整ふるに至ったのである。かゝる準備段階としての昭和十四年の八、九両月に亘る北支未曾有の水害は鉄道、港湾に少なからざる被害を與へ貨物輸送に支障を與へた外鉄道、港湾の修理、復舊を必要ならしめたのだから、開発計画に相當大きい齟齬を與へたことは想像に難くない。事実現在迄の處北支の経済は事変前のレベルより遙かに低くなつてゐる。これは凡ゆる方面に見られることであり、北支の農業生産の低下、平和産業の設備及原料より來る全面的後退の外に開発の主要對照すら事変前の水準に復帰してゐない。最も力を注いだ石炭ですら其の生産額が事変前に発表せられた最も新しい数字、一九三四年度に達してゐないと推定されることは北支経済開発の今日迄の成果を示すものであり、同時に経済開発の當面する重大なる困難を暗示するものと云はねばならぬ。しかも経済開発が今日持つ意義は甚だ大きいものであつて、日本の國防力への寄與ばかりでなく、同時にそれを通じて北支経済の物的基礎が確立される譯である。單に鉄、石炭資源の開発のみではない。北支の持つ地上、地下両資源の開発、北支の生

九七

産性と生産力の向上、発展こそ新秩序の具体的内容でなければならず、古い施設に基く労働の集約性にのみ頼らずに、近代設備に基く労働生産性の向上による北支経済の質的発展と民生の向上とが目的でなければならぬ。さういふ使命を帯びる北支経済開発の今日迄の停滞は極めて戒心を要する所と云はねばならぬ。その最も大きい原因は開発資金、開発資材の不充分にある」（註一）。

（註一）「支那経済年報」二〇一―二一一頁。

即ち上記の如き状勢で十五年を過ぎ十六年を迎へた北支開発はその後の事変の進展と國際情勢の激変により益々その開発資材に於て不充分となり、遂に昭和十六年七月九日閣議決定を見たる昭和十六年度生産拡充緊急對策案には重要國防資源、又從來第三國よりの輸入に俟てる機械其他の製品中國防上絶対必要なる産業に於ける設備の拡充は原料、資材其他の供給力、輸送力完成時期等の諸條件を勘案し必要已むを得ざるものゝ外原則として一應之が中止又は繰延を行ふものとす」ることとし、更に昭和十六年度物資動員計画に於ても、「生産

九八

力ノ拡充部門ニ對スル資材ハ直接軍需ニ関係アル物資ノ生産確保及増強ニ必要ナルモノニ限リ配當」することゝして居り、「円ブロック需要ハ生産力拡充部門ニ対スル資材配當方針ニ基キ増産ヲ速カニ期待シ得ベキ鉱産物採掘用資材、自給圏内原料ニヨルベキ工場事業場ノ補習用資材、對日供給物資ノ輸送ニ必要ナル資材、治安維持上不可欠物資ノ最低必要量ニ止メ其ノ他ハ特殊事情アルモノノ外之ヲ削除ス」ることゝしてゐる。以て如何に資材の配當が窮屈であるかゞ窺はれるであらう。次に以上の如く窮屈化せざる昭和十五年度の北支向資材配當を記さう。

第三節　北支向輸出資材

資源名	数量
普通鋼鋼材	一七、一四〇瓲
普通銑	一二、八一〇〃
	九九
	一〇〇
鍛鋳鋼	五、五六七瓲
特殊鋼鋼塊	二、二八一〃
耐火煉瓦	一二、三八二〃
電気銅	四、四〇〇〃
鉛	一、六〇〇〃
屑銅	四〇〇〃
亜鉛	五七〇〃
錫	一九〇〃
アンチモン	六〇〃
水銀	二〇〇瓩
アルミニウム	七九五瓲
アルミニウム屑	一〇〃
鱗状黒鉛	二五〃
マグネシウム	三〃
石綿（高）	一五〇〃
石綿（普）	二二〇〃
雲母（普）	四五〃
羊毛	二、二二一俵
亜麻	四六三瓲
苧麻	三〇〃
大麻	二一〃
黄麻	一、六二六〃
マニラ麻	五三二〃
牛、皮	五四〃
タンニン材料	九〃
生ゴム	五〇〇〃
屑ゴム	一八四〃
坑木	[illegible]十五、〇〇〇沐
	一〇一
	一〇二
枕木	一、八〇〇、〇〇〇丁
電柱	六五、五〇〇〃
米材	七、一〇一沐
南洋材	九、八七八〃
リグナムバイタ	三瓲
普通揮発油	六、〇〇〇竏
燈油	五、六〇〇〃
軽油	一、五〇〇〃
機械油	三、七五〇〃
半固体機械油	一〇〇瓲
重油	七、七三〇竏
ソーダ灰	六、九四〇瓲
苛性ソーダ	二、四〇〇〃
塩酸	五、〇〇〇〃

晒粉	二、三〇〇〃
純ベンゾール	五〇〇〃
モーターベンゾール	三〇〃
トルオール	二〃
石炭酸	三〇〇〃
クレゾール	一〃
硝酸	一、〇二〇〃
硫酸	一五、〇〇〇〃
ヒマシ油	五〇〇〃
硼砂	二二〃
無水アルコール	五竏
含水アルコール	二〇〇〃
アセトン	七瓩
カーバイド	四〇〇〇〃

一〇三

セメント	一四〇、〇〇〇瓲
アラビヤゴム	〇・三〃
トラガントゴム	二〃
セラック	一・七〃
松脂	二〇〃
エチルフルード	七竏
コールタール分溜物及生成品	一〇瓩
其他の薬品	九五瓲
カーボンブラック	三四〃
其他の染料及顔料	六瓩
其他の塗料及塡充料	四六瓩
硫酸アンモニア	一、一〇〇瓲
カリ	一四〃
キニーネ	一、七〇〇瓩

一〇四

吐根	二〇〃
サントニン	二〇〇〃
麥角	五〃
テオブロミン	一〃
大風子	五〃
スコポラミンブロム水素酸	一〃
硫酸アトロピン	三〃
ホミカ	一〃
乳糖	一〇〇〃
國產金屬工作機械	一、二〇〇千円
輸入鉄道車輛	一、六六〇千円
小麥	四六五千石

以上の如き北支向配當物資中、その代表的なる普通鋼鋼材の配當細目を述ぶ

一〇五

れば次の如くである。即ち鉄道、自動車、水運、港湾、航空、通信、放送、公共団体、炭砿、製鉄、採鉱、塩業、電力、機械鉄工、其他に区分される。

一〇六

第三章　對蒙疆輸出

第一節　蒙疆産業開発

蒙疆資源に就ては鉱業関係に於ては既に第一篇に於て見た如くであるが、鉄、石炭、黒鉛、銅、石綿、塩等の外に羊毛、小麦、麻獸皮、皮革等を産し、その開発計画は開発担当者の意の侭になし得る点に於て、満洲國、北支に比し極めて有利である。

次に蒙疆に於ける代表的産業の石炭、鉄鉱の開発を見るに昭和十二年十月以来、大同炭田の開発は満鉄が蒙疆政府より受託経営の任に當り、昭和十五年一月蒙疆特殊法人大同炭鉱株式會社を設立し、その経営主体となつた。資本金四千万円、北支開発、満鉄各二五％、蒙疆側五〇％の出資である。

又龍烟鉄鉱の開発に就て見るに事変後興中公司が蒙疆聯合委員會の委託を受

一〇七

けて経営したが、昭和十四年七月蒙疆特殊法人で資本金二千万円の龍烟鉄鉱株式會社が設立され、その資金は蒙疆聯合委員會と北支開発株式會社とが折半してゐる。

之等の開発に對しての所要資材は次に見る如くである。

第二節　蒙疆向輸出資材

資源名	数量
普通鋼材	一二、七七〇瓲
普通銑	六、七九五〃
鍛鋳鋼	一五五〃
特殊鋼塊	四五二〃
ニッケル	八〃
耐火煉瓦	四七五〃

一〇八

電氣銅	八〇〇〃
屑銅	一四〇〃
鉛	一四〇〃
亜鉛	一二五〃
錫	二〇〃
アンチモン	二〃
水銀	一〇瓩
アルミニウム	二五瓲
アルミニウム屑	一〇〃
石綿（高）	二〃
石綿（普）	九〃
羊毛	九一俵
亜麻	九瓲
大麻	五〃

一〇九

黄麻	一一〇瓲
マニラ麻	二二三〃
牛皮	〇・〇二〃
タンニン材料	六〃
生ゴム	一四〇〃
屑ゴム	一二〃
坑木	一三、六〇〇米
枕木	二五、〇〇〇丁
電柱	六〇、四五〇〃
米材	一二四米
チーク	四三米
リグナムバイタ	一瓲
普通揮発油	一、二〇〇竏
燈油	二、〇〇〇〃

一一〇

軽油	二〇〇〃
機械油	三〇〇〃
半固体機械油	五瓲
重油	八〇〇竏
食料塩	一八瓲
ソーダ灰	六〇〃
苛性ソーダ	一〇〇〃
液体塩素	六〃
塩酸	六五〃
晒粉	一・六〃
トルオール	〇・二四〃
石炭酸	五〃
クレゾール	一〃
硝酸	一〃

一一一

硫酸	九七瓲
ヒマシ油	一〃
硼砂	一〇〃
無水アルコール	四九五竏
含水アルコール	三〇〇〃
醋酸	〇・五瓲
カーバイド	三〇〇〃
セメント	二、〇〇〇〃
アラビアゴム	〇・一〃
トラガントゴム	〇・〇五〃
セラック	〇・三〃
拡脂	二〇〃
其他のゴム及樹脂	〇四二〃
カゼイン	〇・二七〃

一一二

コールタール分溜物及生成品	二千円
其他薬品	五瓲
ホミカ	〇・〇四〃
乳糖	二〃
セネガ根	一二・五瓩
塩酸ピロカルピン	〇・一〃
國産金属工作機械	三五〇千円
其他罐詰	二、七六一瓲
砂糖	七〇一千担

一一三

第四章　對中支輸出

第一節　中支産業開発

中支は汪政権の地盤である。この新政権の健全なる生長に應じ得る如き資材輸出が考へらるべきであるが、北支の項に於て詳述せる如く我國の現状よりして積極的供給は望み得ない。併し乍ら善隣友好即日支合併、共同防共即永久駐兵、経済提携即経済独占とする重慶政権に對し、「和平の実現とは日本と協力し、善隣友好、協同防共及び経済提携の原則に基き過去の紛糾を一掃し、将来の親善関係を確立し――努めて主権の独立、自由と行政の完整とを保全し、且つ経営上に互恵平等の合作を実現し、以て共存共栄の基礎を樹立せんとするにあり」とする汪政権をして勝利せしめんが為には、汪政権に自己の軍隊を持たしめ、各地方に網の目の如く拡がった政治的組織力を持たせ、且つ民族資本と

一一四

の結付きを鞏固ならしめて國内に於ける治安維持の実力を増大せしめねばならない。即ち中支にこそ北支、満洲とは自ら異った資材輸出の要請があるべきであるが、現実には北支、蒙疆地区と共に臨戦地帯的見解よりする資材の取得が物動上は要求せられてゐるのであり、新政権があり、英米その他の鞏固なる外資勢力があり、未だ國際資本争覇戦の継続せられつゝあるといふ現実的な部面が忘却せられてゐるたのである。即ちこゝでは武力戦と精密なる経済戦が不可分形態に於て進行してゐると云ふ特色を見逃すと大なる過誤を犯すことになるのである。

尠くとも北支、蒙疆地区の共産作戦に對する日本の所謂聖戦は中支に於ては更に先進資本主義國家群との市場争奪戦的形態が極めて強いのである。それは具体的には法幣戦に於て尖鋭化して居るが、又それ故にこそ逆に上海を市場として英米等の敵性國よりの物資取得が可能な訳である。従って上海を中継とする物資確保も考へられる訳であり、租界の接収も躊躇される譯である。而も作戦地帯には、英米追放の後に来る日本の責任が、必要物資の供給を約束づけら

一一五

れる訳であり、この物資供給の面に於て「極めて寛大にこの新政権下の支那民衆の、経済的自主独立性を承認し、これに必要なる経済活動の自由を認めるならば、期せずしてこの新政権に對する支那民衆の支持は増大強大せられ、風をのぞんで重慶から脱落し来るものを次第に増加し、重慶政府の自然的崩壊を誘致する」ことになるのであるが、この時には日本と新支那の経済的関係が明かに結び付けられねばならぬ。即ち新支那を資本主義化して、日本は出来得るならば資本輸出國となることであらう。結局英米の侵略を追放して後に支那の自主性を恢復させその上に日本の東亜指導の体制が樹立されればいゝ訳であるが、現実の問題としては尠くも對中支向資材輸出はそのやうな見解からではなしになされてゐる。

第二節　中支向輸出資材（昭和十五年度物資動員計画に依る）

一一六

資源名	数量
普通鋼鋼材	三八七一二瓩
普通銑	四六六八〃
鍛鋳鋼	九八二〃
特殊鋼鋼材	一八一〃
耐火・煉瓦	二、〇八三〃
電気銅	八五〇〃
屑銅	二七〇〃
鉛	六〇〇〃
亜鉛	一三〇〃
錫	三五〃
アンチモン	四〇〃
アルミニウム	五〃
石綿（高）	七〇〃

一一七

資源名	数量
羊毛	四五二俵
亜麻	二四瓩
苧麻	四一〃
大麻	四〃
黄麻	一五〃
マニラ麻	二一二〃
牛皮	七四〃
生ゴム	二〇〇〃
屑ゴム	六〇〃
坑木	一〇一、〇〇〇球
枕木	三三〇、〇〇〇丁
電柱	二三、五〇〇〃
米材	二七五球
南洋材	一、〇、四一六〃

一一八

チーク	五六瓲
リグナムバイタ	三〃
有煙炭	五三〇瓲
無煙炭	五〇〃
普通揮発油	四、〇〇〇竏
燈油	六、〇〇〇〃
軽油	三〇〇〃
機械油	一、六〇〇〃
半固体機械油	二〇瓲
重油	五、五五四竏
ソーダ灰	一二、〇〇〇瓲
苛性ソーダ	八、〇〇〇〃
液体塩素	三〇〇〃
塩酸	四〇〇〇〃

一一九

一二〇

晒粉	三、五〇〇瓲
純ベンゾール	三〇〇〃
石炭酸	三〇〇〃
クレゾール	三〃
硝酸	八〇〃
硫酸	二、五〇〇〃
ヒマシ油	八〃
硼砂	八〇〃
アセトン	二一〃
メタノール	三〇〃
カーバイド	二、〇〇〇〃
セメント	三九、〇〇〇〃
セラツク	九〃
松脂	八〇〃

其他ゴム及樹脂	九〃
カゼイン	九六〃
コールタール分溜物及生成品	八〇瓩
其他の薬品	八五瓲
カーボンブラツク	二三〃
酸化チタン	二五〃
其他の染料及顔料	一八瓩
其他の塗料及填充料	三〇〃
硝酸ソーダ	二七七瓲
キニーネ	一、六九六竏
吐根	一〃
サントニン	一〇一〃
麥角	二〃
テオブロミン	一〃

一二一

一二二

大風子	一竏
ブロム水素酸スコポラミン	一〃
硫酸アトロピン	二〃
ホミカ	一〃
乳糖	二瓲
セネガ根	一〇竏
塩酸ピロカルピン	一〃
酵母	六〇〇〃
其他の薬品	七五六瓩
國産金属工作機械	九〇〇〃
其他罐詰	一二、二七〇瓲
砂糖	二八〇瓩

第五章　對南支輸出

第一節　南支産業開発

現実の問題として南支は経済開発の点では、北支・中支に遅れること数等である。それは武力的に日本の支配が前記諸地方程に行はれてゐず、地理的に相當遠距離にあり、而も資源的に見て多くの期待を持ち得ない地域であり、僅かに海南島開発が重要性を呈示して居るにすぎないのである。

第一篇に於て述べたる如く、南支よりの對日供給品目中目ぼしいものは石原産業の海南島よりの鉄鉱石位のものである。その他雲南からの錫、タングステン等の取得が考へられるが、それは事変後は佛印に流れ、ハノイより米國向輸出となつて居たものであるが、皇軍の佛印進駐後はその流出も停止したので、何等かの措置（別に検討される筈）によつて我方に取得可能と思はれるが、こ

一二三

の事は廣東、或は香港若しくは従來通り佛印を通して取得するが良策であらう。

海南島の如く完全なる我支配下にある開発計画は極めて容易であるが、占據地域の比較的大ならざる南支に於て、而も我國経済力の商業的進出以外に多くの見るべきもののなかつた地域開発が北支、中支より遅れたのは當然であつて、その経済的性格よりしても南支は前諸地域とは異なるものである。

従つて海南島占據の如き戦略的措置と同時に資源的幸運とが南支に對する開発資材の要求の大部分となつてゐるのであるが故に、その資材の要求も前諸地域に比して極めて量的に少ないのである。

一二四

第二節　南支向輸出資材

資源名	数量
普通鋼鋼材	二、五〇〇瓲
普通銑	二一五〃
鍛鋳鋼	五二〃
特殊鋼鋼材	一一三〃
耐火煉瓦	六〇〃
電気銅	一〇〇〃
屑銅	五〃
鉛	三〇〃
亜鉛	五〃
錫	五〃
アンチモン	一〃
石綿（普）	一〃
羊毛	四六俵
苧麻	一二瓲
大麻	三〃
黄麻	一〃
マニラ麻	二四五瓲
牛皮	一〃
タンニン材料	九八〃
生ゴム	一〇〃
坑木	四九七趺
枕木	五、六〇〇丁
電柱	七一〃
南洋材	六二六趺
チーク	二瓲
リグナムバイタ	一〃
有煙炭	一六〇瓲
普通揮発油	一、二〇〇竏
燈油	一、七七〇〃
軽油	一〇〇〃

一二五

一二六

機械油	四〇〇〃
半固体機械油	一五瓲
重油	三五一七竏
食料塩	一二瓲
苛性ソーダ	八〃
塩酸	八〃
晒粉	二〇〇〃
石炭酸	一〃
硝酸	九〃
硫酸	二五〇〃
ヒマシ油	四二〃
無水アルコール	二〇竏
カーバイド	一二〇瓲
セメント	八〇〇〇〃

一二七

カゼイン	一四・八瓲
其他の染料及顔料	二瓩
其他の塗料及塡充料	二〇〃
硫酸アンモニア	二八九七瓲
キニーネ	八〇竏
吐根	一〃
サントニン	二〃
麥角	一〃
大風子	一〇〃
硫酸アトロピン	〇・二五〃
ホミカ	四〃
乳糖	二〇〇〃
塩酸ピロカルピン	〇・〇五〃
國産金属工作機械	五〇瓩

米	三二千石
其他罐詰	三〇七瓲
砂糖	一〇〇担

一二九

結び

我國にとっては、満洲國の逞しき生長、北支・中支・蒙疆等の正しき発展は絶対的に必要である。而してその為には満洲建國以来、又は支那事変勃発以来の客観的諸情勢は、満洲の或は支那の幣制確立を必要とした。この幣制の確立が行はるれば同時的に治安は恢復され、事変は終熄する訳である。而し乍ら現実は容易に幣制の確立を遂行せしめない。全般的には新幣制の経済的基礎は脆弱であった。即ち、新通貨は発券準備として金又は日銀券以外の外貨を持たず、殊に北支に於ては、資本蓄積が貧弱で北支民族資本及び外國銀行の協力を得ることが出来なかった。即ち山本俊五氏の支那経済年報に於て指摘して居る如く「北支に於ける資本蓄積の貧弱さは、其の反作用として、當然中南支への依存性を強め、従って又外國資本特に欧米資本に対する隷属性を深めざるを得なかった。謂はゞ北支は手を切られ足をもぎとられ其の胴体だけが他人の掌中に投

一三〇

げ込まれて居た。斯様な経済構造の脆弱さが新幣制工作を推し進める上に最大な障碍となつた。即ち部分的にはこれに北支銀団を参加せしめ得たが、他の大部分の資本動員が殆ど不可能に近かつたばかりでなく、天津英佛租界を中心とする南方系民族資本及之を支持する英米系諸銀行は新幣制樹立に対し強力なる抵抗を以て答へ、北支経済は其の心臓部を敵側に握られたも同然であつた。而も中南支経済との一体性は、南主北従の形態で確立されつゝあつた為、事変勃発と共に両地域間の交易遮断は北支経済の基礎を震撼せしむるに至つた」ので新幣制樹立の向背は全く一つにかゝつて日本の支援如何にあつた訳である。云ふ迄もなく、その日本からの支援は現在迄は支那事変遂行に支障なき限りに於てのみ與へられたものであり、而も多くの場合対日供給可能物資の確保が前提條件となつたのであるが、今後は高度國防國家建設の目標に於ての支援が考慮せられねばならない。

我國の現在進みつゝある道は一面に支那事変の解決を要求しつゝ、他面支那事変の必然的発展なる対英米との正面からの対立、この為に要する総力戦的形

一三一

態の樹立に全力を傾注せねばならないのである。かゝる見地よりする物資動員計画設定の一翼として対満対支向輸出原材料の供給可能量の決定が前述の如き数字であるが、この當否は物資動員計画の全面的考察を試みたる後に於て支援可能の限界を決定すべきである。

従つて此の問題の正しい解答は科学的な物資動員計画の設定を見る時にのみ與へられるものである。

一三二

〔附表〕　昭和十五年度実績一覧表

目　次

一三三

一、昭和十五年度北支那向第二分科関係物資配給実績一覧表

資源名	数量	單位	年月
銅	三、〇〇八、一六六	瓩	一五、四－一六、三
故銅	四〇〇、八三九	〃	〃
鉛	九六六、九七八	〃	〃
亜鉛	三三〇、一三八	〃	〃
錫	八八、七一〇	〃	〃
アンチモン	七三二	〃	〃
水銀	四三九五	〃	〃
アルミニウム	四七、六七二	〃	〃
石綿	六一、九六二	〃	〃
雲母	八〇	〃	〃

一三四

資源名	数量	單位	年月
電氣用カーボン	一六、二一〇	〃	〃
黒鉛	三四九一五	〃	〃

二、昭和十五年度北支那石油類配給実績一覧表

資源名	数量	單位	年月
揮発油	四、六五八.九六	瓩	第一四半期ー第四四半期
燈油	五、五七七.五	〃	
軽油	三、一七三.七	〃	
重油	五、五九六.〇二	〃	
機械油	四、一一九.三	〃	
計	二三、一二五.四八	〃	

一三五

三、北支那第三分科物資割當実績一覧表

資源名	数量	單位	年月
綿糸	二、六〇二.三	梱	一五、一二月現在
マニラ麻	三〇五、四六〇	瓩	〃
羊毛	二八.五	俵	〃
ゴム	二〇三、四〇八.二	瓩	〃
皮革	一一四、七三六	〃	〃
南洋材	四、八六一	球	〃
南米材	一五	〃	〃
チーク材	一四〇	〃	〃
リグナムバイター	七六〇	瓩	〃
電極	七八、一四二	本	〃

一三六

資源名	数量	單位	年月
坑木	一五九、九二七	球	〃
枕木	二、四二〇、七一〇	本	〃

四、昭和十五年度マニラ麻製品配給実績表

資源名	数量	單位	年月日
蒙疆	一、〇一〇	封度	一六、七、一
北支	一、〇七六、〇一〇	〃	〃
中支	一九五、〇三六	〃	〃
南支	一五七、二五四	〃	〃
計	一四二九、三一五	〃	〃

一三七

五、北支那向第五分科関係（醫薬品）配給実績一覧表（昭和十五年度四ー九月）

資源名	数量	單位	備考
アンモニア茴香精	一・一二・五〇〇	瓩	
アスピリン	一、五九三・四二五	〃	
安息香酸	三・一二五	〃	
同ソーダ	五・〇〇〇	〃	
同ソーダカフェイン	一七・五〇〇	〃	
アミノベンツオルスルフアミド ベンヂルアルキルアミド（ボレオン）	一一一・〇〇〇	〃	
アンチピリン	四一七・一二五	〃	
アミノピリン（フエブロン）	一四六・二五〇	〃	
アセタルゾール（オスヂルサン）	九・一五〇	〃	
アルセノベンゾールナトリウム（ネオ・ネオ・サルヂノール）	三一・二三四五	〃	

一三八

赤酒	四二・〇〇〇	〃
アミノコルデンキオシン液	一〇・〇〇〇	〃
アミノコルデンキオシン注射液	八〇〇・〇〇〇	管
アグリフラビン	三三・〇〇〇	瓩
アクリノール	三三・三四〇	〃
アミノ安息香酸エチル（アミノフオルミン）	一三・二五〇	〃
アルゼノベンゾール	二七・一四九	〃
阿仙薬チンキ	〇・五〇〇	〃
醫薬用アラビヤ	一〇・〇〇〇	〃
ウワウルシ葉	二・五〇〇	〃
ウワウルシ流動エキス	一六五・〇〇〇	〃
ヴィタミンB1結晶	〇・〇〇二	〃
ウロザミンカルシウムゴノワクチンネオカルゴイゲン	二六九〇・〇〇〇	管
ウリノーゲン	三〇・〇〇〇	瓩

一三九

塩酸プロカイン	三八〇・三二五	瓩
エチール炭酸キニーネ	八・五〇〇	〃
塩酸キニーネ	五〇・五七五	〃
〃エフエドリン	〇・二五〇	〃
〃ロベリン1%・1cc	二五〇・〇〇〇	管
〃ピロカルピン	五〇・〇〇〇	瓩
遠志チンキ	五〇・〇〇〇	〃
〃根	二五・〇〇〇	〃
塩酸コタルニン（オイスタブチン）	〇・二五〇	〃
黄柏末	二・五〇〇	〃
海人草	二七五・〇〇〇	〃
カルチコール末	一〇・〇〇〇	〃
カミツレ花	一〇・〇〇〇	〃
カプセル	一、五六五・〇〇〇	〃

一四〇

含糖ペプシン	七五・五〇〇	瓩
カンフル精	五〇・〇〇〇	〃
カンタリスチンキ	一・八七五	〃
カフエイン	三・五〇〇	〃
甘汞	一・二五〇	〃
瓦斯壊疽血清	〇・五二〇	〃
杏仁水	二四二・五〇〇	〃
キノフエン（ギトーザン）	二・七五〇	〃
キササゲ	四一・〇〇〇	〃
吉草チンキ	一五四・五〇〇	〃
キヒロホルム	一・三七五	〃
桔梗根	二五・〇〇〇	〃
キナチンキ	八・五〇〇	〃
苦味チンキ	八九五・〇〇〇	〃

一四一

クロルエチル（三共クロルエチル）	三〇、〇〇〇・〇〇〇	瓲
グルコン酸石灰	五・〇〇〇	瓩
クロロホルム	二、七二五・〇〇〇	〃
クエン酸ソーダ	一一・二五〇	〃
駆黴用蒼鉛有機化合物	四五、九一〇・〇〇〇	管
車前葉	一〇・〇〇〇	瓩
グアヤコールスルホン酸カリ	四・七五〇	〃
クレオソート	二・五〇〇	〃
玄之草	二、七四五・〇〇〇	〃
桂皮チンキ	五・五〇〇	〃
血精	二四〇・〇〇〇 / 二六〇・八〇〇	管 / 罐
ゲンチヤナ根	六五・〇〇〇	瓩
ゲンチヤナチンキ	六・〇〇〇	〃
ケシがラ	二・五〇〇	〃

一四二

血清腸チブスパラチブス	一八〇.〇〇〇	CC
コケモモ葉	一五〇.〇〇〇	瓦
コレラ内服ワクチン(一人分)	三〇.〇〇〇	箇
コンズランゴ流動エキス	二五一.五〇〇	瓦
五種香	二.〇〇〇	〃
黄色ワセリン	三一〇.〇〇〇	〃
サルバルサン類	一六.〇五〇	〃
サロール	六一.五〇〇	〃
サルチル酸フエニル	一二〇.〇〇〇	〃
サントニン	二.七七〇	〃
サルバノール	七三.六五〇	〃
サフラン	五.七五〇	〃
サルチル酸アンチピリン	一二.二五〇	〃
〃 曹達テオプロミン	一六.七五〇	〃

サフランチンキ	〇.五〇〇	瓦
重薬	三、〇〇五.〇〇〇	〃
蓚酸セリウム	〇.七〇〇	〃
次亜燐酸石灰	七六.〇〇〇	〃
次硝酸蒼鉛	五六二.〇二五	〃
重炭酸ソーダ	二、〇三七.五〇〇	〃
重曹	三〇.〇〇〇	〃
生薑チンキ	〇.五〇〇	〃
次サリチル酸蒼鉛	〇.六二五	〃
次没食子酸蒼鉛	六〇.〇〇〇	〃
消毒用昇汞	一二.五〇〇	〃
スルホナール	二三.二五〇	〃
スチバルサン	四.二一〇五	〃
フルフオエノラミゾール	〇.四三五	〃

ズルファミン	四、三五六.七〇七	瓦
	四八〇.〇〇〇	函
スルピリンノバポン	一〇〇.七五〇	瓦
ストロファンツスチンキ	四.〇〇〇	〃
スルピリン	四九.四二五	〃
ストロチンキ	四.〇七五	〃
石炭酸	一.二五〇	〃
スルフオサリチル酸ヘキサメチレンテトラミンナトリウム塩	四、一四九八.〇〇〇	〃
接骨木	二.五〇〇	〃
セキリオスワクチン	五、六五〇.〇〇〇	人分
セキリ内服ワクチン(一人分)	九、〇三〇.〇〇〇	個
石松子	〇.二五〇	瓦
セネガチンキ	八.五〇〇	〃
ソムナール	三.五〇〇	〃
蒼鉛駆黴剤	二.五〇〇	〃
	二、一二〇.〇〇〇	本

タンニン酸	四〇.〇〇〇	瓦
脱水ラノリン	二五.〇〇〇	〃
大黄末	五.〇〇〇	〃
大黄チンキ	五.〇〇〇	〃
デキタリスチンキ	六.〇〇〇	〃
デキタリス葉	一三.一二五	〃
デキタリス配糖体	七四、五〇〇.〇〇〇	管
	六八二.五〇〇	瓦
橙皮チンキ	五六.〇〇〇	瓦
チアントール	一、五八三.二五〇	〃
デウレチンカルシウム デウカルチン	一六八.五〇〇	〃
チブス内服ワクチン(一人分)	三〇.〇〇〇	個
デフテリアフオルモワクチン	六五〇.〇〇〇	CC
デウレチン	一六.〇〇〇	瓦
地龍	五.〇〇〇	〃

チモール	二二・二五〇	〃
ヂメチルアミノアンチピリン	六五・〇〇〇	〃
デルマトール	五〇・五〇〇	〃
T・B・T二号	四、五〇〇・〇〇〇	管
トリクロルエチルウレタンアミノピリン	一六・五〇〇	瓩
當薬	五〇〇・〇〇〇	〃
吐根チンキ	四・〇〇〇	〃
ナルカイン	〇・五〇〇	〃
夏枯草	三〇・〇〇〇	〃
ナンバノ毛	二・〇〇〇	〃
乳糖	一〇・〇〇〇	〃
ネオネオアーセミン	六六、六五〇・〇〇〇	本
ネオタレツルサン	一七九、八六〇・〇〇〇	〃
ネオアルサミノール	四二四、一〇〇・〇〇〇	管

一四七

ネオエーラ	七六・七七四五	瓩
ネオアクチバルサン	五五、〇〇〇・〇〇〇	本
	六〇〇・〇〇〇	管
ネオアルセノベンゾール	一・一一五	瓩
白糖末	五・〇〇〇	〃
パラアミノベンツオールスルフオンアミド	一五〇・七五〇	〃
パラパラアミノベンツオール、スルフオンアミド・スルフオンヂメチルアミド	一一九・〇〇〇	〃
パンセプチン	五・〇〇〇	〃
白色アクチゾール	一九・九五〇	〃
パンリバー	五・〇〇〇	〃
蕃椒丁幾	二五・〇〇〇	〃
パンクレアチン	六三・一二五	〃
パラ・オキシ安息香酸ブチルエステル	四三・二〇〇	〃
麦角	二・〇〇〇	〃
麦角チンキ	一二・六二五	〃

一四八

麦角エキス	〇・二五〇	〃
白南天	〇・二五〇	〃
バルビタール	二三・七五〇	〃
白色ワセリン	二九五・〇〇〇	〃
百日咳ワクチン	四、五〇〇・〇〇〇	管
ピラビタール	二六・二七五	瓩
ビタミン	三、〇〇〇・〇〇〇	管
ブロームソーダ	二四・二〇〇	瓩
ブロームカリ	五六二・〇二五	〃
フエナセチン	一、二九五・〇〇〇	〃
ブロムナトリウム	二一五・一二五	〃
ブロムヂエチルアセチル尿素	六・五〇〇	〃
ブロムワレリル尿素	四八二・四二五	〃
ブロバリン	二〇・〇〇〇	〃

一四九

フエノールフタレイン	五・五〇〇	瓩
ブロム水素酸スコポラミン	〇・一六〇	〃
フエノバルビタール	二・五〇〇	〃
ベリフエルミン	六・〇〇〇	〃
硼酸	六、四一八・一五〇	〃
ポレオン粉末	六・五〇〇	〃
芳香チンキ	〇・五〇〇	〃
ホミカチンキ	一五・〇二五	〃
抱水クロラール	二三・七九〇	〃
マーキユロクローム	六〇・〇八〇	〃
孫太郎虫	一〇・〇〇〇	匹
又渡	二・五〇〇	瓩
ミオアーセミン	一、六〇〇・〇〇〇	本
ミオエーラミゾール	〇・〇四六	瓩

一五〇

ミグレニン	四二.五〇〇	〃	
メチレンクレオソート	二〇.〇〇〇	〃	
綿馬エキス	二六.五〇〇	〃	
メチールスルホナール	〇.七五〇	〃	
苂	一〇.六二五	〃	
モノヨードベーヘン酸カルシウム	〇.五〇〇	〃	
山梔子	五.〇〇〇	〃	
有機性燐化合物（ユーキリン）	〇.五〇〇	〃	
ヨードソーダ	二.五〇〇	〃	
ヨードカリ	一二.五〇〇	〃	
沃度チンキ	一九.〇〇〇	〃	
溶性フエノバルビタトル	一.七五〇	〃	
ラウリン脂	二五〇.〇〇〇	〃	
龍膽末	六三.〇〇〇	〃	

龍膽丁幾	二七.〇〇〇	瓩	
淋菌ワクチン	四〇、五〇〇.〇〇〇	管	
流動パラピン	一二.五〇〇	瓩	
硫酸アトロピン	〇.〇七〇	〃	
リンゴ鉄チンキ	七.〇〇〇	〃	
流動石炭酸	二五.〇〇〇	〃	
ロートエキス	七.五〇〇	〃	
ロートチンキ	二九.〇二五	〃	
ロベリヤチンキ	一.〇七五	〃	
A－Oワクチン（大人用Ⅱ号）	三、六五七.五〇〇	cc	
ワクチン	二八、八〇〇.〇〇〇	管	
〃（テベラン No1 1cc）	四〇〇.〇〇〇	〃	
〃 診断液	六〇.〇〇〇	cc	
ワクチントキワイド	五〇〇.〇〇〇	〃	

六、北支那向第五分科関係（工業薬品・化学製品）配給実績一覧表（昭和十五年度）

資源名	数量	単位	備考
アラビヤゴム	七、一一一	瓩	
アセトン	一、二六〇	〃	
カセイン	八、七三〇	〃	
カーボンブラック	二九、七三七	〃	
石炭酸	三二、七三〇	〃	
セラック	四七八六	〃	
ゼラチン	三、四九一	〃	
拡脂	一六、七九五	〃	
トラカントゴム	一、八〇〇	〃	

資源名	数量	単位	備考
ヒマシ油	一八、二〇〇	瓩	
硼砂	三七、四一五	〃	
ホルマリン	七五四	〃	
硝酸	一三、〇〇〇	〃	
曹達灰	三二二、三〇〇	〃	
硝酸ソーダ	一、九八九	〃	
メタノール	四、一二六	〃	
硫酸	三三七、一五一.四六	〃	
塩酸	一一八、九九六	〃	
晒粉	二、五六八、五三四	〃	
純ベンゾール	五、五〇〇	〃	
モークーベンゾール	八、〇〇〇	〃	
クレゾール	三四一	〃	
苛性曹達	七八八、四〇七	〃	

第三部　日満支一体化に於て満洲國の占むる地位についての研究

担當者　山内正樹

満洲経済について

目次

第一章　生産財生産部門に就て

満洲國の戰時経済は昭和十二年の五ケ年計画の樹立とその開始に端を発した。その任務が満洲國の國防國家体制の確立であると共に、日本の戰時経済に對する資源の補給にあつた。殊に後者の任務は、日支事変の開始と共に愈々重要となり、五ケ年計画は修正され、日満一体化の色彩が強く現はれて來た。

満洲が鉄・石炭等の戰時重要資源に恵れてゐることは今更喋々するまでもない。端的に言つて、これらの物資を日本に補給することが、東亜共栄圏に於ける満洲國の最も重大な任務の一つである。

満洲國の経済開発は年々発展して來たことは事実である。

先づ昭和十一年から十三年までの、鉄・石炭・セメントの生産高を見るに

	銑鉄	鋼材	石炭	セメント
昭和十一年	四八七千瓲	七二千瓲	一三、三〇一千瓲	四〇一千瓲
〃十二年	六八二	八八	一四、一二五	六七三
〃十三年	七〇八	一一七	一五、四一〇	八八〇

二

次いで昭和十三年と十四年に於ける主要生産財部門の生産高を見てみやう。

	昭和十三年	上期	下期	昭和十四年	上期	下期
銑鉄	八二七千瓲			九九五千瓲		
主要鋼材	三二〇			三五五		
石炭	一五、三六一			一九、三八〇		
セメント	一、二三八	四七三千瓲	七六六	一、〇三五	五四六	四八九
曹達灰	五〇			五八		
パルプ	三六万瓲	八万瓲	二八	五二万瓲	二八万瓲	二四
硫安	二二九千瓲	一二三千瓲	一五〇	二六〇千瓲	九五千瓲	六五
機械器具	二三、八七五千円			三四、七三四千円		

しかし此の表から覗はれるやうに、十四年の下期に於ては、生産が前年同期に比べて、又十四年上期に比べて、次第に減退の傾向を現はし始めてゐるのである。

満洲國に於ける重要生産財の増高に比例して、その對日輸出も、少くとも昭和十三年頃までは増加の傾向にあつたが――石蝋・皮革を除き――それ以後は、マグネサイト・滑石・塩等の輸出は増加してゐるが、石炭・硫安・木材等が輸出減少し始めてゐる。

三

〔例一〕

重工業資源對日輸出高　（單位 千円）

	石炭	銑鉄	鉄鋼及び同製品
昭和十一年	二、七四七	四、五四五	九、二三八
昭和十二年	二、八二四	三、八二六	一三、三五〇

四

〔例二〕

石炭對日輸出高

	輸出高（千瓲）	指数（十一年＝一〇〇）
昭和十二年	三、四六五	一〇四
昭和十三年	二、七七六	八三
昭和十四年	一、六三〇	四九

以上の様な生産の停滞と對日供給の減退は何に原因するのであらうか。元来満洲は、それ自体の生産力が低位であるし、又建國以来基礎的建設が行はれたがそれは交通・通信等の方面を主とするものであつたから現実の生産の基底になることは出来ないし、かくて資本と建設資材・資料を海外、特に日本に頼らなければならなかつた。

〔例一〕

修正五ヶ年計画に於ける資金計画

日本資本導入　約　二〇億
外資導入　〃　七―八〃
現地調弁豫定額　〃　五〃

五

（例二）

対日貿易　（単位 千万円）

昭和十一年	五三四、六三〇
昭和十二年	六六六、二七〇
昭和十二年上半期	三〇六、五〇五
昭和十三年上半期	四二四、〇五〇

（例三）

生産手段並に消費資料輸入額　（単位 千円）

	生産手段	消費手段
昭和十一年	二二一、七三三	三四八、三五五
昭和十二年	四七〇、〇九七	五三九、〇五六

少くとも康徳五年度——昭和十三年——迄は五ケ年計画の遂行に伴って生産財の輸入は激増した。此の期間はまだ日本に餘裕があつたのである。即ち、日本に於ける生産基底が未だ遊休生産力動員の段階にあり、且つ戦時編成替の初期の段階にあつたからよかつたのである。

一方では、國際情勢はまだ逼迫して居らず、満洲國の農産品は第三國にドシドシ輸出されてゐたのであるから、第三國からの生産財の輸入もまだ楽であつた訳である。

ところが、欧洲大戦の勃発と共に日満両國の対欧輸出が困難となり、更に対米関係が悪化し、又日本に於ける基本的再生産過程に縮少が始まるといふ工合で、満洲國の対日・第三國輸入は減退せざるを得なくなつた。

かくて康徳六年（昭和十四年）には、鉄鋼・アルミニウム・錫・銅等の輸入が、六年秋から七年に入ると、生ゴム・コールタール染料・麻袋・機械及装置等が減少して来た。

従って康徳七年度に於て依然増加してゐるのは、車輌及同部分品・電気機器及装置・木材だけである。しかもこれらの生産財も金額表示であるから、價格騰貴を計算に入れる時、左程の増加だとは思はれない状態にあるのである。

左に一覧表を掲げよう

日本からの消費資料供給の減少も、満洲の生産力減退に作用するところが大きい。

(一) 元来満洲國に於ける消費資料の供給はその八割程度迄が日本よりの輸入である。そこで主要消費資料並に同原料輸入の減少過程を日本に於ける生産基底の変化に従ひ分析するに次の如し。

(1) 遊休生産力動員の段階（昭和十三年＝康徳四年上半期迄）

消費資料の拡張再生産可能であつたため、對満輸出餘力の縮少は起つてゐない。小麦粉・米・砂糖を除き、他は満洲國経済開発の進展に伴ひ増加した。

康徳三年度以降同六年度満洲國主要生産財對日・支・第三國別輸入表

品目（日本・支那・第三國）	康徳三年 數量	康徳三年 指數(量)	康徳三年 金額(千円)	康徳三年 指數(額)	康徳四年 數量	康徳四年 指數(量)	康徳四年 金額	康徳四年 指數(額)	康徳五年 數量	康徳五年 指數(量)	康徳五年 金額	康徳五年 指數(額)	康徳六年 數量	康徳六年 指數(量)	康徳六年 金額	康徳六年 指數(額)
コールタール染料	—		—		—		—				[illegible]				[illegible]	
生ゴム	—		—		—		—				[illegible]				[illegible]	
麻袋	[illegible]		[illegible]	一〇〇 一〇〇 一〇〇	[illegible]	[illegible]	[illegible]	[illegible]	[illegible]	[illegible]	[illegible]	[illegible]	[illegible]	[illegible]	[illegible]	[illegible]
機械及装置			[illegible]	一〇〇 一〇〇 一〇〇			[illegible]	[illegible]			[illegible]	[illegible]			[illegible]	[illegible]
車輌及同部分品			[illegible]	一〇〇 一〇〇 一〇〇			[illegible]				[illegible]				[illegible]	
木材			[illegible]	一〇〇 一〇〇 一〇〇			[illegible]	[illegible]			[illegible]	[illegible]			[illegible]	[illegible]
セメント	[illegible]		[illegible]	一〇〇 一〇〇 一〇〇	[illegible]	[illegible]	[illegible]	[illegible]	[illegible]	[illegible]	[illegible]	[illegible]	[illegible]	[illegible]	[illegible]	[illegible]
電氣機械及装置			[illegible]	一〇〇 一〇〇 一〇〇			[illegible]	[illegible]			[illegible]	[illegible]			[illegible]	[illegible]
錫											[illegible]				[illegible]	
アルミニウム			[illegible]	一〇〇 一〇〇 一〇〇			[illegible]	[illegible]			[illegible]	[illegible]			[illegible]	[illegible]
銅			[illegible]	一〇〇 一〇〇 一〇〇			[illegible]	[illegible]			[illegible]	[illegible]			[illegible]	[illegible]
鉄鋼			[illegible]	一〇〇 一〇〇 一〇〇			[illegible]	[illegible]			[illegible]	[illegible]			[illegible]	[illegible]

康徳三年度以降同六年度満洲國主要消費財並原料對日・支・第三國別輸入表

品目（日本・支那・第三國）	康徳三年 數量	康徳三年 指數(量)	康徳三年 金額(千円)	康徳三年 指數(額)	康徳四年 數量	康徳四年 指數(量)	康徳四年 金額(千円)	康徳四年 指數(額)	康徳五年 數量	康徳五年 指數(量)	康徳五年 金額(千円)	康徳五年 指數(額)	康徳六年 數量	康徳六年 指數(量)	康徳六年 金額(千円)	康徳六年 指數(額)
棉花	[illegible]	一〇〇 一〇〇 一〇〇	[illegible]	一〇〇 一〇〇 一〇〇	[illegible]	[illegible]	[illegible]	[illegible]			[illegible]	[illegible]	[illegible]	[illegible]	[illegible]	[illegible]
葉煙草	[illegible]	一〇〇 一〇〇 一〇〇	[illegible]	一〇〇 一〇〇 一〇〇	[illegible]	[illegible]	[illegible]	[illegible]			[illegible]	[illegible]	[illegible]	[illegible]	[illegible]	[illegible]
皮革及毛皮			[illegible]	一〇〇 一〇〇 一〇〇			[illegible]	[illegible]			[illegible]	[illegible]			[illegible]	[illegible]
蓆及蓆地			[illegible]	一〇〇 一〇〇 一〇〇			[illegible]	[illegible]			[illegible]	[illegible]			[illegible]	[illegible]
紙類			[illegible]	一〇〇 一〇〇 一〇〇			[illegible]	[illegible]			[illegible]	[illegible]			[illegible]	[illegible]
毛織物			[illegible]	一〇〇 一〇〇 一〇〇			[illegible]	[illegible]			[illegible]	[illegible]			[illegible]	[illegible]
人絹織物											[illegible]				[illegible]	
綿織物			[illegible]	一〇〇 一〇〇 一〇〇			[illegible]	[illegible]			[illegible]	[illegible]			[illegible]	[illegible]
茶	[illegible]	一〇〇 一〇〇 一〇〇	[illegible]	一〇〇 一〇〇 一〇〇	[illegible]	[illegible]	[illegible]	[illegible]	[illegible]	[illegible]	[illegible]	[illegible]	[illegible]	[illegible]	[illegible]	[illegible]
魚介類			[illegible]	一〇〇 一〇〇 一〇〇			[illegible]	[illegible]			[illegible]	[illegible]			[illegible]	[illegible]
砂糖	[illegible]	一〇〇 一〇〇 一〇〇	[illegible]	一〇〇 一〇〇 一〇〇	[illegible]	[illegible]	[illegible]	[illegible]	[illegible]	[illegible]	[illegible]	[illegible]	[illegible]	[illegible]	[illegible]	[illegible]
小麦粉	[illegible]	一〇〇 一〇〇 一〇〇	[illegible]	一〇〇 一〇〇 一〇〇	[illegible]	[illegible]	[illegible]	[illegible]	[illegible]	[illegible]	[illegible]	[illegible]	[illegible]	[illegible]	[illegible]	[illegible]
木及板	[illegible]	一〇〇 一〇〇 一〇〇	[illegible]	一〇〇 一〇〇 一〇〇	[illegible]	[illegible]	[illegible]	[illegible]	[illegible]	[illegible]	[illegible]	[illegible]	[illegible]	[illegible]	[illegible]	[illegible]

(2) 戰時編成替の段階（昭和十四年＝康德六年上半期頃迄）

遊休生産財飽和点に達した。生産部門の戰時編成替が行はれる結果、消費資料縮少再生産過程進行開始。

砂糖・綿織物の對日輸入減少。

其他の主要消費資料は、産業開発五ヶ年計画、北辺振興計画の運行に伴ひ増加。

日本に於て消費資料縮小再生産に基き消費資料對満輸出餘力の縮小を見たるに拘らず主要消費資料の輸入が大部分増加してゐるのは、未だストックが相當存在した事と戰時編成替に基く消費財價格の必然的昂騰にも拘らず之が價格統制を強行した結果、價格法則の満洲に於ける貫徹となつて消費材対満流出増大を招來したが為である。

(3) 基本的再生産過程縮少の段階（昭和十四年＝康德六年下半期以降）

消費資料の縮少再生産の拡大深化、ストックの涸渇に因り対満輸出余力萎縮す。対三國輸出振興、國内生活必需品の缺乏防止を図るため、円ブロック輸出制限強化さる（関満支向輸出調整令の発動）。

九

康德七年上半期に於て、主要輸入消費資料中数量に於て増加せるは——茶のみ。

小麦粉・米・砂糖等は数量に於て、

綿織物・人絹織物・毛織物等は金額に於て減少。

(二) 右の要因の外に、次の如き要因がある。

(1) 對支関係

事変による生産力の停滞並に円系通貨の價値暴落に基く生産並に出廻の停頓と消費財及同原料の對支輸入の減少——米・茶・葉煙草・棉花・紙類。

(2) 對第三國関係

軍需関係資材輸入力培養のための消費資料ブロック内アウタルキリ政策＝為替管理、輸入統制並に農産品對欧輸出の停滞＝外貨難に因る消費資料對第三國輸入の全面的杜絶——米・小麦粉・砂糖・葉煙草・棉花。

一〇

日本からの消費資料供給の減少は、満洲自体に於ける消費財生産の減退と共に、労働の再生産を困難ならしめ、その生産性を低下せしめ、従って生産力の減退に作用するところが大きいのである。

満洲國の開発が上述したやうに生産資材に於ても、消費資材に於ても多分に國外特に日本に依存してゐる上に、更に労働力に於ても北支苦力に多分に依存してゐることは周知の通りである。

それ故に、満洲國の國防力を増大し、重要資源の対日供給を大ならしむるためには、生産資材の供給、消費資材の供給——農産物の増加を含めて——更に労働力供給の問題につき根本方策を考へなければならない。

先づ生産資材＝開発資材の供給であるが、國際情勢の展開、特に独ソ戦の勃発と共に満洲國、それから日本も亦唯一の重要資材を確保し得た國である独逸からの輸入難が発生した今日、且又國際関係の打開が困難であり、たとひ可能としても依然として今後の楽観を許さぬ事情にある今日、如何なる對策が打ち樹てらるべきであらうか。

一一

先づ日本自体の欧米依存の経済的性格の改造が必要である。技術の向上、欧米の水準への向上、そのためには技術の行政から教育に到る全般の改造が必要となる。

満洲自体の問題として此際批判されなければならぬことは、先づ満洲に於ける過大投資性、満洲の過重負担といふことである。

満洲は、日本への重工業原料の補充といふ任務と、國内綜合國防産業の確立といふ二重の任務を負はされて來た。

満洲の技術発展の度合は左の如く低位にある。

〔例一〕　工業生産総額に對する機械器具生産額の割合

（康德四年満洲國統計）

総生産額	九九六百万円
機械器具生産高	二五 〃

一二

割	合	二・五%

〔例二〕　工業労働者数に對する機械器具労働者数の割合

総　数	一九八、九九五人
機械器具工業	一三一、六九〃
割　合	六・六%

従来投資の割合に生産力が発展しなかつた原因の根本的なるものは、技術水準の低位と日本経済の制約下に、前述の二重の任務を負はされたことにある。

今後は日本に對する重工業資源の提供に重点を置き採炭と製鉄部門に資金・資材・労力を集中すべきである。

次に、建設資材、労力、生活資料の相當の部分が日本及び支那に依存して来たのであるが、建設資材は独立性を獲得すること却々困難であり、これは先述した如く、日本自体の技術向上に多分に依存せざるを得ないところとしても、

一三

労力と生活資料とは之を對外依存から脱却すべきである。労力は北支に於ける建設の進行と共にその需給は益々窮屈となるのは必定であり、消費資材も亦日本経済が重工業に轉換する以上犠牲産業としてその領分が狭められて来たことは云ふまでもないのであるから、若し従来のまゝの依存が続けられるならば、満洲の開発は行詰らざるを得ない。

消費資料生産部門の國内自立性確保のためには、特に、綿布・小麥粉の國内増産をはからなければならず、それには又棉花・小麥の増産施設を強化しなければならぬ。消費財増産は労働者の固定化に役立つであらう。満洲の労働力の質が大部分半工半農的で質が悪く浮動性に富んでゐることは生産に大きな障害を與へてゐる。消費財工業と主要鉱山地帯、重工業地帯との結び付きが実現されるならば、労働者家族の副業収入を増大させ、低賃銀労働者の固定化に役立つところが多い。

後述する如く満洲の土着資本はその商業高利貸的性格から生産拡充にとつて障害をなしインフレの媒介者となつてゐるのであるが、彼等をして産業資本に

一四

轉換せしむる意味合ひに於ても、この消費資料生産部門の確立は重要である。

以上のことは結局農業問題に関聯して来る。労働力の源泉は農村にあるのであるし、又自給自足的な低位な生産段階に農村がある以上は、消費資料の原料の増産も望み得ない。農業技術の近代化が重要問題となる。

生産財生産部門内部に於ける重点主義

無計画な生産力拡充投資が継続されたために、生産財生産部門間の生産並に供給の跛行性が生じてゐる。即ち、一方では新規開発事業の建設が沈滞し資本休眠化の一因となり、他方では既設重要産業の設備財、助成財の消磨部分並に原料の喰込――資本の有機的構成低下――労働生産性の低下の一因となつてゐる。

そこで次の様な對策が講ぜられなければならない。

(イ)　既設重要産業部門の設備財、助成財の消磨部分並に必要原料の優先的確保を図るべきこと。

一五

(ロ)　避くべからざる計画の齟齬に基く生産財供給の不均衡化防止に必要なるストックの保持を図るべきこと。

(ハ)　農業生産手段の高度化のために必要なる資材の優先的確保

(ニ)　右の三つの消費と準備を充した残りの生産手段供給余力を以て新規開発事業への重点的投資を行ふべきこと。

一六

第二章　消費財生産部門に就て

満洲戰時経済の當初に於ては、消費資料は左程困らなかつた。それは満洲では戰時経済への再編成が消費資料部門の犠牲といふことによつて行はれたのでなく、むしろ日本の戰時経済再編成により日本に於けるその存在を脅威された資本と商品とが、満洲戰時経済政策の不徹底を利用して満洲に進出して来たからである。

即ち國内の生糸生産高は

昭和十一年　四九千梱
昭和十二年　七二〃
昭和十三年　九〇〃

と云ふ工合に増加してゐる。

製粉業も満洲建國後の日本資本の進出により機械製粉が繁栄した。

一七

綿製品の輸入も、十三年上半期の円ブロツク向輸出制限頃迄は増大し、小麦粉の輸入増大と相俟つて國内に於ける消費資料の自給率を高めてゐる。

綿織物並に小麦粉輸入高表

	綿織物		小麦粉	
昭和十一年	八七 百万円		二一一 千瓲	
昭和十二年	一〇五	上半期 五三 百万円 下半期 五二	七八	濠洲の対日報復輸出禁止による
昭和十三年	八四	上半期 六三 下半期 二一	二四〇	

昭和十三年の中頃から、主要消費資料は生産減退し始めた。

一八

綿糸・小麦粉生産高

	綿糸		小麦粉	
昭和十三年	三七 百万梱	上期 一六 百万梱 下期 二一	四一八 百万袋	上期 二二七 下期 一九〇
昭和十四年	二三	上期 一四 下期 九	二五四	上期 一八二 下期 七二

その原因は、紡績業にあつては、為替取得の困難に基く印綿輸入制限、製粉業にあつては、自然的災害による原料小麦の生産減少にある。

輸入関係に於ても、綿製品は昭和十三年七月の円ブロツク輸出制限以来激減した。

一九

綿織物対日輸入額（単位百万円）（指数＝昭和十一年一〇〇）

	輸入額		指数
昭和十二年	一〇四	上期 五三 下期 五一	一二一
昭和十三年	八四	上期 六三 下期 二一	九八
昭和十四年	一〇	上期 六 下期 四	一二

小麦粉に於ては輸入増加が見られるが、國内需要の急増と國内生産の減退とのギヤツプを埋め得る程大きくはない。

小麦粉海外輸入高（単位千瓲）（指数＝昭和十一年一〇〇）

二〇

	輸入高		指数
昭和十二年	七八	上期 四五 下期 二七	六八
昭和十三年	二四〇	上期 八九 下期 一五一	六二
昭和十四年	三一一	上期 八九 下期 三二二	七五

この傾向は昭和十四年秋に入り、欧洲大戦の勃発と共に益々激しくなって來た。

紡績業は原棉輸入手當が一層困難となり、操短八割に及んだ

綿糸生産高

昭和十四年一―三月計　四四、五二三・八　梱

二一

綿製品の輸入も、特に昭和十四年九月の滿關支向輸出調整令以來減少決定的となった。

昭和十五年一―三月計　二二、六二六・九七梱

綿織物對日輸入高

昭和十四年上半期　六〇三九千円

昭和十五年上半期　四三四九〃

製粉業も、穀粉管理會社の成立及小麥粉專賣制実施（昭和十四年十二月）以來機械製粉は左の如く減少した。

小麥粉生産高

昭和十四年上半期　八二三六千袋

昭和十五年上半期　六四四三〃

他面、地方磨坊に於ける自家用並に地方的販賣のための生産はかなり増大したが、相當量北支に流れて行って居ると見られる。

輸入も左の如く減少してゐる。

二二

小麥粉海外輸入高

昭和十四年上半期　千袋

昭和十五年上半期　〃

消費資料の供給の減退は農家販賣品と購入品との不等價交換を激成し、かくて農家の必要とする購入消費資料の枯渇化を來した。農家に於ては、自己の労働力を再生産するに必要な購入消費資料の欠乏のため、作物の自給化傾向を生じた。そのため商品作物の自給作物への轉換傾向が生れた。

二三

商品作物より自給作物の耕作への轉向傾向

（康德六年度と七年度との比較）（單位千陌）

作物	本年	昨年	減少率（%）	南満 本年	南満 昨年	北満 本年	北満 昨年
(1) 商品作物耕作面積							
大豆	三、七三三	四、〇九〇	九・〇	一、九二一	二、〇四一	一、八一二	二、〇四九
小麥	一、〇四九	一、三五五	二〇・〇	一三六	一一五	九一三	一、二四〇
蘇子	六三	一一七	四六・二	一七	二〇	四六	九七
(2) 自給作物耕作面積							
高粱	三、九一八	三、七三七	四・八	二、八八八	二、八六一	一、〇三〇	八七六
粟	三、五二四	三、三五七	五・〇	二、〇七六	二、〇〇一	一、四四八	一、三五七
玉蜀黍	二、〇五七	一、八〇五	一三・七	一、一九九	一、一〇九	八五八	六九六

二四

農家の自給化と共に特産物は全面的に出廻減退を來した。即ち昭和十四年十月以降十五年七月迄の鉄道貨車輸送量は前年同期に比べて六九％に過ぎず、その中大豆は三八％、高粱は四二％で減少率が最も甚だしい。

特産物輸送概況（十月以降七月迄の累計）

	昭和十三年度	昭和十四年度	比較	昭和十三年を一〇〇とする十四年指数
大豆	三、一一八、四六六瓲	一、二一一、四九八瓲	一、九〇六、九六八瓲	三八％
高粱	九五七、〇四二	四〇五、一二九	五五一、九一三	四二
包米	八一五、四九九	四九一、三六九	三二四、一三〇	六〇
粟及黍	四三二、二七八	三四九、九四一	八一、三三四	八一
小麦	三〇八、八八七	一九六、六六四	一一二、二二三	六三
米及穀	四〇六、三九〇	二八四、一三五	一二二、二五五	七〇
大豆油	二九、〇七七	三二、一〇〇	三、〇二三	一一〇
大豆粕	三八六、九六八	五五五、〇一四	一六八、〇四八	一四四
其他雑穀及び種子	八〇九、四七一	九〇二、三五四	九二、八八三	一一二
合計	七、二六三、〇七六	四四二八、二〇七	二、八三四、八六九	六九

特産物の出廻減退は、後述の如く土着資本の投機的活動を助長し、闇相場は横行し、都市住民並に鉱工業労働者への食糧供給の不円滑を齎した。

出廻減退は又消費資料生産工業（油房、製粉）に於ける原料難を來し該工業の縮少再生産に作用した。

かくの如き事情はひいて、消費財價格を不可避的に騰貴せしめ、基幹産業建設部門の労働力再生産條件の悪化、労働力の逃亡増加、賃銀騰貴、労働力の質的低下、労働力の強化等の事象をひき起してゐる。

消費財供給の減退の及ぼす影響は右の如く生産の根底に及ぶのであるから、この障害は一刻も早く取除く必要がある。

それには、根本的には左の如き手段が取られなければならぬ。

即ち、先にも述べたやうに、土着資本其他の動員による消費資料生産部門の満洲自体に於ける維持・育成である。

更に、外貨獲得一点張りの方策を再批判して、東亜ブロック自体に於ける商品融通の途の打開。このためには円ブロック向輸出禁止を再檢討すべきであり、この場合は満洲への消費財の供給の確保をはかるべきである。

消費財生産部門に関する参考資料

紡績——織布

		昭和十一年	昭和十二年	昭和十三年	昭和十四年
生産設備	精紡機	二〇七、八四〇錘	二七一、九〇六錘	三二四、四三六錘	四〇六、九八〇
	撚糸機	四七一六	一九、九六〇	四一、三三八	五三、一六〇
	織機	二九二一台 （五〇）	三、四五一 （九八）	四、四五三 （二一四）	五、八八〇 （三一一）
綿糸生産高		一四〇、八四二梱	一七四、〇八四梱	二一七、六七一梱	一九一、一一三
綿布生産高		不明	一七〇、五三〇、三七四	二四一、六八九、八九五	不明
	兼営織布工場		五二、一七八、三七四（六碼）	八五、二二六、八九五	八九、五五八、三〇八
	土着織布工場		一一八、三四二、〇〇〇	一五六、四六三、〇〇〇	不明

（註）(1) 右は日本綿業資本＝兼営七工場（奉天紡紗廠、満洲紡績、内外棉、満洲福紡、営口紡織、満洲製糸、原棉紡織）の外、特殊的な織布専門三工場、東洋タイヤの満洲進出——零細土着織布マニユの従属的再編成——の度を一括表示するが、生産設備に比して生産の伴はざること、十三年を頂点として減退の方向にある。

(2) 織機台数は前掲日資一一工場のもの、括弧内はメリヤス編機。

土着織布工場

力織機（合計）		手織機（合計）	
工場数	台数	工場数	台数
二七五	一一、一四三	八二一	五、七五一

原棉手當難

（単位担）

	生産高 関東州	生産高 満洲國	生産高 計	輸入高 棉花	輸入高 スフ	輸入高 計	供給量	紡績消費
昭和十一年	五、二三三	二四七、六九八	二五二、九三一	三八三、七六一	—	三八三、七六一	六三六、六九二	五三三、一二三
昭和十二年	六、四〇一	三〇三、九一四	三一〇、三一五	六一五、五〇三	—	六一五、五〇三	九二五、八一八	七九六、五九四
昭和十三年	五、六一〇	二〇六、一三五	二一一、七四五	七九四、五四一	一五六	七九四、六九七	一、〇〇六、四四二	七八九、〇七〇
昭和十四年	不明	（三七三、九八九）	（三七三、八八九）	一四五、一六八	一七九、〇六八	三二四、二三六	六九八、二二三	六九二、三六四

（註）括弧内は豫想、実際は三〇～四〇万担。

右の如き事情の下に於ける國内紡績業の展開には外棉に比して極めて高價なる國内産棉への使用に立ち向はざるを得ない。

棉花年度	満洲（一号棉）	米棉相當物（SLM）
一〇／一一年	五八・七六円	五九・三三
一一／一二年	五九・九〇	六七・四八
一二／一三年	六四・三八	五三・一一
一三／一四年	一〇八・七八	四八・一四

最近に於ける満洲棉花の高騰の原因

a. 生産費高（一三／一四棉花年度）

	改良陸地棉	在来棉
奉天省	六二・三二円	九九・〇〇
錦州省	七四・七〇	一三六・七〇

b. 満洲棉花會社経費の負担

農家よりの收買價格は北支棉奉天着値段八五・一三円によつて決定され棉花會社の実際販賣價格との間には二三・六五円の大幅マージンが存する。

棉化輸入量減退狀況

	日本	朝鮮	支那	英印	北米	其他共計
昭和十一年	—	五六五	八二、四九二	二七八、六七九	一三、八八六	三八三、七六一
昭和十二年	—	七四九	八三、一四〇	四三四、一四〇	八一、一四〇	六一五、五〇三
昭和十三年	六三七	—	四五三、六三五	一七四、二九〇	一六二、八八八	七九四、五四一
昭和十四年	一、六一七	—	六七、二二一	六七、二三八	九、〇九二	一四五、一六八

紡績労働の生産性――低能率、低賃銀

	満洲	日本 平均	日本 巨大会社	日本 大會社	日本 中会社	日本 小會社
一千錘當工人数	四一・四	一六・一	一〇・一	七・二	一三・二	三五・一

三三

一職工一日出来高（匁）	二八七・三	八、〇二〇	八、三四〇	一二、二三〇	七、五八〇	二、四二六
一職工一時間出来高（匁）	二四・八	九四四	九八一	一、四三八	八九二	二八五

（註）(1) 満洲に於けるそれは内外綿、福紡、営口紡（三工場）に於ける十四年度調査平均、日本に於けるそれは紡績調査資料より作成。

(2) 工人数には男女工を含む。一職工當出来高のうち、日本は女子に就てのみ、男女工の比率は平均に於て男工一・七五人に対し女工一四・三九人、満洲は男女工合計に就て計算せられ、男工一六・五人に対して女工二四・九人。

一日労働時間は日本八・五時間、満洲一一・五―一〇時間。

満洲紡績工の賃銀

三四

	賃銀絶對額 満洲	賃銀絶對額 日本	賃銀指数（満洲）昭和十二年	昭和十三年	昭和十四年
男工	〇・六九円	一・六九円	一〇〇%	一二〇%	一四二%
女工	〇・五八	〇・九八	一〇〇	一一九	一五七

（註）(1) 満洲は十四年八月及各年八月。

(2) 日本は十四年十二月紡聯調査のもの。

生産費増高　（單位 円）

	昭和十一年	昭和十二年	昭和十三年	昭和十四年
原棉費	一九〇・三〇	二三四・六〇	二四〇・六〇	三二四・二〇
加工費	二八・〇八	二九・一三	三〇・八四	三三・四四
計	二一八・三八	二六三・七三	二七一・四四	三五七・六四

三五

（註）遼陽紡二〇手綿糸一梱當調査のもの、

消費財供給減退が労働力再生産に最大の影響を與ふるものとしての小麦粉及綿布の供給減退

(a) 小麦粉供給減退（單位 瓲）

	生産	輸入	輸出	消費
康徳四年	六三六、四三七	七八、四四八	二四、五三一	六九四、五六〇
康徳五年	四二一、四二一	二三九、八〇一	二、二二九	六五八、九八三
康徳六年	二五三、六五一	二九八、九四二	〇	五五二、五九三

(b) 綿布供給減退（單位 千平方ヤード）

三六

康徳四年	八二、〇三四	四四五、二一七	一二七、〇一二	四〇〇、二三八
康徳五年	八五、七三五	三二八、五八九	—	四一四、三二四
康徳六年	九一、〇七三	二一、七〇六	—	一一二、七七九

（註）(イ)　小麦粉・綿布が苦力の生計費維持の上に如何に決定的に重要なるものかは荷役夫の重要生活必需品購入中麦粉六二％、綿を主たる材料とする衣料品が一五％、合計七七％を占めてゐることを以て理解し得る。

(ロ)　綿聯の昨年（十五年）四月より本年三月迄の一般配給は五八、五〇三平方ヤードで一人當り一、四八一平方ヤードに過ぎない。満洲の一人當綿布消費量一〇－一五平方ヤードの点に鑑み過少配給なり。

第三章　農業について

五ヶ年計画樹立の當初に於ては

一、有事の際特に必要とせらるゝもので現地調弁の見地から改良又は増産を必要とするもの

米・小麦・大麦・燕麦・ルーサン・ケナフ・亜麻・苧麻・棉花

二、農産物の自給自足を計る見地より改良又は増産を図るもの

葉煙草・甜菜

三、國民生活安定の見地より改良又は増産すべきもの

高粱・大豆・粟・玉蜀黍

といふ部類をなし、重点を一、に置いた。即ち作付面積に於ては三、の普通作物を犠牲にして特用作物の面積を増加しつゝ、他面単位當生産量の増加によって三、の收穫増加を企図したのである。

即ち軍事特用作物が中心であり、商品作物、自給作物に對する對策はまだ余り重大な對策の対象ではなかった。

ところが日満一体化の要請から五ヶ年計画が修正せられ次のやうな順位に轉換した。

一、輸出振興並に輸入防遏に関するもの

大豆・蕎麦・荏・落花生・小麦・ケナフ・棉花・葉煙草・甜菜

二、國民生活安定に関するもの

高粱・粟・玉蜀黍・柞蠶

三、戦時並に平時の軍需に関するもの

水稲・大麦・燕麦・ルーサン・亜麻・苧麻

ところで実際の收穫高はどうか。

番号	品目	昭和十一年	昭和十二年	昭和十三年	昭和十四年	昭和十五年
1	大豆	四、一四七、二六六	四、三五二、四七五	四、六一二、三〇五	四、〇一四、〇〇八	四、一二五、二五三
2	高粱	四、二四〇、七三三	四、三一四、六九四	四、六七九、九四一	四、四四三、〇七六	五、四三五、八五二
3	粟	三、一八七、三五二	三、二二六、一三一	三、一三三、八五五	三、〇四〇、六七三	四、〇一二、三四六
4	玉蜀黍	二、〇七二、〇〇〇	二、二三九、六二三	二、三〇六、二四四	二、三五三、五八七	三、一〇二、七九二
5	小麦	九五九、〇四二	一、一二五、九五一	九七八、八三七	八九二、八五五	八四五、〇五〇
6	水稲	四四二、二一五	五四八、八二九	六一八、九〇九	七二八、八五五	八六七、五三六
7	陸稲	一五五、四三三	一四〇、四〇六	一三〇、九九三	一〇一、九六八	一二六、九四五
8	棉花	—	六三、九〇一	五一、三五四	六九、三九一	—
9	葉煙草	—	三、五七七	一七、二九三	三一、三〇九	—
10	青麻	—	一一、二四四	一〇、九三七	一一、八二四	—
11	大麻	—	八、九七六	四二、四四一	五五、五六七	—
12	亜麻	—	—	二九、〇五六	四八、六五七	—

13	蘇子	―	―	二一、三三七	七〇、一四六	―
14	大麻子	―	―	九、六三七	二五、〇二五	―
15	苧麻	―	―	九、一二五	二〇、三五〇	―
16	甜菜	―	―	一八三、五八六	二四一、八四一	―
17	ルーサン	―	―	四五一〇	―	―

（註）昭和十五年度の棉花以下の特用作物は不明、大豆以下の普通作物は収穫豫想高

農産品輸出の減退過程

(一) 概観

康徳三年度以降に於ける満洲國農産品輸出は凡そ康徳六年（昭和十四年）上半期頃まで増加の傾向にあつたが、同年度下半期以降急角度に減退の過程を辿りつゝある。

四一

(二) 康徳六年上半期迄に於ける農産品輸出増加の基本的要因

(1) 日本に於ける肥料、飼料、軍用馬糧並に食用原料其他消費財用原料の、為替管理、輸入統制に依る對第三國輸入抑制＝消費資料の円ブロック内アウタルキー＝政策の強化と對日輸出の増加、大豆其の他豆萩、高粱、粟、落花生、玉蜀黍、胡麻、豆粕、豆油、混合飼料、大麻子、野蚕絲、緬羊毛等。

(2) 事変による支那農業生産力の停滞に基く食料其他消費財並同原料の欠乏並に円系通貨（聯銀券、軍票）の價値暴落と對支流出の増大――豆類・蕎麦・高粱・玉蜀黍・粟・落花生・荏胡麻子・大麻子・豆粕・豆油・蘇子油等

(三) 康徳六年下半期以降に於ける農産品輸出減退の基本的要因

(1) 日満経済の戦時編成替に伴ふ農具其他農業生産手段並に消費資料の不足に基く農産物の生産並に出廻の減少と對日輸出の減退
落花生・豆油・野蚕絲・玉蜀黍を除き何れも激減

四二

(2) 第二次欧洲大戦勃発に因る農産品対欧輸出の全面的停帯――豚毛を除く。

今後日本は益々食用、肥料、飼料等のために満洲國農産物に対する要求度を高めざるを得ないのであるから、この要求に應ぜんがためには、土地單位當り農業生産力を高めなければならない。

それには先づ土地單位当農業生産力低下の基本原因をなしてゐる高率小作料小作期限の短期性、零細分散経営を克服する必要がある。

満洲に於ける康徳四年の地代総額は三億円余であつて、全所得の一一%、農業所得額の二七%である。

小作人の経済的支出に對する小作料支出の一戸當比重は次の如くである。

四三

	七〇晌以上	七〇―三〇晌	三〇―七晌	七―三晌	三晌未満
支出総計一〇〇に對し	二六・九	二六・一	二七・〇	一五・五	七・七
経支出合計一〇〇に対し	八二・〇	二八・〇	二九・三	一六・五	八・二
農業的支出小計一〇〇に対し	四五・九	四七・〇	五八・四	五二・〇	六一・八

（註）愛甲勝矢「満洲農家経済支出に現はれたる小作の諸問題」満鉄調査月報、昭和十三年十一月。

又小作料率は騰貴しつゝある。

或調査に依れば、康徳元年度と五年度に於ては左の如く相違してゐる。

縣屯名	康徳元年度	康徳五年度	増減
富裕縣李地房小屯	一三・〇%	二九・三%	+一六・三%

四四

富裕縣七家戸屯	三二・〇	四六・一	＋一四・一
呼蘭縣孟家屯	三八・〇	四四・六	＋六・六
綏化縣蔡家窪保屯	三六・〇	四五・二	＋九・三
青岡縣董家以屯	二五・〇	四五・一	＋二〇・一
拜泉縣王殿元屯	三五・〇	三六・六	＋一・六
家達縣四家子屯	二五・〇	三三・八	＋八・八
平均	二九・一	四〇・一	＋一一・〇

小作料が高率であっても、地主がその取得した小作料の中から地力維持、農耕技術の改善の為に投資するならばよいのであるが、満洲の地主はかゝる生産的投資に向けることが非常に少い。余剰は高利貸的投資とか土地買收に向けるにすぎない。

四五

四六

一、地主の經常支出合計に対する生産的支出の比率

（労賃＝料理人、家畜・豚追等の支拂賃銀を含む）

	大地主	中地主	小地主	極小地主	総計
農舎農具支出	〇・七四	三・七七	〇・四三	〇・一七	六・四〇
労賃支出	一六・〇七	三・一三	一・五一	―	四・二六
家畜費飼料	四・一七	四・九四	四・四二	二・八八	〇・四六
種苗肥料	〇・二〇	〇・一五	一・五三	〇・五三	〇・五九

二、臨時支出合計に對する比率

	大地主	中地主	小地主	極小地主	総計
大家畜購入	三・二〇	三・三一	三・七〇	―	三・〇五
大農具購入	〇・八五	〇・三一	―	―	〇・二二

小作人は地代として余剰を取り上げられるので、農耕技術が発展しない。掠奪的農耕を行ひ地力が低下する。

掠奪的農耕より給肥農耕への確立のためにはより長期の小作期限の確立が欠くべからざる社會的條件であるが、満洲の小作期限は一年未満が大半を占める。佐藤氏の調査によれば、契約小作期限は左の如くである。

	康徳元年度 件数	康徳元年度 %	康徳五年度 件数	康徳五年度 %
一年未満	六	一・六		
一年	三二六	八九・六	八七	八七
二年	四	一・一	一	一
三年	五	一・四	三	三
五年	二	〇・五	一	一
不定期	二一	五・八	八	八

（註）産調資料、元年度―北満一六縣、一七部落、五年度―北満六縣、七部落

四七

四八

実質小作期限（%）

	康徳元年	康徳五年
一年	五六・三	六四・〇
二年	一八・八	一七・〇
三年以上	一〇・九	三・〇
五年以上	八・九	一一・〇
一〇年以上	三・三	〇
一五年以上	〇・八	二・〇

二〇年以上	一・八	二・〇
合計	一〇〇・〇	一〇〇・〇

次に、満洲に於ては少くとも四〇晌の土地を以て適正規模の農地とされてゐるが、実際には四〇晌未満の小作面積が九一％を占めてゐる。

前掲佐藤氏の調査によれば

	康徳元年度		康徳五年度	
	実数	％	実数	％
一晌未満	四	四・五	一三	一三・〇
五〃〃	四三	四八・九	三九	三九・〇
一〇〃〃	八	九・一	九	九・〇
二〇〃〃	一五	一七・一	二一	二一・〇
三〇〃〃	七	七・九	八	八・〇
四〇晌未満	三	三・四	一	一・〇
五〇〃〃	五	五・七	四	四・〇
六〇〃〃	三	三・四	五	五・〇
合計	八八	一〇〇・〇	一〇〇	一〇〇・〇

四九

以上のやうな諸條件を克服するためには

一、協和會、興農合作社を指導体とする地主並に農耕者の協同体的組織化運動を通じて、土地及び生産物の部落管理の漸次的普及を図り、地主の寄生的收取地代の一部を、生産手段の共同購入、自然的災害防止等の投資に向けしめると同時に、共同耕作を可能ならしむる適正規模経営への編成替の実施。

二、農家販賣品と購入品との不等價交換を克服するために土着資本配給網に代る興農合作社の直接配給の確立

といふ対策を必要とする。

五〇

右の如くして、農業労働力の生産性増加、自然的災害の克服（植林・治水工事・灌漑工事の普及）が行はれ、土地単位當り農業生産力の増大を図ることが出來る。

五一

第四章　インフレーションに就て

満洲は左の様な大きな負担を有してゐる。即ち

重工業資源の補給

國防産業の綜合的建設、國境の國防建設

農産資源の外貨獲得或は對日補給

以上の政治的保證としての國家治安の一層の確保の必要、従って、國防治安工作を中枢とする現地調辨

右の負担は、満洲の低い生産力、従って極めて低い蓄積の上に負はされた。

そこで、左の様な依存條件を必要とした。

a、日本の対満投資への多大の依存

b、財政膨脹。経済構造に規制される國民の租税負担能力の低位性によって、

五二

政府の公債政策による國民よりの價値吸收に依存。

c. 農業生産物の強力的輸出、並に現地調弁を枢軸とする植民地的不等價交換を通じて、農業生産の負担に依存。

右の様にして、先づ直接の治安、國防、國防的諸建設、基礎的諸建設（軍事鉄道・発電施設）等の「非生産的」方面に物資と労力が注ぎこまれた。

更に非生産的消耗として五ケ年計画による生産力拡充計画に於ける無計画性を挙げ得る。

右の二点は、日本戰時経済の矛盾の増大と共に、満洲に於ける消費資料の生産を減退せしめ、輸入をも減退せしめた。

非生産的消耗と生産力拡充の強行とは、その主要な部分を中銀引受による公債政策を以てする通貨の増発に依存せざるを得なかつた。この通貨は大部分が再生産過程に於ける幾回轉の中に労賃として集積し、國民の購買力を構成する。そして、この購買力は、満洲の資本主義的関係の中核をなす高利貸的土着資本

五三

活動の地盤となつた。

高利貸的土着資本は、吸收せる資金を以て特に換物運動、土地投資等を通じて高率なる利潤を獲得した。彼等は公債投資、近代企業投資に向はない。かくて政府の手によつて放出された通貨は、この部門から回流しない。

通貨膨脹による國民購買力の形成に對し、消費資料の補給減退により、インフレが激成される。高利貸的商業資本及地主は、その買弁的機能に基いて不等價交換の基軸をなし、農民、労働者からの價値吸收機能を果す。

労働力の再生産の困難化と共に、労働者の移住の激成、労賃の騰貴等の諸事象をひき起した。これは、工業部門では、生産財の一般的缺如と相俟つて労賃の生産性を著しく低下せしめた。農業部門では、特に自給化傾向と、國外への農産物の逃避＝特に密輸出による北支インフレーションへの矛盾の解決＝を激成した。

インフレーションの克服は満洲戰時経済の進展を計るために緊急の必要事となつてゐる。

五四

満洲インフレーション対策として如何なる對策が立てらるべきであらうか。

満洲は、國内綜合國防産業の建設と日本への重工業資源補充増加との二重負担を負はされてゐるが、後者に重点を置く必要がある。

國防産業の建設のためには機械工業の確立が不可欠の條件であるが、満洲では機械器具工業は車輌の生産を除いては殆ど技術的経験がなく、労働力の質は大部分半工半農である。

工業生産総額に對する機械器具生産額の割合は左の如し（康徳四年）。

総生産額	九九六百万円
機械器具生産額	二五〃
割合	二・五%

工業労働者総数に對する機械器具労働者数の割合は左の如し。

総数	一九八、九九五人
機械器具工業	一三、一六九〃
割合	六・六%

五五

満洲経済の現発展段階に應じて、生産財部門の生産力拡充に任ずるとすれば重工業原料の生産に限定さるべきである。

次に、インフレーションが日本からの輸出余力期待減少と、國内に於ける生産力の発展に基礎を置かざる國幣の増大とに因る以上、重工業用原料の生産力拡充計画の遂行は、日本の対満投資余力及満洲國内蓄積の限度内に止むべきである。

更に、日本よりの重要消費財供給の減退による消費財價格の異常暴騰、生産手段の供給價格の跛行的暴騰が、重工業の再生産條件悪化の基本要因をなしてゐるから、労働力再生産に必要な消費資料の生産並供給確保を計り、又、生産財生産部門間の生産並供給の跛行的進行拡大傾向を調整しなければならない。

最後に寄生的高利貸的土着資本の活動に基くインフレーション激化の抑制を図らなければならない。

五六

第五章　土着資本に就て

土着資本は、農家販賣品と購入品との不等價交換により、又苦力其他満人勤労者への生活資料販賣により、更に勤労者層への高率貸付、他業出資又は高率貸付、土地への投資による高率地代によって利潤を得て居る。即ち、彼等の利潤獲得の基礎をなして居るものは、満人向消費資料が大部分土着資本の手によって配給されることゝ、農産物の下部蒐貨機能が彼等の手に握られてゐることにある。

土着資本の利潤は生産的方面に向けられること少く、生活費を除く外は支那本土送金、他業出資、又は貸付、不動産購入等非生産的投資が大部分を占める。

それは土着資本の特質が、零細農耕者からの價値収取を基軸として商業高利貸資本の段階に止ってゐることによる。

國幣撒布資金が土着資本に集積するのは、國幣撒布資金が賃銀、俸給、土地

買收等に消費される部分が多いこと、撒布資金が漸増過程にあるにも拘らず、農業生産力の停滞と減退、農産物の輸出による生産財の輸入、日本よりの消費財供給の減退により、消費資料に向ふ資金と消費資料の供給量との不均衡甚しく、この矛盾を利用して土着資本が不等價交換をなしてゐることに由る。

土着資本に流入した資金はそこに滞留して、金融機関に回流することが少い。

元來土着資本は、主として商業機能を営むものであるから、固定資産部分が少なく、比較的僅かな元入資本を以て営業が開始されるのであるが、実際に駆使される資本は元入資本の数倍の金額に上る。大体元入資本の四倍の金額が総機能資本として運用され、その大半は借入資本で賄はれる。

借入資本は左の如く分類される。

一、銀行、合融合作社、國際運輸等を通ずる融資、　五〇％

二、金融機関以外からの融資、　五〇％

第二の融資機構の存在が土着資本に流入する資金が回流しないことの主因をなしてゐる。即ち之は、土着資本相互間の融資、聯 間の融資、個人所得より

なされる融資たる財東預金、顧客預金、堂号人名預金等である。

換物思想に富める満人は、之等の資金を商品に轉化し、不動産に投資する。

これに対し、撒布資金還流方策として貯蓄の奨励とか、有價證券投資の助長等の方法は、結局金利政策に於ける限界に衝き當る。

上記の機構に於ては、月利一分乃至一分五厘が支配的である。之は中銀、興銀の預金利子よりもはるかに高率な普通銀行の定期預金利子より大である。かゝる高率な利子支拂を可能にするものは、土着資本の高率利潤である。

土着資本の以上のやうな機能を制限するためには、單に金融面に於ける対策では不充分で、土着資本をして良き活動舞台たらしめてゐる配給機構並に生産面への誘導による商業資本的機能の制限といふことが考へられなければならない。

一、労働者及農民への重要生活必需品の直接配給の確保――土着資本の配給網に依存せざること

二、土着資本の農産物蒐荷機能の無力化を図るべきこと――整理統合、手数料化

三、治水工事、灌漑工事への強制投資の導入

土着資本に関する参考資料

農民労働者を吸盤とする土着資本、独占資本の利潤集積過程の図表
（別紙の通り）

(1) 穀粉管理會社は小麥及製粉業統制法に依り小麥の收買配給統制機関として地場消費以外の小麦を独占的に收買し得る擁限を與へられてゐるが、実際の收買に當つては物的基礎＝資本力を有する日本独占資本並に大土着資本を指定收買人としてこに依存する。尚同社は小麥粉に就ては小麥粉專賣法により專賣総局の事務代行機関たる地位を與へられてゐる。

(2) 指定收買人＝独占資本並に大資本は実質上の独占的收買に依つて巨額の利潤を挙げるが、就中独占資本は土着資本が土地所有関係（地主として）、金融関係（高利貸雑貨商として）を通じて農民を直接自己の緊縛下に置いてゐる関係から收買能率を高めるためには之を買弁資本として利用せざるを得ず、従つて土着資本も亦斯かる巨大資本への隷属化により利潤に與かる。

(3) 土着糧業資本は未だ尚前資本制的発展段階にある滿洲経済の構造的特質の故に地主、高利貸、雑貨舗、許可磨坊等を兼業する場合尠からず、半封建的高率小作料、高利、買掛代金等の農産物に依る取得並に回收小麥粉の生産等に依り右の買弁利潤以外に多額の利潤を獲得する。

(4) 許可磨坊は僻販地にあるマニュファクチュア形態の製粉業者で地域上の関係から特に專賣官署の許可を受け自己の生産した小麥粉を同署に納入せず一定制限の下に市中に販賣し得る自由を與へられたものであるが、かゝる統制外小麥粉の闇取引跳梁を目的とする政府の小麦粉統制強化のため康徳七年三月以降其の自由を剝奪されるに到つた。然し乍ら現実の問題として其の取締困難なる関係から依然実質に於て所謂許可磨坊的機能を発揮し、闇取引による巨額の利潤を収めつゝある。而もこの磨坊は殆んど総て中小土着資本によ

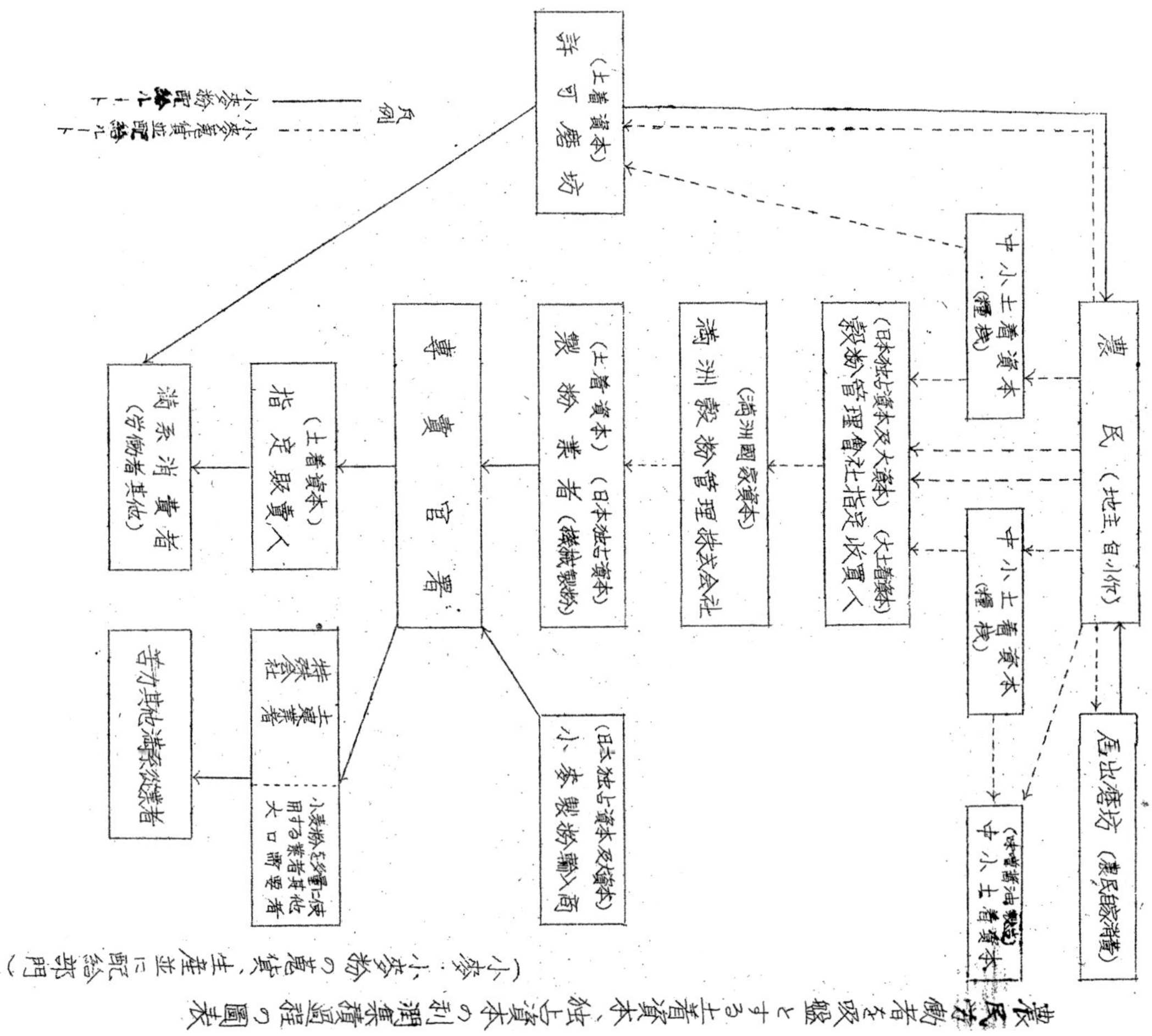

農民労働者を吸盤とする土着資本、独占資本の利潤集積過程の図表
（小麥・小麥粉の收買、生産並に配給部門）

つて経営されてゐるが、満洲土着資本の性質として前述の如き土地所有関係金融関係を通ずる農民の自己への隷属化により多額の利潤を收得する。尚機械製粉と磨坊製粉との生産割合は大体同率程度である。

康徳五年十一月以降同七年一月満洲穀粉管理株式會社委託輸入高別輸入実績

商店別	輸入数量	輸入割合	備考
三井生産	三、九三九、〇一五	三五・二%	五三%（独占資本）
三菱商事	二〇八九、六五五	一八・七	
日清製粉（大倉資本）	二、七二五、七四〇	二四・三	
増田屋株式會社	一一六、三八〇	一・〇	
福昌公司	三四〇、〇〇〇	三・〇	
安部幸商店	六四、〇〇〇	〇・六	
利豊洋行	一、〇九六、八〇〇	九・八	
木徳製粉	五〇、〇〇〇	〇・四	
日商商事	二五、〇〇〇	〇・二	
朝鮮製粉	八、一九〇	〇・一	
爪谷商店	四〇、〇〇〇	〇・四	
寶隆洋行	七〇〇、〇〇〇	六・三	
豊國製粉	四、五〇三	―	
合計	一一、一九九、二八三	一〇〇・〇	

六四

康徳七年度満洲穀粉管理株式會社指定商別原料小麦收買割高及実際收買高

（單位 車＝三〇瓩）

指定商別（資本別）	收買割高		康徳七年七月末現在收買高	
	割當数量	割當率	收買	收買率

日本独占資本の占むる割合	六、四〇〇	四七・六	三、一二一・七	五六・三
其他日本資本の占むる割合	一、二五〇	一〇・八	四九六・四	九・〇
土着資本の占むる割合	五、八〇〇	四一・六	一、九一八・二	三四・七

康徳七年度満洲小麦粉資本系統別生産能力

資本系統別	重要産業統制法に依る許可日産能力（單位 袋）
日本資本合計 (a)	七八、五五〇
土着資本（満系製粉業者五六合計） (b)	一二二、二三二
以上日満両資本総計 (c)	二〇〇、七八二
総計に対し日本資本の占むる割合 (a)/(c)	三九・一%
〃 〃 土着資本 〃 〃 (b)/(c)	六〇・九

六五

日本資本合計に対し三井・三菱（独占資本）の占むる割合	九八・四

六六

農民・労働者を吸盤とする土着資本、独占資本の利潤集積過程の図表（棉花・綿製品の蒐貨生産並配給部門）

（別紙の通り）

農興合作社より農民への綿製品配給は未だ部分的、季節的にしか行はれて居らず、現在農民への、配給は主として土着商業資本によつて行はれてゐるが、将來合作社組織の拡充強化に伴ひ土着の必需品取引資本に相當の影響を及ぼすものと見らる。

農民労働者を吸盤とする土着資本、独占資本の利潤集積過程の圖表（棉花、綿製品の蒐貨生産並に配給部門）

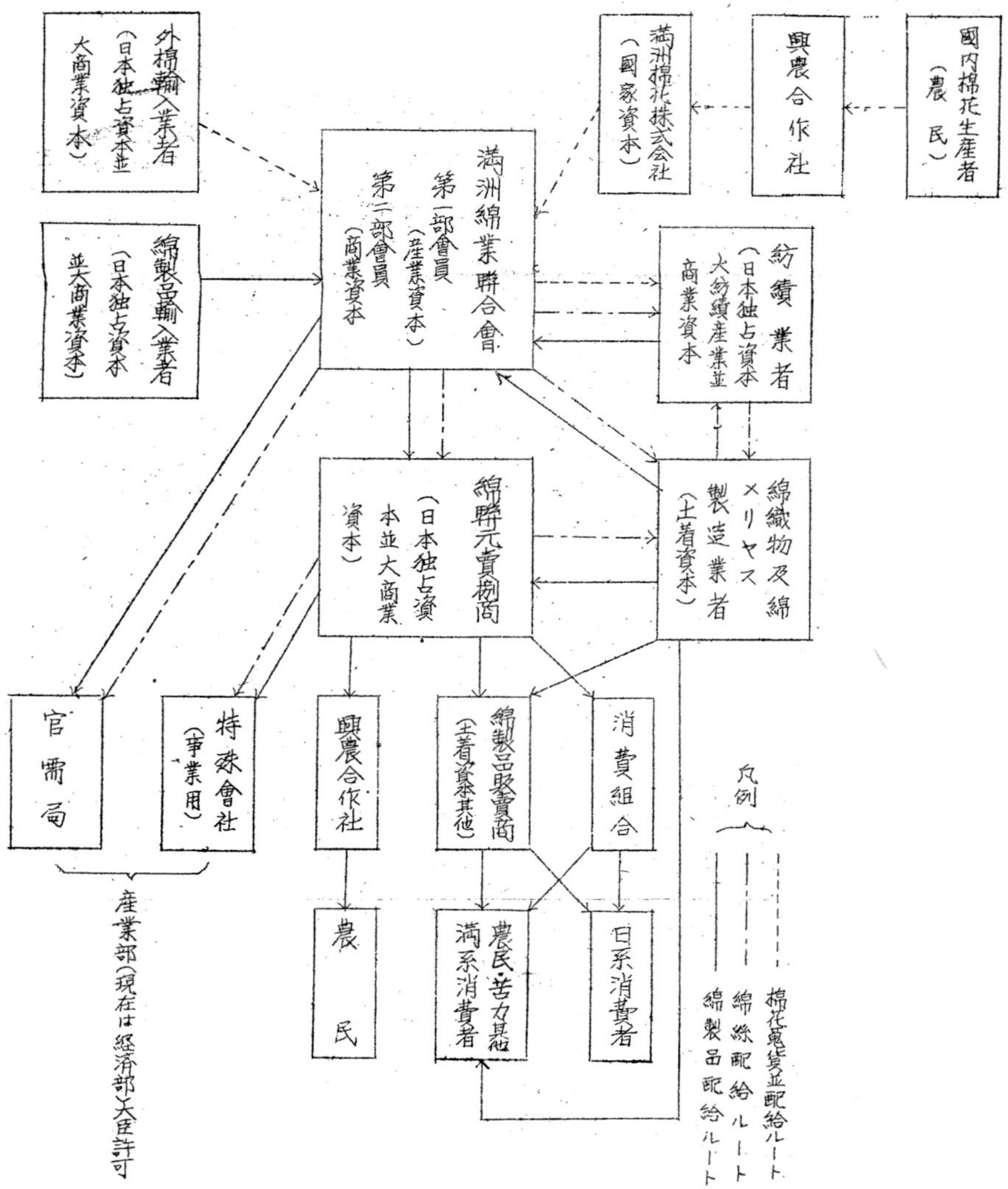

(d)

農民（労働者）を吸盤とする土着資本、独占資本の利潤集積過程の圖表（特産三品の蒐貨生産並配給部門）

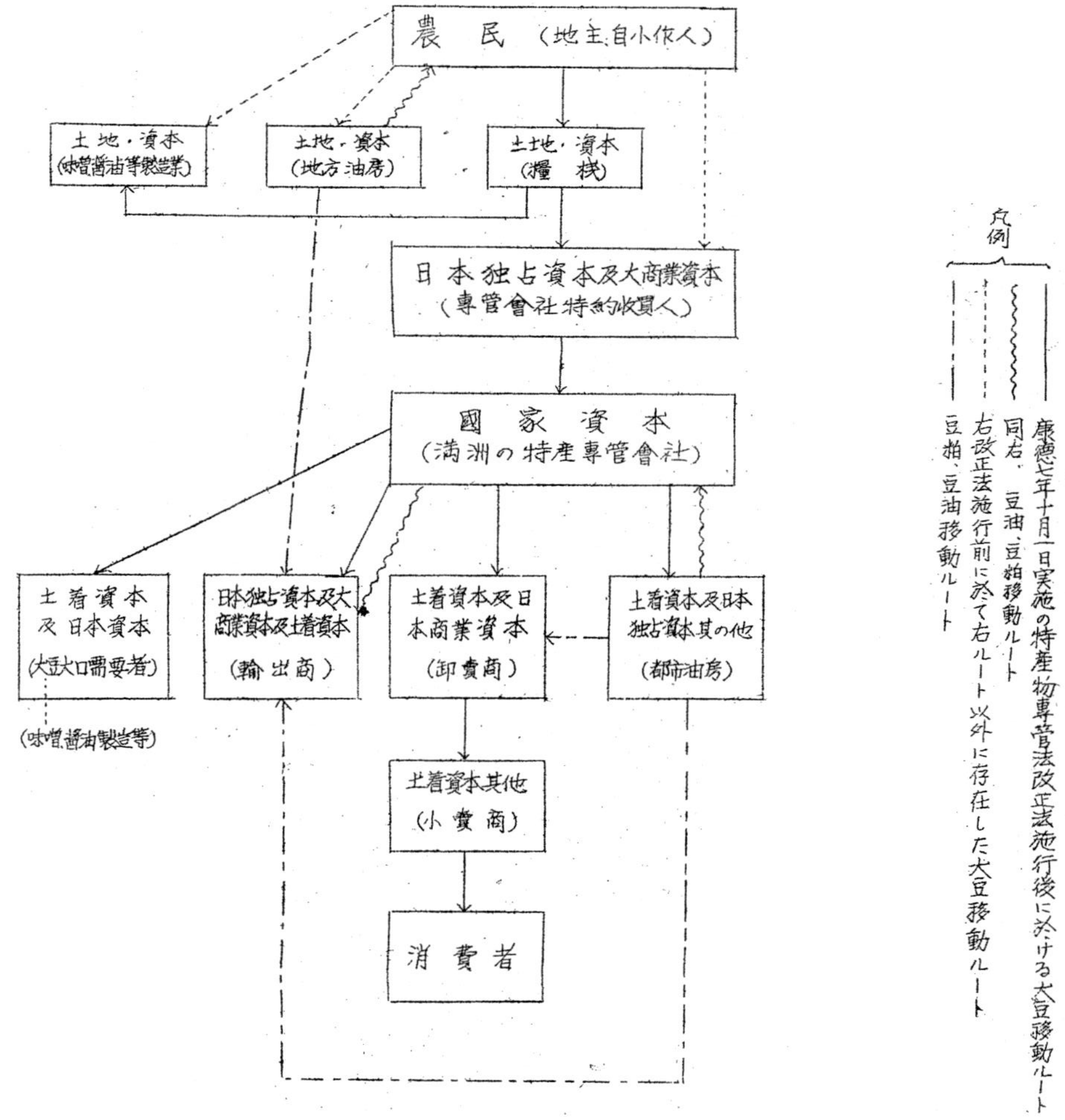

(e)

農民（労働者）を吸盤とする土着資本、独占資本の利潤集積過程の図表（特産三品の蒐貨、生産並配給部門）

（別紙の通り）

1. 特産専管公社は特産物専管法に依り大豆の收買配給統制機関として地場消費以外の大豆を独占的に收買し得る権限を與へられてゐるが、実際の收買に當っては物的基礎＝資本力を有する日本独占資本等を特約收買人として之に依存する。

2. 特約收買人＝日本独占資本等は実質上の独占的收買によって巨額の利潤を挙げるが、土着資本が土地所有関係（地主たる性格に於て）、金融関係（高利貸、雑貨商たる性格に於て）を通じて農民を直接自己の緊縛下に置いてゐる関係から收買能率を高むるためには之を買弁資本として利用せざるを得ず、従って土着資本も亦かゝる独占資本への隷属化により利潤の分前に與かる。

3. 糧業資本は未だ尚前資本制的発展段階にある満洲経済の構造的特質の故に

地主、高利貸、雑貨舗、地方油房等を兼業する場合尠くなく、半封建的高率小作料の收得、高利、買越代金の農産物による回收（之等自己消費以外の大豆を賣る場合には本康徳七年十月以降農産物統制強化により総て交易場に出廻らしむることゝなったが、地方油房としても前述の如き直接、間接糧桟を兼営してゐる場合本質的には統制強化前と何等変りがない）、豆油、豆粕の生産等に依り右の買弁利潤以外に多額の利潤を獲得する。

4. 油房生産に於ける資本構成の割合は凡そ土着資本は五％、日本資本一五％である。

専管公社指定（特約）收買人別大別

收買高　（自康徳六年十月至同七年八月）

收買人別	收買高 数量（車）	收買高 割合（%）
三井物産（三泰桟を含む）	九、〇〇〇	四二・五
三菱商事	七、〇〇〇	三三・〇
寶隆洋行（佛國資本）	四、二〇〇	一九・八
瓜谷商店	一、〇〇〇	四・七
合計	二一、二〇〇	一〇〇・〇
三井・三菱等独占資本の占むる割合	一六、〇〇〇	七五・五

（註）康徳七年十月専管法改正に際し瓜谷商店を除く三業者が指定收買人に決定された。

満洲特産物對日輸出組合資本系統別輸出実績

（大連組合分を除く）

資本系統別	輸出実績 数量（車） 混保大豆	輸出実績 数量（車） 混保豆粕	輸出実績 割合（%） 混保大豆	輸出実績 割合（%） 混保豆粕
土着資本（満系商社）	九九	一〇	二・三	〇・二
日系資本（日系商社）	四、二二〇	五、六〇四	九七・七	九九・八
合計	四、三一九	五、六一四	一〇〇・〇	一〇〇・〇
日本資本中三井三菱独占資本の占むる割合	一、五一三	二、〇〇九	三五・九	三五・九

満洲特産物對支輸出組合資本系統別輸出実績

資本系統別	輸出実績 数量 大豆	輸出実績 数量 豆粕	輸出実績 数量 豆油	輸出実績 割合 大豆	輸出実績 割合 豆粕	輸出実績 割合 豆油
土着資本（満系商社）	六二五車	二五、五八一瓲	七八三瓲	七八・九%	九二・一%	五六・一%
日本資本（日系商社）	一六七	二、二〇七	六一三	二一・一	七・九	四三・九
合計	七九二	二七、七八八	一、三九六	一〇〇・〇	一〇〇・〇	一〇〇・〇
日本資本中独占資本の占むる割合	一五八	一、八七七	六一三	九四・六	八五・一	一〇〇・〇

（註）　日本資本中独占資本は豆油に就ては三井資本（三泰桟）のみである。

七一

專管會社配給大豆輸出商別對第三國輸出実績
（自康德六年十一月至同七年七月）

輸出商別	輸出実績 数量	輸出実績 割合
三井物産	四六、八三八瓲	三九・一%
三菱商事	四九、六二四	四一・四
寶隆洋行	一六、六一八	一三・九
ボッファ商事	四五二三	三・八
大倉商事	二、〇一一	一・六
利豊洋行	二〇七	〇・二
合計	一一九、八二一	一〇〇・〇
三井、三菱等独占資本の占むる割合	九六、四六二	八〇・五

七二

綿布配給部門に於ける買占賣惜みの可能性 ― 統制の限界（康德六年度國内産綿配給ルート別配給数量並に金額

	数量 反数	数量 平方碼	金額 金額	金額 同左割合
一般配給	一、四二一、四七八	四九、五六二、六三五	一八、六六八、五七七	七五・七%
特別配給	一九八、二二一	七、〇五七、九一七	三、九一五、七八六	一五・九
直接配給	九八、五六八	三、五二九、一六一	二、〇六七、七〇一	八・四
其の他	一、七八一、二六八	六〇、一四九、七六三	二四、六五二、〇六五	一〇〇・〇

（註）(1)　直接配給とは元賣捌商を通ぜず綿聯より直接配給される場合で具体的には官需局に対する配給が大体之に該當する。

七三

(2)　特別配給とは年度始めに指定されたる特殊會社をして綿糸布（事業用）の一ヶ年分需要量を申請せしめ之を綿聯に於て査定の上卸小賣商を通ぜず元賣捌商より配給される場合を指す。

(3)　一般配給は元賣捌商は勿論卸・小賣商（綿製品販賣商）及之に準ずるもの（興農合作社、消費組合等）を通じて配給される場合を謂ふのであるが、直接、特別両配給の如く直接消費者に配給されない為、此の部分に付ては切符制其他適當の措置を講ぜざる限り相當部分土着資本等により買占められる惧がある。

七四

農産物對生活必需品バーター制の效用

一、バーター制の效果

バーター制は農民の購入品、就中生活必需品と其販賣品＝農産物との鋏状價格差の縮少によりインフレーション深化に伴ふ農村の自給化傾向を阻止し以て農産物の出廻りを促進せしむる。而してそれが出廻促進策として如何に効果を有するかは現に奉天省東豊縣に於て出廻量が出荷割當を遙かに超過したこと並に中小農が自己消費用の糧穀を数人で少量宛割合して出荷單位量十石となし、夫によつて獲得した綿布を分割したり、或は地主大農等より糧穀を借入れて生必品を手に入れたこと等の事例より見て明かである。然し乍ら、其の效果には次の如き限界が存在する。

二、效果の限界

(1) 配給生必品の供給不足より來る限界

日滿消費資料縮少再生産の深化に伴ふ生必品輸入並生産減退の為、生必品が出荷総額に相當して配給されず、其の一部に對してのみ配給される点より、現在実施中の制度はバーター制と云ふも実質上は出荷奨励金と稱すべき性質のものである。從つて殊に主要消費地＝大都市近接地帯の如き處では、流通機構の整備を見ざる限り、農産物は交易場に出廻らず市中に闇相場で賣却される可能性大である。蓋し農産物を闇相場で賣却すれば假に

七三

生必品で購入し得なくとも、出荷全体を公定價格で販賣して其の一部に相當する生必品を公定價格で配給を受けるよりも遙かに有利であるからである。現に奉天省瀋陽縣に於て実際交易場に出廻つた農産物＝糧穀は豫定数量の五分の一にしか達しなかつたが、同縣が主要消費地たる奉天市を控へてゐる関係上出荷の大部分が闇取引で賣却され、之を併せば出荷豫定数量を遙かに超過する狀態であつた。

(2) 滿洲農業社會の構成より來る限界

中小農民は多く地主、高利貸、雜貨舗等其他の土着商業資本に對する半封建的高率小作料、高金料、買掛代金等の支拂の為、その生産物の中漸く労働力を再生産する程度の自己消費分を除き大部分を手放すべく余儀なくされるが、滿洲経済が今尚自然経済的前資本制的性質を多分に包含してゐる関係から、地主、高利貸、商業資本は兼業其他何等かの形で相互に聯繫を有つてゐる場合が尠くない。かゝる滿洲経済の構造的特質の故にバーター制実施の結果配給生必品は必然的に地主・大農等の手に集中され、それが更に後日闇相場を以て轉賣さるゝことゝなる。殊にバーター制が新穀出廻前の端境期に行はれる場合農産物を手持してゐるのは殆ど少数の富農に限られ右の集中傾向が一段と激成されることいふ迄もない。

尚又貧農には前述の如き高率小作料、高金利、買掛代金等の重圧下に其の生産物の中自己の労働力を再生産するに足るものさへ保持し得ず端境期に際し食糧として富農層よりその餘剰糧穀を買入れるか又は借入れるものが尠くないが、バーター制実施に際し之等富農層が前述の如き生必品轉賣による高利潤追求に急なる余り、貧農に賣却又は貸與すべき糧穀を以て收買に應じ、其の結果貧農の食糧飢饉を招來するやを計り難い。

三、今後バーター制実施の場合に於ける前提工作

前述の如くバーター制の效果の限界を檢討することに依り、今後実施の場合に於ける前提工作も自ら明かとなる。

(1) 農民用生活必需品の可及的供給確保

(2) 小作料、借入金、掛買代金の糧穀を以てする返済其他農民の自己消費用以外の糧穀は量の如何を問はず一應之を交易場に出廻らしめ、收買に應ぜしむることゝすること。

七八

(3) 從つて其の前提條件として興農會其他の組織を擴充して農家の消費豫定量及び農産物入手豫定量（自小作共）の基礎調査を行ふこと。

第四部　中支幣制論

担當者　今中次麿

「新政權の財政確立と重慶の占領地域に於ける經濟勢力打破を目的とする新幣制の問題」に關する研究報告

目次

序

茲に與へられた課題は、「東亞共榮圏の政治經濟的基本問題研究」の中、「新政權の財政確立と重慶の占領地域に於ける經濟力打破を目的とする新幣制の問題」である。

云ふまでもなく、南京政權の新幣制の問題は、それと我が國の幣制の關係を豫定し、更に、我が國を指導者とする滿洲國、北支及び蒙疆の幣制とも關聯する。斯くして、私の課題は、南京政權の強化策を直接の目標としつゝ、東亞共榮圏の通貨的側面を研究することである。

私は、この研究をなすに當つて、まづ、通貨ブロックなるものゝ、平明な、しかし、理論的原則的な考察をなした（第一編）。個別的或は部分的な問題に捉はれず、全体的或は綜合的な考察をなすことが特に必要だからである。茲は、餘りに抽象的にならずに、具体的な問題を充分に考慮しつゝ述べてゐるから、この考察は事態の解明に大いに役立つであらう。

次に、私は、東亜共栄圏に於ける通貨事情の現実を描き出さうと力めた（第二編）。それは、資料と時間の関係で、こゝに具体的に報告し得るまでには至らなかつたが、私はこれによつて、実際の状態が第一編に考察せるところと如何に甚しく乖離してゐるかを示し、斯くして、採らるべき對策への示唆を與へやうとした。

最後に、私は、以上の考察に基いて、本来の課題に對する回答を提出した（第三編）。

以上、論じて盡さない点や、触るべくして触れなかつた点については、今後の研究報告に譲ることゝし、こゝで一先づ筆を擱く。

昭和十七年七月

今中次麿

二

第一編　通貨ブロックに関する理論的・原則的考察

四

目次

三

一　一定地域に新たなる幣制を施行するための諸條件

1. 私有と分業と交換

如何なる社會に於ても、文化が或る程度に発展すると、分業が行はれ、私有財産制度が認められるに至る。分業が行はれる結果として、社會の各人はそれぞれ自己の専門的業務に従事することになるが、各人は自己の業務の成果たる財貨或はサービスだけでは生存することが出來ず、どうしても他人の財貨或はサービスに俟たねばならない。もしそれが一家族の内部とか、或は、同一指揮系統に属する屯田兵部隊の内部とかであれば、分業の結果生ずる相互依存関係は無償で、或は、直接に実現するであらう。然るに、さきに前提せる如く、私有財産制度の存在する社會に於ては、この相互依存は有償的にしか行はれ得な

い。即ち何人も自己の必要とする財貨或はサービスを獲得するためには、自己の財貨及サービスを提供せねばならぬ。換言すれば、斯る社會の成員は、交換を行ふことによってのみよく自己の生存を維持することができるのである。

この交換は最初は所謂物々交換であったが、即ち、種々雑多なる財貨が相互に交換されてゐたが、やがて特定の財貨が他の財貨に比して特殊な地位を與へられるに至る。人々は、自己の欲する物を獲得するためには、まづ、この特定の財貨を入手し、次に、それを以て自己の欲するものを獲得するといふ習慣が生ずる。いまや、交換は直接でもなく、物々でもなくて、間接的なものとなって來る。斯る意味で交換の媒介となり、手段となるものが貨幣である。

2. 貨　幣

右の如き次第であって、古來種々の貨幣が役割を演じて來た。時代を異にし場所を異にするによって異なるだけでなしに、同一の時代、同一の場所に於てさへ種々の財寶が貨幣として通用した。例へば、封建的な社會、或は、總じて近代的な中央集権的國家が生れる前に於けるが如くである。

貨幣は本來、その社會に於て生産され、交換される財貨やサービスに對し共通の價格を與へることによって、その社會の経済生活を円滑ならしめることを使命とするものであるが、種々なる貨幣が同時に通用することは、経済價値の測定に當り種々異る尺度が存在することを意味し、従って、同一の財貨と雖も尺度を異にするにより異る「称呼」を有することになる。かゝる事態が経済生活を渋滞せしめ、或は困難ならしめることは言ふまでもない。社會の経済的発展を企図するならば、統一的な貨幣への要求が生ずるのは必然である。

次に、安定的貨幣への要求がある。貨幣は時を同じうして存在し流通する諸財貨に対し、統一的或は等一的な尺度として作用するだけでなく、同一称呼は時を異にしても、同一内容を有することが望ましいとされる。この点は次の諸事項を考へるならば、容易に理解されるであらう。即ち

(1) 経済の発展に伴ひ債権債務の関係が深く廣く社會に行き亘ること。

(2) その回収に長年月を要する固定設備が増大すること。

(3) すべての計画は一應貨幣價値の安定を前提としてゐること、

等。

斯くて、貨幣の統一とその價値の安定とが、経済発展のための主要なる條件となつて来るが、かゝる條件を実現するためには整備せる貨幣制度が必要であり、また、かゝる制度が維持されるためには、鞏固なる政治力が必要である。

3. 國家と幣制

かつては、経済活動を自由に放任して置けば、右の如き條件が自ら実現する、と考へたこともあるが、かゝる思想が現実に妥当することは今日ではすでに明かである。かゝる條件を実現し得るものは、統一的國家のみである。一定の、或は唯一の貨幣のみを使用し、他のものを使用すべからずと命令し、それを励行し得るもののみが——経済的分野の関する限り——始めて國家たり得るのである。軍事或は政治、等の分野に於ては自己の意思を強行し得るとしてももし貨幣の點に関してはそうでないならば、かゝる権力機構は未だ十全な國家とは云へない。この点は、東亜共栄圏を構成する大陸各地の幣制を考察するに當り、特に留意さるべきである。

貨幣の統一、即ち、同一種類の貨幣のみを流通せしめるといふことは、強固な権力があれば容易に実行し得るが、貨幣價値の安定を期することは極めて困難である。蓋し、貨幣價値は多くの條件に依存するからである。その主要なるものを列記するならば、次の如くである。——

(1) 産業部門相互間に均衡が存すること。國民の購買力と消費手段供給の間に均衡が存すること。生産拡大のための投資が、ものと貨幣との睨み合ひに於て円滑に行はれてゐること——斯くして當該國民経済が全体として均衡を保ちつゝ発展すること。

(2) 財政と國民経済との関係が調和してゐること。財政の規模が小さく國民経済から生ずる餘剰を以て賄ひ得る場合は簡單であるが、財政の需要が

——如何なる理由からにせよ——この限度以上に及ぶ時は、國民経済そのものゝ再編成を必要とする（事変以来の、或は、遊休過剰経済力が涸渇してからの我が國を思ふべきである）。

(3) 世界経済と當該國民経済との均衡。輸出入貿易及び貿易外收支（所謂國際投資が就中重要である）を含む國際貸借勘定が均衡を保つことが必要である。

右の諸條件が実現するためには、第一に、國家は單に強力であるのみでなく、同時に極めて賢明且つ有能でなければならない。即ち、國家は合理的な計画に基いて、よく國民経済を統制得なければならぬ。前述の諸條件が実現するためには、第二に、國民経済そのものが、右の如き國家の計画と統制とに即應し得る状態にあることが必要である。この第一、第二の事情が合流する場合にのみ所期の目的が達成されるのである。

以上に述べたことは、云はゞ序論的考察である。以下、本来の問題たる通貨ブロックの形式に論を進めやう。

4. 通貨ブロック成立の二つの場合

通貨ブロックが成立する経路に二つある。その一は、それぞれの地域の政治権力者が相互に合意と了解に基いて、通貨ブロックを形成する場合。この場合にはそれぞれの地域に於ける政治権力者も、その貨幣制度も、従前のものと同一であるのを常とする。ブロックを構成するメンバーの中の有力なる國民経済が指導的地位を占め、その通貨を基準として他の通貨がリンクすることになるであらう。今次大戦前の所謂スターリング・ブロックが大体に於てその例である。皇軍の平和進駐が行はれた佛印経済と我が方との経済との関係もこの場合に準じて発展することが可能である。

通貨ブロックが成立する第二の場合は、抗争を通じて成立する場合である。一方の経済圏が他方の経済圏と提携し合作せんことを欲しても、他方が之を肯

んぜず、遂に干戈を交へるに至り、一方が他方を屈服せしめて、通貨ブロックを成立せしめる場合である。かゝる場合、被指導的地位に立つ経済圏に於てはその舊來の政治権力者が排除され、指導的経済圏と友好関係にある新政治権力が登場するであらう。

被指導的経済圏の従來の軍事力、政治力がその経済圏から完全に排除されたとしても、この経済圏を構成分子として通貨ブロックを建設することは必ずしも容易ではない。何となれば、通貨ブロックの建設は、ブロックを構成する個々の経済圏の内部情勢が安定してゐることを必要とするが、右の如き場合には、これと正反対の情勢が存するからである。従來の経済諸條件は破壊され、混乱に陥ってゐるであらうし、従來の諸勢力は單に惰性の上だけからも新なる秩序に対立するからである。斯る場合の実例としては、ヨーロッパに於けるドイツの廣域圏建設の諸経験を挙げることができるが、我々自身の経験としては満洲國の建設がある。

もし、右の場合と異り、従來の敵性軍事力、敵性政治力が徹底力に殲滅されてゐないとすれば、共通の経済圏、通貨圏の建設を企図することは極めて困難であると云はねばならない。こゝで敵性諸力とは、單に當該経済圏内部に存するものを指すだけでなく、所謂第三國的諸勢力をも包含する。今日までのところ、かゝる困難な課題に直面した実例としては、現に支那事変の完遂に邁進しつゝある我が國あるのみであらう。若干の場合についてはドイツも我が國と同じ課題に當面し、イタリーのエチオピア経略も同様であると云へるが、その困難の相違は比較を許さぬ程であらう。

右に掲げた種々の場合の中、茲で考察さるべきは、後の二つ、即ち、――

第一　敵性軍事力政治力を一掃した後に新なる幣制を確立し、而してこれを指導的経済圏の幣制とリンクせしめる場合。

第二　敵性軍事力・政治力と抗争しつゝ、新たなる幣制を樹立、拡充し、よって以て経済ブロック、通貨ブロックの建設に努力する場合。

5. 右の第一の場合

具体的には満洲國建設を考ふべきである。従來流通せる種々雑多な通貨をまづ統一することが必要である。いまや軍事力、政治力が我方と協力関係に立つに至ってゐるから、この必要は大なる困難なしに成就される。金融制度のエキスパートによって技術的に解決されるだけである。

即ち、新政権は、云ふまでもなく、指導的経済圏と協調しつゝ、従來の通貨発行機関――單数或は複数の――を接收する。それぞれの機関の通貨発行高、その準備金及資産を計上する。然る後、市場に於ける諸通貨の相場を斟酌して諸通貨の中の中心的、支配的地位を占める通貨に他のすべての通貨を還元し、換算する。斯くして、この経済圏内に従來流通してゐた通貨総量が等一的な金額となって現はれる。新政権はこの中心的支配的地位にある通貨を――実質的にはそのまゝ――継承し、それを新中央銀行券によって代置せんことを企図する。多くの場合、従來の諸通貨と新通貨との交換比例を定め、一定期間を劃して、引換へを行ふ。この行程が完了するに及んで、新政権による通貨の統一が実現する。例へば満洲國では張学良時代の混乱せる幣制――その本據を満洲内部に置くもののみでなく支那本土及び外國に本據を置く諸機関によって発行されてゐた紙幣、銀貨、銅貨等の博物館的混乱――が現在の國幣制度に帰一せしめられたのである。

次に、統一された通貨の價値とその安定の問題がある。通貨の價値は、(1)當該経済圏の物價指数に現はれるものとしての對内價値と、(2)他の経済圏の通貨との交換比例たる為替相場に現はれるものとしての對外價値とに別けて考察するのが常である。両者は密接な関係を有し、同一なる本質の二つの現象形態とも云ふべきであるが、いまは、経済ブロック或は通貨ブロックを考察の對象としてゐるのであるから、(2)の所謂對外價値、即ち當該経済圏の通貨が指導的経済圏の通貨と如何なる交換比例に立つかの問題を見るだけにしよう。これは所謂通貨のリンクの問題である。

一八

こゝでも多くの場合、従来の既存事実が標準となる。即ち、当該経済圏の中心的支配的通貨が指導的地位にある経済圏の通貨と従来如何なる交換比例にあつたかを考察して、新たなる通貨のリンク関係を決定する。さきに、新中央銀行券による幣制の統一とは、実質的には既存事実の継承に外ならないことを述べたが、このリンクの場合にも亦同様である。経済ブロックを構成する個々の経済圏に無用の擾乱を生ぜしめまいとすれば、当然の措置である。

通貨のリンクの場合に、既存の比率が標準となると云つても、それは絶対的ではない。例へば、ポンドブロックの場合には、イギリス以外の経済圏の通貨はポンドに対し実際よりもやゝ低く目の点でリンクされたと云はれて居る。これは当時の世界経済の不況といふ事情にもよるが、一方から云へば、自己の通貨をやゝ低く目に評價された経済圏にとつては所謂平價切下げ──輸出増進──景気恢復と云ふ結果を招来し、他方に於てイギリスは、國際的金融業者、或は、債権者として、まづ、債務者たる諸経済圏の経済的繁栄を希望したこと、次に、自己の通貨が國際的により大なる購買力を有するのを利益としたことにもよるであらう。

ドイツが被占領諸國の通貨に対し具体的に如何なる措置をとりつゝあるかは必ずしも明瞭でないが、ポンドブロックの場合にイギリスが採つたのと同様な手段に出て居るのではないかと思はれる。但し、その目的は同一ではない。ドイツの場合には、斯くの如くにして、ドイツに流入する物資を可能なる限り増大せしめ、ドイツから流出する物資は可能なる限り減少せしめんとしたのである。その結果、國際収支が逆にとりマイナスになるとしても、それは、政治的交渉によつて──例へばクレデットの設定によつて──容易に解決され得る。（我が國の場合には、右の諸事例に見るやうに、利害の較量に基いて政策が採られたであらうか？）

この項の最後に、貨幣の本位について一言しておかう。経済ブロック、或は通貨ブロックを建設するに当り、それぞれの経済圏の貨幣が本位を異にすることがある。例へば、指導的経済圏は金本位、被指導的経済圏は銀本位と云ふが如くである。斯る場合に通貨ブロックが成立し、一の通貨が他の通貨にリンクせしめられるとすれば、それによつて一の経済圏の通貨の本位は新たなる本位に移行した譯である。例へば、満洲國幣の如きは法令の規定（國幣単位の銀量目、銀給分、等）の如何に拘らず、日本圓とリンクされることによつて、実質的には日本の通貨と本位を等しうするに至つたのである。或は、日本の通貨を本位とするに至つたのである。

一九

二〇

6. 動的観察

前項では事態を静的に考察したが、完全を期するためには、これに動的観察を加へねばならない。

経済ブロック、通貨ブロックの成立当時に於て決定された通貨リンクの比率が、長期に亘つて妥当であり得るか否かは、多くの條件に依存する。

第一に、それぞれの経済圏に於ける物價の動きである。これが、騰貴にせよ下落にせよ同じ方向に、そして、同じ速度に動いて居る限りは問題がないが、この條件が存しなくなるや否や、従来の通貨リンクの比率は却つて攪乱のファクターとして作用する。例へば如何なる原因からにせよ、──自然的條件による凶作、或は、インフレーションの昂進、或は、拙劣なる統制による物資出廻の渋滞等──一方の経済圏に物價騰貴が起れば、他方の経済圏からの物資流入が促進される。そして、云ふまでもなく、物價騰貴が起つた経済圏からは物資が流出しにくゝなる。斯る事態が指導的経済圏のために、或は、経済ブロック全体の見地から云つて、望ましいことであれば別であるが、然らずとすれば、通貨リンクの比率は再考慮さるべきである。もし、右の物價騰貴そのものが緩和せしめられ、或は、阻止せしめらる得るならば、その限りで、従来のリンク比率が更改されるに及ばないことはいふまでもない。

こゝで特に強調せねばならぬことは、相互に固定した比率で通貨がリンクされてゐる諸経済圏は、相互に個々別々の経済圏では無くて、すべてが合して単一の経済圏をなしてゐる。換言すれば、単一の市場をなしてゐるといふ点である。従つてどの地点かに物價騰貴が起れば、物資がそこに集中するのは自然の

二一

傾向である。

第二に、考慮さるべき事情としては金利の動きがある。もし通貨リンクによつてブロックに結成されてゐる諸経済圏の間に、金利の平準が存しないならば或は、更に利潤率の平準が存しないならばそれらがヨリ高い水準にある経済圏に向つて――多くの場合、指導的経済圏から被指導的経済圏に向つて――資金及び生産資材が流出するであらう。斯る事態が望ましいものかどうかは、経済ブロック全体の立場から論じねばならない。即ち指導的経済圏が遊休資本の過剰に悩んでゐるならば、右の現象は喜ばしいであらうが、之に反して、指導的経済圏が資材や物資の不足に悩んでゐるならば（例へば、近時の日本の如く）、そして、指導的経済圏に於てはこれらをヨリ能率的に使用しうるならば、右の現象は阻止さるべきである。通貨リンクは斯る事態にも對應し得るやうに、その運営を考慮されねばならない。

右に述べたことは、通貨のリンクが政治的に決定されるといふ点を除いては何れの経済圏も所謂自由経済に放任されてゐることを仮定してゐる。も、之に

反して、それぞれの経済圏が完全に統制され、計画されてゐるならば、問題は全く異る。斯る場合には、通貨のリンクと云ふが如きことは何等の重要性を有しない。何となれば、斯る場合には、それぐ\の経済圏に於ても、更に、経済ブロック全体を通じても、物資の生産、配給、價格等が計画的に決定されるからである。斯る場合には、自由経済の根本動力たる需要と供給の相互作用も、生産費と價格との因果関係も全く解消せしめられ、従つて通貨も亦本来の意義を喪失し、いまや単なる記帳の手段と化してゐるであらう。斯くては、一つの経済圏内部での物價水準と云ふ意味での貨幣價値が全く無意味であると同様に異る経済圏の間の通貨の交換比率といふ意味での貨幣價値も全く空幻的なものとならざるを得ない。

このことを例証するものとしては、ソ聯の経済を挙げることができる。例へばソ聯の農産物を見るに、農民が手ばなす時の庭先き價格を一〇とすれば、都市の消費者が支払ふ最終價格は三〇である。両者の間の差額は運送費及配給コストによって生ずるのではなくて、主として販賣税等の結果である。また、同一、

都市に於ても、かつては、所謂クローズド・ショップとオープン・ショップでは同一商品につゐて数倍の開きがあった。他方、軍需産業をも含めて基礎的産業のために必要なる資材は極めて低い價格を附せられてゐた。ルーブルの対外價値がかゝる事情に於て、全く人為的に決定されたことは想像するに難くない。要するに、完全なる計画経済に於ては、一切が政府当局の政策的意思に基いて行はれるのである（コリン・クラーク「ソ聯統計の分析」高橋訳、参照）。斯くて自由経済の場合に存する通貨の意義は全く消滅する。

だが、我々が考察する対象は、完全な自由経済でないと同時に、完全な計画経済でもない。更に経済ブロックを構成する個々の経済圏は、経済発展の段階に於て異る点に立てゐる。一方が独占資本主義の高度の発展段階にあるに対し他方は多分に前資本主義的要素を存するが如きである。ドイツを指導者とする欧洲広域経済圏建設の方が日本を指導者とする東亜共栄圏建設よりも、この点ではヨリ容易であらう。斯くして我々の考察は、対象そのものの複雑混沌――それは政策そのものの無計画、無統制によって更に激化されてゐる――に制約

されて、大いに複雑、多岐とならざるを得ない。

敵性の軍事力、政治力がすでに一掃されてゐる経済圏を包含する通貨ブロックに関する原則的考察としては、大体以上を以て足りるであらう。以上の諸事項を更に発展させ、満洲国の事情につき具体的に検討することは、他の所でなさるる筈である。

次に生残する敵性軍事力及政治力の抵抗を排撃しつゝ行はれる経済ブロック通貨ブロックの建設を論究すべきであるが、それは、中支経済圏を當面の研究対象とする我々にとって主要課題でもあるから、章を改めて述べよう。

二　敵性軍事力・政治力を排撃しつゝ行はれる通貨ブロツク工作

1. この場合の特徴

軍事行動が展開されてゐる地域――例へば支那の如き――は、従来、一應統一された経済圏をなしてゐたとせよ、そこには充分に整備されたものではないといへ、ともかく、中央集権的な軍事力、政治力がある。経済の領域も亦、遥かに低い程度に於てゞはあるが、一は自然的な発達の結果として、一は右の集権的勢力が採る方策の結果として有機的関聯ある國民経済をなしてゐる。通貨制度が斯る情勢に伴て、例へば、旧法幣制度の拡充に現はれてゐるやうに、全国を通じて統一化の過程にあることも云ふまでもない。

いま、右の如き地域の一端に軍事行動が開始され、我が方の兵力によつて若

干の地域が占據され、そして、我が方の支持による政治力が当該地域を統治するに至つたとしやう。我が方はこの軍事力と政治力とを枢軸として、その支配下にある経済圏を我方の経済圏と協同関係に立たしめんとする。そして云ふまでもなく、その際、通貨的にもブロツク関係に立たしめんとの欲求が生ずる。

我々の課題は右の様にして供へられる。具体的に云へば、蒙疆、北支、中支、等の経済圏と日・満経済圏の関係の問題である。

かゝる事態の特徴は――前章に考察した場合とは異り――我方の勢力圏が軍事的、政治的に云つて確定し、安定したものではないといふこと。この際銘記すべきは、この勢力圏の不確定、不安定とは、単に面積の大小の動揺といふ意味にのみ解さるべきではなく、敵性軍事力（遊撃戦）、敵性政治力（サボタージユ）の浸透作用が干満を示しつゝ不断に行はれる、と云ふことである。これは、我が方が、如何なる原因によるにせよ、敵性軍事力、敵性政事力の壊滅を完了せざるかぎり、如何ともなし得ざる事態である。

（茲で序に考察すべきは、この壊滅未完了が絶対的な意味での壊滅不可能に

よるか、否かである。即ち所典の客観的主観的條件に於ては、如何にしても壊滅せしめ得ないかどうかの問題である。もし絶對的に不可能であれば、事態全体を御破算にするか、或は我方の要求を敵方の受容し得る限度に緩和するかせねばならぬ。このことは、我が方の勢力を他の方面に使用する必要が生ずる場合にも起る問題である。

之に反して、壊滅の未完了は文字通り未完了を意味するのみで、不可能を意味するのでないならば、我方の総力を合理的に按配、行使することが要請される）。

斯かる情況に於て、経済ブロツク、通貨ブロツク建設工作は如何になさるべきであるか、これを考究するのが我々の課題である。

2. 経済情勢

斯る條件の下に於ける経済情勢の特徴を挙げれば、次の如くであらう。

(1) 生産力の破壊

現実の軍事行動が展開される地域に於ては、資源（耕地、鉱山、塩田等）生産設備（工場、機械、鉄道、港湾、道路等）及生産に従事する人口が物理的な意味で破壊される。更に、戦闘地点以外の生産諸力が事変の間接影響を受けて、全然使用されないか、或はゝ充分に使用されないで放置されることも、一種の生産力破壊である。

(2) 生産意欲の減退

物的或は技術的な意味では従来と同一の條件が存在する場合にも、生産意欲は顕著な減退を示す。事変の進行による一般的不安と、彼我の抗戦部隊による徴発の危惧が作用するからである。

(3) 外界との連絡の遮断

我方の軍事力、政治力が一應の確立を見たる経済圏が、それを囲繞する外界に對し従来と同一の経済関係に立つことは不可能である。我が方が占據せ

る地域は、自給自足的な経済圏ではなくて、今日まで同一國民経済を構成せる他の地域と、また、世界経済と有無相通の関係にある。この関係が遮断され、狭隘にされ、或は歪曲されることは、この経済圏を大なる困難に陥入れる。この経済圏から外界に輸移出される物資のために使用されて来た資源、設備及労働力、―それらが存在するとしても―を轉換して、この困難を匡救することは、少くも短期間内には不可能である。

以上、(1)、(2)及(3)に亘って述べたことは、我々が考察しつゝある事態に於ては、物資の生産、従つて出廻りが必然的に減退せざるを得ない、と云ふことである。もし更に自然的條件までが禍するならば、その程度はいよ〳〵甚しくなるであらう。なほ、軍事行動に随伴する破壊作用は、例へば、治水施設等を破廃せしめることにより、天災に人災的色彩を添へ勝ちであることも忘れてはならない。事変以来右の諸事項が現実の問題として、北、中支に於て共栄圏建設の障碍となつてゐることは周知の如くである。

(4)　必要或は需要の増大

以上の如き物資供給の減退に対して、物資に対する必要は、相対的には勿論、絶対的にも増大するかもしれぬ。第一、当該経済圏の人口は大体に於て増減しない。第二、抗戦両当事者の徴発があるからである。軍のための需要は、生産的或は再生産的でないのが原則であるから、事変の進行する限り、物資の生産と消費、供給と需要との関係はますます悪化せざるを得ない。

(5)　通貨の側から

もし問題の経済圏に於て、金貨或は銀貨の如き実質價値ある通貨が流通してゐるならば、事変の勃発、その拡大に際しては、通貨そのものが逃亡或は隠匿されるであらう。かくして、右に見たやうな物資需給の均衡破壊が通貨事情によつて特に激化された型をとつて現はれることはないであらう。然るに、もし所謂管理通貨―法幣の如き―が主たる通貨であるならば、事態は異なる。まづ、通貨及び資金は、國外へ逃亡せんとするが、それは、外國為替相場を圧迫する結果となり、通貨の対外價値の低落をもたらす。この事実と表裏して、経済圏内に於ては、物資の側の事情を反映して、猛烈な物價

騰貴―通貨の對内價値下落―が生ずる。

従来の通貨―敵性通貨と呼ぶことにしよう―の價値低落については二つの場合を考へる必要がある。

その一つは、價値低落が極端に甚しくなり、敵性通貨が当該経済圏内に於て通貨たる役割を演じ得なくなる場合。所謂通貨の廃位が生ずる場合である。これは依然として通貨発行権を掌握してゐる敵性國家（発券諸銀行）が過度のインフレーションを行ふ結果として生ずるであらう。関聯は異るが、第一次大戦後のドイツ・インフレーションの末期が想起さるべきである。その時は、マルクに代つて自然に他のものが―外貨或は現物商品―通貨となりつゝあつた。

（勿論、我が方の統治体制が確立して、敵性通貨を廃位せしめる場合もある。しかし、この場合は、前章で考察ずみであつて、いまは問題外である。）

その二は、價値低落にも拘らず、敵性通貨が依然として流通する場合。これは、第三國による支持（主として対外價値）、人民による支持（主として対内價値）、我方の微力或は無能等、多くの方面から考察さるべきである。中支の通貨問題は、この場合の最も具体的、典型的なものである。英米の法幣維持、民衆の法幣執着、我が方通貨の浸透難等が想起さるべきである。

3.　我が方の経済力

(一)　通貨と物資

さきに、具体的には満洲國を念頭に置きつゝ、我方の軍事力、政治力が確立されてゐる地域を一環として、経済ブロック、通貨ブロックを建設する場合を考察した。この場合には我方は、第三國をも含む敵性勢力を排除して、当該経済圏内の経済力を統制し、指導することができた。云はゞ、素材を独占しつゝ建設を行ふことが出来たのである。もちろん、指導的経済圏―満洲國の場合には日本―からの経済的援助がこの建設のための助けとなること云ふまでもないが、極言すれば、この場合には、斯る経済的援助が無くとも、建設は可能で

ある。

然るに今考察しつゝある場合は之と異る。原則的に云へば、我が方が當該経済圏に於てどれ丈けの経済的支配力を有し得るかは、我が方がどれだけの経済力を提供し得るかに繋る。

このことが最も端的に現はれるのは、我方の通貨を持ち込む場合である。紙代と印刷費の外、何らの費用を要しない紙券を以て、敵性経済圏から物資等を獲得することは、それ丈として見れば我が方にとつて大なる利益である。すでに生産され出廻つてゐる物資を、單に一回限り獲得する丈で満足するならばそれでよい。しかしながら、我が方が永久的に、或は長期に亘つて、當該経済圏と共栄せんことを望むならば――茲で考察されてゐる経済ブロックの建設は正に斯るものである――問題は自ら異る。我が方は、敵地に持ち込む紙券が我が方の本土に於ける通貨と同一のものであることを宣言せねばならぬ。現実の歴史に徴するに、多くの場合、斯る宣言がなされてゐる。例へば軍票は、将來、日本帝國政府に於て日銀券と等價で引換に應ずべき旨が約束されてゐる。

右の如くにして、我方が例へば一千万円の紙券を放出したとせよ。茲で考察してゐる事態に於ては、この紙券は、我方の為に物資調達手段として働いた後その地の民衆の間滞留せず、残す所なく我方に還流すると考へねばならぬ。而して、これを還流せしめるためには、正に一千万円の價値ある物資或は外貨を我方より提供せねばならない。かゝる事態が繰返し行はるゝ場合にのみ、我方は再度三度で、そして、無限に、一千万円づゝの紙券を放出し、その都度一千万円に相當する――この点が重要である――物資を獲得し得る。だが、獲得の半面だけでなく、提供の半面をも忘れてはならない。かくて、さきに述べたやうに、我が方が獲得し得る経済力は我が方が提供しうる経済力に依存することになる。

我々は右の設例に於て我が方は紙券は全く滞留しないと仮定した。原則的にはあくまでもかく仮定すべきであるが、現実に於ては、もし右の條件が確実に充されるならば、そしてそれが相当の規模に亘り実証されるならば、この紙券に對する信頼が生じて來る。その結果、我が方の紙券に對する需要が追加的に

生れる。まづ、富の保蔵用としての需要が生ずる。次に、従來は敵性通貨を以て決済されてゐた取引迄が我方の紙券によつて行はれるに至る。さきに言及したやうに、かゝる場合には敵性通貨の價値は動揺し、低落し、人民は之に対し不便と不安を感ずるからである。かくて我方に還流する我方の紙券は相対的には次第に少くなる。換言すれば我が方の紙券が敵性通貨を駆逐し、それに代位する傾向が強くなる。法幣不安が募るに從ひ軍票に対する需要が増加しつゝある。投機的な意味もあるが、一部分は、こゝの事例として見ることが出来やう。

パラドシカルな言ひ方であるが、右の次第であるから、我方に提供の能力と意志とがあれば、現実には提供の必要がなくなる。或は提供の必要がより尠くなるといふ結論に到着する。もしこの方策が実際に採用され得るならば、當該経済圏と我方とによる通貨ブロックは自らにして成立し、從つて、経済ブロックの建設も容易になるであらう。當該経済圏の経済力にして我方と協力関係に立つに到るならば、それは、我が方の軍事力、政治力に對し計るべからざる援助となるであらう。斯る情勢が進展する限り、敵性軍事力、政治力の壊滅は期して俟つことが出來やう。

上述の事態は理想的な場合である。もしこれに反して我が方の放出する通貨量に比し我が方の提供する物資が小額であるならば、どうであらうか。この場合を考へるためには、もつと極端な場合、即ち、我が方から全然物資を提供しない場合を考へればいゝ。その場合には、我方の紙券は、單なる徴発受領証、或は納税証明書の如きものとなり、通貨として市場に流通することは不可能である。斯る政策が実施されるとすれば、その場合には、この紙券を以て将來通貨たらしめやうとの意思が我が方に存しないと解釈すべきであり、從つて、いまの我々の研究課題には属しないことになる。

いまや理想的な事態と右の極端な場合との中間、即ち、我方の放出する通貨量と我方の提供する物資が均衡を保たない場合を検討すべきである。かゝる場合に於ける當該経済圏そのものの事情と、我が方の本土の経済が蒙る影響とに別けて考察しやう。

　第一に當該経済圏に於ては、まづ、物資の生産及び出廻りが減少する。このことは、この経済圏内の人々の立場に立てば、容易に理解されるであらう。自己の生産せる物資を提供して我方の紙券を受取っても、この紙券を以て購買し得る物資が充分に存在しないならば、或は、結局に於て、安く賣って高く買ふことになるならば、彼等は出来るだけ我が方の紙券を忌避するであらう。かくして、我が方への物資流入は阻止される。次に、同じことを通貨の面から見れば、敵性通貨は、斯る事態によって、却って強化されるであらう。何となれば、さなきだに傳統と惰性がある所へ、人民が我が方の紙券を忌避する心理が働くならば、敵性通貨による取引はそれだけ維持或は拡大されるからである。いまや同一経済圏は、通貨によって、敵性と我が方とに別れてゐるのであるが、我が方は我が経済的実力以上の紙券を放出することによって、却って本来の企圖に反する效果を生ぜしめる。もし我方の紙券放出量と提供物資との不均衡がますます甚しくなるならば、右の逆效果もそれだけ激化する。

　斯る事態が進行する限り、経済ブロック、通貨ブロックの建設とその安定と

三八

は殆ど不可能である。一方に於て、右の不均衡を緩和し、他方に於て、敵性軍事力・政治力を急速に壊滅せしめ得るのでなければ、その経済圏は次第に焦土化するのみであらう。

　第二に、我が方の本土に対する影響を考察しやう。我が方の紙券放出量と物資提供量との間に不均衡があることは、我が方としてはヨリ少なく提供して、ヨリ多く獲得する必要があるといふ根本的事態の結果であるが、いま考察してゐる條件の下に於ては、事態は悪化するのみである。それが最も明白に現はれるのは、我が方の通貨が、我が本土と新経済圏とでは全く異る價値——國際價値——を有するに至るといふ点である。同一物だとされてゐるものが本土に於けると同一の價値を持ち得ないのは、先きに見た不均衡の必然的帰結であるが、その結果、現地に於て調達し得る物資の價格は——実質的には減價せる我が方の通貨にて測定されるため——高價格となって、我が方への物資流入を阻止し他方、本土の物資は現地に於ける高價格に誘はれて流出する。本土の個々の業者の私的利益から云へば、自己の商品が、ヨリ大なる貨幣額となって還流する

三九

四〇

のが望ましいからである。斯る事情が存在する限り、第三國への輸出も亦現地を通ずることゝなり、本土に於ける對外為替相場は全く實質なきものとならざるを得ない。本土に於て充分なる物資がない故にこそ、現地に於ける我が方通貨の減價——放下通貨量と提供物資量の不均衡の結果として——が生じたのであるが、この減價の故に本土の経済力はますます涸渇せしめられる。具体的に云へば、このことは、現地に於ける圓——日銀券及軍票——の減價として、またそれに伴ふ日本物資の現地流出として、事変下の大きな問題である。綜合的な輸出入統制、價格調整、通貨対策が必要とされつゝある所以である。

　本土の立場から云って、この傾向を阻止する手段を採るべきは當然であるが若し我が方が物資の提供を制限すれば、その結果は、現地に於ける我が方の通貨を浮き上らせ、それだけ、敵性通貨を援助することゝなる。斯くては、我が方の経済圏の樹立はますます困難となり、従って、経済ブロック、通貨ブロックの実現はますます望みなきものとなる。

4. 我が方の経済力

(二)　技術と資本と権力

　敵性軍事力、政治力が壊滅してゐない狀態に於ては、我が方が支配し得る経済力は我が方が提供する経済力に依存する——といふ命題は餘り狭く解すべきではない。前節では原則的な、或は、純粋な場合を考察したのであるが、現実的にはなほ別個の考慮が必要である。我が方の経済力としては、現実に我が方より提供する物資の外、次の諸項目が存する。

(1)　我が方の技術と資本

　我が方から提供する経済力は有形財たる物資には限らない。企業家的能力技術的能力や熟練も亦そうである。これらの能力が、放置されたる資源の開発、既存生産設備の復興に用ゐられるせよ、或は、我が方からの資材と結びついて用ゐられるにせよ、その結果が現地の需要に相應ずるならば、それだ

四一

けの経済力が――しかも我が方の――創出されたことになる。従ってその限りでは、之を我が方が提供する経済力と看做すことができる。現実の場合に留意しつゝ、例を挙げれば、我が方の技術或は資本によって開発或は復興せしめられた鉄道、航運、電力、水道、電信、電話等の所謂パブリックサービスがそれである。従来我が方の資本によって運営されつゝあった現地企業もこの範疇に入る。これらのものが充分なる量に於て、しかも低廉に――換言すれば、我が方の通貨の價値を大ならしめるやうに――提供され、現地の経済生活と密接な関係を有するに至るに應じて、それだけ我が方の通貨には物資による裏付けが與へられたことになり、共栄経済圏の確立はそれだけ進捗する。

(2) 政治力による收入

我が方は、問題の経済圏を完全には支配してゐないにしても、若干の政治権力は掌握してゐる。それに基いて、諸種の收入を挙げることが出來る。即ち、従來、敵性政治力が得てゐたところを、我が方の勢力が浸透するに應じて、我が方に領取する。支那の場合について云へば、関税、内國税からの收入等である。我が方の收入に相當する現地の物資は、我が方でこれを獲得し得る訳であるから、これを我が方の提供物資と看做すことが出來る。右の中特に関税は、所謂外貨に交換し得ることが容易であるから、或は、外貨そのものである場合もあるから、これを支配することは、大なる意義を有する。

以上、我々は、我が方の支配し得る経済力は、我が方の提供する経済力に依存するといふ原則を敷衍しつゝ、説明を進めて來た。原則の理解及びその適用は杓子定規的であってはならないが、原則の本質は依然として妥當する。

5. 民族的経済力

問題の経済圏に於て、敵性軍事力、政治力が我が方のそれによって圧迫されるに應じ、我が方と友好関係に立つ民族的政治力――更に、軍事力――を育成、

指導する方策が採らるべきであるが、経済の分野に於ても同様である。この問題は概括的にはいはゆる民族資本の問題として扱はれてゐるが、正確にはヨリ廣く民族経済力の問題として討究さるべきである。

本來の討究に入るに先立ち、経済ブロック或は通貨ブロックの建設に於いて民族経済力の問題が何故に重要であるかを明かにして置かう。こゝでも、極端な場合を考へて見ることが、事態の理解を容易ならしめるであらう。もし、経済ブロック建設のために必要な技術、資材及び労働力が我が方に充分に存在しその結果、問題の経済圏に求めるところはたゞ自然的資源のみであるならば、その経済圏が所謂焦土となっても我が方は痛痒を感じない筈である。即ち、この場合には、民族経済力を無視して、経済ブロックの建設を行ひ得るのである。

然るに、現実の場合は右と異なる。経済ブロック――高度國防國家建設のためにせよ、然らざるにせよ――の建設のためには、現地の民族経済力を動員することが不可缺である。或は、これを動員し得ると否とは、経済ブロックの建設に多大の影響を及ぼすのである。斯くして、現地の経済力動員が問題となる。

経済力についても、軍事力、政治力の場合と同じく、我が方から見て、敵性のもの、中立性のもの、及び友好性のものに別ちうる。この区別は云ふまでもなく、絶対的なものでなく、相互に変化し得るものであるから我が方としては適當なる施策により、出來るだけ多くの経済力を経済ブロック建設のために動員すべきである。この関聯に於て考慮さるべきは、第一に、民族資本と我が方の資本との間に産業部門の協定をなすこと。例へば、重工業と軽工業、原料産業と加工産業、或は同一性質の部門ならば、商品別による協定、或は同一物資ならば、生産割當の協定等。これらは具体的條件を考慮し、彼我の経済総力を最も合目的的に配分、運用することを主眼とすべきことは云ふまでもない。この協定が土着資本の積極的活動を促進するならば、それは、前節に述べた我が方の経済力をそれだけ増進する。斯くして、通貨ブロックの実現は大いに促進されるであらう。具体的に云へば民族資本の問題は、上海等にある、所謂遊資の處置のみにあるのではない。支那資本に有利な投資部面を提供しうるか否かにある。國交調整の問題も結局はこゝにありと云へるであらう。この点は、日

支経済合作に関するものとして研究さるべきである。

第二に考慮さるべきは、社會機構に関する施策である。こゝで考察されてゐるが如き経済圏は、遅れたる社會、経済制度の残存に悩んでゐる場合が多い。例へば、勤労民衆を不當に圧迫する土地関係、賣買貸借関係、租税制度、行政司法、軍事諸機構の欠陥等。もしかゝる弊害を除去することが、勤労民衆の要求に添ふものであり、これによって、彼等が我が方を支持するに至ることが期待できるならば、我が方は彼等の要求を実現せしむべきである。それは、敵性軍事力、政治力の地盤を崩壊せしめると同時に、民衆の生産意欲を昂めることにより我が方の経済力を増大せしめるであらう。これらの民衆が圧倒的多数を占めてゐるならば、その效果は特に大きい。

支那の如く、人民の多数が、貧乏な農民であり、それが地主、高利貸、商人、官僚等によって圧迫されてゐるところでは、我が方としては、これらの諸階級のそれぞれと如何なる関係に立つべきやを明確に——少くも肚の中では——して置くべきである。清郷工作も合作社運動もこの点についてのハッキリした認識と對策を前提としてのみ成功しうるであらう。

6. 第三國の経済力

我が方を指導者とする経済ブロックに包含される如き経済圏は、同時に第三國の政治的、経済的支配をも受けてゐるのが常である。かくして、我が方による経済ブロック建設の工作は、右の経済圏に於けるヘゲモニーを掌握せんとする、或は之を維持せんとする第三國との対立を惹起する。第三國の勢力が微弱であるか、或は、第三國と我が方とが他の点に於て——例へば世界政策上ヨリ重大なる点に於て——妥協をなすかの場合を除いては、第三國の勢力は當然我が方から見て敵性のものとならざるを得ない。斯る第三國が、或は第三國群が我が方に比し非常に強力であるならば、我方の工作は終に成功することなく、徒らに我が方の勢力を消耗するのみであらう。

然らざる場合に、斯る第三國の勢力を減削し、或は他に轉換せしめることは

世界情勢及び我が世界政策との関聯に於て企図せらるべきところであるが、當面の経済ブロック建設方策の関する限りは、斯る第三國による軍事的、政治的及び経済的支援を遮断せねばならぬ。第三國からの支援は、現地にすでに根據を有するものと（外國人企業、駐屯兵、駐在外交官等）、現実に第三國から來るものとに別れるが、如何なる分野に於ける支援も帰するところは、敵性勢力と第三國との間の通信、物資及び人間の移動或は交流に外ならないのであるから我が方の第三國對策は結局に於て封鎖政策である。我方のコントロールし得るものを除いては、外界との連絡を一切遮断することである。

現地における租界、沿岸封鎖、物資搬出入に関する統制等の問題が右の如き見地から解決さるべきであるが、現実の政策は、我が方の勢力、敵性勢力、及び第三國勢力の眞に科学的、客観的な判断に基いて、決定さるべきこと云ふまでもない。

7. 利害の較量

以上我々は、敵性軍事力、政治力を排撃しつゝ行はれる経済ブロック工作——その一面としての通貨ブロック工作を考察して來た。この場合の特徴は、當該地域に於て我が方が未だ軍事的、政治的に完全な支配を確立してゐないといふことから生ずる。斯る場合のブロック工作は、一方に於て生産力の破壊が進行しつゝあるのに、他方に於て、その復旧、復興に動員さるべき生産力が我が方の支配下には充分に、或は殆ど存しないために、二重の困難を負はされる。斯くて、建設及び民生のための、我が方よりの物資提供は絶対的必要となるが、もしそれと時を同じうして、我が本土にも物資の不足が生じ、それと関聯して、現地に於て調達すべき物資——派遣兵力及本土のために——が増大するならば、経済ブロックの工作は重大な危機に當面する。

斯る事態に逢着すれば、好むと好まざるとに拘らず、掠奪政策、資源作戦の遂行とならざるを得ない。斯る方策の施行せられる地域は次第に焦土化するが、ブロック建設の大局から見て必要であれば、それも亦已むを得ないと云はねば

ならぬ。要するに、利害の較量の問題である。

経済ブロック工作の困難が深刻化すると云っても、それは、必ずしも、全面的、絶對的なものではない。経済ブロックの大局的見地から、ブロックを構成する地域の生産、運輸、配給、消費を計画的に統制することに成功するならば危機が回避されるだけでなく、積極的飛躍さへも可能であらう。こゝでも亦、現實の條件に基き、利害較量の原則が顧らるべきである。

五〇

三　附論

1. 通貨ブロックの理念

通貨ブロックとは、二個以上の経済圏が通貨を通じて相互に一定の関係に立つ場合を指す。一定の関係とは、一方の通貨の一定量が、他方の通貨の一定量に必ず等しいとされる関係である。そしてこの関係は、指導的経済圏の通貨を基準として表現されるのが常である。

茲で、かなり一般に流布してゐる誤りを訂正して置かねばならない。それは、通貨のブロック関係、或は、リンク関係は、それぞれの経済圏の通貨が相互に一對一の比率を有しなければならぬ。とする見解である。これは全く根據なき見解である。一定量の價値の実体が、貨幣名として如何なる名稱を附與され、如何なる數字を以て呼ばれるかは、傳統と便宜の問題であって、夫々の経済圏の歴史的具体的事情によって決定されてゐる。それぞれ独自の発達をなして来た若干の経済圏の間に密接な関係が生ずるに至って、一方の通貨が他方のそれに相互に換算される事実が成立しこの事実に基いて、一方の通貨と他方のそれとをリンクせしめることが便宜とされるのである。従って、リンクの比率が決定されるのは、飽くまでも右の事実を基準としてである。決して一対一の如き計算名目の等位が基準となるのではない。実例を挙げれば、極めて明白である。

五一

かって我が國の円は、イギリスのポンドにリンクすることにより、米國の通貨に対して——裁定為替相場により——我が一〇〇円は米の約二九ドルに等しかった。これで完全な通貨のリンクである。その後、ポンドの價値下落により我が一〇〇円は米の約二三ドルに等しいとされ、以て今日に至ってゐるがこれ亦立派な通貨のリンクである。

我が國の円が、満洲國の円、北支の元、蒙疆の円と一対一でリンクされてゐるのは、この數字に意義があるのではなく、この數字に表現される実質的関係がリンク決定當時の事実に対應してゐたからであり、また、斯る実質的関係の維持が望ましくもあり、可能でもあると考へられたからに外ならない。実質と政策とに変更が生ずれば、一対一の比率は変更され得る訳であるが、それでもなほ、一定の固定的比率が新に確定されゝば、彼我の間には依然として通貨リンクが存在し、従って、通貨ブロックが存在する。

五二

要するに、金本位が存在してゐた時代には、各國の通貨の一單位はそれぞれ金の一定量——必ずしも同一ではない——にリンクされ、一方から他方への移行が自由に行はれたのであるが、通貨ブロックに於ては、指導的経済圏の通貨が右の金の地位に代るだけである。

2　通貨ブロック工作の條件

さきに第一章第六節に於て、通貨のリンク関係が維持されるための條件を考察した。そこでの結論は、ブロックを構成する諸経済圏の間には物價及び金利の平準が存しなければならない、といふことであった。

五三

斯る事態が成立するためには、⑴夫々の経済圏が一應地理的に明確に区劃されてゐること、⑵この地域内に於ては政治経済情勢が安定してゐること、⑶夫々の経済圏の間に物資及び資金の交互移動が円滑に行はれて、ブロック内に凹凸を生ぜしめざること、この⑶と特に関聯することであるが、⑷指導的地位にある経済圏が豊富なる経済力を有し、自らブロックの中心となつて、全面的計画とその実行とを指導し得ることが前提條件である。

もしこれらの前提條件が未だ充されてゐないならば、経済ブロツ、従つて通貨ブロックの実現は不可能である。これを可能ならしめるためには右の諸條件を歩一歩充して行く外はない。或は、これらの條件が充される限度に於てのみ通貨ブロックを云為すべきである。

この点から見る時、満洲國、北支、蒙疆或は中支が、経済ブロック、通貨ブロック工作の對象として、それぞれ特殊性を有すること、従つて、一遍一律の工作が行はるべきでないことが理解されるであらう。

3　所謂通貨戦について

通貨戦といふ言葉もまたかなりしばしば用ゐられるが、その意味は必ずしも明かにされてゐない。いろいろの場合を考へる必要がある。

第一に、我が方と他の國とが第三の市場で販賣競争を行ふ場合。こゝで我が方が優位を占めるためには、我が方の通貨の價値が他の國のそれに比し従来よりも低位にある方が望ましい。いはゆる為替ダンピングはその極端な、或は典型的な場合である。

第二に、我が方と他の國とが第三の市場で購買競争を行ふ場合。こゝでは、我が方の通貨の價値が他の國のそれに比し従来よりも高位にある方が望ましい。為替変動に際し、國際市場に於ける物資購買戦がその実例を提供してゐる。事変以来の我が方の物資買附難が想起される。

第三に、或る経済圏にすでに行はれてゐる通貨を廃絶して、我が方の通貨を

以て代替せしめる場合。⑴當該地域の政治権力、従つて貨幣高権を我が方に接收した上でこれを行ふのは最も簡単な場合であつて、特に問題はない。⑵問題となるのは、経済工作によつてこの目的を達成する場合である。この場合には我が方は、敵性通貨よりもヨリ健全な通貨を提供することが必要である。こゝで健全といふのは、この通貨が物資によつて充分に裏づけられてゐること、その價値が安定してゐること、この通貨を通じて賣買する方が、敵性通貨を以てする場合よりも、當該経済圏にとつて有利であること、換言すれば、ヨリ安く買ひ、ヨリ高く賣ることが出来ること、最後に我が方の通貨が、適性通貨よりも容易に確実に外貨に交換されうること――これらのことを成就することが、即ち通貨戦に於て勝利――経済工作による――を得る方法である。

第四に、似而非的通貨戦。敵性通貨のみが世界経済との聯関を有し、我が方の通貨はこれを有しない場合。世界経済との関聯が不可缺であるとすれば、我が方はその点で敵性通貨に依存せねばならず、かくして、複雑なる情勢が生ずる。當面の利害関係から云へば、敵性通貨の安定を必要とし、通貨ブロックの建設といふ方面から見れば、これを排撃する、といふ矛盾に陥る。

斯る矛盾が生ずるのは、表面的には、例へば租界の如き國際的地帯が存するからであるが、根本的には、我が方の政治的経済的実力が充分に當該経済圏を支配してゐないからである。尤も、右の如き地帯の存続も亦、特に、それが大規模のものである場合には、我が方の工作を妨害するに役立つことは否定し得ない。

要するに、斯る事態に於ては、通貨戦は不透明なものとならざるを得ない。もし斯る事態が客観的主観的條件から見て如何ともなし得ないものであれば、我が方は當面の處置としては、これに順應するの外はない。たゞ我が方としては、我が方の実力の蓄積を目標とし、通貨ブロックの完遂を将来に期すべきであらう。

右に考察した四つの場合は何れも何等かの意味で通貨戦と呼ぶことが出来よう。我々の考察する事態は、右の何れをも包含すると云へるが、従つて、その

限りでは、一々の場合につきその実体及び影響につき明瞭な理解を持たねばならないが、主としては、第三及び第四の場合が特に重要である。中支に於ける実状は、正に、この第四である。「敵性通貨」たる法幣に依存しない限り、國際的には勿論、國内的にも多分に、我が方としては如何ともなし得ないのである。かゝる事態を変改する方策の研究が即ち、我々の課題である。

第二編　東亜共栄圏の通貨事情（要綱）

目次

一　序説

満洲國、北支、蒙疆及び中支が東亜共栄圏を構成するに至った歴史的事情を経済、特に通貨制度の面から概説する。

二　物價事情

前記の諸経済圏が、相互の間に於て、また、日本との関係に於て、経済ブロック的な性格を殆んど有してゐない事情を、主として物價の面について叙述する。

満洲國に関しては建國以来の動向を、日本のそれと平行的に観察する。

他の諸経済圏については、事変後の動静を観察する。

これによって、物價の動き、或は、重要商品の價格の動きから見て、右の諸

経済圏の間の平行関係、或は対應関係が如何に微々たるものであるかを説明する。

なほ、資料の許す限り、闇相場も考察する。

「今、日満支三國の卸賣物價指数を比較致して見ますと、支那事変の直前である昭和十二年六月から本年（昭和十四年）八月迄の指数について研究致しますと、この期間に於て東京の一割四分、京城の三割五分、台湾の二割三分の騰貴に対しまして、新京は五割、天津は十一割五分、張家口は七割六分、何れも相當急激であるやうに見受られるのであります。日満支三國の資金及物資の円滑なる交流を図る上から申しますといふと、これが調節は一日も緩かせにすることが出來ないのでありまして、これが為には相互の提携を一層密接にし、全体の立場からこの問題を処理解決することが今日一層切実となってゐると考へられるのであります」（東亜経済懇談會第一回大會報告書昭和十四年十二月、二四七－八頁）

これは津島日銀副総裁の言であるが、右の不均衡はその後も依然たるもので

ある。

今日では、この不均衡は制度的に承認されるにさへ至った。それは、日本東亜輸出入組合聯合會の結成と調整料（或は、留保金）制度に現はれてゐる。この制度は、東亜共栄圏の各地が同一商品に對しそれぞれ異なる價格を所與してゐる事実、―換言すれば、各地の通貨は一対一の比率ではリンクされてゐないといふ事実―を承認し、この事実から生ずる弊害―実質的には等價でない通貨を形式的には等價なりとしてゐる矛盾から生ずる弊害―に對する弁法を提供してゐるのである。この制度は、日本に於ける價格と外地に於ける價格との差額を個々の業者に取得せしめないために、それぞれの商品に對し留保金率を定めてゐるが、その表の中から若干の例をあげると次の如くである。商品名はあげず、A・B・C等の記号を用ゐることゝする。―

留保金率

品名	北支	中南支（海南島を除く）上海	中南支（海南島を除く）其他
A	一八〇%	八五%	一二〇%
B	二〇	二〇	二〇
C	一二〇	四〇	六〇
D	一〇〇	一〇〇	一〇〇
E	〇	〇	〇
F	一四〇	二五	三五
G	五	五	五
H	二〇〇	九〇	一三〇
M	一〇	一〇	一〇
N	二〇	二〇	二〇

六六

三　為替相場

前章と同じことを、共栄圏内の諸通貨の対外價値——即ち、為替相場の変動の実状について證明する。ペーパーの上では、それぞれ等價関係にあるとされてゐる諸通貨が、——共栄圏以外の通貨を鏡として見る場合——如何に相互に異なる姿を露出してゐるかを明かにする。

上海の *Finance & Commerce* 一九四一年七月十六日号記載の円ブロック諸通貨建値（同七月十二日のもの）は次の如くである。

六七

	法幣にて
日本銀行券一〇〇円（十円札）	二〇三元
同　（百円札）	二〇六元
軍　票一〇〇円	二二七元
朝鮮銀行券一〇〇円（十円札）	一四六元
同　（百円札）	一六三元
満洲銀行券一〇〇元	一四五元
北支聯銀券一〇〇元	二〇三元

いま、日本内地の円の對米為替相場と、法幣の對米為替相場を参照して、計算すると、

日本円一〇〇円は法幣の約四五〇元に等しくなければならない！

四　建設と投資

六八

以上のやうな事態に立至った原因として、共栄圏内各地域に於ける建設と投資を分析する。

日本をも含めて各地域の建設計画、そのために必要な資金及び物資の調達事情、右の諸建設が充分に生産的成果をあげてゐない事実、の闡明。

共栄圏内の「國際投資」、物資の出入、及び第三國と共栄圏との物資の動きが分析される。

五、事態の必然性とその止揚

我が國を指導者とする経済ブロック、或は、共栄圏建設の工作が前述のやうな事態に立至らざるを得なかった事情の必然性を回顧し、反省する。

日本経済の特殊性——重工業の貧困、自由主義経済の意味に於ての非組織性（カルテル等の未発達）。恒常性を有する政治力が存在しなかったこと。共栄圏建設方針の不確定。経済統制技術の缺陥。要するに、計画が常に事実に追隨

六九

して來た点の歴史的批判的考察。

斯る事態を匡救するための方策として、一切の建設或は開発工作――軍事的及び経済的なものを含めて――の再檢討。特に、所謂國策會社の実績に對する技術上及び會計上の嚴重な監査。これらの基礎をなすものとして、共栄圏建設のための統一的計画の確立の必要。

我が方の施策が如何に放慢であるかの一徴標――

「なる程、日本からの輸入値通りには、邦商も廉賣せず、相當高く之を賣つてゐるであらう。併し、斯様にして生ずる日支商人等の巨利は現状に於ては、現地で更に聯銀券購買力をインフレートさすのみであつて、例へば、北京に於ける一料亭が五六十万円の大建物を新築し居れるが如き、斯る形の聯銀券インフレを示すものと見るべきであらう」（高橋亀吉財界月報、昭和十五年六月号、二二―三頁）。

料亭の資本が一年に二回轉するとすれば、右の料亭の顧客は年一〇〇万円余の支出をする訳である。北京に於ける他の料亭、満洲國から中南支に至るまで

の各地に於けるこの種の支出が如何に巨額であるかは想像に餘るものがあらう。この金額が如何なる方面から撒布されるかは贅言するまでもないが、我が方の放慢を示すものとして大いに留意さるべきである。

要するに、意識的或は計画的でなかつたにせよ、我が國が、云はれる如き高度國防國家建設に向つて現実に動き始めたのは満洲事変の時からである。當時は世界恐慌の後をうけて経済不況は深刻であり、労働人口も物資も設備も過剰に存してゐた。從つて、満洲事変遂行に必要な物資調達――公債増発による――は却つて我が國の経済界に對する刺戟であつた。他方、満洲事変勃発の年の十二月に行はれた円價の低落は吾が國の輸出貿易を大いに発展せしめ、かくて、その結果たる外貨獲得により、我が方が必要とする資材――今日から云へば「國防國家建設資材」と呼ばるべきもの――の入手も比較的容易であつた。

かゝる経済上の容易さに恵まれ――或は、禍され――たため、更に、政治情勢の不安定があつたゝめに、我が國の國防國家建設過程は云はゞ自然発生的で

あり、全体としては極めて無計画的なものであつた（註）。

（註）　ヒットラーが政権を獲得した當時のドイツ経済界も、満洲事変勃発當時の日本経済界と、規模の相違はあるが、類似してゐた。ドイツでは失業人口が六〇〇万人もあつた。これに関聯して、尨大な経済力――人口、物資、設備――が遊休、過剰の状態にあつた。ドイツが日本と異るところは、かゝる状態に直面して、眞に統一的な政治体制が樹立され、それを槓杆として、高度國防國家の建設に邁進した、と云ふことである。

いまや、日支事変に入つて満四ヶ年を経過し、一方に於て過剰、遊休の経済力は存在せず、むしろ、大いに不足してゐる状態であり、他方、第三國からする物資の補給も益々困難、或は、不可能となりつゝある。

高度國防國家の建設を最高目標とする東亜共栄圏の完成――それに関して起りつゝある問題は、すべて、右のやうな経済情勢の根本基調と、今日迄の我が方の建設計画との結合によつて生じてゐるのである。

第三編に於て、右の諸問題の中、中支通貨策を論ずる。

七四

第三編

新政権の財政確立と重慶の占領地域に於ける経済勢力打破を目的とする新幣制の問題

七五

七六

目次

七七

一　序論

南京政権下の幣制を論ずるに當り、前以て決定して置くべきことが二つある。

その一つは、南京政権に対する根本的態度の問題である。東亜共栄圏確立のためには、日満支を一体とする有機的結合関係が樹立されねばならぬこと云ふまでもないが、かゝる関係樹立のためには、果してすでに成立してゐる各地の政権を育成強化せねばならぬかどうか――といふ問題である。満洲國、蒙疆及北支については、こゝでは論じない。中支に関してのみ論ずる。即ち、南京政権を強化することが、東亜共栄圏確立のために合目的的であり、必要であるかといふ点である。

我々の研究は、右の問題に対し肯定的回答が與へられてゐることを前提とする。從って、この前提そのものを論ずることは、我々の研究の範囲外である。南京政権に対する「悲観論」が余りにも執拗に流布されてゐるかに思はれるの

で、無用の紛糾を避けるため一言して置く：

前以て決定して置くべきことのその二は、幣制は他の社會制度と同じく、孤立隔絶的に考究さるべきではなく、他の諸制度諸政策との関聯に於てのみ問題となり得るといふことである。從って、本編に於ける研究は、他の諸氏の分担たる、――

「新政権下の地方行政問題及び租界（新政権の経済財政的基礎と治安確立を目的とする研究）」

「建設上に於ける産業合作及び日支産業の合理的綜合の問題」

に関する研究と相互補完の関係に立ち、更に、満洲國及び日本の経済及び経済政策に関する研究分担と有機的な関係に立つものである。

二　政権・二幣制

同一経済圏に二つの幣制が存在することはその経済圏の繁栄の見地から云って全く辯護の餘地がない。同一地域をめぐって二つの相抗争する政権が爭奪戦を行ってゐる場合には、それぞれの政権に連なる二つの幣制が同一経済圏内に行はれることがあるが、それは、要するに、過渡的な状態であって、何れか一方が覇を制するに及んで、唯一つの幣制が行はれるに至る。もし敵對する二政権、二幣制の對立が長きに亘るならば、當該経済圏は衰頽の一路を辿るのみである。

同一政権、或は、同一系統に属する二個の勢力がそれぞれ別異なる幣制を以て同一経済圏に臨む場合も亦、當該経済圏に對しては前述と同一の作用を及ぼすが、この場合には、かゝる事態が政策的に回避されうること云ふまでもない。

周知のやうに、中支に於ては、かゝる事態が現存してゐる。序論で述べた前

提に立つ限り、かゝる事態が急速に矯正さるべきであり、しかも、何れの方向に矯正さるべきかは明かである。

中支に於ける我が方の通貨政策は必ずしも計画的ではなかつた。初は、日銀券次いで軍票を流通せしめた。後に、これらを放置しつゝ華興銀行券を流通せしめた。通貨は経済界に於ては独自の運動をなすものであるから、二つの幣制が並び行はれれば、たとへ双方が同一政権に発するとしても、両者は相互に排擠せざるを得ない。華興券と日本円の場合もそうであつた。この事態は、華興券を単なる名目的存在たらしめることによつて解決された。この時以後、中支に於ける日本系の通貨は円――初は、日銀券、後には、軍票――のみとなつた。

もし我方に統一的計画的な政策が存するならば、少くも中支に関する限り、我が経済方策の通貨面は、右の統一されたる円通貨の発展を通じて法幣を排撃すると云ふことでなければならない。従つて、南京に樹立されたる国民政府の育成強化によつて事変の解決、東亜共栄圏の確立を企図することが、我が方の國策として決定された以上、我が方としては、通貨政策に於ける我が方の経験と成果とを挙げて新政権に委譲すべきであつた。即ち、新政権がこの基礎に立つて、日本を指導者とする共栄圏の一員として発展し得るが如き情勢を創出すべきであつた(註二)。

然るに、事実は之に反する。新政権をして中央発券銀行を創設することを許容しながら、新たなる通貨制度が発展するの餘地は毫も與へやうとしない。論者は云ふ。中央儲備銀行は独自の実力と方策によつて、旧法幣の領域を侵蝕すべきであつて、我が方が折角築き上げた軍票圏を覬覦するが如きは以ての外である、と。我々の見るところによれば、この見解には二つの誤謬が含まれてゐる。その一は、軍票と儲備券とが、相互に対立物でも並存物でもなく、東亜共栄圏建設の見地から、統一物として考察さるべきであることを見落してゐる点である。満洲國と日本との関係に就て云ばれる言葉を用ゐるならば、南京新政権と日本とは、密接不可分の関係に立つものである。満洲國に於て、北支に於て、更に蒙疆に於て、日本側と友好関係にある政権下の発券制度の外に、日銀券が、更に、軍票が流通せしめらるべしと主張されたことがあるだらうか。そ

ういふことはない筈である。かゝる主張は餘りにも背理だからである。然らば中支に於てはかゝる主張を根拠づける特殊事情が存するだらうか？敵性通貨たる法幣の存在を援用する論者があるかも知れない。しかし、これに對しては北支に於ても同じ事情が存したこと、また、敵性通貨が存在するからこそ、我が方は勢力を分散せしめず、統一して進撃する必要があることを高調せねばならない。この報告の第一編でもすでに述べたやうに、通貨制度はその本質上、統一的でなければならないのだから、尚更そうである。

軍票と儲備券とを並行せしめんとする見解が有する誤謬のその二は次の如くである。新政権の勢力は、軍事、政治及び経済何れの分野に於ても、我が方の勢力の及ぶところに限られてゐる。即ち、新政権の勢力から我が方の勢力を差し引けば殆んどゼロである。好むと好まざるとに拘らず、このことは事実として認めねばならない(かゝる状態にある新政権に對して悲観的見解を懐くものがあるとすれば、それは、我が方の勢力に対し悲観的見解を懐くと同一である。それはともかく)右の如き事態に於て、儲備券は、軍票圏と離れて、独自の分野を開拓すべしと主張するのは、初から不可能を強ひるものに外ならない(註三)。

(註一)　左記切抜(東朝、昭和十六年八月)の談話中の傍点のところは、この報告に述べられてゐる思想と同一である。適用の面が、軍事と経済(通貨)と異るだけである。

清郷工作

和平具現の炬火

畑総司令官視察談話

【南京特電二十五日発】畑支那派遣軍総司令官はこのほど清郷工作の状況を視察したが、二十五日午後総司令官部に於て記者団と會見の席上、次の如く語り、清郷工作が日華軍官民の緊密なる協力によつて着々成果を収めつゝあること及び、清郷地区の拡大によつて、全面和平を獲得すべき確信を左の如く強調した。

◇局部和平より全面和平への道はまづ局地的に理想的な和平地区を

八六

完成し、逐次之を発展拡大して広きに及ぼすにある。しかして和平地区の建設とは、治安を回復し政府の政治力を侵透徹底せしめ、経済文化を振興して民生を向上するとともにこれを維持推進するに足る独自の保安能力を有せしむることである。

◇汪主席を委員長とする、江南三角地帯の清郷工作は、いま日本軍協力の下に、中國側の軍政、統民各般に亘る綜合的全機能を挙げ、しかも主席以下本工作こそは國民政府の将來を卜する試金石たるのみならず、その和平建國理念の具現化を立証するものとして、烈々たる決意と最善の努力とを傾注して、計画に従ひ着々進展しつゝある。

◇私は最近清郷地区の一部を視察して、深く感じたことは、本工作に従事する日華軍官民各機関が、よくその趣旨を理解し、極めて緊密に協力の実を挙げ、堅実に成果を収めつゝあることで、目のあたり日華の提携による新中國の建設に精進し、特に皇軍と國民政府軍とが真に一体となつて力を併せつゝある真剣な姿に接し、欣快に堪へなかつたと共に、将來の清郷に対し、さらに確信の度を深めたのである。

◇またこゝに見逃してならぬ一事は、この和平地区建設のために致した努力と試煉とによつて、中國側軍警は勿論、政治、経済、文化各方面の事業に携はつた人々が、和平実現に對する確乎たる信念と力量とを把握具現するに足るべきことであつて、この力がやがて加速度的に清郷地区の拡大を招來すべく、かくして全面和平獲得の希望が大なる炬火と燃え熾るであらう。

◇一方日本軍は清郷地区の完成に伴ひ、漸次國民政府治下の治安維持に関する責任を中國側軍警に譲つて、これが後盾となり、余し得た兵力はこれを撤去集結して、専ら戦略上の要求に基き直接重慶に対し、その兵力を発揮せしめなければならぬ。

◇清郷工作の有する意義は、支那事変の處理、ことに國民政府の育

八七

八八

成強化上まことに重大である。私はその成果を一層光輝あらしめたく、今後ます〱本工作に従ふ諸員の奮闘を希望する次第である。之は同時に汪主席の心であると信ずる。

（註二）　儲備券と軍票の対立は、新政府側が法幣リンクを選んだ結果生じたので、罪は新政府側にある、といふ見解がある。私は、儲備券発行の経緯を知悉しないが、次のやうに考へてゐる。南京新政府樹立の話が進んでゐる中に、當然、中央発券銀行が問題となつた。そこで、軍票は引きあげるかどうかが論議され、結局、軍票は現状維持といふことに決定された。そして、同時に新銀行券は、軍票の地位に悪影響を及すことは許されないと決定された。――もしそれが事実だとすれば、日本側は新中央銀行の設立を許容すべきではなかつた、と私は考へる。右の決定は根本に於て、或は、究極に於て、新政府不必要論に立つものであると私は考へる。當時の日本は、問題を徹底的に檢討せず、中途半端の所に立つてゐたとしか考へられない。或は、日本側の不統一がそのまゝこゝにも現はれてゐるのであらう。次に新政府側としては、右のやうな制限、或は、條件の下では、新中央銀行の設立を断念すべきであつた。然るに、そうしなかつたのは、一つには、面子のため、二つには、利益のためであらう。社會全体としては無意義な制度でも、それに関與する人々には多大の財源となる。或は、三つには、ともかくも中央銀行を創立して置けば、それを足場として、日本側に交渉し、讓歩して貰ふ、との見透しに立つてゐたかも知れない。――以上のやうに見て來ると儲備券に對しては、日本側も新政権側も、さしあたつては、重要な意義を認めてゐなかつたことになる。

もしそうだすれば、儲備券の法幣リンクも自然の成行きであつたのであらう。軍票にリンクすることはさきの決定の第一原則によつて初から不可能であつた。何となれば、一對一でリンクするにせよ、或は、その他の率でリンクするにせよ、苟くもリンクする以上は、儲備券の一定量

八九

は軍票の一定量と等價關係に立つことになり、結局同一通貨制度に屬するといふことになる。そうなれば、儲備券は必然的に軍票流通圏に紛れ込んで來る。日本物資に対し、或は、従來は軍票建であつた現地物資に對し、儲備券がそのまゝで—軍票を経由せずに—需要力として現はれるからである。さきの第一原則は、右の事態が生ずるのを禁じてゐるのであるが、その禁止を有効ならしめるには、儲備券が軍票とリンクしてゐない方が好都合である。新政権の方から云つても、軍票流通圏へ入ることを禁じられゝば、法幣圏に入る外なく、そのためには、法幣と一對一のリンクにあることが望ましい。なほ法統を継ぐといふ名目にも合致する。

私は右の様に考へてゐる。儲備銀行創立の時に、軍票引上を承諾し、その上で、儲備券と円のリンクを問題とすれば、新政府は法幣リンクを主張しなかつたであらう。そういふ主張がなされたとしても、我が方としては應ずる必要はない。

なほ、この問題に関聯して、我が國の一部に行はれてゐると云はれる見解—円にリンクする通貨を創設することは、それだけ日本の負担と責任を大ならしめる。それ故、中支の分までも背負ひこむことは望ましくない。だから、儲備券は法幣にリンクした方がいゝ、といふ見解—が若干の働きをしてゐるかも知れない。この見解は詳細に検討さるべきであるが、要するに或る意味での中支放棄論であり、さきの新政権不必要論の一つの変種である。

私の理解では、かくして、今日の中支通貨事情に對する責任は一應日本側と新政権側と共に負ふべきであるが、決定権を有するものとして、主として日本が負ふべきである。

以上に見たやうに、同一経済圏たる中支に、軍票と儲備券とを共に日系通貨として並行的に流通せしめやうとすることは、何れの点から見ても弁護の餘地がない。それは、東亜共栄圏を構成する一経済圏に不當不要の攪乱を生ぜしめ、

かくして、延いて、共栄圏そのものゝ建設を妨害するものである。中支に於て依然として軍票を流通せしめざるべからずと為す主張は、全く旧來の惰性に左右されたるものであつて、それは南京新政府の育成強化による事変收束、共栄圏建設の建前とは全く両立し得ないものである。しかも、後に述べるやうに、軍票を発展的に解消して儲備券一色にする場合に於ても、我が方が今日軍票によつて獲得してゐる利益は依然として我が方に收め得るのである。

三　軍票の発展的引上と儲備券の確立

すでに論じたところから明かであるやうに軍票がその開拓せる分野を儲備券に委讓し、今日まで我が方が軍票のためにせる一切の努力を挙げて儲備券の強化に資することは—南京政権の育成強化により東亜共栄圏を建設する建前に立つ以上—異議を許さないところである。然らば、かゝる方策を現実に施行するに當つては、技術的に如何なることがなされねばならないか。

(1) 日本政府と南京政府の間に、軍票前後措置に関する協定を締結する。
これによつて、

(2) 日本が軍票を中支から引き上げること、中支が儲備券の独占的流通圏たることを承認する。

(3) 日本側は將來に於て軍票を発行せざることを約す。

(4) 従來の軍票使用強行方針を撤回し、漸次に軍票の使用の廃止を期す。

(5) 日本資本の經營に係る諸企業の製品及びサービスの對價たる通貨も、右の原則に從ひ、儲備券を以てする。

(6) 現に市場に流通する軍票の回收のために要する資金は、南京政府に於て之を提供す。

(7) 軍票預金についても同斷。

（註一）　右の(6)について。軍票の提出者に儲備券を交付するのが軍票回收の第一段である。この手續が完了すれば、市場には軍票に代つて儲備券が流通する。軍票と交換に放出された儲備券が所持人によつて儲備銀行に提示され、兌換——恐らくは、外貨、特に、日本円或は北支円等への兌換——を要求されるに及んで始めて、南京政府側は、軍票回收資金を使用するに過ぎない。この資金が協定により南京政府の負担すべきものとされる。この資金は、外貨に換り得るものでなければならないが、それは關稅收入等によつて容易に調達し得るであらう。

理論的に右の如くであるが、現實の問題としては、外貨的資金の必要は殆ど生じないであらう。このことは、儲備券によつて代替される軍票の性質を考へば容易に理解し得るであらう。即ち、商品經濟、或は、交換經濟が行はれる限り、商品及びサービスの交換賣買にはどうしても通貨が必要である。從つて、商品交換が一應發達してゐる社會に於ては、若干量の通貨はつねに存在しなければならない。云ふまでもなく、通貨には、かゝる交換の媒介者たる職能の外に、富の貯藏手段、資金の逃避手段たる機能が存し、そして、かゝる機能を行ふ通貨は或る條件の下に於ては一の經濟圈から他の經濟圈へ轉々する。しかしながら、中支の今日の實状から見て、軍票が交換の媒介者たる以外の、他の機能を大なる程度に於て果してゐるとは考へられない。むしろ、各人とも軍票手持は必要なる最小限に切りつめてゐるであらう。もしそうだとすれば、右の如き軍票に代つて儲備券が流通するに至つても、それだけの通貨量が經濟社會によつて需要せられる點は變りがない。即ち、これだけの通貨量に對しては兌換請求は起らない。從つて、さきに述べた軍票回收資金は

その必要がないことになる。金本位制に立脚する通貨制度に於ては、右の如き需要に應ずる通貨——中央銀行券——の準備としては、正貨を以てせず、公債等の所謂保證準備を以てする。儲備銀行の場合にも、かゝる制度が採用さるべきである。

右の主張は、上海に於ては所謂投機筋が多額の軍票現金を藏してゐる事實に反するとして、非難されるかも知れない。これは、見込の問題であつて、できるだけ正確な資料に基いて研究されねばならないが、かゝる向に對しては別個の對策によつて善處すべきであらう（例へば、為替統制、兌換額の制限等）。

（註二）　右の(7)について。金融機關が軍票で受入れた預金を拂出す場合の問題である。これは、次の樣にして解決される。

金融機關は自己の受入れた預金を大部分は投資及び貸付に、一部分は現金にして置く。この中、現金部分については、すでに註一で論じた。問題として殘るのは、投資及び貸付である。

金融機關の投資及び貸付は一部分づゝが常に現金で回流して來る——そして、全体が緩慢ながら不斷の更新過程に置かれるのが原則であるから、もし銀行が急激なる預金引出に當面しないならば、こゝでも亦問題は註一のプロセスに從つて徐々に解決されて行く。金融機關に流入する通貨の中では、時日の推移に伴ひ、次第に儲備券の方がより大なる比率を占めるやうになるからである。

かゝる正常な回流を待たずに、金融機關が預金の引出に應じねばならない場合がなほ殘る譯であるが、これは、所謂再割引の方法によつて解決される。金融機關は自己手持の手形、證券、その他の資産を儲備銀行に預託して、儲備券を受ける。かくて、この場合にも、預金を軍票表示から儲備券表示に轉換するためには、新政權として特別に資金を準備するを要しない。

たゞ万全を期する為に、右の轉換を實行するに當り、儲備銀行等が蒙ることあるべき損失を政府が保證する、といふ類の措置と、その保證の

限度を規定する法令が必要なだけであつて、この場合にも、かゝる資金が現実に必要とされる程度は小さいであらう。

以上(6)及び(7)の如くにして軍票に対し儲備券を交附して行けば、この交換期限が當来した時には、若干額の軍票が儲備銀行の手許に蓄積されてゐるであらう。この軍票は銷却されねばならないが、その銷却の責任は南京政府が負ふのである。例へば、南京政府は、右の金額に相當する公債――軍票前後措置に関する日支協定により、幣制前後処理公債――を発行し、これを儲備銀行をして引受けしめ、この公債手取金と右の軍票とを相殺する。すでに述べたごとく、既存の軍票にかはる儲備券はいはゆる保証発行的性質のものであるから、右の如き措置に出ても、南京政府も儲備銀行も特に失ふところはない。

右に列挙せる諸方策が実施されるに應じて、中支は、次第に儲備券一色に変つて行くが、右に註記せるところの外、なほ、詳細に検討すべき点がある。章を改めて論ずる。

四　軍経費の問題

今日の中支に於ける軍経費の支出過程は次の如くであらう。まづ、中支軍の経費は、日銀の代理店としての正金上海支店に置かれる。軍出納官はこれに対し支拂命令――小切手を振出し、現金を引出すが、それは、云ふまでもなく、軍票である。軍はこの軍票を以てその経費に充當する。この軍票の流通過程は、次の如くであらう――

(1) 日本から送られたる物資或はサービスの購入に充てられる部分。

(2) 日本資本によつて現地に於て生産され供給される財貨或はサービスの購入に充てられる部分。

(3) 現地の――右以外の――財貨及びサービスの購入に充てられる部分。

(4) 直ちに法幣に換へられ或は、法幣を通じて外貨に換へられる部分。

右の中、(1)及び(2)に於ては、軍票支出による購入といつても、日本内地に於ける軍の購入と同じことである。軍としては無償取得であるかの如く一應考へられるが、日本の経済力がそれだけ消耗するのであるから、決して「無償」ではない。即ち、軍票がどれだけの購買力を持ち得るかは、日本が提供する経済力によつて決定されるのである。(4)の法幣或は外貨との交換も右と同じである。上海等の銭莊等が軍票に対し法幣を提供するのは、日本が彼等の手持となつた軍票を――彼等に充分な利益を與へて――買ひ戻すからである。この買戻しの為には、我が方に法幣資金が存しなければならないが、この資金を調達するためには我が方は、それだけの物資を法幣に對して販売してゐるか、或は、第三國の外貨を現地に送らねばならない。第一の場合には、(1)及(2)と全く同じことであり、第二の場合は間接ながら実質的にはこれと同じことである。

かくして、さきに挙げた四つの中、三つまでは、單に軍票を通過すると云ふだけで、結局は、日本の経済力そのもの、或は、その変形物を消費してゐるのである。これらの部分については、それ故、軍票の使用が我が方になんらの特殊な利益を與へると考ふべき根據は全く存しない。

最後に、(3)の場合はどうであらうか。軍が現地に於て物資或はサービスを徴発或は購入し、その代償として軍票を交付する。單に之だけを切離して観察すれば、軍票は正に打出の小槌たるものであり、これを放棄するが如きは重大な利益の喪失たるものであらう。しかし、軍は一旦放出せる軍票に對してなんらの措置を講じないだらうか。決してそうではない。現實を視れば、こゝでも亦交換が行はれてゐる。即ち軍は多大の費用を以て當該地区に多大の必需品を供給し、軍票と交換し、或は軍票價値の裏付けを行ってゐる。これらの物資の中には、勿論、現地の他の地域に於て蒐集せるものも含まれてゐるであらうが、日本から送り出されたものが多分にあることは疑を容れない。

以上の考察は、要するに、軍票使用によって獲られる我が方の利益に對しては、我が方も亦何んらかの提供をなしてゐる、といふことに帰着する。即ち、給付反對給付を原則とする交換である、といふに帰する。しかし、更に考察さるべき点がある。それは、数量、云ふまでもなく経済的價値量の問題である。軍票の使用によって獲得される財貨及びサービスの價額と我が方が提供するものの價額との比較の問題である。

この二つの金額の差が日本にとって非常に有利であり、そして、それが軍票の使用と必然的に結びついてゐるのであれば、軍票を引き上げることは再考を要するかも知れぬ。

この問題に答へるためには、多くの資料が必要である。即ち、事変勃発以来、中支に於て放出されたる日銀券及び軍票。これらの軍票が、さきにあげた四つの場合、或はその他の場合の間に如何に配分されてゐるか。軍票によって購入せられたる物資及びサービスの数量及び單價は如何。これらの單價とその當時に於ける一般的市場價格との関係如何。軍票が法幣、或は、外貨と交換された場合、如何なるレートでなされたか。このレートと日本円のオフイシアルな対外為替相場との関係如何。軍票價値維持等のため、日本より提供せる財貨の数量及び單價――日本に於ける單價、現地に於ける軍票による單價及び法幣による單價。これらの物資の輸送に要する一切の費用。軍票回收の為に我が方が正金銀行等を通じて費消せる外貨額及び回收されたる軍票の交換レート。軍票工作のための機構及人員の数、費用、等、――に関する正確な資料が與へられなければならない。

しかるに、これらの資料は我々には與へられてゐない。従って、精密な見解を構成することは不可能である。我々は漠然たる見聞に基き、経済学的思惟をメスとして現実の状況を想像的に解剖することで満足せねばならない。

第一に考へられることは、軍票流通機構の維持、拡充のために、我が方は多大の犠牲を負担してゐるといふこと。軍そのものの内部に金融、通貨を管掌する部署が設けられてゐること、正金銀行等が軍票取扱のために多くの設備と人員とを動員してゐること、物資の配給過程の随所に、軍票の故に特に設けられたる機関があること、――以上の如き物的及び人的施設が多大の費用を我が方に負担せしめてゐることは明かである。また各地に多数存在する銭荘等は軍票の取扱によって彼等なりに相當の利益をあげてゐる筈であるが、これも全体として見ればかなりの額に達するであらう。

軍票の使用を廃止して、儲備券一色にするならば、右の諸負担は消滅し或は減少する。

第二に考へられることは、中國民衆にとって、日本帝國軍票の使用を強制される場合と、新政権の儲備券の使用を強制される場合とでは――経済的條件が同一とすれば――感情的に異るものがあること。日本の機関が軍票流通を拡大すると同一の努力を、新政権の機関が儲備券流通の拡大のために捧げるならばその効果がヨリ大であることは疑ひない。この努力が、我が方の援助によって強化されるに於ては、尚更である。かゝる通貨方策が、他の諸方策と共に実施されるに應じ、中國民衆は新政権に對し次第に信頼の度を増すであらう。重慶と南京の間にあって日和見的態度にある分子は南京支持に傾くであらう。かくて、南京政権下の治安が安定し、従って生産も増大するに至るならば、南京政権のスローガンたる和平建國は一歩を進める。それだけ、軍経費の支出が節約されるであらう。

新政権に独立政権の実を與へることが、我が方の根本方策であるならば、通貨の領域こそそれを実証する恰好のものである。

第三に考ふべきことは、軍票使用と軍事物資調達の関係である。すでに述べたやうに、我が方は軍票によって物資等を獲得してゐる半面に於て、多くの物資を提供してゐる。將來、軍票に代って儲備券のみが流通するに至った暁には勿論、軍は軍票を以て現地物資を調達し得ない。軍は現地に於ける貨幣の需要を充すためには、儲備券を使用せねばならない。しかし、之は決して新奇な事柄ではない。現地通貨の使用は、満洲國に於て、北支に於て、また、蒙疆に於て、日本軍が行ってゐる所である。中支に於ては、從來と全く同じ操作が、日銀円から軍票円とならずに、現地通貨となって行はれるだけである。

かゝる操作の結果、日銀―或は、その代理店としての正金―と儲備銀行の間に次の事態が生ずる。日本から現地へ軍經費が送金され、それが儲備銀券となって支出されるに應じて、儲備銀行の手許にはそれだけ円資金が累積して行く。現地が日本軍に對して提供せる物資及びサービスの價額に相當する金額が中支の對日債權となる。これは、日本側から云へば債務であるが、これを弁済するためには、日本から物資を提供せねばならぬ。しかしこのことは、我が方が軍票に代って儲備券を使用するが為に新たに生ずるのではない。すでにしばしば

一〇六

述べたやうに、軍票使用の當初から軍票價値裏附物資等として我が方の行ひ來ったところである。實体は從來と異らず、形式だけが変化する。そのために事態が明朗化し、計算が簡單になるであらう。即ち、我が方より提供する物資は、いまや、通常の輸出貿易として取扱はれる。かゝる物資の代金に相當する金額は、我が方の債權となる。この債權と、さきの債務とを―後述の為替管理機構を通じて―我が方に於ては正金銀行に、中國に於ては儲備銀行に集中して清算する。

正確な資料のないのが残念であるが、從來日本から提供されてゐた物資が現地なみに價格を以て販売され（註）、そして、この販賣が整備された組織を通じて行はれてゐたならば、我が方の手取金は實際よりも遥かに多かったに違ひない。それだけ、軍票回收が好成績をあげ得たであらう。今後我が方が、軍票使用による摩擦を避け、現地通貨を使用するならば、ヨリ少い金額を以て足るかも知れない。彼此併せ考へると、軍票を使用せず儲備券を使用する方が結局に於て我が方に有利ではなからうか。

一〇七

（註）　日本内地における低物價政策は、そのまゝ現地に移された。しかも、現地に於ける日本円は非常に減價してゐた。その結果、法幣或は第三國通貨を以て日本通貨を入手し、日本品を購入することは非常に割安となった。昭和六年末の金本位停止後生じた円價低下によるダンピングと同じことが起ったのである。「輸入される日本品は在支日本紙幣為替相場に依って支拂ひ得るから日本品の對支ダンピングの一主因を為してゐる。―昨年（一九三八年）海關報告書所載の日本及び其の統治地より輸入せる海關金額は約三五％、今春は約七〇％の過大記載である」（鄭友揆「支那戦時貿易入超と對外為替」、日本評論社刊「支那國際收支論叢」所收、一九六頁）。

第四に論ずべきは、日本軍の經費の一部を南京政府に負担せしめることである。現地調達のために軍が多大の困難を舐めてゐること、この困難の故に軍票操作が必要となってゐることは周知の如くである。これは、日本からの物資供

一〇八

給が充分でないために生ずる事態であるが、これに處するためには南京政府と協定する必要がある。即ち、日本軍經費分擔協定―その原型は満洲國に行はれてゐる―の如きものによって、關税及び内國税收入の一部を南京政府が日本政府に委譲するのである。この金額は、東亜共栄圏建設の見地から、各經済圏の經済事情を考慮したる上、大局的に決定さるべきであるが、この金額が日本軍の使用に供されることにより從來の如き現地調達に終る困難と摩擦が回避せられるであらう。

この方策を實行するに當っては、最初は、南京政府が充分なる實力を有しないために、種々の困難が伴ふであらうが、それでも、日本軍が徴發証券たる軍票と銃剣の威力に訴へてなす場合よりはヨリ能率的であらう。何となれば、我々の提案に於ては、軍は只購買者として現はれるのみであって、軍票を使用する場合の如く、購買手段の創造者でないからである。軍はその購買手段として與へられたる儲備券を使用するだけである。而して、南京政權強化のために採られる諸方策が具体化するに應じ、儲備券の通貨としての地位は確立されて行

一〇九

く筈であるから、儲備券を以て必要物資を購入することは次第に容易となるであらう。

之を要するに、我が方が、軍票價値維持等のために提供する物資を対中支輸出品と看做した場合に生ずる手取金、日本軍経費の南京政府分担金――この両者を儲備券に換へて使用する方が、軍の需要を今日よりもヨリ充分に、ヨリ円滑に充足せしめるであらうといふのである。

第五の問題は、中支に於ける軍事費の支出を軍票によらず、儲備券によるならば、その結果、日本内地に於けるインフレーションが激化せしめられるのではないか、といふことである。もしこの見解の如くであれば、高度國防國家建設のためにはインフレーションの悪性化を防止せねばならないから、その限り、中支の軍票使用は廃止さるべきではない、といふことになるかも知れぬ。

かゝる見解の基礎には、軍票は一旦使用されゝば、それで万事が終結し、なんら解決さるべき問題を残さないといふ考へが横はつてゐる。しかし、これは事実に反する。中支で放出された軍票は、市場に滞留する少量のものを除き、軍票預金、或は、円預金となつて現地金融機関の手許に累積する。この円資金は、特殊な制限がない限り、何時にても内地に還流して、内地の通貨量を増加せしめ得る。その点で、内地に於て軍事費が支出されそれが通貨を膨脹せしめると全く同じである。

勿論、内地に於ては軍事費が支出されれば、直ちにそれだけ通貨――購買力といふ意味での――が増加するが、現地に於いて軍票を以つて軍費を支出する場合には、直ちには内地の通貨金融市場は影響を受けないであらう。しかし、それは、単に「時のずれ」timelag の問題である。現地に於ける軍票放出が長期に亘り継続的に行はれれば、その結果として累積する軍票預金、或は、円預金の内地還流は恒常的のものとなるであらう。

軍票に代つて儲備券を使用するとしても、我が國の金融事情に根本的に特殊な作用を及ぼすとは考へられない。日本軍が例へば一億円の経費を中支で支出するとしよう。日本円對儲備券の比を一對二とし、我が方は一億円の日銀券を儲備銀行に提供し、その代りとして二億元の儲備券を得これを経費に充てると

しよう。儲備銀行は、この一億円を直ちに日本内地に現送するであらうか。そうするかも知れないが、必しもそうでない。原則としては、この一億円は、いはゞ、日本軍に手渡した二億元の儲備券の発行準備――外貨準――たるものであるから、儲備銀行は、右の二億元が市場を流通して、発券銀行たる自己に還流し、かくて、その提示者或は預金者によつて兌換――日本円への交換――を請求せられるまで、これを保有すべきである。儲備銀行が右の要求に應ずるに従つて、日銀券は日本内地に還流し、それだけづゝ内地の通貨を膨脹せしむることになる。従つて、軍票使用の場合と全く同じである。

右の説明は、簡單を期するため、日銀券を中支に現送し、これを儲備券と交換するといふ、非実際的な場合を前提したが、種々の金融取引上の操作による場合にも同様である。

なほ、現在、現地から内地への送金には種々の制限が課されてゐるが、このことは、中支通貨が儲備券一色となつた場合でも、必要ならば、行ひ得ること云ふまでもない。即ち、儲備銀行の円為替賣出に關し協定を締結すればよい。この点、中支に於ける為替管理と関聯して、後にまた論ずる。

五　日本系事業と通貨

軍に次いで、軍票の支出をなすのは、云ふまでもなく、日本系事業である。軍の場合の支出は、狭い意味に於ては、生産的でない。支出された金額と等しいもの、或は、それに収益を附加したものが、回収される、といふことがないからである（尤も、軍に於ても、この種の事業を行ってゐるかも知れない。その場合、それは、日本系事業の範疇に含まれる。それ故にこそ、軍票を単なる徴発証券、スクラップペーパーにしないためには、物資の裏附けが必要であった）。

然るに、事業の場合は異る。支出された通貨は、一定の生産期間の後には、市場性ある財貨となって、然も、原則として、元の支出額よりも大なる価額となって回流する。かくして、事業の場合の通貨支出は、云はゞ、自動的に物資による裏附が行はれる。この意味では、事業のための通貨放出には何ら問題が件はない。しかし現実には必ずしもそうではない。

第一に、資金が投下されてから、それが回収されるまでの期間は、当該事業としては財貨或はサービスを生産できず、従って供給も出来ない。その限り、事業のためにする通貨放出も亦、軍事費の場合と同じく、「不生産的」である。右の期間が長い場合、或は、多数の事業が並行的に計画される場合には、かゝる不生産的通貨放出は多量にならざるを得ないから、軍票支出の場合と同じ問題が生ずる。

第二に、経済的、更に技術的な意味でも不良な投資がなされる。かゝる事業のための通貨放出は全く不生産的である。

第三に、軍事行動と経済建設工作とが並行して行はれる場合には、計画の杜撰、重複、脱漏、人心の殺伐或は荒廃に起因する浪費が不可避的である。これが、不生産的通貨放出となること云ふまでもない。

政治体制、経済体制の現状から見て、多くの点で「不生産的」なことがなされてゐることは容易に考へられる。その実状を究明し、対策を講ずることは、

極めて必要であるが、そのためには、真に権威ある技術者団、計理専門家団、経済・政治・軍事のエキスパートを包含する監察機構が設置されねばならない。

具体的な資料を有しないので、こゝでも亦一般的な論述で満足せねばならない。第一に、事業のための通貨放出にも多くの消極面あることを忘れず、日本系事業の計画、運営に当っては、東亜共栄圏の経済力が綜合的に考察されねばならない。また、民族資本との分業、合作が特に精密なる考察の対象とさるべきである。

第二に、通貨問題との関聯。軍票使用を廃止して儲備券使用に移行することは、日本系事業に如何なる影響を及ぼすであらうか。

事業そのものが健全であれば、通貨制度の統一は決して不利益ではない。異種の通貨が並び行はれ、通貨相互の交換比が動揺し不安定であることこそ却って嫌忌さるべきである。確かに、今日の中支に於ける日本系事業の利益なるものは、かゝる通貨の動揺不安定に基く部分が多い。即ち、日本内地に於ける円の価値と、現地に於ける円の価値と、更に、法幣の価値とが、それぞれ為替相場として計算、比較された場合と、物資購買力として計算、比較された場合と、――この二つの場合の間に乖離が存することに基くのである。例へば、日本内地で単価一〇〇のものを、現地の軍票価格三〇〇で転売すれば二〇〇の利益が得られる。これを、軍票と日銀券とが一対一の等価であることを利用し、内地に送金し、或は、帳簿上に記載して置くが如きである。また、奥地に於て、人為的に法幣価値を釣り上げて置いて、即ち、物価を不当に圧迫して置いて、物資を購入し、これを上海等に於て売捌くが如きである。かゝる方策が一時的或は部分的な権道として行使されざるを得ない事情は察しられるが、健全なる経済的繁栄を目標とする東亜共栄圏建設の見地からは排斥されねばならない。

我が方の事業が健全なる基礎に立つに至れば、通貨問題の解決は却って歓迎されるであらう。日本系事業の建設及び経営のために放出される通貨がかゝる事業の生産事情、及び、日本がかゝる事業のために動員し得る経済力とよく調和せしめられることが必要である。この條件が充されゝば、軍票に代って、儲備券が流通するに至っても、何んらの困難が生じない。

一一八

当該事業の原資本が日本円であることも特殊な問題を生じない。事変前、日本内地に本社を有する事業が、日本円で計算されたる資本を以て種々の事業を経営してゐたことは周知の所である。かくの如きは海外投資の通常の事例にすぎない。現地に於ては軍票円を以って計算されてゐるのが実状であるが、外部との受拂が儲備券を以て行はれるにつれ、事業の全計算が儲備券化されるまでである。固定資産、流動資産の評價換へも單なる計算問題に帰する。

（註）左記切抜（東朝、昭和十六年九月二日附）によれば、多分に情勢に強要されてゞはあるが、報告書に述べてあることが、実現されつゝあるかの如くである。

民族資本動員　中支振興計画

中支振興會社では本年度事業計画に於て石炭、鉄等の積極的増産を図る一方、バス・水道・電気・瓦斯等公共事業の確保に重点を置いてゐるが、國際情勢の緊迫に伴ひ資金、資材の調達に漸次窮屈を感じつゝあるので中支産業開発に新法幣資金を利用することになり今回中央儲備銀行との間に五百万円の當座貸越勘定を設定民族資本の動員に乗出すことになつた。

従来同社の事業資金は、全部円資金により賄はれて来たが今回の當座貸越勘定設定は儲備銀行を通じて民族資本が中支振興傘下事業に投資されることになる。

〔追記〕

利子の問題が障害となつてその後停滞してゐるとも伝へられてゐる。

要するに、現地に於ける軍経費の支出及び日本事業の支出は、この研究報告に於て詳細に規定された「我が方の経済力」を限度としてなさるべきである。

一一九

一二〇

この限度を超過して事をなさんとするのは、大局的見地から云って、妥當ではない。

六　儲備券のリンク

儲備銀行の創立事情についてはすでに本編冒頭に述べた。いま、中支の通貨を儲備券に統一するとし、この儲備券を如何なるものにすべきか。儲備券の準備として金或は銀の如き財貨を充用しうるならば、事態は簡單であるが、現実の事情から見て、かゝる方法は可能でもないし、また、その必要もない。かくて、問題は、儲備券を如何なる既存の通貨に、如何なる比率にてリンクせしむべきか、といふことに帰する。

儲備銀行の成立以来、儲備券は法幣に一對一の比率でリンクされてゐる。かゝる方策が是認されるための根據については種々の事が考へられる。

(1) 金屬準備を有しない新通貨は、既存の通貨の何れかに結びつかねばならぬ。

(2) 具体的には、軍票か法幣かであるが、軍票とリンクし得ないこと既述の

一二一

如くであるとすれば中國民衆に親しまれてゐるといふ点から法幣が基準とされた。

(3) 右の二つの根據は、儲備券発行の創草期に際しては、是認されうるが、長期に亘るものとしては別である。尤も、抽象的に考へれば、儲備券が次第に民衆の信頼を得、確固たる基礎を有するに至れば、自然に法幣に代替しうるであらう、との展望も可能であるかに思はれるが、事実は決してさうではない。右の展望が実現するためには、法幣が次第に不安定性を増し、價値もますます減價して行くことが必要であるが、かゝる事態にあつては、儲備券と法幣とが法規上は一對一の固定比に立つてゐるといふことに乗じて、大規模の貨幣投機が汎濫するであらう。それは、経済界にも悪影響を及ぼす。それは、貨幣制度を変改せしめねばやまないのみならず、前世紀における金銀両本位制の經驗の證明するところである。從つて、長きに亘つて、儲備券を法幣にリンクすることは是認し得ない。

(4) 近き將來において南京と重慶とが統一されるならば、儲備券の法幣リンクは賢明である。蓋し政權の合同に際して、二つの幣制も亦合同され、それが、リンク関係に立つてゐれば、ヨリ円滑に実現するから—と考へられるかも知れない。これは、方針及び見透しの問題であるが、日本と重慶と、從つて南京と重慶との間に和平成立の可能性がない、といふことが新政權、從つて新中央銀行設立の前提であつたと考ふべきであらう。儲備銀行の設立に際し、例へば、上海の *Finance & Commerce* 誌は明瞭にこのことを指摘してゐる。

以上は、儲備券が長期に亘り法幣にリンクするを要しない、といふ消極的な主張であるが、日本を指導者とする東亜共栄圏の建設といふ見地からすれば、儲備券はリンクの基準として法幣を去つて日本円に着くべしといふ積極的主張が成立する。世界情勢の変化及び我が方の攻撃—軍事、政治及び経済の領域における—により、重慶政權が弱体化し、從つて幣制の紊乱も免れ難いとすれば、右の主張は更に強められる。

一方に於て、中支に於ける軍票使用を廃止し、儲備券を以つて唯一の通貨たらしめ、他方に於て、儲備券の法幣リンクを廃止するとすれば、價値の基準たるべきものは日本の円のみである。如何なる比率に於てリンクせしむべきであらうか。

こゝで直視すべきは、日本円に二種あることである。即ち、横浜或はニューヨークに於て一〇〇円が約二三ドル7/16に等しいとされる日本円と、上海において一〇〇円が約一三ドル（註）に等しいとされる日本円（軍票円）と二つあることである。何れに如何なる比率に於てリンクせしむべきであらうか。

（註）法幣一〇〇元が米ドル五・三〇、そして、法幣一〇〇が軍票四二円として計算。

この問題の決定は非常に重要である。東亜共栄圏を構成する経済圏の中、満洲國、北支及び蒙疆の通貨はすでに日本円と一対一のリンク関係に立つてゐる。この関係が現在に於ては殆ど単なる法的擬制であることは第二編に於て証明した。將來に於て、形式と実体のこの矛盾はそのまま持続するであらうか、或は、実体に應じて形式が変改されるであらうか、それとも、或は実体が改良されて形式に相應するに至るであらうか。

これに答へるためには、さきに提唱せる監察機構—中支に於ける日本系事業の調査のための—の如き機関による徹底的検討を必要とするが、努力の方向としては、実体を改善して形式に合致せしむべきであらう。第一編に於て詳説したところから推論し得るやうに、日本の経済力、日本が左右し得る経済力の客観的評價の基礎に立つて、過去に於ける行き過ぎや、無計画性を克服して行くならば、右の努力は充分に結実するであらう。然らずして、実体の悪化に引き摺られて形式を変更するといふ安易の道を採るならば、拾收し得ざるに到るであらう。

儲備券を日本円にリンクせしめるとし、その比率を如何にすべきかの問題に帰らう。必要なる資料を與へられてゐないから、ハッキリしたことは云ひ得ないが、次の三つの案について利害長短を充分に考量し、その上で何れか一つ、或は、これらを参考として第四案を採るべきであらう。

第一案　日本通貨一〇〇に對し儲備券を一〇〇とする。即ち、一対一。

第二案　日本通貨一〇〇に対し儲備券を二〇〇とする。即ち、一対二。

第三案　日本通貨一〇〇に対し儲備券を四〇〇とする。即ち、一対四。

第一案の根據としては、(1)法幣制度の成立以來事変前までは日支通貨の比は大体に於て一対一であった。(2)事変後、日本円が――日銀券、或は、軍票として――現地に氾濫し、減價しつゝあった時、同じく減價の過程にあった法幣に對ししばらく一対一に近い比を示してゐた。(3)北方法幣の後身たる聯銀券は日本円と一対一にある。(4)總じて東亜共栄圏内の通貨がそれぞれ一対一でリンクすることは望ましい。等の点があげられるであらう。

第二案は、儲備券が放出されて以來、儲備券が一対一の比でリンクしてゐる法幣に對し軍票はほゞ一対二の所にあること、この現状を大体に於てそのまま日本円対儲備券の法定比にすること、一億円の軍経費が現地において二億元の通貨となれば、軍として大なる困難なしにその需要を充し得るだらうといふこと、等を根據とするであらう。

第三案は、横浜或はニューヨークに於ける日本円の對米ドル相場と法幣の対米為替から換算して、また、法幣物價の騰貴と日本内地の物價騰貴との比較、等に立脚して主張されるであらう。

充分な資料を有せず、実情に精通してゐない筆者は何れとも断言し得ないが、もし現在の軍票対法幣の相場（法幣一〇〇が軍票の四二位、或は、軍票一〇〇が法幣の二二五位）が非常に人為的な、従って、費用と摩擦を生ずるやうな手段によって維持されてゐるのでなければ、第二案を中心として決定すべきではないかと感じられる。

法幣を通して米ドルで計算された場合の軍票の價値と内地の日本円の價値との間には大なる開きがあるが、筆者はこの事実に故意に目を蔽ふべきことを主張する。その理由は、第一に、軍票及び軍票預金――要するに、現地における日本円――は法外な減價を示してはゐるが、軍票及び預金の総額は全体として

小さいこと、第二に、筆者の主張に從へば、軍票はやがて現地から姿を没すること、第三に、種々なる矛盾撞着にも拘らず、軍票円と内地円とは一対一の関係にあるものとして扱はれて來たこと、等である。

なほ、外國為替相場を根據とする第三案に対する批評としては、目下の、或は、近き將來の世界情勢に於ては、東亜共栄圏以外の世界経済との関聯を重く見る必要はない、と云へるであらう。共栄圏内の通貨は一対一であるのが望ましいとなす第一案に對しては、事変以來すでに、蒙疆券、聯銀券は日本円と一對一に釘付けにされてゐる事実と、中支に於ける約一対二といふ事実とをそのまゝに受け取ることが現在に於いて摩擦を少くする所以であること、通貨リンクは一対一といふ数字にあるのではないこと、等が主張されるであらう。

すでにしばしば論じたやうに、総じて通貨問題は、従って特に通貨リンクの問題も、経済構成全体から見て重要ではあるが、要するに、全般的な経済事情及び経済政策との関聯に於てのみ、成功的に解決されうる。更にこの問題を具体的に解決するには、軍経理當局、國策會社、その他産業界及び金融界に於ける日本系事業、等、利害関係ある向きに諮問することが必要である。新政權當局と隔意なき討論をなすべきことも云ふまでもない。

七　法幣對策

中支通貨を儲備券一色にすることが決定されれば、次は、法幣対策が問題となる。目標としては法幣禁止であるが、そのためには、北支に於ける聯銀券の経験が充分に批判的に攝取されること、中支に於て日本及び新政権の勢力――軍、政、経の分野に於て――がどの程度まで滲透してゐるかを客観的に確定することが必要である。

これに関聯して重要なのは租界對策である。この点では、聯銀券の天津租界進出の経緯が特に参考となるであらう。租界問題は、他の共同研究者の分担に屬するが通貨の関する限りに於ては次のやうに考へられる。中國主権者としての南京政府が事情変更を理由として租界回收要求を各國に提出し、それと並行して、法幣に代って儲備券が中國の法貨なることを改めて宣言する。同時にこの宣言を具体化するための方策を講ずる。まづ、工部局関係の收支が儲備

一三〇

券でなさるべきことを要求する。租界在住の一般人、殊に金融、産業、交通、商業、等の企業に對しては、儲備券を使用するものと然らざるものとを区別し、種々なる点に於て差別待遇を加へる。この種の方策の具体的施行は、新政権の機関を通じて行はるべきである。我が方が大局的見地に立って軍票を引き上げその地位を儲備券に委讓することがすでに決定され、或は、実行されつゝあることが前提となつてゐるのであるから、新政権の聲望はすでに大であり、従つて、幣制改革の熱意も旺んであり、その名分も亦いまや充分である。他の諸般の方策が合理的、全体的に、立案・実施されて行くならば、右の如くにして、大なる成果が期待されるであらう。(註)

（註）　租界問題は不要となりたり。

法幣を禁止するとし、その期限及び回收の比價を定めねばならぬ。期限についてはまづ一年とし、将来は実績を検證しつゝ、若干の延期を認める。新たに新政権治下に編入されて行く地域については、それに應じて柔軟

一三一

性ある方策が採らるべきである。法幣禁止地区の設定拡大については、例へば先づ、(1)南京に実施、(2)蘇州、杭州等、その他の都市に実施、最後に、(3)上海第三國租界に実施、その間に、(4)適時、農村に実施、といふが如きである。今日は軍票建となつてゐる鉄道等に於ける儲備券専用の実行と相俟って、漸次、儲備券の地位が強固となるであらう。

法幣との交換比率は、最初の一年内は一對一とし、その後は、逓減的に急激に悪化せしめる。この点でも聯銀券の事例が参考となる。

一三二

八　貿易・為替方策

幣制の統一強化に関聯して貿易及び為替が問題となる。為替については、中支の唯一の通貨たる儲備券が、日本圓とリンクされる以上、そこから必然に、儲備券と他の円ブロック諸通貨の為替相場、及び儲備券と第三國通貨の為替相場が決定されて來る。何となれば、日本円は円ブロック諸通貨に対してはもちろん、現在のところ米貨、英貨等の世界通貨に對しても確固たる比率でリンクされてゐるからである。即ち、儲備券は円系諸通貨に對しても、世界通貨に對しても、日本円を通じて結びついてゐる。

かゝる関係が維持されるためには中支の為替が統制管理されねばならない。管理の目標は、右の関係の維持を通じて、中支と東亜共栄圏諸地域及び第三國との経済関係を円滑ならしめるにある。そのためには根本的には貿易の統制、技術的には、為替管理機構が必要である。

一三三

為替管理の機構としては、中支に於ける輸出為替の集中がまづ行はれねばならない。次に中支に対する國際投資等に基く送金もまた集中されねばならない。この両者の合計が中支の使用しうる為替資金である。これを輸入に割當てる譯であるが、この割當も亦集中的に行はるべきことといふまでもない。

右に云ふ「集中的」とは、中支として統一的であり、一元的であるといふだけでなしに、東亜共栄圏全体の立場から統一的、一元的であることを意味する。即ち、中支の為替集中と統一的配分は、共栄圏全体のそれの一環をなす。一年毎に、或は、四半期毎等に、共栄圏全体を通じての國際資金計画を決定し、それに基いて中支の為替統制も行はれる。

如何に精密なる計画を立てゝも、一時的な、或は、偶然的な事由により、為替資金に過不足が生ずる。その際は、日本が共栄圏の中央市場として作用すべきである。各地域は資金に余裕あれば日本市場に放出、不足あれば日本市場にこれを求めるのである。

右の集中的或は統一的機構は具体的には如何に制度化さるべきか。すでに非公式或は非制度的ながら、ブロック内の中央銀行代表者會議が行はれてゐる筈である。どれだけの權限があり、どれだけの效果をあげてゐるかは疑問であるが、過渡的にはこの會議が利用さるべきである。最終的な制度としては、曽て國際聯盟華かな頃に活躍を期待された國際決済銀行の思想が摂取さるべきである。共栄圏内の中央銀行を出資者とする銀行を創設し、中央銀行の中央銀行たらしめ、主として共栄圏内の國際的金融業務を担當せしめる。

横浜正金銀行はかゝる共栄圏内の國際決済銀行に発展することによつて大なる役割を演じうるであらう。バーゼルの國際決済銀行に関係せる同行内のスタフ、更に、一般國際金融業務に関する長年月の經驗と優秀なるスタフとは大いに活用さるべきである。現在の変乱が終結したる暁、世界経済が如何なる容貌を呈するかは豫言し得ないが、世界経済が少数のブロック経済に分れるにせよ、或は、ヨリ多くの経済圏の並存となるにせよ、右の如き発展を遂げた正金銀行は、東亜共栄圏の金融的先鋒として世界市場に活躍しうるであらう。

さきにも一言したが為替統制は貿易統制と相補つてその作用を全うしうる。

前述の為替統制は通貨面の統制であり、貿易統制はその基礎をなす物の統制である。從つて、貿易統制を行ひうるためには、物資に関する統一的集中的統制が共栄圏全体を通じて行はれなければならない。かくして、中支が一方に於て日本、満洲國、北支、蒙疆との間に、また、他方に於て第三國との間に行ふべき物資需給の計画が樹立されねばならない。こゝでも、生じうる一時的或は偶然的過不足をカバーすることが日本の任務である。日本は、資金関係に於てのみでなく、物資の関係に於ても、中心市場たるべきである。

物資統制計画の樹立に當るべき機構は、生産拡充及び物動計画の機関たる日本の企画院、満洲國の企画廳、これに類似する蒙疆、北支、中支の諸機関、更に、興亜院、對満事務局、によつて構成さるべきである。これらの諸機関の協議によつて共栄圏内諸地域間の物資移動、共栄圏と世界経済の間の物資移動が決定される。さきに資金のための國際決済銀行の設立を提唱したが、物資のためにも集中的統一的計画の立案、実施に當る機関の設置が望ましい。

右の諸機構が中支に於て具体的に如何に施行さるべきかは多くの要因に依存するが、主としては、「建設上に於ける産業合作及び日支産業の合理的綜合の問題」（名和統一氏擔當）に對する回答によつて決せらるべきである。抽象的に云へば、中支の利益と、從つてその創意とが充分に尊重せられ、共栄圏の建設そのものが新政権と新中國の経済界によつて自発的に支持され、推進される如き機構とその運用とが要請される。

最後に、為替及び貿易に関聯して関税の問題がある。理想的状態としては共栄圏は一の関税同盟を成し、共栄圏内各地域間には関税壁を撤廃し第三國との間の商品に對してのみ関税を賦課すべきである。しかし、現実に於ては、関税収入は新政権の重要財源であるから、関税制度は、漸を追うて改善し、共栄圏建設のための積極的一槓杆たらしむべきである。

（中支関税制度に関する研究は、他日を期したいと思ふ。）

九　結語

この報告を一應書き終へようとしてゐる時、雑誌「東亜」八月号を見ると、「清郷工作について」の筆者は云ふ―

「現在汪兆銘政権の政治力は、地域的には至極狭少な範囲にしか行はれて居ない。日本軍守備隊の威力ある地域の一部に便乘してゐる形である。從つて日本軍の威力の強いところには、日本軍の當事者の態度如何によつて汪政権の政治力は可成容易に行はれる。だが、日本軍のゐる所以外には、汪政権の政治力は微塵も滲透しない。汪政権の政治が聊かでも行はれて居るところは文字通り點だけであつて、面は悉く重慶側の政治組織によつて治安が確保され、收税が行はれてゐるといふ實情である」（二頁）。

また、同じ雑誌の「國民政府の強化に就て」の論者は云ふ―

「汪政権には今政治力発展の條件が極めて乏しい。それは人的素材に於て且つ又中枢機構の擁立に於て―。名は和平建國に於ける統一政権であつても其政治力は長江二省を出でないところの事實は中外共に卒直に之を認めない訳にはいかない。忌憚なく云へば、汪政権は廣東から國民革命の出直しをすると同様の状態にあると云はねばならぬ」（一一頁）。

以上の如きが、現實の情勢の偽りなき描寫であるとすれば、我々がこの報告書で論じて來たことは、餘りにも空幻的なものだと云はれるかも知れない。―かくして、第三編の冒頭に觸れた「悲観論」が抬頭する。

果してそうであらうか。これに答へることは、―さきにも断つて置いたやうに―我々の研究範囲外であるが、事態が困難であればある程、政策の目標としては却て明確な理想が掲げらるべきである。我々の提案が現實の状態によつて、その實施に緩急の別あるべきは當然であるが、目標は飽くまでも高遠でなければならない。

新政権の育成、強化が日本の國策として決定されてゐる以上、現實の新政権が如何に微力であらうとも、論者の云ふやうに、「廣東から國民革命の出直しをすると同様」の決意を以て、あらゆる努力が試みらるべきである。

皇軍の佛印進駐成り、東亜共栄圏の地域は次第に拡大されんとしてゐる。将來、佛印がこの共栄圏に包攝せらるゝに至るならば、これと日本との経済ブロツク、或は、通貨ブロツクは、我々が第一編で分類した中の第一のもの、―即ち、スターリング・ブロツク的なもの―となるであらう。かくて、東亜共栄圏建設は、理論的に考へ得られるすべての場合を包含することになる。

日本の力と聰明とが、よく理論的思惟と実行的決算とを統合して、誇るに足る歴史的事業を成就せんこと、我々の希望してやまない所である。

（附錄）

中央儲備銀行券の問題

資金凍結は新情勢を展開。

儲備券と円とのリンク。

（譯訳）

上海発行、金融商業報（英文）

昭和十六年八月六日号所載

資金凍結後の中支通貨情勢の一班を示すため、金融商業報を譯載して置く。但し、新情勢に對する重慶側――英米側の方策は――意識的かどうか――全く觸れられてゐない点を注意すべきである。

日本及び支那の資産が、いはゆるデモクラシー諸國によつて凍結されるに至つたが、そのため、中央儲備銀行券に對する日本及び南京政府の政策が根本的に変更され、占領地域に於ける円系諸通貨の統一が促進されるであらうとの観測が行はれてゐる。

南京政府が通貨の統一的支配を掌握せんことを欲して居り、日本側の顧問達もそれに同情の意を表してゐるのは周知のことであるが、今日までその実行家は成立してゐない。かく延引してゐることがこの種の統一化計画そのものに内在する困難によるのか、それとも主として日本軍部の反対によるのかは明かでないが、この度び資産凍結が実施され、上海がもはや自由なる為替市場としては存しなくなつたのを機會に、この問題が改めて討議され、對立する意見の調和が試みられるであらう、と一般に考へられてゐるやうである。

蒙疆、北支、中南支の諸通貨の統合が実現されるに先だち、中央儲備銀券が円と、及び円系諸通貨と一定のリンク関係に立たねばならぬことは云ふまでもない。南京政府の「新法幣」はまづ円ブロツクの一人前のメンバーにならねばならない。かくて、本誌がすでに豫言せる如く（四月二日号）、新法幣の旧法幣との絶縁は早急に実現するだらうと思ふものさへある。儲備券を円ブロツクに組み入れる技術上の手続は、聯銀券及び蒙疆券の場合と同様であらう。だが、問題は手続の点にはない、投機者達が熱心に注目してゐるのは、儲備券が円に對して如何なる比率でリンクするかといふことである。

適當な時期になれば、円ブロツクの通貨は皆切り下げられるだらうとの説がある。切り下げ論は日本の金融界では前から唱へられて居り、その切下げ率に對する種々の豫測さへ行はれてゐる。それらの豫測には大きな開きがあつて、上下五〇パーセントにも及ぶが、忘れてならないのは、かゝる重大な経済方策を決定するには、日本軍部の意向が尊重さるべきこと、更に「額」の問題、一般人民の信頼の問題が考慮さるべきことである。円系諸通貨を一般的に切り下げることが、円ブロツク各地相互間の通商を円滑ならしめ、各地の生活費の相異の問題を解決するだらうとの結論に日本當局が到達するならば、切り下げは必ずしも行はれないとは云へない。

日本の大蔵大臣が外國為替取引を停止した一九三八年（昭和十三年）半には、円の対英為替相場は、一四ペンスであつた。當時、法幣は八ペンス $\frac{3}{4}$ であつた。両者の差は五ペンス $\frac{1}{4}$、従つて法幣一〇〇元は六一円に等しかつた。その後三年を経過した今日においては、上海の自由市場の相場は日本金一円が六ペンス $\frac{1}{2}$（軍票は $\frac{1}{2}$ 高く七ペンス）である。そして、法幣は、約三ペンス $\frac{1}{8}$ である。両者の差は、かくて、三ペンス $\frac{3}{8}$（軍票の場合は三ペンス $\frac{7}{8}$）である。ポンドで計算すると、三ケ年の戦争によつて、即ち、昭和十三年から今日まで、円は七ペンス、即ち、五〇パーセント減價し、法幣は五ペンス $\frac{1}{2}$、即ち、六四パーセント減價した。

法幣で計算すると、円のレートは大巾の変動をして来た。すでに述べたやうに、一九三八年（昭和十三年）の半には、レートは大体法幣一〇〇元が日本円六二円であつた。一九四〇年（昭和十五年）の初めに、中支に流通する日本通貨は軍票に統一された。現在は、法幣と軍票のレートは軍票一〇〇円に対し法幣二二〇乃至二三〇元である。逆に云へば、法幣一〇〇元に對し軍票四五 $\frac{3}{8}$

乃至四三 ½ 円である（高橋註。八月末には、四〇円に近くなつた）。この三年間に於ける円の増價は法幣に對し約一七 ½ 円、或は二八乃至二九パーセントである。

今月三月以來、法幣に対する軍票の地位は全く堅実である。中支の治安を脅やかすやうな政治的動きがある毎に、軍票買ひは助長されて來た。日本軍が円價の騰貴を抑制する旨の方針を宣言し、それを実行しなかつたなら、レートは今頃は恐らく軍票一〇〇円に對し二二〇元ではなくて三〇〇元に近づいてゐたであらう。

儲備券は旧法幣と同じ歩調で減價するので、南京政府はこれを喜ばないのは勿論である。先週の儲備券発行高は七千六百万元であるが、中支に流通してゐる軍票から見れば云ふに足りない額である。

「新法幣」が舊法幣と絶縁し、一定の比率で円にリンクするならば、儲備券にとつては價値増加となるであらう。南京政府支持者の中には、この値上りを豫想して儲備券を退藏してゐるものが多い。

經研資料調第九〇號ノ二

東亞共榮圈の政治的經濟的基本問題研究（下）

昭和十七年十二月
陸軍省主計課別班

東亞共榮圈の政治的經濟的基本問題研究（下）

第五部　中華民國行政編（下巻）

担當者　成宮嘉造

中華民國行政政策の見地より見たる日支合作上の諸問題並にその對策

目次

五

六

七

八

中華民國の地方行政

序

日満支を一体とする東亜共栄圏を確立する為めには中國をして東亜共栄の新使命を担ふ新秩序たらしむることを絶対に必要とする。この中國の東亜共栄化に当り、先づ第一に留意すべきことは、過去廿年間に亘り中國に於て統一的に施行する意思を以て立案施行されたにも拘らず、殆ど皆、例外なく全國に統一的に実施されたことがないことである。

この原因は従来、単に抽象的に「支那は未だ近代的統一國家でないからである」と一般に解されて来た。今、中國の地方行政をして東亜共栄化するに際しては斯る抽象的理解に満足することは許されない。吾人は、より具体的に其原因を探究することに力めねばならない。私は、その原因の主要なるものとして次の十項を挙げることゝする。

一、國民政府成立以来、三民主義を全國に鼓吹したが、未だ中國人は一般に自己――個人・家族・階級――の保全思想に支配せられ近代的法治思想が極めて薄弱である。従而、各級政府は中央政府の公布した法令を実際之を遵守する精神に缺如せること。

二、中國の領域が甚だ広大にして且つ言葉、慣習、思想、経済等を異にする諸民族が非有機的に生活せる中國に於ては中央政府が極めて強大なる政治力を有し且つ非劃一的統一政策を採らざるを得ざるに拘らず、中央政府の政治力が全國を統治する政治力に闕け且つ一般に外國模倣の劃一的統一政策に偏したること。

三、未だ革命の途上にあるが故に中央政府の指導原則と地方各級政府の指導原則とが、形式上の妥協如何に拘らず、実際上は両者相異し、対蹠的でさへある場合が尠くないこと。特に孫文主義を奉じて中國革命を行ふことを唯一の使命とする中國國民党が中央政府の名に於て蒋宋一派の利益のための統一を図り、他方地方軍閥も中央政府の指導原則を変通して自己の勢力の維持に努めたこと。

四、中央政府の有する政治力にして各省政府の有する政治力が極めて厖大に過ぎること。

五、厖大なる政治力を有する省政府は縣政府を圧迫壟断して其政治力を出来得る限り自己に吸収せること。換言すれば地方行政の実際上の推進機関である縣政府が余りにも微弱であること。

六、辺疆特別行政区たる外蒙古がソ聯に、西藏が英國の勢力範囲に属し、西北地方を始め所々が中國共産党の勢力区に化し、中央政府の統治圏外にあること。

七、中央及び地方の行政機構が甚だしく複雑にして指揮監督系統が錯雑なること。

八、官吏の素質は漸次向上してゐるが、今尚ほ幕友と貪官の情弊が強く残存し、徒に理想を盛る官吏任用法令は装飾化されて殆ど適正に実現されてゐない。故に官吏の能力識見は低級にして就中指導的地位にある官吏の過半は外國学校出身なるを以て中國の実際事情と東亜文化に理解なく徒に欧米依存に終始したること。

九、諸外國の経済的侵略により農業國たる中國の農村は破壊され、復興経済建設の自律困難となり、一般に各級政府の税源を枯渇に導き、殊に縣政府の財政收入は貧困と為り、中央及び省政府により立案されたる諸建設工作を実施する余猶なきこと。

十、天災地変及び内戦に因り地方行政が計画の如く進行せざること。

以上の原因は極めて最短期間内に除去又は予防し、更に同時に緩急の必要性を斟酌して復興建設に如何に畫策し又は識者は如何なる立案をしてゐたかを吟味し、以て地方行政を東亜共栄化する原則と政策の樹立の参考に資して日本人の陥り易い机上の虚論を戒め且つ支那的性格の捕捉に努めることゝする。

次に事変後、現在の地方行政に於ける當面の重要問題の解決は新國民政府の死活の最大使命である。これが解決には現在重慶政権が收めてゐる以上の多大なる効果を挙げ、民心を新國民政府に收攬せしめ、中央政府の信望を昂揚し、以て中央政府の政治力の強化発展を図るべきである。當面の重要問題は軍事と建設を併行し長期戦と全面和平とに備へ、重慶政府の指導原則を研究する指導

五

原則を確立し、以て建軍、治安、施療、施薬、物価抑制、経済建設、教育建設に対し適切なる政策を実施するにある。

この原則と原則の具体化としての政策の実施は東亜共栄圏確立のための軍事協力、内面指導及び援助に止め、日中基本條約及び其附帯條約の許す限り、新中央政府の自主権に基く負担に委ぬべきことを要する。但しこの自主権の行使が常に必ず東亜共栄圏確立のための指導原則の具体化なりや否やは特別の制度を設けて当分監察を継続することを忘れてはならない。前上海事変に於けるが如く、單に停戦協定のみを結び、何等の監察を為さざるが如きことがあつてはならない。

本篇に於ては、第一章に地方行政の指導原則と三民主義、第二章に地方行政組織、第三章に地方行政政策を述べることゝする。就中、第二章は諸政策の実施上、重要なるが故に國民政府成立以来の史的考察を加へて将来の改革に資することゝする。但し対象は主として各省制施行区域に止めることゝする。

六

第一章　地方行政の指導原則と三民主義

中國に於ける地方行政の最高指導原則は興亜建國にある。

興亜は対外的には亜細亜民族の解放を、対内的には亜細亜の復興を目的とする。この共同目的の遂行を以て全亜細亜民族の使命とし、各民族は対外的には欧米の侵略主義の排斥を対内的には東亜共栄圏の建設を立地本位に分担融合団結することを要する。

建國は興亜により制約を承け、興亜を以てより高次の指導原理とすべきである。

孫文に於ては大同主義と民族主義との中間に大亜細亜主義の段階を主張し、中華民國の民族主義の発展の為には必然的に日本と提携し、亜細亜民族を解放復興し、以て不平等條約を撤廃して民族國家を建設すべきことを主張した。従而、汪主席は全國軍事会議の開会の辞に於て建國建軍の精神上の基礎は「在確

七

認大亜洲主義為最高指導之中心思想、中日基本條約與中日満共同宣言、根本精神、亦在於此」(1)と説く。即ち建國は大亜細亜主義の具体化としての日中基本條約により制約されたる孫文主義の実現として中華民國全國民に認識せしむべきであると主張してゐる。これは最近の思想上の大発展である。維新政府時代に於ては親日青年層さへ日和見的であつた。彼等は「重慶の口號は抗戰建國（抗戰建國綱領）、東京の口號は建設東亜新秩序（近衛声明）であるが、吾人は和平建國を口號する」と為し、抗戰建國は民族を犠牲とする亡國主義であり、東亜民族の後退を意味するが故に反対である。而して建國未成功の中國に何人の東亜新秩序ぞや、故に吾人は和平建國を唱へて日本の援助を求むと言ふ情態を脱してゐなかつた。

興亜を建國の最高指導原則にまで昂揚し初めたのは國民政府政綱第一であり(2)汪主席は昭和十五年総理孫先生誕辰記念（十一月十二日）に「民族主義と大亜洲主義」と題し、現史的段階に於ては中國も日本も同時に一個の共同運命にあることを力説し、『民族主義與大亜細亜主義』との関係を次の如く述べてゐる。

八

「民族主義與大亜洲主義、在過去中日運命相対時代、看去似乎不相容的、在今日中日運命共同時代、則不只是相連貫。而且可以説是相融合而成為一体了。中國若不能得到独立自由、則無分担東亜之資格、東亜若不解放、則中國之独立自由終於不能得到保障。這是毎一個中國人所應當銘心刻骨的……」と(3)、

林柏生氏も亦、同日、為日本紀元二千六百年及総理誕辰に於て『日本與中國』と題し、日本は既に建國より更に進んで東亜新秩序建設の新段階に到達してゐるが、中國革命の進展は後れ「中國之独立自由與東亜之建設復興、実在是両相関聯、不可分離的、総理於三民主義之外、復揭櫫大亜洲主義、以大亜洲主義為民族主義之外延、也就是要使中國人民深切了解其対建設東亜所應分担之責任。中國問題、東亜問題、必須同謀解決而後中國之独立生存可得、東亜之建設復興可期」と主張してゐる(4)。

要するに、此両氏共に興亜と建國、大亜細亜主義と民族主義との同時相関的実現を力説し、日中合作を以て孫文の遺教と解してゐる。

孫文の遺教が中國立國の指導原則であることは旧國民政府及び中國國民党の

九

政綱であり且つ現在の中國一般の信仰にまで高められてゐる。然し孫文の大亜細亜主義が遺教中の最高指導原則にまで昂揚されたのは新國民政府が東亜新秩序建設に対する共同分担実現の為の理論づけである。

更に曹翰氏は『興亜建國與全面和平』と題し、大和民族と中華民族との総力量の総和を以て東亜復興の大業完遂を要請し、興亜建國を中國民衆の唯一の信仰と為すべきことを絶対的必須と主張し「我們所指的興亜建國、其意義是重建中國、復興亜洲。這正和日本当局所決定的東亜新秩序的政策一様、這両者之間実具有其相互作用。其理由是日本現在己是一個現代的國家、它的第一歩工作、使可直捷了當的進行興亜的使命。中國現在還是一個落後的國家、組織本不健全、再加之四年的戦争、國家元気、消耗過去、因而它的工作、應該是建國、與興同時並進。

這是就事論事的実在情形。不過中日両國所應進行的歩驟雖説有先後和緩急的区別、可是它們的終極目標、却完全一致。

我們既説明、興亜建國和建設東亜新秩序的目標和作有其相同点、現在、我們

一〇

該申述中國民衆為什麽要具備興亜建國的信念了」と説き(5)。

昭和十五年九月には『興亜建國運動宣傳綱要』を発表し、其の理論的基礎の(一)に、根據孫中山先生「大亜細亜主義」之啓示、日本「建設東亜新秩序」之標的、「東亜協同体」之理論、闡明中日両大民族、應以真正友好之態、共同携手、結成「東亜聯盟」最後実現「東亜共栄圏」。と結び付け、其の(八)に根據世界之動乱、與世界和平之基礎、建築於國際環境之是否安定、國際環境之安定、必須亜洲迅速復興、亜洲之迅速復興、有頼於新中國之再建、新中國之再建、必須仍連與日本実現全面和平之理論、闡明和平、建國、興亜、與世界和平、実為一串不可分之連環事実を規定し、以て世界和平、興亜、建國の相関的依存性と発展性を宣布した。

また曹翰氏は局部的和平は全面的和平の先声であり、全面的和平は興亜建國の基礎であり、東亜新秩序の序幕であると説き(6)現在の局部的和平は全面的和平に発展せしめて始めて興亜建國の完成を期し得ると論じてゐる。

以上の興亜建國理論は東亜新秩序建設に対する新中國の分担責任を闡明した

一一

るものである。故に中國の東亜共栄圏確立の為めの地方行政の最高指導原則は興亜建國であることは新國民政府の動かすべからざる鉄則と為り使命となつてゐる。我が日本は此の最高指導原則の個別化されたる具体的原則と政策に対しては極力指導と援助を続け、共同目的たる東亜共栄圏の確立に努むべきものとする。

最後に三民主義と東亜共栄圏確立のための興亜建國との関係を検討し、以て三民主義に対する我が國の方針を決定すべきである。三民主義の実践として今次事変を誘発したものでないが、三民主義が長期抗戦力量を創造してゐることは極めて明瞭である。

之は既に三民主義が他の孫文の遺教と共に建國の指導原則として一般國民に徹底滲透し且一般國民の信仰にまで昂揚されてゐるからである。而して新國民政府の中心勢力は中國々民党員であり、特に汪主席は孫文の片腕として三民主義建國運動の正統派首領として一般民衆の信望を一身に集めてゐるのである。故に蒋介石が軍閥の最高首領であると同様に汪主席は文治の最高首領である。故に

一二

若し新國民政府より三民主義を奪ふことがあれば蔣介石より軍を奪ふと同様である。汪主席につき見れば、魂を奪はれたロボットと化したことゝなり、新國民政府の育成強化は労多くして得る所あるに至るであらう。殊に漢民族は面子観が強烈である。漢民族の新時代完成の指導原則又は漢文化の真髄を否定されては漢民族の指導階級は東亜共栄圏の確立に漢民族は協力せざるのみならず欧米の侵略主義と結合して東亜民族の復興を防碍するであらう。文化程度の低い満洲族が中國中原に君臨するや、文化程度の高い漢民族の同化力と反撃力を心より恐れ、清朝に永久の安定を得るために満洲族を中心とする軍の強化と満洲文化の維持を画策したると同時に漢文化を尊重継承し且其智識階級を組織的に吸収し、以て漢民族の面子を維持せしむることに力めた。康熙帝は之が為に最大な苦心を集中した。その好果は結ばれ、文化の低い満洲族が文化の高い漢民族を統治して宣統帝まで漢民族に君臨し得たのであった。之は満洲族が漢民族を制するに漢民族を以てしたる公然の秘策であった。この点は今回の東亜共栄圏確立のために参酌すべき漢民族操縦に対する要訣である。

一三

新國民政府がその政綱に於て　日中基本條約に於て興亜を以て最高指導原則と仰ぎ、その具体化に協力する責任を分担せる限り、我が日本は三民主義を心よく認容し、新國民政府が國民の信望を得るために強調してゐる政治の独立に魂を入れることを要する。新國民政府の要人は近衛声明に共鳴して政治の独立、軍事同盟、経済提携及び文化溝通の四大原則を提け、東亜新秩序建設に協力せんとしてゐるが、彼等は例外なく、中國に政治の独立を得しめ始めて軍事同盟、経済提携及び文化交流の責任を負ふ能力を有すると論じてゐる。

この政治の独立は対外的意義を有する主権の尊重の要請であると同時に外内的最高性を新國民政府が有することの承認である。斯る意義の政治の独立を育成する手段としても三民主義を認容することが最も効果的である。然し三民主義は飽くまで大亜細亜主義の下位に立つべき建國の指導原則でなくてはならない。之は既述の如く軍事会議の開会の辞に於て汪主席は大亜細亜主義を最高指導の中心思想たることを確認せる所である。

故に三民主義は東亜民族の共同運命の発展を意図する興亜を以て根本的原理

一四

となすべきである。次に三民主義の具体化につき概説することゝせう。

第一　民族主義

民族主義を喚起し、中國傳統の家族主義又は宗教主義の上に民族的國家主義を樹立しようとすることは正しい。故に興亜を最高指導原則に仰ぐ民族主義運動として建國に対しては同情と援助を盡すべきである。斯る興亜建國を目指する民族主義運動を妨圧する欧米勢力は東亜諸民族共同の敵として対処すべきである。要するに、民族主義が國内諸民族の一律平等を保障しようとするが如き理解と態度を持すると同時に民族主義を修正して東亜新秩序建設に貢献せしむべきである。

民族主義は列強の亜植民地たる情態を離脱する為に「打倒帝國主義」、「撤廃不平等條約」を主張する。華盛頓條約以来の我が日本の國際的孤立を看取した中國國民党は欧米勢力を以て日本を制する政策を採り、夷を以て夷を制す

一五

る各個撃破の戈を日本に向けることゝした。これが今日の長期抗戦となり、重慶政府の「國民精神総動員綱領」に於ける共同目標(一)の「國家至上、民族至上」と成り、対日抗戦精神力量となってゐる。之に反し新國民政府は東亜民族の元気の消耗と後退を效果づける東亜内戦を即時停止し、日中共同して欧米の侵略主義を抵禦する為に民族主義を転向すべきことゝする。斯くの如く民族主義は興亜を最高指導原則として修正し、以て興亜建國の力量強化に資すべきである。從而、孫文の大亜洲主義と東亜新秩序建設とが共同目的を有することを確認してゐる新國民政府は孫文の大亜洲主義に依り我が日本の提唱する東亜新秩序建設に協力せしめ得る。

第二　民権主義

孫文の民権主義が中國に実現するに至らない中に、民権主義は其発展を停止せざるを得ざる思想系統と化した。少くとも民権主義は現在の中國の対外対内

一六

の重大問題を解決する指導原則としての威力を有しないことは極めて明かであるのみならず、民族主義を実現する階級にまで中國の民度は到達してゐない。從而、三十有余年の憲政運動を経ても未だ憲法制度公布さへ覚束ない有様である。斯くの如き例は世界各國が憲政史に見ざる所である。孫文は民國十三年に於て始めて即時憲政実施の不可能なることを知り建國大綱に於て革命の順序を軍政、訓政、憲政の三時期に分劃した。北閥完成により軍政時期は過ぎて訓政時期に入つたが、憲政時期は「訓政保母論」の美名の下に愚民政策を採り中國國民党一党独裁制を強化したる為に予定より遅れ、更に満洲事変を契機として再び國共合作に移り今次事変に及びたるを以て遅れ、今尚ほ五五憲法草案の修正会議を続行してゐる。この修正会議は一般民衆の信望を繋ぐ工具として重慶政府には非常時期にあるに拘らず、否寧ろ非常時期なるが故に必要とされてゐる。而も新國民政府及び重慶政府共に中國國民党が中心勢力を構成してゐる限り、孫文の遺囑を紹ぐ正統國民党として年来の公約に基き近き将来に憲政の実施を急がざるを得ざる情勢にある。但し事変により國民大会の召集困難の事

一七

実により両政府共、遽に憲政実施に入り得ざる事情にある。重慶政府の憲政実施を躊躇する理由は憲政実施行に於ける中國共産党の跋扈により中國國民党が三十年の間　々として造り上げた勢力が覆され得る点に存する。新國民政府は現在の如き空白的地盤に於ては國民大会の召集は事実上困難であるが、人心を新にするために従来の約法と憲法との中間を行く暫行憲法の制定は困難でない。元来、約法と憲法との相違は制定手続に依るに過ぎない。但し何れの場合たるを問はず総統の非常緊急権の拡大強化は絶対に必要とする。即ち全体主義的権威体制に安定性を附與することを肝要とする。

第三　民生主義

民生主義が資本主義を修正し又は土豪劣紳の旧勢力を駆逐しようとして地権の平均と資本の節制を主張し、衣食の厚生を拡充しようとすることは妥当とするも、共産主義を粗忽に認容した点は中國國民党第一次全國代表大会以来の重

一八

大問題であり、中國の癌となり、今次事変の最大原因の一となつた。然し民生主義は決してマルクス主義ではない(7)。孫文は元来マルキストではなかつた(8)。この点は聯合各友邦共同防制共産國際の陰謀及一切攪乱和平之活動（新國民政府政綱三）を掲げた新國民政府要人により屢々辯護されてゐる。孫が個人主義的自由主義的十九世紀的思想系統に属する民族主義、民権主義と社会主義的思想系統に属する民生主義とを融合して体系づけようとして三民主義を提唱した点はヴァイマル憲法の傾向を採るものと言ひ得る。

中國國民党が英米派党員に操縦され、浙江財閥と結合するに随ひ民生主義は後退し、僅か民法法典に有名無実に採用された外、殆ど停頓に陥り、民生主義革命は忘却されてゐる。満洲事変を契機として國共合作を再開したが、抗日人民線戦の統一に追れ、今次事変に入りでは抗戦に終始して民生主義革命の餘猶を有しなり。然し「民生主義はまた共産主義である」と言ふ孫文の言葉は共産党の乗ずる所となつて時に消長を免れないが極めて発展されて来た、孫文存命中、民國十三年の中國國民党第一次全國代表大会に於て早くも民生主義と共産

一九

主義との関係が重大化し、「民生主義は一切の社会主義を抱括し、共産主義も亦其中に抱括す」と有権的に解せられ、右翼党の反共的解釈は敗れ、左翼党員の容共的解釈の勝利に帰した。斯くて孫文の親蘇的感情が満足された。これが為に中國國民党、特に蒋介石は常に共産党問題で手を強く焼き通し、無辜の國民を惨憺たる境涯に導いた。其の後の國共分離は間もなく、満洲事変、西安事件及び今次事変にかけて対蘇國交恢復より國共合作へと復帰し、東亜復興を目的とする和平建國の妨碍となつた。

最後に建國方略は――心理建設（孫文学説）、物質建設（実業計画）、社会建設（民権初歩）の三章から成る。今日問題として残る部分は第三章の物質建設のみである――建國大綱及び旧中國國民党政綱に一言触れておかう。この三者は三民主義実現の具体的方針であるが故に根本的に修正せらるべき点と東亜新秩序建設に寄與する点とを含むことは言ふまでもないが、共に外資輸入による資源の開発に警戒してゐる（大綱一三、政綱・対内政策三）。然し後二者は建國方略第二章物質建設の孫文自序の如く之を中國の存亡の関鍵の如く解して

二〇

ゐない。中國國民党が孫文の死後、外資特に英米猶太資本の輸入による実業計画及び國防計画は孫文存命中の亜植民地より進み白人の植民地化を倍加した。特に幣制改改は中國の識者も明かに認むる如く中國は英國の金融植民地と普遍的に一変した。斯くて之が今次事変の最大原因の一となつたことは周知のことに属するも、我が日本は日清戦争当時の対支評価を変更せずに中國國民党の実業計画及び國防計画の実績につき極めて過小に評価した。須らく敵を知り自己を知ることが兵法の第一義と聞く。然し、中國に斯くの如く実業計画及び國防計画の実績が上りたることは今後の東亜共栄と東亜共同防衛の実績を予定し得るものを来すものである。

要するに三民主義は救國主義であると孫文が教へた如く、東亜共栄圏の確立は東亜諸民族の共同運命の発展を意図する救亜主義であることを中國人一般の信仰上まで昂揚すると同時に、重慶政府の白人侵害主義擁護の為の焦土抗戦の悪と反三民主義であることを中國人一般に自覚せしむべきである。斯くて新國民政府の指導原則が明かに重慶政府の指導原則に優越してゐることを知悉せしむべきである。これは東亜共栄圏確立の為めに必要なる全面和平の基本的政策である。

（1）「政治月刊」第一巻第四期第一頁

（2）本善鄰友好之方針、以和平外交、求中國主権行使之独立完整、以分担東亜永久和平及新秩序建設之責任（國民政府政綱一）

（3）「縣政研究」第二巻第一一期第四頁

（4）同前、第五頁

（5）「興建」第三巻第三号第六頁

（6）同前・第七頁

（7）宮沢俊義・田中二郎共著「立憲主義と三民主義・五権憲法の原理」第一五九頁

（8）「三民主義」（民生主義・第一講・総論、第二講・地権之平均與資本之節制）

第二章　地方行政組織

第一節　總説

行政組織は行政の指導原則に制約を承くべきと同時に必然的に行政作用を制約する。

行政の指導原則は興亜建國を最も能率的に達成するにある。從而、行政組織は興亜建國を最も能率的に達成し得る構成を有たねばならない。この意味に於て中國の現行行政組織は根本的なる改革を要請せらるべきである。

現行行政組織の改革を要請するには先づ現行行政組織と其國民成立以来の変遷の概要を知ることを要する。但し便宜上、省制施行区域につき述べることゝする。

第二節　旧國民政府までの地方行政組織

第一　總説

民國成立後、清朝の府・州制を廃止し、省・道・縣の三制に改め、省と同級に六つの特別行政区域及び三つの辺疆地方を設けた。六つの特別行政区域は京兆特別区・熱河特別区・察哈爾特別区・綏　特別区・川辺特別区・東省特別区であり、三つの辺疆地方は蒙古・西藏・青海であつた。

民國十七年六月北閥の成功を契機として君権的意義を表象する行政区域の名を存続せしむることは「以党治國」の趣旨に反すると言ふ理由を以て直隷省と京北特別区とを合して河北省と改名し（中央政治会議第一四五次会議決議）、奉天に熱河、察哈爾、綏遠、川辺（西康と改名）、青海及び寧夏等の地方に新に省制を実施したる結果省数合計二十八省を算することゝなつた。民國十八年二月には奉天省の名称は神権的意義を有し「以党治國」の趣旨に反すると言ふ理由により之を遼寧省に改めた（中央政治会議第一七三次会議決議）が、民國二十一年満洲國の出現により遼寧省は吉林、黒龍江、河の三省及び東省特別区と共に中國より分離した。

民國十七年七月特別市組織法及び市組織法を公布し、市制を実施し、市を特別市と普通市の二種とした。特別市は首都及び人口百万以上の都市とし、之を國民政府に直隷せしめた。普通市は人口廿万以上の都市にして特別市ならざるもので、之を省政府に直隷せしめた。十九年五月、特別市、普通市の区別する両市組織法を　し、統一的に市組織法を公布したが、市を行政院直隷市と省政府隷属市の二種とした。行政院直隷市は首都、人口百万以上の都市及び政治上経済上特殊事情ある都市とし、省政府隷属市は人口卅万以上の都市及び人口廿万以上にして営業税、牌照費、土地税の合計が總收入の三分の一以上の都市とした。

其の他民國十九年十月一日、英國より威海衛行政区を回收して威海衛管理公

署を設け第一級地方行政官署として行政院に直隷せしめ、反蒋の態度を採り独立政府を樹立してゐた廣東、廣西の両省は満洲事変に刺戟され抗日戦線統一の名に於て南京政府と妥協し廿一年十二月三十一日西南政務委員会を成立せしめてゐたが廿五年七月十三日解消し、廿四年五月四日、華北に駐平政務整理委員会が対日和平交渉を主たる目的として成立し、塘沽協定及び華北省市の政務整理を行ひ、廿四年八月二十九日解消し、河北、察哈爾の二省及び北平、天津の二市の対満特殊地帯に於ける政務処理に当らしめた。

第二　中間行政機関

國民政府成立後に於ても猶ほ省の上下に中間行政機関が設立されてゐた。これは当時の対内及び対外の特殊情勢により已むを得ず一時的に設置した非常規的行政機関とした。然し之は國民政府が中央政府としての実力に於ける貧困と不統一國家たることを意味するものとして中國の地方行政上、重大視すべき問題である。

一、中央政府と省政府との中間行政機関

この省の上位に存する中間行政機関には西南政務委員会、駐平政務整理委員会及び冀察政務委員会があつた。

(一) 西南政務委員会

北閥成功の余威に乗じ蒋介石及び其一派が中國國民党の名に於て國民政府を独占しようとした。之に憤慨した廣東、廣西の西南二省が南京政府より独立して廣東に國民政府（通常、廣東政府又は西南政府と呼ぶ）を組織してゐたが、満洲事変に刺戟されて反対内戦分裂、抗日統一人民戦線の口號の下に南京、廣東の両政府の妥協と成り、二十一年十一月十二日抗日非常体制化を目的として南京と廣東とに同時に召集した中國國民党第四次代表大会（同月二十三日閉会）の決議を経て同年十二月三十一日國民政府の公布したる國民

政府西南政務委員会組織條例に據り、西南区域内の軍政・財政・交通・実業・教育及び司法行政等の事項に対する指揮監督権限を有する西南政務委員会が設置された。この委員会は國民政府に直隷し（同條例一條・二條）。十五人乃至二十七人の委員（特任）より成り、其中五人乃至七人を常務委員とした（同條例四條）。

この委員会の内部組織は秘書處・審計處の二處（各處長は簡任）及び専門委員九人乃至十二人より成る（同條例五條――七條）。

本委員会は毎週一回政務会議を開き、常務委員は輪番制により其主席と為る（同條例八條）。秘書長・審計処長は之に列席することを得る（同條例一三條）。左の事項は総て政務会議の決議を経べきものとされた（同條例九條）

1. 薦任以上の行政、司法、審計官吏の任免
2. 省相互間に於て解決不可の事項
3. 予算決算に関する事項
4. 其他法令又は常務委員会が決議の必要を認めたる事項

委員会の決議案は國民政府に送附して査核を受くることを要し（同條件一一條）、委員会は中央法令に抵触せざる範囲内に於て其の管轄区域に命令又は單行規則を発することを得（同條例一〇條）、本委員会と中央各院部との権限争議は國民政府に於て裁決する（同條例一二條）。

本委員会の附属機関としては廣東國防要塞建設委員会が廿二年一月、西南國防委員会が同年二月七日、外交討論委員会が同年十一月廿五日、西南行政裁判委員会が同年十二月十八日、西南政務委員会令に依る各組織條例を以て成立した。

本委員会は廿五年七月十三日五届二中全会議の決議により廃止された。

(二) 行政院駐平政務整理委員会

この委員会は本来、対日平和交渉を目的として廿二年五月四日國民政府の公布した同委員会暫行組織大綱（同年一一月一七日修正）成立した。委員は廿三人、其中の一人を指定して委員長とする。委員の人選は行政院に於てし、

中央政治会議の決議を経て國民政府之を任命する（同大綱二條）。其管轄区域は山東、山西、河北、綏遠、察哈爾の五省とした。

本委員会は毎月一回開催（同大綱四條）其内部組織には参議廳、秘書廳、調査処を設け、必要に應じて顧問及び諮議を置くことを得る（同大綱五條―七條）。

委員長、黄郛等の努力により五月卅一日塘沽協定成し、華北の局面安定したるを以て本委員会は専ら一般の対内的政務、特に戦禍を被りたる地区の整備と華北の党化政策に力を致し、「民國二十二年華北救済戦区短期公債」四百万元を十一月一日発行して財源を得た。更に廿三年十月には戦区清理委員会を臨時的に特設し、戦区の善後處置に当らしめた。

本委員会は廿四年八月二十九日廃止された。

(三) 冀察政務委員会

この委員会は民國廿五年一月十七日國民政府の公布したる同委員会暫行組

織大綱により駐平政務整理委員会を地域上縮少して成立したるもので、河北、察哈爾の二省及び北平、天津の一切の政務を處理することを目的とする。委員は十七人乃至二十一人、其中の一を指定して委員長とする。総て國民政府之を任命する。

委員会は毎金曜日に開き、其の内部組織は秘書、政務及び財政の三処とし別に顧問、参議、諮議及び専員若干を設け得る。

本委員会は対日満政策のために設けられたもので、之は今次事変により自然消滅に帰したが、臨時政府の素地となり、更に現在の華北政務委員会と発展した。

要するに、上述の省の上位に存する中間機関は中國の不統一と中央政府の実力なきことを意義するもので、西南政務委員会は民國廿五年七月廃止されたが之は二分されてその一は重慶政府の傘下に屈服しくるるがその他の者は正統國民党として南京に還り、新國民政府の中心勢力を構成してゐる。而して駐平政務整理委員会は冀察政務委員会、臨時政府を経て華北政務委員会として発展的に存続してゐる。此等の中間機関としての委員は或は反蒋或は知日の傾向を有する者なるを以て将来の全面和平の溝と成る性格を有する、従而、全面和平工作上、此等の人物の吸收に努むべきものとす。

二、省政と縣政府との中間行政機関

この省の下位に存し、縣の上位に存する中間行政機関は省の行政区劃広大に失すること及び其地方の特殊事情のために設置せられたもので、其設置理由は現行省政の有つ固有の缺定と臨時的な事情に存する。この中間機関は之を道制、多省時殊制及び行政督察専員制とに分説することゝする。

(一) 道政

民國に入りても猶ほ清朝の道制を襲用して来たが、十九年三月、中央政治会議の決議を経て之を廃止し、省縣を直接化した。

民國四年には全國二十二省を九十三道――一等道三十八道、二等道二十九

道、三等道十六道——に分劃した。その外四つの特別区に各一道を劃立した。各省の多くは三道又は四道に分たれたが、新疆省は八道、甘粛省は七道、廣東、廣西の両省は六道に分たれてゐた。

道に道尹を置き省政府と縣政府との中間行政官署とした。

一道の所属縣数は通常二十乃至三十縣内外であつたが、直隷省保定道、山西省冀寧道、陝西省関中道、雲南省滇中道は四十乃至四十四縣に分れ、新疆省伊犁道、阿山道、塔城道は僅かに三道又は四道に過ぎなかつた。

道制は省の行政区域が遥大なるが故に設けられた中間機関なるを以て省の行政区域を縮少せざる限り之を廃止するも、道制に代るべき中間機関を必要とすることを識るべきである。

（二）各省特殊制

I　廣東各路行政委員制

民國十四年、十五年の頃、広東省を広東、西江、東江、南路及び瓊崖の

五区に分ち、各区に行政委員一人を國民政府より任命した。この官署を行政委員公署と呼び所属縣長を指揮監督することを其權限とした。公署は分科して事務を分掌した。委員及び公署の職員は他の官職を兼任することを普通としたが、特別の必要あるときは専員を置き得ること、なつてゐた。

この行政委員制は十五年十一月十日に廃止された。

II　廣西行政督察委員制

この委員制は広東各路委員制に類似の制度である。全省を若干区に分ち各区に行政監督署を設け、行政督察委員を其長官とし、区内の行政監督の責を負はしむる制度であつた。然し本委員制は建國大綱に符合せず且省政府組織法に抵触すると言ふ理由を以て國民政府は之を不認可とした。之に対し広西省当局は再三陳情した結果、やつと省域広大なるを以て邊遠各区のみに例外の暫行制度として設置することが認可された。その權限は邊遠各区の特殊事項の調査と区所属各縣の重要政務の進行を督促とにあつた。本委員制は十六年十二月、桂林、柳江、田南及び鎮南等の区に実施された。

III　江西党政委員分会制

軍事委員会委員長（蒋介石）が南昌行営の管域内に党政委員会を設置し、以て党政軍の三位一体の力量を以て江西の共匪粛清工作を徹底すること、した。この委員会に委員長（剿匪総司令之を兼任）と委員三人を置いた。

本委員会はその指揮の敏活を期する目的を以て剿匪区内の重要域を若干区に分ち、各区に其分会を設けた。この分会の所轄区域は概ね三縣乃至五縣であつた。分会は委員長一人及び委員二人より成り、縣長及び縣政府職員を以て之を兼任せしめた。

本分会は民國廿年十二月剿匪軍事終結に因り廃止となつた。

IV　江蘇行政区監督制

江蘇省政府は全省の縣を十五の行政区に分ち、各区に行政監督一人（簡任）を置き、区内の首縣長に之を兼任せしめた。鎮江、呉縣、上海、松江、江都等の十五縣長を首縣長に指定した。その權限は次の如くであつた。

1. 省政府及び主管官署の命を受け、所轄各縣長を指揮監督する。

2. 所轄区内の各縣長の違法又は不当の命令又は処分を取消又は停止することを得る。但し省政府及び主管官署に之を報告することを要する。
3. 所轄区内の各縣長の成績を考査し、三個月毎に一回、總評は毎年一回省政府及び主管官署に報告することを要し、夫々賞懲を上申することを得る。
4. 治安の必要に因る所轄区内の各縣の警察若くは保衛隊を動員し又は之を縮少することを得る。
5. 政治の推行の為に所轄区内の縣長を召集して行政会議を開催することを得る。

本監督制は党政委員分会廃止後、行政督察専員制の施行せらる、まで存続されてゐた。

V　浙江縣政督察専員制

浙江省政府は全省の縣を十二区に分ち、各区に縣政督察専員一人（簡任）を置き、民政廳が適当の縣長に之が兼任を命ずること、した。

その権限は大体に於て江蘇行政区監督の其と同じ。

本専員制の存続期は江蘇行政区監督制と同じ。

VI 江西区長官制

江西省政府は全省の縣を十三行政区に分ち、各区に区長一人（簡任）を置き、所在地縣長をして兼任せしむることゝした。その権限は江蘇行政区監督の其と大体に於て変らない。

VII 新疆区行政長制

この区行政長制設置の理由は実に支那的な性格を有し、甚だ注目すべき価値あるを以て次に掲げることゝする。

1. 本省は幅員遼闊にして和闐、克什阿山各地の如きは省域を距る五六千里（一里は我が一里の六分の一）にして内地に比すれば数省を隔邃してゐる。若し行政長をして視察監督せしめざれば行政は窒礙実に多きことと

2. 本省は三面蘇聯、英國に接壌し、沿辺各埠には皆両國の領事駐任し外交の撤廃を向けつゝあり。従来、沿辺の各区行政長は外交特派員の名

を兼ね、駐在地領事との交歩事務を処理してゐた。蘇聯、英國も亦既に久しくこの慣例の成立を認め、各区行政長に一切の外交交渉権を有することを認定してゐるが故に若しこの変通の設置を為すに非ざれば対外交歩は将に立忽に停頓を来たし、之が為に最大の困難を誘致すべきこと

3. 本省の司法は人材及び経費共に缺乏し、各級法院は今尚ほ完成なきを以て一時的便宜上、當分各縣政府に民刑事訴訟を兼理せしめてゐる關係上、各区行政長をしても司法監督の権限を與へざるを得ざること

以上の理由を挙げて、従来より存する各区行政長制の廃止方針を採る國民政府に当分廃止延期を申請した(1)。國民政府は中央政治会議第十八次会議の決議を経て当分の間の残存を許した。

本区行政長は廸化区（十二縣、一設治局）、伊犁区（六縣）、塔城区（四縣、一設治局）、阿山区（五縣）焉耆区（六縣、一設治局）、阿克蘇区（九縣）、喀什区（十縣、一設治局）、和闐区（七縣、一設治局）の八区に置かれた。

本制度の特色は省と縣との中間行政機関に地方の歩外事件につき外交交渉権を再認し、縣長兼理司法の監督権を認容したる点に存する。

VIII 雲南殖辺督辦公署制

この公署は單に殖辺事務につき所轄縣局を指揮監督する権限のみを有し、各縣局の普通行政は直接に省民政廳の指揮監督を承け、本公署は其间に介入することを得ない。雲南省は佛印及び緬甸に接壌し、辺務極めて重要である。今次事変に於ても援蒋ルートとして重要性を有ってゐる。従而、道制実施時代に於ても辺務を道尹の処理に委ねてゐたが、道尹は一般民政に追はれ辺務を兼顧する余猶なき恨があった。故に道制廃止後は辺務行政につき特別官署を設けることゝし、十八年十一月騰衝に第一殖辺督辦公署（所轄区は十二縣、十設治局）、寧洱に第二殖辺督辦公署（所轄区は十三縣、二設治局）を設置し、十九年正式に認可された。本公署は省政府に直隷し、次の権限を有する。

1. 界務、墾殖、防守及び辺地の交通、実業、文化、教育、衛生等に関す

る事項を管掌する

2. 殖辺事務に関し所轄縣局長を指揮し且其成績を考査し省政府に賞懲を上申することを得る

3. 必要ありと認むるときは辺境各縣局の常備団体を指揮することを得る。

4. 辺境地方に非常緊急の事件発生したるときは直接之を処理し、省政府に査核手本公署の経費は督辦に於て予算案を作成し、省政府の査核を経て省金庫より支出する。

(三) 行政督察専員制

I 総説

省の行政区域広大で、地方行政の徹底を期し難いが故に縣局の一般地方行政を指揮監督することゝ剿匪清郷の特別地方行政を目的とする軍警を指揮する為めに即ち省域縮少なき限り永久性と一時性との目的を遂行する為に此の中間行政機関を西江、江蘇、浙江の各省に設置した。本専員制は実際の必要に基き内政部の認可を経ずに各省政府が設置した制度であり且現

行地方制度を変改したものである。故にこの設置後、内政部にこの認可を申請したるとき、立法院は法令に違反する理由を以て本制度を否決した。然し本制度は実際の必要により既に実施されてゐるが故に直ちに之を廃止することは困難なる事情にあつた。それで内政部は其の実際の要求と立法院の主旨に適応する目的――訓政時期約法第七章第二節の省二級制を破らざる原則――の下に各省行政督察専員暫行條例を制定し、行政院の査核を経て民國二十一年八月六日之を公布し、合法性と劃一主義を與へた。同年同月豫鄂皖勦匪総司令部も亦、勦匪区内各省行政督察専員公署組織條例を公布施実するに至つた。

本制度は既述の如く時間的に臨時性を有し、空間的に局部性を有するも省域が縮少せられざる限り道制の復活(2)として永久性と全國性を有する。この臨時性と局部性とは單なる形式上の理由と化し、本制度はこの永久性と全國性の面に於て全國各省に續々として採用せられ、勦匪工作完了してもこれを廃止するものなき情態となつた。茲に於て行政院は一歩進んで二十

四一

五年三月二十五日行政督察専員公署組織暫行條例（同年十月十五日修正）を公布し、從來の勦匪區内外により異なる條例を廃止し、全國劃一主義を採るに至つた（同條例一六條）。即ち同條例第一條第一項に據れば「行政院は吏治を整理し、地方を綏靖し、行政能率を增進する目的を以て各省に行政督察区を劃定し、之に行政督察専員を設置して省政府の輔助機関と為すことを得」と規定し、從來の臨時性と局部性は失はれるに至つた。本制度は新國民政府に襲用されて現在してゐる。

II　行政督察専公署の組織

本公署は行政督察専員（一人）と其補助機関より組織せらる。

行政専員は行政院院長又は内政部長の具状に因り國民政府之を任命せられる。但し勦匪又は其他特殊事情ある省に於ては、その人選につき軍事委員会の意見を徴求することを要する。

この人選は廿五年十月十五日行政院公布の行政院審査行政督察専員人選暫行辦法及び行政督察専員資格審査委員会規則により行ふこと、なつてゐ

四二

るが、特殊事情ある場合を除く外は、駐在地の縣長にこの専員を兼任せしめ、其公署は縣政府内に設くることゝしてゐる。

行政督察専員の補助機関は秘書一人（薦任）、科長二人乃至四人（薦任）、視察一人（薦任）、技士一人又は二人（委任）、科員二人乃至四人（委任）、事務員三人乃至六人（委任）がある。但し行政督察専員が縣長により兼任されてゐるときは此等の補助機関は縣政府職員により兼任せしむ。

この場合は別に俸給の支給がない。此等の補助機関により構成せらる公署の内部組織は秘書室及び第一科乃至第四科とする(3)。

III　行政督察専員の権限

1. 専員は省政府の命を承け、法令を執行し並に所轄区内の各縣行政を統籌、指揮、監督する（同公署組織暫行條例三條一項）

2. 省政府の委員事項を処理する（同條同項）。

3. 区行政会議を召集する（同條同項）。

この会議は該公署の秘書、科長、視察、所轄内の各縣市長及び其所屬

四三

局科長により構成せられ、必要あるときは其他の者を列席せしめ得る。議事事項は区内縣市の革新を要する事項、行政計画方案の確立等とする（同條例七條）

4. 所轄区内各縣市地方行政を籌轄する目的を以て中央及び省の法令に抵触せざる範囲内に於て單行規則又は辦法を制定することを得る。この立法は省政府に呈報し、更に之を行政院及び主管部会署に転報して登録に備ふことを要する。但し人民の自由を制限し、人民の負担を増加し、組織又は予算を変更するときは合法的手續に依り認可を経るに非ざれば之を執行することを得ない（同條例三條二項）。

5. 所轄内の各縣市長の命令又は處分が違法又は不当なりと認めたるときは省政府の認可を経て命令を以て之を取消又は糾正することを得る。但し省政府に補報して査定を受くることを要する（同條例一〇條）。

IV　區保安司令の兼任

この専員は特別事情ある場合を除く外、専員は區保安司令を兼任し、所

四四

轄区内各縣市の保安団体、水陸公安警察及び一切の武裝自衛民衆組織を指揮監督する權限を有する。

區保安司令の組織權限につきては二十五年十月二十四日修正区保安司令組織暫行條例（同年六月二十日行政院公布）に規定せらる。この専員以上の者を区保安司令に任命するときは省政府は上校（大佐）又は少將の軍人を内政部・軍政部に具状し、この両部は更に軍事委員会の審査を経て行政院に回付し、国民政府之を任命する（同條例三條二項、区保安司令編制表）。

（1）銭端升等著「民国政制史」下冊、第五二四頁（楊鴻年執筆）

（2）豫鄂皖三省剿匪総司令部訓令に據れば、剿区内各省行政督察専員制の実施は一面に於て、旧往の道府制の復活である（程懋型著「剿匪地方行制度」第六一頁）と解し、和田清教授は「明清時代の道乃至府の復活である」と言ひ（「支那地方自治發達史」第一九〇頁）、金鳴盛は「有行政督察専員之設、其用意亦原来之府道制相近似」と設く（「立法院議訂憲法草案釈義」第三三六頁）。

③　縣長兼任専員の公署は四科、縣長非兼任の公署は二科を設く（行政督察専員公署辦事通則）

第三　省　制

一、省政府の組織

省政府組織法は南京奠都以前、広東政府が民國十四年七月一日公布したるものが革命工作の進展に從ひ数次改正せられ、新國民政府も之を襲用した。

(一)　省政府委員会

十四年の省政府組織法に據れば、省政府は民政、財政、教育、建設、商務、農工及び軍事の七廳に分れ、各廳に廳長一人を置き、各廳長は省務会議を組織して省政務を決議し各廳長に於て之を執行する。之が省政府即ち省長なる独任制を廃止し、合議制を採用したる濫觴である。十五年十一月十一日省政府組織法を修正して省政府委員七人乃至十一人（國民政府任命）に省政府委員会を組織せしむることゝした。省政府委員会なる名称が成文法上用ひられたのは之が始めてゞある。この委員は各廳廳長を当然委員とし、更に常任委員制を採ったが、十六年七月八日之を廃止し、委員を九人乃至十五人とし、毎日委員二人輪番を以て省政府主席を輔佐することゝした。同年十月二十日には更に之を修正し、委員を九人乃至十三人とし委員会主席は國民政府より委員中より指定し且輪番制を廃し、常務は主席の専行に委ねた。この改制は中國國民党の中央集権即独裁権の発展の第一歩であつた。十七年四月二十七日の修正に於ては委員数に変更なきも、規定が詳細化して委員会主席は省政府主席とし、委員会には代理出席を禁じた。但し省によりては当然委員はその例外とする（二十年公布、修正浙江省政府委員会議規則）。十九年二月三日の修正では、委員を七人乃至九人とし、教育廳を一律に必設機関とし、必要あるときは廳の外に専管機関の増設を認めた。

委員会には常会と臨時会とあり、常会は毎週一回若くは二回と定め又は特別に定めざる省もある。此は各省制定の議事規程に委ねられ、臨時会は委員

三人以上の請求又は主席に於て必要を認めたるとき之を召集する（現行省政府組織法六條二項）。十六年以後の修正組織法は斉しく委員会の召集権は省政府主席に與ふ（同六條一項）。

次に省政府委員の資格を見るに十四年の組織法に於ては省務会議の構成者は各廳長とし、歴次修正組織法は兼廳長委員と非廳長委員とにより異なる。兼廳長委員は廳長を当然委員であり、非廳長委員は廳長を兼任せざる専任委員である。其の孰れの委員にせよ他省の行政職務を兼任することを得ない（十六年以後の修正組織法）。然し軍職を兼任し得るや否やについては十六年以前の修正組織法には明文規定がない。その理由は国民政府は地方軍閥操縦策として党政軍の協力を要請し、委員の軍職兼任を認めざるを得なかったからである。十九年の修正組織法以来はその弊を除くために現在軍職員は省政府委員を兼任することを禁じた（現行省政府組織法四條四項五項）。

然し事実上は現在軍人が之を兼任するもの多く、法文は飾具化されて來た[1]。専任委員も簡任なるが故に委員は総て簡任たり得る有資格者であらねばなら

ない。

委員の任期につきては國民政府委員と同様に明文規定がない。それで、その進退は多くの場合に於て政治情勢により國民政府に於て之を決定する。その待遇は各省により異なり、辺遠省は低級である。

(二)、省政府主席

省政府主席は十四年の組織法では省務會議十六年七月の修正組織法では省政府委員が互選したが、十六年十月以後の修正組織法では國民政府が委員中より任命することゝなった。

主席事故に因る代理に関する規定は十四年、十五年、十六年七月の各組織法に何等の規定がなかったが、十六年十月以降の各組織法は之を規定し、委員会に於て委員中より一人を選定することゝした。但し十七年以降の各組織法は代理期間を一ケ月に制限した（現行組織法七條）。然し事実上は此手続に依らず主席が委員中の一人を指定することゝしてゐる(2)。

(三)、秘書處

四九

歴次の各省政府組織法は均しく省政府に秘書処を設置する。十四年の組織法は僅かに「省政府に秘書処を置き、省政府の命を承け秘書事務を辦理す」と規定し、その長官に関する規定がなかったが事実上は広東省政府には秘書主任の名に於て置かれ、後に秘書長と改称した。十五年の組織法には秘書人を置くと規定したが、依然長官に関する規定がなかった。然し事実上は各省秘書処に長官を置き秘書長と呼んだ。十七年七月以降の組織法は秘書長一人（簡任）を置くことを明文化した（現行組織法一五條）。

秘書処の内部組織に就きても十六年までの各組織法は単に秘書の定員につき規定する程度であったが、十七年の組織法では秘書処に秘書一人乃至三人を置き、事務の繁簡を酌量して分科処理することを得ると規定し、各科に科長一人（委任）及び科員若干（委任）を置き得ることとした。二十年の組織法では科員を四人乃至十二人に増加した（現行組織法一九條一項二項）。

(四)、各廳

國民政府が広東政府に過ぎなかった民國十四年各廳々長により構成せら

五〇

る省務会議（合議制）を以て統一を採る各廳（七廳）分立制を採った。この制度は将来の中央政府及び各級地方政府の組織法の母法と為り、各級政府主席又は縣長の権限を縮制して形式化し各級政府委員会及び各部廳局科長の権限を増大して各級政府不統の癌を成った。

省政府委員制を創始した十五年の組織法に於ては民政、財政、建設、教育、司法及び軍事の六廳制を採り、この外必要に応じ農工、実業、土地、公益等の廳を増設し得ることとし、十六年七月は教育廳を必設廳より除き之を農工、実業及び土地等の廳と共に必要に応じて増設し得ることとし、同年十月は司法及び軍事の二廳を廃し、民政、財政、建設の三廳としたる外は従前通りとした。十七年には教育廳を必設廳に復活し　但し試行大学区制を採る省は此の限りでない　必要に応じて増設し得る廳を単に農鉱、工商の二廳に止めた。十九年及び二十年の修正に於ては従前通り民政、財政教育、建設の四廳を必設機関とし、二十年の修正に於て実業廳のみを必要に応じて増設し得る廳とし、実業廳未設の省ではその廳の分掌事務は建設廳に併合掌理するこ

五一

とゝした。十九年の修正以来、各廳の外に専管機関を設け得ることゝして事実上の必要に即応することゝした（現行組織法八條）。然し、各廳の改革趨勢は廳数の減少と全国劃一主義を実現せんとするにある。

各廳に廳長一人（簡任）を置き、國民政府に於て省政府委員中より之を任命する（現行組織法一六條）。これは十五年の修正以降の制度である。この廳長即ち省政府制の遺制の襲用である。

この任命手続は各修正組織法に依り異なる。十七年の組織法に始めて之を明文化し、中央各主管部及び省政府委員會に人選具狀權を附與したが、十九年及び二十年の各組織法はこの人選具狀權を剝奪して行政院に集中吸收した。この改正は重要意義を有する。この改正前に於ては中央主管部長が各省廳長を、例へば内政部部長が各省民政廳々長、財政部々長が各省財政廳々長、教育部々長が各省教育廳々長、実業部長が各省実業廳々長を直接指揮監督する。故に中央權力の徹底に便あるも、各省独自の地方的便益及び統一が無視せられ勝となるのみならず中央各主管部長間に不統一あるときは直ちに全国各省

五二

廳長の不統となる。この弊を調整するために省政府委員会に人選具狀権を附與したが、之は中央と地方との衝突の原因となり中央主管部の権限の制となる。故に、この人選具狀権を行政院に集中吸狀することゝした。

廳長は省政府委員を当然兼ね、地方行政の最高官署であるが故に省政府各廳長選任規則、行政院審査各省政府廳長人選暫行辦法を公布し、之により廳長の人選手続と廳長たり得る資格を規定した。こゝに注目すべき点は現任軍職者をも廳長たり得ざることゝ関係諸機関長に廳長の保証推薦権を附與したことにある。この保証推薦を保挙又は保薦と呼ぶ。

各廳の内部組織が成文化したのは十七年の修正組織法以降に係る。十七年の組織法では各廳に秘書一人乃至三人とし事務の繁簡を酌量して分科して事務を処理することを得る。各科に科長一人（薦任）、科員若干（委任）を置き、必要あるときは各廳に技正、技士及び視察員——其定員は各該廳長より省政府委員会に提出して決定する——を置き得る。十九年及び二十年の各組織法は之を襲用したが、二十年の組織法は之に技佐を加へ且科員の定員を四

人乃至十三人とし幕友的科員の存在を否定した（現行組織法一九條）。その中、技正、技士、技佐、視察員の等級につき何等の明文規定がないが、各省の実例に徴すれば技士が薦任たり得る外は総て委任である。其他特別法により廳に置かる官職がある。例へば教育廳に省督学四人（薦任）等がある（廿二年六月六日教育部公布、省市督学規程一條）。

（五）専管機関

各省政府に必要あるときは廳処の外に専管機関を置き得る（現行組織法八條二項）。この専管機関は廳数を縮少した制度に弾力性を與ふるための制度である。事変前及び現在に於ても各省の多くは、この機関を特設してゐる。其専管機関は委員制又は独任制を採るものあり、省政府内に又は外に特設するものあり、専ら行政事務を司ふものあるに反して諮問機関に過ぎざるものがある。然し二十三年七月五日南昌行営公布の省政府公署辦公辦法大綱（一條——三條）により此の種の機関は特殊の臨時組合のもの及び保安隊(3)を除き廃合又は縮減せられ、主管廳処に改隷された。例へば公路処、土地局、

水利局等(4)。この大綱は湖北、湖南、安徽、江西、福建の剿匪省に先づ施行された（大綱一一條）。

二、省政府の権限及び分掌

（一）省政府委員会

省政府は國民政府成以来、現在に至るまで合議制を採る。十四年の組織法の省務会議及び十五年以後の各組織法の省政府委員会は総て然りである。然し十七年の修正までは省政府委員会の権限に関する規定は甚だ粗略であったが、十九年及び二十年の各組織法は次の如く其権限を規定した。

1、省政府は國民政府建國大綱及び中央法令に依り全省政務を綜理する（現行組織法一條）

2、省政府は中央法令の範囲内に於て省行政事項に関し省令を発し、省単行條例及び規定を制定することを得る。但し人民の自由を制限し、人民の負担を増加するときは國民政府の認可を経るに非ざれは之を執行することを

得ない（同五條）。この但書の単行條例及び規程の認可及び審議の手続を統一する為めに二十三年行政院は劃一各省市政府単行法規実施程序辦法を公布実施した。

3、省政府は所属各機関の命令又は処分が法令に違背し、権限を逾越し又は其他不当の事由ありたるときは之を停止又は取消すことを得る（同五條）。

4 人民の負担の増減、全省の予算、決算の制定及び省公産の処分又は省公営事業の籌劃に関する事項（同五條）。

5、地方行政区劃の確定及び変更に関する事項（同五條）。

6、國民政府の委任事項事務執行に関する事項（同五條）。

7、地方自治監督に関する事項（同五條）。

8、省行政の施設又は変更に関する事項（同五條）。

9、國軍の出兵の請求及び所属軍警団の地方綏靖督促に関する事項（同五條）。

10、省政府所属全省官吏の任免に関する事項（同五條）。

11、各廳省弁事細則の制定（同二〇條）。

12. 各廳処の技正、技士、技佐及び視察員の定員の決定
13. 省政府主席事故に因り職務を執行すること能はざるときの代行者の選定（同七條）。
14. 各廳処又は専管機関間に発生したる権限争議につき行政院にその裁定を請求（同一八條）。
15. 其他法令が省政府の議決事項と定めたる事項及び省政府委員會に於て必要と認めたる事項（同五條）。

（二）省政府主席

省政府主席の権限は名は甚だ大であるが其権限は極めて狭い。十四年、十五年、十六年七月及び十月の各組織法は之につき規定なきか又は規定あるも甚だ簡単であった。十七年の組織法に至り始めて稍々詳かなる規定を設け、省政府主席は省政府委員會の決議を執行し且常務を処理し、省政府委員會を召集する権限を有することを明かにした。十九年及び二十年の各組織法は実に詳細に次の如く規定した（現行組織法六條）。

1. 省政府委員会を召集し、其会議の主席と為る。
2. 省政府を代表し、省政府委員会の決議案を執行する
3. 省政府を代表し、全省行政機関の職務執行を監督する
4. 省政府の常務及び緊急事務を処理する。

（三）秘書處

秘書処の権限につき始めて特別の規定を設けたのは十七年の組織法であり、十九年は之を無修正に継ぎ、二十年の組織法は之を次の如く規定した（現行組織法九條）。

1. 一切の機要及び省政府委員の会議に関する事項
2. 文書の起草、保存、収発に関する事項
3. 会計、庶務に関する事項
4. 統計及び報告の編制に関する事項
5. 省政府各廳処職員進退の記録に関する事項
6. 印鑑典守に関する事項

7. 其他各廳に属せざる事項

（四）各廳

各廳々長の権限は各廳により異なり、廳の数及び権限も歴次組織法により同一でない。十六年七月の組織法では各廳は省行政事務を分掌すと規定し、同年十月の組織法は之に加ふに「主管事務に関して法令に別段の規定あり又は省政府委員会に別段の決議ある場合を除くの外、廳令を発することを得」と規定し、独立の官署で、省政府主席の補助行政機関に非ざることを明らかにした。然し各廳々長別に権限を列挙したるのは十七年以降の組織法である。二十年の組織法によれば各廳々長の権限は次の如く規定せらる。

民政廳々長は縣市行政官吏の任免の具状、縣市所属地方自治及び其経費、警察及び保衛、衛生行政、選挙、賑災及び其他の社会救済、労資及小作争議、禁烟、礼俗、宗教、各種の土地測量、徴収及び其他の土地行政等に関する事項を分掌する（現行組織法一〇條）。

財政廳々長は省税及び省公債、省政府の豫算決算の編制、省金庫の収支、

省公産の管理、其他の財政等に関する事項を分掌する（同一一條）。

教育廳々長は各級学校、社會教育、教育及び学術団体、図書館、博物館、公共体育場、其他の教育行政等に関する事項を分掌する（同一二條）。

建設廳々長は公路及び鉄道の建築、河工及び其他航路工事、土地行政に属しない測量、其の他の建設行政等に関する事項を分掌する（同一三條）。

実業廳々長は農林、蚕桑、漁牧・鉱業の計画・管理・監督・保護・奨励・耕地整理及び開墾・農田及び水利の整治・農業経済の改善・動植物の病虫害及び益鳥虫の保護・商工業の保護・監督及び奨励、工廠及び商埠、商品の陳列及び検査、度量衡の検査及び普及、農會・工會、漁会及び其他農業・工業漁業・鉱業各団体、其他の実業行政等に関する事項を分掌する（同一四條）。

但し実業廳の設置なき省に於ては実業廳々長の権限は建設廳々長の権限に属する（同八條二項）。

各廳々長は以上の各特有の分掌権限を有する外、次の共通権限を有する。

1. 廳事務を綜理し、所属職員及び所轄機関を指揮監督する（同法十六條）。

2. 廳長は中央法に抵触せず又は省政府委員会決議の範囲内に於て主管事務に関し廳令を発することを得る（同一七條）。

3. 各廳に必要なるときは技正、技士、技佐及視察員の定員案を省政府委員会に提出することを得る（同一九條四項）。

4. 廳処務会議及び廳行政会議を召集し、其の主席となる。此両会議に於ては後述する。

(五) 専管機関

各省政府は必要に應じて専管機関を設け得る。其中、各廳辨公後存続し且多の省に設けられたものは保安処である。此処長は保安司令の命を受け、処務を綜理する権限を有する（各省保安処組織通則三條一項）。其内部組織は処長辨公室及び第一科乃至第四科より成る（同四條、七條一項）。但し処務の繁雑なるときは四科以上に増科し得る（同七條二項）。

三、廳處務会議及び廳行政会議

六一

(一) 廳處務会議

廳処務会議は廳處の行政の統一と改革とを計る為めに設けられたる廳処の内部組織としての会議である之に常会――毎月又は毎週一回又は二回召集せらる――及び臨時会がある。此を構成する会員は省に依り同一でないが、各廳処内の高級職員――廳長又は処長若くは秘書長、秘書、科長、技正、視察員、其他主任級職員――とする。之に直隷附属機関長を加へるものもある。例へば廿一年の広東省建設廳々務会議規則に依れば農林局局長、航政局局長、改良蚕糸局々長、河南及び西村士敏士廠長を会員に吸収してゐる。この議事事項は各廳処の行政に関するものであることは言ふまでもないが、その決議は明文の規定なき限り該廳処長を拘束する效力なく、單に回答又は要望に止まる。

(二) 廳行政会議

廳行政会議は各省各廳の主管行政の促進を審議することを目的とする廳内外人員の綜合組織に依る会議である。十七年十月一日内政部は各省民政廳行

六二

政会議規程を公布した。此規程の細則は各省單行章則により規定せらる。從而其細則は各省により異なる。民政廳以外の各廳も民政廳の其と大体に於て同様の規程及び章則を有する。

廳行政会議は各廳毎に設けられ、名称は某廳行政会議と呼ぶを通例とするも必ずしも一致しない。此を構成する会員は各廳により異なるも、大体に於て民政廳の例に從ふ。民政廳行政会議は廳長、主任秘書、科長、視察員、縣長、市長、民政廳直隷附属機関長、内政関係各機関の派遣したる委員各一人、民政廳延聘の専門家二人乃至四人とせらる（規程一條）。其他内政部及び省政府の派遣したる人員も之に列席し得る。会議には多くの場合、主席一人、副主席一人又は二人を置き、主席は主管廳々長之に当り、副主席は会議出席者之を互選する。民政廳行政会議は毎年一回召集せられ（規程五條）、議事々項は各廳主管事項に限られ、その議案は(一)廳長　(二)出席者　(三)人民団体（建議の形式に依り且会員三人の連署紹介を要する）より提出せらる（規程六條）。其この決議は主管廳々長に於て出来得る限り採択施行する（規程九條）も、

六三

廳長を拘束する效力がない。

(三) 廳務会議と廳行政会議との相異

廳務会議と廳行政会議とは類似点が多いが両者は異なる。その構者を見るに廳務会議は廳外の附属機関をも会員とするも其軸紐は廳内職員であるが、廳行政会議は廳内職員を会員とするも其軸紐は廳外の附属機関長である。次のその議事事項は共に主管行政に関するも、廳務会議は廳内問題に限られるも廳行政会議は廳内問題以外の比較的重要問題である。最後に、この両会議は各根據法を異にする

四、省制改革の趨勢

旧國民政府成立より漢口陥落までの省制改革の趨勢を検討し、以て東亜新秩序として地方行政の確立に資することゝする。

國民政府の省制は民國十四年七月一日、國民政府が尚ほ広東省を多く出ない時代に制定されたもので、省政府は我が國の政府の組織に於ける閣議と各省大

六四

臣とに相当する省務会議と各廳々長とを内容することゝした。

省務会議は十五年十一月十一日以降の各組織法には省政府委員会となつた。従而、既述の如く省政府主席は単に省政府の代表機関にして且省政府委員会を召集し、其主席と為る権限のみを有するに過ぎない。然し歴次の組織法改革の趨勢は中央集権化を策し、之を党勢拡大の工作に利用した点に存する。換言すれば地方軍閥及び其他封建的勢力者の掌中より中國々民党の掌中に地方政治を集中し、中央化する目的を以て省制は変遷されて来た。

「内政年鑑」には省政改革の趨勢として第一、縮小省区　第二、改委員制為省長制、第三、省廳合署辦公の三つを挙げてゐる(5)。この三個の改革は吾人も従来より其必要を重大視して来た所であり、且中國の地方行政を東亜秩序化する為の緊急なる改革事項を主張するが故に次に其理由を解説することゝする。

(一)　縮小省区

光緒末より今日に至る中國の憲法草案制定史を見るに、省行政区域の廣大と地方分権主義は地方軍閥又は反中央勢力者の主張する所であり、其縮少は

六五

中央政府又は與党の主張する所である。民國八、九年頃、各省督軍が聯省自治を主張したのは省行政区域の広大維持論であり、中國國民党は省行政区域の広大なるが故に中央集権化困難に逢会し、地方軍閥の勢力を削減する政策として省行政区域の縮少を欲して未だ実現し得ない情態にあつた。

中央執行委員・伍朝枢が民國廿年二月省区縮小案を第三屆中央執行委員会第四次全体会議に提出し、中央執行委員、胡漢民、孫科、林森、戴傳賢、呉敬恒、張人傑、王寵恵、葉楚傖、揚樹荘、陳立夫、何成濬、劉文島、李文範、劉峙等も同時に類似の議案を提出した。

此二議案は全体会議に於て「省区は其劃定を改むると共に酌量縮小することを要する。中央政治会議をして専門委員会を組織せしめ詳細に実施方法を研究せしむ……」と併合決議した。廿二年蒋介石は軍事委員長の名を以て湖北省政府主席を始め、河南、安徽、江西、浙江、陝西、甘粛の各省政府主席に省制改革意見を徴した結果、総て省区闊大に失する旨の回答を受け(6)たるを以て蒋介石は河南、湖北、安徽、江西、福建の五省に対する合署辦公

六六

の訓令中に省区闊大に失することを認めてゐる(7)。

省行政区域の過大の弊は必然的に(一)省内問題として縣の数が過大となり省政府の鞭長くとも政令省辺に及び難く(8)、(二)省政府の政治力過強となり上は中央の命を軽んじ下は縣を搾取し、上下立ち得ざることゝなる。孔充は「現在の政治の重心は既に縣に在るに非ず又中央に在るに非ずして各省に存する。各省は龐大の地域を有し、政治経済は独自の生存を為すことを得る。故に上は中央に対しては其命令に服従せず、縣に対しては戦利品同様に考へ……」と口を極めて省区縮少の理由を論じ、其断行を主張してゐる(9)。金鳴盛も亦、省区の龐大なることを現行地方制度の弊竇と論し「各省の所轄縣数は小は数十、多きは百余に至る。一省の内、其民情風習の相異も亦省を隔するに劣らず。……其例頗る多く、各省に幾何か有らざるなし。省を設けたる当初は中央政府が州縣を監察する便益の為めに之を分劃したるものにして各省政府自体に直接一省の民事を処治する責を負はす為めに之を設けたるものに非ず。元より清に至るまで省と州縣との間は相聯接せしめて直接ならざるもの

六七

あり。即ち路、府又は道等の中間政区を設け之を藉りて聯絡を為す。仍ほ高級自治団体を設くる必要ある場合と雖も之は当然現在の省区と同一地域の上に成立せしむること能はず。斯る将来に於ては道制を恢復するか又は省区を小さく改定して然る後に其の必要に応ずるのみ」と説き(10)、更に國民は自治問題を離れて省縣の間に中間行政区域の必要を認め「一には吾國各省轄境は寛広にして交通阻塞なるに因り一省政府が数十、百数縣を統治せんとして力を致し、巨費を投使するも其得る効果は甚だ微小なり。二には一省の内情の相異甚大なるに因り政令の斉一を欲するも常に扞格不通の弊あり。数年来屢々省区の縮少及び道制の恢復等を議したる所以亦此にあり。将来の改革の趨勢は此二者の中、必ず其孰れかを採るに似たり」と論究してゐる(11)。

以上の如く省行政区域は之を縮少すべきことは中國々民党及び諸学者に依つて極力主張されて来た所であるが、中央政府に之を断行する政治力なきが為に中央執行委員会の決議したる縮少省区専門委員会なる研究機関さへ未設置のまゝ、今次事変となつた。

六八

今次、皇軍により地方軍閥と旧封建的勢力とを一掃し東亜新秩序建設のための建軍を契機として省行政区を縮少して現在の満洲國程に改むべきことは東亜共栄圏確立に於ける緊要政策の一に属する。私は道制の復活は徒に地方行政を複雑ならしめ且必ずしも省政府の政治力の削減とならざることを挙げて其復活に賛成することが出来ない。然し省行政区域の縮少は県制と綜合して決すべき性質を有するが故に後に再論することゝする。

(二)

改委員制度省長制

中國國民党が広東省より全國に勢力を獲得する為めに省政府委員制は微妙に利用されて来た。委員制は其中心勢力を中國々民党に維持しつゝ地方軍閥又は旧封建的勢力者を委員に吸收して地方勢力の中央化を意図することを得る。其他、委員制は独任制に対して有する長所がある外に、中國官吏の貪汚行為の防止にも可成り役立った。然し北閥に成功し更に訓政時期約法により中國々民党の独裁制が保障されるに至った以上は最早や委員制度は中國々民党に採つては無用の長物たるのみならず委員制の有つ短所に因り自己の発展

六九

を阻止せらるる場合が多く感ぜらるゝに至った。

茲に於て中國々民党は独裁制を強化する工作として省政府委員制を廃止し國民政府成立前の省長制の復活を欲することゝなった。これを以て憲政開始の一つの準備であるとさへ考へらるゝに至った（訓政時期約法七九条、建國大綱一六条参照）。

孔充は「縮少省区と実現省長制は省政の二つの問題である。吾人はこの二つの問題は県政の成敗と大に連帯的関係を有する。……吾人は現行省政府委員制は省に在りては責任を忌避する機構であり、県に在りては県政を分割して完全なる多頭制と為りたることを認む。故に要は省長制の実現を俟ちて始めて各省県政の完成を期し得べきものと認む」と説く(12)。之を詳述すれば委員制に於ては各庁長は当然委員となる。従而、その実施以来其弊害頗る多く、その最大なるものは省政責任が帰一せず、機関活動が散漫遅延し、行政能率が低減した。各庁長は省政府の直属機関であり乍ら庁長が省政府委員を兼任し且中央主管部に直属機関としての独立の行政官署である（現行組織法

七〇

一六条一七条）。故に省制内に二級の官署が存し地方行政に複雑を加へてゐる。従而、庁と庁との間、省政府主席と庁長との間に紛糾絶えず、時に解決の方法なきことさへ尠くない(13)。

民國二十二年二月第四届中央執行委員会第三次全体会議に石瑛等七委員が「取消省政府委員制、改為省長制、以利行政」の議案を提出した。会議では此の原則を通過せしめ中央政治会に移付して法案を起草せしむることゝした。尚ほ翌二十三年一月第四届中央執行委員会第四次全体会議に傅汝霖等六委員も亦「地方行政制度改革案」を提出した。其の議案は「(一)省政府に省長一人を置き、中央政府を代表し、國家の法令の執行を監督し同時に全省最高行政長官と為し、所属機関を監督し、全省の政務を執行す、(二)省政府に副省長一人を置き、省長を補助して全省の政務を執行し、省長事故に因り職務を執行する能はざるときは省長の職権を代行することを得」と規定した。之に対し会議は「省政府委員制を取消し、省長制に改むる原則は既に第三次全体会議を通過し、中央政治会議は施行日を議定すべき責を負ふ。本案の省制改革

七一

部分は中央政治会議に移付し以て省政府組織法制定原則の参考に供す」と決議した。

以上の如く省政府委員制は之を省長制に改め、省政府を独任制する原則は認めらるるに至ったが、中國々民党は之を直ちに実施するまでに至らずして今次事変となった。

(三)

省庁合署辦公

上述の縮少省域及び改省政府委員制為省政制の二つの改正は慎重な調査と実行力を要するが故に弥縫策としての省庁合署辦公が考慮実施されるに至った。

省政府が委員制を採り且省政府と各庁処とが独立の行政官署として併存し、各庁処は各中央主管部会又は県市政府と直接に文書の往復し省政府主席の統轄を離れて行れた。この弊情は愈々放置し得ざるに因り、軍事委員長蒋介石は民國二十二年九月及び十月にかけて省政府組織に関する改善方案につき湖北省主席に改革意見を徴求して得たる回答に基づき河南、安徽、江西、浙江、

七二

江蘇、陝西、甘粛の各省政府にも改革を徴求した。此に対する回答は次の六原則に帰納することを得る。

1 徹底的に合署弁公を行ふことは必要のことに属する。之れを実行する為の適当な建物（署舎）なきときは従来の各庁処舎を以てするも可なるも、その一部を競売して別に大規模の弁公署（署舎）を建築すべし。

2、省政府の各省内部機関は之を整序再組織し、委員会を除く外、単に民政、財政、教育、建設の四庁及び秘書、保安の二処に限定することを要する。其他の機関、例へば公路処、土地局、水利局等の如きは必ず各庁に隷属せしむべきものとする

3、各庁処は省令に抵触せざる範囲内に於て直属機関に対して庁処令を発することを得るも、上は中央院部会、下は県市長に対して文書を発するときは均しく省政府主席の名義を以てしその主管庁処長は之に副署し、且其庁処主管事項につきては文首に某庁処「案呈」の文字を附し、其権限と責任とを自ら分明たらしむべきものとする。

七三

4、均しく省行政機関たる省政府と各庁処との二つに分つ従来の制度は之を継続する必要なし、各庁処長は直接省政府に対し絶対責任を負ひ、省政府は直接中央院部会に対し責任を負ふ。而して省の各庁処は中央院部会と直接文書を往復せざることゝす。

5、省の秘書処には専門家を招聘し、各省の事情を酌量して参事及び設計専員を添設し以て各種の章則、法規、計画の審核及び各の重要問題を研究検討に利すべきことを要する。但し此種の人員は坐領乾薪（坐食無勤務の有給者）の冗員たらしめざることを要する。

6、省政府と各庁処に合署弁公が行はるるときは従来の人件費の一半は節減することを得る。この節減したる経費は之を県区制の経費に移譲すべきことを要する。

一方、蒋介石は二十二年中央執行委員会第四次全体会議に委員の名に於て「修正地方行政機関組織案」を提出して辺遠省に庁処合署弁公を主張した。会議は該案を通過せしめ行政院に移付して審議立案せしめた。斯くて

七四

内政部に於て「改革省制具体方案」の成立を見た。その要点は次の二つにあつた。

1、省政府を完全なる省行政機関とし、省の各庁処は単に之を省政府の補助機関とし、省政府の下級機関に在らざることを確定すべし。

2、各省政府に政務庁を必設し、其他の各庁処は省政府に合署弁公することを原則とすべし。

民国二十三年一月の中央執行委員会第四次全体会議に傅汝霖等六委員は「地方行政制度改革案」を提出し、省政府に総務司、民政司、財政司、教育庁、建設庁を設け、各司庁は省政府内に合署弁公し、教育庁と建設庁は特殊の事情ある省に限り省政府内に司を設けて其事務を処理することを得ることを主張した。

大勢、合署弁公に傾きたることを察知した蒋介石は上述の六原則に基づき軍事委員長南昌行営の名を以て二十三年七月省政府合署弁公法大綱（十四個條）を公布し、公布の日より二個内に剿匪各省――河南、湖北、安徽、江西、

七五

福建の五省――に一律施行することゝした。其実施に当り為された訓令は地方行政の弊情と其改革趨勢を示す所が極めて多い。それで、幾何か長文ではあるが次に収録することゝする。

「査するに現行省政府組織法及び県組織法は公布実施されてより既に数年なり。各省は形式上既に組織を完成せりと雖も、実際上は困難極めて多く鑿円枘方して正格たらず、故に地方政制を改革することは誠に政治を刷新し且つ之を曲ぐるの余地なし、今現行制度の通弊を綜合列挙すれば次の如し。

第一、現行制度を観察するに頭重脚軽にして基礎堅固ならず。その組織を論ずれば則ち省極めて巨大にして県極めて微弱なり。

官治機関甚だ多きも民治機関甚だ少く、伴食高官甚だ多きも民間の人才を吸収すること甚だ少く、政令は均しく具文となり、実に之最大の病弊とす。茲に豫（河南）、鄂（湖北）、皖（安徽）、贛（江西）の四省の二十二年度経常歳出予算を比較して省と県との政費の懸隔を一目瞭然たらしめ

七六

んとす。但し保安処の経費を算入せざる省政府及び四庁の経費を標準とす。各省経費は、河南九十一万一千余元、湖北百十一万九千余元、安徽百零一万元、江西八十一万三千余元に及び、各省の県費は河南全省、百十一県、合計百零九万一千余元、平均一県九千八百三十余元、湖北全省七十県、合計八十八万余元、平均一県一万二千六百余元、安徽全省六十一県、合計九十五万七十余元、平均一県一万三千七百余元、江西全省八十一県、合計百十三万二千余元、平均一県一万三千八百余元なり。拠之観之、県政経費は安徽が最も多く、江西が之に次ぎ河南が最も少なし。然し如何なる省たるを問はず、毎月平均一県、千元内外に過ぎず。県は一切の政令を執行する中堅なるを以て重要地位にあり。然るに行政経費の微弱なる斯くの如し。実に組織の充実を為さずして人才を任用し以て匡助せんとするも百挙改廃ること必然なり。この大頭小脚の弊を革めんと欲すれば先づ省政府の編制を縮少し、県政府の組織を拡大し、省政府の経費を節減して之を県政府の経費に移譲し以て調和の宜しきを得、利を尽さんことを欲す。

七七

第二　横断的に観察すれば、各庁処は駢存して立ち、各系統を持して各の範囲を固め、各自財用す。凡そ甲庁の属する主管事件につき乙庁の干渉を喜ばざるを以て両庁以上に渉る事件は往々変遷して決せず。其権限につき相争ひ、過失あれば互になすり合ひ、且一切の設施は庁処の立場に基づきてのみ考慮し、実に自制して人を伸ばし、全局を共維する精神に欠乏す。斯るが故に各庁処は各主管事件を当面の最重要の急務となし、其執行の責任を県に負す。県はその孰れを先に為すべきかを知らず、亦同時に並行する由なきを常とする。斯る場合に於て狡黠なる者は専ら事を誤魔化し、尤も愚劣なる者は甲を藉りて乙に当て任意に緩急を操縦し次て自ら其の私図に便じ、賢能にして自愛の士は政令紛岐に深苦し途令に疲れ、其職に安んぜざるに因り吏治遂に壊退す。此の畸形制度は実に極端に至る。故に今日の省政の濡滞、矛盾、重複、隔閡、推諉、齟齬の弊を革除せんと欲すれば、要は各庁処の並立割拠の局面を打破し以て完全に一体としての省政府を確立し、斉一、簡捷、協和の效果を発揮せんことを欲す。

七八

第三　縦断的に観察すれば、省政府と各庁処、県政府と各局科は均しく各截然と二級を形成す。中央院部会は屡々省の庁処を其直属機関と認め、省の庁処も亦県の局科を其直接機関と認め彼此直接に文書を往復す。その流弊の及ぶ所、遂に屡々省政府及び県政府は之を統御する能はず、反対に転落して其手足となり使はる有様なり。省政府主席は省を代表し所属機関を監督し、省政を執行し、県長は県政を総理すると言ふが如き規定は徒らに空言を託するに過ぎずして系統は不分明且階級は凌乱す。何んぞ、その所属機関を統率して其の責任を負ふべけんや。故に此の弊を革除せんとせば必ず省政府を完全にして中央院部会に対し絶対の責任を負はしめ、県政府を完全にして省政府に対し絶対の責任を負はしむべし。凡そ省の庁処、県の局科は省、県の補助組織にして不可分離の二つと為し、一切の斜枝旁出の文書を往復するが如き弁法は当然に之を毅然として廃除すべし。

上述の現行省政の欠点は相伝へて生じたる弊情にして今日の政情を熟知する者の斉しく知る所のものなり。之に矯正を加ふべきことは既に上下一

七九

致の要求となれり。この根本改革は其牽歩する所極めて広く、若し中央が現在の単なる情況を鑑取して直ちに改弦更張せんには其実験の豊かならざる点あることを深く恐れ、顧此失彼の虞あり。故に特に先づ其最も注意すべき点につき附言することゝす。

第一、現行省制の種々なる欠点は之を隠蔽すべき限りにあらず、今後、省政府の意思は之を統一し、権力は之を集中し、組織は之を緊張し、経費は之を節約すべし。これ即ち有識者の公認する所なり。顧みるに、統一、集中、緊張、節約と言ふも如何なる程度を以て適当と為すべきや且如何なる方式を以て其実現を促すべきや、則ち殊に詳かに考慮を加へ逐歩試験の必要あり。

第二、全国各省の幅員既に広く、関係複雑にして政治、文化、経済、地勢等各種の事情は尤も斉一ならざるに因り遽かに一種の通行政制を以て同時に実行を強制することは恰も足を削りて履物を穿たんとするに似て杆格行ひ難きことを恐る。例へは四庁二処の設置は辺遠省に於ては龐大の嫌あり

八〇

且其財力の能く堪ふる所にあらざるに反し東南各省に於ては簡單なる嫌あるに依り其他の専門的技術的組織を以て補ふに非ざれば実際の要求に即應するに足らず。即ち官吏の官等俸給につき論すれば亦斯くの如し。簡任、薦任の法定俸給金額をして東南省に於て生計を維持するに足るものとせば辺遠省に於て其定額通りに支給するときは全廳の経費は恐らく其主管長官一人の俸給を賄ふに足るのみならん。万端斯くの如き懸隔を極むが故に中央が政制を制定するに当りては実際に因地制宜し、長に從ひ議を計るの必要あり。彈力性を豊かにして伸縮を得しむべし。蓋し先づ局部的に之を試行するを以て最宜とす。

年来、本委員長は命を奉じて剿匪督察の任に当り巡視見聞して得たる所のものは比較的切実なり。而して感解したる所亦甚だ多く、地方政務に深き關心を持つに至れり。尤も剿匪區各省の善後策を順調に推進せんとせば当然先づ省政府の意思の統一、一般行政能力の増進を図るに非ざれば克く其效果を期する能はず。然しこの改革は單に現行省政府組織法を超脱せず且

八一

全省の予算を変更せざる範囲内に於て之を行ふことを原則とす。この原則に基づき各省政府と文書を往復して討議すること既に一年に及ぶ。茲に各方面の意見を彙合して省政府合署弁公弁法大綱、計十四ヶ條を制定し、剿匪区内の豫・鄂・皖・贛・閩の五省に期日を定めて之を実施し以て実験に資し、以て地方政制の徹底的改革の源泉に備ふ」(14)。

省政府合署弁公弁法大綱は公布の年の九月既にその局部的実験的施行目的を変更し、其他の各省(非剿匪内各省)も亦行政院の認可を経て合署弁公を行ふことを得ることに其第十ヶ條後段を修正し、以て全国の各省に之を施行することゝした。

合署弁公を実施したる省は詳細に其情況と章則弁法を一括して内政部の査定を受くべきことゝした。廿五年五月は湖北・安徽・江西・河南・四川の五省に之に続き湖南・寧夏・廣西・察哈爾等と、全国的に施行せらるゝに至った。

(1)　銭端升等著前掲二〇〇頁

(2)　同前書二〇〇頁

八二

(3)　保安處は各省に於て随意設置したが、二十三年軍事委員長南昌行営は各省保安制度改進大綱及び各省保安処組織通則を公布実施し、各省の保安省の組織を劃一することゝした。保安處に處長、副處長各一人を置き、處長は保安司令より軍事委員長に具状して任免し、保安司令の命を承け處務を総除する。

(4)　程懋型編「剿匪地方行政制度」第一三―一九頁

(5)　「内政年鑑」民政編(B)第二六―二六頁

(6)　程懋型編・前掲第一二―一四頁

(7)　同前書第一七―一九頁

(8)　「内政年鑑」民政編(B)第二六頁

(9)　孔充著「縣政建設」第三―四頁

(10)　金鳴盛著前掲第一六一頁

(11)　同前書第一六八頁

(12)　孔充著前掲第三頁

八三

(13)　金鳴盛著前掲、第三三七頁

(14)　程懋型編、前掲、第三四―三七頁

第四　縣制

一、總説

民國十五年十月廿日、中國の現状を飛躍する民主的な縣制が成立した。縣政府は省政府と同様に委員制を採り縣民会議をも設けることとした。其翌年六月九日の修正に於て委員制を廃し縣長制に改め、十七年五月八日には戦地各縣政府組織暫行條例、同年九月十五日には縣組織法が公布された。共に縣長制の下に分科して縣政を処理することゝした。科数は前者に於ては原則として三科、後に於ては二科乃至四科を設け得ることゝし更に公安、財務、建設、教育の四局を設け尚ほ必要あるときは衛生局、土地局を増設し得ることゝし、縣政会議及び縣参議会を置き、縣の下級組織をも規定した。

八四

民政部が召集した十七年十二月十五日第一期民政会議（閉会廿六日）は縣組織法に関する七項の改革原則を決議した。この改革原則により十八年六月五日縣組織法を修正し、其施行法と共に同年十月十日之を施行した。之が現行制度である。この修正法は十七年の組織法と大差がないが、縣政府に祕書一人を増設し、科数を一科又は二科に減少した。而して建國大綱第十六條及び第二十三條を個別化して憲政時期の始期を確定する為めの十八年三月第三次全國代表大會通過の政治決議案及び同年六月第三届中央執行委員会第二次全体会議の決議にかゝる完成縣自治案に依り全國の訓政時期を六年—十九年より廿四年迄—とし、縣組織法施行期日——十八年十月十日——より次の期限内に縣組織を完成即ち自治を完成すべきことゝした（縣組織法施行法二條）。

1. 江蘇・浙江、山西、河北、広東の五省は十九年六月まで、
2. 江西、安徽、湖北、湖南、福建、山東、河南、遼寧、吉林、陝西、雲南、広西の十二省は十九年八月まで、
3. 四川、貴州、甘粛、新疆、黒龍江、熱河、察哈爾、綏遠の八省は十九年十月まで、
4. 寧夏、青海、西康の三省は十九年十二月まで

八五

若し特別の事故により右期限までに完成する能はざるときは該省政府はその理由を詳細に具して内政部、行政院を経て國民政府に延期許可を受くべきことゝした。但し寧夏、青海及び西康の新設三省を除く各省に対しては單に一個月を越えざる範囲内に於て延期許可することを得ることゝし、全國の自治の完成を急いだ。この縣政組織の完成は各縣の等級、縣長の任命を適法に完了し、縣政府の内部組織及び縣政会議の組織を了すると共に法定期間内に各下級自治区の組織を完了するにありとした（同施行法四條——一五條）。而して内政部は民國十八年より廿三年までを六期に分ちて漸進的に縣自治完成を進行せしめることゝし、其の第六期（廿三年）は縣長の民選を実施し、縣自治及び縣民四種の行使を完成し、憲政時期に入る最後の段階とした。然しこの短期間分期完成の計劃は画餅に帰したが、その期間、國民政府は次の如き対政が行はれた。

民國十九年七月七日縣組織法を修正したが、それは單に郷鎮の組織の一部変更に過ぎなかった。同年十一月内政部は地方自治専門委員会を設け、全國の地方自治の籌劃と促進とに努め、廿一年には訓政工作の励行と内政行政の統一を目的として第一次全國内政会議（一月十五日開会、廿五日閉会）を召集した(1)。この会議に於ても下級地方組織の一部変更と縣組織法施行法の修正が要請された。更に同年十二月地方自治完成の目的を以て第二次全國内政会議（十二月十日開会、十五日閉会）を召集した(2)。

この会議は地方行政機関組織、縣政改革及び地方自治改革等の縣制に関する決議をした。

其縣政改革は、(一)縣政府は一律に科を設置することを原則とすること、(二)科又は局は合併して縣政府内に於て政務を執行する（合科弁公）こと、(三)縣政府は縣長の名義を以て対外文書を往復すること、(四)縣政府は実際上の要求に即應して政府の許可を経て技術人員及び各種の専門委員会を増設することを得ること、(五)教育経費を独立の会計とする縣に於ては教育経費管理委員会を設くべきことに亙つてゐる。其地方自治改革は廿六項に及んでゐるが、縣制に関する重要なるものは第九項の「縣政府は行政機関にして自治機関にして下級行政の補助機関なることを確認すべきことを要する」旨の決議である。この第九項に言ふ行政機関は官治行政機関、下級行政とは下級官治行政を意義すると解すべきである。

八七

この第二次内政会議の決議は将来の縣組織の改革及び自治進行の指針となった。

民國二十三年三月三日内政部は各省縣市地方自治改進弁法大綱を公布し、建國大綱に依り縣を以て自治單位と確定し且つ縣の官治行政と自治行政とを不可分離に置き（一條）、縣行政を切実に整理し、縣政府の組織権限を充実し、行政上の能力を増大し以て地方自治の初歩を実施し（二條）、訓政時期に於ける区公所は縣市以下の佐治機関とし、一切の事業の進行は均しく縣長の指揮監督を受け且区長及び其他の自治職員の選挙は当分延期すべきことゝし（三條）、區郷鎮坊の分劃にして小さきに過ぐるものは地方の事情を参酌して其区域を合併することを要し且警区と学区とを一致せしめ事務処理の聯絡を図り、各郷鎮

八八

協公所は特殊事務を処理する為に聯合組織を為ることを得る（四條）外、自治促進につき規定した。

同年四月行政院は同年二月廿一日中央政治会議第三九七次会議を通過した原則に基づき改進地方自治の原則を公布した。この概要は次の如くである。

(一) 自治の単位　縣、市を以て地方自治の単位と為し、縣、市を以て各一級とし、縣、市以下の郷、鎮、村を各自治団体として均しく一級とし直接に縣、市の指揮監督を承け、縣と郷、鎮、村の中間に人口、経済、文化等を参酌して区を設け得ることゝした（一條）。

(二) 地方自治進行の三分期　地方自治は次の三期に分ち進行せしむることゝした（二條）。　其理由は明年四月愈々訓政時期を終了し、憲政時期の開始と為るに拘らず、現在全國に於ては今尚ほ建國大綱第八條に規定する條件即ち完全なる自治を具備する縣がない。故に憲政の開始を虚名無実に終らしめないやうに地方自治の分期実現を促進せしむべきであるとした（二條、立法理由説明）

1. 扶植自治時期　この時期を実行訓政時期とする。縣市長は官選とし、縣市に参議会を設け、其議員は縣市長より之を任命する。但し其一部は専門家たることを要する。郷鎮村長につきては三人の候補者を民選し、其中の一人を縣市長より任命する

2 自治開始時期　この時期を官督民治時期とする。縣市長は猶ほ官選とするも、縣市議会議員及び郷鎮村長は之を民選とする

3. 自治完成時期　この時期を憲政開始時期とする。従而、縣市長、縣市議会議員、郷鎮村長等総て民選とし、人民は選挙、罷免、創制、複決の三権をも亦使行する。

(三) 自治推進の手続及び方式　これに関する規定は時と地に依り異なる地方の特殊事情に応じ得るやう弾力性を與へ、各省に少くとも縣政建設実験区一処又は区に分ちて実験縣若干を設置すべきことを要する。

同年五月内政部は修正改進地方自治原則要点の解釈を各省に達示し、現行自治法規にして此項則に抵触するものは総てこの原則の規定に従ふべきことゝし

た。この原則に於て特に留意すべき点は縣及び郷鎮の二級制を捨て、縣、区及び郷鎮の三級制に改め且地方自治推進を三期に分ちたる個所に存する。

廿三年三月、軍事委員長南昌行営は瀰漫せる共匪を剿滅する目的を以て各省の高級行政人員――江蘇、浙江、安徽、江西、河南、湖北、福建、湖南、陝西、甘粛等の省民政長官――を召集した。その会議（十八日開会、廿日閉会）は縣政につきては須らく権力を集中し、行政能率を増進し、機関の経費は之を節減して事業経費に移充し、區につきては区公所の組織を拡大し、区長、区人員の人選標準を確定する建議を決議した。この建議に基づき同年十二月三十一日南昌行営は縣政府の権力と責任を集中し、其組織を充実し、縣行政の能率を増進する目的を以て剿匪省份各縣政府裁局改科弁法大綱（十一個條）を制定し、之を湖北、河南、安徽、江西、福建等の剿匪省に通令し、其公布後三個月内に之を各縣に施行することゝした（同大綱一條、一一條）。此の大綱の立法原則は其公布に於ける訓令に依れば次の五項である(3)。

(一) 集中権力　縣政府の下に設置したる各局は一律に之を撤廃し、其職務は夫

々縣政府の各科に合併管理し、一切の縣政設置は悉く縣長之を総轄し、縣政府佐治人員は総て縣長に於て人選し、省政府之を任命することに改め、以て機構を完全にして責権相侔の実效を収むべきことを要する（大綱二條、五條）。

(二) 充実組織　各局――公安、財政、教育、建設の四局――を撤廃して三科に改組したる後に於て縣政府事務が益々繁劇を加へ従来の組織を稍々拡大する必要あるときは増科増員し且行政経費を酌量して増加することを得る（大綱三條、四條二項）。

(三) 敎建合一　教育、建設の両事務は合して一科に併属せしむることを要する（大綱四條一項二文）

(四) 警衛連繋　現在の警察制度は工業國の所産に係り中國に於ては都会及び商埠に適應するも各縣の城鎮郷の農業社会に不適應なるのみならず其弊害が若大である。故に我が國古来よりの保甲制度を警察に協助せしむることゝする。即ち今剿匪省内に保甲と壮丁團を組織し、警官をして之を督察敎導せしめ、地方工役及び一切の警察事務に協助せしめ、従来の警察に大淘汰を加へ、警

官の数を厳重に制限し以て小数の警察により全県の警察網を完成することゝする（大綱六條）。

(五) 税収統徴　現在の國税・省税及び一切の地方税捐は名目繁多にして且地丁銭糧契税――此は県政府徴収の責を負ふ――以外の各種の税捐は徴税方法も錯雑不統一を極め、税局林立の現状である。従而、徴税費は巨額に上り、徴税人員の不正行為も亦到る処に伏在し、人民の苦痛愈々甚だし。故に県財政の改革原は税収統徴にある。認可を経て専門税収局を特設したる場合を除く外、県の正附税捐を問はず総て県政府の手を経て統一的に徴税し、その徴税手数料は法に依り県に賦與し県政府経費の補助とすると同時に県金庫を設けて財政の合理化を計るべきことを要する（大綱六條）。

この裁局改科は前記五省に実施されるに続き、四川・貴州・陝西・甘粛、更に浙江省にも採用せられ、稍に見る全國的效果を得るに至つたが、未だ全國に統一的に実施せらるゝまでに至らなかつた。故に二十六年六月四日行政院は県政府裁局改科暫行規程を公布した。然し本規程の内容は剿匪省份各県

九三

政府裁局改科弁法大綱と殆ど異ならないが、同年七月七日より今次事変に入り、未だ全國に統一的に実施せらるゝに至らず、将來の問題として残された。

剿匪省份各県政府裁局改科弁法大綱と同時に剿匪省各県份区設署弁法大綱（廿五ケ條）を湖北・河南・安徽・江西・福建等の剿匪省に通令し之を施行したる外、其他の省に於て必要あるときは行政院の認可を得て份区設署を行ふことを得ることゝした。本大綱は、(一)従來の区公所を区署と改称し、従來の区は県を四乃至十分したるものであつたが之を三乃至六分したるものに拡大、(二)区長・区員の人選標準の確定、(三)区長・区員の地位の引上げ、(四)区署経費の増籌、(五)区長の任期・保障及び其職権行使の扶助(5)の五原則(6)により立法された。この五原則は(一)区長を民衆に深く接触せしむること、(二)人材登用の制度化、(三)権力の集中化、(四)行政能力の増進、(五)人力及び財力の調節、(六)区署職員及び民衆の軍事訓練等を実現すべきものとされた。

次に憲政時期に於ける県制の指導原則を見ることゝする。建国大綱第十六條によれば、一省の県全部が皆完全なる自治に到達したる時を以て憲政開始

九四

の時期とする。期る意義の完全なる自治は建国大綱第八條に依れば次の事項が全県に実現したる状態を言ふ。

(一) 人口調査を明確にすること
(二) 土地測量を完了すること
(三) 警備を完備すること
(四) 道路を修築竣成すること
(五) 県人民が四権行使の訓練を受くること
(六) 国民の義務を完全に遂行し革命の主義を誓行すること
(七) 県職員を民選し一県の政事を執行せしむること
(八) 議員を民選し一県の法規を制定すること

然るに訓政時期は廿四年四月に終了し、翌五月には憲政時期開始せらるべき筈に拘らず完全なる自治に到達したる県治となき実情であつた。従而、憲法草案も遅れて二十五年五月五日国民政府より宣布せられ、更に立法院に於て同年九月五日修正県自治法草案、同月十一日修正県自治法施行法草案が決

九五

議された。これに據つて憲政時期の県制が大体に於て明らかにされて来た。何故ならば、此等の草案は三民主義五権憲法の具体化して中國々民党が永い歳月を費して遂に成立せしめたるものであるから、中國々民党が将来の中國の政治上の中心勢力を保持する限り此等の草案は根本的な修正なく妥当するものと見るべき程度に達してゐるからである。

最後に県の名称に一言触れておくことゝする。県の名称は歴史上、地理上の縁由に因り與へられたものであるが故に従来の名称を襲用すること通例とした。然し省名と県名と同一のもの、其他混同し易きもの、不適当なもの等は国民政府成立以来漸次変更されて来た(7)。

（1） 各省政府、行政院直隷各市及び内政関係各部会の代表各一人、内政部々長、同次長、同司長、同簡任秘書、内政部選任の専門家五人及び首都警察廳々長が之に出席した。

(2) 各省民政廳長、各省公安局長、行政院直隷各市の公安、衛生、土地、社会局々長、行政院専員、内政部選任の各省自治籌備委員、国民政府

九六

直轄及び内政部所轄の水利機の各代表、内政関係の各部会の代表、内政部逆任の專門家 首都警察廳々長及び内政部部長、同次長、同参事、同署長、同司長、同簡任秘書が之に出席した。

（3）程懋型編、前掲、第八三一八六頁

（4）従来の区公所の経費は毎月最多なるものも百余元に過ぎず、少なきものは数十元である。この経費を以てしては行政の実績の見るべきものがない。然るに本大綱を実施するときは組織拡大され、甲種区は毎月三百九十一元、丙種区は毎月二百六十三元を要することゝなる。この財源は第一、省の合署公弁に因り節減したる経費の移譲を受け、第二、戒匪善後は各団体の経費の剰余を充用し、第三、従来の区公所の経費を襲用し、第四、省の教育補助費及び合作指導費を充用し、第五、区数の減少に因り節減したる経費を充用することゝした。

（5）区長の延期は三年とし 懲戒処分に依る外、交迭を命ぜられることなき保障を認めた。但し第一年の試署期間中の成績不良又は其才能が

九七

其職に堪えざるときは此限りでない（大綱一一條）。任期三年を経て成績優異の者又は任期中にても成績優越せる者は縣長に昇進し得ることゝした（同一六條）。

（6）程懋型編、前掲、第一一一—一一四頁

（7）「内政年鑑」（B）第六五一六八頁、各縣々名一覧表参照

二、縣政府の組織

従来、縣政府には二義があった。通常の意義に於ては縣長と其補助行政機関としての秘書、各科長、各科員等の總称に用ひられ、広義に於ては普通の意義に於ける縣政府と其各局を含む概念に用ひられた。然し撤局改科したる省に於てはこの両意義の成立の余地がない。

（一）縣長

民國十六年六月九日國民政府が中央執行委員会第百次会議の決議に依り縣政府に縣長制を統一的に採用して以来、歴次の縣組織法は皆縣長制を襲用し

九八

たが、其以前は縣により或は合議制の委員会を設け或は独任制の縣長を設き一致してゐなかった。

當初、縣長は省政府之を任命したが、十八年六月の修正組織法は省民政廳より有資格者二人又は三人を推薦し、其中の一を省政府が縣長に任命することに改めた。然し廿一年までの各省の縣長の任命は甚だ統一を欠いてゐた。この任命が漸く整備し初めたのは二十二年九月の修正以後である。

二十三年以後の縣長任命の順序は検査、登録、訓練、試署及び実授の段階を経る。各省に縣長検査委員会を設け、被検定者につき経験及び学歴を詢問し、この合格者に省政府より検定証書を下付し且之を民政廳に登録する。

この委員会の組織及び検定の方法は各省に於て制定し内政部に之を報告する從而、各省により同一ではない。例へば、多くの省に於ては特別の組織を設ず、省政府委員会が検定委員会を兼ね、省政府主席が検定委員長を兼任した。検定合格者は地方行政人員訓練所に入所せしめて必要の訓練を行ひ（縣行政人員訓練弁法大綱、廿三年八月四日行政院公布、同日施行）、訓練に合

九九

格したる者を縣長に試署（任期一年）し、試署期間満了して成績優良なるときは之を実授（任期三年）する[1]。試署及び実授は省政府より内政部を経て銓敍部の審査に付し、然る後國民政府に於て任命する。

この各省検定制度の外に、内政部登記法定合格縣長弁法（廿三年一月一三日行政院公布、同日施行）に依り内政部に於ても亦縣長の法定資格者を登録し、訓練、試署及び実授することゝし[1]、寧夏、甘粛、新疆、青海、察哈爾、綏遠の六辺遠省に之を実施し、成績を見て之を漸次全國に施行することゝした。斯して中國々民党の独裁権を推進せしむる手段に供した。

縣長たり得る資格は縣長任用法（廿一年七月廿日國民政府公布、同日施行、廿二年六月三日修正）に規定せらる。これに依れば縣長は三十歳以上の者にして考試に合格したる者又は学歴、経験が法定要件に適應したる者なることを要する（縣長任用法一條）。但し男女を問はない（訓政時期約法六條）。

然しこの任用資格の要件は民度の一般に低級なる中國に於ては徒らに高きに失し、殊に之を全國に一律に施行したるが故に辺遠省に於ては此要件に適

一〇〇

合する人材極めて少なく縣長任用法を運用することは殆ど不可能に陥った。故に忽ち、この要件の緩減が強く要請せらるゝに至った。中央政治会議第四百十五次会議はこの要請に應じたる決議をし、この決議に基づき行政院は二十三年九月一日補充縣長任用資格実施弁法を公布し、当分の間、縣長任用法を修正して縣長を任用することゝした。然し剿匪省以外の縣長につき資格要件を遙かに低下したが、剿匪省の縣長につきては一般よりも稍々其資格要件を高くし、実際の要求に副応することゝした。

試署期間中、成績不良の縣長は実授せられずして免官せらる（縣長任用法六條）も、実授任期満了して成績優良なる者は重任又はより高き等級の縣に昇任せられ得る（同一一條、縣組織法一一條二項）。而して実授されたる縣長は其任期中にありて依願又は縣の廃合なき限り、公務員懲戒法に依る懲戒又は刑事裁判に依るに非ざれば停職又は免官せらるゝことなき保証を有する（縣長任用法九條）。

(二) 秘書

民國十七年十二月の五省民政会議は縣政府応添設秘書員額案を決議した。この決議に基づき十八年の修正組織法は始めて秘書一人を置くことを規定した。これは縣政府が地方行政の枢紐であり且各局成立後に於ける公文の往復が激増して繁雑となつたが故に秘書の必要を痛感したからである(2)。更に裁局改科を実行したる縣に於ては縣政府の事務が益々繁忙と為つたので、尚ほ助理秘書一人又は二人を置き得ることゝ規定された。

(三) 各局及び各科

I 総説

各縣の局課制度民國十年頃の廣東省各縣が当時の広州市政府の組織——總務科の外に、教育、実業、財政、公安、工務、衛生の六局を置いた——を模倣したことを其濫觴とする(3)。

縣の局と科とは同一ではない。元来局は縣政府の所轄に存する独立の特別行政官署である。然るに科は縣長の補助行政機関で独立の行政官署でないから縣政府の内部組織に属する。然れども局科併合即ち裁局改科後に於

ては科のみ存し、局が消滅してゐる。

局科制度は清朝時代の幕友の風習を整序したものであるだけ、幕友の弊情は省制及び縣制の根蒂に強く伏在してゐる。それで局科及び局科員の数は自ら必要以上に膨脹する傾向を辿った。國民政府成立後、十七年の縣組織法は局科制度を成文化したるを以て各省の多くは分科設局を競ふに至つたこの時期を局科分設の始期と呼ばれた(4)。この弊情が漸く激化するに至りたるを以て二十一年十二月第二次内政会議は裁局併科を決議した。この決議は水害又は国難、（満洲事変を指す）対策の一端としての地方経費の節減要求に刺戟されて各省に於て裁局併科を実施することゝなった。この時期を局科合併の始期と呼ばれた(5)。

二十三年軍事委員長南昌行営は裁局併科の趣旨を一歩進めて剿匪省份裁局改科弁法大綱を公布したるを以て各省は裁局改科を実施することゝなった。この時期を裁局改科の始期と呼ばれた(6)。但し此三始期は各省により異なり且孰れの省も劃一的に励行したものではなかつたが、多くの省では両前

後して各々此等を実施に努めた。

局及び科の数並に其名称も各省各時期により異なり、一省中に於ても各縣につき亦異ってゐた。蓋し、局科分設時期に於ては一等縣は二科四局制を採るもの多く、二等縣及び三等縣に於ては経費と事務とが比較的僅閑なるが故に局科制度を採らさるか又は科のみを置くか若くは局科の数を僅少に制限し、局科合併時期（裁局併科時期）に於ては公安局を除くの外は科の数は各省各縣により異なり——例へば二十一年の山東省各縣は概ね三科制を採った——裁局改科時期（裁局為科時期）に於ては公安局の外に各省各縣は三科制を採るのが普通であった。

この局科合併の方法は公安局を除くの外は裁局併科即ち各局を撤廃して其事務を縣政府内の各科に合併することを原則としたが、猶ほ合署弁公の方法に依り局と局とを合併し又は科と科とを合併する縣もあった。裁局改科は従来の公安局を除くの外は局を一律に撤廃すると同時に従来の科を改

組拡充して三科制を採ることを原則とした。

Ⅱ　各局

国民政府成立以前に於ては局は普遍的に設置されなかったが、十七年十月十五日の県組織法は公安、財政、建設、教育の四局制を置き、必要あるときは省政府の認可を経て衛生及び土地の二局を置き得ることゝした。江蘇、浙江、広東の三省のみは土地局を設けたが、其他省は必設四局のみを設けた。十八年六月五日の修正県組織法はこの必設四局を縮少する必要あるときは省政府の認可を経て局を科に改組し得ると同時にこの必設四局のみで不充分なるときは省政府の認可を経て衛生、土地、社会、糧食管理の各局を設け得ることに改め、各地方の事情に即応し得る弾力性を与へた。然しこの弾力性は悪用せられ、県政の為に局の拡充増設となり且不統一性を加へる一途を辿った。

此処に於て内政部は十九年三月十四日県各局の組織法の名称は之を県局組織規程と称することに統一し、各局々長は主管省各庁及び県長の指揮監

一〇五

督を受け、各局の経費は県より支給又は補助することに定め、各局の職掌及び局長等の任命も総て県組織法に依るべきことゝし、更に同年六月には将来各県が各局組織規程を制定するときは江西省県政府各局組織規程に準拠すべきことを通達した。然しこの通達は殆ど実效を得なかった。即ち通達後と雖も、各局の組織は各省又は同一省に於ても県により甚だしく異つてゐた。故に、廿一年末には局科合併時期に移り、廿三年末より剿匪省を始め漸次他省にも裁局改科を行ふ時期に入った。

以下各局の組織につき概説することゝする。

公安局又は警察局、局に局長一人を置くことは共通なるも其内部組織は各省各県により著しく異なる。繁盛の県に於ては複雑であるが辺瘠の県に於ては簡略である。例へは繁盛なる県に於ては三課制又は二課制を採るも⑦辺瘠の県に於ては未分課制を採る。また、課又は科と称し、その名称も省、県により異ってゐる。この外に督察長及び督察員を置き、県を更に分区して公安分局（分局長一人、局員一人乃至三人、巡官一人乃至二人、書記二人

一〇六

又は三人）警察分駐所（巡官一人、書記一人又は二人）及び警察派出所（巡官又は巡長一人）を設けた。公安局所属部隊には警察隊、偵緝隊、消防隊があった。

公安局のみは裁局改科時期に於ても臨時特設機関として其存続が認められて来たが、廿五年十二月十六日、内政部は県警察機関組織暫行条例を公布施行して公安局を改組した。この条例に依れば全国の県を警察局設置県と警察局未設置県とに分ち、公安局を改めて県警察局とした。警察局を総務、行政、司法の三科に分ち、警察事務簡略なる県は二科制とした。而して従来の公安分局を警察署に改め、警察分駐所及び警察派出所は旧称のまゝとした。公安局に設けられてゐた警察会議――局長之を召集し、各公安分局局長を以て構成する――は従来通りに継承し、以て全県の警察事務の統一と改革を議すことゝした。

次に警察局未設県に在りては県政府内に警佐一人を置き、県長の命を承けて全県の警察の編制、訓練、派遣、考査、賞懲、槍械、装備の管理、勤

一〇七

務の配備、戸口、保安、正俗、消防、交通、衛生、農村痞棍の取締、違警処分、司法協助、保甲及び壮丁団の組織、訓練、指揮等を掌理することゝした。

財務局　局に局長一人を置き、其内部組織は三科制又は二科制若くは未分化科制を採り各省各県の繁瘠に因り異なる。各科には科長一人、科員一人乃至三人、事務員若干人を置く。本局に局務会議――局長之を召集し、財政局所属の重要職員を以て構成する――を設けた。

財政局は局科合併時期に於ては県政府第二科に合併せられ、裁局改科時期に於ては財政局の一部事務は同じく第二科に併属したが、別に経徴処、財務委員会、県公款公産保管委員会及び県金庫等を特設して財政局の事務を分掌せしめた。

建設局　局に局長一人を置き、其内部組織も亦各省各県により異なり四科制乃至二科制若くは未分化制を採り、各科に科長一人、科員一人乃至三人、事務員若干人を置き、本局にも他局と同様に局務会議を設けた。

一〇八

建設局は局科合併時期に於ては多くの場合に於て縣政府第三科に合併せられ、裁局改科時期に於ては教育局と合併して第三科に改組せられ、別に技士一人を増設して建設事務を処理せしめた。

教育局　局に局長一人を置き、其内部組織も亦各省各縣により異なり三科制又は二科制若くは未分科制を採り、各科に科長一人、科員一人乃至三人、事務員若干人を置き、別に局に縣督学一人乃至三人を置き、縣を更に分区して若干の学区と為し各区に教育委員一人を配し、本局にも亦局務会議を設けた。

教育局は局科合併時期に於ては縣政府第三科又は第四科に合併し、裁局改科時期に於ては建設局と合併して第三科に改組し、別に督学を増設して教育事務を処理せしめた。

土地局（地政局）　この局は必設機関でなく、地方の特殊事情に因り江蘇、浙江、広東、江西の各省の一部縣のみに特設されたが、其後廃止した縣もあった。局に局長一人を置き、其内部組織も亦各省各縣により異なり

四科制又は三科制を採り、別に清丈隊、調査隊を附設した。而して各科に科長一人、科員一人乃至三人、事務員若干人を置き、本局にも亦局務会議を設けた。

土地局は裁局改科時期は剿匪者以外の者も之を廃止することゝしたが、徹底するに至らなかった。二十六年三月に土地局は地政局と改称する方針を採ったが之も亦不徹底に終り依然として土地局と呼ぶものが多かった。

III　各科

民國二年に分科制を採り、國民政府成立後も、歴次縣組織法は縣政府の内部組織に之を継承した。呂忠未は國民政府成立以後の分科制を以て三期に分ちて説明してゐる(8)。

1. 局科分設時期の分科　民國十七年九月の縣組織法は一等縣は四科制、二等縣及び三等縣は三科制、三等縣は少くとも二科制を採るべきことゝした。十八年の修正縣組織法は之を改めて事務の簡繁に依り一科又は二科を設くることゝし、一科制のときは之を總務科と称し、二科制のときは

之を第一科、第二科と称した。この総務科及び二科は必設機関であったが、この外に非必設機関としての科があった。これは元来局であったものを縮少改組して科としたるものであった。然し四局又は五局が全部科に改められたものでもなかった。此の点は極めて随意的で不統一であった。従而、科名も依然として公安、財政、建設、教育等を以て呼び、第一科、第二科と呼ばなかった。この科数も亦局を科に改めたゞけあり、且その分掌事務も従来の局と同一であった。

非必設機関としての科には局以外の機関を縮少改組して科と為したものもあった。例へば、廿一年六月、甘粛省鼎新縣の縣公款委員会を財政科に、廿五年二月、広東省各縣の編練処を警衛科に改めたのは之である。

2 局科合併時期の分科　局科合併は嚮述した如く既存の局と局とを合併して一科とする場合——例へば廿二年十一月、察哈爾省の縣が教育、建設の両局を合併して第三科と為した——があり、局と科とを合併して一科とする場合——例へば廿二年十二月、河南省の縣公安局を第一科に合

併し、財政局を第二科に合併した——があり、科と科とを合併して一科とする場合——例へば廿三年十二月、河北省は三科制又は四科制を採る縣をして従来の第一科と第二科とを合併して新に第一科に改組した——があり得る。

3 裁局改科時期の分科　局科合併を以てしても猶は幕友の弊習は牢固として残存し、従来の局と科との事務は一体として融合せず、科長は単に局長の改名に過ぎざる観があった。茲に於て総ての科長を縣長の補助機関と為し、局の全部を科に吸収する為に先づ剿匪区より裁局改科を実施し漸次他省にも実施し得ることゝした。この時期の縣政府の内部組織は原則として三科制を採った。

（1）　但し曾って縣長二年以上に在職し且其成績著しく良好なるを以て奨叙を得たる者は試署を経ずして直ちに縣長に実授する（縣長任用法七條）

（2）、銭端升等著前掲、下冊、第五七七頁

（3）同前書、第五八一―五八二頁、李宗黄著「新広東視察記」等。

三等。

（4）銭端升等著前掲　下冊、第五七七頁

（5）同前書、第五七八頁

（6）同前書、第五七七頁

（7）民國十九年乃至廿三年の間に於ては広東、広西、浙江、湖南等は三科制を、江西、江蘇、四川等は二科制を、雲南、貴州、陝西、山西等は未分化制を採つてゐた。

（8）銭端升等著、前掲下冊、第五九〇―九五三頁

三　縣政府の権限及び分掌

（一）縣長

縣長は「親民の官」と称せられ、地方行政上最も重要なる地位にある。その権限は極めて広く、行政は勿論、立法及び司法に及ぶ。

Ⅰ　行政権

縣長は縣政――公安、財政、建設、教育及び職員の進退等――を綜理し、所属機関及び下級自治を監督し（縣組織法一一條二項、三條）、且完全なる自治縣を実現し以て憲政時期開始に備ふべき権限を有する。その中、職員の進退及び行政監督に関する権限につき稍々詳述することゝせう。縣政府の秘書、科長は民政庁の各局長及び公安局局長は省政府の認可を得て任命する（縣組織法一三條、一七條、一八條）。然し民國二十一年までは縣の行政人員は省政府の各庁より不統一に天降的に任命せられ、省長及び縣長は関知せざる場合が多かつた。故に第二次全國内政会議は先づ縣長が有資格者中より縣行政人員を人選し、省政府に具状して任命するやう改正することを要請し　廿三年以後は裁局改科を実施した省に於ては縣長の縣行政人員任命に関する権限が高められた。この被任用資格は縣行政人員任用條例（廿四年十二月七日國民政府公布）に規定せらる。縣長は尚ほ、区、郷、鎮長及び副郷、鎮長の任命につきても一定の権限を有する（縣組織法

三三條―三五條、四五條、四六條）。

縣長は所属機関及び職員を監督する権限を有する。縣行政人員が違法又は職を失くしたるときは、縣長は先づ停職を命じ臨時代行者を命じ、省政府の認可を申請して懲戒手続を採ることを得る（縣行政人員任用條例一二條）。

尚ほ区、郷、鎮長及び副郷、鎮長に同様の事由あるときは縣長は之を罷免することを得る。但し区長の罷免につきては省政府に具状することを要する（組織法三四條、四六條）。監督権の中、最も重要なることは巡視である。縣長巡視章程（十七年八月廿九日内政部公布、同日施行）に依れば、縣長は臨時に巡視する外、半年毎に一回所轄区域を巡視することを要する。この巡視は科長に代行せしめ得る。

Ⅱ　立法権

縣長は中央及び省の法令に抵触せざる範囲内に於て縣令を発し、縣單行法を制定することを得る（縣組織法五條）。但し縣参事会成立したる縣に

於ては縣單行法につき参事会に議案を提出し又は委任により立法することを得る（縣参議会組織法二〇條）。縣参議会につきては後に述べる。

Ⅲ　司法権

中國々民党及び國民政府は孫文の遺教、民族主義に基づき領事裁判権の撤廃を最も重要なる使命として来たが、蒋介石一派が独裁を恣にするに至りこれを忘れ徒に英米に嗾使されて抗日一色に凝まり遂に今次事変を惹起した。

此処に於て隣邦の覚醒を促すために領事裁判権の撤廃につき協助する旨を近衛声明は表示するに至つた。これは純正中國々民党的思想を有つ人々を動かす力となつた。然し中國は未だ直ちに領事裁判を撤廃すべき程度に達してゐない。司法権の独立さへ全國に普及されてゐない現状にある。即ち全國の縣の中、約二割のみが司法権の独立を有する法院の管轄内にある、も残りの縣は縣長が司法権を行使してゐる。

縣長の行使する司法権は之を二種に分ち得る。其一は普通司法権で　其

二は特殊司法権である。前者は北京政府時代の旧制を襲用したる縣長兼理司法制により、後者は縣長兼理特殊司法制により行使する

1. 縣長兼理司法制

民國元年の審検所の後身として民國三年四月五日教令第四十五号を以て縣知事兼理司法事務暫行條例（後に修正）を公布し、法院未設の縣に於ては司法事務を縣知事に委任して処理せしむることゝした（同條例一條）。之が縣知事兼理司法制である。即ち法院未設の縣に於ける第一審の民刑事訴訟法は縣知事之を審理する。

この審理は司法専門の承審員（一人乃至三人）に助理せしむることゝし、この事務処理の為に書記（一人乃至三人）、錄事（二人乃至三人）を置いた。承審員は一定の有資格者――司法に関する学識又は経験ある者、特定考試に合格したる者――につき縣知事之を人選して高等審判廳に具状して任命され、その訴訟手続は縣知事審理訴訟暫行章程（十一年三月三十日公布、國民政府准援用）に從ふ。縣知事の司法管轄区域は其

一一七

行政管轄区域とする（章程二條）。

この制度は國民政府成立後も、猶ほ援用せらるゝこと、為った。民國廿三年六月廿六日司法部は司法制度改善の一端として承審員訓練班章程を公布実施し、法官訓練所に承審訓練班を附設して承審員考試合格者を一年間入所せしめ司法事務を訓練することゝした。

二十四年九月の全國司法会議（司法院召集）は法院を設置するまでは次の原則により司法の充実を促進すべきことを決議した

(1) 承審員は之を審判官に改め且待遇を引上ぐること
(2) 審判官の資格は之を嚴定し且愼重に人選すること
(3) 審判権は完全に独立せしむべきこと

更に二十五年七月には法院未設の縣に縣司法処を開設した。これは北京政府時代の縣司法公署――民國十一年以後、各縣に漸設されたが多くは縣知事兼理司法制を採る――の後身と目すべき制度である。縣司法処は縣政府内に之を設け、縣長、審判官（一人乃至二人とし、二人以上在

一一八

るときは其中の一人を主任審判官と為す）及び書記官（二人以上を置くときは其中の一人を主任書記と為す）を置く（廿五年四月九日國民政府公布、縣司法処組織暫行條例三條、六條）。

審判官の資格要件は承審員よりも稍々高く、推事よりも稍々低い。この有資格者につき高等法院院長より司法行政部に具状して審判官に任命する。審判官は薦任とせらる（同條例五條）。書記官は縣司法処書記官任用條例に依り任用する。

縣司法処は左の事件を受理する（同組織暫行條例二條）。

(1) 民刑事第一審訴訟事件、但し法律に別段の規定あるときは此限りでない。
(2) 非訟事件

縣司法処に於ては審判官が独立して審判権を行使し（同條例三條）高等法院又は同分院の院長之を監督する（同條例一〇條）。縣長は單に司法処の検察事務及び行政事務を兼任するに過ぎない。この検察事

一一九

務は高等法院又は同分院の首席検察官の監督を受く（同條例一〇條、縣司法処弁理訴訟補充條例）。

國民政府は縣司法公署及び縣知事兼理司法制に代置するに縣司法処を以てせんとしたが、縣司法処は極めて僅かに開催されたに過ぎず、法院未設の縣の大部分は縣知事兼理司法制を採り、僅かな一部は縣司法公署を残存してゐる。故に縣司法公署に就ても言する必要がある。

縣司法公署は縣知事と審判官（一人乃至二人とし、二人以上なるときは其中の一人を監督審判官と為す）を置き、審判官が独立して専ら審判権を行使し、縣知事は之に干渉する権限なく、單に検察事務と行刑事務を掌処し、司法行政事務は特別規定なき限り審判官と縣知事とが共同に之を処理する。

縣知事は國民政府に至り縣長と改称したるにより縣知事兼理司法制は之を縣長兼理司法制と呼ぶ。

2. 縣長兼理特殊司法制

一二〇

法院未設の縣の縣長は上述の如く普通司法権――但し縣司法処又は縣司法公署の設置せらる縣の縣長の権限は異なる――を有する外に特殊司法を兼理する権限を有する。

民國二十三年十月、豫鄂皖三省剿匪総司令部は豫鄂皖三省剿匪総司令部加委各縣長兼本部軍法官暫行條例を公布し、河南、湖北、安徽の三省の剿匪区内の各縣の軍紀を整頓し且匪患を清除する目的を以て該各縣の縣長に軍法官を兼任せしむることを得ることゝした（同例一條）。

この條例に依り縣長が軍法官を兼任したるときは次の権限を有する

(1) 縣駐屯の部隊に属する兵士が外出して軍紀を守らず且社会秩序を擾乱したるときは之を糾正し、其状情重大なるときは拘禁して直属部隊長と剿匪総司令部に報告すべきこと（同條例二條、三條）。

(2) 不明の軍隊が各縣に逗留したるときは責任を以て之を調査し適宜の処理を為すべきこと（同條例四條）

(3) 左の一に該当するときは犯人を拘禁して審理することを得る（同條

一二一

例五條）

イ、赤匪、盗匪

ロ、非軍人にして軍事上の法令を犯したる者

ハ、地方の奸究にして治安を擾乱したる者

(4) 各部隊より移送し来りたる匪俘の審理を為すべきこと（同條例七條）。

以上の事件に対する判決及び執行にして剿匪総司令部軍法処の指揮を受くべきものなるときは剿匪総司令部の認可を得たる後に於て之を行ふことを要する（同條例六條）。

縣長兼軍法官が以上の審判事務を行ふ場合に於ては承審員及び書記を置き助理せしむることを得る（同條例八條）。

この縣長兼軍法官の制度は民國二十一年九月始めて実施された制度を拡張したものであるが、二十五年三月十八日に至り軍事委員会は更に之を改発拡張して各省行政督察員及縣長兼弁軍法事務暫行弁法を公布施行し、軍法機関に属する審判事件は軍事委員会より、(一)剿匪区内

一二二

の行政督察専員及び縣長、(二)剿匪区外の各省行政督察専員――但し既に縣長兼軍法官なる者は仍ほ存続して有効――に軍法官を兼任せしめて之を処理せしめ、(三)未だ軍法官を兼任せざる縣長には臨時に特種事件につき軍法官を兼任せしめ得ることゝした（同弁法一條）。

縣長及び行政督察員兼軍法官は管轄区域内の左の事件につき検察及び審判の権限を有する（同弁法二條）。

(1) 現役軍人にして刑事法令又は懲罰法令を犯したる事件

(2) 非軍人にして剿匪区内に於て軍事法令を犯したる事件

(3) 危害民國緊急治罪法を犯したる事件

(4) 剿匪期内審理盗匪案件暫行弁法を犯したる事件

(5) 修正剿匪区内懲治土豪劣紳條例を犯したる事件

(6) 禁煙禁毒各種法令を犯したる事件

(7) 其他法令に依り軍法機関の審判に属すべき事件

但し以上の(1)は之を報告したる後、授権ありたる場合に限られ、(3)

一二三

に属する犯人を剿匪部隊より移送し来りたるときは自己の管轄区内の事件に非ざることを理由として受理を拒絶することを得ない（同弁法二條）。

斯くの如く兼軍法官制度は剿匪区より剿匪区外の省に拡延せられ且直接軍事に関係なき犯人と事件とにまで拡張せられ、遂に訓政時期約法第九條に規定する「人民は現役軍人を除くの外、法律に依るに非ざれば軍事審判を受くることなし」は軍事委員会の立法に依り無視せられ、旧國民政府は近代的なる法治主義を渇望して法治主義を認めてゐない。

尚、軍法官を兼任せざる縣長と雖も、管轄区域内に軍法機関に属する事件が発覚したるときは緊急処分を為すことを得る。此場合は直ちに該管兼軍法官たる行政督察専員に詳報してその指図を俟つことを要する。この事件につきては縣長は検察官たる地位に就く（同弁法四條）。

而して縣長兼軍法官は軍法承審員及び書記を任命して軍法事務を助理

一二四

せしむることを得る。但し判決書には軍法承審員は副署し、兼軍法官たる縣長は之に署名捺印して其責任を表示する（同弁法一〇條）。

縣長は以上述べたる行政、立法及び司法の権限を有する外に、縣長は其他の法令により特別の権限が授與されてゐる場合が甚だ多い，例へば縣政会議の主席と為り（縣組織法二一條二項）、若し縣参議会が設けられたる暁にはその正副議長選定なきときは縣参議会を召集し（自治時期縣市参議会暫行組織弁法一九條但書）、縣参議会の決議を不当と認めたるときは覆議権を行使し（縣参議会組織法二〇條）縣参議員選挙委員会委員長と為り（縣参議員選挙法一〇條）

其他省縣の各種委員会又は会議に於ける当然の委員若くば会員又は主席となる。

(二) 秘書

秘書は縣長の命を承けて機要を弁理し、文書の整理、官印の典守、縣政会議に関する事項及び其他各科に属せざる事項を処理すべき権限を有する。

一二五

(三) 各局及び各科

I 総説

各局及び各科の権限は局科合併時期には拡大され、各科の権限は裁局改科時期には更に拡大且統一されて来た。然し各局及び各科の権限は各省各縣の事務の繁簡及び各局科の数の多寡に依り異なる。

II 各局

各局の権限の内容は各局により異なるも、各局局長は主管廰々長及び縣長の指揮監督を承け　全局の事務を綜理し且全縣の所屬機関及其所屬職員を指揮監督する権限を有する。

公安局　三科を採る縣に於ては第一科は全縣警察の編制、訓練、派遣、配置、職員、警長の考査、進退、昇降、賞懲及び出缺休暇、文書の收発、官印の掌管、文書の管理、豫算、決算、統計等の編纂、会計、庶務及び其他の科に属せざる事項、第二科は保安及び風紀の整飭、交通、戸籍、公共衛生、消防、森林及び漁猟の取締に関する事項、第一科は逮捕、偵査及び

一二六

違警処分に関する事項を夫々分掌する。然し二科制を採る局に於ては今述べた第二科と第三科との分掌事項を合して第二科の分掌事項とする。局科合併及び裁局改科の両時期に於ては公安局の分掌事項は多くの場合、縣政府第一科に合併されたが、繁盛の縣に於ては公安局は之を存続して来た

民國廿五年十二月十六日内政部は縣警察機関組織暫行條例を公布実施し公安局を改組して警察局を設置することゝした。然し警察局の権限は大体に於て公安局の其と殆ど変らない。

財政局　三科制を採るときは第一科は文書の收発及び作成　校正、官印及び文書の保管、職員の任免、考査、賞懲、田賦及び税捐に関する帳簿、告示票等の印刷、調製及び保管、縣公款公産の管理及び監督、公債の募集、臨時財務、会計、庶務及び其他の科に屬せざる事項、第二科は賦税の徴集調査、稽核、整理及び規劃、戸糧管理簿の整理、納税告示票の配布及び稽核、其他徴收に関する事項、第三科は財政統計、月報日報等各種の表の作製、各收入金の記入、縣地方予算決算の編制の審議、各機関の簿記整理に

一二七

関する事項を夫々分掌する。尚ほ局科合併及び裁局改の両期に於ける各科の権限の変遷につきては縣政府の組織の所で既に述べた。

建設局　四科制を採るときは第一科は文書の收発　作成及び校正、官印及び文書の保管、職員の任免、考査、賞懲、建設経費の支配、收支　査定及び予算決算の編制、統計表及び月報の作成、全局の会計、庶務及び其他各科に属せざる事項、第二科は道路橋梁の修築及び管理、航行業の管理及び取締、電気業の保護及び管理、水利工事の測量、調査、規劃及び設施、建築につき土地行政に属せざる測量、新市村の建築及び其他土木工事、運輸業団体の管理等に関する事項、第三科は農林、蚕糸、牧畜、漁業、鉱冶業の規画、奨励、保護、管理、益虫鳥の保護及害虫の防治、農村の改良、農民銀行及び合作社の管理、地質及び土壌の調査等に関する事項、第四科は商工業の指導、奨励、保護、管理、商品の検査、徴收、度量衡の検査、商工業の登記、商工団体の認可及び監督、労働行政等に関する事項を夫々分掌する。

一二八

教育局　三科制を採るときは第一科は総務即ち文書の収発、作成及び校正、官印、文書及び図書の保管、全縣の教育経費の収支、査定、予算決算の編制、教育建築物の修理及び保管、建築物設計の審査、読物及び郷土教材の編纂、教育統計材料の調査及び図表の作成、学校衛生及び其他各科に属せざる事項、第二科は学校事項、即ち党義教育の実施、各種学校課程の査定、訓育標準の制定、各校の編制及び費用の査定、教育の登録、教材及び教育設備、教育用品の審査、教師の任命、賞懲、児童の身心の検査、全縣教育能率の測定及び増進、学区の分劃、各種研究会の召集、学校法令の執行、学齢児童の調査、義務教育の計画及び進行、学校の設立認可及び変更、私塾の取締及び改良、学生参加社会運動の指導、学生就学及び上級学校進学の指導、教師の勉学及び其他学校教育に関する事項、第三科は社会教育事項　即ち民衆教育、民衆学校、体育場、運動会、其他民衆健康教育、科学教育館、職業補習学校、職業指導所、其他民衆生計教育、戯劇、音楽、読書、雑藝、民衆休閑教育、低能及び残廃者の特殊教育、感化教育、中小

学兼民衆教育、社会教育、教師の訓練、博物館及び其他社会教育に関する事項等を夫々分掌する。

尚ほ縣督学及び縣教育委員は共に教育局々長の命を承け、縣督学は全縣の教育事項を視察、指導し、縣教育委員は其学区の教育事務を処理することを権限とする。

土地局（地政局）　四科制を採るときは第一科は総務、第二科は測量、第三科は登記、第四科は調査に関する事項を夫々分掌する。三科を採る縣に於ては第四科の分掌事項は第一科四分掌事項に加ふる。

III　各　科

裁局改科を実施した縣に於て三科制を採るときは第一科は民政、公安に関する事項、即ち保甲、地方保衛、公安、衛生、社会救済、礼俗、宗教、公務の維持に関する事項、第二科は地方財政に関する事項、即ち予算決算の編制、徴収、公物公産の管理、会計、庶務及び其他財政に関する事項、第三科は建設及び教育に関する事項、即ち農、工、商、砿、森林、水利、

道路、橋梁、土地、農村合作、度量衡、著作出版、文化及び其他建設及び教育に関する事項を夫々分掌する。但し例外として四科又は五科制を採る縣に於ては今述べた三科制の各科分掌事項を第四科又は第五科に分配する。

此の各科の科長は縣長の指揮監督を承けて所轄各科の分掌事項を処理し且所轄機関及び其職を指揮監督する権限を有し、直接省廳長の命を承けざる縣長の補助機関としての権限を有するに過ぎない。尚ほ科長は法令の委任により縣の委員会の当然委員たる地位を有する。

四、縣政会議及び縣行政会議

(一)　縣政会議

縣政会議は民國十七年の縣組織法に依り始めて成立したる、縣政を審議することを目的として縣政府内に設けられたる合議機関である。この構成者は縣長、秘書、科長及び局長とする（縣組織法二一條一項）。

この権限は(一)縣の予算決算、(二)縣公債　(三)縣公産の処分　(四)縣公共事業の

経費及び管理　(五)以上の外　縣長が必要と認めて提出したる事項につき審議するにある（同二二條）。尚ほ縣政会議の議事規則も之を制定し得る（同二三條）。従而　議事規則は各省各縣の縣政会議により異なる。本会議の主席は縣長とする（同二一條二項）。

然し裁局改科を実施したる縣に於ては縣政会議は全く縣政府の内部組織となり、縣長、秘書、科長の縣政府職員のみにより構成せらるゝに至った。但し科員及び区長も縣長の命あるときは之に列席し得る。

尚縣に縣参議会を開設したるときは縣政会議の議決事項が同時に縣参議会の決議事項なるときは其決議したる案を更に縣政府より縣参議会に提出して決議に付することを要する。然し縣長はこの縣参議会の決議案が不当なるときは其理由を附して覆議（再議）に附することを得る。この覆議に於て三分の二以上の賛成を以て原決議案と同一の決議を為したる場合に於て縣長が猶ほ之を不当と認めたるときは縣公民の複決に付することを得る（縣参議会組織法二〇條）。この複決制度が未だ成立してゐないときは上

級機関の裁決を仰ぐべきことを得ると解釈せらる(1)。

(二)　縣行政會議

縣行政会議は縣に属する政務の促進を審議することを目的とする縣政府内外人員の綜合組織に成る会議である。この構成者は縣長、科長、局長、区長、地方団体の首領、縣長の選任したる地方の公正なる紳士及び民政庁の派遣したる人員とする。本会議は毎年二回、縣政府之を召集し、縣長はその主席と為り、副主席一人は会議構成者中より互選する。

会議の議案は、(一)縣長、(二)出席者　(三)各地方団体（建議の形式に依り且会員三人以上の連署紹介を要する）より提出せらる。

(三)　縣政会議と縣行政会議との相異

この相異は庁務会議と庁行政会議との相異と同様であるが故に此処に畳述を避ける。

（1）　解釈縣政会議及縣参議会職権（広東民政庁指令第一四七二号—「広東省政府公報」二一年一二月一六日）

五、縣諸委員会

(一)　総　説

中國は委員会叢生の國である。縣にも極めて多く、最も多い縣に於ては二十余種の委員会が存し、全縣の各種委員会の委員の定員は合計百余人に及んでゐる(1)。惟ふに、一般に民度高く政治思想の普及してゐる國に於ては委員制の長所を発揮し得るも、現在の中國は民度低く「人民の政治的智識及び能力が猶ほ幼稚である。教育統計に據れば、文字を多少でも解する者は僅かに人口の百分の二に過ぎず、政治的訓練を受け其智識及び能力が政権を運用するに足る者は更に僅かに百人中一人二人を出でない。之より観るときは人民は尚嬰児である。だから保母又は監護人を必要とする」と論じ、中國々民党の愚民政策を擁護してゐる(2)。特に教育の普及なき田舎又は辺遠の縣に於ては政治上の人材は極めて稀に見る所である。また地方人材は中央省の官吏、教師及び諸委員会に吸収せられ縣の官吏及び諸委員会に残された地方人材は益々僅少を極めてゐる。従而、数人の地方人材が多くの縣委員を兼任し、専

門家に依り構成せらるべき委員会の種類が多いにも拘らず、委員会の能率が低級たらざるを得ない現状にある。また、元来、政務多端なる縣長が地方人材缺乏の為に総ての諸委員会の主席を兼任するが故に之に費す時間多く、議多くして執行能力之に及ばざる有様にある。他方、各地方の土豪劣紳が委員の名に於て利己を満足する為めに縣政に干渉し、社会一般の福利を破壊し、縣政の促進を防碍することを稀とせない。尚ほ縣委員会及び其委員の数が甚だ多いことは縣諸委員会経費を膨脹せしめ、多きは数万円に上り、少きも数千円に及び、収入少き縣財政に採っては一大問題である。斯るが故に、合署弁公、局科合併、裁局改科の趣旨に應じて縣諸委員会の廃合が多少進行されて来た(3)。

(二)

縣諸委員会の組織、権限及び名称も各省により異なるも、之を常設委員会と非常設委員会とに分けることを得る。

常設委員会

I　縣禁烟委員会

縣禁烟委員会は各省市縣禁烟委員会組織通則（廿五年六月三日國民政府公布）により成立し、全國の各省市にも各級委員会が存する（同通則二條）。本委員会は五人乃至七人の委員より構成せられ、其中三人を常務委員とする（同三條）。この権限は次の如く定められる。

1　縣政府の処理する禁烟禁毒事務につき督促、監察、検挙、糾正、計画、調査、認可　建議を行ひ且國民政府軍事委員会禁烟総会の命を承けて委任事務を執行する（同五條）。

2　禁烟事務を執行する官吏の不正行為ありたる場合之を糾正、検挙する（同一〇條）。

II　縣土地評判委員会

本委員会は必設機関でないから之を設けざる縣が多い。其組織も亦省により異なる。湖北省では縣長、承審員一人、指導員二人、主管科長一人、地方紳士四人より構成せられ、縣長を以て其主席とする(4)。その権限は地権に関する争執の裁定、地価の評定及び登記、土地測量につき発生したる

争議の裁定、縣土地行政機関の委任又は諮問事項につき処理又は回答すべき事項等に存する。

Ⅲ　財務委員会

本委員会は或は財政委員会(5)或は公款公産保管委員会(6)と称せられ、その権限も亦各省により異ってゐた。然し裁局改科後の剿匪省に於ては縣財政局の分掌事項の一部を財政委員会に賦與し、且従来の管理各款産、稽核経済等の委員会並に其他の財政経済機関をも一律に廃止して之を財務委員会に吸收することゝした（剿匪区内整理縣地方財政章程一三條）。本委員会の委員は一等縣十一人、二等縣九人、三等縣七人とし、縣政府の財政主管科長を当然委員とし其他の委員（任期一年）は縣長より各団体及び各区の名望の士を任命することゝした（同章程一四條）。

本委員会は縣長の監督を承け、縣の地方財政及び一切の縣公款公産を処理し（同一三條、二〇條－二二條、二七條、二八條）、縣政府の編制したる予算案及び其他財政行政につき左の各号の建議を為すことを得る。但し

一三七

縣長は財政委員会の建議を俟たずして直接に之を処理することを得る（同一六條一項）。

1. 縣地方歳入の各金錢、例へば田賦附加、田畝附捐及び各種雑税捐の整理等に関する事項
2. 各種が偏重、零細、重複の諸税捐の免除、併合に関する事項
3. 各種懲税捐の情弊の改善に関する事項
4. 不必要又は節減し得る縣地方歳出の撤廃又は縮減に関する事項

右建議につき縣長は之を査定し、若し採用し難きときは建議書に理由を附して省財政廳の指令を仰ぐことを要する（同一六條二項）。

尚ほ本委員会は毎月上旬、前月の縣收支表を作成して縣政府の査定に付し（同一七條）、若し増税の必要を認めたるときは其弁法案を作成して縣政府に建議し、縣政府は更に之につき各団体の意見を徴求し、増税案を財政廳を経て省政府に認可を上申することを要する（同一八條一項）。

Ⅳ　建設委員会

一三八

本委員会は概ね、縣長及び建設主管科長又は主任を当然委員とし、縣党部選出委員及び縣長選任委員等五人乃至十人を以て構成せらるも、省により必ずしも一致してゐない。然し一般に縣長を以て委員会主席とする。

本委員会は建設計画、各種建設事業の調査、縣政府の交付したる案及び地方公私団体又は個人の建設に関する事項の審議、籌劃、監督、建設経費の保管、縣建設関係の予算及び決算の査定、縣建設に関する紛糾の裁定等につき権限を有する。其常会は少くとも一個一回開催すべきことゝされてゐた。

本委員会に於て決議したる事項は総て縣政府の査定を経て執行するも、其関係する所重大なるときは建設廳の認可を経て執行すべきことを要する。裁局改科の影響を受けて従来の建設に関する各種委員会は之を纏めて設建委員会に合併する方針とされた。例へば江蘇省浙江省等は之を実施した。

Ⅴ　縣義務教育委員会

本委員会は民國廿四年六月十四日教育部公布の実施義務教育暫行辦法大

一三九

綱及び同施行法に依り各省に設置された。其組織は各省により大同小異であるが、概ね縣長、教育主管科長、督学一人を当然委員とし、財政委員会委員一人及び縣長選任委員三人乃至五人を加へて構成せられ、縣長を以て其主席とする。

本委員会は全縣の義務教育の推進計画の立案、縣義務教育経費及び上級政府の義務教育補助費の保管及び其使用の監督、義務教育経費の豫算及び決算の査定、義務教育処理成績を評定することを権限とする。

本委員会の常会は毎月一回開催し、委員会の決議案は之を縣政府より教育廳の認可を経て執行する

Ⅵ　其他の委員会　各省各縣に依り同じくはないが、保衛委員会、設計委員会、労工教育委員会、文献委員会、糧食調剤委員会、衛生委員会等がある。

(三)　非常設委員会　特に臨時清郷善後委員会

非常設委員会は臨時に特定事業遂行の目的を以て組織せらる委員会である。この種の委員会も尠くないが、戦時下にある現在に於て参考となるものは民

一四〇

國廿一年十二月豫鄂皖剿匪総司令部公布の剿匪内各縣臨時清郷善後委員会組織大綱（廿二年九月修正）に依り成立したる臨時清郷善後委員会である。

本大綱の施行区域は所謂剿匪区で、江西、福建、湖北の南方地方とし、本大綱施行後は既の清郷善後処置に関する団体を一律に撤廃し、許可なしに再設を認めさることゝした（大綱一五條）。但し本委員会を其施行区域の縣に設置すべきや否やは專ら該縣駐屯の最高級軍事長官に於て之を決定する（同一七條）。

本委員会は共産党匪の患害を受けたる縣の清郷善後処置を為すことを目的として縣政府、縣党部、保衛団体、公法上の各団体及び縣駐屯軍隊より派遣されたる代表各一人並に縣長が地方の名望の士より選任したる若干の委員により構成せられ、縣長を以て委員長とし、縣駐屯最高級軍事長官を以てその指揮監督機関とする（同二條三條）。而して縣長選任委員中より常務委員三人乃至五人を指定して常務を執行せしめ、縣内の優秀人員を本委員会の幹事とすることを得る（同四條）。

一四一

本委員会委員を適宜に綏査、宣撫、建設、財務の四級に分ち、其中の一人を各組主任と為し、委員長の命を承け、該組一切の事項を処理せしむ（同五條）、その各組の分掌事項は次の如く定められた（同六條）。

1. 綏査組　剿共義勇隊の組織、訓練、見張台の設置、小匪賊の捜索、戸口調査、匪情偵察、農村状況及び逃散の調査に関する事項

2. 宣撫組　宣伝、講演、安撫、投誠（帰順）、流亡者の喚集及び賑済等に関する事項

3. 建設組　碉堡、構築、電話の架設、道路及び橋梁の修築等に関する事項

4. 財務組　清郷善後処置等の経費の籌集に関する事項

以上の事項に関する弁事細則は各委員会に於て之を定め（同一五條）、委員長に於て清郷善後處置に関する事項及び其関係法令上会議又は研究検討を必要と認めたるときは臨時会議を召集し又は講習会を開催することを得る（同七條）。会議の定足数は委員の三分の二以上とせらる。この決議案は縣

一四二

駐屯最高級軍事長官の認可を経て執行する（同八條）。講習会は委員会の会議又は工作に適応したる時期を見て委員長又は招聘したる講師が委員に必要なる智識を與へ、各種工作の要領を取得せしむるために開催する（同九條）。

剿匪軍事工作進展期間中は委員又は幹事若干を数班に編制して軍隊に随伴して前進せしめて逐次新に收復したる地区を接收し、其地駐屯の軍隊と共同して清郷善後処置事務を執行し且工作の進展に従ひ輪番に之を継続進行せしむることゝした（同一〇條）。

本委員会の経費には各該縣の紳士の寄附金及び匪産（共産党匪の財産）を以て之に充当し、特殊事情あるときは補助金を下附する途を開いた（同一三條）。

（1）　銭端升等著、前掲、下冊第六〇五頁第六一一條

（2）　謝瀛洲著「國民政府組織研究」第三頁

（3）　銭端升等著、前掲　下冊第六一一頁

（4）　「内政年鑑」　民政篇（D）第一七一頁

一四三

（5）　民國廿一年雲南省はこの名称を使用

（6）　民國廿二年甘粛省はこの名称を使用

六、縣参議会

(一)　総説

清朝末より民國十年過ぎ頃までの革新又は革命の基本的指導原則は地方自治と憲政とを即時に実施し次で近代國家を建設するにあった。

然し之は中國の政治智識と能力とを等閑に付し、中國の史的必然性と可能性を無視したる非科学的楽観論者の観念論に過ぎなかった。

孫文も亦、彼の青年期に於て、この観念論の急先鋒であったが、諸失敗の結果、漸く民國十三年四月十二日には之に醒め、革命の指導原理としての三民主義五権憲法の実現段階即ち革命の程序を軍政、訓政、憲政の三時期に分ち、漸進主義を採るに至り（建國大綱五條）。且一省内の全部の縣が完全なる自治に達したるとき即ち縣議会が開設せられたるときを以て憲政開始の時

一四四

期とした（同一六條）。

この憲政への発足としての地方自治は清朝末に於ては清朝の延命の為に、民國の初に於ては北方軍閥のために、國民政府成立後は國民党乃至蒋介石一派のために或は積極的に或は消極的に利用されて今日に及んだが、今猶ほ前途遼遠である。

民國三年の始までは清朝末の地方自治制度を継承し各省に虚名無実の縣自治機関が設けられたが、三年二月袁世凱は之を撤廃した。然るに六年頃より自治復興の要望が強く成り、遂に八年九月八日縣自治法が公布されたが、未施行に終り、九年九月より十三年八月の間は聯省自治の要求が地方軍閥により主張せられ、所謂省憲時代と為り(1)各省に縣自治單行法が続生することゝなつた。然し、之を実施永く継続したものは僅かに広東省一省に過ぎなかつた(2)。國民政府成立するや、憲政時期への過渡機関として十七年の縣組織法は縣参議会を設置することを規定した（縣組織法三條）。

次に第一次全國内政会議の決議に依り縣参議会の成立と区長の民選と区同

一四五

時に実施する為に十八年に縣組織法第二十七條を修正し、廿一年には逐漸に内政部は省自治籌備委員会組織法及び其附属法令を公布し、自治籌備委員会の成立を意図し、廿一年八月十日國民政府は縣参議会組織法及び縣参議員選挙法を公布し、同年十二月には地方自治の完成を促進する目的を以て第二次全國民政会議を開催し、縷述したるが如き決議をした。廿三年一月内政部は縣参議会を同年十二月までに完成することを令じ、翌二月二十一日には改進地方自治原則を公布し、翌三月三日各省縣市地方自治改進弁法大綱を公布し縣官治行政の改革推進即縣自治完成推進なることを規定し（同大綱一條二條）、同年八月十一日には行政院は扶植自治時期縣市参議会暫行組織弁法を公布したが僅かに廿四年一月後に於て雲南省一省のみが省の全縣に扶植自治時期の縣参議会を設置したに止まり、貴州省、甘粛省及び察哈爾省は僅か数縣に之を設けた。斯くの如く、民度極めて低い辺遠地方のみに僅かに成立を見たが剿匪、其他の事由により今次事変前に既に夫々廃止された。然し広東省のみは二十年より今次事変まで縣参議会を継続して来た。

一四六

斯くの如く、地方自治は中央政府が微弱なるとき民心收攬の方法としてその促進を急くも、中央政府が稍々強力となるときは單に辺遠省を中央化する手段として利用することを忘れないが、中央政府の独裁制を確立するためには地方自治の後退を意図された。蒋介石も、その独裁的勢力を強化するために剿匪省より次第に全國の省に自治萌芽を芟除したことは縷述した所である。要するに地方自治と憲政は清朝末より蒋政権に至るまで愚民政策の具に供せられたことを知ることが出来る。特に縣参議会は孫文の縣議会、憲政開始へと繋ぐ過渡機関とする名の下に愚民政策の具に利用された。

（二）

縣参議会の組織と権限

縣参議会は民選の参議員を以て構成し、其任期は三年とし、毎年三分の一宛改選することゝした（縣組織法二五條一項）。然しこの任期の三年は長きに失し、毎年三分の一宛改選は事実上困難と云ふ理由を以て廿一年八月十日公布の縣参議会組織法第六條は任期を二年に短縮し、毎年一部改選を廃することゝした。

一四七

縣参議は（一）縣の予算決算及び公債募集の決議、（二）縣單行規則の議決、（三）縣政興革の建議（四）縣長の提出したる議案の審議することを権限とする（同二六條）、この設立の時は区長民選の時とせらる（同二七條）。

（1）　十年九月九日宣佈の浙江省の九九憲法、同省会議の起草したる三色草案、十年十一月省会議を通過したる広東省の憲法草案、十二年の四川省憲草案及び其他等がある。

（2）　銭端升等著、前掲、下冊、第六四四頁注（四）

第五　市制

一　総説

民國十七年五月中央政治会議第一三九次会議は國民政府法制局の起草したる市組織法案を審議し特別市設定につき意見を加へた。國民政府はこの意見に據り特別市組織法（三七個條）及市組織法（四二個條）を同年七月三日公布施行

一四八

した。斯くて中國の市は始めて特別市と普通市の二種となった。

この両市組織法は施行早々、自治精神の缺乏、市参議会の権限の過小の非難を受け遂に官弁市政の悪評を得、且行政系統上の缺点をも有つと批評された(2)。十七年末の第一次全國民政会議は普通市の地位を縣と同等にすべきことを提案した。

十九年二月十二日、中央政治会議は市組織法原則六項を通過せしめ、この原則に基づき立法院に新に市組織法の起草せしむることゝした。この原則を次に掲ぐることゝする。

1、各市は均しく所在地地名を以て某市と称す。

2、次の條件の一を具備するものを市とするときは行政院に直隷せしむ。

甲、首都の所在地

乙、人口百万以上のもの

丙　政治上、経済上、特別事情あるもの、但し乙丙の孰れか一の條件を有するものは省政府の所在地に在らざるものに限る。

一四九

3、次の條件の一を具備するものを市とするときは省政府に隷属す。

甲　人口三十万以上のもの

乙　市の收入たる営業税、牌照費、土地税の一個年の合計が市の総收入の二分の一以上を占むるもの、

4、市は上級政府の認可を経て社会、財政、工務、公安、衛生、教育等の局を設け得る。

5、行政院直隷市の市長は簡任、局長は簡任又は薦任とし、省政府隷属市の市長は簡任又は薦任とする。

6、市に市参議会を設く。

立法院は以上の六原則に基づき自治法起草委員会及び法制委員会をして共同起草に當らしめた。斯くて成立した市組織法(一四五個條)は十九年五月二十日公布施行された。之が旧國民政府の現行市制である。

(1)　銭端升等著、前揭、下冊、第七三〇頁

一五〇

二、市の種類と権利能力の範囲

民國十九年の市組織法は市を行政院直隷市と省政府隷属市の二種とした。両市共に人民聚居せる地方とし、其他の條件は今述べた市組織法原則2及び3と同じ。但し省政府隷属市の乙種の條件に人口二十万以上が加へられた。この両市の標準は我が日本に比して極めて高きに失し、農業社会である中國に在りては特に然りである。

この市組織法の施行に依り、従来の市は行政院直隷市、省政府隷属市及市たる資格を喪失したるものとの三つに分たれた。南京、上海、天津、青島、漢口の五特別市が行政院直隷市と為り、北平及び広州が省政府所在地なる理由に依り省政府隷属市に降落し、其後漢口も省政府隷市に改められたが、北平は省政府を天津に移して行政院直隷市に昇格した。

これに依って天津は行政院直隷市たる資格を喪したが、後に省政府を保定に移して行政院直隷市に復活した。而して蘇州、無錫、安慶、鄭州、開封、寧波梧州、江門、海口等は相前後して市たる資格を喪失した。斯くて事変前に於け

一五一

る行政院直隷市は南京、上海、北平、青島、天津、西京の六市、省政府隷属市は広州、汕頭、漢口、武昌、杭州、南昌、九江、成都、済南、蘭州、貴陽、長沙、包頭、昆明、廈門の十五市であった(1)。

市の権利能力は中央及び上級機関の法令に抵触せざる範囲内に於て左の事項を処理し得る範囲内に存する(市組織法八條)。

1、戸口調査及び人事登記
2、育幼、養老、済貧、救災等の設備事項
3、糧食儲備及び調節事項
4、農工商業の改良及び保護事項
5、労働行政事項
6、造林、墾牧、漁猟の保護及取締事項
7、民営公共事業の監督事項
8、合作社及び互助事業の監督事項
9、風俗改良事項

一五二

10. 教育及び其他文化事項
11. 公安事項
12. 消防事項
13. 公共衛生事項
14. 医院、菜市、屠宰場及び公共娯楽場所の設置及び取締事項
15. 財政収支及び予算決算の編制事項
16. 公産の管理及び処分事項
17. 公企業の経営管理事項
18. 土地行政事項
19. 公用房屋、公園、公共体育場、公共墓地等の建築、修理事項
20. 市民建築の指導及び取締事項
21. 道路、橋梁、溝渠、堤岸及び其他公共土木工程事項
22. 河道、港務及び船舶行政管理事項
23. 上級機関の委任事務の処理事項

一五三

24. 其他法令の定むる市の処理事項

（1）「内政年鑑」民政篇（B）第一三七頁－第一五一頁

一五四

三、市政府の組織及び権限

（一）総説

市政府は全市の行政事務を処理する執行機関で、市長、秘書長又は秘書、各局科長及び諸職員より構成せられ且市政会議を有する。然し市政会議は現段階に於ては決議機に代へ重要機関であるが故に廳処務会議及び県政会議と同様に別に述べることゝする。

（二）市長

市長は市政府の長官――行政院直隷市市長は簡任、省政府隷属市市長は簡任又は薦任）で（市組織法一三條）、任期に関する規定がない。市長の権限は全市一切の行政を綜理し且所属機関及び自治団体を監督するにある（同一一條）。

今全市一切の行政に関する権限を列挙すれば次の如くである。

1. 法令に抵触せざる範囲内に於て市令を発し、市単行法を制定する（同一二條）
2. 市政府を代表する
3. 市政府の秘書長、各局科長及び職員を指揮監督する
4. 市政府の職員の任免、賞懲に関する権限を有する
5. 市政会議を召集し、其主席と為る（同二六條）
6. 市参議会に対する提案権及び覆議請求権を有する（同三〇條）
7. 上級機関の委任事項及び其他法令に依る事項を処理する

（三）秘書長又は秘書

秘書長は秘書処の長官にして市長の命を承けて秘書処の分掌事を処理し且所属職員を監督する。市長簡任の市には秘書長（薦任）、市長薦任の市には秘書（薦任又は委任）とする（同一九條）（1）。而して秘書長及び秘書には任期に関する規定がないが実際上は市長と進退を伴にする。

一五五

秘書処は公文、庶務及び其他各局科に属せざる事項を分掌する。擬定市政府組織規則弁法大綱（廿三年七月廿八日行政院公布）第六條に依れば秘書処は分科制を採らざる筈であるが、実際上は多くの市に於ては分科制を採用してゐる。

（四）各局科

市政府の内部組織に於ける第一級分掌機関は局であるが、公安局を除く各局を綜理する必要あるときは科に改め得る（同一七條）。尚ほ擬定市行政組織規則弁法大綱第六條は従来の局は之を科に改むべきことを規定したが、之も不徹底に終り、寧ろ依然として一般に局の侭となつてゐる。

市政府の局は必設局と非必設局とに分たる。

I　必設局　この種の局には次の四種がある（市組織法一四條）。

社会局　市の権利能力の1乃至10の事項を分掌する。

公安局　市の権利能力の11乃至14の事項を分掌する。但し首都及び省政府所在地の市に於ては之を設けず、首都警察廳及び省会警察機関に於て其

一五六

分掌事項を掌理する（同一六條）。

財政局　市の権利能力の15乃至18の事項を分掌する。

工務局　市の権利能力の19乃至22の事項を分掌する。

Ⅱ　非必設局　この種の局は市に必要あるときは上級機関の認可を経て設け得るもので、次の如き局がある（同一五條）。

教育局　市の権利能力の10の事項を分掌する。

衛生局　市の権利能力の13及び14の事項を分掌する。

土地局　市の権利能力の18の事項を分掌する。

公用局　市の権利能力の7及び17の事項を分掌する。

港務局　市の権利能力の22の事項を分掌する。

各局に局長一人（行政院直隷市局長は簡任又は薦任、省政府隷属市局長は薦任又は委任）を設き各局の分掌事項を綜理し且所属職員を監督する。各局は多くの市に於ては分科制を採る。

（１）　市長薦任の市に於ても秘書長を置くものもある。

一五七

四、市政会議

市政会議は應処務会議及び縣政会議と其性質を同じくする。これは民國十九年の市組織法に依り成立したる、市政を審議することを目的として市政府内に設けられたる合議機関である。

この構成者は市長、参事、局長又は科長とせらる。但し市参議会が成立したる後に於ては市参議員互選を以て代表三人乃至五人を市政会議に出席せしむることゝなつてゐるが、本時期には之までに達してゐない。尚ほ秘書長又は秘書は市政会議に列席し得る（市組織法二四條）。

市政会議は毎月少くとも一回常会を開催すべきことゝ規定されてゐる（同二六條）が、実際上、多くの市は毎週一回程度常会を開いてゐる。市長は市政会議を召集し、其主席と為る（同條）。市政会議の権限は、（一）秘書処及び各局科の弁事細則　（二）市單行規則　（三）市の予算及決算、（四）市の財政收入の整理及び市公債の募集　（五）市公産及び公営事業の経営、（六）市政府各処局科の権限争議の裁定　（七）市長の提案　（八）其他重要事項に関する決議を行ふにある。この決議の

一五八

市長に対する拘束力は應処務会議及び縣政会議の其と同じ。

五、市諸委員会

市にも常設又は非常設の諸委員会が極めて多いが、その数は縣よりも多い。此等についての分設は縣諸委員会と重複するものが多いから此処では之を省くことゝする。然し、委員の物色は縣地方よりも文化程度が高いだけ、縣よりも多少容易である。

六、市参議会

（一）総説

市参議会は縣参議会と其性質を同じくする。之は市が自治団体と成りたる場合に於ける過渡的決議機関である。民國十七年の特別市組織法では市成立後一年内に國民政府の認可を経て設置すべきものとしたが、十九年の市組織法では区長の民選と同時に成立すべきものとした（同二九條）。

一五九

次に廿一年四月内政部は市参議会組織法及び市参議会議員選挙法を起案し、この両草案は行政院会、立法及び中央政治会議の審議に付した。立法院自治法起草委員会はこの内政部原案に據り、中央政治会議の定めた立法原則により此両法案を制定し、國民政府は同年八月十日之を公布し、廿二年三月十二日之を施行することゝした。此両法により從来の市組織法は修正されたと解すべきである（１）。

然し、この両法は直ちに施行し得ざるにより、内政部は縣制の所で述べた如く廿三年には各省縣市地方自治改進弁法大綱、改進地方自治原則（同年八月修正）が公布せられ、市議会議員の民選を以て自治完全の時期即憲政開始の時期とした。市参議会も亦縣参議会の其と同じ運命におかれた。

（二）市参議会の組織と権限

市参議会は市参議員選挙法に依り市公民より直接選挙せられたる市参議員より構成せられ（市組織法二八條一項）、市参議員の定員は人口二十万の市では十五人、二十万以上の市では人口五万毎に一人を増員する（市参議会組

一六〇

織法四條、五條）。　其任期は市組織法第三條では三年ー毎年三分の一宛改選ーとなつてゐるが、市参議会組織法第六條及び扶植自治時期縣市参議会暫行組織弁法（以下、扶植自治弁法と略称）第五條では一年と修正された。

市参議員は元来全部民選であるが、扶植自治時期の間は民選と官選とが併行せらるべきことゝした。但し官選参議員は参議員定数の半数を越え得ない（扶植自治弁法三條、修正改進地方自治原則要点之解釈一二條、一三條）。

市参議会は正副議長各一人（任期一年）を互選し（市組織法三二條）、書記長一人乃至三人を置く（扶植自治弁法一二條）。

市参議会は議長、副議長之を召集し、この正副議長の互選なき以前に於ては市長之を召集する（同一九條）。この常会は毎年二回（会期三週間以内）開かれ、臨時会は議長に於て必要と認めたるとき又は市参議員五分の一の請求ありたるとき（会期二週間以内）開かる（同二一條）。

市参議会の権限たる議事事項は次の如く定めらる（市参議会組織法三條）

1. 置長民選の籌備及び市自治事項の完成に関する事項

一六一

2. 市単行規則に関する事項
3 市の予算決算に関する事項
4. 市の財政収入の整理、市公債の募集及び其他市民の負担増加に関する事項
5 市の公産及び市営事業に関する事項
6 市民の生計及び救済に関する事項
7 市の教育の促進及び其他文化に関する事項
8 市公民の創制権行使に依り提出したる議案
9. 市長の提出したる議案
10 其他興革すべき事項

これ等の議事事項は第一中央法令の執行に関する議案、第二、市長の提出したる議案　第三、市参議会員の提出したる議案　第四、市公民が創制権行使に依り提出したる議案の順序に依り議事日程に上すべきものとする（市参議会議事規則一〇條）。

一六二

市参議会は市長、局科長の列席を求めて報告及び説明を為さしめ得る。

市長は市参議会の決議を執行することを要する。この執行が為されず又は不当なるときは市参議会は上級機関に之が裁定を請求することを得る（市参議会組織法一九條）。之と反対に市長に於て市参議会の決議案を不当と認めたるときは覆議（再議）を請求し得る。この覆議に於て市参議会員三分の二以上が原決議案を可決したるときと雖も猶ほ市長に於て不当と認めたるときは市公民の複決に付することを得る。但し扶植自治時期に於ては複決の代行として該管上級機関の裁定を請求することを得る（同二〇條）。

（1）　地方自治の完成に於ける基本問題の一つは縣、市公民及び公民権の規定である。故に未だ一般に実現に至らないが、此処に市公民と市公民権とに触れて置く。

市公民は満廿歳以上の中華民國人民にして男女を問はず、市域区に継続して一年以上居住し又は二年以上住所を有し、宣誓登記を経たる者を言ふ。但し次の一つに該当するときは公民たることを得ない

一六三

（市組織法六條、市参議員選挙法五條）。

1. 反革命行為の判決が確定したる者
2. 貪官汚吏、土豪劣紳の判決が確定したる者
3. 公権を褫奪せられ今尚は復権せざる者
4. 禁治産者
5. 鴉片又は其代用品を吸用せる者

公民は区民大会、坊民大会を構成し、自治法規の定むる所に従ひ選挙、罷免、創制、複決の権を有する（市組織法六條一項一文、市参議会組織法二一條ー二三條）。但し公民は市参議員の被選資格につき次の制限を受く（市参議員選挙法三條、四條）

1. 満二十五歳以上の者
2. 初級中学以上の学校を卒業したる者
3. 自治訓練に合格し、其証書を有する者
4. 曽て職業団体の職員に一年以上任したる者

一六四

ら、道で地方の公益事務を処理し、成績著しき者
次に公民と雖も次の者は選挙権及び被選挙権が停止せらる（同五條）。
1　現任の本市区内の公務員
2　現役軍人又は警察官
而して次の者は被選挙のみが停止せらる（同五條）。
1.　現任の小学教職員
2.　現在学校に就学中の者
3.　傳道及び其他宗教教師

第六　縣の下級組織

一、總説

縣及び其下級組織を自治団体と為し、國及び省の行政事務を委任して執行せしめんとする方針は清朝末以来の一貫せる理想であった。

然し一般人民の政治智識及び経験が遙かに自治制を運営する程度に達せず、特に「建國大綱」に言ふ完全自治は現在に於ても遠い彼方にある目標であらう、人心収攬の飾具としては相当に效果を得るものであった。

國民政府成立前に於ける縣の下級組織はその最初は日本を模倣した山西省の自治制を採択した村制（民國十一年公布実施）を全國に一律に取扱ふことゝした。この村を自治単位とする劃一主義の自治制は言ふまでもなく殆ど有名無実に陥り、地方の土豪劣紳の私利に利用せらるゝ程度の效果しかなかった。区制も民國七年頃実施されたが村制と同等の結果であったと見てよい。

斯の如き有様であったから、各省に於ては其省に応じて夫々、自治制を勝手に制定する不統一時期が十七年九月十五日縣組織法（國民政府公布）の実施せらるゝまで続いた。其時期に於ては雲南が十三年七月に暫行村自治條例を、江蘇省が山西省の村制に倣ひ十六年七月に各縣村制大綱を、浙江省が十七年五月村里制を夫々公布実施した。

これ等の各省村里制は國民政府の縣組織法の実施により改組すべき運命におかれた。その縣組織法に據れば、縣の下に区、区の下に村里を組織し、村里を分ちて閭と為し、閭を分ちて鄰と為し、自治の重心を区と村里に求めた。而して一縣の区数は之を若干と為し、一区の村里数は少くとも二十箇村里と規定した。

村は百戸以下の郷村地を指称し、里は百戸以上の市鎮地方を指称した。閭は五十戸より成り、鄰は五戸より成る。

次いで十八年六月五日、この縣組織は修正されて、村を郷、里を鎮と為し、一区を二十乃至五十郷鎮に改めた。更に十九年七月七日再修正せられ、一区を十乃至五十郷鎮と為し郷鎮は多くとも千戸を越えざるものとされた、而して区自治施行法は十八年十月二日、郷鎮自治施行法は同年九月十八日に公布を見たが孰れも同年十月十日雙十節を期して施行された。然し之は現実に即せざる施行期日で、区、郷、鎮は民主主義の極端に走る区制、郷鎮制の実施期に未だ遙かに達しなかった。それで十九年七月七日この両施行法は修正せられ、其施行期日は縣自治完成の日までと改められた（各施行法一條二文）。然し縣自治完

成の日は未だらずして今次事変と為った。ことは言ふまでもない。

民國廿一年十二月第二次内政会議の議決案に據れば、縣の下級組織である区、郷、鎮、閭、鄰の組織は各省の事情を斟酌して存廃することを可とした。但し少くとも二級制、多くとも四級制と為し、其組織の名称も各省に於て決定することを得る。この決議案は事実を合法化する主旨であった。当時の縣の下級組織は省により区々で、縣組法通りでなく、また自治は僅か一部の省の一部の縣に極度なものが施行されてゐたが一般的には全く此等は官治機関と言ふべきであった。二十三年の改進地方自治原則の実施により縣の下級組織は自治への過程として多くの点に於て変更された。

改進地方自治原則に據れば、縣の下級組織を次の系統図甲又は乙に改め、二級制又は三級制とした。但し特別の事情あるときに限り省政府の認可を経て三級制を認めることゝした。約言すれば、区制は原則として廃止することゝ規定した（修正地方自治原則要点之解釈七條）。而して省政府の認可を経ずして存置する区は総て之を独立の行政官署又は自治体なることを認めず、單に縣の補

助行政機関とすることゝした（同八條、五條）。

区統系

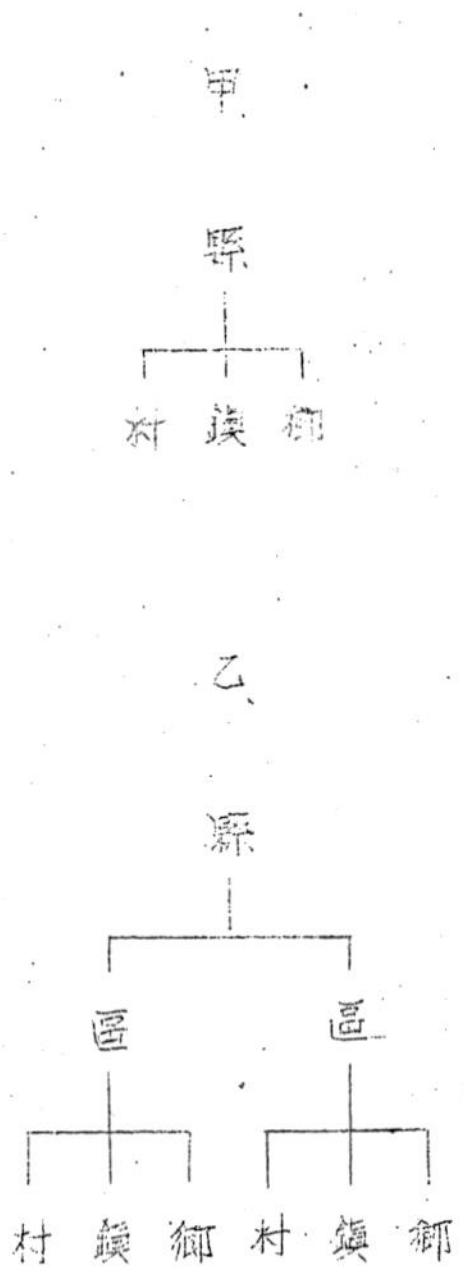

郷、鎮の下級組織である閭、鄰は地方政府に於て事情を斟酌して変通して存置することを得るも自治団体として之を認めざることゝした（同六條）。

尚ほ豫鄂皖三省剿匪総司令部は二十一年八月、剿匪区内各県区組織法を公布実施し、剿匪と党化の速效を期すために剿匪区内に新に区公所を設置したが之は県長の官治上の補助行政機関として設けられたと解すべきである。更に二十三年十二月、南昌行営は剿匪省份各県分区設署弁法大綱を公布し、河南、湖北、安徽、江西、福建の五省に施行し、他の省も之を採択施行することを得ること

一六九

とした。故に陝西、甘粛、四川、貴州等の省も逐漸に採択することゝなった。この区署は従来の区公所と同様に県長の官治上の補助行政機関と認むべきものである。

二十一年六月、剿匪区内に保甲制を採用した。これは支那古来の制度の復活で、戸を以て単位と為し、戸に戸長を設け、十戸を甲、十甲を保と為し、甲に甲長を、保に保長を置いた。保甲は治安の維持を主たる目的とする自衛組織で官治上の補助行政機関で、郷鎮の如く直接自治団体の完全を目的とせないが、保甲制度を通して自治訓練を施し党化政策を識らす識らすの間に実現する手段に利用されてゐた。

二、区

(一)　総説

民國十七年以後の県組織は建國大綱第十八條により県を自治単位とする方針を採ると同時に区をも自治団体とする方針を採った。然し県と同様に事実

一七〇

上は自治団体として成立せしめることを得ず、区は県の下級行政官署に過ぎない。故に既述の如く修正地方自治原則要点之解釈に於ては区は原則として自治団体たることを否定した。

区が自治団体として成立するには区公民の規定(1)及び区民大会、区調解委員会、区監察委員会等の籌備開設を要する。

(二)　区民大会

区民大会は区公民により組織せらる。その権限は区長の選挙及び罷免、創制、複決を行ふにある。その主席は本大会に於て選任し（区自治施行法一九條一項二文）、決議は過半決に依る（同一八條）。区民大会は区長之を召集する。常会は毎年一回開催せられる（同二一條）が同大会は各郷、鎮に分場を設け、同時に開催し得る特色を有ってゐる（同一九條一項一文）。その会期は六日以内とせらる（同二二條）。

(三)　区公所

区の執行機関を区公所と呼ぶ。之に区長（一人）、助理員（若干人及び区

一七一

丁（若干人）を置く。

区長は区長民選以前即ち自治制実施以前は民政庁に於て訓練考試合格者中より之を任命する（県組織法三三條）。然し区長民選の時期即ち自治制実施期は省政府に於て県組織法施行後一年を経て該県の事情を参酌して之を定む（同三二條）。民選区長は区民大会之を選任し（同二九條）、之を有給職とする。任期は官選たると民選たるとを問はず一年とする（区自治施行法三三條、三四條）。区長に違法又は職を失しくしたるときは官選区長は県長の呈状に因り省政府之を罷免し、民選区長は区監察委員の提案により区民大会之を罷免する（県組織法三四條、三〇條）。

区長の権限は1.一切の区自治事務の管理（同二八條）、2.区自治施行法第二十六條に掲ぐる廿一の事項の執行、3.区務会議の主席と為り、会議の召集（同三七條二項）、4.区務会議に予算決算案を提出（区自治施行法三七條）5.区民大会に対する区政経過報告（同三七條）、6.県政府及び該管司法機関に対し区調解委員の調停不能事件の報告（同四〇條）、7.法令及び自治法規

一七二

に違反したる区民の処置（同三九條）　8、所属職員に対する指揮監督又は任免に関する事項（同三〇條、縣組織法三五條、三四條）等に存する(2)。

区助理員は区長の命を承け区務を処理することを権限とし、其定員及び任免は区公所より縣政府に具状して定めらる（区自治施行法四條　縣組織法三五條）。其任用資格は区自治施行法第四三條に列挙せらる。

(四)　区務会議

区務会議は縣行政会議と其性質を同じくする。その構成者は区長、区助理員及び区所属郷鎮長とし、其主席は区長を以て充つ。会議は区長により召集せられ、毎月少くとも一回開会する（縣組織法三七條）。この権限は区公所の経費、区産の処分、区規程及び其他単行規則の制定及び修正に関する事項を審議する（同三八條）外、区長官選時期に於ては区調解委員を任免し、区長民選時期に於ては区監察委員の請求に因り区調解委員の職務を停止し、区民大会の決議を経て之を罷免することを得る（区自治施行法三〇條二項）。

一七三

(五)　区諸委員会

区にも多くの委員会があるが、此処では縣組織法及び区自治施行法上の委員会二つにつき述べることゝする。

I　区調解委員会

区調解委員会は調解委員若干人により構成せらる調解機関である。この委員の半数は区公民中より選任し、残の半数は各郷鎮調解委員中の互選に依る。区公民中よりの選任の方法は区長官選時期に於ては区務会議之を選挙し、区長民選時期に於ては区民大会之を選挙する。但し区長、区監察委員及び所属郷鎮長はこの被選資格がない（区自治施行法二九條）。

区調解委員会は民事調解事件及び法に依り訴を取下げたる刑事調解事件にして未だ郷鎮調解委員会に付せられたことなきもの又は調解に付せられたが其調解に不服なるものにつき調解する。但し民事調解は当事者の同意あることを要し、刑事調解は一定の制限に依り被告人の同意を得て始めて調解を開始することを得る（同二八條）。

一七四

II　区監察委員会

区監察委員会は区公民により選挙したる監察委員又は七人により構成せらるゝ区自治の監督機関である。但し区長民選後に於て始めて設置する（区自治施行法五二條）。其常会は毎月一回開会し、本委員会主席により会議は召集せらる。この主席は当選順序に依り委員が開会毎に輪番する。但し臨時会は前会議の主席が之に当る。その会議の定足数は過半数とし決議も過半決に依る（同五三條）。

区監察委員会は区の財政を監督し（縣組織法三一條一号）、何時にても区公所の帳簿及び金銭、其他の財産を調査し（区自治施行法五四條）、区公所の収支及び事務執行につき不当と認めたるときは何時にても縣政府に糾正を請求することを得（同五五條）。区長が違法又は職を失くしたるときは自らに於て区民大会を召集して糾弾することを得る（同五六條）。

以上の二つの委員会は裁判の簡捷と公務員の腐敗防止を目的とする制度であるが、一般人民に法律智識と政治訓練の低級な中國に於ては実現は困

一七五

難であった。この実現を見に今事変に入った。

(1)　区公民は郷鎮公民と一致してゐるが年齢を異にする郷鎮公民は二十歳以上なるも区公民は廿五歳以上とせらる（区自治施行法五條六條、十七條）。

(2)、区公所と縣公安分局との権限の衝突は屡々繰返された。之を解決する為に民國二十年六月十六日内政部は各縣区公所與公安分局劃定事権弁法を公布した。

三、郷鎮

(一)　総説

郷鎮は共に区の直接下級組織である。区の設置なき省に於ては縣又は設治局（後述）に直属する。百戸以上の村荘地方を郷と為す。但し百戸未満の各村荘は之を併合して一郷を編制し得る。而して百戸以上の街市地方を鎮とする。但し鎮の戸数は千戸を越へ得ない（縣組織法七條）。この戸数を標準と

一七六

して御鎮（村里）の区域を決定する。然し原則として従来の御鎮の区域に依る（御鎮自治施行法四條）。

御鎮は之を完全なる自治団体とする方針であるが、一部の省の一部の御鎮を除いては自治団体の性質よりも遥かに官治機関として認識すべきものである。特に保甲制が全国に漸次実施せらるゝに及び御鎮の自治制への進行の停止され、保甲制の発展の中に新に自治制が生れ出るが如き状態にあった。

御鎮が自治団体として成立する為には御鎮公民の規定(1)及び御鎮民大会御鎮調解委員会、御鎮監察委員会等の籌備開設を要する。

(二) 御鎮民大会

御鎮民大会は御鎮公民により構成せられ、其権限は区民大会と同様である（同七條一項）。

(三) 御鎮公所

御鎮公所は御鎮の執行機関で、之に鎮長（一人）、副御鎮長（一人）及び職員（若干人）を置く。

一七七

御鎮長及び副御鎮長は廿五歳以上の御鎮公民たることを要する（同一一條一二條）。而して区長官選時期に於ては御鎮民大会か正副御鎮長候補者（各二名）を選挙し、其中一人を区公所より県長に具状して正副鎮長を任命し、区長民選時期に於ては御鎮大会之を選挙する（同一六條、県組織法四四條）。正副鎮長は区長（有給職）と反対に名誉職とせらる。

御鎮長の権限は区長の下級組織である点を除けば区長の其と殆ど変らない。副鎮長は我が国の助役に相当する。

(四) 御鎮諸委員会

御鎮にも多くの委員会があるが、県組織法及び御鎮自治施行法上の委員会は御鎮調解委員会、御鎮監察委員会の二つである。此両者は区の其と大体に於て同じ。

(1) 御鎮公民たるが為めには本御鎮区域内に一年以上居住し又は二年以上住所を有したる二十歳以上の中華民国人民（男女不問）にして一定の手続を経て御鎮公所に宣誓、登記を経たることを要する（御鎮自

一七八

治施行法七條一項、八條一一〇條、御鎮公民宣誓登記規則）。但し(一)反革命行為ありたる者、(二)貪汚官吏、土豪劣紳の確定判決ありたる者(三)公権を褫奪せられ復権に至らざる者、(四)禁治産者、(五)鴉片又は其他の代用品を吸用せる者は御鎮公民たる資格がない（御鎮自治施行法七條二項）

四、閭鄰

(一) 総説

閭鄰は御鎮の下級組織であるが、閭は御鎮の直接の下級組織であり、鄰は閭の下級組織である。県組織法及び御鎮自治施行法に於ては区、御、鎮と同様に完全なる自治団体たらしむる方針であるが、その目的に達し得ず、殆ど御鎮の補助行政機関たる程度を出ず、且つ保甲制の実施により完全なる自治への進行を停止して今次事変となった。

閭は御鎮内の二十五戸を以て組織せられ、鄰は同じく五戸を以て組織せら

一七九

る（県組織法一〇條）。但し閭が廿五戸以上に増加し又は十五戸未満に減少したるとき、鄰か七戸以上に増加し又は三戸未満に減少したるときは、御鎮公所は毎年閭長、鄰長の任期満了一箇月前に改編すべきものとする（御鎮自治施行法六六條）。

閭鄰には閭鄰居民会議及び閭鄰長なる機関がある（県組織法四八條）。

(二) 閭鄰居民会議

閭鄰には決議機関として各戸の代表者に依り構成せらるゝ閭鄰居民会を有する。この召集は閭鄰長に依り行はる（御鎮自治施行法六八條）。但し閭鄰長に於て之を召集する能はざるときは御鎮長に於て之を召集する。如何なる会議たるとを問はず、會議の主席は総て該会議の召集者を以て之に充つ（同六七條六九條）。

この会期は一日とし（同七〇條）、會議の定足数は過半数、決議は過半決とする（同六七條一項）。

閭鄰居民会議は閭鄰長の任免、法令の範囲内に於て一切の自治事務に関す

一八〇

る決議を行ふ（縣組織法四九條－五一條、御鎮自治施行法七四條二項、七一條）。

（三）閭鄰長

閭鄰に閭鄰長（各一人）を置き、閭鄰の執行機関とする（縣組織法四八條）その任免は閭鄰居民会議の決議に依る。其任期を一年とする（御鎮自治施行法八三條一文）。但し違法又は職を失しくしたる場合に限り罷免することを得る（同條二文）。

閭鄰長は法令の範囲内に於て一切の自治事務、閭鄰居民会議の決議事項及び上級機関の委任事務を処理し、経費の収支、事務処理の経過を夫々監督機関及び委任機関並に閭鄰居民会議に報告すべきことを要する（同七四條－七七條・八二條）。

五、保甲

保甲は純然たる官治上の機関で、その組織の大略は既述した、國民政府が保

一八一

甲を復活した目的も概述した。保甲は剿匪工作に於ける四政策——軍事工作、宣撫工作、経済封鎖、保甲実施——の一として利用されて最も切実なる效果を経済封鎖と共に発揮したるにより剿匪区内より出で、全国に漸次採用せらるに至つた。之に依つて区、御鎮の自治への進行は停止されたことも既に述べた。

一八二

第七、市の下級組織

一　総説

市組織法は市区域を区に、区を坊に、坊を閭に、閭を鄰に分ち、夫々の区域に区、坊、閭、鄰の自治団体を為し、上級機関の行政事務を委任して執行せしめんとする方針で、建國大綱に言ふ完全自治を目標として自治を促進することとしたが、大体に於て縣の下級組織と同様の運命を辿つた。即ち、市組織法附則は本法施行後三箇月内に区、坊、閭、鄰を分劃し、完全自治を実現する方針を定めたが、この規定は殆ど市政の飾具と化し、実現すべくもなかつた。それで民國二十三年五月内政部公布の修正改進地方自治原則要点之解釈に據れば、区は原則として自治団体に非ざることゝし、坊公所も之を撤廃し、坊、閭、鄰も亦自治団体たることを得ずと規定し、此等は保甲に改編すると規定した。斯くて市の下級組織は当然自治団体たる性質を認めざることゝし、現実に即して悉く之を市の各級補助行政機として市に吸收することゝした。然し縣の下級組織につき述べたる如く、市の下級組織が如何なる完全自治を目標としてゐるかを把握するために市組織法に依る各級組織につき併述べることゝする（市組織法一四四條参照）。

二、区

（一）総説

市組織法は区を完全なる自治団体とする方針を樹立したるにも拘らず、市の補助行政機関（区公所）のまゝに今次事変に入つた。区は十坊より組織せられ、完全自治実現の暁には区公所の外に区民大会、区民代表会及び区監察

一八三

委員を設置せらるべきことゝした。

（二）区民大会

区民大会は市公民を以て構成せられ、選挙、罷免、創制、複決の四権を行使することを権限とする区自治団体の機関である（市組織法三六條）。従而区民大会は内政部の認可を経て区長民選実施行、即ち区自治開始後に開設すべきものとする（同三五條）。それは毎年一回区長より召集する（同三八條）。

（三）区民代表会

区民代表会は区民大会の代表機関である。従而、区長民選実施後に開設せらるべきである。区民代表会の成員は区民大会に於て区公民より之を選挙する。この成員即ち代表者は各坊につき二人とし、毎年一分の一を選挙し、其代表が違法又は職を失くしたるときは各坊に於て之を罷免することを得る（同六三條）。

区民代表会は各代表の互選に依る其主席を選任する（同六三條）。区民代表会の権限は次の如くである（同六五條）。

一八四

1. 区の予算決算の審査
2. 市政府又は区公所の提出したる議案の審議
3. 所属坊公所の提出したる議案の審議
4. 代表者の提出したる議案の審議
5. 其他必要なる事項の審議

区民代表会は其主席之を召集し、臨時会――区長若くは主席に於て必要ありと認めたるとき又代表者の三分の一より請求ありたるとき召集――の外に、三ヶ月一回の常会を開き、其会期を十日以内とする（同六七條）。区民代表会には区長、区監察委員及び所属各坊長之に列席し得る（同六六條）。

(四) 区公所

区公所は区長官選時期は市の補助行政機関であるが、区長民選即ち自治実施行は区自治団体の執行機関である。区公所に区長（一人）、助理員（若干人）が置かる。

区長官選時期に於ては市長の具状に依り行政院直隷市区長は内政部之を任

一八五

命し、省政府隷属市区長は省政府之を任命する（市組織法四九條）。この官選区長が違法又は職を失しくしたるときは一定の手続を以て市政府は内政部又は省政府に罷免を請求することを得る（同五〇條）。第一代官選区長は就任後、一年以内に坊民大会を召集し、坊公所を設置することを要し、区内の坊に坊公所が完全に成立したる時より六箇月に於て内政部は視察員を派遣して調査し合格したるときは区長の民選が認可せらる（同五一條）。民選区は区民大会により選挙せらる。彼が違法又は職を失しくしたるときは区民大会に於て之を罷免する。其任期は一年とする（同四五條）、官選区長は有給職民選区長は名誉職とせらる（同五四條）。

区長の権限は次の如く定めらる（同四二條）。

1. 区民大会及び区民代表会の決議の執行
2. 区の予算決算案の編制
3. 区の収支、公款公産及び公企業の管理
4. 上級機関の委任事務の執行

一八六

5. 其他法令に依る事項の処理

助理員は公民中、特に一定の資格を有する者より区長に於て人選し、市政府之を任命する。その権限は区長を補佐して区務を処理するにある（同五五條、五六條）。

(五) 区監察委員

区監察委員会は二人の委員より成り、其委員は区民代表者間に於て互選せらる。其任期は一年とする。この委員に違法ありたるときは区民代表会は之を罷免する（同七〇條）。

この委員会の権限は区民代表会閉会中、之に代って区政を監察するにある。故に若し左の一に該当するときは区民代表会主席に通知し、区民大会を召集して適当の処置を審議せしめることを要する（同七一條）。

1 区公所の収支が予算と符合せざるか又は其他の情弊ありたるとき
2. 区公所が区民大会又は区民代表会の決議の執行に力めざるとき
3 区長又は区助理員に違法又は職を失しくしたる事実ありたるとき

一八七

三、坊

(一). 総説

坊は区の下級組織で、市組織法は之を完全自治団体とする方針であるが、区公所と共に市の補助行政機（坊公所）のま、を以て今次事変に入った。坊は二十閭より組織せられ、完全自治の暁には坊公所の外に、坊民大会、坊調解委員会及び坊監察委員会が成立する。

(二) 坊民大会

坊民大会は坊公民より構成せらる。其権限は次の如くである（市組織法七三條）

1. 坊長及び其他の職員の選挙及び罷免
2. 坊の単行規程の審議
3. 坊の予算決算案の編制
4. 坊公所の提出したる議案の審議
5. 所属各閭鄰又は公民より提出したる議案の審議

一八八

6. 其他法令に依る事項の審議

坊民会の主席には坊長を以て充つ（同七五條）。坊長は臨時会の外、毎年二回常会を召集する（同七六條）。

(三) 坊公所

坊公所も市区公所と同じく区長の官選時期と民選時期により其性質を異にする。

坊公所に坊長（一人）を置く。坊長民選時期に於ては坊民大会に於て一定の有資格者を坊長に選挙する。この坊長は名誉職であること言を俟たない。坊長の権限は次の如くである（同七三條、八三條、七九條、九八條、八〇條）。

1. 坊民大会の決議の執行
2. 坊の予算決算の編制
3. 坊の収支、公款公産、公企業の管理
4. 上級機関の委任事務の執行
5. 其他法令に依る事項の処理

一八九

尚ほ坊公所は単独又は聯合して小学、國民補習班及び國民訓練講堂を設置し（同八三條）、学齢児童に小学教育を授け、十二歳以上の文盲男女をして四年以内――毎週少くとも十時間――の國民補習班又は一年半――毎週少くとも四時間――國民訓練講堂に於て補習教を授くることを要する。補習教育の主要科目は(一)中國々民党々義 (二)自治法規、(三)世界及び本國の大勢 (四)本市詳情とせらる（同八四條）。

(四) 坊諸委員会

坊の委員会中、市組織法上の委員会は坊調解委員会と坊監察委員会である。この両委員会の権限は縣の下級組織としての区に於ける其と異なる所がない。但し坊調解委員会の委員（三人又は五人）は坊民大会之を選挙及び罷免するが、坊調解委員が違法又は職を失しくしたるときは坊監察委員は先づ坊公所に其職務の停止を請求して行はる（同八一條、八二條、一〇二條―一一〇條、一一七條、一一三條）。

一九〇

四、閭鄰

閭は坊の、鄰は閭の下級組織で、共に戸を単位として組織せらること猶ほ縣の下級組織としての閭、鄰につき述べたる所と大体に於て同じ（同一二〇條以下）。

五、保甲

縣の官治上の補助機としての保甲と同様の組織を採る。修正改進地方自治原則要点之解釈ありてより漸次、坊、閭、鄰の自治への発展を中止して保甲に改編された。然しこの改編は全國の市に徹底してゐなかった。

第八、設治局

中國は各地方に依り人口の密度、民族、経済、政治、慣習、其他文の質量を著しく異にする。このことは同一の省に就ても言ひ得る所である。故に全國に

一九一

就ては勿論、同一の省に於ても縣制を一律に同時に施行することが不可能なる省を尠しとせない。

斯る事情に即応する為に、従来より特殊の諸行政組織――例へば臨時行政委員会、招墾局、屯田局、某局、設治委員会、土州、土縣等――が主として辺遠地方に多く存在してゐた。これ等の錯雑せる特殊行政組織を統一して漸次縣制を実施する経過的制度を定立する為めに、國民政府は民國十六年二月設治局組織條例を公布施行した。従而、この條例に依り設置されたる設治局は適当の期間の後には縣制に改組すべきであった（同條例一條）。

設治局の設置廃合及び其区域の劃定は省政府に於て立案し、内政部、行政院を経て國民政府の認可により決定する（同二條）。「内政年鑑」に據れば、現在の設治局は全國を合計して四十三あるが、其中満洲國の分を差引けば三十であり、國民政府成立前に設置されたものは僅かに二つで、他は全部、國民政府成立後に設置されたものである。雲南省は設治局の数量も多く、合計十四に及んでゐる(1)。

一九二

設治局の長官を局長（一人、薦任）と呼ぶ。局長は省政府の指揮監督を承け、管轄内の行政事務を処理する（同三條）。而して中央及び省政府の法令に抵触せざる範囲内に於て局令を発布し、單行規則を制定することを得る。但し單行規則及び重要局令は省政府の認可を経ることを要する（同四條）。

局長は民政廳に於て薦任公務たり得る有資格（公務員任用法三條、五條、六條）を人選し、省政府の議決を経て任用する。但し斯る資格は可成り高い理想的なる標準であるが故に、特に設治局を経過的に設置せざる可らざるが如き文化程度の低級なる辺遠地方には元来人材極めて少く、又文化程度の高い地方より文化程度の低級なる辺遠地方へは人材を迎へることは事実上困難である。こゝに於て局長物色難を痛感するに至りたるを以て、局長の任用資格を左の如く低下して局長の物色を容易ならしむることゝした（同條例五條）。

1. 中華民國人民にして満三十歳以上の者
2. 中等以上の学校を卒業者又は行政事務を三年以上処理したることある者
5. 党義に明瞭なる者

一九三

4. 其他の事情を熟悉せる者

尚ほ設治局には佐理員を置き、局長を補佐して区務を処理することを其任務とする。その定員及び任用弁法は民政廳長に於て立案し省政府の認可を経て之を定む（同六條）。従而、佐理員の定員及び任用弁法は各省につき異なる。

(1)「内政年鑑」(B)第一〇三頁、各省設治局変更数目表

第三節　今次事変後、現行地方行政組織

第一　總説

民國二十六（昭和十二）年十二月十四日華北に臨時政府成立し、翌二十七（昭和十三）年三月二十八日華中に維新政府成立したる前後、皇軍占領区域の各地方に大小多くの治安維持会が組織された。これ等の治安維持会を改廃統合する為に臨時政府は二十七年三月二十三日省公署組織大綱、道公署組織大綱及

一九四

び縣公署組織大綱を、同年四月二十五日特別市公署組織大綱及び市公署組織大綱を公布し、之に継ぎ維持政府は二十七年五月二十八日省政府組織條例を、同年六月二十八日道組織條例及び縣公署組織條例を同年十一月十五日特別市組織條例及び普通市組織條例を公布し、総て即日施行することゝした。この両政府の公布したる各級地方政府組織法は大同小異で、軍事及び治安工作の進展に即応し得るやう弾力性を與へたる所に特徴を見出すことを得る。

二十九年三月國民政府還都の形式を以て更生するや、中央政治会議第二次会議を通過した臨時政府及維新政府之名称廃止及其善後方法案に基づき華北政務委員会を設置し臨時政府の政務を継承して中央の法令を遵守せしむることゝすると同時に維新政府の政務は之を中央政府に接収することゝした(1)。

次に中央政治会議第三次会議を通可したる対重慶政府善後方法案に基づき国民政府還都後、重慶政府に依りて為されたる対内及び対外の各種の法令及び條約、協定、契約は総て之を無效とする旨を宣布し、更に中央政治会議第二次会議を通過したる國民政府還都前法令応如何適用及修訂案に基づき廿九年四月十

一九五

二日還都前法令適用及修訂要綱を國民政府訓令（府文秘訓字第一三号）を以て全國の行政司法各機関に通令した。之に依れば、民國二十六年十一月十九日以前に施行したる一切の法令を適用することを以て準則とする（同要綱一條）。但し還都以前の國民政府の法令にして現行政綱（後述）と相容れざるものは行政院及び立法院に於て政綱に遵照して速かに修正する（同三條）こと、規定された。従而、民國二十六年十一月十九日までの國民政府の一切の法令は継承せらるゝこと、なったが、新國民政府政綱と相容れない條項は之を修正し且つ其政綱と相容れざるものに非ざるも不適当なるものは之を改廃することゝした。故に既述の旧國民政府時代の各級地方行政組織法は修正せられざる限り現在に妥当することを明かにした。

(1)「最高法院年刊」第三一四頁

第二　省制

一九六

一、総説

臨時政府は満洲國省制と同様に省政府の名称を廃して省公署と呼び政府は統一國家に於ては中央の最高行政機関にのみ與ふべき名称としたが、維新政府では依然として省政府なる名称を維持し、清朝末以来の地方軍閥と妥協したる過渡的名称を継承した。然し両政府とも省政府の委員制を廃し、独任制の省長を採用した。蓋し之は既述の省制改革の趨勢に応したのでなく、兵馬卒との間に於ける過渡的緊急的要請としての省長制で、満洲國省制に於けるが如き正常のものではなかった。故に新に國民政府が還都するや、旧制に復し、その直隷省（華中、華南の各省）は総て委員制を採り、還都の必然性を茲にも表現された。華北は省長制を持続してゐる。

二、省長及び省政府主席

臨時政府及び維新政府、共に今述べた如く省長制を採り省政府委員制を廃止した。省長（一人特任）は全省政務を綜理し且つ所属道縣市等が各機関及び其

一九七

職員を指揮監督する國の行政官署とした（省公署組織大綱三條、省政府組織條例五條）。然し國民政府還都により旧制が復活され、省政府は委員制となり省政府主席が蘇生されたが、省政府組織法第四條第一項は二十九年十一月九日修正され、省政府は九人乃至十一人（簡任）の委員を設け、省政府委員会を組織し、其職権を行使する」ことゝ為った。而して中央政治委員会第四次会議を通過した臨時動議第一案に依り省政府主席の官等は特任に高められた。

三、省公署及び省政府の内部組織

省公署及び省政府には (一)秘書処、(二)民政廳 (三)財政廳 (四)教育廳 (五)建設廳、(六)警務処を置き（省公署組織大綱五條、省政府組織條例六條、十八條）四廳二處制を採る。廳に廳長（一人 簡任）處に秘書長又は處長（一人、簡任）を置き、其権限は旧の如く、所轄職員及び機関の事務進行につき指揮監督し、省令に抵触せざる範囲内に於て廳処令又は布告を発するにある。各廳處の分掌事項は旧國民政府の其と異ならないが、警務處を置き行政警察、司法警察

一九八

及び衛生警察又は消防に関する事項を分掌せしめ且つ従来の欠点を補正するために、(一)臨時政府省制では二人乃至四人（簡任又は薦任）、維新政府省制では二人（簡任）の参事を置き、之を以て省単行條例及び各廳處令の法案を審核する専門法制機関とし（省公署組織大綱一二條二項、省政府組織條例二〇條）。(二)維新政府省制では省政府の発する命令は悉く省長の名義に於て之を行ふことする統一規定を新設した（省政府組織條例九條）。各廳處の所属職の定員は軍事及び治安工作の情況に即應し得るやう若干名とした。

國民政府還都後の省の廳処は既述（本章第二節第三）の國民政府省制が復活された。

四、省政会議

省政会議は省政府委員会を廃止した結果、生れた縣政会議と性質を同じくする合議制の機関である。その権限は次の事項につき決議するにある（省公署組織大綱一七條一項、省政府組織條例一二條一項）も、その拘束力は縣の其と同

一九九

じと解する。

1. 省行政区域の劃定、変更に関する事項
2. 省政府所属地方行政長官の具狀したる官吏任免に関する事項
3. 省政府の予算決算に関する事項
4. 省税の新設、廃止、変更に関する事項
5. 省政府所属機関の増設廃止に関する事項
6. 省公産の処分に関する事項

但し維新政府の省制では第3号を明文化してゐないが、臨時政府の省制では更に省公署組織大綱第二條及び第四條所定に関する事項(1)及び其他省長に於て決議を必要と認めたる事項を加へた。

本会議の主席は省長を以て充つることゝされた。

本会議は國民政府還都し旧國民政府の省制が復活し、省政府委員会の再生により消滅した。

(1)　省公署組織大綱第四條、省公署は中央の法令に抵触せざる範囲内に

二〇〇

於て省令の発布且つ省単行規則を制定することを得。但し人民の自由の制限、人民の負担の増加に関するものは中央政府の核准を要する。同第四條、省長は全省の警団各隊に対し出動統制することを得且つ非常事変の心理又は防衛の為め兵力を要するときは附近駐屯の軍事長官に出兵を請求し共同して弁理することを得。

第三　道　制

一、總説

常に不徹底に終つてゐる地方行政目的を完遂するためには省の行政区域即ち省区を縮少するか然らずんば省政府と縣政府との間に道制を復活するかにありと識者に考へられてゐることは既に紹介した所である。臨時政府及び維新政府は共に後者即ち道制の復活を意図し新に組織法を公布実施することゝした。然し私は過去の道制は地方行政目的完遂と言ふ全面的行政のための制度でなく

且つ地方制を省道縣の三級制とすることは反対に地方行政目的不徹底の原因を作るものとして不賛成である。それで私は満洲國程度に省を縮少することを主張するものである。幸に維新政府に於ては実際上道制は施行されずして終つた。次に國民政府還都により地方制度は旧國民政府の制度に復帰した。故に華北政務委員会所轄区域を残して道制は存在せざること、なつた。

二、道公署と道區

道の最高行政機関を道公署と呼び、その行政区域即ち道区は旧制の道尹所轄区域に據つた。但し省長に於て之を酌量変更するとき内政部を経て行政院の認可を得て、維新政府之を公布することゝした（道組織條例一條）。然し臨時政府の組織法には此種の明文がないが同様に解してよい。

三　道尹

道公署の長官を道尹（一人、簡任）とし、省長の命を承けて所属各縣の各機

関の行政事務を管理することを権限とする（道公署組織大綱三條、道組織條例二條）。この権限は更に之を個別化して規定されてゐるが此処では省略する。

四、道公署の内部組織

臨時政府の道公署には秘書（一人又は二人、薦任又は委任）及び警務、財政、教育、建設の四科を置き（道公署組織大綱六條）、各科に科長（一人、薦任）――但し事務簡単の道に於ては一科の科長が他科の科長を兼任することを得る――科員（若干）、事務員（若干）を置き（同七條）、維新政府の四科に各科長（薦任）及び科員（若干）を置くこと、した（道組織條例一〇條―一二條）。

第四　縣　制

一、總説

臨時政府は民國廿七年三月廿三日縣公署組織大綱（十箇條）を、維新政府は

同年八月廿八日縣組織條例（十一箇條）を各公布施行し、縣制の復興に努めた。然し治安の関係上、市制の復興の如き成績は得られなかつた。其間、華北では新民会、華中では大民会の復興指導活動があつた。此両政府の大同小異で、共に縣知事　縣公署の名称を採つた。

反之、國民政府還都するや、還都前法令適用及修訂要綱の訓令に依り民國二十九年十一月十九日以前の法令が現行政綱に抵触せざる限り再び妥当するに至りたるを以て、國民政府の直隷省に、二十六年以前の縣政が復活せらるに至つた。然るに猶ほ蘇北地区に於ては縣知事、縣公署の名称を公文に使用せるものありたるを以て　内政部々長は「蘇北地区は江蘇省政府に属するが故に仍ほ縣知事、縣公署の名義を使用することは現行制度に符合せざるに依り速かに所属各縣に命令して一律に縣長、縣政府の名称を恢復すべし」と訓令を発した。更に民國三十年に入つても一月十日に内政部々長は浙江、江蘇、安徽、広東、湖北の五省の民政廳に対し「縣組織法は既に民國十九年七月七日國民政府の修正公布したるものを奉じ、各省縣政府は其組織法の規に依り弁理すべし。即ち新

に收復したる縣も亦速かに縣治を回復し、以て劃一に資すべし。茲に各省の送付したる現轄各縣縣名暨縣長姓名表を見るに猶ほ自治会、維持会又は縣政府等備処等の名称が在る。之は縣組織法の規定に符合せざるに依り速かに調整を進行し、即日廢止し、正式に縣長を任令し、縣政府を成立せしめ、縣政を推行すべし」の旨の訓令を発した。

二、縣公署又は縣政府と縣区

旧國民政府時代の縣政府を臨時政府及び維新政府に於ても之を縣公署と呼び、縣区も從來の区域に依り（縣公署組織大綱一條）縣の等級も亦從來通りの三等制を襲用した（同三條）。然し國民政府の還都により既述の如く其直隸省に於ては其名称が再転して縣政府となつた。

三、縣知事又は縣長

縣公署の長官（一人、薦任）を旧制に帰り縣知事と呼んだ（同三條、縣組織

法七條等）

縣知事の権限も亦從來と略同一であつたが、その直接上級行政機関に道尹が復活された。然し、國民政府の還都により縣制はその直隸省に於て全面的に旧國民政府時代に復帰し、縣公署は縣政府と呼び、道尹は組織法上からも廃止された。

四、縣公署又は縣政府の内部組織

臨時政府の縣には秘書（一人又は二人）を置き縣知事の命を承け縣政を処理せしむる（縣公署組織大綱五條）の外、次の各局科を置いた（同六條）。

1. 警務局　警衛、消防、衛生、救済、戸籍等の事項を分掌する。
2. 財政科　徴税、公産の管理及び其他の財政等の事項を分掌する。
3. 教育科　学校及び其他の文化事項を分掌する。
4. 建設科　農鉱、森林、漁牧、水利、道路及び其他の建設事項を分掌する。

各局科には局科長（各一人、委任）を置く。但し局科の事務閑散なるときは一科の科長が他科の科長を兼任する（同七條）。

維新政府の縣公署の内部組織は之に弾力性を豊かにし、地方の特殊事情及び軍事工作の進行に即應する為に局科数を法定せず（縣公署組織條例九條）、大体に於て事変前の組織まで拡張し得ることを原則としたやうである。

國民政府の還都により縣制は全面的に旧國民政府時代の其が其直隸省に再び妥当すること、なつた。斯くて各縣の内部組織は三科三局制を原則とするに至つた。各科局には科局長（各一人）を置き、若干の科員を有することは言ふまでもない。科は之を第一科（民政）、第二科（会計、徴税）、第三科（建設）を採ることを通例とするが江蘇省呉縣に於ては之を民政科、財政科、建設科と呼んでゐる(1)。この三科三局の外に縣の直属機関に秘書室を置き、自衛団総団部、青年団指導部、宣伝室、救産処、縣金庫が存在し、大体に於て合署弁公が出来てゐる(2)。秘書室は秘書及び外事秘書に分れ秘書は從来の秘書と変る所がないが、新設の外事秘書は通訳、情報を分掌すること、なつてゐる。然し外事秘書は実際上は日本の現地機関との交渉及び会議に列席して其円滑なる進行を

意図するにある。故に外事秘書は現在では重要機関である。この構成者は主として日本留学生を以て占められてゐるが、例外もある(3)。外事秘書の補佐員には通訳員、情報員（各若干人）が置かる。通訳員は主として日本語通訳が専門で、日本文は上海虹口地帯で番頭、ボーイ等をやつてゐたもので、殆ど官吏としての教養なく、文字を大体読み得る程度の者もある(4)。

（1）　昭和十六年八月廿日筆者の呉縣々政実態調査に據る。

（2）　江蘇省江都縣、鎮江縣は完全に合署弁公を実施してゐるが、呉縣では警察局のみが縣政府から甚だ離れた城内に分存し、連絡悪く且経費が（縣財政赤字にも拘らず）膨脹してゐる（昭和十六年八月十五日より同月廿日までの筆者の縣政実態調査に據る）。

（3）　江蘇省呉縣政府外事秘書、程壽頤は此例外に属する（昭和十六年八月三十日筆者の呉縣、縣政実態調査に據る）。

（4）　江蘇省江都縣、鎮江縣、呉縣の筆者の註（2）期間に於ける縣政実態調査に據る。

五、縣政会議と区政会議

臨時政府は事変前と同様に縣政会議を設け、其権も従前通りとした（縣公署組織大綱九條）。維新政府の組織法には此明文規定がないが、縣政会議の性質上より観るときは中央政府の法規に明文の有無を問はず召集し得るものと解すべきである。故に維新政府治下に於ても縣政会は盛んに開かれた。國民政府選都により形式上旧制に復したが実質上は何等の変化がなかった。

区政会議は各縣に於ける単行法に於て成立する関係上、縣により多少異にし、名称も区長会議と呼ぶ縣もある。本会議は地方自治実現と区政促進とを目的とする。この召集者及び主席は共に市長とする。秘書、科長、自治関係件員、区長を以て構成する。縣属局長所長も列席し得る。この列席者は発言権あるも表決権がない。國民政府選都に於て各縣は之を筹備開催してゐる。

六　縣諸委員會

(一)　総説

二〇九

将来の問題よりも当面の問題を解決するために臨時的諸委員会が各縣に成立してゐる。その主なるものは縣政諮詢委員會、縣公糶委員會、縣墾植委員會等である。

(二)　縣政諮詢委員會

縣政諮詢委員会は縣行政會議を発展的に解消せしめた非時的過渡期的委員会と言ふことが出来やう。この委員会々議規則は一定の組織規程に準據して各縣に於て制定せらる。故に各縣に於て多少異なるも大体に於て同様の内容であるから、以下江蘇省鎮江縣々政諮詢委員会々議規則に依り本委員会を解することゝする。

本委員会は縣政促進を目的とする縣長の諮問機関である（同規則一條）。この委員の資格は民政廳に於て制したる該委員会組織規程に従ふ（同二條）。要するに縣政につき学識経験を有する公正の紳士を以て委員を構成する。この委員は六人乃至十人とし地方の事情を参配して縣長に於て具体的に定員を定め、之を延聘（委嘱）する（同三條、二條）。委員は任期一年の名誉職と

二一〇

せらる（同五條、一〇條）。

本委員会の権限は　1.縣政興革を建設する事項　2.縣長の提出したる議案を審議する事項、3.縣所属機関の建議を審議する事項、4.縣民の諸願を審議する事項である（同四條）。

本委員会は縣長之を召集し、会議の主席も亦縣長を以て充つ（同七條）。会議には議事事項に主管する縣政府職員を列挙せしめ意見を陳述せしめ得る。但しこの場合には列席にき縣長の許可を要し且表決権がない（同八條）。この委員会の決議事項を不適当と認めたるときは縣長は再議を請求することを得る。この再議に於て猶ほ前決議を執りたるときは縣政府の決定を申請することを得る（同九條）。

(三)　縣公糶委員会

縣公糶委員会は糧食管理委員会に請求して交付を受けたる外米、其他の廉價米を縣民に公に分配し以て低米価政策と民食安定政策を行ふことを目的とする臨時的委員会である。

二一一

事変発生当時の米価は五〇ポンド約四元であったが米の不足と法幣の下落により本年の夏初秋に於ては約五〇元に高騰し、生活は一般に極度に逼迫してゐる。民食問題の解決は國民政府の生命に関する最大の問題である。この委員会の活動に依り米価の高騰を抑へ得たが、米価の下落には僅かに貢献したのみである。

(四)　縣墾植委員会

縣墾植委員会を組織し、民食の増産に乗り出したが、未墾地又は未耕地の少き縣に於ては功績の余地が少い。然し事変に依る休耕地は本年に於ては殆と耕作された。之は治安圏の拡大と公正なる米穀の相場により発展を見るであらう。

第五　市制

一　総説

二一二

臨時政府及び維新政府は夫々市組織法を公布し、従来の如く市を二種に分け旧旧制度を復活して特別市と普通市とした。この成立條件は行政院直隷市及省政府隷属市の其と大体に於て同じ（特別市公署組織大綱一條、市公署組織大綱一條、特別市組織條例二條、普通市組織條例二條）。

市の権利能力の範囲も大体に於て旧國民政府の市制と異らないが、自治への籌設は暫く停止となった。

國民政府還都し、市組織暫行條例を公布したが大体に於て旧制を復活したが観念的な自治への籌設規定を廃止した。故に行政院直隷市、省政府隷属市の名称も復活されたが、後再び特別市、普通市の名称に帰った。

二、市長

市長の権限は臨時政府及び維新政府の市制に於ても旧國民政府の其と変らないが、非常時変の処理又は防衛の為の出兵請求権を明文を以て認めた（特別市公署組織大綱八條、市公署組織大綱八條、特別市組織條例一二條、普通市條例

二一三

一二條）。

國民政府還都後は旧國民政府の制度に帰った（市組織暫行條例一二條乃至一四條）が、行政院直隷市（特別市）市長の官等を特任に引上げ、省政府主席との均衡を採った（廿九年六月廿八日行政院訓令）。市組織暫行條例も之を継承した（同一四條）。

三、市公署及び市政府の内部組織

この内部組織は秘書処と各局である。然し臨時政府の特別市は社会、警察、財政、教育、工務及び衛生の六局制（特別市公署組織大綱一〇條）、同普通市は警務、財政、教育、建設の四局制（市公署組織大綱一〇條）を採り、維新政府の特別市は社会、警察、財政、工務、教育、土地、衛生、公用の八局制（特別市組織條例一三條）、同普通市は社会、警察、財政、工務の四局制（普通市組織大綱一三條）を採った。但し維新政府の特別市に就ては明文規定が無いが、他の各市組織法は上級機関の認可を経て局の増設若くは併合又は局を科に改む

二一四

る変通規定がある（特別市公署組織大綱十八條、市公署組織大綱一〇條、普通市組織條例一四條一六條）。各局に局長（一人）を置き分科して局務を処理することは旧國民政府の其と同じ。

特別市には参事（臨時政府の特別市には二人乃至四人、維新政府の市は孰れも二人）を置き市の専門法制機関とした（特別市公署組織大綱二一條、特別市組織條例一七條、普通市組織條例一九條）。但し臨時政府の普通市には此の規定を闕く。

國民政府還都後は秘書処と社会、財政、工務、教育、衛生及び警察の各局を必設局とし、地政、公用、港務の各局を任意（特設）局とし、特別市に宣伝処を設け得ることゝした。然し上級機関の許可を得て局科の変通を認めた（市組織暫行條例一五條乃至二一條）。而して参事は特別市に二人乃至四人（簡任）普通市に二人を置き得ることゝした（同二二條）。

四、市政会議及び区政会議

二一五

臨時政府の市公署は旧に依り市政会議を設けた（特別市公署組織大綱二六條乃至二九條、市公署組織大綱一四條）。然し維新政府の市に就ては孰れも市政会議の明文規定がないが、其性質上、実際上は勿論開催されてゐた。而して國民政府還都後は旧國民政府の其が復活された（市組織暫行條例二八條乃至三一條）。

市政会議は地方自治の実現と区政の促進とを目的とする。この召集権者及び主席は共に市長であり、秘書長、主任書記、参事、専員、局長、区署署長を以てこれを構成し、科長及び其他の関係職員は之に列席して意見を陳述することを得るも、表決権がない。

区政会議は國民政府還都後、各市に於て召集せられてゐる(1)。

(1)　上海特別市は上海市政府区政会議暫行規則に依り区政会議が民國卅年六月廿日より三日間開催された。

五、市参議会

二一六

臨時政府の市には孰れも市参議会に関する明文規定が無いが、維新政府は民衆收攬の一策として「市参議会の組織は別に之を定む」と規定した（特別市組織條例二一條、普通市組織條例二三條）。然し市参議会未成立のまゝ、國民政府還都となつた。還都後の市組織條例第三十三條は更に発展的に「市自治法施行前に於ては市は自治を籌備することを要し且臨時参議会を設くことを得。其組織條例は別に之を定む」と規定した。然し未だ開設の時に至つてゐない。

六、市諮委員会

市にも諮委員会があるが、米価高騰による民食難緩和の為めに市公糶委員会がある。

第六、縣の下級組織

一、總説

二一七

縣の下級組織は事変の前後を通じて殆ど変つてゐない。臨時政府の縣公署組織大綱には縣の下級組織につき特別規定があるが、維新政府の縣組織條例には特に区内の重要地方に官吏——縣佐——を任命し行政輔佐せしむる必要あるときは縣知事は案を具して内政部の認可を得ることを要すことゝし（同條例八條）城廂・鎮郷の自治区に分ち、其章程及び保甲制度は別に之を定む（同四條）ことゝした。而して城廂、鎮郷の自治條例は政府、省及び道の法令に抵触し得ない（同六條）と規定した。特に激撃隊、共産党、土匪等の横行に対しては事変前の剿匪区に於て然るが如く官治上の補助機関としての保甲が普遍的に強化され、地方自治の完成は清郷の暁に来るべき課題とする点に於て臨時政府も維新政府も共に同一步調を採つた。

國政府還都により其直隷省の縣の下級組織は民國廿六年十一月十九日以前の其に復帰した。

二、區

二一八

維新政府は縣の管轄区域を若干の区に分ち、区を二種とした。其一を城区、其二を郷区とした（清郷区内各縣編査保甲戸口暫行條例四條二項）。各区に区公所を設け、区公所に区長（縣長任命）助理員等を置いた。臨時政府の区制も以上と大体に於て変らない（保甲條例三條—五條）が、区の区域は各縣の警察区に據ることを原則とした（同三條）。

國民政府還都により其直接省の縣の下級組織としての区は旧制に復した。

三、坊、鎮、郷

維新政府の城区は之を若干の坊に分ち、坊に坊公所を設け、坊公所に坊長を置き、郷区を若干の鎮又は郷に分ち、鎮郷に鎮郷公所を設け、鎮郷公所に鎮郷長を置くことゝした（清郷区各縣編査保甲戸口暫行條例四條二項）。坊、鎮、郷の区域は従来の区域に據つた（同五條）。但し鎮郷制の法定名称に據らず、鎮郷を村と呼び、鎮郷長を董事又は郷董と呼んだ縣もある。例へば丹徒縣（鎮江縣）はそれであつた。坊鎮郷長はその坊鎮郷内の各保長の互選又は公正人士

二一九

を各保長に於て選挙する（同一三條）。但し四十歳未満、非土着人、無恒産者、不識字者、受刑者又は公権褫奪中の者、赤匪より転向したる者にして監察中にある者は坊、鎮、郷長と為り得ない（同一四條）。此は維新政府の組織であるが、臨時政府の其に於ては保長は区長を直接の上級機関とする（保甲條例三條）。坊、鎮、郷長の権限は清郷区内各縣編査保甲戸口暫行條例第二十條に列記せらる。

國民政府還都により縣の下級組織はその直隷省に於ては事変前の其に復帰した。この復帰の整備は本年一月頃より各縣に始められ、城区内の坊を廃止し、之を鎮とし、郷区と同様に保甲制度を一般に実施することゝした。

四、保甲

保甲の編制は戸を以て単位とする。戸は一個の戸長に依り治めらる家を言ふ。従而、戸長は家長であることを原則とする（清郷区内各縣編査保甲戸口暫行條例、四條一項　一一條）、十戸を以て一甲を、十甲を以て一保を編制する（同

二二〇

四條一項）ことを原則とする。甲の編制に於て九戸乃至六戸の端数を生じたるときは近隣の甲に併合する。保編制に於ても同様の端数を生じたるときは一保編制し得る場合と近隣の保に併合する場合とがある（同五條四号）。但し一村落が十戸未満のときも之を一甲と編制し、十五戸未満のときも亦一甲を編制し得るも、十五戸乃至二十戸未満なるときは之を二甲に分ち得る（同條五号）。尚ほ以上は普通戸の保甲編制であるが、寺廟、船戸及び共同處所は之を保の單位とする（同六條）。甲に甲長を、保に保長を置く。甲長は甲内各戸長により選挙せられ、保長は保内各甲長により選挙する（同一二條）。甲長及び保長と為り得ざる條件は坊、鎮、郷長の其と同じ。但し年齢は廿五歳未満となつてゐる（同一五條）。而して特殊事情又は別段の定ある場合の外、寺廟戸長住持及び公共処の主管人は保長と為し得ない。

保甲編制なりたるときは保長は速かに保長は甲長を召集して保甲会議を開会し、保甲規約を制定し、保甲長之に署名することを要する（同一八條、一九條）。而して保甲内の各戸長も総て保甲規約に加盟し之に署名すべきものとする（同

二二一

二二條）。

保甲規約の必要記載事項は其区域、門牌の作製と戸口調査、其区域出入者の検査取締、水火風災の警戒及び救護、匪患の警戒通報及び捜査、防匪碉堡又は其他の工事の築設、区域内の公路の幹線支線の修築、電柱、橋梁等一切の交通設備の守護、地方の安寧秩序保持に必要なる事項等である（同一八條）が、其地方の特殊事情に應じた任意記載事項は寧ろ当局より勧めて記載せしめた。

次に保甲長及び戸長の職責又は責任につき述べる。

保長は坊、鎮郷長の指揮監督を承け、保内の安寧秩序を維持するために次の職責を有する（同二一條）。

1. 坊・鎮、郷長の職務執行を補助すべき事項
2. 甲長の職務執行を監督すべき事項
3. 保内の住民を教誡して非法行為なからしむべき事項
4. 曽て反動運動に参加し又は曽て赤匪の脅迫を受け之に追従したるも現に悔過自新（転向）を認容されたる者を監察、善導すべき事項

二二二

5 保内に行ふべき碉堡工事の設備又は建築を督率する事項
6 其他法令又は保甲規約の規定に依り保長の執行すべき事項

甲長は保長の指揮監督を承け、甲内の安寧秩序を維持するために次の職責を有する（同二二條）。

1 保長の職務執行を補助すべき事項
2. 甲内の戸口を調査し、門牌を取付け、聯保連坐切結を取定めせしむ事項
3. 甲内の奸宄を検査し、人民の甲外への出入を調査すべき事項
4 軍警及び保長を協助して匪賊犯人を捜索、逮捕すべき事項
5 甲内の住民を教誡して非法行為なからしむべき事項
6 其他法令又は保甲規約の規定に依り甲長の執行すべき事項

戸長は甲長の指揮監督を承け、次の職責を執行すべきものとせらる。

1、保甲規約に加盟し、之に捺印すべき事項（同二三條）。
2. 甲内の他の戸長（少くとも五人）と聯保連坐切結を為し、相互に匪賊に通じ又は加擔することなきやう監視勧告に勉め、若し之に違犯したるとき

二二三

は他の戸は之を直に秘密に報告して懲罰することを要する。然らずして瞞徇隠匿したるときは連坐の責を負ふ（同廿四條）。
3. 居動疑はしき人物が潜入したるとき、逗留者若くは寄宿者の去来又は家人の外泊旅行の往帰りたるとき、出生、死亡、其他戸口上に異動ありたるときは直に甲長に報告すべき事項
4. 銃器を有するときは区公所を経て縣公署に報告し、検査、烙印、登記を受くべき事項。この手続に違犯したるときは私藏軍火を以て論ぜらる（同二九條）。

尚ほ保甲の壮丁を以て自衛団を組織し、縣知事を以て最高統率者とする、自衛団は一定の時期を定め訓練することゝした。

以上は維新政府の保甲制度であるが、臨時政府の保甲條例による保甲制度と大同小異である。然しこの保甲條例には明文を以て自衛団の統率及び訓練事項に関する規定を加へ、保長の職責の一に自衛団の武器の保管を加へ、保に副保長を置く点等が異なる（同條例二二條—三一條、四條）。

二二四

國民政府還都により原則としてその直隷省市に民國廿六年十一月十九日までの地方制度が復活したが、保甲制度に関しては実際上は維新政府の制度が継承されてゐる。それは事変前の保甲制度と維新政府の其とが大同小異であるからである。

第七　市の下級組織

臨時政府も維新政府も共に大体に於て旧制を襲用したが、閭鄰制は之を廃し保甲制に改める方針を採った。國民政府還都するや、市の下級組織は之を民國廿六年十一月十九日前の旧制に復帰したが、一般に（縣の下級組織と共に）閭鄰制を廃し、保甲制度を実施し、更に坊を廃止して之を鎮とした。従而、市の下級組織は区、鎮、保甲となり、縣と変らざることゝなった。

第三章　興亜建國の指導原則と其政策

第一節　興亜建國の指導原則

中國は東亜共栄圏確立の為の連帯責任を負担し、その責任の遂行を目的とする興亜建國を以て最高指導原則と為し、この指導原則の具体化としての諸政策を立案完遂すべきことを使命とする。

第一　中國國民党の指導原則

この興亜建國の指導原則は、日中基本條約及び國民政府新政綱に抽象的に内容づけられた。

この基本條約及び新政綱を具体化した諸政策を立案推進せしむべき責を負ふものは國民政府である。然が、國民政府は中國國民党を中心として存立するもの

のである。従て、この諸政策の立案推進の鍵は中國國民党が把握してゐる。日中基本條約及び國民政府新政綱の國内上級規範として中國に妥當してゐるものは中國國民党の政綱であることを明確に認識して置かねばならない。惟ふにこの認識は極めて根本的なるものであると同時に中國人には極めて強い認識であり、信仰である。将来もし日中間に大なる紛争が起るとせば、必ず日本側にこの認識が不足してゐるからであらうと私は感ずるものである。故に日本側は日中基本條約を以て安心することなく、常に中國國民党の動向に最善の注意を拂ひ、その監察、指導、連絡に努むべきである。

和平反共建國を掲げて中日合作に転向した中國國民党は二十八年八月三日第六次全國代表大會を開催し、第一次全國代表大會宣言（含國民党政綱）を修正して之を発表した。この宣言こそ新中國の最高指導原則と其政策を宣布したものである。

この宣言は和平反共建國への急転向理論に総理遺教の大亜細亜主義を求め、其冒頭に次の如く述べてゐる。

『「中日両國無論從何方面着想、均宜携手協力進行、共謀両國前途的発展」「中日両國當為亜洲民族独立運動的原動力」の総理（孫文）の言葉を忘れたる中國の独立生存は脅威を受け、覆亡の懼れを有し、今次不幸の戦争を醸成したるものと確認する。中國革命の成功は日本と提携協力進行する所に存し、太平洋の危機も始めて息み、世界和平も始めて真実の保障を得るに至る。故に、今後は抗戦建國の口号を易へて和平建國となし、且つ共匪の罪禍に鑒み反共を以て和平建國の必要工作と為すべきことを要する。蓋し和平は建國の進行に順利たる所以にして且つ反共は建國の障礙を掃去する所以とする。斯くて、革命の三民主義の実現が可能と為り、中國國民を塗炭の苦境より救出することが可能となる』と。

之に次ぎ対内対外の重大方針を宣示し、更に近来の中國國民党は個人の独裁のための機構に顚落したるが故に、此際、民権主義へと復帰すべきことを次の如く論及してゐる。

「数年以来、党は既に人民主権の制度及び精神を失ひ、日日益々個人独裁に

二二九

に趨き、其結果、一切の敗壊の原因となり、危急存亡に瀕するに至った。この際、民族の復興と民主組織の健全なる発展を図ることを要する。この目的——和平の実現、憲政の実施に力を致し、三民主義の中華民國を東亜に確立し、世界に確立せしむべき——の達成のために全國有志は眞に協力合作すべきである」

而して中國國民党の政綱は次の如く五部門廿八ヶ條に修正された。之を修正國民党政綱と稱し、私はさきに之を新政綱と呼んだ

甲　外　交

一、國家の生存及び主権の独立の主旨に基づき睦隣政策を励行し、以て東亜永久和平を奠定す

二、共産主義に関係なき各国と聯合して第三國の國際的陰謀を共同に防制す

三、各友邦の合法的権益を尊重し且つ其関係を調整して其の友誼を増進す

四、平等互恵の原則に基き各友邦と通商條約の修正を協議す

五、経済の恢復及資源の開発を行ふ為、各友邦の資本及技術の合作を歓迎す

二三〇

六、和平を以て外交の方式と為し、租界の回收、其他中國の主権の独立を損傷する條約を修正し、領事裁判権を取消す

乙　政　治

七、國民大會を召集し、建國の大計を討議す

八、政府は憲法を起草し、國民大會に提出審議し、政府之を公布実施す

九、共産分子を除くの外、一切の人民に法律に依り充分の保障を与ふ

一〇、均権共治の原則に本づき地方制度を制定す

一一、治安を恢復し、流亡を撫輯し、人民の還郷及び復業を謀ることに力む

一二、縣を以て単位と為し、其行政機構を拡大し、其行政経費を充実し、其自衛能力の培植を実行し以て地方の安定、建設の進行を謀る

一三、文官制度を確立し、各方面の行政に人材を登庸す

丙　軍　事

一四、軍隊を國家化し、個人及び地方系統のものを消滅せしむ

一五、軍事復員會議を召集し、軍事復員軍隊の駐防及び軍事建設等の問題を解

二三一

決す

一六、傷亡を撫卹し、功勲を擢敍し且つ徴発せられたる者は帰還せしめ、職業を有する壮丁に対しては其復業を助く

一七、游撃将士を解散し、其復業を助け、兵役服務を志願する者に對しては甄別の後、夫々國防軍又は地方保安隊に編入す

一八、士官任用法を制定し、派系を分たず各方面の軍事に人材を登用す

丁　経　済

一九、幣制を整理し、金融を安定し、出来得る限り人民の幣價低落に因りて受くる損失を減少す

二〇、銀行制度を制定して農工商を扶助する任務を盡さしめ、社會金融を國家財政の犠牲に供せず

二一、輸出貿易及び外國為替を統制し、輸出入の均衡を謀ることに力む

二二、公営企業を発展せしむるも私営企業を充分に保護奨励す

二三、農村里を流暢し、農業技術を改良し、各産物の購買運輸を便利にし以て

二三二

農村の繁栄を謀る

二四、人民の負担の平均及び軽減を謀り且つ人民の生活の改善に注意すること
に力む

戌　教　育

二五、民族固有の文化及び道徳を保持発揚すると同時に出来得る限り國情に適する外國文化を吸收す

二六、狹隘なる排外思想を剷除し、睦隣政策の精神を貫徹す

二七、紀律、訓練及び科学の研究を励行し、以て健全なる公民及び建國の人材を養成す

二八、教育制度を改正し、教材を改訂し以て新中國建設に適應す

この大會宣言（含新政綱）こそ、孫文の遺教の綜合的発展であると新中國國民党（即ち還都派國民党―正統國民党）は確信したと解すべきである。斯くて孫文の大亜細亜主義に據り、始めて東亜共栄圏確立の最高指導原則と三民主

二三三

義が結合された。この結合の口号（スローガン）は「和平反共建國」、「中日合作」、「興亜建國」である。この結合関係は三民主義をして東亜共栄圏確立を目標とする興亜建國の指導原則の下位に立たしめ、之を制約修正したものと断ずべきである。この結合関係は三民主義革命の手段でなく、三民主義自体の向ふべき大同主義への更生発展であることを承認せしむべきである。この承認を経て始めて日本は中國國民党の存続を認容すべきである。然らざれば、今次聖戰の意義は逐漸、中國側から奪ひ去られて行くであらう。

第二　三民主義の更生的発展

以上述べた結合関係に於て、三民主義は如何なる点に重視せらるべきか。次にその要点として四を挙げることが可能である。

第一は三民主義は民族至上主義を採る点に於て東亜新秩序的思想との関聯に留意すること。第二は三民主義は特に民權主義に於て十九世紀的欧洲的自由主義的思想に陥る傾向を有すること。第三は三民主義は即ち民生主義に於て容共

二三四

的粗忽性を有すること。第四は三民主義は大体に於て全面的に中國の史的必然性を等閑にした観念論が散錯してゐること。

三民主義は斯る四大缺点を有するも、我が國が既に中國國民党の存続と國民政府の還都を承認せる限り、中國革命の指導原則としての三民主義を全部的に否定することは不可能であり、また実際上、全中國に普遍的に滲透して居る三民主義を全部的に否定することは中國を却而混乱に陥らしめ共産党に乘ずる機會を与ふること丶なる。故に日本の採るべき根本方針は東亜共栄圏確立を目的とする「和平反共建國」と孫文の大亜細亜主義を以て三民主義を厳正に実現することを中國國民党新政綱の具体化に於ける解釈原則たらしむることを主張すると同時に三民主義が東亜共栄圏確立に寄與する個所につきては極力之が実践発展に協助すべきことである。

次に今述べた三民主義が東亜共栄圏確立の為の最高原則に據り発展せしむべき点を稍々詳に述べることゝする。

第一、民族主義

二三五

これは古来より中華思想により麻睡してゐた民族意識を新に喚起し、對外的には主権の独立性と平等性を実現し、對内的には各民族の平等性を保障し、以て近代的民族國家を建設せんとするにある。

従而、民族主義は諸外國及び満洲族の重圧による現実悲哀に発生し、敵愾心の激化に力らた。民族主義は對外的には「打倒帝國主義」、「撤廃不平等條約」の実践となり、對内的には倒満興漢より転じて排外的敵愾心を利用する統一國家の建設を意図することゝなつた。然りと雖も、同時に諸外國を排斥することは結局、中國の分割となる危険なることを知る中國國民党は各個撃破に依る外なかつた。だが、自力に依り各個撃破する國力なきことを知る中國國民党は一概に以夷制夷する各個撃破を敢行することゝした。然らば如何なる國より撃破すべきかは、第一次欧洲大戰直後の國際情勢が之を教へた。それは九箇國條約及び其他の條約の締結に於ける日本の孤立無援と恐日態度とは俄然として排日一色に向けしめた。斯くて民族主義の実現は不幸にも今次事変を誘発した。

二三六

右述べた如く、民族主義は元來、排日、抗日思想でなく、中國諸民族解放のための近代的民族國家の建設にある。この点は、還都派中國國民党員の弁解を俟たずして明らかである。

この種の経驗を既に明治初期に体驗してゐる日本は中國の民族運動に対しては内心に於て同情的であつたが中國國民党を動かすことが出來なかつた。

今後は、この聖戰を契機として民族主義の実族としての民族解放運動を積極的に援助すると同時に孫文の大亜細亜主義を以て民族主義の指導原則に仰はしめ民族主義は飽くまで東亜共栄圏の確立を目標とし且之に制約を承くべきことを強く要請すべきである。そは、孫文が三民主義は救國主義の提唱であり信仰であると述べたる如く、東亜共栄圏の確立は東亜民族、特に日中満の共同運命の維持発展を意図する救亜主義であることを中國人一般の信仰にまで昂揚せしむべきことを絶対に必要とする。

孫文が民族主義を提唱したる當時は第一次欧洲大戰に於ける民族自決運動の全盛期であつた。この民族自決運動は英佛米の自由主義國家群の利益のた

めに必要以上多くの弱小民族國家を発生せしめ、國際聯盟の擁護下に置いた。

然し民族國家の発展に於ける史的必然性を無視して成立したる新弱小國家群及び國際聯盟は英佛米中の願望如何に拘らず所謂全体主義的國家群の発展に因り脆くも崩壊の一途を辿つた。孫文の民族主義は、弱小民族國家及び國際聯盟の崩壊を知らなかつたが、孫文は大亜細亜主義を提唱して東亜民族の大同団結を要求し、日中協力を以て亜細亜民族独立運動の原動力なることを主張した。之に據つて民族主義は大亜細亜主義へと修正発展すべきことを強く意識せしむると同時に現在は切実に緊密化した東亜共栄圏の確立に民族主義は奉仕すべきことを自覚せしむべきである。

第二、民権主義

これは、Democracy と英訳せられ、孫文は之を人民が政事を管理することを指稱すると云つてゐる。然るに、中國は民権主義を直ちに実現する史的段階に今猶達してゐない。孫文も又永い間、即時憲政実施論であつた。彼はやつと死の前年、建國大綱を手記する頃になつて始めてその誤謬を自覚し、軍政及訓政の両時期を経て始めて、憲政時期の到來すべきことを規定するに至つた。中國國民党は現実を離れて訓政時期の到來すべきことを規定するに至つた。中國國民党は現実を離れて訓政時期の終期即憲政時期の始期を豫定したが、一般人民の教育程度も、政治思想及び政治訓練も亦遙かに憲政実施の時期に達せざるのみか、中國國民党は五権憲政実施の標語を掲げ乍ら其と反対に個人独裁強化の政党と顚落し、遂に今次事変を誘発することゝなつた。斯くて世界にその類例を見ない廿有餘年の長期制憲運動史を有し乍ら未だ憲政実施時期は見透し得ざる有様である。

孫文が民権主義を提唱した當時は、彼が力説したやうに、民権主義は世界的大勢であり、世界的思潮であつた。而して彼は之には何人――袁世凱、張勲等――も抗し得ないものであると信じた。然し乍ら、この民権主義は考試権及び監察権を形式上分立したる以外は往々十九世紀的欧洲的自由主義的思想に陥る傾向を有する。従て、今や、この輸入思想が中國に憲政を実現するに至らざる間に止揚せざるを得ざる世界的転換期に中國は押しやられつゝある。

それにも拘はらず、中國國民党と國民政府の還都を承認し、日中基本條約を遵守する限り、三民主義五権憲法は久しからずして漸進的にもせよ施行すべき必然的過程にある。還都國民政府は之が実施を政綱に規定し、憲政実施委員會を組織し、之が籌備に專念してゐる。これは人心把握と統一上極めて重要な效果を共へてゐる。

次に、歴次問題となつてゐる点は總統に廣汎な独裁権を認むるや否やにある。今や所謂自由主義國家群に於ても然る如く、中國に於ても非常緊急独裁権を廣汎に共ふべきであることは云ふまでもない。而して一般人民はいまだ普通選挙権、罷免権、創制権及び複決権を行使し得る完全自治を実現し得るまでに達してゐない。それは恐らく尚廿余年の将來に係ることであらう。自治は現在の台湾程度より開始すべきである。

何れにせよ現在の地方制度は根本的に改廃し、中央政府を強化し、省政府を縮小し、縣政府を拡大強化して自治の最高單位と爲すべきである。

第三、民生主義

孫文に據れば、民生主義に於ける「民生」は「國計民生」と云ふ縮語の異語であり、三民主義は人生の生活、社会の生活、國民の生活、群衆の生活に於ける社會問題解決の原理即ち社會主義であり、共産主義であり、大同主義である。故に民生主義は人民の衣食住行の四大需要に善処すると共に資本主義を修正して地權の平均と資本の節制を主張し、以て人民の厚生を拡充しやうと主張する。之は極めて妥當な要請である。然し、「民生主義就是共産主義」である（註二）と説くところに聯蘇容共主義となり、國共合作の承認となる。この点は中國國民党、國民政府及び一般國民生活の癌となり、今次事変の最大原因の一となつた。民國十三年の中國國民党第一次全國代表大會に於て、早くも、民生主義と共産主義との関係が左翼党員と右翼党員との間に重大化したが、當時ソ聯の援助を必要とした中國國民党に於ては左翼党員の勝利に帰した解釈が採られた。以来、将介石は今日に至るまで共産党に手を焼き通した。また、和平反共建國を最高指導原則とする新中國國民党第一次全

二四一

國代表大會とも稱すべき中國國民党第六次全國代表大會に於ても必然的に問題となり、同大會宣言には孫文の言ふ共産主義は通常に謂ふ共産主義即ちマルクス主義の夫ではないと弁明してゐる（註三）。蓋し民生主義は階級闘争を主張するマルクス主義でないことは日本人も大方認むるところであり（註三）、孫文がマルキストでないことも亦明かである（註四）。

何れにせよ、民生主義が共産主義に非るのみか、中國國民党及び國民政府は反共態度を堅持し、東亜共栄圏確立を以て共同責任とせることは第六次全國代表大會宣言（含政綱）及新國民政府政綱に明示せらるゝところとなつた。

次に旧中國國民党が浙江財閥と結合し更に英米財閥と結合して党及國民政府を一段と強力化した。之は軈て、中國國民党が浙江派及び英米派の党員に操縦せらるゝことゝ成り、民生主義の実現は全く口頭禅と化し、僅かに形式的に民法法典の一部に採択され殆んど停頓に陥り、地權の平均と資本の節制は忘れられた。更に先年の幣制改革に因り民族主義も犠牲に供せられ、中國は英國金融資本の植民地と化し（註五）、中國の資本主義は之に便乗し、遂に

二四二

今次事変を誘発する主動因となつた。この中國の英國金融植民地化は國家の統一を拡充し、英米依存による抗戦力量の増大となつた。かくて英米蘇の欲する東亜消耗戦が幣制改革を通じて激化したと云ひ得ることゝなつた。然りと雖も、民生主義の実現には、夫がいかなる方向に新発展を開始するにせよ、絶対に外國資本と外國技術とに依存せざるを得ない現状にある。故に民族資本と民族技術のみでは、近代國家としての経済建設は不可能である。英米派党員の操縦する全國経済委員會成立以来、英米、其他の白人諸國よりの借款と技術合作とにやつきとなつた所以である。中國國民党の経済建設の聖典と稱すべき「建國方略」の物質建設の自序に孫文は「中國富源の開発は今日世界人類の至大なる問題であり、独り中國のみの利害ではない。只、開発の権を我に於て操れば則ち存し、人に於て操れば則ち亡ぶ。今後、中國存亡の関鍵はこの実業開発の一事に係る。而して我に於てこの開発の権を操らんとせば、之が知識を有するに非れば不可能である。我が國人にしてこの智識を持たんとせば、則ちこの書を読むべし」と、三民主義の冒頭に於けると同様に

二四三

自著の效能書を掲げ、経済建設に於ける外國依存には國家存亡の危機を孕むことに留意した。而して「建國大綱」は民生を先づ第一に説き、其の第十二條に「各縣の天然富源及大規模の商工業にして該縣の資力を以て開発する能はず、外資に依らざれば経営する能はざる場合に於ては中央政府之を協助し其所得の純利は中央と地方と均分す」と規定し、外資の借入を認めてゐる。盲目的な外資の借入には民族主義に反して中國の植民化を誘導し、國家存亡のみならず東亜の危機を醸成する。故に民生主義の実現のための外國資本と外國技術との輸入は民族主義の発展としての東亜共栄圏確立に寄與することを要する。従而、外國資本と外國技術との多量輸入は先づ日本より又は日本の諒解の下に之を求め、東亜共栄経済体制の紐帯たらしむべきである。

尚ほ、民生主義の実現は全國人民の衣食住行の四大需要に應ずる諸建設の推行となり、新に合作社、官公企業及び民営企業の戦時國家管理並に一般統制経済体制にまで発展せしめ、更に民生主義は東亜諸民族の厚生を立地本位に相互保障する東亜共栄経済体制の実現を使命とすべきである。

二四四

(註一)「三民主義」民生主義、第一講、総論

(註二)「非指馬克思之共産主義而言、其意甚明、豈容附会、且民生主義自第一講以下、詳細講述民生主義與馬克思之共産主義の異同、馬克思之之共産主義、以物質為中心。民生主義、以民生為中心。馬克思之共産主義認階級闘争為社會進化的動力。民生主義認階級闘争為社会病態。階級合作為社會生活的常態。馬克思之共産主義主張以社會革命改造社会経済。民生主義主張以和平方法改造社會経済。故其諸政策者馬克思之共産主義主張没收一切工業私有権、民生主義則提唱節制資本、凡工業之宜於國営者、以國家資本任之、宜於私人企業者以私人資本任之、即國家以法律為之保護。馬克思之共産主義主張没收一切土地私有権、民生主義則反対没收方法、而採取、平均地権的和平方法。由此可見民生主義與馬克思之共産主義在理上同根本不同……」(中國國民党第六次全国代表大会宣言——民國廿八年八月三十日)

(註三) 宮沢俊義、田中二郎共著「立憲主義と三民主義、五権憲法の原理」

二四五

第一五九頁。

(註四)「三民主義」民生主義第一講、総論、第二講

(註五) 章乃器著「支那貨幣論」、呉承禧著「支那銀行論」
Tang Leang-Li (湯良礼), The New Social Order in China, Shanghai. 1935

二四六

第二節　興亜建國の推進原則

孫文は明敏で、偉大なる指導力を持つてゐたが、彼は死の前年迄、即ち民國十三年四月十二日「建國大綱」を手記するまで、三民主義五権憲法を一気呵成に実現しやうと凡そ四十年國民革命に餘力を残さなかつたが、彼の遺嘱(遺言)に明かなる如く、「現在革命尚未成功」のまゝ逝去した。偉大なる理想主義者は現実を理想へ発展せしむる政策の推進原則に貧困であるを通例とする。孫文もその例に漏れず、四十年の経験——失敗に失敗を重ね——の結果、而も死の前年に於て「建國大綱」に於て革命の程序(順序)を規定するに至つた。之に據れば「一、國民政府は革命の三民主義及び五権憲法に基き中華民國を建設す」「五、建設の順序を分ちて三期とす。一を軍政時期と云ひ、二を訓政時期と云ひ、三を憲政時期と云ふ」と各時期に於ける革命推進原則を規定した。

東亜共栄圏確立を目標とする興亜建國の指導原則の実現に於ても亦、理想と

二四七

現実とを結合する必然性と可能性とに基き最も能率的であり、効果的である政策推進原則が極めて肝要である。私は之を次の如く規定する。

第一　事変前の情態に復帰

一先づ速かに事変前の中國の状態に復帰せしむることを原則とする。但し、(一)旧来の陋習の復活存続を認めざること並に中國民衆が新國民政府から離反して行く可能性あるものは此際之が復活存続を拒否すべきであり、(二)興亜建國の指導原則に抵触し、其実現を妨碍する諸勢力、制度、思想は極力之を芟除撲滅を謀る新秩序建設を容易ならしむることを要する。

この原則定立の理由は、一應、日本及新國民政府が異質の新体制を中國に強制するものでなきことを人心に知らしめ、指導階級、労働者、資本家、兵士が事変前の職域に安心して復帰せしむるに就き至大なる効果を、速力を得せしめ以て興亜建國に要する素材の獲得に成功せしめんが為である。然らざれば、日本と新國民政府は興亜建國に要する素材——人材、資本、物資等——の缺乏

二四八

に逢着し、事変処理は極めて遅々たる歩みとなる可能性が充分である。

若し夫れ、事変処理が遅延乃至は渋滞に陥るときは明かに日本に限りなき犠牲を要求して止まないと同時に新國民政府の和平反共建國の效果が問題となり、中國の人心は重慶政權に帰向し、思はざる結果を惹起する虞がある。現在の國民政府治下に於ては人材と資本とが甚しく缺如してゐる。之等の人材、資本は租界、香港等に逃避し、不安に襲はれて日和見してゐる。上海にある約四十億元の遊資と、指導階級は重慶政權の諸政策に依る誘出運動にも拘はらず奥地に殆ど移動せないのも不安勝である。

事変前の状態に復帰することは決して後退でなく、上述の如く興亜建國への推進原則である。

第二　綜合工作戰への転換

我が占領区域即ち和平面には東亜共栄圏確立の為の軍事、政治、経済、思想、教育、宣傳の綜合工作を実施し、軍事工作と復興建設工作とを併進せしむべく

二四九

である。固より皇軍占領直後の各地方自治委員會又は治安維持會、臨時政府並に維新政府の地方行政機関、還都後の國民政府の地方行政機関へと進むに伴ひ、この綜合工作へと自然に而も漫然と進んで来たが、其の統一的計画性に於て著しく缺くる所が多大である。

かくては、事変処理、東亜共栄圏の確立は遅延する一方である。その主なる理由は、中國側に存するのでなく、日本側に存することは極めて明かである。日本は事変當初に声明したる対支膺懲政策―蔣介石及び國民政府を膺懲してその覚醒を促し、日支合作へと転向せしむること、―による全面和平を主観的立场に於て意図し願望した。この意図、この願望は飽くまで日本の主観的立场によって造成されたものであった。故にそれが客観的必然性と可能性を以て全面的に実現されなかったことは當然である。この対支膺懲政策は國民政府の還都及び中國國民党の更生を認め、かつ、日中基本條約が成立した直後に於て、當然に、分化、発展せしむべき必然的過程にあった。

然らば、この分化発展とは何か。東亜共栄圏確立のための膺懲政策は重慶

二五〇

政權に対應する政策として之を継続すると同時に体系的計画性に豊かな綜合工作を全占領区域に即時に実施し以て新國民政府をして全占領区域の中央政府として人心を掌握せしむべきであった。この綜合工作の遅延は新國民政府の官吏及び各級地方行政機関の構成者並に軍将兵を本格的努力に導くことを得ざるのみならず、在野の人材と遊資との吸收に成功を與ふるものでなかった。

この綜合工作に於ける執行力は軍事に四分、其他の諸工作―政治、経済、思想等の復興建設工作―に六分の割合を以て當分推進せしむることを最も適當と信ずる。蔣介石は一九三〇年より、三四年に亘り、江西剿匪内に五回の大規模討伐が行はれた。その第一次乃至第三次討伐は大体に於て軍事一点に終始したが故に悉く失敗に帰した。然し、之は蔣介石に採っては成功の試煉であった。

この失敗の経験は、第四次及び第五次の剿匪内清郷工作に軍事三分建設七分の綜合工作を用ふに至らしめ、遂に大体に於て、成功を得しめた。

この蔣介石のとった清郷工作に於けると同時に、我が占領区域即ち和平区に

二五一

於ては常に必ず軍事、政治、経済、思想、教育、宣伝等の綜合工作を実施遂行することに依てのみ、興亜建國の実現を使命とする國民政府の政治力の培育と拡大強化を可能づけることと為る。

かくて平和区が所謂「安居楽業」の地と化するとき、非占領区域も漸次、和平区に編入せられんことを希望し、非占領区域に於ける人民は次第に重慶政府より離れ、全面和平へと転換するであらう。

この推進原則の卑近なる目標は國民政府の軍事、政治、経済、思想、教育宣傳等の綜合力量を敵の此種の綜合力量に対抗し得るまでに引き上ぐるにある。而して日本側は現地最高総司令に この推進原則に即應した巨大なる機関を新設すべきである。

第三　和平区の面への進展

和平区の面への進展は興亜建國に絶対に不可缺の要件である。我が登集団の一部部隊が、甚だ遅まきながら江蘇省呉縣・太倉縣、昆山縣・常熟縣に跨る地

二五二

区を第一期清郷区とする中國清郷委員會の工作に指導協力してゐることは誠に慶祝すべき発展と私は考へるものである。しかし私がこゝに和平区の面への進展と云ふのは、清郷工作により徹底的治安を粛清し、以て名実共に新國民政府の完全統治下に置き、新國民政府の基盤たらしめるのみならず、現在の事情の許す限りに於て現在の点線占據より面占據へと進展せしめ、以て興亜建國を容易ならしめ東亜共栄圏の一環としての新中國を確立せしむべきであることである。

清郷工作は我が占領区域内に於ける游撃隊、共産匪及び土匪等の所謂匪族を対象とするが、和平区の面への進展は之に限らず更に非占領区域内に於ける重慶軍及び共産軍を対象とする。

現在の我が点線占據は対支膺懲政策時代の当然の成果であるが、日中基本條約成立後に於てはこの点線占據を面占據へ進展せしめ東亜共栄圏確立につき共同責任を負ふ國民政府の統治区域を拡大強化すべき階段にある。推小に点線占據の一時又は臨時に行ふるは可能であるが、之を長期又は平常

二五三

に維持することは明かに不可能である。我が軍が占領する点線の内面の物資の多くが重慶政権及び共産党の支配下にあつては、我が占領区域の治安も経済も常に不安である。

かゝる不安定の基盤の上に立つ新國民政府は遂に有名無実に陥る。中國を東亜共栄圏の一環とする政策は夢と化するであらう。故に、志英も亦、「和平区は面の上に把握するに非ればば治安と経済生活の改善は望みないことである」旨を主張した（註一）。

先づ和平区の面への進展工作は上述の綜合工作の方法により、察哈爾、河北、山東、江蘇、安徽の五省を第一期に、山西、河南、湖北、浙江の四省を第二期に、浙江省を除く揚子江南方諸省を第三期に実施すべきことが望ましい。

要するに、大体に於て東経百十度以東、の地域は新中央政府の基盤とする和平区たらしむる方針に従ふことによつて、更に全中國の全面和平へと指導し得ることが可能である。

（註一）志英稿「従中國到世界」（「政治月刊」第一巻、第五期第三五

二五四

頁－三六頁）。

第四　在中國日本諸機関の統一と整備

在中國日本諸機関の統一と整備は急速に解決せねばならぬ重大問題である。

我が在中國諸機関の割據分散情況は事変當初に於て最も極端であつた。これを矯正するために現地三省會議（陸軍省、海軍省、外務省、の所属現地機関代表会議）又は四機関會議（三省会議の構成者に興亜院現地機関代表を加へる會議）の成立となつた。然し乍ら、日本が、未だ對支膺懲政策より出て、東亜共栄圏確立の為の綜合工作に剔然と転換せざるときは、軍事工作が光輝ある成果を着々と収めてゐるに拘らず、政治、経済工作が之に随伴せざるため占領区域が八路軍、新四軍等に常に侵略せられ、討伐に討伐を繰返すことゝなる。例へば経済工作の拙劣が生産地と消費地の物價のひらきを巨大にし、密移出入を激化して犯人を多くし、中間商人（卸商）に買占に依る暴利を得しめて、殺人的物價高となり、物資搬出入許可制も複雑に失し、円滑を欠き、常に渋滞し、関

二五五

係諸機関の方針又は意見さへ一致せざる有様である。

この欠点を矯正する為めに揚州地区物資搬出入統制委員會―南部部隊、憲兵隊、特務機関、領事館の各代表より構成―が成立し、清郷区には「物資搬出入統制系統図等により統一せんとしてゐる。然し之等の地区以外は統一を欠き、物資の通流が円滑でない。

次に我が在中國諸機関の工作が極めて重要且つ広大なるにかゝはらず、狭義作戦以外の工作―特に政治・経済工作―に當つてゐる人材が、質に於て、量に於て甚だ貧弱である。換言すれば、軍属及び準軍属が質と量に於て又組織に於て甚だ貧弱で、大聖戦の目的と、其巨大軍事組織に比例してゐない。

従て現在の組織に於ては軍事工作が進展しても政治、経済及び思想工作は未発展に終り、東亜共栄圏の確立は困難又は未発展となる。祖國日本に於ては統制経済の重大性に鑑み官民の一流人物を網羅する委員會があるに比し、在中國の統制経済関係機関構成者の貧弱さは驚きにたへない。膺懲政策より和平区の面への進展に転換する、この際に於て南京総軍司令部に一大統制経済専門機関

二五六 ―

を設置することを急務とすべきである。

安全地帯を通過して南京の中國側要人と私的会談をして祖國に帰る日本の名士は屢々内政不干渉主義——政治の独立性——を持して特務機関及び各地部隊連絡官事務所の廃止を主張する向もあるが、現在の治安情態では、之等の機関は尚之を必要とする。治安が恢復し興亜建國が或程度確立する時期——現行台湾地方自治制度程度の自治開始時期——まで、之を存続せしむべきである。その職責は中國側諸地方機関と皇軍との連絡を緊密化し、側面指導を行ひ、以て興亜建國の側面的推進力と為るにある。然し現在の人的組織に於てはこの職責を遂行するには、質的にも量的にも甚だ不充分である。

最近に於ては此連絡官・連絡官補には殆ど現地除隊兵士を流用してゐる。これは明かに政治・経済・思想等の綜合工作に対する理解力の低下を齎し、反対に中國側から指導されてゐる不見識を暴露してゐる場合が尠くない。将来、現地除隊兵士を採用する場合は軍隊の既往成績と履歴を考慮する外、必ず中等学校出身以上を連絡官補に、専門学校出身以上を連絡官に採用することゝし、

二五七

且中等学校出身は六ケ月、専門学校出身は四ケ月又は三ケ月の現地特殊訓練を施すことに改むべきである。

其他、一般に、在中國軍屬の質と量との問題解決の為に特殊徴用令を制定し中等学校出身は六ケ月、専門学校以上の出身者は四ケ月又は三ケ月の現地特殊訓練を施す制度を採用することも一案である。この場合には、身分の保障と相当の待遇を必要とする。身分の保障として重要な問題は御用免除に際して転職の斡旋である。この斡旋は本人の希望と技能に應じ、國策會社又は官廳に採用せしむることとすべきであらう。待遇として問題となるのは恩給である。これも適當に整序すべきである。

要するに軍事、政治、経済、思想、教育等の綜合工作に転換する準備中、最も重要なことは之等の工作諸機構に統一を與ふることと共に、之等の工作諸機構の構成者に其人を得るための養成、採用、訓練を嚴にし指導力を強化することにある。然らずんば、事変処理は軍事のみ進行し又は軍事のみ徒らに多忙に陥り、其他の工作は困難に陥り、興亜建國の進行は渋滞に終るであらう。

二五八

第五　内面指導の集中点

我が國の内面指導は中央政府と省政府に集中し、縣以下の地方機関は上級機関の指揮監督に委ね、各地方部隊連絡官は単に連絡と縣政府の側面指導に當るべきものとする。而して我が内面指導は、軍事、経済工作に主力を注ぎ、政治、教育、思想等の工作は原則の樹立と執行の監察に止め総て中國側の自主に委ぬべきである。斯くて日中基本條約及び國民政府政綱を尊重し、興亜建國に速力を與へ、以て東亜共栄圏の確立を実現すべきである。

第六　暫行地方自治制の実施

治安が大体に於て確立し、官治行政組織が完成し且地方財政の独立性の安固なる地方団体——縣、市、鎮、郷——には漸次に現行台湾地方自治制程度の自治を賦與すべきである。何故ならば、蒙古を除く我が占領地域は大体に於て台湾の本島人程度の自治能力があると私は信ずるからである。但し台湾と中國各

二五九

地方との事情は必ずしも同じくなく、且従来の自治組織の目標を異にする点を考慮し弾力性ある自治制度を定立し、将来の完全自治への過程とすべきである。

第七　憲政実施

今述べた暫行地方自治の実施後、十年の成績を考慮し、建國大綱に云ふ完全自治を施行し得る程度に達したりと認め得る縣より漸次完全自治制を実施すべきである。而して全國の過半数の縣に之を実施したるときは國民大會を召集し憲法を制定し、速かに憲政実施に移行すべきである（註一）。

（註一）　建國大綱二十三に「全國過半数の省にして憲政開始時期即ち全省の地方自治完全の時に達したるときは國民大會を開き、憲法を決定し、之を公布す」と規してゐるが、同十八には「縣は自治の單位とす」と規定してゐる。従来の解釈では縣を最高自治單位とし、省を以て自治單位と認めてゐない。所謂五権憲法草案及び新國民政府の重訂憲法草案も亦同様に解してゐる。

二六〇

第八　我國の犠牲負担の縮少

我國の軍事工作は勿論、中國の地方行政、特に治安工作に對しては日本側は一切につき自己の負担と犠牲を出來る限り漸次最少限度に止め、漸次、中國側の自主的推行に向はしむることを要する。

第三節　地方行政諸政策

地方行政に對する諸政策は之を㈠軍事政策㈡地方行政組織改革策㈢吏治政策㈣治安政策㈤地方財政政策㈥経済建設政策㈦教育政策及び㈧其他の政策に分ち得る。これ等の諸政策は綜合的計画の下に実施せらるべきもので、部分的非計画的に実施すべきではない。また、これらの諸政策の一の政策を実施するときは他の政策の実施と緊密なる連絡を保ち、諸政策の綜合價値が興亜建國の実現なることを明確に目指すと同時にこれ等の諸政策の実施は重慶政権並に共產党の実施しつゝある諸政策に對する闘争であることを明確に認識すべきである。

軍事政策に如何に優秀なる成果を獲得しても、興亜建國の指導原則に於て既に劣位にあり、且つ政治・経済・思想政策の実施力量が薄弱であつては東亜共栄圏の確立は困難である。可能とするも犠牲過大に失し且豫定通りの推進は絶対に望み得ない所である。敵側 ― 重慶政権並に共產党 ― は既に徐州戰を契機

として大作戰に於ける抗戰力量の劣勢を知る戰闘形態は漸次游擊に移行し、政治・経済・思想政策戰に全力量の大部分を集中し、日本側の缺点を撞き、民衆を彼等の政権下に確保することに專念し、ジリジリ押しに新國民政府の據つて以て樹つ基盤を破壊し侵略しつゝある。我國は今次事変の當初に於て我國の軍事力量の最優性と一般產業の先進性に依據し、敵國の人口・面積及び最近廿年の民族運動の成果を過小に評價した。この敵に対する抗戰力量過小評價は今猶ほ続けられてゐる。例へば新四軍の最近一箇年の発展は新國民政府一箇年の発展と比較すべくもない大発展である。彼等は小さい犠牲に因つて大なる成果を収めてゐる。最近、陸軍及び興亜院當局に於て新四軍の実態調査が行はれたことは大なる進歩であるが、要するに敵の抗戰力量を過小に評價して居る間は事変處理を推進することは不可能である。何故に新四軍が短期間内に目覚ましい発展をしたかを詳細に調査し、それ以上の綜合政策を以て新國民政府の基盤の拡大強化に邁進すべきである。

惟ふに新四軍の成功は民衆の確保を第一義としたからである。詳言すれば、

新四軍は自己の軍事工作の効力限界を既に客観的に認識し、更に政治、経済、思想、宣傳工作を以て民衆を把握し、民衆の自発的加擔を誘導し、政治、経済の力量を増大し、之を基盤として更に軍事力量の増大を意図してゐるからである。

上に述べた諸政策の綜合工作は其地方の特殊事情に應じて最も能率的に実施し得るやう彈力性を共へることを要する。我國民は劃一的潔癖性によりこの彈力性を認むる雅量に狹いが、中國人は利己的変通性に因りこの彈力性を利用して綜合工作の能率を低下せしむる性格が強い。從て、綜合工作に於ける彈力性の維持は日中合作に於て常に無要の摩擦を生じ易いが故に彼我共に常に警戒すべきであらう。

第一　軍事政策

一、建軍

新國民政府が興亜建國を実現し以て東亜共栄圏の確立に對する責任を遂行

するには重慶政権並に共産党に對抗し得る國軍の建設を絶対に必要とする。然らざれば東亜防衛の為に日本は無限の犠牲を拂はねばならぬ。之は永く日本の耐へ得る所ではない。また、主権の独立を堅持する中國に採っても、相當量の國軍の建設を絶對に必要とする。然らざれば興亜建國を実現することは不可能である。修訂中國國民党政綱一四に要請してゐるが如く、建設すべき軍隊はあくまで國軍であらねばならぬ。中國は今猶ほ軍隊の國家化を要請すべき程度に封建的性格を有する。事変前の中國軍隊は個人又は各地方の支配階級のための私的軍隊であった。故に之に統一を加ふるために「抗日人民戰線」の完成が主張された所以であった。蒋介石自身も、満洲事変よりも全國の諸系統に屬する雑軍を如何に整理し以て自己の安定に資すべきかの方に苦心した。

各地方行政はこれ等の私的軍隊の維持のために犠牲となり、地方財政は軍費により枯渇し、人民の福利増進のための文化的建設工作は進渉すべくもなかった。のみならず、地方軍閥は財源及び財政地盤の争奪戰を屡々繰返し、

内戰の犠牲を直接間接に人民に転嫁した。

中國の地方行政を破壊し、その発展を妨碍するものとして第一に挙ぐべきものは各地方に私的軍隊が割據し、國軍が存在せなかったことである。

國軍の建設は日本軍の駐屯してゐる間に中央財政の許す限りの限度に於て完成し、國軍と地方行政とを完全に分割し、軍費は総て中央政府より支給し軍隊の直接軍費調達を絶対に禁ずべきである。而して地方財政は絶對に軍隊と遮断すべきである。但し軍事徴用を必要とするときは必ず中央政府の公布したる法令に基き厳格に行ふべき紀律を定立すべきである。

建軍は諸政策の綜合工作の推進と交互作用を以て進展すべき性質を有する。特に財政政策の推進に制約を受く。故に財政の許す限度に於て㈠新規に基本國軍の建設、㈡抗戰部隊の帰來（帰順）工作により收容したる軍隊の再編制㈢地方小雑軍の再編制を継続すべきである（註二）。但し㈡及び㈢の軍隊は興亜建國の精神に缺け且つ軍紀も戰鬪意識も甚だ低級であることを通例とする。然りと雖も、この種の軍隊の整理は國防上治安上及び社會政策上、重大なる

意義を有つ。即ち、これ等の兵士の中で(甲)軍事再教育の見込ある者は國軍に再編入し、(乙)軍事再教育の見込なき者は夫々訓練を施し、軍事土木、荒地開墾、公路建設等の特務作業部隊を設けて之に編入し以て國防本位の建設に服務せしむべきである。斯くて建軍と建設との擴充に資し同時に彼等を野に放つことに因り生ずべき治安の攪乱と社會問題とを未然に防止することが可能である。

建軍に於ける軍事訓練の要目は、㈠精神講話——軍事訓條十二箇條を中心に精神講話を毎週二時課し、國軍は同時に東亜防衛軍なることを自覚せしむべきである——、㈡戰鬪訓練、㈢諜報及び防諜訓練、㈣補習教育——中國の兵士は十中八、九人まで文盲であるが故に識字教育と併行して一般補習教育を毎週原則として三時間以上行ふ必要がある——、㈤民衆の軍事訓練——建軍の基礎を培養するために民衆の軍事訓練に努め、その指導者、例へば区長、鎮郷長、保甲長に軍事訓練を施し軍民合一を意図すべきである——等と規定すべきであらう。

二、軍の配備と武力討伐工作の方向

興亜建國の推進原則の第三に述べた如く、和平区の面への進展工作は東經百拾度以東の地域を三期に分ち、武力討伐工作を実施に當り、先づ採るべき軍の配備は㈠重慶軍又は共産軍の大部隊に對應するときは日本軍を主力部隊とし中國軍の精鋭部隊をこの指揮下に加へ、㈡游撃戰地域に於ては中國軍を主力部隊とし日本軍を之に配屬せしめて全軍を指揮し、㈢軍事、政治、経済の重要據点には日本軍を駐屯して興亜建國の守護たらしむべきものとする。

次に、作戰上、敵の大部隊の殲滅若くは追撃又は敵の軍事設備の破壊のために敢行する武力工作を除くの外は総て武力討伐工作は和平区の面への進展の為に行はるべきである。

和平區の面への進展工作はこの武力討伐工作に常に必ず政治、経済、思想、宣伝等の綜合工作が随伴すべきである。重慶軍にせよ、共産軍にせよ、彼等の強みは民衆と緊密に結合してゐる点にある。故に敵は我方の武力討伐に逢遇せば直ちに地下に潜り、民衆の隠匿下に午睡する。従て、彼等に採っては

我方の武力討伐は一時の颱風の如く感ずるのみである。颱風一過の後は旧体制は活発に復活する。斯るが故に軍事工作と政治・経済及び思想工作とは分離することなく、之等の綜合工作を実施し、敵の諸組織を破壊し、敵と民衆とを分離せしめ、更に我方の組織を確立して民衆を我方に帰向せしむべきである。この意義に於て先づ最初に行はるべき軍事工作は続いで來るべき政治、経済、思想工作をして可能且容易ならしむる方向に於て実施すべきである。殊に一度占領した地区は之を確保し、政治、経済、思想工作を妨碍する武装匪賊の侵入があつてはならぬ。斯の如きことが屢々あるときは民衆は我方に帰向することを虞れ、また我方に加担するも之は単に強力な武力的制圧下にある間の屈服にしか過ぎない。和平面の拡大の為の綜合工作は将來永久に民衆が我に帰向する覚悟の上にのみ好果は結ばるゝものである。

以上の綜合工作に因り新國民政府の威令が徹底し得る程度に治安を恢復したるときはその地域の警備はその地方の保安隊、自衛団に委ね、更に和平面の拡大の為に他地域に綜合工作は推進せらるべきである。この和平面の拡大

二六九

に於て最も警戒すべき点は武装匪賊を粛清完了の和平区に追込まぬことである。斯の如き拙選な作戦を繰返すときは興亜建國は遅れる一方である。

二七〇

三、撤兵

我皇軍の撤兵は実際上は全面和平の來らざる限り、日中基本條約に依る完全撤兵は困難である。特に我國が三國同盟に依り世界戦争に入込み、支那事変をして世界戦争の一環とした限り、國際情勢は我國の撤兵を許さないであらう。但し和平区の面への進展工作の推進に伴ひ新國民政府の建軍の建実なる発展により我皇軍は部分的に撤退は可能である。

従來、中國國民党が全國の指導者階級、特に青年指導者を惹き付けて來た口号は孫文の遺嘱（遺言）の末尾にある「國民會議を開催及び不平等條約の廃除は最短期間内に其実現を促すべし、是れ至嘱する所なり」の旨に基き、國民大會を今にも召集して憲政実施に入ることと不平等條約を撤廃することであつた。新國民政府も、更生中國國民党も其政綱に同様の旨を掲げて人心の収攬に努めてゐる。然し新國民政府はこの二つを掲げるだけでは人心を収攬することは困難なる情勢にある。之に加ふるに日本が或る時期に達すれば日中基本條約に因り漸次撤兵すべきことを豫め民衆に知らしむべきである。然し、之は単に抽象的表現で充分である。

（註一）　汪主席談「中國的新体制問題」（「憲政月刊」第一巻、第三期、第二頁）

第二　地方行政組織改革案

地方行政組織の改革は純然たる内政上の問題であり、且実施困難な課題である。内政上の問題であるが故に、妄りに、日本は之に干渉すべきでない。蓋し行政組織を改革し以て興亜建國の実現に能率を増大することは東亜共栄圏の確立の遅速に重大なる結果を齎し、日本に無限の負担を課する虞れが多分に存在する。この点に係つて日本は東亜共栄圏の確立に共同責任を負ふ國民政府に對し、行政組織改革案を提示し、行政の内面指導を行ふことは既に日中基本條約に反するものでない。次に行政組織の改革はその性質上、実施は甚だ困難であ

二七一

る。特定の組織は之を定立した當時に於ては、何等かの新しい要請に基き、一定の目的を実現するため、其機能を十分に発揮し得るやうに構成されたものであるだけ、一旦それが実施に入ると次第に固定化し、機械化し、その存在目的を忘れて保守的となり、行政組織の改革を阻害する機能を営む性格を有つ。特に中國官吏の保守性と苟安的組織維持の欲求とは組織改革を常に骨抜にし終るものであつた。然れども行政組織は今次事変の有無に拘らず早晩全面的に改革すべき機運にあることは指導階級の一般に認むる所である。加之、今次事変に入り興亜建國の促進のために行政組織改革の必要性は緊急化して來た。以上述べた如く興亜建國を実現し以て東亜共栄圏を確立すべき責任を負ふ新國民政府は早晩、中央、地方の行政組織の改革を敢行すべきである。然らざれば、興亜建國は極めて低い能率に於て推進するであらう。

然し乍ら、一應、事変前の状態に復帰することを興亜建國の推進原則とする吾人は行政組織も事変前の機構の復活を原則として一應承認する。但し、旧來の陋習にして継承し難き組織及び興亜建國を阻害する組織の復活は之を認むる

二七二

ことを得ない。以下緩急の度に應じて地方行政組織の改革案を提示することゝする。

一、級制の整備

地方行政組織は省、縣及び鎮郷の三級制に改め、市は從來の如く二種別制を採り特別市は省と共に第一級に位し、普通市は縣と共に第二級に留め置くべきである。今之を表示すれば次の如くである。

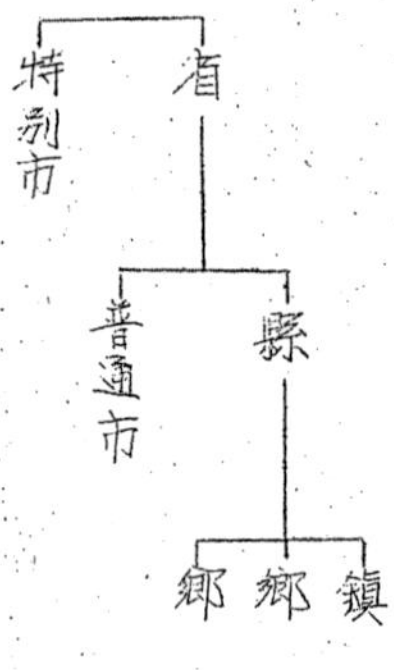

縣の上級及び下級組織としての区及び市の上級組織としての区は独立の行政官署たる資格を取消し、縣及び市の下級組織としての区は縣及び市の補助行政機関とする。その理由は区を独立の行政官署とするときは地方行政組織

は原則として四級制又は五級制となり、中央政府の法令と監督とが徹底せざる恨みあるのみならず、地方財政の負担を徒らに膨脹することゝなる。故に現行の縣及び市の下級組織としての区及び省縣の中間にある廣東省等に設置する行政督察專員制及び華北の道制は之を廢止すべきである。この廢止時期は省行政区域の縮小時期と一致せしむべきである。

二、省行政区域の縮小

地方行政組織改革案中、最も大なる問題は、省行政区域（省区）の縮小である。省制改革の趨勢の所で既述した如く、省の行政区域は之を三乃至五に分割し、事情に因つては二省以上の省の一部を合して一省を新設すべきである。

要するに省の行政区域は大体に於て現在の満洲國程度に縮小すべきである。その理由は既述した。この省行政区域の縮小は地方行政組織三級制と同時に施行すべきもので、その時期は早ければ早い程、興亜建國の能率を増大するものである。故に速に実施すべきであるが、事態の重大性に鑑み、少くとも

現行台湾地方自治制程度の地方自治開始時期より遅れてはならない。

三、普通市の成立條件の引下げ

特別市の成立條件は現行制度で可なるも、普通市の成立條件は市組織暫行條例第三條は市組織法第三條第二号を削除し、「人口三十万以上にして工商業発達せるもの」と規定した。更に之を人口十五万以上にして工商業発達し且財政歳入安固なるものとし、普通市の成立要件を引上げ、以て農村行政と都市行政の分化を容易ならしめ、各行政能率の増進を図るべきである。

四、各級地方政府なる名稱の廢止

省政府、縣政府、市政府の名稱は中央政府が全國を統一するだけの政治力の缺けてゐた地方軍閥割據時代の遺物である。今、國民政府が中央政府としての政治力を造成する此際、「政府」なる名稱は國民政府のみ之を專用することが、中央集權的意義に於て重要である。従て、満洲國の例を倣ふた臨時政府の制度を採り、省政府、縣政府、市政府の名稱を廢し、公署と呼ぶことに改むべきである。目下進行中の清郷区はこの例により公署なる名稱に依つてゐる。

五、各級地方行政官署の權限の分劃

この問題の前提となる課題は、中央と地方との權限の分劃である。それは、要するに中央集權主義と地方分權主義との調和に関する課題である。これは理論よりも各國の歴史と其當時の情勢により決定せらるゝ傾向を有つ。孫文は中央集權を緊要とすると同時に、地方分權、特に地方自治の実施を要望した。孫文はこの場合、中央と地方との權限の分劃は均權主義に據るべきものとした。建國大綱十七に「此時期に在りては中央と省との權限は均權制度を採る。凡そ事務にして全國一致の性質を有するものは中央の權限に帰屬せしめ、地に因り宜しきを制して可なる性質を有するものは地方に帰屬せしめ、中央集權又は地方分權に偏せざらしむ」と規定した。訓政時期約法は其第六章を「中央地方之權限」と題し、六ヶ條の規定を設けたが、建國大綱の規定を多く出てゐない程度である。

故に、この約法の規定のみでは、孫文の均分主義は未だ抽象的で、具体的

問題を処理する標準と為り得ない。この缺点を補ふために民國二十年、行政院は「確立中央與地方政府權限」を制定し、具体的事情に應ずることゝしたが、之は極めて當然のことを非系統的に規定したに過ぎなかつた。從つて、之では未だ一般の具体的事情を規律し得ないから、行政院は廿四年更に「劃分中央與地方權責綱要原則」を訓令した。これによつて中央と地方との權限の分配は大体に於て整序されたが、依然として各級地方行政官署の權限の分配は不明である。

建國大綱十八は「縣は自治の單位とす。省は中央と縣との中間に立ちて聯絡の運用を為すものとす」と規定した。之と同前條の均權制度とを綜合すれば地方行政の重心は縣に在つて省にない。何故ならば、省は單に中央と縣との間に於ける聯絡を保つための存在であるから。孫文の均權制度の重心は中央と縣とに存し、省に存在せない。而して「縣は自治の單位とす」の一句は「縣を以て最高自治單位とす」と解されるに至つてゐる（註二）。この解釈は所謂五五憲法草案及び新國民政府の重訂憲法草案の採る所である。

二七七

惟ふに省は國民政府成立以前及び軍政時期に於ては近代國家の地方自治団体でもなく、また單に中央政府の地方行政機関でもなかつた。當時の各省は國税である田賦に附加税を課し、省收入の重要項目としたが、これは法規上の制度で、実は中央政府の政治力の薄弱なるに乘じ、國税及び其附加税としての田賦は各省に扣留して中央に送付せず、其他の收入と共に殆ど各省軍閥の養兵と軍備拡張の費用に充當された。故に「此時期の省財政は実は所謂省自治団体の財政でなく、單に各省軍政府の財政であるか、又は軍事長官個人の財政であつたに過ぎなかつた」と金鳴盛は述べてゐる（註三）。

訓政時期に入つても省は近代國家の地方自治団体たる性格なく、各省軍政府即省政府と成す伝統的勢力の下に固定化し、各省は地方費の主体としての自治権を有し、現行省組織法も省に省税徴征権を認めてゐる。この意義に於て省は省政府の名に於て低度の自治団体たる性質を有すると共に國の地方行政官署たる性質を有すると云ひ得る。

私は省は中央と縣との聯絡機関としての地方行政官署とし、建國大綱に言

二七八

ふが如き民権主義的自治の主体たることを否定し、統一國家の完成に努むべきである。但し省と雖も、師範学校、盲唖学校、専科以上の学校及び高級中学、博物館、図書館、病院、諸試驗所等の文化増進機関を設立、経営する程度の地方費の主体たる性質を認むることは寧ろ可と信ずる。

將來、縣、市、鎮、郷に民主主義的自治主体たる能力を与ふる方針を以て官治行政を通じて指導すべきものとする。從て、財政方面に於ても出來得る限り縣收入の増大を図り、省政府の收入、特に税源を縣に移讓せしむべきである。

（註一）　金鳴盛著「立法院議訂憲法草案釋義」第三二〇頁

（註二）　同前書第三二六頁

二七九

六、各級地方行政官署の改組

(一) 省政府（省公署）

エ、委員制廃止、省長制採用

委員制を廃止して独任制の省長制を採用すべきことを要する。之は臨時政府以來華北には採用されてゐる。また、省政府を改称して省公署と呼ぶべきことに就ては既述した。委員制の廃止、省長制の採用につき今更理由を附する必要がないであらうが、省政府委員制は合議制の長所を有つてゐるが、同時に合議制の短所を内在してゐる。元來、私の見る所では合議制の長所を捕捉する為に委員制を採つたと云ふよりも、中央勢力と地方勢力とが妥協する為の制度として続用されて來たものである。之を國民政府又は國民党の側から見れば地方の勢力者に委員の椅子を与へて懐柔すると同時に中央系委員をも任命して地方行政を指導監督せしめ、ジリ〳〵押に各省政府を党化するにあつた。故に委員制は全國の党化政策に必要な制度であつた。然し現在は中國の地方行政を改進して東

二八〇

亜共栄圏の繁栄に奉仕すべき転換期にある。委員制はこの転換期に即應した性格が缺けてゐる。施政の敏速性と統一性とを高度に発揮せしむるには省長制を採用すべきである。所謂五五憲法草案及び新國民政府重訂憲法草案も共に省長制を採つてゐるが　之は将来の問題である。省行政区域の縮小と同時に華中、華南にも省長制を採用すべきである　孫文は地方の反革命勢力の掃除を以て対内政策の第一義とした。蔣介石も亦常に地方勢力の駆逐には苦心し且方法さへ選ばぬ場合があつたが、省行政区域の縮小と委員制の廃止に手を附けるだけの自信が彼にはなかつた。之は日本の支援に依つてのみ急速に解決し得るものと信ずる。文化程度の低い満洲國と華中、華南とは比較にならない部分もあるが、省行政区域の縮小と省長制の採用が、新統一國家の創造に如何に役立つてゐるかは満洲國に徴しても窺知し得る所であらう。

II、廳の整理

省公署に秘書處、民政廳、財政廳、教育廳、建設廳、の一處、四廳制

二八一

を原則とする現行制度は之を維持することを可とするも、省行政区域の縮小と省税の移譲に依る減收に即應した縮小を各廳の内部組織に実施することが必要である。

各廳長は独立の行政官署でなく、省長の補助行政機関である制度を確立すべきである。

省長は省公署の長官で、省政の一切につき指揮監督すべき責を負ふものとし、省政府主席の如き飾り物であつてはならない。而して廳令を発する権限は之を取消し、廳務関係の法規又は命令を必要とするときは、之に省長が署名し、主管廳廳長が副署して公布又は佈告することを要する。現在迄の省政は実は廳政であり、縣政は実は局政である。斯くの如き各廳局別地方行政は之を一掃し、省長の綜理下に統一すべきである。蔣介石は之を剿匪区内より漸次実施し、全國に及ぼす方針であつたが、不徹底のまゝで今次事変に入つた。

III、合署弁公

二八二

之も蔣介石が剿匪区内より漸次全國に普及する方針であつたが、不徹底のまゝに今次事変となつた。特に省行政区域及び各處廳の内部組織を縮小し且省長の独裁権を強化する時期に於ては合署弁公は容易に実現し得るが故に其時期に官署の建物の許す限り必ず合署弁公を実施すべきである。

IV、省政會議

省政府委員制の廃止による弊を補繕する為に省政會議を設置し、省長の諮問機関とすべきである。即ち臨時政府時代及び維新政府時代の省政會議を復活すべきである（省公署組織大綱一七條一項、省政府組織條例一二條一項参照）。

(二)

I　市政府（市公署）

内部組織に彈力性

・人口十五万以上の市街地を普通市と為すときは市政府（市公署）の内部組織につき縮小への彈力性を与ふべきである。

二八三

II　局長の権限の整序

各局長は市長の補助行政機関と為し、市長の指揮監督下に置き、独立して局長の名に於て単行法規又は命令を発する権限を認むべきでない。若しかゝる法規又は命令を必要とするときは市長の名に於て（市長署名）公布し、主管局長之に副署する制度を確立すべきである。

III、坊の名稱復活

市の下級組織はそのまゝとし、鎮の名稱は縣の下級組織と紛れるが故に坊と改稱すべきである。然し坊は二十閭より成るものでなく、十保よりなる保甲制の一部である。

IV、合署弁公

合署弁公は、出来得る限り励行すべきである。

(三)

I　・縣政府（縣公署）

縣長の権限の強化

縣長の権限を強化し、縣政の一切は縣長の綜理に帰すべし。然らざれ

二八四

ば縣長訓練も大なる效果を發揮し得ない。

Ⅱ　内部組織の改組

縣の内部組織は之を根本的に改革し、局を全廃し、第一科乃至第四科制を原則とし、総て縣長の指揮監督下に綜理し、主管廳長の直接指揮又は監督は之を絶對に認めてはならない。この平凡なことが支那では行はれてゐないことは既述した所である。地方行政の不統一と縣長の権限の狹小は中國地方行政に於ける一つの癌である。

Ⅲ　合署弁公

合署弁公は出來得る限り断行すべきである。

(四)　縣の下級行政組織

Ⅰ　区公所の廃止

縣の下級行政組織としての区公所は之を廃止し、縣が直接に鎮郷長を指揮監督する制度に改むべきである。その実施時期は省行政区域縮小の時期を可とする。それ迄は治安の徹底化の為に存在する。此處に区公所

二八五

の廃止とは区を將來の自治單位と為さゞること及び独立の行政官署とならざることを意義する。暫行的に縣長の補助行政機関として存続せしむることを否定するのではない。

Ⅱ　鎮郷と保甲制度

鎮郷の行政区域は適當に廃合新設し、全國に汎に嚴格に保甲制度を実施すべきである。

第三　吏治政策

吏治は公務員に對する人事行政を謂ふ。吏治に對する政策は公務員の(一)任用、(二)考試、(三)監督、(四)訓練、(五)待遇、(六)整理、(七)無際と賞懲等に分ちて立案さるべきである。その中、(七)のみを割愛することとする。

一、公務員の任用

行政能率の増進は行政組織の改革と併行して、公務員任用の改革とその運用との適正を謀るにある。訓政時期約法第六條、第二十四條は中華民國國民

二八六

は種族、宗教、階級の區別なく一律平等に公務に服する能力を有する。この中華民國國民たることを要する反對解釈として外國人は任官能力の主体たり得ない（國籍法一二條、公務員卹金條例一一條参照）。但し名誉領事及び税務司はこの例外である（註二）。税務司に外人即ち主として英國人を任用する所に関税の自主権が破られ、半植民地性が強化されてゐる。要するに税務司と雖も総て中國人に限るか然らずんば主として日本人を任用して、東亜共栄圏の確立の為め東亜自給自足貿易の円滑なる発展に貢献せしむべきである。

中華民國國民と雖も法定の消極的要件あるときは任官能力の主体たり得ない。（公務員任用法六條、刑法五六條、五七條、五九條、新刑法三六條、公務員懲戒法四條二項、國籍法九條、六條、考試法八條）、就中、公権を褫奪せられ未だ復権せざるものなる消極的要件につきては特に嚴格であらねばならぬ。革命の途上にあり、且、東亜共栄圏確立につき共同責任を負ふ中國は更生中國國民党及び新國民政府の政綱に違背する犯罪により公権を褫奪された者につき特別の注意を用ふべきである。

二八七

（註一）　范揚著「行政法総論」第一四〇頁

次に各種の任官資格につきては相當の改革を必要とする。中國の任官資格は極めて複雑で、不統一である。民國二十二年三月十一日公布の公務員任用法（廿四年一一月一三日修正）に依り始めて統一の緒を見せたが、同法第二條乃至第四條――簡任官、薦任官、委任官の任官資格の規定――は政務官、蒙藏委員會委員、僑務委員會委員、各機関の秘書及び秘書並に法律に別段の規定あるものには適用がない（同法一二條、一四條、一條）。この規定につき問題となる点は(一)法律に別段の規定ある除外例が極めて雜多で且不統一であることと(二)一般任官資格が稍々高きに失することである。先づ(一)につき述ぶれば、縣行政人員――縣長、承審員（一種の司法官）、科長又は局長、科員、縣技術人員――、警察官、土地法関係官――契據專員、估計專員――、塩場場長、主計人員――主計官、會計人員、統計人員――、邊遠省公務員――新疆、寧夏、青海、貴州、甘肅、西康の六省の公務員――、行政督察專員、

二八八

軍用文官、軍用技術人員、軍法職員、軍監獄職員、法官｜推事、検察官｜、行政法院評事、其他が除外例の公務員即ち特殊公務員に屬し、人才行政に相當に曉通せる人に於ても、この除外例の公務員を全部抜擧することが困難である現狀にある。而して一般任官資格は一般の民度に比して稍々高さに失してゐる。故に一般任官資格を稍々低くし、日本及び滿洲國の例を參考とし且つ中國の特殊事情を參酌して之等の特殊公務員の種類を整理して最少減度に止め、更に之を補ふに特殊訓練を以てすべきである。

次に一般任官資格は之を㈠考試任用、㈡経歷任用、㈢勲労任用、㈣専門家任用、㈤学歷任用の四資格に分たる。この中、長所は経歷任用が廣汎に亙り且重要役割を果してゐる点は日本の特別任用の比ではなく、短所缺点は勲労任用を認めた点である。この勲労任用は「以党立國」を目指す官吏党化政策の露骨な現れの一である。公務員任用法は中華民國に勤労あり又は國民革命に盡力すること一定年限以上にして勤労又は成績あるときは夫々任官資格を賦與する。この一定年限は簡任官は十年以上、薦任官は七年以上、委任官

二八九

は五年以上とする（公務員任用法二條四号、三條四号、四條五号）。勲労又は成績は本人の陳述の外に中央党部の證明書又は國民政府の書面に依る證明あることを要する（同施行條例七條）。但し委任官は中央党部の外に省党部、特別市党部、海外総支部等よりも證明書の下付を請求することを得る（同條例八條）。この勲労任用は技術人員には適用せずと流石の國民党も遠慮してゐる（二二年中央政治會議第四二六次會議決議）。勲労任用が技術人員に適用し難い缺点は一般の官吏任用の場合に於ても大なり小なり存在する。この種の勲労者必ずしも官吏としての執務に相當する能力を有つものでない。故に勲労任用制度は之を廃止し、勲労は單に経歷任用制度運用上の自由裁量に於ける一の方針とすることに止め、彼の勲労に對しては別に賞與を行ふべきである。

最後に任用制度の運用につき一言して置かねばならぬ。任用に関する法文又は制度が形式上如何程整備されても、その運用が法文又は制度の存在理由に反して行はれては吏治上の重大問題である。中國に於ては今猶は清朝以来

二九〇

の幕友の風習と官職の賣買が殆ど公然と行はれ、慣習化してゐる。故に長官の同族、同郷、同窓関係若くは友情により又は金力により公務員に任用されてゐる。従て、長官が交迭するときは小使までが更迭する傾向となつて現れてゐる。斯くて中國の各級地行機関はその夫々の長官一族又は一党の私的利益追求の機構と化する。こゝに孫文が行政、司法、立法の三權の外に考試、監察の二權を分立せしめた所以がある。然し、この情弊は既に清朝に於て試驗済の考試と監察との分立のみを以てしては解決し得るものではない。従而孫文は常に「天下為公」を主張してやまなかつた所以はこゝにあり、陳公博が廉潔政治を強調する理由も亦此處にある。例へば上海の現任某警察所所長の如きは文字を解せず、國語（北平語）も話せずして其職に就いてゐる。これは單なる一例であるが、この一例より見ても田舎の公務員の任用に於ける情弊が如何ばかりなるかを窺ひ得る。先づ吏治の粛正は任用より開始すべきである。

二九一

二、公務員考試

公務員任用は選任官、特任官を除く外の官吏には既述の五種の任用方法が適用されてゐるが、その原則としての任用方法は考試任用である。然し文官考試に関する一般法である考試法は民國十九年四月一日実施され（一八年八月一日公布、二二年二月二三日及び二四年七月三一日修正）たばかりで、今次事変直前に於ては考試任用による公務員は僅かに百分の一内外であつた（註）。考試法に依れば文官考試を大別して次の表の如く分ち得る（同法四條一項、三條一項）。

- 文官考試
  - 一般考試
    - 高等考試
    - 普通考試
  - 特殊考試
    - 高等考試に相當する特殊考試
    - 普通考試に相當する特殊考試

一般考試は考試法に規定せらるゝも、特殊考試は各種の特殊考試につき夫々特殊考試條例を考試院に於て制定実施することゝしてゐる。

二九二

高等考試は我高等試驗、普通考試は我普通試驗に該當する。この両考試共に第一試、第二試、第三試の三試制を採るか然らずんば第一試、第二試の二試制を採る。三試制に於ける第一試は公務員の基本的教養を試驗するために國文、総理遺教（党義）、中國歴史、中國地理、憲法（憲法公布前は訓政時期約法）を基本科目として課し（筆記試驗）、第二試は各種官職に必要なる專門科目を試驗し（筆記試驗）、第三試は第二試の必須科目及び經驗につき口頭試問を行ふ。二試制に於ける第一試は專門科目につき考査し、第二試を筆記考試と口頭試問にち、筆記考試は基本科目を考査し、口頭試問は第一試の必須科目及び經驗につき行ふ。一般文官には專門科目よりも、基本科目を先重する三試制を採るも、技術文官——建設、衛生、會計、審計、統計等の人員——には基本科目よりも專門科目を先重する二試制を採ると同時に基本科目の負担を消々軽減してゐる。而して如何なる種類の考試に於ても特別規定ある場合を除く外、総て筆記試驗には中國文字を使用すべきものとする（考試法一二條）。

二九三

國民政府は民國廿六年十一月十九日以前の法令を原則として襲用するが故に、今述べた考試制度は還都後の國民政府政綱及び新法に牴觸せざる限り有效である。一般に考試制度は日本よりも進歩的であるが、改革を要する点も亦甚だ多い。以下還都後の新法をも併せて改革を要する点及び運用上に特に注意を要する点につき述べることゝする。

（註一）　張金鑑著「人事行政学」下第七〇四頁

(一)　分類分科

文官考試の分類分科が極端に走り、本事変前は毎年分類分科を増す一方で、吾人の驚きを禁じ得ない程度に達してゐる。例へば一般考試としての高等考試は普通行政人員、警察行政人員、衛生行政人員、教育行政人員、土地行政人員、農村行政人員——之は更に農業行政科と林業行政科に分れ——、財政行政人員、會計審計人員、統計人員、建設人員——之は更に、農業科、森林科、水産科、土木工程科、建築工程科、機械工程科、電機工

二九四

程科、化学工程科、礦冶工程科、紡織工程科に分れ——外交官領事官、司法官、監獄官等に分類分科され、同じく普通考試も殆ど等様に分類分科され、高等考試に相當する特殊考試は縣長、高級土地測量人員、高級郵務員、高級車務員、邊区高級行政人員等の考試に分類され、普通考試に相當する特殊考試は初級土地測量人員、初級郵務員、初級車務員、邊区初級行政人員、承審員等の考試に分類されてゐる。

重慶政権は民国二十七年十月廿八日非常時期特殊考試暫行條例（國民政府令）を公布施行し、各種の非常時期特殊考試條例を個別化的に立法する權限を考試院に委任し、平時立法としての既述の文官考試制度は人材の乏しい辺疆地方及び人材の吸收困難なる戰時に於ては適用し得ないが故に、変通弁法を採ることゝした。かくて非常時期に於ては高等考試に相當する特殊考試の受驗資格（考試法七條）を除く外考試の分類分科、考試科目及び受驗資格は之を事実上の必要に基づき立法することゝした。即ち平時よりも簡易化、低狭化し得る彈力性を認めた。然し本條例は縣長考試には適

二九五

用せざることとした。

新國民政府も亦、「民國二十九年高等文官考試條例（二九年五月三〇日公布）及び其附属法令を制定し、普通行政人員、衛生行政人員、建人員——既述の十科に分つ——の三類の高等考試を施行した。據之觀之、國民政府は民國二十六年十一月十九日以前の制度を漸次復活する方針であることが窺知し得る。

この極端に分類分化することは專門的智識と經驗を深めるが、それだけ官吏の智識と經驗は偏狭化し、官吏任用に於ける彈力性を失ふに至る。故に私は高等試驗を行政科、技術科、外交科、司法科の四科に、普通考試を行政科、技術科、司法科の三科に整理し、邊区文官考試は當分残し其他の特殊考試は之を全部廃止することを可とするものである。

次に、蔣介石一派は中國國民党の名に於て党軍の拡大強化を図り其上に立つと同時に党政、軍一体を提唱して官吏の党を徹底する為に中央政治学校を設立経営し、且中央党部工作人員従事政治工作考試並に中央及び各省

二九六

市党部工作人員従事司法考試を施行し、その卒業生及び考試合格者を優先的に教育行政、建設行政、財政行政及び司法行政に任用し、之が党化工作に任用することゝした。その中、党化工作考試を試むることは明かに國の文官考試及び任官の統一を破壊するものであり、訓政時期約法第三十二條及び國民政府組織法第四十二條に反するが故に新國民政府は此種の党化工作考試は復活すべきでない。

(二) 受験資格

受験資格は旧國民政府時代は中國の実情に即應せざる点及び餘りに弾力性を共へ過ぎた点(註一)があつたが、新國民政府は二十九年高等文官考試條例第二條に之を整序してゐる。この第二條の立法原則により普通考試の受験資格をも整序すべきである。

(註一)　考試法第七條及び高等考試普通行政人員考試條條第二條に普通考試合格後四年を経たる者に高等考試の受験資格を認めた。これは登格の途く趣旨であるが餘りに行き過ぎである。

二九七

(三) 考試科目

考試科目は之を基本科目と専門科目に分つことは甚だ進歩的である。基本科目につき問題となる点は、総理（國父）遺教と中國歴史と中國地理とである。旧國民政府及び重慶政権に於ける総理遺教の内容は高等考試では三民主義、建國大綱、建國方略、中國國民党第一次全國代表大会宣言の四種であり、普通考試では三民主義及び建國方略又は建國大綱の二種となつてゐる。この総理遺教は党義とも呼ばれてゐる。ところが、新國民政府は総理遺教を基本科目が削除した（二九年高等考試試験科目表）。

私は東亜共栄圏を確立すべき指導者たる公務員の試験に對し、斯る消極的態度を採ることは絶対に禁物である。と主張するものである。此の際必要なのは建設への積極的態度である。故に、私は「総理遺教」なる名稱を廃し、「興亜建國論策」と改称し、中國國民党第六次全國代表大會宣言（含政綱）、國民政府政綱、三民主義の必然的史的発展としての大亜細亜主義等をその内容に求むべきである。

二九八

中國歴史及び中國地理は新國民政府も亦基本科目に加へてゐる。然し、旧國民政府は「編輯小学教科書注意補入中東路惨案材料令」（一九年七月十四日令）、「各級学校應加授日本帝國主義侵略中國史令」（二〇年一〇月令）、「全國人民應痛衣節食充実飼糈以備抗日令」（二一年五月令）及び廬山の抗日訓練等により事変前に於ける中國の歴史及地理は抗日主義を以て一貫してゐる。故に新中國の歴史及び地理はこの抗日を拂拭し、東亜民族共栄に資するやう改編されたものであらねばならない。

次に専門科目は元来多きに過ぎたので、民國廿四年の各種考條例の修正に際し科目の数を遥かに減少した、然し尚稍々多きに失する状態にある。それで高等考試の必須科目は司法科のみ五科目とし、其他は四科目とし、選択科目は反対に科目数を増加し其中より一科目選択すべきことに一律改正するを可とする。

三、公務員の監督

中國に於ては地行公務員は本属長官と監察院とにより二重の監督を受くる

二九九

外に党政合一を計る意義で省縣市党部の側面監督が存在してゐる。全く公務員不信任の制度が確立されてゐる。斯る制度の発達は要するに中國公務員の大なる腐敗を前提としてのみ意義がある。蓋し公務員の腐敗は実に全面的であるが故に監督機関構成者を更に監督する高次監督機関を要する。監督者と被監督者との腐敗性に於ける差異は大なるものでない。

故に公務員の監督制度の整備よりも孫文の提唱する「天下為公」の精神を公務員に徹底すると同時に、一般民衆も公務員の腐敗性を利用して私利を追求せざるやう國民教育を施し、公務員の任用を厳格に行ふべきである。

本属長官に依る監督系統は日本と等様に秩序づける制度を厳守すべきである。即ち内政部部長が民政廳廳長を、財政部部長が財政廳廳長を、教育部部長が教育廳廳長を直接に指揮監督し、省政府首席（省長）と無関係に省政が分散的に執行され、財政廳廳長が財政局局長を、教育廳廳長が教育局局長を直接に指揮監督し、縣長と無関係に縣政が分散的に執行されて來た陋習は、断然之を排除し、中央部會長官は直接に省政府主席（省長）を指揮監督し、

三〇〇

省政府主席（省長）は中央部會長官の命を承けて各廳廳長を始め其所屬職員及び縣長を指揮監督し、縣長は省政府主席（省長）の命を承けて各科科長及各局局長を始め其所屬職員及び鄉鎮長を指揮監督し、鄉鎮長は縣長の命を承けて所屬職員及び保長を指揮監督し、保長は鄉鎮長の命を承けて甲長を指揮監督し、甲長は保長の命を承けて戸長を指揮監督する系統を明確に嚴守すべきである。これは市に於ても同様に然りである。然らずんば如何程縣長を訓練し又は実力ある縣長を任用しても中國の地方行政は不統一不発展に終り、統一國家の完成は永久に不可能である。各級地方長官の権限が狭小であり、且つ無視せらるゝ制度と陋習は之を一掃すべきであると同時に今述べた指揮監督系統の確立は我日本に採つては全く平凡なことであるが、中國に於ては一大改革である。

監察院が、本屬長官が責任を以て監督してゐるに拘らず、更に公務員を監督することは事実上隔靴搔痒の弊を免れないことは中國識者の既に認むる所である（註二）。然し官吏の腐敗せる中國に於ては考試院と共に監察院は孫文が

必要を認めた如く必要である。私は五権憲法は斯る意義に於て必要を認めるものである。臨時政府及び維新政府の時は三権分立主義を採つたが、新國民政府は民國二十六年十一月十九日以前の制度を原則として襲用した結果、五院制を復活せしめたことは今述べた意義に於て當分價値あることであると同時に孫文の主張した五権憲法を軽卒に否定するが如き態度は決して興亜建國を促進させることと全く対蹠的である。

（註一）　張金鑑著「人事行政学」下、第七〇三頁。

四、公務員の訓練

公務員の任用と監督とを嚴重にすることに依つてのみ公務員の執務能率を増進し且官紀を粛正し得るものでない。特に転換期に於ては既成の智識と経験とに転換を要請する。この転換期に於ける執務能力の増進と官紀の粛正には学習（試補）と補習訓練とが計画的に嚴格に行はねばならない。

（一）学習（試補）

中國に於ては日本と異り、満洲國と等様に文官考試（司法官は初試）に合格した者と雖も直ちに薦任官又は委任官に任用補職せず、原則として一定期間に任用し、将來担當すべき官職につき実務練習を為さしめ、官吏としての適格性を養成することゝしてゐる。学習に関する一般法は高等考試及び格人員分発規程（二二年一〇月一七日國民政府公布）及び普通考試及格人員分発規程（二二年三月一七日國民政府公布）であり、特別法は各種の考試條例及び其附屬法令等に散在してゐる。

この学習期間は單に實務練習に止めず、興亜建國論策に関する論文の作成を課し、討論を行はしむべきである。

（二）補習訓練

革命の途上にある中國に於ては日本と異なり、元來官吏の補習訓練に関する制度は発達せざるを得ない段階にある。事実上も日本よりも遥かに発達してゐる（註二）。

事変直前に於ける中國の官吏中、文官考試合格者は僅かに百分の一に止まり、他はすべて甄別銓敍任用に依る者である。甄別銓敍任用は推薦と具状により銓衡せらる。從而、推薦と具状との機會に恵まれてゐる者のみが、任官の機會を独占する。この機會は伝統的なる情弊即ち同族、同郷、財閥、学閥関係等により決定せらる。この場合、考試及び銓敍の最高機関である考試院（特に考試院銓敍部）が如何に公平無私に銓敍しやうと努めても、既に其前提に於て、私党、貴官、其他の情誼に陥つてゐる弊を一々拂拭し得るものでない。この情弊は清朝、民國を通して大なる変化がない。

加之、欧米依存主義を採る党化政策が抗日人民戰線の拡大強化に專念し三民主義の曲解を強要した結果は、官吏の思想は反興亜に偏し、白人帝國主義の走狗的性格を持つ。然るに新國民政府は還都を建前としてゐる限りに於て帰還公務員は之を原則として吸收すべき態度を採らざるを得ない。この帰還公務員の大部分は中國國民党第六次全國代表大會宣言（含政綱）及び新國民政府政綱に真に共鳴して新國民政府の傘下に集つた者は極めて

僅少である。その多くは官職を利用して私的生活の繁栄を意図する者である。これ等の官吏に対する補習訓練は、実は官吏の再教育であらねばならない。実に臨時政府及び維新政府の傘下に集った公務員の素質は大体に於て劣悪である。原則として之等の公務員の身分を保障する新國民政府は之等の公務員の補習訓練を必要とする。補習訓練は單なる実務練習でなく、東亜共栄圏確立のための指導者の養成を最高指導原則に求むべきである。

満洲事変を契機として抗日人民戦線の統一強化と党化工作のために旧國民政府は大規模の廬山訓練―全國軍官のみならず、各縣市の現任行政人員及び各級学校校長を分期的に廬山に召集して訓練―を行ひ、内政部は更に民國二十五年縣市行政講習所を設立し、各省の縣長、科長を南京に分期召集し、抗日救國訓練―期間は三ヶ月―を強行した。この両訓練は今次事変に於ける抗戦力量の強化に大なる貢献を果してゐることを否定し得ない。

この際、新國民政府は廬山訓練と内政部縣市行政講習所とを其目的を転

換して興亜建國の為に復活せしむべきである。勿論、現在も内政部は縣長省政府は区長の訓練を続けてゐるが、予算其他の事情の許す限り大規模に軍官文官の訓練乃至再教育を断行すべきである。今、新國民政府の為すべき興亜建國の大業は指導者の大量養成と民衆の把握である。従来中國に於ける公務員訓練は財政不如意により其計画と実施成績との間には大なる懸隔がある。この点に鑑み、出来得る限りの對策を施すべきである。

（註一）　興亜院華中連絡部発行「支那官吏制度の概要及び養成機関に関する調査」（筆者調査）第二四六―二六四頁参照。

五、公務員

公務員の待遇に於ける當面の問題は給與と身分の保障である。給與は現在給與と未來給與（恩給）とに跨る。

現在給與は更に俸給と津貼（手當）とに分たる。

現在の官吏の俸給は民國二十二年九月二十三日公布された暫行文官官等官

俸表に據ってゐる。二十五年九月二十三日に多少改正があったが、俸給金額は二十二年九月現在のまゝである。二十二年の物價に比し、今次事変、欧洲大戦、凍結令等の影響により約十五倍に今日の物價は高騰してゐる（法幣標準）。本年九月に至り漸く三割の増俸が決定されたが、それは文字通り焼石に水である。俸給の増額も必要であらうが、之に對する對策は戦時物價津貼の給與と物價の統制の方が重大性を有ってゐる。何故なれば、目的は要するに官吏の物質的生活の安定にあるからである。

戦時物價津貼は官階別及び文官考試の等級別―文官考試を経ずして任用したる文官に付ては別に之を定む―に規定し、適宜の津貼を定むべきである。各級地方政府に於ては俸給の増額又は戦時物價津貼の給與を少額乍ら実施してゐるものもあるが、固より物價に即應してゐないのみならず、合理性が缺けてゐる。例へば江蘇省江都縣では、内勤巡捕には三割、外勤巡捕には二割を給與してゐる。然し巡捕の支出より見れば、内勤よりも外勤の方が靴も衣服も消耗するが故に給與に差等を附するなれば正しく外勤三割、内勤二割

と定むべきであらう。何故に内勤に厚く、外勤に薄くするかが問題として取上げられねばならぬ。この理由は全く中國官界の腐敗を物語る公然の秘密である。この公然の秘密と云ふのは内勤には別途收入（贈賄、コンミッション、饗宴を受くる機會）が甚だ僅少であるが、外勤は別途收入が多いと云ふ事実である。之を責任ある長官が公然と是認する所に貪吏汚官が益々増加する。財政部に勤務する私の友人である某高等官が「支那の官吏は金儲に熱心である。これでは支那は永久に救はれない」と本年八月私が財政部を訪問したとき語ってゐる。

中國の官吏は一般にあらゆる機会を利用して不法乃至不当の別途收入を追求し、建國を口実に私利のために民衆を搾取してゐる。之は重慶政権に於ても抗戦建國の名に於て宋一族が巨利を占めてゐる―之を攻撃した馬寅初は昨年十二月拘禁された―が如く、新國民政府下にも大なり小なり盛んにくり返されてゐる。全支の普遍的事象である。例へば、縣民証、物資搬出入許可証等の下付は係官吏に戦時別途收入の機會を與へるものとして歓迎されて

ゐる。特に物資搬出入許可証の下付は、贈賄と饗宴を激増してゐる。日本官憲の一部も之に感染する傾向を辿ってゐる。試みに、上海、南京及各地方都市の一流料理店を二日程探索すれば、明かに之が感染を肯定せざるを得ない現状にあることに驚くであらう。

次に物價の統制が必要であるが、之は官吏のみに限った物質的生活の安定策でなく、一般民衆に對する問題であるから後に述べることゝする。

要するに現在給與の引上げ並に米求給與及び物價の統制を整調し、以て官吏の物質的生活を安定せしめ、貪吏汚官の発生を根絶せしむべきである。

最後に公務員の身分の保証である。中國の官吏ほど一般に生命の短いものはない。或る程度迄は革命途上にある中國にとっては已むを得ないであらうが、之は余りに極端に走ってゐる。

公務員の身分の保証は法規を以て擁護する外に公務員の任用を公正に行はねばならぬ。考試院銓叙部が特設されてゐるに拘はらず、今尚公務員の任用が旧態依然たるものがある。

三〇九

長官を中心とする幕友の陋習、貴官が盛んに行はれてゐる関係上、長官が免官乃至更迭したときは所属官吏は一蓮托生の運命に置かれ、政務官ならざる事務官の身分が実に短命となる。従て公務員はこの短期の在職期間を予知し、在職中に出来る限りの私財の蓄積に専念することとなる。身分に保障なきことは公務員の腐敗を激化する一方である。故に公務員の任用を公正に行ひ且身分の保障を確立し、以て公務員の腐敗を防止し、執務能率の増進を期すべきである。

三一〇

六、公務員の整理

公務員の整理は既に任用補職したる官吏の資格乃至適性を審査し、之を適材適所に配置すると同時に官等俸給の昇降を断行し以て行政能率の増進並に公務員の威権と品位とを標準化するにある。

臨時政府及び維新政府の傘下に集った公務員は既述の如く其素質が大体に於て劣悪であった。原則として之等の公務員の身分を保障する新國民政府は之等の公務員に補習訓練を必要とすると同時に今述べた公務員の整理は絶対に必要であった。また、國民政府還都早々の時期に於ては公務員の任用も亦甚だ適正を欠くものがあった。

新國民政府は民國廿九年七月一日、現任公務員甄別審査條例を公布し、政務官（註二）を除く外の現任公務員―本條例公布前及公布後三個月以内に任用したる簡任官、薦任官、委任官にして現に退職に至らざる者―につき甄別審査を行ひ、其成績を甲乙丙丁の四等に分ち、甲乙等を合格者とし、丙等は之を降等又は降級し、丁等は之を不合格とし、公布の日より之を施行した。

之は極めて至當の吏治政策の実施であるが、諸事由のために適正に運用されてゐない。その事由の主なるものは、㈠甄別審査の為に提出される各級長官の所屬公務員平時成績証明が依然として幕友的感情により、私党繁栄の目的を以て作成せられたること、㈡現在尚ほ人材の甚しき缺乏により嚴格なる甄別審査が困難なること、㈢中央政府の政策が一律に地方各級官署に徹底困難なる現状にあること等にある。例へばさきに挙げたる上海の某警察所所長が殆ど文盲にして単なるロボットに拘らず、現にその職に在り、各地方の小学校長にして全く資格経験なき者が少からず残存せることはこの甄別審査の不徹底を示す有力なる資料であらう。

三一一

此の甄別審査を適切公平に断行すると同時に全國に亙り適材適所に再配置を続行すべきである。

（註二）　こゝに政務官とは中央政治委員會會議の決議を経て任命されたる人員を言ふ（現任公務員甄別審査條例施行細則一條）。

第四　治安政策

治安政策は他の総て、文化政策―政治、経済、交通、思想、教育等の諸政策の基底を為す先要政策である。こゝに治安政策を以て先要政策と為すと云ふことは、治安政策のみを時間的に先行し、他の一切の政策を後廻しにして単独に行ふべしと云ふのではない。興亜建國の推進原則（二及び三）に示す如く、治安政策は軍事、政治、經濟、思想の綜合工作に據り和平区の面への拡大進展を促進する手段であらねばならない。而して治安政策は第一に治安を恢復して

三一二

一應事変前の状態を復活することを原則として実施し、中國國民党の新政綱十一の政策を実現し、以て人的資源と民族資本とを復帰して安居樂業を謀るにある。斯くて治安が恢復したる後に於ける治安政策は治安の維持に向けられねばならない。治安の維持は抗日武装匪賊の攪乱妨碍工作を制圧排除し且盗匪を粛清し、一切の興亜建國工作の進展に治安の保障を與ふるにある。斯くの如く治安政策は第一に治安の恢復、第二に治安の維持の二段階に分ちて立案推進されねばならない。

治安の極度に悪しき地区――例へば武装匪賊の出没激しい地区及び占領直後の地区――に於ては武装匪賊を武力を以て制圧排除すると同時に民衆把握のための綜合工作を実施すべきである。民衆の把握工作と併行せざる治安恢復は砂上の楼閣である。民衆の把握なき上に築かれた武装警察隊、武装自衛団は対敵抵抗力殆どなきのみならず、反對に敵に對する武器補給源と墮り、或は敵の諜報網（通匪）となり、逆效果を招くこと尠しとせないであらう。故に治安の恢復は民衆把握工作の実施と共に治安政策の実施を肝要とする。

三一三

一、討伐

強力なる武装匪賊の蟠踞地域に對しては武力討伐に據らねばならない。この主力部隊は中國軍隊とし、その指揮、監察権は日本軍に掌握し、如何なる事由ありとするも現段階に於ては中國軍に此の指揮、監察権を委譲すべきでない。

日本軍は指揮、監察権の行使に必要なる最少限度の皇軍戦闘部隊と憲兵隊を中國軍隊に配属せしめ、皇軍の犠牲を尠なからしむると共に中國軍を実戦に依り訓練して重慶軍及び共産軍以上の戦闘力を育成せしむべきである。

強力ならざる武装匪賊及び残匪の出没する地域に對しては武装警察隊及び自衛団により掃蕩工作を行ふべきである。この場合の最高指揮権は縣長の掌握する所とするも、皇軍は監察及び督戦する特務工作隊を各地方に暫設するを可とする。

二、武装警察隊

武装警察隊は治安不安定の不統一國家としての中國には次に述べる自衛団

三一四

（保衛団）と共に必然的に発生したる保安機関であった。孔充は、「保安隊與保衛団、実是國家和地方之所寶也」とさへ云ってゐる（註一）。事変前に於ては保安隊又は公安隊と稱せられてゐた。この組織はその地方の治安情況により夫々緩急に應じて編制すべきである。

從而、武装警察隊はその地方の情況に應じ、一個大隊乃至一分隊を限度として編制し、各縣一律の編制は寧ろ弊害が多い。特に一般に縣財政貧弱なるに拘らず、復興建設費の膨脹しつゝある現在に於ては縣財政と中央の補助金額を考慮して武装警察隊を編制することを忘れてはならない。而して事変前の保安隊又は公安隊の武器は重慶政権の作戦に吸收せられ、或は共産匪に強奪されて地方保有武器は激少してゐるが故に之が補給は擴充と共に皇軍に依存せざるを得ない現状にある。

（註一）　孔充著「縣政建設」第八九頁。

三一五

三、保甲制度の確立と自衛団

全國の各縣市に一律に保甲制度を確立することは新國民政府の既定方針であり、且現行保甲制度につき改革を要する点もないが故に、之につき贅言を要しない。また、保甲の編成につきては既述した。然し保甲の現実的段階に於ける意義と機能とを述べ、保甲制度の運用が保甲制度の後に來るべき制度の実現を容易ならしむる方向に於て爲さるべきことを主張することゝする。

保甲制度は中國共産党を対象とする剿匪清郷工作の手段として復活実施し（民國二十年）、武力討伐完了後は残匪の掃蕩より一般の土匪、盗賊の粛清へと一般の治安維持工作の手段として全國に普遍的に実施されたものである。かくの如く保甲制度は共匪を対象とする治安恢復工作の手段より転じて一般匪賊を対象とする治安維持工作の手段として全國に実施されたものであるが、之は次の如き画期的意義を持つ。

Ｉ．旧秩序の上に直接に近い的地方自治制を実施しやうとする從來の方針（事実上困難）を棄て、官治補助行政機関としての保甲制度を実施し、完全に

三一六

從來の地方自治を停止して中央集權化を謀る保甲制度を通じて、地方自治の美名の下に個人又は階級的利益を専恣する地方の土豪劣紳を芟除し、直接に中央の政治的統制力を現実に最下層組織に徹底を意図する。

II 保甲制度は門牌の編製、戸口調査、境内出入者の檢査取締、水火風災の警戒及び救護、匪患の警戒、通報及び捜査、防匪の碉堡又は其他の工事の籌設、境内公路の修築及び管在橋梁等一切の交通設備の守護、地方安寧秩序の維持を目的として規定する保甲規約を執行する各保甲機関の機能、特に人口異動の調査報告及び登記、銃砲の調査報告及び登記、聯保連坐切結の方法、転向者（自新者）の管理、匪賊の検挙、自衛団の協助を要請する民衆の組織化である。

新國民政府は清郷区に限らず、保甲制度を全國に普遍に之を実施して地方行政を地方の土豪劣紳及び軍閥の支配より解放し、進んで近代的民族國家の建設に利用し、民衆の官治行政補助機関としての保甲制度の中に自治訓練を行ひ、戸籍制度、徴兵制度、地方自治制及び東亜共栄圏の確立へと発展せ

三一七

しむる方向に保甲制度を運用すべきである。徒らに、治安工作に要する國費の膨脹を抑制するために保甲の名の下に衆の諸負担を増大せしめ秕政の恨みを買ふことを避くべきである。

次に自衛団は清郷区に於ては其特別区（縣に相當する）に一個大隊を標準としてゐるが、それは一般には地方の情況に應じて編制せしむることとし、劃一主義に陥らざるやう注意すべきである。而して大体に於て治安が恢復したるときは即ち武力討伐が完了したるときは其後の治安維持は武装警官と自衛との協助に委ね、軍隊は他地方の治安恢復のために移駐すべきである。元来、中國の軍隊を治安維持に使用することは非能率的であり、屡々掠奪を行ひ良民を新國民政府より離反せしむることが甚だ多い。故に民衆は未外軍隊を客籍軍と稱し該地方の自衛団と区別して常に警戒してゐる。鴻機は「中國農村的治安、不應由國防軍隊負責、更不能由客籍軍隊負責、而必須劃入地方自治的範囲、以農村自衛的力量才能收效」と説く（註二）所以も此処にある。鴻機は尚ほ國防軍隊を一律に地方に分駐することは現在に於てはその経費の

三一八

太大なる消耗を免れ得ざるに依り自衛団の拡大強化を要請すべきであると云ってゐる（註二）。経費のことも然ること乍ら、地方民衆に結合なき軍隊は残匪の掃蕩さへ困難であるが故に民衆の自衛精神の上に立った自衛団は現段階に於ては絶對に之を必要とする。

（註一）　鴻機稿「農村治安與防共問題」（「興建運動」民國三〇年六月、第三八八頁）。

（註二）　同前。

四、清郷工作

現在江蘇省の一部—海甯線以北、揚子江以南—に第一期清郷特別区（崑川、太倉、常熟の一部、呉の一部の各縣）、第一期清郷特別区（呉の一部、江陰、無錫の各縣）を設定して清郷工作が進展してゐる。

この清郷工作は「清郷委員會工作目標」「清郷工作解説」、「清郷工作要綱案」、「清郷地区特別区保甲編組体系表」「清郷工作関係機関系統表」及び

三一九

「蘇州地区清郷工作に関する日支協定」等に依り、軍事、政治、経済、思想の綜合工作により推行されてゐる。特に「清郷工作解説」は甚だ周到なる調査と統一的計画に基きて作成された現実の可能性に豊かな理論と政策の教本である。

この制度としての清郷工作及び其実施に就ては八月下旬十日間興亜院華中連絡部より十三名調査員を現地に派遣し その報告書の名に於て現行清郷工作の批判が登集団司令部に提出されてゐる。私も八月廿日より九月上旬呉縣及び常熟縣に出張して清郷工作の推進実況を視察し、清郷工作につき次の如き政策を実施してその拡大強化に資すべきものと思惟した。

(一)　清郷工作は強力なる武装匪賊の蟠踞地域に対し全國に漸次普遍的に実施すべきである。その順序は軍事、政治、経済上、重要性の大なる地域より開始し、全和平区に及ぶことを要する。例へば、省縣政府所在地附近、重要鉱山地域、鉄道沿線地帯等より開始すべきものとする。現在の清郷工作も、既述の清郷二の肅清完了後は、逐次他地区へ連續的に敷衍し、次期工

三二〇

作地には浙江省杭州週辺及び蘇北地区を豫定しやうとしてゐるやうであるが、私は清郷工作は同時に全國の各省に実施すべきであることを主張する。現在の我作戦下に於ては、八路軍、新四軍及び重慶遊撃隊のために一旦我占領区即ち和平区であつた農村地方が日々に侵略、縮小されつゝある。この侵略の方は、宣傳、経済、政治、思想、教育等の文化的綜合工作に依るもので、軍事工作は僅かに補助手段である。之は皇軍の実施工作の裏を行くもので、皇軍の比較的不得意とする弱点に對する攻撃である。故に私は興亜建國の推進原則の所で、軍事工作四分、文化工作六分を以て、綜合工作に據り和平区の面への拡大を要請した所以である。この推進原則により清郷工作は定立さるべきであることを私は力説するものである。

(二) 清郷工作は新國民政府の如く、我皇軍側に於ても南京の最高指令官の指揮に置くことに改むべきである。各地方の我集團司令官は最高総司令官の命を承けて所管地域に於ける清郷工作につき指揮権を有することに機構を拡大すべきである。

三二一

(三) 匪賊を完全に捕捉する為には現在の第一期、第二期の清郷区は狭きに失するが故に、各單位としての清郷区は現在の清郷区よりも遥かに拡大せねばならない。その地区は各地の事情に應じて現在の二倍乃至四倍位に拡大するを可とする。

(四) 清郷工作関係機関は上述の変更に應じて拡大することを必要とする。

(五) 清郷工作には一九三〇年乃至一九三四年に江西省を中心として行はれた蔣介石の清郷工作並に現在の対象たる新四軍及び八路軍の指導原則及び諸政策を充分に調査して立案の参考に用ふべきである。然し之等の原則及び政策を超剋する内容を絶対に有つ清郷工作を樹立実施せなければならない。然らざれば民衆を興亜建國の指導原則に結びつけることは出来ない。特に土地問題に對する政治経済政策、生産拡充政策及び物資の搬出入統制の整備が最も普遍的な問題であり、且清郷工作の成否を決定する問題である。而して清郷工作の失敗は新國民政府に採つては和平工作の失敗となつて現れて來る。これに就ては経済政策の所で述べることゝする。

三二二

(六) 我最高総司令部に清郷工作機関を特設し、清郷工作のための軍事、政治、経済、思想、宣傳等の調査、研究、立案並に清郷工作関係人員の教育訓練を分掌せしむべきである(註一)。

これが為に軍人以外の中國に関する政治、経済、思想に暁通し且つ東亜共栄圏確立の指導原則に熱情を有つ日本人を任用すべきである。

(註一)　中國側では保甲工作員約百二十五名を南京で訓練し、昭和十六年七月十三日各地に派遣。

(七) 各地方が我が特務機関には清郷工作期間に限り――但し開始前少くとも三個月以前より――清郷工作機関を特設し、総司令部に於て決定したる清郷工作要領の具体化につき軍事、政治、経済、思想工作の調査、研究、立案を分掌せしめ、之を実施に移すべきである。而して清郷工作完了したるときは直ちに他地区に之を移駐せしむべきである。現在は特務機関で、普通軍属に清郷工作事務を兼任せしめてゐる関係上、一般事務も、清郷工作

三二三

事務も完全に進捗せず、虻蜂とらずに終るか又は泥坊捕へて縄をなひ始めることゝならざるを得ないやうである。従而、満足な縄が出來ないのも必然である。現在の特務機関は実に驚く程、雑多な種類の事務に追はれ、且常に人員の缺乏に悩み勝である。あまつさへ、軍人以外のもの即ち軍属の素養は例外を除いてはすべて低級である。光輝ある戦果に比して文化工作が拙劣である結果を惹起し、中國人に聖戦の意義を理解せしむることを困難たらしめてゐることが多い。

斯くの如き有様であるから、特務機関自体の拡充を切実に必要とする現在に於て更に清郷工作の内面指導は不可能ではないが極めて杜撰で、場當り的である。

(八) 特工総部に属する粛清工作委員會――清郷委員會の側面にあつて之を協助し、粛清工作の推進を図る中國側機関――の下級機関である各特工站の重要工作は調査、諜報、謀略、剔抉、清掃等である。この各特工站がこの任務を遂行するために全清郷区に配置する部隊の構成者たる人員の素質が

三二四

極めて劣悪で、清郷工作に役立つ以上に清郷工作を利用して罪悪を重ね、清郷工作を破壊してゐる。之等の人員は中國民衆より無頼漢と見られ、清郷工作は之等の無頼漢に職権を利用して掠奪の機會を与へたものと評されてゐる。かくの如き有様であるから民衆は貧農擁護をスローガンとする新四軍の統治を歓迎してゐると云はれてゐる。故に特工站の人的要素は根本的に立て替へる必要がある。現在の財政と人的要素との貧困段階に於ては之等の無頼漢を利用する外なき事情にもあらうが、全國の中國軍隊より良質の人員を撰択して特殊訓練を施して厳重なる我憲兵隊の監察の下に、この特殊工作に従事せしむることは決して不可能なことではない。

(九) 清郷工作は其開始前――少くとも三ケ月前――に於て該清郷区の特殊事情に即應した準備工作を完了し、然る後に実施すべきである。

今回の第一期清郷区に於ける清郷工作が豫定期間より遅れた原因は経験の裏付けなき初回の清郷工作であり、且豫想以上に民衆と新四軍とが強固に結合してゐた等にもあるが、軍事工作の進展に随伴すべき政治、経済及

三二五

び思想工作等の準備が足らなかつたことにある。一例を挙ぐれば、綜合封鎖をやれば直ちに清郷区内の物價の躍騰を継起することは極めて明瞭なるにも拘はらず(註一)　中支那軍票交換用物資配給組合及び日本商社団体と対清郷区物資配給工作につき殆ど連絡を豫定せなかつたこと、合作社と農村復興との緊密なる関係を規定せなかつたこと及び合作社と日本商社団体との分限と緊密なる連絡を規定して置かなかつたこと等は明かに清郷工作に於ける準備の不完全を露呈した(註二)。のみならず、我対中國政策の缺陥を曝露したこととなつた。これらの点は清郷工作進行中に矯正されて行きつつあつたが、根本的なる對策は僅かに成立することは容易な問題でない。

（註一）　昭和十六年七月一日より工作を開始し、同十五日より物資搬出入の開始を豫定した。茲に十五日の開きがあるのみならず、実際上は常熟縣では同月二十八日に開始された。其間物價騰貴。

(一〇) 清郷工作関係機関は特に緊密なる統一の下に活動し、綜合工作に依る綜

三二六

合機能の発揮に重点を置き、人心の把握の上に清郷工作が進展し且興亜建國の方向に推進すべきである。この点は「清郷委員會工作目標」「清郷工作解説」「清郷工作要綱案」「清郷工作関係機関系統表」及び「蘇州地区清郷工作に関する日支協定」に詳細に規定し、且つ解説されてゐるが、上述の現行清郷工作改革案に基き修正して実際上の運用を適切に行はれねばならない。

現行清郷工作関係諸規則は我軍隊と中國側官署、軍警との関係及び中國側の関係機関の関係を明確にすることに努めてゐるが、我軍隊と商社、合作社との関係、中國側の官署、軍警と商社、合作社等の人民団体との関係が殆ど等閑に付せられ、工作の進展の都度、対策を分散的に施してゐる情態にあるやうである。「清郷工作に於ける物資搬出入統制系統図」を見ても関係官署、軍警の取締機関の系統図と稱すべきもので、民間の被統制機関及び商社、合作社等の協助関係等に就ての規定が第一期清郷工作では明確に具体的に豫定されてゐない。清郷工作は関係官署、軍警、自衛団、保甲

三二七

機関の官治機関の合作による綜合工作であるのみならず、清郷区の全人民団体との協合及び清郷区外の関係機関の協助の一大合作による綜合工作であらねばならない。

(二) 清郷工作は云ふまでもなく治安を恢復し、治安圏を拡大強化し、興亜建國の実現を謀るものであるが故に、一部の階級（例へば地主）及び我数個の商社に利益を共ふる方向に進展してはならない。斯くては一般に貧富の懸隔の著大なる中國、反帝國主義意識の熾烈なる農民大衆は新國民政府より離れて共産軍及び重慶政権に帰向し、清郷工作は明かに失敗に至るであらう。これには豫め清郷工作に於ける諸原則とその原則を具体化する準備工作が充分でないときは、既成勢力のみに依存又は既成勢力のみを利用する傾向に流れ易い。この点は立案上及び清郷工作実施上、特に留意すべき問題である。

(三) 清郷工作は現実に即し且つ現実を興亜建國の方向に推進せしむべきである。興亜建國の理想実現に急にして現実に即應せざる清郷工作は、ユトピ

三二八

アの建設に既に陥ってゐる。これは歴史の飛躍であり、史的必然性の無視である。「清郷工作解説」は現実の発展、現実への即應を可成強く主張してゐるのは此意義に於ける要請である。蒋介石が曽って実施した清郷工作は一般地方行政につき改革を要する点につき新政策を樹立して清郷区に実施したが、この新政策は、清郷工作により経験の裏付けを得、更に改正すべき点は修正して之を全國の地方行政政策となし、全國に普遍的に実施することゝした。換言すれば清郷工作に於ける新政策は全國に実施するための実験であった。それだけ、夫は現実に即した立案であり、史的必然性と将来への可能性と全國への普遍性とを豊かに持たせたものであった。

現行清郷工策は興亜建國の指導原則の制約下に於て常に必ず史的必然性並に将来への可能性と普遍性とを豊かに有ったものであらねばならない。然らざれば、清郷工作は彼岸なき航海に終るであらう。故に興亜建國の推進原則一に據り清郷工作は一應事変前の状態に恢復することを原則とし會農のみでは興亜建國の推進は困難なるを以て中國全体の民衆（含資本家

三二九

地主）と資本の吸收合作に俟たねばならない。

民國三十年の経験の結果、従来改革を痛切に要請されゐる点──例へば腐敗矛盾をそのまゝ復活することは新國民政府の名誉と威権を失墜するもの──は其の復活を否定し、尚ほ興亜建國の実現を阻止妨碍する一切のものの復活を拒否し、更に一切のものを興亜建國の方向に積極的に誘導することに努むべきである。

(三) 現行清郷工作に於ては二個月の期間を以て一清郷区の清郷期間と規定してゐるが、私は清郷区の二倍乃至四倍程度の拡張を可とするものであるから清郷工作の機能を強化すると同時に清郷期間は之を原則として三個月と規定し、地方の情況に因り之を伸縮することを得ることゝ定むべきものである。

清郷期間を一律に短期間とするときは、中國の最も陥り易い形式上の進展に止り清郷工作は実質上の進展なき運動と化する傾向を辿るであらう。特に準備工作の不充分のところに於て然りとする。

三三〇

(四) 清郷工作完了後、清郷行政は日に復し、縣政府を復活し、省政府の指揮監督に復帰することは既定の方針である。この一般地方行政への復帰は実に重大時期である。清郷工作に依り完成されたる治安の恢復状態を維持する対策を実施すべきことは云ふまでもなく、清郷工作に依り建設されたる興亜建國への積極的工作の将来の発展を保障する對象を実施すべきであると同時に清郷区外の縣政をも清郷工作により実験したる改革策を漸次実施する方向に進展すべきである。これが為には充分の準備工作を怠らざると共に事務引継と指導を行ふため一定期間、縣政府に指導専員を配属せしむべきである。

五、治安関係機関の整備及び訓練

治安関係機関には、中國軍隊、首都警察局、省警務處、省會警察局、市警察局、縣所属警察機関及び自衛団等が地方に存在してゐる。これ等の諸機関の指揮命令監督関係を統一且尖鋭化し以て全体としての機能を発揮せしむべきである。これが為には治安関係の軍警の組織及び配備を改善し、軍警の養

三三一

成訓練、其他吏治政策を厳格に行ひ、武器の管理に特別の注意を加ふべきである(註一)。清朝末以来の中國に於ては匪賊と軍隊、軍隊と警察、警察と匪賊との区別は実質上判然としてゐない。此の傾向は國民政府の成立以来多少改まりつゝあったが、警官、軍官が官職を濫用して行はるる罪悪は固より統計はないが実に驚くべき程度に達し、匪賊と軍警の教養程度も殆ど変ってゐない。特に現在事変下の警官の素質は低下し、清朝崩壊直後を偲ばしむるものがある。警官が故なく職務を棄て逃亡することは日常茶であり、また現在の治安状態では極めて容易である。旧國民政府は事変直前（廿六年六月廿八日）に警察逃亡懲治條例を公布実施した。この條例は今や新國民政府も、重慶政府も厳重に実施しやうとしてゐる。

（註一）　修正國民政府査験自衛槍砲及給照暫行條例（二九年六月一一日行政院會議通過）を励行すべきである。

三三二

第五　地方財政政策

地方財政に對する政策は地方行政組織、吏治、治安及び経済の諸政策の綜合工作の進展と交互作用を営みつゝ、進展すべきものである。

一、地方財政の沿革

清朝末までは全く財政に中央地方の区別なく中央政府のみ徴税権を有し、財政官吏は中央政府之を任免し、布政使を各省財政の最高長官とし、一省の銭穀の出納を管理せしめ、租税は各省の地方長官により徴收されてゐた。

民國早期の財政制度は包辦（請負）制に化し、地方の督撫以下の收支機関は僅かに一定の金銭を中央に送れば後は自由に之を処理した。一方に於て地方自治の要請あるにも拘はらず、内戦の激化は「文官重く、武官軽し」とする支那伝統の思想は逆転し、文官は武官としての軍閥に隷属し、只管、軍費の徴收に當った。民國二年財政部は國税、地方税並に國家地方経費の分劃を立法したが、地方軍閥に對しては何等の效果なき未実施の法規と化した。この立法は地方財政の範囲を極めて縮少し、財源の大宗は悉く中央税系統に編入

した。例へば最も重大なる田賦は中央税に属し、地方政府は僅かにその附加税を以て満さゞるを得なかった。

地方の立法費、教育費、警察費、実業費、衛生費、救恤行政費、工程費、公債償還費、自治職員費、徴收費を地方費とした。然し省経費の実際上の分配は軍閥の専制に在り、各省の收入の大部分は地方の範囲内に在らざる軍費に用ひられ、次に行政費に用ひられ、極僅かに教育費に割愛され、建設・実業・衛生等の経費は各省共に顧みられなかった。而して内戦の激化に伴ひ、膨脹の一途を辿る軍備は地方費の大部分を占め、特に独立の税源なき縣財政は中央と省財政の圧迫を受けて苛斂誅求に走り、加ふるに貪官汚吏が民衆を搾取し、土豪劣紳は巨額の捐税を免れ、下層民と良民が悪税と搾取に苦しめられた。

民國十七年七月の第一次全國財政會議の決議に基ぎ國府は國家地方收支分劃の二標準を同年十一月通令し、地方財政整備に乗出した。斯くて、(1)田賦、(2)契税、(3)牙税、(4)當税、(5)屠宰税、(6)内地漁業税、(7)船捐、(8)房捐、(9)地

方財産收入、(10)地方行政收入、及び、(11)新設の営業税を地方税として承認し（劃分國家收入地方收入標準二條乙）、地方の(1)党務費、(2)立法費、(3)行政費、(4)公安費、(5)司法費、(6)教育費、(7)財務費、(8)農鉱工商費、(9)公有事業費、(10)工程費、(11)衛生費、(12)救恤費、(13)債款償還費を地方費とした（劃分國家支出地方支出標準、乙）（註一）。之に明なるが如く軍費は地方費から駆逐されたが、少数の省は事変前にも猶、軍費又は保安費の費目を以て地方費を侵喰してゐた（註二）。

（註一）　この十三費目中に自治職員費がないが、譚憲澄は「益已併入於地方行政費内」と説く（同著「地方財政」民國二八年六月、第三六頁）。

（註二）　譚憲澄著「地方財政」第三六頁。

上の如く地方財政に於て收支項目標準が一應確立したが、此處に言ふ地方は省縣（詳に言へば市を含む）を包括した概念である。従而、地方財政は更に之を省と縣とに区劃せねばならない。蓋し中國に於ては明清時代を通じて

國家行政の始基を縣政に据ゑ、縣令（縣長）を以て親民の官とし、國の徴税機関を兼任せしめたが、当時の縣経費の收支は國庫收支であった。但し、地方有志の寄附金に依る公益事業及び特定公益目的のために存する地方公款公産（地方公益事業の基本財産）は縣長の直接管理又は監督に属してゐた。國は之につき不干渉的態度を採り、且つ免税の恩典を與へた。故に此処には縣財政がなかった。民國二年、國家と地方との財政分劃に當り、縣に豫算決算權を賦與し、縣財政の独立性が初めて認められた。然し既述の如く、縣財政は軍閥の為に省財政の圧迫下に混乱困窮状態を続けて來た。

茲に於て民國二十三年五月、第二次全國財政會議が開かれ、(一)縣市の收支は従來の縣市及其区郷鎮を合して一体とし、(二)税收の分劃は捐税の種類を以て夫々帰属系統を定め、その正税、附加税の区分を廃し、大宗捐税にして完全に省又は縣市に帰属せしむること能はざるときは其分配割合を定め、(三)省税と縣市税との分劃後は附加税を廃し、(四)省の支出と縣市の支出の分劃後に於て必要なるときは相互協助により平均発展を期すべきこと及び其他の原則

を決議した。此処に地方財政が省、縣、市の分劃を確立される機運にとなった。

國民政府はこの決議に基き地方財政の整理と監督を組織的に励行し、廿四年七月二十四日には財政收支系統法を公布した。この系統法は、㈠國税（中央税）を⑴関税、⑵貨物出産税（塩税、砿産税、其他法律を以て規定する貨物出産税）、⑶貨物出廠税（捲莨税、燐寸税、水泥税、棉紗税、麦粉税、其他の出廠税）、⑷貨物取締税（莨税、酒税及び其他無益物又は奢侈物の製造又は消費の取締税）、⑸印花税、⑹特種営業行為税（交易所交易税、銀行兌換券発行税及び其他の特種営業行為税、⑺特種営業收益税（交易所收益税、銀行收益税及び其他特種営業收益税）、⑻所得税、⑼遺産税と定め（同法三條—五條）、所得税は其純收入の百分の十乃至二十を省に、百分の二十乃至三十を市縣に分給し、遺産税は其純收入の百分の十五を省に、百分の二十五を市縣に分給する。但し非常豫算に於てはこの分給率を変更し得ることゝし（同法四條五條）、㈡地方税を、⑴土地税（田賦）、⑵営業税（含、牙税、

三三七

當税、屠宰税）、⑶契税、⑷房捐、⑸船捐及び其他地方的性質を有する捐税とした（同法六條、七條、二二年修正弁理豫算收支分類標準、丙、子）

次に捐税を省と縣市とに次の如く分劃された（系統法四條—八條）。

種別	系統	省收入	縣市收入
営業税	省市税	省純総收の七〇%	省純総收の三〇%
土地税	縣市税	縣市純総收の一五〃—四五%	縣市純総收の五五〃—八五%
土地改良税	〃	〃　一五〃—三〇〃	〃　七〇〃—八五〃
所得税	國税	國純総收の一〇〃—二〇〃	國純総收の二〇〃—三〇〃
遺産税	〃	〃　一五〃	〃　二五〃
営業牌照税	縣市税	ナシ	縣市税として同收
使用牌照税	〃	〃	〃

備考

三三八

一、行政院直隷市（特別市）は営業税純総收の七〇%を收入し、其残額は中央に帰す。

二、行政院直隷市（特別市）の土地税純総收の一五%—四五%及び土地改良物税純総收の一五%—三〇%は中央に帰す。

三、営業税は省市税（省及び行政院直隷市税）たるも之を縣市（縣及び省隷属市）又は國に分給し、土地税及び土地改良税は縣市税なるも之を省又は國に分給し、所得税及び遺産税は國税なるも之を省市縣に分給する。

而して財政收支系統法は國税と重複する課税及び一切の通過税の徴收を地方政府に禁じた（九條、一〇條）。然しこの系統法は廿六年同施行條例の公布により発效するものであったが、釐金の徴收禁止に因る減收を塡補する為の新税と中央の補助金を競ふことゝなった。

次に地方財政の整理のメスは地方公債に向けられなければならなかった。二十一年十二月十三日國民政府は監督地方財政暫行法を公布し、省市縣の公

三三九

債募集條件の変更手続を嚴格にし（同法三條、四條）。同年公債法を公布し、中央政府の核准を得ずして省政府は百万元以上、縣市政府は五万元以上の公債を募集することを得ざることゝ規定した（同法七條）。然し中央政府の公債募集監督に関する法規は未だ其起債目的及び其発行條件並に強制修正権を規定するまでに至らなかった。故に公債の濫発と募集方法の乱暴とを制止すべきまでに至らなかった。試みに民國二十一年度各省市発行公債用途分配表を次に掲げることゝしよう。

用途	金額	比率
購備武器費	四、四九四、〇四八元	四一・六%
軍政餉補費	二、七五四、七六五	二五・五
紙幣市價維持費	三、一〇〇、四六一	二八・七
総業救済費	三〇二、四八四	二・八
地方事業費	一五一、二四二	一・四

三四〇

総計	一〇、八〇三、〇〇〇	一〇〇・〇

右表に示さるゝ如く、二十年までは省公債は地方事業費一・四%を除く九八・六%は地方財政の範囲に在らざる目的に使用されてゐる。而もその中、六七・一%が軍費に消費され、その内容は軍の機密として発表され得ない情態にあつた。要するに省は半ば独立國たる実質を有し、中央政府の能く監督し得る所でなく、公債は反對に常に地方民衆の生活を脅かす方向に用途されてゐた。その後、國民政府は吏治行政と共に地方財政の整理、監督に努め、中央集権を謀つたるにより、地方公債は主として廣義建設に向けられ、その成果は吾人の過小評價を許さざるものがある。

更に二十四年度各省市（行政院直隷市）豫算歳入総計は二九六、四〇九、四九三元、同年度各省の縣豫算歳入総計は九九、八二六、三三六元一角であり、同年度各省市（行政院直隷市）豫算歳出総計は二九八、一八九、〇二四元である。財政收支系統法四八條に依れば、各省市縣の教育文化、経済建設、衛生治療、

保育救済の総経費は豫算総歳出額の六〇%以上であるべきことを規定した所以のものは、廿四年度各省市豫算歳出表に據れば党務費、行政費、司法費、公安費、財務費のみの全國合計は全國豫算総歳出額の四三・一%を占め、更に之に、債務費、其他支出及び豫備費を加ふれば六三・六四%に達し、歳出の過半が非生産的、非建設的、非文化的方面に使用されてゐるからである。而して各省一人當り縣支出額及び省税、縣負担額比較表を示せば次の如くであつた（單位元）（註二）。

	山西	山東	河北	湖北	陝西	甘粛	福建	貴州	廣東
省税	一・二四	〇・五七	〇・五〇	〇・七三	〇・七九	〇・八七	〇・六五	〇・四〇	〇・四五
縣税	〇・三四	〇・三二	〇・三四	〇・四七	〇・三四	〇・一二	〇・二四	〇・二一	〇・三四
縣支出額	〇・三五	〇・三五	〇・三九	〇・四〇	〇・二六	〇・一九	―	〇・二三	〇・二四

備考　本表の省税は各省が縣政府を経て徴收したる省税である。

以上の如く地方財政は省財政絶對優勢の軍閥時代の遺制を継承しつゝ、今次事變に入つた。これ以來重慶政権は打続く敗戦による國税の大宗である関税、塩税及び統税の喪失に拘らず戰費の巨大なる膨脹を賄はなければならなかつた。この中央戦時財政は、(一)外債、(二)國内公債の増発、(三)國税の増收、(四)專賣の擴張及び(五)紙幣の濫発の政策を要請した。かくて重慶区各地方財政は、直接間接に軍費の負担、漸増する戰時悪性インフレーションの激化、物價の昂騰、生活費の増高に地方民が窮乏してゐるに拘らず、逐年累増の途を辿つてゐる。之に対する中央の補助費の支出は焼石に水の程度である。而して國税より省税に、省税より縣市税へと移転さし未た田賦は今や財政の中央集権の要請により逆転して中央に移譲せしめざるに至つた。

（註一）　馮華德稿「吾國縣收入制度之特徴」（南開大学経済学院「経済週刊」第一二一期）。

二、財政改革策

新國民政府は民國廿六年十一月十九日まで財政制度を襲用してゐるが故に多少冗長であつたが、地方財政の沿革を述べ、地方財政改革案の理解に備へることゝした。

(一)　地方財政の重点

地方財政の重点を縣市に置き、省財政は之を出來得る限り縮小し、夫だけ縣市財政を拡大すべきである。少くとも現在各省一人當り省税負担額と同縣市税負担額は逆転すべきである。之がため、地方税の分劃を根本的に改革することが必要となつて來る。然し之は現在直ちに敢行すること困難であらうが故に将來機會ある毎に各地方税につき漸次改革し、省の事業も亦出來る限り縮小又は國若くは縣市に移管する方策を漸次実施することを要する。

結局、この改革は省行政区域の縮小を敢行すると同時に完成すべきものとする。

（二）財務行政

財務行政は收支適合の原則に依り合法的に合理的に行はるべきである。然るに地方財政極度に紊乱せる隋性により所謂「満收満支に依る財政の実際状況」を明かにする省縣市は殆ど例外ぐ、豫算に豫算を持ち、上級政府の命により廃除すべき捐税を削除したる如く假装し、依然として何等かの税目を作りて徴收を継続するものさへある。これらの病弊を一掃するため、には次の諸制度を確立し、その運用を合法且合理的に営まるべきである。

I. 豫算法に依り各級地方政府をして豫算を励行せしめ、その査定、認可を嚴重にし、実際の收支は総て豫算に依らしむべきである。但し皇軍占領直後の地域又は游撃区の多い地域を有つ省縣に於ては正確な豫算は編制し難いであらうが、特別弁法を設け可能の範囲に於て之を励行せしむべきである。

II. 各級地方金庫未設の各級地方政府は速に之が設置を命じ既存の各級地方金庫に對しては整備と監督に力を用ふべきである。

三四五

III. 會計帳簿を統一的に製調せしめ且財政統計の統一をも期すべきである。現在は共に統一なきが故に全省又は全國の綜合統計は極めて曖昧となつてゐる。

IV. 合法的に決算を励行せしめ、監督地方財政暫行法及び審計法に依り會計検査を忠実に行ふべきである。貪官污吏に満つ中國に於ては之が最嚴格なる制度を確立すべきである（参照、杉山部隊本部飜訳、史文忠著「中國縣政改造」第七四－七八頁）。

（三）徴税機関の統合整備

徴税機関の統合整備と冗員の陶汰を行ひ、財務費及び人件費の節減を計ることは目下の急務の一である。例へば江蘇省江都縣政府所在地揚州にその一例をとれば、地方税徴收機関は縣政府内に第二科（財政科）(註二)及び財政局あり、合署弁公が行はれてゐるが、二つの徴税機関が併存し、江都營業税徴收局、江蘇省紙張営業専税江儀泰東区徴收分局、江蘇省猪隻営業専税江儀高寶徴收所、鎮江区所得税征收局江都弁事處、江都牙税徴收所、

三四六

泰東区儀区花瑛酒税局が縣政府以外の所に散在する外、江蘇省菸酒牌照局江儀稽征分局、蘇浙皖絹類税揚州稽徴所等が市内に散置されてゐる(註三)。之等は縣省國の徴税又は稽征の機関である。よくも分散したものと感心に堪へないものがある。少し大きく商業を営む者は市内各地を二日間程人力車に乗り廻しても猶ほ納税が官署執務時間内に完了せない有様である。

のみならず之に要する建物の修築費及び人件費は毎年巨額に上つてゐる。勿論、江蘇省政府は屠宰税（一部）、牙税（一部）、薄荷油営業専税、棉花営業専税、猪隻営業専税、紙張営業専税に認弁制（請負制）を採用してゐる(註三)。之に要する諸経費は請負商人の自弁であるが、常に必ず税の形式を以て地方民の負担となつてゐることは争ふべくもない。要するに國税及び省税は縣以下の下級機関に委任徴税せしむる制度に改革すべきである。この点につきては日本の現行制度に範を求めることを要する。然しこれも一朝にして改革することは極めて困難であらうが、治安の恢復と下級行政機関の整備と俟ちて断行し得ないことはない。

三四七

次に認弁制（請負制）又は招商承包徴税制と稱せられる商人による徴税請負制は徴税官の貪污行為の防止、徴税費の不用及び徴税の確実性を期するために発達した制度である。然し之に伴ふ弊害は決してその長所以下とは云ひ難い実情にある。河北省定縣では認弁制未実施の民國四年乃至十三年の間は牙税收入は牙帖捐を合算して最高の年でも僅かに三千元以下であつたが認弁制実施の十四年乃至二十三年の間は該税は最少の年でも三千七百元以上、最高の年では一万元に達した(註四)。また董修甲（現江蘇省財政廳廳長）は「民國十八年から十九年に至る間、江蘇省は各縣に局を設けて營業税を徴收したが、其の結果は余の計算に依るとその徴收費は十八万元を要し、徴收した税金は僅かに十六万元であつた」(註五)と述べてゐる。これは中國官署及び官吏の無能と官吏の腐敗を露呈したるものであるが、官署が商事會社に劣る執務能力は日本にも顕著な事象である。然し徴税は例外として個人の代徴制を加味する場合があるが、下級行政廳に委任徴收せしむる制度に改むべく、綜合行政工作を進むべきである。現在は治安悪

三四八

きが故に先づ認弁制を採用し、経過を見て委任制に改めると云ふのが董修甲の辯である（註六）。

（註一）一般に第二科と呼んでゐるが江蘇省呉縣では財政科と呼んでゐる。

（註二）本年八月、筆者の江都縣政実態調査に據る。

（註三）民國三〇年七月一〇日江蘇省財政廳印行「進展中之江蘇財政」第二期、第一九頁乃至第三〇頁参照。

（註四）馮華德稿「河北省定縣的牙税」（南開大学経済学院「政治経済学報」第五巻第二期一二六年一月）

（註五）董修甲著「中國地方自治問題」上册、第一五二頁

（註六）前掲「進展中之江蘇財政」第二期、第二八頁、本年九月三日江蘇省政府に於て董修甲と筆者との面談

（四）地方財政收入の整理

地方財政收入は省・市・縣の三主体に分つ。而して市は特別市と普通市との二種とする。特別市地方收入は省地方收入、普通市地方收入は縣地方收入と大差がないから、此処では省・縣地方收入の二種につき述べる。

I 省地方收入

之には田賦、契税、營業税、房捐、船捐、地方財産收入、補助金及び雜收があり、其全國豫算歳入合計は四年度に於て、二九六四〇九四九三元であつた。以上の中、主要收入は田賦、契税、營業税及び補助金であるから、この四者と公企業の創弁につき述べることゝする。

1. 田賦

田賦は農業國中國地方財政收入の大宗である。省收入に於ても田賦は第一位を占め、廿四年各省豫算歳入表に據れば、其総收入に対する百分率は全國平均が三〇・二七％であり、山東省が六四・二九％、寧夏省が五五・八七％、河南省が五一・七二％、浙江省が四〇・五〇％、江蘇省が

四〇・〇四％、陝西省が四三・五五％、甘粛省が四〇・三三％、山西省が四三・九七％となつてゐる。

三十年上半年の江蘇省の田賦は総收の三七・五八％に達してゐる（註二）。然し田賦は既に飽和点に達し（註三）且つ負担の公平が缺けてゐる。故に現在の田賦の増收は其税率の増高に求むべきでなく、全く反対に税率の減低を目的とする土地整理と和平区の面への進展に膺接して行ふ治安圏の拡大に求むべきである。この政策こそ、全人口の約八五％を占めてゐる農民大衆を新國民政府に結合する合理的対策である。曽て土地整理によつて新に発見された面積は蕭縣で百十一万畝、陝縣で六十万畝、南昌縣及び當塗縣で各廿九万畝、江寧縣で廿余万畝の多きに上つた（註三）。

元來、脱税目的を以て田畝は必ず狭く申告されてゐるが故に土地整理を行ふときは常に必ず廣大なる隠蔽面積が発見せらる。加之、地方の土豪劣紳の脱税田畝と良田を劣田に申告して脱税してゐることが有

り勝である。

然らば土地整理は如何にして行ふかゞ問題となる。これには土地陳報と土地測量の二方法がある。現下の事情に於ては、(一)技術的に簡易、(二)時間的に短期間、(三)財政的に整理費僅小の方法を採用するの外がない。この規定に從ふときは土地測量は之を後日の問題として留保することを佈告して土地陳報の方法に據るべきである。尚ほ土地陳報の方法は既に民國二十二年江寧実驗縣に於て実施し、財政上意外な好果を收め、その経驗に據り行政院は二十三年六月十二日「弁理土地陳報要綱」廿五ヶ條を公布し、各省に通令して実施せしめ、――江蘇・安徽・河南・陝西・湖北・廣西の各省が相前後して之を実施――相當の成績を挙げた経驗がある。この経驗に基づき土地陳報の方法を修正して之を全面的に実施することを要する。土地陳報は人民が其所有する土地の状況につき政府の命じたる事項を政府に申告することである。江寧縣は之が完成に僅かに一万八千余元を費したのみであり、其経費は一

畝につき平均五厘三毫強であった。蕭縣では全経費一万五千餘元、一畝につき平均六厘、當塗縣では全経費二万余元、一畝につき平均一分六厘であった（註四）。土地測量を一時に全國に行ふことは技術員の養成機械の購入等に莫大なる経費を用し、且つ短時間では完成し得ない。独逸の Attolsraal 教授は、支那本部十八省の土地測量には八億三千万両を要すると云つてゐる（註五）。故に既述の如く現下の事情に於ては土地陳報の外はない。

史文忠は「若之を以て測量登記と比較するならば、恐らく其十分の一にも達しないであらう」として、経費の上からしても先づ土地陳報を以て最適としてゐる（註四）。

土地陳報は全國同一の方法に據り之を行ふことを要する。曽ての方法は、(一)按戸問地、(二)按地問戸、(三)戸地兼問の三方がまちまちに各縣に行はれた。史文忠は「以上の三つは固より夫々その長所と短所とを有するが、客観的に見れば、戸地兼問の方法が比較的に精密である」

三五三

と評してゐる（註六）。按戸問地は人民が自ら其所有地を政府に申告する方法（江寧縣に実施した）、按地問戸は政府が自ら調査するのみで所有者の申告を必要とせない方法（廣西で実施した）。戸地兼問は所有者の申告と政府の調査とを兼ね行ふ方法（江蘇省、河南省で実施した）である。戸地兼問の方法に依る場合に注意すべき点は土地陳報系官吏は具体的に、且懇切に文盲の農民を指導し、農民をして安心して協助せしむること及び将来は適當の時期に土地測量を行ふことを告佈し、若し地籍隠蔽の陳報をなしたる者は一定の刑罰を科する外、その隠蔽したる面積の土地のみを没收することを明示することを要する。かくの如くして土地陳報を為さしめると同時に土地陳報完成の曉には田賦率税を必ず減低することを告佈に附記し、以て土地陳報の成績の良好を期すべきである。

次に江蘇省の蕭縣及び江都縣の土地陳報後に於ける田賦税率の減低比較表を掲げて参考に供することゝしやう（註七）。

三五四

蕭縣の土地陳報後に於ける田賦税率の減低比較表

年別＼項別	一畝の旧税率	釐定三等税率の平均数	減低比較数	減低百分比
二一年	〇・二七三三元	〇・二三五六元	〇・〇三七七元	一三・七九
二二年	〇・三〇四三	〇・二三五六	〇・〇六八七	二二・五七
二三年	〇・二八四三	〇・二三三六	〇・〇四八七	一七・一三
二四年	〇・三一三〇	〇・二三五六	〇・〇七七四	二四・七二
平均	〇・二九三七	〇・二三五六	〇・〇五八一	一九・七八

（備考）
一、本表記入の税率は正附税率の併合計算なり。
二、同縣に於ける民有土地の徴税は、等級制に依らざりしも、陳報後土地の優劣によつて三つの等級に分け、徴税することゝなれり。

三五五

即ち一等地は二十五銭、二等地は二十三銭、三等地は十八銭なり。

江都縣の土地陳報後に於ける田賦税率の減低比較表

年別＼項別	一畝の旧徴收率	陳報後に於ける釐定徴收率	一畝の減低数	減低百分比
一九年	一・九七九四三〇五元	〇・九〇元	一・〇七九四三〇五元	五四・六%
二〇年	二・一五四八八〇五	〇・九〇	一・二五四八八〇五	五八・一
二一年	二・三三〇三三〇五	〇・九〇	一・四三〇三三五	六一・三
二二年	二・一六六六七〇八	〇・九〇	一・二六六七六八	五八・五
二三年	一・九〇三五二〇五	〇・九〇	一・〇〇三五二〇五	五二・六
平均	二・一〇五七七	〇・九〇	一・二〇六九七	五六・三

（備考）　右表数字の比較は原有民田の最高科則の「二則半下折」と現在釐定

三五六

の一等上則率（一畝に付九十銭）を以て標準とせり。表中の税率は正附税を併合して計算したるものなり、毎年の教育串捐二分は計算書の不同に依り除外せり。

以上の二表の減低率は甚だ大なる差額があるが、土地陳報後は相當の隠蔽地籍の発見により田賦税率を減低するも全田賦金額は減少しないであらう。先づその全田賦金額に減少を共へざる程度の田賦税率の減低は可能である。然し之は田賦の公平なる負担を為さしむるに過ずして全体として農民の負担が減少したのではない。それで各級地方政府は諸税の整理と公営事業の増收等を謀り、田賦税率の減低を意図すべきである。この積極的減低は今直ちに実現し得るものではない。

（註一）　前掲「進展中之江蘇財政」第四－五頁、
（註二）　譚憲澄著前掲第五八頁、
（註三）　丈文忠著前掲第五二頁

三五七

（註四）　同前書第五四頁。
（註五）　同前書第五六頁。
（註六）　同前書第五三頁。
（註七）　同前書第六三頁－六四頁。

2. 契　税

契税は古い歴史を有する税であるが、二十四年各省の豫算歳入表に據れば、其総收に対する百分率は僅かに五・九二％であり、最も高率の省は河南の一五・四七％、山東の一一・四五％であり、最も低率の省は寧夏の〇・二五％である。三十年上半年の江蘇省の契税は総收の三・四〇％で、事変前民國廿四年の三・七七％と大差がないが金額は非常に激少してゐる（註一）。これは㈠治安圏が狭小化したこと、㈡不動産の典賣が激減せること、㈢調査捕捉が不徹底なことに依るもので（註二）、将来は清郷工作其他の治安工作の進展に從ひ、増加する可能性あるを以て、

三五八

この方向に向って各省は努力すべきである。

蓋し契税は其金額極めて僅小なる上に課税手続が複雑であり且類似諸税と重複する可能性があるが故に不動産登記制度が確立した曉には登録税に加味して廃止すべきであらう（註三）。

（註一）　前掲「進展中之江蘇財政」第二期第四頁－第五頁
（註二）　同前書第二三頁
（註三）　同説－譚憲澄著前掲第九二頁、

3. 営業税

二十四年各省の豫算歳入表に據れば、営業税の省総收に対する百分率は一五・九八であり、最高率は綏遠の三九・二四％、最低率は陝西の二・四八％である。之は房捐と共に農民に課する税であり、負担の公平を期するための商人に課する税として重要性を有つ。

営業税も治安圏の拡大に應じて増大してゐるが、物資搬出入の円滑

三五九

を期することに依り更に増加を期すべきである。

4. 中央補助金

中央補助金の交付は地方財政に惰性を増長する缺点があるが、主要税を中央政府に吸收したる中國財政、各地方に因り倉畜、肥瘠及び戦禍、匪禍の懸隔の著大なる中國、中央集權により全國の生産擴充を期する戦時経済政策を採る新國民政府に於ては補助金を交付し、全体の発展を意図すべきである。特に教育、衛生、交通、軍需産業の建設は地方政府に放任し置くときは財政不如意により毫も発展せざる地方の存することは明かである。この点に鑑み旧國民政府及び重慶政権も補助金交付の政策を採った所以である。

この補助金は東亜共栄圏確立の方向に重点主義に基づき交付せらるべきである。例へば、軍需産業の奨励、軍公路の修築、生産擴充、試験所の復興又は創弁、日満中文化合作事業等に向けらるべきである。

三六〇

5. 公企業の創弁

民國廿四年各省豫算歳入表に據れば、公企業純益は総收の一・〇七％にすぎない。今後は私人が直ちに開発し得ない有用事業、公益事業――発電、乗合バス、水道、採炭、採鉱等――を創弁し、民衆の福利増進、地方財政の健実化と減税並に増産に資し、以て東亜共栄圏の確立を期すべきである。この資金は中央補助金、地方財政の剰余金、地方事業公債又は奨券（一種の富籤）（註二）借款等に仰ぐべきである。之にても資金調達困難なるときは日中又は官民の合弁組織に依る特殊公司を興すも一案である。

（註一）公益目的のための事業奨券の発行は中國に於て盛に行はれ、人民の射倖心を利用して大量の資金を調達する方法として一般に好ましく考へられてゐる。例へば、事変前の航空奨券、現在の慈善奨券。

三六一

II、縣地方收入

之には田賦、契税、牙税、屠宰税、地方財産收入、雑捐及び補助金等があり、其全國豫算歳入合計は九九、八二六、三三六元一角に及んでゐた。以上の中、主要收入は田賦、契税、屠宰税、雑捐、補助金であるから、この五者と新設の復興税と公企業の創弁につき述べることゝする。

1. 田賦

田賦は縣收入に於て省の夫以上に断然第一位を占め、廿四年各省の縣予算歳入表に據れば、その総收に対する百分比は、全國平均が六一・二八％であり、山東省が八八・九〇％、江蘇省が七七・四六％、安徽省が七〇・三七％、甘粛省が六六・四二％を占めてゐる。この田賦の増收政策は現在の赤字縣財政を塡補する最も有力な方法である。この政策は省地方收の所で述べた如く和平区の面への進展に膚接して行ふ治安圏の拡大と土地整理に拠らねばならない。土地整理につきてはこゝに重述を避ける。

三六二

2. 契税

民國廿四年各省の縣豫算歳入表に拠れば契税の総收に對する百分率は僅かに三・七九で、省に於ける夫よりも遙かに少い。契税の現況及び将来の対策に就ては省地方收入の処で述べた。

3. 屠宰税

民國廿四年各省の縣豫算歳入表に據れば屠宰税の総收に対する百分率は三・七九％に過ぎない。本税は戦禍に因り家畜の激少、治安不良、治安圏の陝小等により、占領直後は殆ど期待し得るものでなかつたが、漸次増加してゐる。現在、江蘇省に於て豚一頭に付六角を徴收してゐるが、之を増税する政策よりも糧食不足解決の為に家畜の増産計画を実施し、間接に増收政策を意図すべきである。

これが為に減税するよりも増産補助を考慮すべきであらう。尚江蘇省は本年八月より耕牛の屠殺を禁止し、以て生産力の維持を期し糧食政策の一つとした。之が為に屠宰税は減收となるであらう。故に之を

三六三

塡補するだけでも家畜、特に豚の増産政策を実施すべきである。

4. 雑捐

民國廿四年各省の縣予算歳入表に拠れば、雑捐の総收に對する百分率は一四・五一％であつた。雑捐と田賦とは大体に於て逆比例の関係にある。同上縣予算歳入表に依れば次の如く大体に於て田賦の総收に對する百分率の高い省縣は雑捐の百分率は低く、雑捐の百分率の低い省縣は田賦の百分率が高くなつてゐる。（％）

	山東	江蘇	安徽	陝西	江西	福建	浙江	平均
田賦	八八・九〇	七七・四六	七〇・三七	五七・七〇	五五・〇六	三五・〇七	二七・二八	六一・二八
雑捐	四・二三	七・〇五	一・五一	一六・二六	二三・三七	三八・九三	五三・一三	一四・五一

（備考）平均は全中國各省の平均である。

三六四

この理由は其の沿革を知ることに依りて理解し得る所である。清朝末に変乱全國に頻発し、支出膨脹するに拘らず、収入の大宗たる田賦が地方軍閥により蹂躙せられ、徴税極度に減退するに至つた。此処に於て田賦の減退に應じて雑捐を相継ぎ新設せらるゝこととなつた。其後捐税は増加の一途を辿り、減少せられず、民國二年及び十七年に至り雑捐は地方収入に移譲せられ（註一）、田賦の少い省の縣であればある程、雑捐は重要地位を占むることゝなつた。

従つて、雑捐は田賦の僅少なる浙江、福建の二省に於ては田賦以上の重要地位を占むるになつたわけである。

雑捐の種類及び税率は各省縣に依り異り、名称も数十乃至百余種に達し、細税苛斂して実収甚微、費用倒となるものが尠くない情況にあつた。民國二十三年第二次全國財政會議は苛雑の廃除を決議し之を実施に移し、雑捐は五千万元廃除するの好果を得た（註三）。本年上半年に於ける江都縣の雑捐は人力車捐（両輛每月六角五分）、自転車捐（毎輛

月五角）、水車捐（毎輛月五角）、筵席捐（饗宴税）（毎百元に付五元）、舗房捐（毎百元に付月十二元）、娯楽捐（毎百元に付五元）、清潔捐（毎戸月四角乃至二角）等である（註三）。

雑捐は元来田賦に代るべき捐税たる歴史的意義を有するが故に、土地整理と治安圏の拡大につれ再び整理せらるべきである。例へば車税は税率を減低して交通の便に資し、悪税（例へば清潔捐）は之を廃除すべきであるが、贅沢防止を目的とする税は適宜に存置せしむべきである。

（註一、註三）　譚憲澄著、前掲第一〇〇、一〇一頁。

（註二）　本年八月筆者の江都縣政実態調査に依る。

5．補助金

民國廿四年各省の縣豫算歳入表に拠れば、補助金の総収に対する百分率は僅かに一・〇七％で、省の夫が一三・七％なると比すべくもない情況にある。この補助金は中央及び省より期待し得る。補助金交付の必

要なる所以は省地方収入の所で述べた。

6．復興税

復興税は未だ各省縣に実施されてゐない。江蘇省に於てもまちまちである。江蘇省江都縣に於ては単行章則を制定し、臨時的に復興地方事業費の名に於て一切の搬出入貨物に從價百分の二の徴収を本年の初頃より開始してゐる。但し、(一)日常必需品、例へば食糧・燃料・手工土布（手織中国製布）、油醤等（別に細目を規定の搬入、(二)敵地より搬入したる貨物、(三)既に営業専税を納付したる紙、(四)搬入貨物にして既に他の縣に於て同種の税を納付したるものは復興地方事業費を免除する。然し、(三)及び(四)の貨物には既に納付したる税金の百分の五の験査費を徴収する。この場合、公平の原則及び外国人名に依る脱税防止により外國人には寄附金の名に於て從價百分の一を徴収してゐる。外國人の治外法権認容の必要上、寄附金の名を付した所以である。

據之観之、中國人は從價百分の二、外國人は從價百分の一は公平の

原則を破るが如く認めざるを得ないであらうが、実は中國人に軽く、外國人に重い。何故なれば、中國人は法幣で納付するが外國人は軍票で納付するからである。即ち現在では軍票一円が法幣の二元五角の相場であるからである。臨時に復興地方事業費を徴収する目的は縣財政の赤字を塡補、換言すれば田賦減収を塡補する一時的な財政政策である。この点に於て既述の雑捐と同一の歴史的意義を有つものである。同時に復興地方事業費は重複課税であり、一税の通過税即ち釐金の実質的復活たる性質を有つ悪税である。故に之を臨時税とし、各省各縣に一律に採用を躊躇する所以である。

復興地方事業費の徴収は譬へ一時的と雖も之を徴収せざることを原則とし、若し之を必要とするが如き赤字巨額の場合は其期間を限定し速かに田賦増収計画を実施することを條件として主管官署に於て許可することゝすべきである。

〇　公企業の創弁

公企業は省よりも縣に於て未発達である。省地方收入の所で述べたる如き事業を興し、以て東亜共栄圏確立の一端となすべきである。

（五）地方財政支出の整理

I　地方財政支出項目（費目）の整理

地方財政に於ける費目が混乱し、全國的統計作成困難であり、且一目瞭然でない不備あるために既述の如く第一次及び第二次全國財政會議を経て國民政府は之が整理統一を命じた（劃分國家支出地方支出標準、一七年一一月二〇日國府通令、編製地方分類決算弁法、一八年九月國府訓令）。其後と雖も各省各縣の費目の簡繁一致せず（註一）廿四年財政部は整理地方捐税委員會を設け、その指導統一に尽力し、困難を克服して「二十二年度至二十四年度各省市預概算歳出分類指數表」及び「二十四年度各省縣地方歳出豫算分類統計総表」を発表した。國家及び地方政府が財政政策を樹立するためには財政統計の確立を要し、殊に國費と地方費、省費と縣費、各費目間の比例等を確認することを要する。

三六九

（註一）　譚憲澄著前掲第三八－三九頁参照。

三七〇

II、省地方費

民國二十四年度各省市地方預概算歳出表は党務費・行政費・司法費・公安費・財務費・教育文化費・実業費・交通費・衛生費・建設費・地方営業資本支出・協助費・撫卹費・債務費・其他支出・豫備費・に分ち、合計を二九八、二八九、〇二四元と計上した。而して既述の如く党務費・行政費・司法費・公安費・財務費等が総支出の四三・一〇%に、その他の二三の費目を合算すれば非生産的・非建設的・非文化的方面に使用されてゐる。これ等の費目は可能の範囲に節減すべきである。殊に合署弁公・冗員の淘汰は直ちに継続実行すべきである。

中國官吏は実に不能の冗員が、うようよしてゐる。

また行政費・又は公安費中に軍費が含まれてゐてはならない。しかして司法費は之を国費に変更すべき性質を有つ。譬へ縣長兼理司法制が今尚ほ残存すると雖も、之が変更は當然である。而して積極的に教育文化、経済建設、衛生治療、保育救済方面に支出を向け、財政收支系統法第四八條に規定する如く豫算総歳出の六〇%以上に達することを要する。三十年上半年の江蘇省支出表に據れば、建設費が総支出の三〇・五五%に達し、事変前廿四年度の全國平均建設費の百分率（一〇・六〇%）の約三倍に及んでゐる（註二）。豫備費も亦約三倍（一〇・五八%）に達してゐる（註三）これ確かに地方行政学者たる董修甲（財政廳々長）の功績であると共に建設廳々長李壁一の手腕に俟つ所である。蓋し、江蘇、浙江の両省は最も税源に富み、且つ近代的建設力の強い地方であるとは云へ、他省の範とすべき点も多い。

（註一）　民國二十四年度江蘇省豫算歳出表では、建設費は総支出の三二・三九%であつた。之は本年上半年の夫より多い。

（註二）、民國廿四年度江蘇省豫算歳出表では豫備費は僅かに一・三%であつた。之は本年上半年の夫より少い。

三七一

III　縣地方費

今最近の各省各縣の費目百分率表なきため其趨勢を具体的に把握し得ないが、事変後の和平区に於ては治安費が膨脹せるに拘らず田賦の徴收少きが故に各縣は大なる赤字に困窮してゐる。特に作戰区及游擊区に隣接、辺疆地方に於て然りとする。赤字補塡の経済的弁法として既述の復興税が課せられてゐる。故に孰れにせよ、先づ和平区の面への進展と治安圏の拡大を謀り、行政費、公安費を節減し、教育文化費、建設費、衛生費、救済費等に向けるべきであること省につき述べた所と同じ。元来商埠、都会、交通発達せる地方は教育、建設、衛生等の支出が多くであるに反して辺疆地方は行政費、公安費が比較的大であることを通例とする。

省市縣、孰れも地方費は興亜建國、東亜共栄圏確立の方向に於て支出せらるべきことは云ふまでもない。この意義に於て教育費、建設費、衛生費の増額を攻究すべきである。

三七二

第六　経済建設政策

一、経済建設政策の目標と重点

中国の経済建設の目標は更生民生主義を大亜細亜主義に結付けて発展せしめ、以て東亜共栄圏の確立に対する共同責任を履行するに在る（中国国民党新宣言、国民政府政綱一、七等参照）。即ち、東亜共栄圏の綜合的経済総力量を充分に発輝するために中国はその綜合経済統制の下に立地本位に中国の経済総力量を充分に発展するにある。こゝに「中日経済提携」「中日経済合作」の現段階に於ける意義がある。

この経済建設政策を具体的に展開せしむるには、先づ日満支を主柱とする東亜綜合経済統制機関を東亜に結成し、中国の経済建設を統制、指導し具体的使命を授くべきである。既に「日満支経済建設要綱」が我が当局に依って発表されたことは劃世的進歩である。この要綱は抽象的観念的であるから之を具体

三七三

的の事実と必要とに即應し且新国際情勢を参酌して再吟味することを要する。

東亜綜合経済統制機関は各部門別綜合統制委員会に分ちて各其権限を盈さしむべきである。昭和十六年九月二十六日南京に結成された中央物資統制委員（第一回会議十月二十一日開催）の如きは東亜綜合経済統制機関の国別支分機関として整序さるべきものとする。

次に、中国の経済建設政策は中国の経済総力量を東亜民族の共同防衛の強化と生計の安定とに重点を求むべきである。従而、中国当面の経済建設は軍需品と生活必需品との生産力を復興拡充し、且原料と生活必需品の配給及び消費統制を円滑にし以て東亜共栄圏の発展に貢献すると共に民生主義を実現すべきである。

二、中国経済の破局原因

然るに現在の中国経済と民衆の生計は全面的に破局に瀕してゐる。故に、新たに経済建設政策を定立、実施するためには先づ、中国経済が全面的に破局に

三七四

瀕してゐる原因を究明し、消極的にはこの原因を排除し、更に積極的に建設へと発展せねばならない。極めて大まかであるが、中国経済の全面的破局に瀕する原因を次に六に帰ることが出来やう。

（一）資本主義的搾取――半植民地性

外国資本主義及び此に附随する買辦的資本主義の搾取により中国経済は全面的に破局状態にあること(1)。特に人口の八五％を占む農民の経済は破局状態にあること

（二）前科学的経済機構

僅少の一部を除いては各経済部門は半封建的前科学的機構に依り、近代科学の上に立つ技術組織経営に缺けてゐること(2)。

（三）半封建的羈絆

人口の八五％を占む農民が再生産なき地方軍費、官麗費の為に苛斂誅求せられ、貪官汚吏及び土豪劣紳に不法搾取せられ、不良軍隊、匪賊・共産党の擾乱、掠奪に苛虐されてゐること(3)。

三七五

（四）防災、救済政策の不備

水旱、災害甚大なるに拘らず其防止、救済政策が対應せざること(4)

（五）教育の錯誤と未普及

教育は一般に殆んど普及せず、人口の大部分は文盲無智であり、高級学校は徒に都市に偏集し、而も米国模倣の植民地的教育に陥り、興亜と農業立国は忘れられ、学校卒業者は農村に帰らざる有様である。

特に農民は此他の諸事情に依り教育を受くる機会に恵まれてゐない。故に中国の経済建設は一般に積極的能力に乏しい(5)。

（六）今次事変の影響

直接、間接に今次事変は中国経済に破壊又は停頓若くは渋滞に陥らしめたこと

(1) 汪精衛氏対於農村復興之意見（「経済研究」第一巻第七期三〇年三月一日、第一九二頁）、褚輔成・銭永銘両氏対於農村復興之意見（同上第一九八頁――二〇一頁）、呉覺農民対於中国農村復興之意見（同上第二

三七六

二〇頁）。李協氏対於陝西農村復興之意見（同上第二二五頁）、金輪海著「中国農村経済研究」第五六頁第一五三頁以下

(2) 金輪海著前掲第一一〇頁――一五〇頁、

(3) 汪精衛氏前掲（同上第一九二頁）、黄紹氏対於農村復興之意見（同上第一九二頁――一九三頁）、石清揚氏対於農村復興之意見（同上第一九四頁――一九五頁、羅文幹氏対於農村復興之意見（同上第二〇三頁）、穆湘玥氏対於復興農村之意見（同上第二〇五頁）、李協氏前掲（同上第二二六号）、胡適氏対於農村復興的意見（同上第二一八頁――二一九頁）、董汝舟氏対於農村復興之意見（同上第二一三頁）、申報対於陝西農村復興之意見（同上第二三二頁）、金輪海著前掲第七七頁――一〇七頁、第七頁――第一九頁

(4) 李協氏前掲（同上第二二七頁）、許世英氏対於農村復興之意見（同上第一九六頁）

(5) 石青揚氏前掲（同上第一九五頁）、許世英氏前掲（同上第一九七頁）、穆湘玥氏前掲（同上第二〇五頁）、董汝舟前掲（同上第二一四頁）。

三七七

以上の中、(一)乃至(五)が今次事変の有無に関せざる原因であるが、(六)は今次事変を原因とするものである。

先づ、興亜建国の推進原則の第一原則に依り一應、事変前の状態に復帰せしむるために(六)の原因による現情を復興する方針に従ひ、数十億元の遊資と人材を復興経済建設に吸収し、之に漸次、新たなる統制を加へ、新政策の目的を遂行すべきである。但し推進原則第一原則の例外規定に従ひ、従来の陋習の復活と東亜共栄圏確立を妨碍するものゝ復活は之を絶対に認むることを得ない。従来の陋習の顕著たるものは中国経済の破局原因の(三)、即ち苛斂誅求、貪官汚吏及ひ土豪劣紳の不法搾取、不良軍隊、匪賊、共産党の擾乱、掠奪等である。此等は民法・刑法・懲戒法其他特別法を以て処断し絶滅を期すべきである。東亜共栄圏確立を妨碍する顕著なるものは中国経済の破局原因の(一)に挙げた英米及び買辦の自由主義的利己的搾取並に共産主義の策動及び抗日主義工作のための諸制度、思想である。此等は総て敵性活動の源泉を為すものなるが故に極力排除すべきものである。特に新中国及び満洲国を承認せざる各国に対しては無條約国として取扱ひ、治外法権を放棄せるものとして處置すべきである。

三七八

事変前の状態の復興に留まらず、更に興亜建国のための積極的経済建設政策を実施し、中国の経済総力量を軍需と生産必需品との生産に集中し、同時に民衆の生計の安定を計るべきである。

蓋し、経済工作は単独に進展することは不可能であるが故に興亜建国の推進原則の第二原則に依り綜合工作と第三原則に依る和平区の面への進展工作の進展即ち軍事政策・行政組織改革策、吏治政策、治安政策・地方財政政策、教育政策及び其他の政策の広汎なる地区に亘る相互作用を通じて以上の経済建設政策は発展する。

三、当面の経済困窮

従来、中国の経済建設は孫文の「建国方略」の第三章物質建設（実業計画）

三七九

に拠り民生主義を実現することを目的として進展されて来た。民生主義は既述の如く(一)地権の平均と(二)資本の節制を要求し、外資の輸入を借りて経済開発と新経済組織とを実施し、衣食住行の四大需要を改善し、特に食糧の輸入超過を克服し輸出超過に轉換し農業立国を確立するにある。然し、地権の平均と資本の節制は殆んど進展されてゐないが、近代的経済建設は僅かに沿海地域及び揚子江中流以下の沿岸地方に中小機械工業を中心として発展された。今、斯の如く発展の緒についた和平区が如何なる困窮に当面してゐるかを概説する。

(一) 工業地域の未復興

長期戦に経済的基礎を與へる近代的工業地域の殆と全部は今次事変の戦禍に罹り、或は破壊され、或は重要機械の一部が持去られ、或は操業を停止して放置された。然し其後、我が専門家の手に依り復興され、復興工場の一部は逐漸、中国側に還付されたが、全般から見て事変前の生産力を恢復することは猶ほ残された大問題である。この工業の復興は農鉱業の復興と運輸機関の整備とを俟ち、原料の獲得と製品の消化市場への連結が期待されてゐる。

三八〇

この期待が保護されざる限り、数十億元の遊資の産業資本化は困難である。

(二) 労働力の減少と物価暴騰、

今や、労働力の不足と物価騰貴は和平区たると非占領区たると、華北たると華中たるとを問はず——地方により多少の差異は勿論あるが——全支那の最大問題である。特に物価暴騰は食糧不足と其他の原因に依り深刻化し、食糧物価は他物価に比して一般に昂騰著しく、賄賃の破局的暴騰となり、文字通り殺人的である。今事変直後に於ては米五十ポンド四元まで〻あつたが、現在（民国三〇年十月二十日）では五十元（上海小売相場）に昂騰し、賃銀俸給生活者に甚大な不安を与へてゐる。故に民国二十八年頃より上海に於ては賃銀値上要求の労働罷業が続生し、一方、労働能力なき者は上海市で判明してゐる数だけでも毎日平均七、八十名の餓死者を出してゐる。之に寒さが加はれば凍死の名に於て餓死する者が激増することは極めて明らかである。この生計不安は実にドン底にある。今、国民政府がこの生計不安を剋服することが、緊急要務である。これに失敗すれば、国民政府は全く民衆と遊離し

三八一

た単なる機構と化し、総てこの政策は停滞し、政治力は日々萎縮することゝなる。故に国民政府は民食の保障に全力を傾けることが興亜建国の第一歩である。

(三) 流通経済の縮少と渋滞、

今や、全支那は和平区、共産区、重慶区に三大区域に分割せられ、互に封鎖、反封鎖の政策戦を行ふ外、貿易方面に於ても我皇軍の経済封鎖、英米資金凍結により取引が縮小されて来た。尚ほ和平区は華北、華中、華南、蒙疆の各経済区に分割せられ、物資の搬出入は必ずしも円滑でない。加ふるに運輸機関の運動力は事業前に比し減退し、且治安不安定に依りその能率を充分に発揮し得ず生産物の集滞となつてゐる。

この流通区域の縮少と渋滞とは工業原料の獲得と生産品の取引とを縮少、渋滞を結果づけ、一般に物資の産地と其産地を離れた消費地との相場は極端に開きを生じ、物価は地方により著しく異つて来る。此に統制破りの密搬出入又は敵性闇取引を激化することゝなつてゐる。また物価騰貴に因る生活苦

三八二

の打開策として此等の違法取引の搬出入に身を投げる者も決して尠くはない。憲兵隊又は警察に検挙せらるゝ中国人は殆んど違法取引者の手先であつて彼等は「喰へなければ泥坊するのも没法子だ」と考へてゐる連中である。従而、「喰ふ為に幾回検挙されてもかまわない。没収されても自分の品物でない。殴打され縛られても物質的損失がなければよい」と云ふ連中である。

故に和平区の面への進展と綜合工作の実施により流通経済の発展を謀り物資と物価の調整を意図すべきである。

(四) 法幣の惨落と日中離隔

昨今の法幣の惨落は余りにも極端である。之を数字を以て示せば、事変当初に於ては日本円（含軍票）約百二十円が法幣百元であつたが、昨今（昭和十六年十月二十五日上海）では日本円二十六円が法幣百元に下落した。法幣は下落の一途を辿つて来たが、日本円の五分の二程度に漸く安定してゐた。然し本年十月中頃から重慶政府の上海放棄が流布され日本円の約四分の一に惨落した。

三八三

法幣の惨落は次の四大問題を惹起してゐる。

Ⅰ、法幣の対外購買力の激減、

この激減は興亜建国に大なる影響を与へた。即ち興亜建国に必要なる物的要素の輸入力の激減となり工業生産力の拡充意の如く運ばず、民衆の生計の不安定を深刻化する。

Ⅱ 法幣の物への転換

法幣の前途は悲観材料に溢れ、速かに之を商品、軍票、其他の外貨、証券、不動産等に転換し、法幣売一方と化し、上海にある約四十億元の遊資も単なる投機購入を超えて法幣を棄てゝ物に換へ囤積することゝなつた。これは物資不足に因る自然騰貴情勢にある物価を更に激騰せしめることゝなり、民衆の生活を極度に圧迫することゝなつた。上海租界に於ては設備なくしてガソリン、其他の爆発性ある危険物質の囤積的貯蔵は火災及び爆発による危険を惹起した。此処に於て特別の取締令を実施するに至つた次第である。

三八四

Ⅲ、新法幣の一蓮托生

新法幣（儲備銀行券）は旧法幣とはその存立的基礎を甚だしく異にし、また対蹠的であるにも拘らず、旧法幣と等價にある。これは、紙幣を濫発し財政金融の破綻を彌縫し、この彌縫策の進展につれ愈々拾收困難に迫つてゐる旧法幣と運命を共にし、和平区の経済に破産的恐慌を招くこととなる。故に重慶側の法幣安定資金委員会の安定政策如何に拘らず、新法幣を旧法幣から切離し、旧法幣に依る游資を新法幣に切換せしめて興亜建国のための産業資本に吸收する工作を実施すべきである。

Ⅳ、日中離隔

法幣暴落はⅡの過程を経て上海市場開始以来の物價奔騰となり、民家の生計困難に直面すると同時に日本円一元の商品が法幣約四元である昨今では、日本の対支購買力が激増したが、反対に中国の対日購買力が激減し、日本の対支輸出量は激少する機運を醸成し、中国側から見れば日本円建設備及び物資は之を利用消費することは甚だしく困難と成つて来た。例へば

三八五

日本円建の在中国船車の運賃は法幣低下だけ高價となり、日本より技術員指導員の招聘と日本留学が容易ならぬことゝなり、日本書籍、日本映画に依る文化交流も後退することゝなつて居る。

以上、当面の経済困窮と其の影響を概述し、経済建設政策に於ける当面の問題の理解に備へることゝした。

四、農業政策

農業経済建設政策は事変前の経済状態に復興することを原則とすると同時に消極的には事変前より存する農村の破局原因を芟除し、積極的には軍需品と生活必需品の生産力を拡充し、以て中日共同防衛と民生の安定を期しつゝ東亜共栄自給体制に寄與すべきである。

次に旧国民政府行政院農業復興委員会の対於農村復興之議決案及び諸権威の意見を参酌して農業政策を立案することゝなる。

(一)　土地政策

三八六

Ⅰ、総説

孫文は民生主義を提唱して「地権の平均」（平均地権）と農業立国とを主張した。中国国民党は之を継承して今日に及んでゐる。この地権の平均は同じく孫文の主張する耕者有其田と共にその解釈は多岐に分れてゐるが(1)土地の私有制を全廃し、国有とする急進政策は未だ中国に於て実施すべき時期でないと見られてゐる(2)。共産主義を奉ずる新四軍の土地政策は一般に斷行的であるから地方により大同小異を免れないが(3)天長縣地方（安徽省の最東北）に於て決して土地の沒收を原則としてゐない。この地方では農家一戸当りの平均耕地平積は十畝（日本の六反）で、安徽省全体としては十畝以下の貧農が六五%を占めてゐる(4)。但し新四軍は單に不在地主に対し期限を附して帰農を勧告し、之に應じない時は其土地所有権を沒收し、其の土地の耕作する小作人に其家族数に應じて分配し、新地券を交附し、旧地券を無効としてゐる。この新地主は一畝に付き米二斗又は麦二斗の救国公糧を納付すべき義務を頁ふ(5)。次に、この地方の小作

三八七

料は種子代を控除した残額を地主と小作人が折半してゐたが、新四軍は之を不公平とし地主三割小作人七割に修正した。而して小作料の減免につき争ひあるときは評租委員会に於て裁定することゝしてゐる。この委員会は地方の紳士一人、地主代表一人、小作代表二人より構成せらる(5)。

要するに、中国に於ては土地私有制の全廃は[illegible]れを急進的主張として排除してゐるが、孫文の民生主義に於ける「地権の平均」と「耕者有其田」即ち均有、均耕とが土地政策の二大綱領となつてゐる。この二大綱領は結局、人口と耕地面積並に人口の分布状況と耕地分布状況との調和を必要とする。

中央農業試験所の調査では同治十二年（一八七三年）より民国二十二年の間の全国農民人口は八%乃至十二%増加し、同年間の全国耕地面積は僅かに一%であり、金陵大学の卜凱、喬啓明両教授の調査に依れば安徽・河南・江蘇・山西の農民の自然人口増加率は一四・三%（約五十年で二倍）で土地の増加は到底之に伴ひ難い結論に達してゐる(6)。此の両者の均衡

三八八

増加は今の所、休耕地の活用、開墾及び人口の分布と耕地分布の調和を謀る内地植民開墾並に畝当り増産と商工業の発達に俟つべきである。中国の人々は我占領区即ち和平区及び東南海岸省区に稠密で、奥地乃至辺疆地方は稀薄である。此に内地植民政策の必要と可能がある。更に此処に銘記すべきは中国農民一人当り耕地は金輪海に依れば四・八畝（六畝で約一エーカー）多くとも五畝を出でず、満州失土と新疆等の劣質地を除けば四畝前後である（6）。

以上の政策は単に農業政策であるのみならず同時に一種の社会政策上の要請でもある。（7）。

（1）蕭明新編述「土地政策」第一四六――一五六頁、金輪海著「中国農村経済研究」第三、二一――三二二頁

（2）「実行地制改革」（「経済研究」第二巻第七期―民国三〇年三月一日、第一七七頁

（3）興亜院華中連絡部発行「新四軍ニ関スル実体調査報告書」（昭和十六年五月）第八五頁

（4）「内政年鑑」土政篇第八章D第四二一頁

（5）興亜院華中連絡部発行前掲第九二頁以下

（6）史文忠著前掲第八六頁、金輪海著「中国農村経済研究」第三〇九――三一〇頁

（7）「経済研究」第二巻第七期―民国三〇年三月一日、第一七八頁

Ⅱ　地権の平均と耕者有其田

地権の平均の解釈は必ずしも決定的でないが、土地は天与の物であり且其地価の増額又は増収は政治の改善又は社会進歩の所産（但し個人の土地改善の努力の所産を除く）であるから、之を一部少数地主の私有に帰すべきでなく、社会全体に帰属せしめ、以て地主の壟断を制禦し、土地所有の国家と私人、私人と私人との間に平均し、その増価と増収は地方政府（蓋し徴税方法に依り）に帰属せしめて民生主義を実現すべしと言ふにある。

（建国大綱十、十一参照）。

耕者有其田も亦同様にその解釈は必ずしも帰一してゐないが、之は必ずしも土地の耕作者に其土地の所有権を帰属せしむることを意識せず、耕作に従事せない者に其土地の生産物を享有せしめざると共に耕作者に其土地を終身使用収益し得る権利を与ふるが、之を抵当又は売買の目的物に供することを禁ずることを意義すると解される。

今次事変により不在地主又は地主不明の土地が極めて増加した。それは或は奥地、租界、香港に逃避し、或は死亡又は行衛不明となつた小地主、大地主の土地である。また地主は明分なるも、境界の紛争も今次事変により増加してゐる。此等の土地に対する政策は地方行政上、最も重大なる問題である。清郷工作に於ける政治経済工作の重点も亦この種の土地政策の如何にある。

故に曽つて共産区を克服した蒋介石が土地政策の一大綱領たる地権の平均と耕者有其田を如何に処置したかを参考にするため、次に冗長ではある

が、民国二十一年十一月公布の豫鄂皖剿匪区各省農村土地処理條例及び同年十月公布の剿匪内屯田條例を概説することゝする。

A．通　則

当時の豫・鄂・皖（河南、湖北、安徽）の三省の剿匪区は共産軍が地主の土地を没収して分田制を実施した地域であつた。従而、その地域の克服と同時に田地其他の不動産の所有権を整理し、農村復興と農業奨励との農業政策を実施することゝした。特に農村興復委員会を漸次設立し――共匪の被害を受けない地域にも之を漸設し――土地政策を遂行した。その種類及び組織は次の如くであつた（同條例一條―四條、六條）

縣農村興復委員会、縣長、秘書、科長、各区代表一人を委員とし、縣長を主席とする。

区農村興復委員会、区長、各郷鎮代表一人を委員とし、区長を主席とする。

郷鎮農村興復委員会、縣政府が職業を有し、衆望ある者を五人又は七

人委員に選任し、主席は委員互選とする

委員会の処理すべき事項を次の如く定めた（同五條）。

1、田地其他の不動産の所有権の争執に関する事項
2、破壊されたる境界の整理に関する事項
3、所有権未確立及び無主の田地の管理代行及び官有荒地の管理に関する事項
4、小作人に対する田地分配に関する事項
5、小作料決定に関する事項
6、農村合作社提唱に関する事項
7、地税徴収準備に関する事項
8、農民債務整理に関する事項

右事項の処理は先づ郷鎮農村興復委員会に於て決定し、若し決定し得ないときは区農村興復委員会に於て之を決定し、若し決定し得ないときは縣農村興復委員会に於て之を最終決定する（同七條）。

三九三

右委員会は所有権の確定せる田地其他の不動産は之を所有権者に返還し、所有権未確定及び無主の田地其他の不動産並に官有荒地は小作人に分配し、此整理完了後、各区域内の自作農、小作人及び地主を糾合して農村利用合作社を組織せしむることゝした（同九條）。

B、所有権の確定

農村興復委員会は赤匪の分散したる田地其他の不動産にして紛争中のものは原則として其の所有権に返還する為に其所有権を確定する（同一一條）

1、赤匪に分散されたが其境界が明分せる田地の地主は其所有権を証明するに足る書類を郷鎮農村興復委員会に提出し審査を請求し得る。其の審査の結果、其眞実を認定したるときは地主に地價と税率を報告せしむ。この審査は書類の提出ありたる日より十五日迄に行はるべきである。（同一二條）

この所有権確定の報告を受けたる縣農村興復委員会は一週間内に仮

三九四

登記を為し、之を公告する。この公告後一箇月を経過しても異議の申出なきときは所有権の登記を為し、管業証書を下付する。この登記費は地價の千分の五とし、証書費は一畝以下四分、一畝以上五畝以下一角、五畝以上十畝以下二角、十畝以上五十畝以下五角、五十畝以上一元とした（同一三條）。

2、赤匪に分散されたが、其境界が明分せる田地の地主が其所有権を証明するに足る書類を遺失又は焼失したるときは其畝数、所在地、境界を記したる書類に其土地所在地又は近隣の郷鎮農村興復委員会委員二人以上（但し合作社あるときは合作社）の保証書を添付して所管郷鎮農村興復委員会に提出し審査を請求し得る。審査の結果、其眞実を認定したるときは、前場合と同様の手続を経て其の所有権を確定する、但しこの異議申出期間は三箇月とする（同一四條、一五條）。

3、前二場合に於ける異議申出期間に申議の申出ありたるときは郷鎮農村興復委員会は当事者双方につき詳査して之を決定する。この決定を

三九五

為し得ざるときは区、縣農村興復委員会の決定に付する（同一六條）。

4、田地以外の不動産が匪患を破り所有権につき紛争を生じたるときも亦今述べた田地の其と同様の手続を以て之を処理する（同一七條）。

C、境界整理

1、田地の境界が破壊されて不明分なるときは其所有権を証明するに足る書類又はこの書類なきときは所有権確定の2の場合と同様の保証書を所管郷鎮興復委員会に提出し、審査を請求することを得る。審査（書類提出の日より十五日以内に行ふ）の結果、其眞実を認定したるとき区内地主会議の承認を経て委員会に於て経界を決定する。区内地主会議は郷鎮興復委員会の所管区域の田地を若干区に分劃し、この区内の地主を召集して構成せしめ、其の主席は委員会主席を以て充つ、会議は公開する（同二〇條、二一條）。この境界確定手続は小面積の田地が分散して耕作に不便なることを理由とする（交換分合の方法を以て）田地の併合に用ふることを得る（同二二條―二五條）。家屋、

三九六

園圃、林地が赤匪に破壊され田地に改められてゐるときは之を田地として取扱ふこととした。(同二六條)。

2、区内地主会議の議論紛糾し又は其の他の事故により郷鎮農村興復委員会に於て調停し得ないときは直ちに理由を具して縣農村興復委員会に最後の裁定を請求することを要する(同二八條)。

3、以上の手続に依り田地の境界が確定したる後、地主が帰郷したるときは確定境界につき異議を申出づる権利なしとした(同三〇條)

D、土地の管理及び分配

1 管理代行、境界が破壊されてゐるや否やを問はず、田地其他の不動産の所有権未確定のときは当分、郷鎮農村興復委員会に於て之が管理を代行する(同三一條)。

2、没收　所有権者不明分の田地其他の不動産が委員会の管理代行されてより三箇年を経過し且尚ほ所有権不明分なるときは之を没收して公有と為し、各村の利用合作社に之を管理せしむ(同三三條)。

三九七

3、官有荒地の管理　各郷鎮の官有荒地も郷鎮農村興復委員会に於て之を管理する(同三三條、剿匪区内各省農村土地処理條例実施規則五條)

4、計口佃法　委員会は其管理に係る田地を計口佃法に依り之を分配して小作に付す。

計口佃法の前提手段として委員会は所管郷鎮の農民――其所有権未確定の地主、自作農、小作人、赤匪の分田による土地取得者を含む――に其耕作田地の畝数、所在地及び其家族数を委員会に報告せしめ、耕作能力あるも田地なき者は其家族数を委員会に報告せしめ、委員会に於て之を合計する(同三四條)。

計口授佃の標準は縣農村興復委員会に於て、(1)各地の土壌の肥瘠、(2)人口の稀密　(3)各区の管理田地面積の多寡に應じて(1)各一人の使用田地の最大限度と最小限度　(2)各一戸の使用田地の最大限度と最小限度を規定し、更に、郷鎮農村興復委員会は(1)其地の生活程度　(2)農家の人数に應じて縣農民興復委員会の規定したる限度内に於て農民一人

三九八

及び農家一戸に分配すべき畝数を決定する。但し各一人の授田は最大限度を二十畝、其最小限度を二畝とし、各一戸の授田は最大限度を六畝、其最小限度を八畝とする。此場合、自作農及び賃銀労働により耕作する地主が其所有権を主張してゐるが所有権未確立のため委員会に於て管理してゐる土地に付きては彼等は優先小作権を有する(同三五條)。

この優先小作権を除く外、委員会は其郷鎮人に次の順序に依り管理田地を分配して小作に付することを要する(同三六條一項)。

(1)　従来の小作人
(2)　赤匪の分田以後の耕作者
(3)　本郷鎮農民の帰来者

この順序により田地分配後、猶ほ剰余田地あるときは委員会に於て他郷鎮人又は他縣人を招傭して代耕せしめ得る(同三六條二項)。

5、田地分配後の帰来者、田地分配後、他境に避難してゐた者が陸続と

三九九

して帰来したるときは委員会は拓傭代耕の田地を其帰来者に計口授佃する(同三七條)。

6、所有権回収地主の権利、地主が所有権確定に因り其田地を回収し自ら管理する場合と雖も、既に委員会の授佃したる小作人及び其小作畝数を原則として変更することを得ない(同三八條)。

E、小作人と地主との関係

1、郷鎮農村興復委員会が授佃したる小作人が、毎年納付すべき小作料の額は各地の慣習を調査し、赤匪が分田したる以前に定められたる小作料額よりも低き程度に該委員会に於て之を定む。小作料決定後に於て地主が其田地を回収して自ら管理したる場合と雖も之を増額することを得ない(同四二條)。

2、郷鎮農村興復委員会は既に所有権確立し且代行管理せざる田地に対しても前場合と同様に其小作料を定めて地主及び小作人に之を通知し遵守せしむべきである(同四三條)。

四〇〇

3、地主が田地を回收して之を自作したるときは小作人の支出したる土地改良費は相当の程度に之を保証することを要する。天災に因り破損に対する修理費は土地改良費と看做さる。この補償の程度につき争あるときは郷鎮農村興復委員会に於て之を調停する（同四四條）。

4、許田授佃されたる小作人の家に壮丁なく家族悉く老弱婦女なるときは賃銀労働者による耕作を認容する。委員会はこの賃銀耕作を理由として授佃を拒み又は耕地を取上ぐることを得ない（同四六條）。

5、天災地変に因り収穫が減少し又は皆無となりたるときは小作人は地主又は郷鎮農村興復委員会に小作料の減額又は免除を請求することを得る。この請求につき争ひあるときは地主に直接請求したる場合は郷鎮農村興復委員会に於て之を調停し、委員会に請求したる場合は区農村興復委員会に於て之を調停する。但し該村に利用合作社あるときはこの調停手続は該合作社の定款による。この調停に不服あるときは、区又は縣農村興復委員会の裁定を請求することを得る（同四六條）。

F、私有田地の制限

1、私有田地は其所有権確定後、郷鎮農村興復委員会に於て(1)其地の土壌の肥瘠　(2)其地の人口の稀密　(3)地主の家庭状況を参酌して地主一人当りの所有田地面積の最高額を百畝以上二百畝以下の範囲に制限することを要する（同四八條）。

2、前場合の最高制度内の田地に対しては普通税則による地税を徴収するが、この最高限度を超過する場合に於ては普通税則に依る地税を徴収する外に、其の超過部分の田地に対しては累進法に依る税率を以て地税を徴収する。この税率標準を十項に分ち最低は超過田地十五畝以上五十畝以下に付き百分の三とし、最高は百分の八十と定めらる（同四九條）。

3、赤匪の患害を被らざる縣に組織したる農村興復委員会も亦、私有田地に対し私有を制限及び累進税に依る課税を為すことを要する（同五一條）

4、公益を目的とする法人の田地に対しては累進税の規定を適用しない（同五二條）。

本條例は第七章（第五三條乃至第五九條）を「農村借貸」と題し、農村の負債整理を規定してゐるが此処では之に触れないこととする。

尚ほ赤匪の患害に因り田地が荒廃したる剿匪区——豫・鄂・皖辺区——に農業生産政策と国防政策を兼収する為に次の屯田制を試行した。

A、屯田縣区の劃定

赤匪の蹂躪の結果、人口——農民の死亡又は避難に因り——稀少となりたるに因る荒廃田地又は赤匪の分田に因り境界混乱して整理の途なき田地若くは赤匪出没して人民の耕作不能の田地等が全縣の総耕作面積の十分の六以上を占むるときは此縣を屯田縣と称し、同じく十分の六以下なるときは此地域を屯田区と称する（同條例一條）。屯田縣区の土は一律に公有と為し、計口授田に依り、現役軍人に分配して耕作に付す。但し其地の事情により耕地面積の十分の三乃至

五を該縣自衛団を組織する農民のために留保することとした（同二、條）。

B、屯田縣区の組織

屯田縣区の組織は十戸を以て一甲とし、排長を以て甲長に充て、十甲を以て一保とし、営連長を以て保長に充て、十保を以て一区とし、団営長を以て区長に充て（同四條）。屯田縣長及び独立区長は剿匪軍師旅長を以て之に充つ（同三條）。而して屯田縣区は総司令部の直接指揮を承ける外に、所属省政府及び主管廳処の指揮監督を受く（同四條、五條）。

C、計口授田と其標準

屯田縣区の長官士兵は一律に計口授田し、其一人当り授田は四畝以上八畝以下に限る（同六條）。但し士兵に配偶者及び老弱者あるときは其の偶偶者は士兵と同額の田を授け、其の老弱者には士兵の授田の二分の一を授くことゝした。但し各一戸の全授田は三十畝

を超過し得ない。その地元の慣習により畝数を以て計算せざるときは石数に換算することを得る（同七條、同條例実施規則四條—六條）

D、農村の設備及び費用

田化農村の住宅、道路、水利の設備、耕牛、農具、種子、肥料の購入及び第一年度の糧食の供給は化田縣区に於て統籌処理し、其費用は剿匪軍師旅の費用を以て之に充つ。若しその費用に不足を生じたるときは総司令部に補助を申請することを得る（同九條）。

E、地税と其徴収

地税は毎年農産物の百分の二十五とせらる。但し開墾地は二年間無主の熟地は一年間免税せらる（同一〇條）。

F、司法手続の更改

化田縣区内には普通の司法手続を適用せず、化田士兵間又は兵民間の争訟事件は先づ甲長之を調停し、之に不服なるときは保長、区長に及び、更に不服なるときは縣長又は独立区長に於て最終裁定を行

四〇五

ふ（同一二條）。

尚ほ化田区には軍民の感情及び利害の融合し、且互助を目的として合作社を組織することゝした（同一四條）。

以上の豫・鄂・皖剿匪の土地処理條例及び化田條例と同年の十二月閩西（福建省西部）の赤匪患害の地区に計口授田暫行法を施行した。豫・鄂・皖の計口授佃と多少趣を異にするところがあるから次に概説することとする。（同暫行法一條—十一條）

A、計口授田の処理機関

閩西の無主の田地及び地主に返還し得ざる田地を分配する最高機関を閩西　後委員とし、各郷村に臨時授田委員を設置し、授田事務を処理せしむることゝした。この委員は七人乃至十一人を以て構成せられ、郷民大会に於て定員の二倍の候補者を選挙し、農村復興特派員に於て之を選任する。授田事務完了したるときは該委員会は解散し、其事務を郷政委員会又は農村復興特派員に引継ぐことゝした。

四〇六

B、田地の調査及び等級

田地の分配は郷を以て単位と、各郷は其人口及び田地の面積を先づ詳細に調査して各一人当り畝数を定め、田地は之を肥瘠の差等に應じて上中下の三等に分ち、抽籤を以て公平に分配する。

C、授田と私的取引の禁止

其郷民にして土地生産により生活する者は均しく一定の田地を授く。但し郷民にして該郷の公務人員——官吏、教師、士兵、団丁——及び長く他郷に於て商工業を営む者にも計口授田するが此等田地は公に於て管理する。之を留田と呼んだ、留田は其家族に於て自作し又は別に他の余力ある農民に兼耕せしめ得る。この場合の収獲物は総て耕作者に帰属する。但しこの耕作者は地税を納付する外に収獲高の二割を該郷公共建設費に出損することを要する。分授されたる田地は之を賣買又ば抵当に供することが禁せられた。

D、授田の修正即ち帰授の手続

四〇七

年年末に於て各郷は各戸口の生死、婚嫁の登録に依り之を清査し、生と婚には新に授田し、死と嫁には其田地を回收する。生と婚との数か死と嫁の数に超過して授田に不足を生じたるときは生又は婚の時間順序に従ひ授田する。従而、此場合授田を得ざる者と虽も順次授田を期待せしむ。

E、開墾の奨励方法

農民にして余力ある者は荒地の掛下げを承け開墾することを得る。開墾田地は二年間免税とし、開墾地は開墾者に於て終身使用收益することを得る。

以上三法令は要するに、共産区に対する土地政策であるが、同様の土地政策は今日の和平区にも確立すべき要請を有つ。三法令共に土地法（民国十九年六月三〇日国府公布二五年三月一日於行）に規定する地権の平均、耕者有其田を個別化したるものである。土地法は土地は国民全体に属することゝ法により取得したる土地所有権を保全することを原則とし（同法七

四〇八

條）て、地権の平均と耕者有其田を規定し民生主義を実現することを目的とした(1)。土地法は一定の土地の私有を禁ずる（同八條）と共に、法に依りて所有権を取得せざる土地は、之を公有土地とし、また私有土地の所有権が消滅したるときは之を公有土地とする（同一二條）。而して(1)地方の必要、(2)土地の種類、(3)土地の性質を参酌して個人若しくは団体の所有土地の面積を制限して最高限度又は其の性質及び使用の種類に依り最小限度を定め得る権限を地方政府又は地政機関に賦與した（同一四條一五條一四七條二六條一二九條）。尚ほ土地に関する争訟事件は特別手続に依り土地裁判所に於て審理することゝした（同三〇條三一條）。地権の平均は市地農地に跨がる綱領であるが、耕者有其田は單に農地（含牧畜地－同一七一條）に関する綱領である。土地法は(1)小作人の利益の保護、(2)自作農の地位の維持と創定　(3)開墾の奨励と保護を規定した（同一七一條－二一〇條）。就中、此処に留意すべき点は次の規定である。

1、小作人は仮令、借貸人の承諾ありと雖も耕地の全部又は一部を他人に

四〇九

轉貸することを得ない（同一七四條）。

2. 土地法施行後、同一の小作人が十年以上継続して耕作した耕地は小作人に於いて適法に徴收することを得る。但しその耕の賃貸人は不在地主でなければならない（同一七五條）。

3、小作料は総收穫高の千分の三百七十三を超過することを得ない。約定小作料が此の権限を超過するときは千分の三百七十五となる。而して貸借人は小作料の予收及び担保としての敷金（押租）の收取を為すことを得ない（同一七七條）。

4、耕地の地價税は小作人に於て代納したるときは小作料より之を控除すべきものとする（同一七八條民法四二七條）。従而、地税を小作人が負担する特約は不合法とされた。

5、小作人は次の三つの優先権を有する。

(1) 優先承買権　賃貸人が耕地を賣却したるときは其耕地の小作人は同様の賣買條件を以て優先して之を買入することを得る（土地法一七

四一〇

三條）。

(2) 優先承典権　賃貸人が耕地を出典したるときは其耕地の小作人は同様の出典條件を以て承典することを得る(2)（同施行法三六條三七條）。

(3) 優先承租権　自作のために回收した耕地を再び小作に付するときは従来の小作人は従来の小作條件を以て小作することを得る（土地法一八四條）。

新国民政府は地権の平均と耕者有其田を立法の指導原則として制定された土地法を既述の剿匪区内の土地政策、各地の特殊事情及び慣習を参酌して非常時期の要請に應じて個別化すべきである。土地法の非常時期的個別化を以て満足し得ざるときは更に特別法を制定し、速かに土地を最大限度に経営利用して軍需品と民間必需品の増産し、且つ地主と小作人との権利義務の分配を公平に合理化し、地主、小作人、自作農の合作を密接にし、土地改策を通じて地方民衆の把握に努め、以て中国社会の全体発展を意図する民生主義を実施し、更に東亜共栄自給に貢献すべき

四一一

である。

(1) 蕭明新編述前掲第一四八－一四九頁、呉尚鷹著「土地問題與土地法」第二七頁－第二八頁

(2) 出典とは典権の設定である、典権は中国固有の物権である。典権とは一定の対價（典價）を支拂ひ他人（出典者）の不動産（典物）を占有して使用收益を為す物権を言ふ（民法九一一條）。承典は典権者側から與へた典権設定に対する名称である。

III

開墾と内地植民（移民墾殖）

(1) 開墾の目的と可耕荒地

開墾の目的は單に過剰人口の国内消化であるのみならず、現下の非常時期に於ては速かに軍需品と民間必需品の増産を謀るにある。銭承緒は中国とは巨大なる荒廃地が各省区に遍布し、実に現在世界の一怪事だと言ひ、次の内政部統計内地数省の荒地（辺区等の地を含まず）を挙げて

四一二

ゐる（1）

安徽	七三、三〇七畝	四川	一、二六一、〇六二畝
江西	三七、三四五畝	貴州	六一八、八三六畝
湖北	四七九、〇八八畝	雲南	三〇〇、七七四畝
湖南	六七二五、〇〇五畝	河南	三、九七九、七二八畝

尚ほ、銭承緒は「各種の推算に拠れば、吾人の知つてゐる全国の可耕地中に於て既墾地は僅かに其三分の一に過ぎない、張心一氏の中国農佔計の推算に拠れば既墾地総面積は一、二四八、七八一、〇〇〇畝（3）……荒地にして地質又は環境上劣悪なるものは暫く開墾を見合せ、残りの開墾に可なる地の総面積は十億畝である。若し農家一戸当り耕地平均百畝とすればこの荒地を以て新たに農家一千万戸に分配し得るに足り」と述べ、自作農一千万戸の創定が可能であると言つてゐる（2）。然し、現在の和平区に於ける荒地につき統計がないが、然程、広いものではない。然し漸次、和平区の面への進展が綜合工作を随伴して行はるるときは広汎なる

荒地が開墾の対象となるである。

（1）「経済研究」第二巻第七期第一七六頁—第一七七頁

（2）仝上第二巻第七期第一七八頁

（3）古楳の推算に拠れば中国の農民は三億二千二百五十二万三千百八十一人で、全国耕地面積は十五億五千八百二万六千六百四十一畝となつてゐる（金輪海著前掲第三〇九頁）。

（2）

開墾及び内地植民政策

開墾及び内地植民政策は既存の法令に基きて非常時期の要請を満足する方法と特別法を新たに制定して目的を達する方法とがある。

中国に於てはこの政策遂行に関する法令が日本と異なり予想以上に発達してゐるから之を等閑に付し得ない。

土地法は公有荒地と私有荒地に分ち、次の如く規定してある（同法一八八條—二一〇條）

A、公有荒地通則

1　墾荒区域の劃定　耕作に適する公有荒地は政府が他使用の為に留保又は指定したる土地を除くの外、地政機関は一定の期間内に調査測量して地段を分割して墾荒区を定むることを要する。墾荒区には道路、溝渠、公共用地及び開墾者に分配すべき宅地を予定すべきである（同一八八條）。

2、荒地拂下げ開墾の種別　(a)承墾　地方政府は墾荒区の地段の開墾者を招募する（同一八九條）。この開墾者は自作を目的とする中国人に限る（同一九〇條）。(b)代墾　大規模の組織に依り始めて開墾可能なるときに限り地政機関は代墾者に荒地を拂下ぐ。代墾者は開墾後、之を自作者に分配して開墾費を回收する（同一九九條一項二項）。

B、公有荒地の開墾方法

1、開墾の主体　之は中国に国籍を有つ農戸（自然人——個人たる法人）と農業合作社とする。農戸は家族十人以下とし、農業合作社は三箇月以上農戸が共同経営する農業組合を指す（同一九一條）。

2、開墾の客体　農戸の開墾地の単位は其収獲を以て十人の農戸が生活し得るに足るか又は自作し得る限度を以て定め、農業合作社の開墾地の単位は社員数を以て定め、一社員は一農戸とする（同一九三條、一九四條一項）

3、開墾の許可　開墾者は法定記載事項を具備した承領書を地政機関に提出して許可を受くることを要する。地政機関が許可したるときは承墾証書を下付する（同一九二條）。

4、開墾の期待　開墾者は承墾証書受領の日より一年間に開墾に着手し、地政機関が開墾の難易を酙酌して定めたる期限内に開墾を完了することを要する（同一九五條）。この期限に関する規定に違反したるときは承墾証書を取消されるであらう（同二〇九條）。

5、開墾の効果　開墾者は開墾完了の日より其土地の耕作権を取得する（同一九六條）。この耕作権は物権と看做され、民法の永佃権

に関する規定が準用せらる（同一九七條）。この土地に対する小作料（地租）は総收穫の百分の十五以内とする、但し耕作権取得の日より五箇年は免除せらる（同一九八條）。

C、公有荒地の代墾方法

1、代墾の主体　開墾の主体は自作を目的とする開墾者に限るも、例外として大規模の組織に依らねば開墾の目的を達し得ない場合に限り代墾が許可せられる。故に代墾者は相当資金の準備、工事計画及び工事費の予算をたてることを要し（同一九九條一項二〇一條一項）。代墾者は開墾地の耕作権を取得することが出来ない（同二〇〇條）が、開墾完了したるときは自作農を招募して開墾地を分配し開墾費を回收する（同一九九條二項三項二〇四條）。

2、代墾の客体　代墾者の開墾能力（資力）と招募する農户の数等を斟酌して代墾地面積を決定すべきである。此点につき明文規定がないが、斯く解すべきであらう。

3、代墾の許可　代墾者は法定記載事項を具備した承領書を提出して地政機関の代墾証書の下附を受くべきである。但しこの下付前に相当の保証金の納付を要する。この保証金は開墾完了したるとき返還せらる（同二〇一條二〇二條）。

4、代墾の期限　代墾の着手すべき期限は既述の開墾の期限の既定が準用される（同二〇三條一九五條）が、代墾完了期限につきては何等の規定がないが、実際の事情を参酌して決定あるべきであらう。この期限違反の効果も既述と同じ。

5、代墾の効果　代墾が完了したる場合と雖も代墾者は其土地の耕作権なく、直ちに農户に分譲すべきである。此分譲に因り農户は自己が開墾したる場合と同様に其耕作権の取得と小作料（総收穫の百分の十五）の免除を受け（同二〇六條）。農户が代墾者に支拂ふ対價は十年以上に亙る（收穫後に支拂ふ）分期拂とする（同二〇五條）。各農户が墾價を完済したるときは其代墾地区内の公共用地及び其他

の公共用物は該地区内の農户全体の共有に帰する（同二〇七條）。

私有荒地に対する墾耕命令、私有荒地に対しては主管地政機関に於て其所有権者に一定期間内に開墾又は耕作すべきことを命ずる。此の期間に開墾又は耕作を為さゞるときは其土地を必要とするものは法に依り其徴收を申請することを得る（同二〇八條）。但し不可抗力に因り此の期間内に開墾不能のときは其所有権者の申請により其期間を伸長することを得る（同施行法四八條参照）。

尚ほ荒地開墾に関する法令には国有荒地承墾條件（民国三年三月四日公布、同年一一月一二日修正、国府令暫准援用）、奨励補助移墾原則（二二年二月内政部　実業部咨各省政府査照）、督墾原則（二二年五月二七日行政院発布）、清理荒地暫行辦法（二二年五月二七日行政院公布）、内地各省市荒地実施墾殖督促辦法（二五年九月一〇日行政院公布）等がある。特に内地各省市荒地実施墾殖督促辦法は内地各省市の可墾荒地を二期に分ち墾殖を実施することゝし、

江蘇、浙江、福建、安徽、江西、湖北、湖南、四川、貴州、河南、甘粛、陝西の十二省及び南京、上海の二市を第一期実施期と定め、山東、山西、河北、廣東、廣西、雲南の六省及び青島、北平、天津の三市を第二期実施区と定めた（同一條）。第一期実施区の荒地は二十五年末までに調査報告を完了し、二十六年より墾殖を実施することゝし（同二條）。第二期実施区は二十七年末までに調査報告を完了し、二十八年より墾殖を実施することゝした（同三條）が、総て今次事変の勃発により停　の已むなきに至つた。然し現下、非常時期に於ては墾殖の重大性を激化したことゝ土地法の私有荒地に関する規定が余りにも簡略に失するが故に、この実施墾殖督促辦法を概説することゝする。

A、通則

1、処理機関

(a)　縣市に在る公有荒地が五千畝以上なるときは省政府、行政院直

縣市政府之を処理し、五千畝以下なるときは縣市政府之を処理し、
(ろ)私有荒地は地主を督促して開墾せしめ(同四條)。
2、各縣市の公有私有荒地の開墾面積は全耕地の五分の一以上とする此の限度の二倍の増墾又は此限度以下なるときは賞懲する(同一〇條)。

B、公有荒地の開墾

1 進行計画書の作成と咨送　各縣市に於て開墾者を招募して処理するときは国有荒地承墾條例及び同施行細則並に清理荒地暫行辦法、督墾原則、奨励輔助移墾原則を援用して進行計劃書を作成し省政府の認可を経て内政、財政、実業の三部に呈報し、省又は行政院直隷市に於ては同様の進行計劃書を内政、財政、実業の三部に咨送すべきこととした(同五條)。

2、補助金の交付　縣市に於て水利、交通、工事に巨額の経費を要しその捻出困難なるときは各年予算書、理由書及び工事計画書を提

出して省政府に補助金の交付を請求することを得る。省及び行政院直隷市も同様の場合、同一の書類を提出して中央政府に補助金の交付を請求することを得る(同六條)。

C、私有荒地の開墾

私有荒地は縣市政府に於て左の規定により各地主を督促して墾殖を実施すべき旨を負ふ(同七條)。

1、開墾完了年限　私有荒地は各地主に開墾完了年期を酌定せしめ該管政府の認可を得て登記する。但し開墾完了年限は荒地百畝以下なるときは三年以内、百畝以上千畝以下なるときは六年以内、千畝以上一万畝以下なるときは十年以内とする。

2、他人をして開墾せしめたる場合、　地主が其所有荒地を自ら開墾することを得ざるときは前号の規定する年限内に人を招募して開墾せしむべきである。この収益は当事者の契約に依り之を定む。

3、地主開墾不能の場合、　地主が其の所有耕地を開墾する能力なく

又所定の年限に経過すること一年にして未だ自ら人を招募して開墾を行はざるときは該管政府は別に定むる辦法に依り代つて開墾に付することを要する。

4、前号に依り該管政府が開墾に付したる場合に於て猶ほ所定年限までは開墾することを得ざるときは其未墾部分につき該政府は別に人を招募して開墾に附することを得る。

5、賞功　各地主及び其の開墾者の開墾成績卓著なるときは督墾原則第六條第七條第九條の規定により褒賞する。

以上諸法令に依り当地開墾の方法、督促、補助及び賞懲に関する規定及び内地植民に就ては奨励補助移墾條例を具体的事情に即應して適宜に運用すべきである。

次に今次事変の直接又は間接の原因により、全中国に於て恐らく数千万人の難民を出してゐる。この難民の救済は和平区、重慶区及び共産区を通して彼我の重大問題である。この非常時難民救済政策と非常時期増

産政策と結びつけて難民を移民せしめて開墾事業を行はしむためには特別法の制定を必要とするであらう。尚ほ新国民政府は難民のみならず帰順雑軍の整理方法として四十歳以上の兵卒を移民せしめて開墾事業に従事せしめて非常時期増産を行ふことも必要であらう。就中、難民移民に依る開墾は「第七、其他の政策」中に述べることゝするが、次に内地移民に依る開墾の要項を示すことゝしやう。

1、開墾局の設置　開墾局を実業部に設置し、農業生産管理局、復興農村事務局、水産管理局と併立せしめ、一地の荒地の調査・整理・開墾及び移民開墾等に関する事項を　理し、各省区に同分局を設け、地方開墾事項を掌管せしむること

2、目的、　耕者有其田を実現し、以て軍需品及び民間必需品を増産し人口分布と耕地分布の均衡を維持することを目的として移民開墾政策を実施すること、従而、従来の如く移民開墾を以て国家財政收の増加策を直接の目的とせざることを要する。

3、開墾の主体　耕作能力を有し且つ異境の新墾地に定住し得る人材を物色して土地法第百九十一條の規定に依り農户と農業合作社に公有荒地を開墾せしめ、私有荒地は内地各省市荒地実施墾殖督促辦法第七條の規定に依り同墾すること。

4、開墾の客体　各主体に対する開墾面積は土地法第百九十三條第百九十四條及び其他の立法例を参酌して決定すること

5、開墾完了までの保障　開墾完了まではその生活費及び開墾必需費を支給すること。必らずしも無償給與に限らず、貸給制を採る奨励補移墾原則第三條に依るを可とする。但し無利息なることを要する。

6、指導　訓練及び教育衛生設置　移民開墾者は技術低級、無智であるが故に開墾、耕作の技術技導と訓練を要すると同時に農業経営の合理化につき指導し、教育及び衛生設置を整備することを要する、指導、訓練及び教育衛生設備は各　地方政府に於て特別機関を設け責任を持った実施すること。

7、開墾資金　植民開墾に要する最初の資金は適当に移墾建設公債を発行して獲得し、同墾完了後の貸給費の回收及び小作料を以て之を償還し、償還後の小作料を以て新規計画資金とすること

8、合作社の設立　開墾者が農業（生産）合作社を設立する外に、利用、信用、消費等の合作社を独立に又は農業合作社に兼営せしむること。

9、副業の奨励、指導　その地方の事情に應じて適宜の副業を奨励及び指導し、合作社を利用してその発展を期すべきこと、之には各級地方政府が責任指導を為すこと。

(二)　農村金融政策

I、農村金融政策

中国農村は資金に枯渇し、生産に必要なる肥料、農具、優良種子、家畜の取得に窮し、收獲物の貯蔵力なく生産費以下で之を売却し、副業経営費なく、之は農村の生産力低下の原因となり、益々半封建的高利の重圧を加

へるのみである。次に農家負債分類統計（1）を掲げて半封建性の把握に資することゝせう。

債務種別＼債権者種別		合作社	親友	地主	富農	商人	銭局	其他
五六%	金銭債務	一・三%	八・三%	九・〇%	四五・一%	一六・三%	八・九%	一〇・一%
四八%	糧食債務	—	一〇・九%	一三・六%	四六・六%	一一・三%	—	一七・六%
備考	債務種別百分率に二%の算差があるが惟ふに四捨五入の結果か							

中国銀行の二十一年度の報告に拠れば農家の生産費と其生産物に因る收入は次の如くである（2）。

仮定　一農家人口三人、小作面積十畝

支　出

豆粕肥料（毎畝、一個、一個四元五角）　年　四五元

稲　苗（毎畝二元）　二〇元
水　車（灌漑用、毎畝約二元五角）　二五元
植秧拔草（毎畝四元）　四〇元
小作料（毎畝白米八斗、約七元二角）　七二元
裏作肥料（仮定、毎畝二元）　二〇元
食糧費（一人一角、計三八毎日三角）　一〇八元
計　三三〇元

收　入

表　作（毎畝收粗米三石、即ち白米二石四斗毎石九元）二一六元
裏　作（毎畝收小麦一石、毎石十元）　一〇〇元
計　三一六元

收支差引　不　足　一四元

以上の計算は固より充分正確とは言ひ得ないにせよ、中国農村の生活過程を通じて日日債務増加に向ひつゝある主たる原因を描写したるものであ

らう。斯くて中国農民の負担総額は少なくとも二十五億元を下らないと称せられ、農民約三億三千万人（含、老弱、男女）は平均八元餘の負債を負ひ、年四分の利率と仮定すれば実に一億元の利息が加重して来ることゝなる。故に金輸海は「在此農村恐慌深重之中、欲農民維持其信用、其難何異於登天」と嘆息してゐる（3）。

また浙江省建設廳の統計に拠れば、中国農民銀行杭州分行の民国十八年十一月より廿一年四月末までの貸付総金額は廿八万三千五百九十四元であるが其間回収総額は僅かに十六万八千七百九十六元で、貸付総金額の百分の五十九に過ぎず、之は農村経済が高度の速力により崩壊して行くことを示すものである。

この農村経済崩壊は土地政策・農村金融政策のみで防止し得ないことは固より明瞭である。否、農業経済政策のみでも、その崩壊を防止し得ないことも亦明かである。これは、現段階に於て可能なる諸政策の綜合工作を必要とする。故に、私は「中国農民の信用を維持することは其困難なること

四二九

と天に登ると何等異なる所なし」と考へない。農村の増産政策には農村金融政策を必要と為し可能とする者である。この金融政策は増産と負債整理の二方面に向けられねばならない。中国銀行の農家の生産費の報告（既掲）によれば十畝の耕作による肥料費は総生産費の約五分の一に及んでゐる。肥料は耕地の土質により其多寡を決定するもので、中国銀行の報告を全国的に普遍して眞実なりと主張し得ないが、相当の肥料が一定時期に必要なことは全国に一般である。また利潤あると確実な副業を認めつゝも、副業経営費がないことは日本の農村以上である。

現下、非常時期に於ては増産政策を意図すると共に農民生計の安定を與へ、人口の八五％を占むる農民を把握するために生産に対する金融政策と負債整理政策とを同時に実施すべきである。

（1）　実業部中央農業実験所編「農情報告」第二年第四期

（2）　金輸海著前掲第二二二－二二三頁「経済研究」第二巻第七期第六七頁－七七頁

四三〇

（3）　金輸海著前掲第二二三－二二四頁

II　農村金融機関と貸付方法

1．農村金融の二途　農村金融には銀行と信用合作社とに拠る二途がある。然し銀行が信用合作社を通じて貸付ける場合は二途に別れない。

2．銀　行　事変前に於て農村金融の中央機関は中国農民銀行であったが、合作社に対する投資乃至金融を専門とする中央機関は未だ設立されてゐなかった。然し所謂国家銀行と称せらる中国、交通及び中国農民銀行は可成巨額の金融をやつてゐた。此等の国家銀行なき後は、新国民政府は速かに農業生産拡充と合作社中央金庫とを兼ねた所謂国家銀行としての中央農本銀行（仮称）を設立し、農村金融専門機関たらしむべきである。

中央農本銀行の資本金は二千万元程度とし、和平区の面への進展に應じて分期拂込とし、且更に相当程度の社債券（農本債票－仮称）の発行

四三一

を認むべきである。而して全面和平程度に達したるときは更に増資し且つ之より合作社中央金庫を分離独立すべきである。斯くて自然に合作社中央金庫が出現することを得る。日本は東亜共栄圏確立の基本工作として当初より中央農本銀行の約半を出資し、中国の農村生産物資を支配し間接に農産物を原料とする工業を統制すると同時に農産物の貿易を統制し特に敵性国家への輸出を制止すべきである。而して合作社中央金庫が中央農本銀行より分離したるときも必ず日本はその資金の約半を出資し、東亜共栄圏確立のために統制すべきことを予約することを忘れてはならない。「今日本が中国の合作社を組織的に強化することは将来、中国の合作社の勢力により日本が中国から締出しを受け、日本の商権は忽ちにして喪失するであらう」と予慮して中国の合作社の援助に努むべきでないと主張してゐる日本人も少くないやうである。（例へば、興亜院華中連絡部の某高等官の如きはこの主張者である）それは自由主義経済以外の知識と経験しか持ち合してゐない、政治力に因る経済の管理（統制の一

四三二

種）を知らざる在上海日本大商社の代辯にしか過ぎないものである。この予應は今述べた日本側出資と統制力を考へることが出来ない旧体制の思想である。

中央農本銀行は各省に小分行（小支店）を設け、(1)各級地方政府の大規模の植民開墾 (2)各省民生銀行（仮称）(3)一定の規模以上（例へば縣市合作聯合社）の合作社に投資乃至金融することを業務とする。故に直接に農民又は一定の規模に達せざる合作社に貸出さゞることゝすべきである。この投資乃至金融を行ふ場合は必ず生産及び物資統制を嚴守することを條件とすべきである。中国は日本と異なり單に經濟統制法令を発布し、經濟警察行政を行ふだけでは取締が困難であることは過去現在の經驗の敎ふるところである。故に利害を伴ふ方法を常に加味して統制を行ふことは極めて効果的であらう。

次に各省民生銀行（仮称）は中央農本銀行が親銀行として投資する方法に於て中央及び地方政府と協力して地方有力者に一省一行づゝ之を設

四三三

立せしむべきである。従来、この種の銀行は浙江地方銀行、山東民生銀行、綏遠平市銭局、江蘇省農民銀行、杭州中国農工銀行等と称せられて来たが、総て一律に各省名を冠し「某省民生銀行」と呼ぶを可とする。此銀行は資本金三十万元以上とも、治安圏の拡大につれて分期拂込する辦法を採り、將来の情況に　して增資することゝすると共に省合作社金庫を兼営し、將来の好機を見て銀行より省合作社金庫を分離独立せしむべきである。尚ほ各省民生銀行は各縣の必要に應じて農業倉庫を兼営せしむる外は一切の兼営を禁し、　ら(1)農民の生産及び適法の負債整理 (2)一定の規模に達せざる小合作社に金融を行ふことを業務とする。この金融の場合も一々必ず生産及び物資統制を嚴守することを條件とすべきである。

2. 信用合作社

合作社一般に付いては後に詳述することゝし、此処では信用合作社につき概要を説くことゝする。元来、中国の合作社政策は一般に互助救濟政策としてのみ理解されて来た。また合作社運動の動向

四三四

も亦その当初に於ては事実上、消極的救濟事業を目的として実施されて来た。次に中国国民党が北伐に成功し国民政府を南京に移すや、間もなく、合作社政策を農村復興政策の基軸政策として採用し、之を国策即是党策として最も重大視するに至った。斯くして合作社政策は救災より防災に、防災は經濟建設より政治に進展し、遂に国策即是党策へと発展した。即ち合作社政策は全人口の八五%を占むる半封建的半植民地的中国農民を地方軍閥、土豪劣紳乃至高利貸の手から解放し、更に外国資本及び買辦資本の搾取関係を遮断し、以て農村復興の為の再編成を為し、この再編制を通じて国民党の中国統一の拡大強化を実現することゝした。その直接の目的に於いて經濟建設と治安との相異があるが窮局の目的に於いては合作社政策も又既述の保甲政策も同様であることを知るべきである。故に私が、中央農本銀行及び中央合作社金庫の資本及び資金の約半を出資、東亜綜合經濟統制を実施すべしと主張する所以である。

中国の信用合作社は、民国二十年より二十二年に至る統計では、合作

四三五

社總数の五分の四を占めてゐたが「農情報告」所載の二十四年の統計に依ると合作社總数の百分の五十九を占め、依然として各種合作社中最も重要な地位を占めてゐる。廿四年の合作社全国總数は二万六千二百二十四社で、其中、信用合作社は一万五千四百二十九社となつてゐる(1)。然し信用合作社は減少したのではなく廿二年の約六倍に増加してゐる(1)。

事変前の信用合作社は決して満足すべき程度に達せず、大半は弊害を続出した。民国廿四年十二月中旬より翌廿五年五月中旬に亘る南開大学学生三名の調査の報告に拠れば信用合作社の失敗原因は次のやうである(2)。

(1) 社務執行上の偽瞞　指導員は合作社の組織に急にして参加分子の良否を向はない。某縣の如き商人が農業信用合作社を組織した事実があり、その借受金を高利で農民に轉貸した。従而、農民は負担に堪へず、合作社の貸付金も回收の方法がなかつた。或は劣紳の操縦する所となつてゐて、社員の返金からコミッションを取り又は合作社の借受

四三六

金を独占し、甚たしきに於ては合作社の金を濫用して至らざるなく、自由に空貸付、空回収して仮装計算をやつてゐる。

(2) 農民は合作の眞意に通じない。社員は只借金を知るのみで合作の目的と利用を知らない。

(3) 指導員の監督が厳重でない。指導員は合作社設立後は遠隔の地へ出かない。適法の処理に対しても賞功せす、不適法の処理に対しても改善を命じ又は厳重に懲戒しようともせない。故に社務は順調に進展することが稀である。

(4) 社員、職員の訓練が不充分である。指導員は時間と精力との関係上、常に合作社にゐることは困難である。理事、監事は自己の責任を明らかにせない。故に社員、職員の訓練につき語るべきものがない。従而、職員は事務を処理することが出来ず、社員は職員を監督することが出来ない(2)。

以上は要するに社員の殆ど全部が文盲で、新思想がないから各種の合作

四三七

社に共通の失敗であると私は解する。

次に事変後、華中に於ける合作社政策の実施を見て直ちに新に信用合作社政策を概説することゝしよう。

事変後、華中に設立された合作社は維新政府時代に我軍特務機関が指導して「中国合作社設立要綱」（我軍特務機関の制定）に依り設立せしめたものである。その特長は合作社法（民国二十四年九月一日施行国府公布）は之を占領区域には適用せず、中国合作社設立要綱を適用し、組織を本社（全体組織）支社（縣市組織）分社（郷鎮組織）として全華中を一社に統一する方針を採り、その国籍は維新政府の特殊法人とし、旧国民政府時代の如く各種合作社（例へば、信用、生産、消費、運銷、利用、購買、兼営等の合作社）の分立を認めず、綜合合作社制を採り、其事業は(1)生産物の販賣加工　(2)生産及び生活用品の配給並に買入、加工、(3)前二号に附帯する運輸並に倉庫施設　(4)資金の融通並に予金の受入　(5)共済施設（含、保険）、(6)生産及び生活の指導　(7)其他目的達成に必要なる事業と定め、社

四三八

員を正社員（自然人、出資一口五元）と特別社員（公共団体又は之に準ずる者、出資一口廿元）とし、特典を(1)合作社発展のため必要なる諸税の減免　(2)低利資金借入に対する政府の保証　(3)合作証券、社票及び彩票の発行　(4)其他となつてゐる。この指導員は日本人で我軍特務機関の名誉職員であるが、同時に中国側の有給職員である二重職籍を有する者である。

この成績に就ての全統計を蒐集し得ざるに因り詳細な点は全く不明であるが、我占領区域の縣市には支社が設けられ、治安恢復したる郷鎮には分社が設けられてゐるが、肝心の本社が設立されてゐない。我軍特務機関はもとより本社ではないが、本社の行ふ事業、特に物資の配給統制、軍票の回収としての販賣（但しこの販賣は軍票價値維持の為の裏附け販賣）、両替（但し軍票放出の一方的両替であるから軍票を受入れて法幣に換へる両替は拒否、日本側各銀行も同様、之は軍票使用範囲を拡大する政策）物資搬出入の便宜賦與等につき指導監督してゐる。然し一般には積極的に生産の技術及び経営の指導等に乗り出すまでに至つてゐない。現在の所では、

四三九

(1)軍票政策　(2)必需雑貨の小規販賣　(3)搬出入の連絡等に業務は盡きてゐるやうである。華北は此よりも少し発展してゐるやうである。華北では軍票と聯銀券が等價であるが故に華中の如き軍票政策を行ふ必要がない。然し華北では聯銀の價値維持が全面的の重大問題である。

尚ほ問題であることは現在の華中合作社は維新政府時代に我軍特務機関が制定した極めて経過的のもので、国民政府還都を契機として根本的に改正せらるべき運命にある法幣の上に存立してゐることである。

故に此際、合作社事業は中国側に返還し、合作社運動を通じて民衆を把握せしめ、新国民政府の政治力の普遍的徹底を支援すべきである。反対論者は軍票政策並に我皇軍の軍需品と祖国民間必需品の現地買付政策は如何なる機関を通じて推行するやと反駁するであらう。

蓋し、現状を顧みるに、軍票價値維持政策の主力機関は中支即軍票交換物資配給組合であつて、各地の合作社は僅少の効果しか発揮してゐない、また、軍票放出政策の主力機関は日本側各銀行であつて、各地の合作社は

四四〇

多少の貢献をしてゐるに過ぎない。この両種の軍票政策の中、重要なのは軍票價値維持政策である。これが計画通り大体成功してゐる今日の情勢に於ては合作社に軍票放出政策を行はしむる必要なく単に日本側銀行のみで充分である。軍票價値維持政策が大体に於て成功してゐる限り現地黒鹽は予算通り軍票を放出して現地購入（現地自給）を行ひ得るものである。私は軍票が相当の價値を維持してゐる限り軍票放出政策は殆ど問題でないと考へてゐる。尚ほ私は中支那軍票交換用物資配給組合が単純に軍票の價値の引上げにさへ成功すれば事足るとする政策より更に発展して、新国民政府の採る民衆生計安定としての抑制物價統制政策を支援すべきであると主張するものである。勿論、最近に到り軍票價値は昨今では法幣百元につき廿六円程に奔騰し、実に事変直後の約五倍の相場になつたが故に安心して中支那軍票交換用物資配給組合は祖国必要物品の対祖国向け輸出を開始したと言はれてゐるが、該配給組合は祖国への輸出に依る奉任と同時に現地中国民衆の生計安定政策を通じて更に軍需價値操縦政策執行力を増大し得

四四一

ると同時に中央農本銀行を通じて各合作社を利用して軍票回收を続行し以て軍票價値の維持力を強化することを得ると信ずるものである。

次に現在に於ては我皇軍の軍需品と祖国民間必需品の現地責付政策の主力機関は我商社であつて、各地の合作社は単に斡旋紹介の労を屡々採つてゐる程度と私は観てゐる。之も既述の中支那軍票交換物資配給組合の組織的新発展により寧ろ計画的に行ひ、皇軍と祖国の需要を満たすと同時に各地の合作社の発展をも支援することが可能である。

現在の如く、国民政府及び各級地方政府が合作社と完全に遮断されてゐることは寧ろ興亜建国の完成を極めて遅延せしめ、我事変処理を渋滞せしむることは明らかである。故に合作社は之を速かに中国側に返還し(1)民国二十四年施行の合作社法を適宜修正の上、復活せしめ、(2)合作社金融系銀行（中央農本銀行、各省民生銀行）の條件付金融(3)合作社指導員に日本人を招聘せしめ、(4)農業生産及び物資統制を加へ、次で興亜建国を実施せしめ、東亜共榮圏の確立の責任を履行せしむべきである。保甲制度の確立、

四四二

合作社運動の普遍的徹底化、民衆団体運動の健実化を以て新中国の更生と東亜の復興を得しむべきである。

4、貸付方法　合作社は今猶農民の多くは慈善機関と誤認し(2)、之が経済建設の主要機関を考へてゐない。こゝに貸付と回收とに困難を伴ふ。之は社会教育と宣傳に依り解決されねば、合作社の発展は意図し難い。次に貸付方法を列挙することゝする。

(1)　借受目的、生産の用に供する所謂生産と所定の制限による負債整理の用に供する所謂負債整理貸付に限るべきである。事変前の実績を見ても生産貸付が最も多かつた。生産の用とは種子、肥料、家畜、農具等の購入費、副業経営費及び土地の改良、修理、開墾等の費用等である。負債整理貸付は後に述べる。

(2)　貸付金額と擔保　対農民借付は必す対人信用貸付又は対物信用貸付なることを要する。銀行は対物担保貸付を原則とするも、二十元以下の貸付に限り対人信用貸付に依り得る。銀行の対農民貸付最高金額は借受人

四四三

の眞実の需要と担保能力に應じて各場合につき決定すべきである。信用合作社は総て対人信用貸付を行ふ。但し貸付金額は最高二十元程度に酌定し、此限度を超過するときは単に超過金額に付き担保物を提供せしむべきである。其担保物は土地（地券の提供）、收穫物（在庫品）等とし、信用合作社に限り王安石の始めた青苗法に採ることを得る。土地の担保金額は地價の五割五分、收穫物の担保金額は其市價の四割(3)、青苗法に依るときは收穫予想評價の二割以上三割以下(4)に限るべきである。事変前には住対人信用は相当の保証人二人の連帯保証とすべきである。事変前には住々貸付合作社の職員が保証人と為つてゐた(2)が、之は禁すべきものである。最後に、銀行が合作社に貸付する場合は合作社の設備を担保として提供せしめ、その評價の五割(5)を融合し分期償還を酌用すべきである。

(3)　利息　年利率一割以下とし、特別の場合は一割二分までに及び得ることゝする。

四四四

(4) 貸付期限　貸付は短期と長期の二種とする。種子、肥料、副業用原料等の購入費は短期貸付となし、十箇月以内とし、農具、家畜等の購入費　土地の改良、修理、開墾、副業固定資本等に應ずるときは長期貸付と為し、一年以上の分期償還と為すことを要する。

(5) 貸付手続の簡約　従来は銀行の貸付は屡々、合作社を中継機関とした結果、手続完了に時間を要し、借受目的の時機を失した場合が多かつた。故に出来得る限り貸付手続を簡約にすることに努むべきである。

（1）壽勉成、鄭厚博編「中国合作運動史」第一三六頁

（2）梁、黄、李編著「中国合作事業考察報告」第三章第一節

（3）同説――諸楙成・銭永銘両氏対於農村復興之意見（「經済研究」第二巻第七期第一九九頁）

（4）民国廿三年九月十八日、軍事委員会委員長南昌行営核准修正の「各種農村合作社貸款標準」第四條甲号は青苗法を採用し、其担保金額は其評價の百分の二十を標準とした。

四四五

（5）前註の「各種農村合作社貸款標準」第二條甲号は利用合作社が設備を抵当に供するときは其設備費の八割を超過するときは相当の保証人を立つべきことを要求してゐる。

四四六

Ⅲ 農民の負担整理

中国農村が半植民的半封建的圧力の下に破局に瀕し益々負債が巨額に上る一途であり、その推算につきても既述した所である。この負債整理に成功することは農業立国を採る新国民政府の政治力の強化となる。民国二十一年河南、湖北、安徽の剿匪区に於て如何なる方法を以て農村負債整理政策を実施し、農民を共産党より分離して国民政府に帰向せしめたかを一瞥することゝせり。

1、調停機関　農村に債務に関する争執あるときは郷鎮農村興復委員会に於て之を調停する（剿匪区内各省農村土地処理條例五三條）。この債務及び債務額の裁定は債権者の提出する証拠証書及び保証人は中人につき審査して之を行ふ（同五四條）。

2、辨済の猶豫と利息の減免　債務額の確定を經たるときは其の確立の日より起算して二箇年その弁済を猶豫し（同五五條）、其未拂利息は債務額確定の日より一年以内のものは之を全免し、三年以内のものは三分の二を免除することゝした。但し従来の約定利息及び猶豫期間の利息は年利率一割二分を超過することを得ない。超過したる部分は之を無効とする。（第五六條）。

3、合作社及び銀行による金融　農村興復委員会は各區の農民を指導して信用合作社を設立せしめて農業金融機関と為し、更に消費、運銷合作社の設立をも之を奨励することゝし（同五七條）、(1)農村興復委員会又は農村利用合作社の代管する農生産・小作料　(2)公有田の小作料　(3)累進法に依り徴收したる所得税は之を農村合作社に貸對すべきことゝした（同五八條）。

而して未た統一的な合作社法の公布施なき時代であつたが、農村合作

四四七

社暫行規定（民国廿一年四月一八日実業部公布同日施行）に対する特別法としての剿匪内各省農村合作社條例（民国二十一年一月二九日公布）剿匪区内農村合作豫備社章程（二十一年十月公布）農村利用合作預備社簡章（二十二年一二月八日公布）剿匪区内農村合作預備社改組農村信用合作社辨法（二十二年一〇月公布）。無限責任農村信用合作社模範章程（二一年一〇月二九日公布）其他等の多数の立法をした。

この外に、農村金融救済処を設置して農村合作社預備社及び農村金融の指導、監督、救済資金の分配及び其收支の査定を行ひ（農村金融救済処組織規程）、剿匪区内各省農村金融緊急救済條例、農村金融救済処放款規則に依り利率年八分で合作預備社に貸出し、預備社は之を利率年一割を以て六十四万六千五百餘元を貸付した。加ふるに河南、湖北、安徽、江西の四省の農民銀行に動産担保貸付と農業倉庫の設立経営を命じた。斯の如くして農村の資金を豊かにし、低利政策を実施し、農産品の貯藏、貯藏農産物を担保とする貸付し、農村債務の整理を容易ならしむること

四四八

とした。

新国民政府の採るべき農村負債整理も、大体、先例を参酌し、(1)調停機関の設置　(2)調停方法　(3)各省民生銀行及び信用合作社の設置　(4)農業倉庫を設置、(5)低利政策の一般的実施して負債整理を容易ならしむると共に金融以外の政策——増産政策、農産物の価格統制政策（後述）、捐税公課負担軽減政策等——により農家の収入増加、支出軽減を謀り農民の負債整理を更に容易ならしめるべきである。之に加ふるに一般に節約運動を旺勢にして節約と国策とを結合することを要する。

(三)　農産物の増産と価格統制

I、増産と価格統制の重点

農産物の増産と価格統制の必要なことは多言を要しない。増産は積極的には軍需品と民間必需品に向けられ、消極的には非必需品に向けられ、前者は之を保護奨励し、後者は之を禁止又は制度し、共に之を監督すべきで

四四九

ある。民間必需品の中、最も重要なことは糧食である。孫文も農業国である中国の危険である。宜しく関税自主権を回復し地権の平均、耕者有其田、開墾、生産技術と経営の近代的科学化を全国に実施し、逆に農業生産物の、輸出超過を計り、人民の生計を安定すべきことが即ち民生主義の実施である旨を屡々力説した。米のみにつき見るときは民国元年の輸入は僅かに二百数十万担であったが、漸増して二十二年、二十四年は一千二百九十余万担に達し、災害ある歳は二千万担以上に及び、米、小麦、麺粉、雑糧、雑糧粉の輸入金額は合計、二十二年が一億二千八百余万、二十四年が七千四百八十万元になってゐる(1)。民間二十年二十三年の平均輸入を国内生産額及び消費額に比較することは米入超過は全国生産額の二・六八%で、全国消費額の二・六一%であり、小麦入超額は全国生産額の二・六八%で、全国消費額の二・六一%である(2)。要するに平年なれば三分の増産計画に成功すれば糧食の入超は之を防止することが可能である。故に平年なれば僅か三分の増産政策は比較的容易に成功するものと私は考へる。然し今次事

四五〇

変に入るや、農業生産力の減退と流通経済の渋滞により糧食の価格が漸騰し、欧州大戦の勃発以後、今日迄の奔騰は実に殺人的で、糧食の買占騰貴で旺勢化と法幣惨落対策としての法幣の商品化に因り糧食は重慶の相場と変らざる天井値を上海市場に出現した。事変前なれば糧食の奔騰は何等の政策を要せず利に敏なる支那人は糧食の増産を意図することは極めて見易いところである。然るに現下の農産物の昂騰は必ずしも全国的に増産を刺戟せず、密輸入の刺戟となるのみである。それは運送力の減退により生産地の価格は廉いが、消費地の価格が極端に高い。約言すれば生産地と消費地の値開きが極端である。それで増産すれば生産地相場は大幅下落の傾向を持つから、消費地の相場が殺人的に高くても消費地の相場は生産費昂騰にも拘らず殺人的惨落の可能となる。故に現下の情勢では増産の期待よりも減産が確実性を有ってゐる。在上海某専門家は「此調子では来年の稲作付は事変前の二割程度となる」と予想してゐる。要するに平時であれば三分の増産は単に農業生産物の価格値上げと高率保護関税政策の実施で大体、

四五一

解決が可能である。今日の平和区の増産政策は運輸力の増大と搬出入の円滑を前提とし、其他の諸政策の綜合的進展と共に進展するものであることを銘記せねばならない。故に増産と農村復興と一般民生の安定を計る価格統制も今述べた諸政策の綜合的進展により威力を発揮し得るものである。例へば価格統制あるも消費地には相場あるも物資なき結果に陥ることは極めて明かである。

II　増産

増産計画は既述の土地政策、特に開墾、金融政策を実施する外に、各種の農業施設の拡張、改良、補助工業の発展、生産技術の改善、指導、作物の変更、河川・車馬等の運輸力の増大、価格統制、生産保護関税政策及び其他生産力の強化等の綜合工作に依り進展すべきものである。此処では単に積極的に増産すべき作物と消極的に生産を制限又は禁止すべき作物並に労働力の補充政策につき述べることゝする。

積極的に増産すべき作物は軍需品、民間必要品及び東亜共栄自給政策に

四五二

対する輸移出品である。これに該当する農産品は棉花(3)、麻、及び各地方の主要穀物ー米、小麦、大麦、蕎麦、玉蜀黍、燕麦、稞麦、高粱等ー、豆類、茶、桐樹、薯類、野菜、果樹、甘蔗等であるが、特に重要なるは棉花、麻、主要穀物、茶である。茶は満洲、華北との輸移入収支決算上、中南部の農産物として重要性を有つてゐる。尚ほ農業の副業としては林産物、畜産物――豚、羊、山羊、水牛、馬、驢馬、駱駝等――家禽、養蚕の増産を奨励すべきである。特に中国の林業は極めて貧弱で、僅かに竹に恵まれてゐるのである。木材は輸入品を以て占められ、甚だ高價である現状である。

消費的に生産を制限又は禁止すべき作物は罌粟である。罌粟の栽培は不生産的であると言ふよりも民族の衰退を招到する阿片の原料の生産である。之は理論上は嚴禁すべきであるが、阿片中毒癮者が全国に多数であり、且華北、蒙疆の一部では各級政府及び私経済收入の大宗であることを鑑み、戒煙政策の進展と共に作付を極度に制限し、將来は之を嚴禁する政策を採るべきである。今次事変に於て、寔に恥すべき二大現象は和平区に於て阿

四五三

片関係営業が旺盛になつたことと賭博が依然盛んとなつたことである。陳公博は「民食の問題と此の二大恥辱は何卒、日本の援助に依り解決したい」と私達との懇談会に想へ、彼の主張する廉潔政治の一端を漏し、「然らずんば、指導階級としての青年は把握出来ない」と結んだ。事実上、旧国民党が困難と闘つて来た阿片政策は今日全く破壊されてゐる。今夏、一個月、華中一部の縣政実態調査に出かけて、私は今日の阿片政策は根本より樹て直ほさねばならんと切実に痛感した。現在の戒煙政策は実は名に拠き寧ろ勧煙政策の極端な実施以外、何物でもない。日本人は阿片につきての知識が乏しいので、之に対する道義理念に対しても実に無関心である。華北、蒙疆に数十里続く罌粟の花咲く頃の雄大なる美観は中国民族の巨歩衰退の表象である。此の興亜建国の破壊原因を見る。

次に農業生産力の増強に当り事変後の新らしい問題は労働力の不足である。之は華北中南及び和平区、重慶区、共産区を問はず、程度の差こそあれ、大なる問題となつてゐる。この解決策も多角的である。(1)耕作力の補

四五四

充には牛馬、改良農具の使用を拡張するにある。徒而、牛馬の増産と其屠殺を禁じ、改良農具の製造とその利用の容易化を計るべきである。(2)運輸力の補充には牛馬、舟車の利用を拡張し、その利用を容易化する政策を実施すべきである。(3)灌漑力の補充には灌漑用牛馬（日本には行はれてゐない）、水車及び改良吸上ポンプの利用、其他水利設施の拡張改良等を行ふべきである。(4)害虫駆除力の補助には化学的殺虫剤と新撒布器により使用することを督励すべきである。此等の労働力補充政策は貧農個人の資力では困難である。故に信用合作社の金融により又は生産、利用、運銷合作社に於て改良農具、牛馬、舟車、改良殺虫剤撒布器、吸上ポンプ、水車等を設置し、社員の利用に供し、水利、公路の拡張を企図すべきである。勿論、農村の電気化、科学化は今日の情勢――電気、ガソリン、石炭の缺乏と高價、労働賃銀の安價、科学の貧困等――では望ましくして俄かに期待し得ない。電気化、科学化は綜合工作の進展したる將来の計画に残す外なく、今日では上述の労働も補充政策程度に満足せざるを得ないであらう。

四五五

III　價格統制

價格統制は中国農民を半植民地的羈絆と資本主義的拘束から解放する政策中、最も最大なる意義を有つものである。自由経済のまゝに放任して置きながら、土地政策、金融政策、合作社政策、増産政策等を実施する事は殆ど徒労に終るべき必然性を有つものである。金銭を借入れて増産すれば豊年苦が訪れ、生産物は忽ち生産費の三分の二に惨落する。私の生国（滋賀縣）の農夫はこのことを次の言葉で表現してゐる。「農林省のシャポン虫（官吏を指称）の言ふ通りに増産すれば損をする。増産のやかましいときは生産を停止又は制限すれば損がない」と言つてゐる。豊年に於ける米價の惨落、食用蛙及び養鶏等の副業奨励は甚だしい損失を農民に與へた。この永い間の彼等の体験は自由主義経済に於ける増産に今述べた名句を残した。

農産物の價格統制は総ての農産物を対象とするに及ばない、軍需品、民間必需品及び東亜共栄自給圏の要求する輸移入品に向けらるれば可い。例

四五六

へば棉花、麻、主要穀物、主要畜類及び其の産出物――肉、皮革、毛、骨粉――桐油、主要豆類、繭、生糸、茶、煙草葉等。

統制價格は各産物につき各区市別に生産費、捐、捐税、生産量、需要量自然夊減及び運賃等を調査し、生産量、需要量及び重要性を参酌して平均生産費、捐税、自然夊減及び運賃等を考慮し、之に一定（法定）率の利潤を加算して決定すべきである。日本の如く運賃及び自然夊減の多寡を考慮せざる統制價格制度の弊害は各農生産が運賃と自然夊減の負担少なき生産地附近に消費せられ農産物が大都市に集中せざることゝなり、大都市に於ては公定價格があるが常に商品欠乏に陥つてゐる。

中央物資統制委員会は右述べたる原則を示し、各区及び市に同分会を設置し、その原則に依り区別市統制價格を立案し、中央統制委員会の認可を経て実施すべきものとする。

（1）"The Trade of China" 1933-35

（2）「経済研究」第一巻、第六期第一七二―一七三頁

四五七

（3）岸秀次氏は米国の産棉を凌駕する雄大なる中国産棉計劃を発表してゐる。米国の棉産地面は全耕地面積の三割二分に当り、一千七百万町歩であり、現在中国の全耕地面積の三割二分を棉作地とすれば三千五百町歩となる。而して三千万町歩の棉作地面積の拡張は可能であると言つてゐる。三千万町歩は現在の全世界の棉作地に相当し、その総産額は二千五百万俵である。その價格は百億円に上ると述べてゐる。

四五八

（四）農業生産技術の研究指導

Ⅰ 農業生産技術の改善

農業生産技術の改善は科学的にして現段階に於ける農村に適合し、且つ増産に寄與する方向に向つて推行されねばならない。その部門は、(1)作物(2)耕作、開墾 (3)土壌肥料 (4)農具 (5)灌漑其他の水利 (6)病虫害 (7)森林園藝 (8)収畜家畜の治療 (9)蠶糸 (10)農産物の包装、加工 (11)各種経営 (12)各種副業等の技術に分れ得る。

Ⅱ 農業生産技術の研究機関

事変前に於ける農業生産技術の研究機関には官公立の特設機関と学校が相当に設立されてゐた。官公立の特設機関には中央農業実験所、全国稲麦改進所、棉業試驗所、各茶業改良場、各級農事試驗場、種苗場、蚕糸試驗場、肥料試驗場、農業改良場、棉業試糸場、各種委員会が中央地方にあり、学校には各大学農学院及び各級農林蚕桑学校があつた。これらの機関は治安圏の拡大に随伴して復活せしめ、既に復活せるものは其の内容の充実を計るべきである。高級技術員及び教授は日本より招聘して中国の不足を補充すると共に日満支農業技術改進懇談会を隔年位に開催し、技術の研究発表を行ふことも考慮すべきである。

Ⅲ 農業生産技術の指導

農村生産技術研究機関は農村技術指導員を養成訓練すると共に地方合作社及び該管各級地方行政機関と協力して農民の為に各種の講習会、討論会、農業出版の刊行、展覧会、作物改進研究会、諸会議、巡回講演会を行ふ外、

四五九

技術員を派遣して農民を直接指導すべきである。

尚ほ縣政府に農業技術指導員（若干人）を置き、常に所管行政区域につき農業技術の指導に任ずべく、また各地の農会も亦其規模に應じて農業技術員を置き指導に当らしむべきである。（農業推広規程、農業専科以上学校農業推広処組織綱要、中央又は省農業推広委員会組織法令、各省訓練農業推広人員弁法大綱、参照）。

五、工業政策

（一）工業政策の重点

中国は現段階に於て「以農立国」政策を採る関係上、農業政策を最重要とする。然し、中国が民族的近代国家建設と興亜とを目標とする限り、中国の工業を列国の水準にまで発展せしむる為の工業政策を必要とする。之には巨額の資本と精練された技術とを不可缺要件とすると同時に原料と市場との獲

四六〇

得を容易化することを要する。加之、非常時期当面の問題である軍需品、民間必需品の増産政策を実施すべきである。

1、資本

工業資本は日本に於けると同様に軍需工業の需要を第一とし、次に民間必需工業を第二にし、其他の工業に資本の集中することを制限すべきである。

資本取得の方法は官公営工業と民営工業とにより異なる。官公営工業は日中合弁を可とすると共に、英米資本即ち猶太資本の輸入は極力制限することを原則とすべきである。中国側の官公営工業資本の捻出方法は公債の発行又は一定年限の遺産税の徴入により、公債は新設工場財団と遺産税収入とを担保とし、償還資金は新設工場の利益及び遺産税収入を以て之に充当する。民営工業資本も規模の大なるものは日中合弁に依るべきである。その中国側資本は游資の吸収に努むる外がないであらう。この場合も已むを得ざる外、英米の猶太資本を受け入れざることを原則とする。特に国家の

四六一

管理権の徹底と工業を促進する為に各級政府は資本金の半を出資し、所謂特種会社とする政策を採るを可とする。

2、技術

技術は中国人に求め難きときは日本より輸入し、已むを得ざる場合に限り白人を採用することを原則とし且中国に於て技術員の養成訓練を行ふことに努むべきである。

3、原料

原則は第一国産物、第二自国以外の東亜共栄圏に求めることを原則とし、以て東亜共栄自給策を徹底し、東亜防衛を安固にすることを要する。生産品の運賃よりも原料の運賃の方が高い場合は言ふ迄もなく原料産地に工場を設け、生産品運賃巨額に上る工業にして原料が各地にある工業は工場分散主義を採ることを要する。後者の例はセメント工場である。

原料の配給は軍需品製造工業に第一優先権を与へ、民間必需品製造工業には第二優先権を保障し、白人経営及び白人と中国人との合弁工業には製

四六二

品の生産及び配給統制に忠実ならざる限り原料の配給を停止すべきである。

4、市場

軍需品製造工業に於ては、市場は殆んど現実の問題でないが、民需品製造工業に於ては製品に市場を分与せねばならない。この製品は農産物に就き述べたるが如く、価格統制――卸値、小売――を附して贅沢品の製造を抑制し、必需品には相当の利潤を保障すべきである。中国の民族性及び社会性より見るときは必ず日本人以上、否日本人には想像し得ない方法で闇取引又は巨額の買占めが行はれ、一般市場には公定相場あるも商品なきに至るであらう。此処に於て配給統制と消費統制の結合を必要とする。この結合については後に述べる。

尚ほ生産統制は贅沢品の製造を禁じ、稍々贅沢品の製造は価格統制を以て抑制すべきであるが、一切の価格統制の前提となる問題は製品の規格の統制である。

(二)　軍管理工場返還の方法と條件

四六三

我軍管理工場の返還問題に触れることゝする。この返還は我軍の好意に依り続々行はれ、日中の融合に至大なる好果を結びつゝある。これは民衆の日本への好感を増進すると共に新国民政府への帰向となり、政治力の育成に貢献してゐる。今後も占領地及び将来の占領地に於ても軍管理工場は整理の後、皇軍は之を返還することを一般民衆に傳宣し、重慶政権の焦土抗戦が亡国亡民で、孫文の精神に反することを徹底的に認識せしめ、興亜建国を促進すべきである。今次事変に於て日本は実に枚挙し得ない程、積極的に消極的に新中国及び中国人に対し善美、仁愛、協助を盡した。この主要なるものを例挙して今次事変が東亜共栄圏確立のための聖戦であることを宣傳すべきである。然るに、事実はこの宣傳が質的にも量的にも不徹底である。また、この宣傳を国民政府のみに期待すべきでない。

蓋し軍管理工場の返還にも、順序と方法がある。先づ民需品製造工場より返還を開始して軽工業工場一般に及ぶ、最後に重工業工場を返還すべきである。要するに軍需工業工場の返還は後廻しにし、軍需重工業工場は出来得る

四六四

限り皇軍の管理に保留し、軍事工作の需要に平行すべきである。而して重工業工場は東亜防衛の能率増進の目的を以て日中合弁を條件として返還することを忘れてはならない。而して従来の資本主義的観念を矯正し興亜建国の指導原則に遵ひ一切の経済行為が規定せらるべきことを徹底せしむるために、軍管理工場返還の一般條件として、現在及び将来に亙り、興亜建国のための経済統制に服すべきことを個別的に承認せしむることを要する。

(三)　基本工業の選定

東亜綜合経済機関は先づ東亜共栄圏——日本、満洲国、中国（含、蒙疆）、佛印、泰——につき昭和九年以後の次の事項を詳細に調査すべきである。

1、軍需品及び民間必需品製造工業の生産能力、工場の分布、原料の産地、製品の消化方法（国内消化、国外輸出）、
2、軍需品及び民間必需品の輸入量、輸入品の生産国
3、軍需品及び民間必需品の原料の生産能力、輸出量、輸出国別量
4、平時及び戦時に於ける軍需品及び民間必需品の最低、最高需要量

四六五

この調査報告に基き東亜共栄自給経済体制を確立すべきことを要する。この確立のための原則は次の如く規定する。

1、東亜共栄圏内の各国は軍需品及び民間必需品は自国（国産）及び東亜共栄圏（除、自国）に求むべきこと
2、東亜栄栄圏内の各国は軍需品及び民間必需品の原料は東亜共栄圏外の諸国に輸出せざること
3、東亜共栄圏内の各国は軍需品及び民間必需品の原料は立地本位に自国に於て生産し、不足の部分は東亜共栄圏（除、自国）に求むべきこと
4、東亜共栄圏内の各国は軍需品、民間必需品及び其の原料が不足のときは立地本位に増産計画を立て、他の共亜共栄圏内の各国の需要に應ずるための増産計画をも確立して速かに実施すべきこと
5、東亜共栄圏の各国は軍需品、民間必需品及び其の原料が全東亜共栄圏の生産量を以てしては不足であり、且増産計画の成果が未だ顕れざる間は必要に應じて東亜共栄圏外の諸国より之を輸入すべきこと

四六六

6、前項の輸入に対する国際収支の均衡保持の為の輸出は軍需品及び民間必需品以外の製品及び原料品を以てし、之に不足するときは民間必需品の消費節約（配給機構を通じて実施）して之を輸出すべきであること
7、軍需品及び民間必需品の増産計画には代用品の研究及び増産を含むこと

以上の原則を実現するために東亜共栄自給基本工業を選定し、東亜自衛軍事政策を考慮し且原料と消費市場を参酌して（立地本位に）各国別基本工業に分つべきである。斯して東亜共栄自給目的達成のための中国基本工業が成立する。

この中国基本工業は新国民政策に於て計画立案せしめると同時に日本の指導、協力を求むべきものとする。この指導・協力に於ては「工業政策の重点」の所で述べた。

基本工業は国内工業及び東亜共栄圏工業の発展のための基本を為すものであるが故に、(1)重要工業原料製造工業　(2)工作機械（含、蒸気機関、発動機）製造工業　(3)水力発電等を以て中国基本工業を個別的に選定すべきである。

四六七

民国十七年三月南京に工商部成立するや、基本工業——鋼鉄、機械、酸、曹達、パルプ、細糸紡績、アルコール及び水力発電等——の組織的発達を計画し、九種の国営基本工商業の建議を為し、其の所要資本を二億元とした。この建議は第二届五中全会を経て、第三届三中全会を通過したが、何分当時、国庫は内戦のために枯渇し、直ちに設立する運びに入らなかつた。然し其の後の努力により此基本工業が如何に発展したかを次に述べることゝする。

(四)　官公営工業

旧国民政府が基本工業を直ちに実現し得なかつた原因は資金と技術の欠乏であつた。然し、其後、其資金を国庫、民間より出捐する外、外資を輸入し、技術は技術員を外国より聘し又は外国留学生を登用し、技術員養成の学校を設けて需要に應ずる計劃を進めた。斯くて設立された国営工場は中央機器製造廠（民国廿五年末完成）、鋼鉄廠（廿一年設立）あり、半官半民の合弁組織工場には中国酒精廠（二三年末完成）温溪造紙廠（二一年末成立）中国植物油料廠（二五年設立）がある。此等の工場は資本金も生産額も大なるもの

四六八

ではないが、中国として劃世的事業である。

此等の官公営工業は民間の自由設立を俄かに期待し得ざるにつき中央地方政府に於て半植民地的羈絆を離脱することを目的として設立されたものである。然し資本に枯渇してゐる中国は主として英国系の猶太資本の輸入により設立したもので、幣制改革と共に目的は之を可とするも、中国は英国の金融資本主義の植民地へと落する一途を辿つた。而して之は今次事変の原因の一部となり、設立間もなく皇軍の占領する所となり、軍管理工廠となつた。

但し中国植物油料廠は四川、湖南、湖北、浙江、安徽、江西の官民合弁であり、年額百万担（價格約三四千万元）の桐油の质品及び取引の改善発展、規格化、業者の金融、若干の油廠直営を目的とする地域的に広汎に渉る団体である関係上、総弁事処を漢口に置き、上海、漢口、長沙、常徳、重慶、万縣の六ヶ処に油廠を直営してゐた。従而、全面的占領を免れたが、更に我海上封鎖、援蔣ルートの破壊が加はり、大打撃を蒙つてゐる。

四六九

(ロ) 民営工業

民営工業は新式工業即ち機械工業と手工業に分ち得る。機工業地域は殆ど皇軍の占領下に帰してゐることは既述した。然し中国は未だ半封建的農業国であるが故に中国工業は大体に於て手工業の地位を脱してゐない。従而、手工業の地位は中国に於ては甚だ高い。然し、手工業は中国が資本主義国の市場と化するに従ひ次第に崩壊過程を一途に急ぎ、半植民地的悲哀が田舎まで波及して行つた。所が、今次事変に入るや、機械工業地域を失ひ、海上封鎖援蔣ルートの遮断により、機械製品は日本よりの配給を待つ外、その移輸出は困難となり、その價格暴騰に刺戟され、俄然として中国は和平区たると、共産区又は重慶区たるとを問はず、手工業が復活して昔日の地位を恢復した。

I、機械工業

機械（工場）工業は新興工業と在来工業とに分ち得る。

1　新興工業

新興工業は官公営工業と同様に最近十四、五年以来に始めて中国に勃興した新工業を指称する。

四七〇

(1)

酸類工業

硝酸、硫酸、塩酸 ―― 三酸と略称 ―― は化学工業の基本原料で、十四、五年前までは各地の兵工廠で軍用に供する目的を以て製造され、一般の民需は英人経営の上海江蘇薬水廠の製品以外は殆んど輸入品に俟つた。其後、広東郊外の三酸工廠、上海の天原化廠（民国十九年開業）、開成造酸廠（二十一年開業）、天津の渤海化学公司（十六年開業）、得利三酸廠（十八年頃開業）、利中製酸廠（廿三年開業）、西安の集成三酸廠（廿四年開業）等が開設された。その規模は小であるが、稍々大なる者は天原と開成の二廠で、資本は六七十万で、其他の工廠は多くとも二十万元程の資本を有してゐるに過ぎない。

以上の外に、上海に天利淡気製品公司に硝酸、永利化学公司に硫酸を多少製造してゐる。

以上、中国の生産額は毎年、硫酸九万二千担、塩酸六万一千担と算定せられ、得利及び集成の二廠を除いては免税の特典を以て奨励されてゐた。

四七一

(2)

窒素（氮気）工業

上海の天利淡気製品公司（廿五年開業）と江蘇省六合縣の永利化学公司（廿五年末開業）とがある。前者は資本余百万元、毎年液体型八千磅、硝酸一万三千磅、其他を生産し、後者は資本五百五十万元（英人工廠と独人工廠を買收）である。

(3)

人造絲工業

人造絲の輸入は毎年数千万元に及んでゐるので、政府は国営人造絲工場設立計劃を立てたが資金に窮して未だ実現し得なかつた。民国二十三年資本二百万元で新生命製造国貨有限公司を設立し、上海と広州に工廠を開設し民国廿五年内に開業することゝした。その産額は一日二十担乃至三十担であつた。

(4)

染料工業

既に人造染料は天然染料の地位を奪取してゐる。之に次の工場があ

四七二

る。

名称	所在地	資本	開業	製品・年産額
大中染料廠有限公司	上海龍華天鑰橋	一〇万元	廿一年末	硫化元青約九千担
中孚染料廠有限公司	上海縣閔行鎮	五〇万元	廿三年	各種硫化青二万四千担 硫代硫酸　一万担
華安顔料廠無限公司	上海蒲松区林肯路	一〇万元	廿三年	硫化元青一万二千担
久興顔料化学公司	天津北营门	一万元	廿二年	硫化元青一千余桶

この生産は免税とされてゐる。

(5) 其他

四七三

稍々設備の大なるものを挙げることゝする。中国工業煉氣公司は資本五十万元、廿四年頃開業、上海に軽養氣（水素）と電石（アセチリン瓦斯）との製造工廠を有し、大同電化工業公司は資本金十万元、廿五年末開業、杭州市に電石工場を有する。前者は江蘇省及び上海、南京の両省を、後者は浙江、安徽、江西の三省を販賣区域とした。

江南化学工業廠有限公司は資本（拂込）十一万五千元、廿四年四月開業、醋酸、塩基性柏油及び活性炭素等を生産、其所在地は上海閘北共和新路にあつた。立徳油廠は棉子油、椰子油及び魚油等年産額九千噸の工廠であり、上海大中華橡膠（ゴム）廠の自働車用タイヤ、チユーブ、大中華製鈣廠及肇新新華廠は炭酸カルシウム、国興実業廠の乾漆、五洲薬房の甘油、天津の興華泡花碱廠の石鹸等の生産がある。

2. 在来工業

こゝに在来工業とは十四、五年以来より開業されてゐた機械工業を指称する。

四七四

(1) 紡績工業

最も早期に機械化された工業は紡織工業であつたが、其成績は良好でない。日本の紡績工業を範として改善すべき点が極めて多い。例へば金融、機械設備、経営管理、訓練、原綿等、殆ど全面的に缺点を有つてゐる。全国経済委員会棉業統制委員会は之が改善に力を注いでゐた。この工業の民国十七年より廿四年末に至る経過を見るに、業者は八十一より九十二、紡錘は二百三十二万六千八百七十二より二百六十四万二千七百十八、織機は一万七千台より一万九千台に増加してゐる。

(2) 生絲工業

生絲は輸出品に於ては依然大宗たる地位を占めてゐるが、民国十六年は二億千八百万元、二十年は一億四千九百万元、二十四年は四千二十余万元に激減の一途を辿つてゐる。その主要原因は、(一)人造絹糸の出現　(二)日本生糸との競争　(三)中国生糸の品質の不精斉にある。

生糸の産地は江蘇、浙江の二省が中心で、次が四川、広東の二省で

四七五

ある。この関係上、生糸産地の中心は皇軍占領下にあり、華中蚕絲公司の統制に服してゐる。古い統計ではあるが、民国十五年絲繭公会の報告に拠れば、上海の八十二業者の絲廠は平均僅かに資本三万元前後である。此点は現在と大なる相異がないであらう。特に民国十九年から二十年にかけて絲業恐慌に陥り、倒産者続出するに至つた。之に二十一年春は上海事変により製糸工廠は大なる損失を受け加ふるに海外絲價が惨落を続けた。之に対し旧国民政府は次の如き救済政策を採つた。

イ、公債に依る救済改良

(a) 国民政府は製絲業の救済改良を目的として民国廿年三月十一日財政部、実業部に「民国二十年江浙絲業公債」八百万元の発行（廿七年十月十五日までに全部償還の予定）を認許し、其四分の二を生絲輸出奨励及び製絲業の救済、其四分の一を製絲工場、機械、器具の改良、其四分の一を養蚕及び桑作の改良に充当した。

(b) 国民政府は二十一年九月十六日江蘇、浙江両省政府

四七六

に「民国二十一年江蘇絲業短期公債」三百万元の発行（廿五年九月までに全部償還の予定）を許可し、この公債による収入を専ら江蘇浙江両省の製絲及び養蚕の救済に供することゝした。

ロ、定期兌換券に依る救済　国民政府は江蘇・浙江両省政府に江浙絲繭定期兌換券一千万元の発行を許可した。この制度は過度期にある中国の特殊制度である。この発行により生絲及び養蚕を救済・改良することゝした。

ハ、関税に依る保護　生糸の輸出税を免除し且人造絹絲の輸入税を増額して斯界の保護に努めた。

この政策により幾分の効果があつたが、海外絲を支配することゝ日本生絲との競力を直ちに増大することが不可能であつた。従而、中国の絲業界は何等復興の気勢なく、廿三年には更に疲憊を加へた。此処に於て、政府は蚕絲改良委員会を設立し、桑作、製種、養蚕、生絲等につき改良研究した。尚は地方政府に於ても、浙江建設廳蚕

絲統制委員会、江蘇省蚕業改進管理委員会、広東絲業改良局、四川絲業総公司等を設置し、諸対策を実施した。時に海外糸價も昂騰に向ひ、廿四年は絲業が好転したが、今次事変により混沌たる状態に陥つた。然し華中蚕業公司の指導、援助、統制に因り著しく復興して来たが、買付統制の不備により、他の特産物と同様に密搬出入が絶えない。日本は生糸、養蚕の統制は専ら中国側に讓り、之を指導援助すべきで、自ら陣頭に立つべきではない。日本は日本国内の必需品にして中国に求めざるべからざる中国特産品につき東亜共栄自給体制を要請すべきである。この点は事実上全く反対である。生糸養蚕より必需品に転換すべきである。

(3)

麺粉工業

麺粉工場は各地に散在してゐるが、比較的大なるものは我占領区域に集中してゐる。従而、新四軍及び八路軍の勢力区域に於ては小麦を全部、製粉する能力がない。従而、此等の区域より商談を通じて小麦

を和平区に吸収することは比較的容易である。これは和平区の食食問題解決の一方法であることを忘れてはならない。民国二十四年の製粉生産量は約七千五百六万包である。麺粉は平年に於て輸入超過であることは既述した。従而、旱水害の時は輸入超過を激化する。故に民国二十一年以来を見ても、麺粉は或は免税、或は課税、或は免除の過程を経てゐる。

(4)

製紙

事変前、民国廿四年頃では機械製紙業者は六十余であつた。この規模は概ね極めて小さい。製紙工場は其の原料の制約を受け、原料産地に散在してゐる。その原料は木製パルプ（輸入）、紙、ボロ、稲、蘆葦、竹、麻、桑皮及び化学原料である。特に森林僅少にして木材の高價なる現在中国では木製パルプは全部輸入に俟つてゐる。その輸入は逐年増加し、民国十六年は六・一六担、十九年は四・四〇九担、二十二年は一二二、二六八担、二十三年は一七四、一五八担、二十四年は

一八八、八七二担に増加してゐる。而して紙の輸入は十六年三千九百五十九万元、廿四年三千九百七万元となつてゐる。工廠で取立て数ふべきものは江南製紙公司（蘆葦パルプ製造）、福建造紙公司（老竹紙製造）、民豊造紙公司（巻煙草用紙）、冠華捲菸造紙廠（巻煙草用紙）であらう。目下の所、蘆葦パルプのみが多少有望であるが、全国造林計画の完成なくしては中国の紙價は依然高く、文化の進むに従ひ増加する紙の需要に應ずることが出来ないであらう。故に紙の問題の前提問題は造林政策にある。廿四年には中央工業試験所では造紙訓練を開設し、主要産紙の製紙業者の子弟を收容して技術と設備の改良を期した。

(5)

マッチ工業

マッチ工業は民国二十年マッチ輸入税率の増高以来、国産時代となり、新設工廠は雨後春筍の如しと言はれた。然し多少輸入を必要とした。この盛況は全く一時的で、其後、同業者の競争熾烈となり且つ廉

價マッチの輸入が激增し、多数の業者は損失を受け、小工場は操業を停止せざるを得なかった。此處に於て政府は廿五年全国火柴産銷聯合社を設立せしめ、各工廠の生産量の割当制限、共同販賣、五箇年工廠新設制限を実施し、斯業の合理化を計った。その効果著れざる間に今次事変となり、マッチの價格は奔騰し、上海では事変前、一包（小箱十個入）八分（八銭）であったが現在（民国三十年十一月十日）では驚く勿れ、二元五十四分である。この種の生計圧迫は農村に行けば行く程、激化してゐる。事変処理の効果的な方法として廉價マッチを提供すべきである。最近のマッチの奔騰原因は法幣の惨落である。

中国のマッチ工業の優秀点は他の中国工業と等様に労働賃銀の低廉と広大な国内市場を有つことであるが、最大欠点は軸木、箱材が輸入材木であることである。此の欠点は製紙業と共に造林計画の発効を俟つ外はない。

四八一

(6) ゴム工業

ゴム工業は原料昂騰及び重税により衰落過程にあったが、十六年以後は経営改善方針が実施され稍々見るべき情況となつた。二十年では業者七十余に達し、極盛時期に入った。然し一般購買力の低減と製品市場の暴落により小企業者は倒産し、二十三年では僅かに業者四十余に激減した。此処に於てゴム工業統制政策期に入らんとして今次事変となつた。

（1）民営工業につき述べた数字は「十年以来之中国経済建設」第二章第九六頁—九八頁に拠る

四八二

II、

1、手工業

手工業の重要性

中国が半植民地化し、買弁資本の発展により機械製（工業生産）商品を通じて搾取せらるるに及び、農村の自足自給経済は崩壊し、手工業は壊滅に瀕したが、今次事変に入り機械製商品の後退の影響を受け、仮令一時的にもせよ、手工業の地位は飛躍的に復興した。重慶政権も工業合作社の設立と手工業の技術指導と補助金の下付を以て手工業依存工業を実施してゐる。

手工業は全人口の約八五％を占むる農民の副業又は農村独立企業として農村復興政策に於て極めて重要な地位を占めてゐる。今次事変に入り機械製品の激減により其重要性を著しく激化した。「経済研究」（第一巻第八期）に拠れば手工業の中国経済に於ける重要性につき次の旨を述べてゐる。

全国人民の衣服は概ね綿織物である。一人一ヶ年の綿織物の需要は少くとも五磅である。故に其全国の総需要は二十一億磅即ち千六百万担となる。現在全国の機械製（工場生産）綿織物は八百六十八万担、同輸入量は約八十三万担、同輸出量約十九万担であるから、差引六百七十万担①の綿織物は手工業の所産であり、其他の衣服、例へば麻織物は殆ど全部手工業による生産に属し、織物に於ける手工業の地位は機械工業に大な

四八三

る遜色がない。食料部門に於ける薪（燃料）、米穀、油、塩、醤油、醋、茶の類に於て見ても、薪及び木炭は手工業の所産であり、精米も百分の七十まで手工業の域を脱せず、麺粉も機械製粉の二分の一即ち四千万包は手工業に属し、植物性油も百分の八十まで手工業製油であり、塩も殆ど手工業の所産であり、醤油の年産少くとも四十億斤は全部手工業製品に属し、醋も亦同様であり、茶も亦手工業生産に係る。其他、木工品、煉瓦、石灰、小車、民船等も亦手工業生産であり、製材も中国では手工業の程度を多く出てゐない。尚ほ煉鉄も民国二十三年に於ては手工に依るもの十三万五千噸と推算され、機械煉鉄の十倍に及んでゐる。

次に輸出に於ける手工業の重要性は毎年の輸出品の品目の中で五十余種は手工業製品であり、その全輸出に対する百分率が百分の七乃至百分の十であることに依り知り得る。中国の輸出品の百分の七十五までが原料及び農産物で、百分の二十五が工業製品である。この工業製品中より在中国外人経営工場の生産品を除けば、中国側の工業製品は全輸出の百

四八四

分の二十足らずであらう。この百分の二十の約半は手工製品である。斯くの如く手工業の貿易に於ける地位は重要である。

2、手工業の種類

副業としての手工業の種類の全国的調査は行はれてゐないが、江蘇省北一区に於ては既に調査(2)が完了してゐるから、次に収録して参考に供することゝする。

(1)製穀（米穀、麦類及び其他の雑穀の精製）、(2)製粉製麺（麦類、米粉、澱粉、其他雑粉及び各種麺類の製造）、(3)醸造（醤油、酢、黄酒、焼酒）(4)製糖　(5)搾油製蝋（落花油、豆油、麻油、菜種油、葱麻油、薄荷油及び蝋類の採取又は製造）、(6)製酪（煉乳、牛酪、乾酪及び乳粉の製造）、(7)肉類加工（火腿、塩肉、腸詰、肉汁、脂油の加工又は製造）、(8)飲料物製造（製茶）、(9)煙草製造　(10)製絲（繰繭、生糸の製造等）(11)繊維製造（大麻、苧麻、亜麻、黄麻等の皮織、楮皮、綿等の製造及び蕨等の加工）(12)染料製造（藜藍、木藍の製造）、(13)紡績　(14)籐細工　(15)柳細工

四八五

(16)胡床製造　(17)竹細工　(18)棕櫚細工　(19)麦桿細工　(20)藁細工　(21)蘆細工　(22)製紙　(23)粘土工業　(24)ボタン製造　(25)彫刻　(26)木工　(27)刺繍　(28)裁縫　(29)水産物の加工。

手工業の種類は要する其地方の原料、技術及び製品需要（市場）とに依り決定せらるべきもので一概に論ずべきものではない。

3、手工業の長所、短所並に指導奨励

手工業の指導奨励を論ずる前に手工業の長所、短所に触れることゝする。

手工業は(1)過剰労働を生産に充当し得ること、(2)主として農村に営まるゝが故に労働賃銀低廉で、一般に生産費が低いこと　(3)主とし農民により生産せらるゝが故に製品が質実堅固であることは現段階に於ける中国の機械製造に勝る所である。手工業は極めて小規模であり無組織であるが故に、(1)製品の規格が不統一で大量取引に応じ得ないこと　(2)従而戦時工業としての適性を欠くことは機械工業に劣る所である。

四八六

然し、平時は勿論、戦時に於ては特に機械工業を補足する重大役割を手工業は果すべき関係にある。

次に手工業の指導、奨励を述べることゝする。

(1)　原料・技術・製品需要（市場）の調和ある発展

手工業は其地方の原料、技術、製品需要の制約を受けて発生進展する。故にこの三者の調和を企図すべきである。若し原料と製品需要とが技術なきか、或は技術が拙劣なるときは技術指導を施し、原料と技術あるも其地方に其製品需要少なきときは販賣斡旋を為し、原料・技術・製品需要の三者あるも事業が発展せざるときは其原因を調査して矯正策を推行すべきである。

(2)　技術の改善

之には製造原價の低減、製造時間の短縮、品質の向上と規格統一等に重点を置き、各級政府は指導員を設けて技術指導を為し、手工業の発展の為に品評会、講習会等を続行すべきである。

四八七

(3)　合作

手工業者は甚だしく消極的であり、無智であり、孤立的である。故に手工業者を啓発して合作を以て新組織を興へ、又技術と金融の改善共同販賣購買等を行はしむべきである。合作組織は生産合作社又は工業合作社に依らしめる。

(4)　軍需化

現段階に於ける中国経済に於ては（「手工業の重要性」参照）手工業の軍需化は必要である。然し、技術と規格の不統一、無組織、規模極めて小さく且つ全国に散在せること等は、大量需要の軍需には甚だしく不適当である。之が解決策としては今述べた技術指導と合作による新組織を興へる他はなからう。重慶政府も同様の対策を実施し、農民に技術と資本を授け、工業合作社を全区域に設立せしめて手工業の軍需化に努めてゐる。

（1）この推算に於て顧毓泉は手工製錦織物は多くとも七百三十担で

四八八

あると説く（「経済研究」第一巻、第八期第九頁）

(2)「経済研究」第二巻第七期第一五四―一五五頁）

（六）工業発展補助政策

工業の発展に貢献したる者を褒賞するための工業奨励法（民国二十三年四月二十日国民政府公布）、工業上の発明を奨励保護する専利権を規定する奨励工業技術暫行條例（民国二十一年九月三十日国民政府公布）、工業の研究を目的とする工業試験所、度量衡の劃一制度、商品の規格を取締る商品検験、工廠登記、工業標準、工廠取締に関する諸法令を現下の非常時期に即應するために適宜に修正し、実施すべきである。尚ほ中等以上の工業学校の復興新設を促進して技術員の養成に努め、各種工業改進委員会をも復興し、更に工業金融の円滑を期すべきである。工業労働者が今次事変に入り不足を来すに至つてゐるが、此が対策が鉱業政策の所で併述する。

四八九

六、鉱業政策

（一）鉱物の国有と鉱業権の種別

清朝末に至り欧米資本主義国家は貿易を通じて中国を搾取すると同時に鉱物の発掘権と鉄道敷設権の競奪戦を開始した。その結果、中国は諸列強の半植民地と化した。此處に於て孫文は民族主義及び民権主義を主張して中国を半植民地及び半封建的覊絆から解放して近代的民族的民権主義的国家を建設し、国家に実質的生命を與へるために経済建設を計劃的に実施して民生主義を実現すべきことを主張した。彼の「建国方略」第二章「物質建設」（実業計劃）はこの経済建設に対する計劃書である。「物資建設は結局外資と外国技術に依る大規模の経済的開発に俟たねばならぬことを明かにしてゐるが、此の開発権を外国に操縦せらるゝときは中国は亡び、中国に於て把握するときは中国は存続する旨を孫文は力説してゐる(1)。この孫文の遺教は党義と

四九〇

なり、「以党立国」を以て基本規範とする中国に於ては国義にまで発展した。其間、澎湃として全国に起る民族運動は国権回收、不平等條約撤廃、経済的侵畧防禦等を口号として発展し、他方、土地国有論、天然資源国有論が復活し、国民政府に於ける土地及び天然資源に関する法令の立法原則となつた。

民国十九年五月廿六日公布の「鉱業法」（二十一年一月二十三日修正）は国内の鉱物は一切国有とし、本法に依るに非らざれば鉱業権を取得して採掘することを得ず（同一條）と規定し、金、銀、銅、鉄、錫、鉛、アルミニユーム、アンチモニー、タングステン、其他の金属鉱物及び石棉、雲母、岩塩、石炭、水晶、明礬、其他の非金属鉱物等、合計五十一種並に其他国民政府の指定したる鉱物を鉱業法の適用を受くべき鉱物として法定した（同二條）。

鉱業法は鉱区を (1)国営鉱区　(2)国家保留鉱区　(3)公営鉱区　(4)民営鉱区に分つ。鉄鉱、石油鉱、銅鉱及び冶金に適せる石炭鉱は全部国営とし、其の採鉱業は中国人に限り、例外として之を個人に附與する。但しガス鉱が Helium（氣＝氦）を含有するときは Helium 採取権を政府に保留する

四九一

（同九條一項二項）。鉄鉱、石油鉱、銅鉱、冶金に適する石炭鉱、タングステン鉱、マンガン鉱、アルミニユーム鉱、アンチモニー鉱、ウラニユーム鉱、ラヂニユーム鉱、カリニウム鉱及び燐鉱は農鉱部（政府）に於て必要ありと認むるときは区域を劃定して国家留保鉱区となし、其の採掘を禁ずることを得る。（同一〇條）。国営鉱区及び国家保留鉱区以外の鉱区には一般人民に優先して一定鉱区につき其所在地の縣市政府は鉱業法に依り鉱業権を取得することを得る（同五條一項）。この鉱区を公営鉱と呼ぶ。国営鉱区、国家保留鉱区及び公営鉱区の外の民営鉱区につき、鉱業法により、中国人民に限り、鉱業権を取得することを得る。但し公司組織に依るときは、股份有限公司（株式会社）に限り鉱業権を取得し得る。この公司には外国人も株主として吸收し得るが、(1)総株式の過半数が中国人により所有せられ、(2)董事（取締役）の過半数が中国人であり、(3)董事長（取締会長又は会社代表を意義する）及び総経理（総支配人）が中国人なることを要する。（同五條二項）。

鉱業権は探鉱権と採鉱権とに分たれ（同四條）る外、別に小鉱業権を設定

四九二

し得ることゝした（同五九條ー六六條）。小鉱業の範囲に於ては鉄鉱、石油鉱、銅鉱及び冶金に適する石炭鉱を国営鉱区としない（同六六條）。小鉱業区は鉱量甚微にして大規模経営の價値なきもの、鉱業未発展の区域にして其鉱産物を該地方の需要に供する者、交通不便の地の鉱区につき省主管官署を経て農鉱部の許可を得て小鉱業区と為したる者の三種である（同六〇條）。小鉱区には外国資本を吸收することを得ない（同六一條）。小鉱業権は原則として十年を以て期限とする（同六二條）。

国営鉱業区の国営鉱業権は国家自ら行使して鉱物を探採することを原則とするが、股份有限公司に其鉱業権を二十年を限度として賃貸することを得る。この公司の株式に外国人を吸收し得るも民営鉱区の場合に於けると同一の制限を受く（同五〇條、五一條、五四條）。この賃貸期満了後、国家が之を回收自営せざるときはその賃貸人は継續して賃貸する優先権を有する（同五四條）も、之を抵当、出典又は譲渡することを得ない（同五三條）。国営鉱業権の賃貸に於ては地方政府は優先して賃貸し得る権利を有する（同五二條）。

四九三

この国営鉱業権の賃借権の行使に依り発掘したる鉱物につきては政府は先買権を有し、且つ輸出につき統制権を有する（同九條三項四項）。

（1）「建国方略」第二章「物質建設」孫文自序

四九四

㈡ 鉱物の分布

Ｉ、金属鉱物

1、鉄鉱

鉄鉱は貧鉱を数ふれば十三省に分布してゐるが、二大鉄鉱地帯は華北（山西、河北、察哈爾の三省）地方と揚子江下流域（漢口より南京に至る）地方である。華北地方の鉄鉱は石炭鉱を近くに有し、鉄工業の発展が可能である。揚子江下流地方の鉄鉱は附近に僅少の生産があるが鉄工業の発展を意図するときは石炭の産地と極端に離す過ぎてゐるが、大都市及び工業地帯に接近し且揚子江に依る交通の便を有ってゐる。今日の推算に拠れば鉄鉱埋藏量は華北約一億七千万噸、華中約一億二千万噸、華南約三千万噸、合計三億二、三千万噸と称せられ、将来大きな鉄鉱脈でも発見されない限り、非常に豊富だとは言ひ得ない（1）。然し二大鉄鉱地帯が、我皇軍の占領下にあることは、長期戦及び東亜防衛上、天央の資源であると云はねばならない。

2、銅鉱

銅の発見は最も古い歴史に屬するが、中国は銅鉱に恵まれてゐない。民国初年以来の実績に拠れば、雲南省の東川が最も着明で、四川、湖北、湖南、江西、甘粛、貴州、各省が之に次ぎ、山東、河南、安徽、江蘇、福建、浙江の各省にも多少発見されては居る。民国十四年以前の最高年産額は一千六百噸であったが、近年は益々凋落し、雲南は五百噸前後、四川は二百噸で、貴州其他の省を加へても全国の年産額は千噸に及ばない（3）。銅鉱地帯は大体に於て重慶区に残されてゐるが、産額の僅少の為に抗戦力に大なる貢献が果し得ないであらう。

3、マンガン鉱

四九五

之は光緒二十年始めて採掘されたもので、湖南、広東、広西、湖北、に産額多きも河北、浙江、雲南、貴州にもマンガン鉱があるも貧鉱である。広東省の年産額は民国十三年頃は三万噸前後で日本及び米国に輸出され、広西省は民国十四年は四万九千噸を生産したが、事変前は一万噸以下となった。

マンガン鉱地帯は重慶区及び交戦区に屬してゐるが、湖南、湖北、広東の三省のマンガンは我国の必要に應じて占領し得るものとして注意すべきである。

4、タングステン鉱

これは河北省の遷安、撫寧両縣に始めて発見せられ、民国五年之を鎢鉱と名付けた。其後、陸軍部は鎢鉱の鉱業権を国有とし、国営鉱業として軍用に供することゝした。遷安、撫寧の両縣に鎢鉱官鉱局を設立して発掘に着手した。鎢砂百余噸の生産を見たが、第一次欧州大戦の終結により採算困難となり、その経営を停止した。同時に広東省に於て欧州大戦

四九六

の需要に應ずるため鎢鉱の採掘行はれ、江西、湖南、の各省相継ぎて採鉱するに至つた。就中、江西省が最も著しき産地となつた。実業部は二十一年より二十二年に亙り、江西省政府と協商して中央政府に於て専銷弁法を制定した。一噸の價格は三四百元より五六百元に昂騰し、更に二十一年冬には一千元に、廿三年には更に奔騰し、今次事変により價格は飛躍し、第二次欧洲大戦は之に拍車をかけた。

民国廿三年に至り農鉱部は国営鉱区を六区とした。大庾三区、崇義一区、安遠一区、会昌一区は之である。然し広東省（北部北方）の鎢鉱は省政府に保留されてゐるが、江西、湖南二省に比して生産費が特に高いと云はれてゐる。この鉱区は殆んど総て重慶区に属し、その産額は世界総産額の約八割を占め、アンチモニー及び桐油と共に抗戦力維持に至大なる役割を果してゐる。援蔣借款の担保及び抗戦下国際收支を妥当ならしめてゐる。要するに鎢鑛は江西省の南部より広東省の北部に亙る地帯にあり、此処が世界総産額の約半額の産地である。此の地帯は大東亜に於

四九七

て一所に纏つてゐるが故に、時機を見て之を占領し、鎢鉱を利用して国際情勢を調整し、併せて東亜防衛に之を使用すべきである。

5、アンチモニー鉱

之は光緒十八九年頃湖南人により漸くその名を知る程度であつたが、同廿四年華昌公司が西洋式煉錦廠を長沙に開設したるを手始めとして各処に同様の鉱廠を設くることゝなつた。本鉱業を刺戟したのは第一次欧洲大戦であつた。武器製造の原料としてタングステンと共に世界市場を支配する産額を有し、其産額は世界総産額の約半を占め、タングステン桐油と共に抗戦力の維持に大なる貢献を寄せてゐる。

第一次欧洲大戦頃は年産額三万余噸であつたが、その終結により價格が破れた。然し民国十三年頃より各国の需要が激増するに伴れ價格漸騰し、湖南省（新化附近）の産額も逐増し、輸出も民国十七年頃では二万余噸となつたが、湖南省の産額が余りに大なるが故に再び價格の下落となつた。民国廿一、二年頃は産額も減少し、輸出は僅かに一万余噸となつ

四九八

た、事変前に於て湖南建設廠は其の貿易を整調する目的を以て官商合弁を以て錦鉱聯合貿易處を設立したが、其成績を見ずして今事変となつた。

6、モリブデン鉱

之は清朝時代に初めて福建省永泰に発見され、第一次欧洲大戦により組織的に採掘されたもので、民国六、七年頃には山東、奉天、察哈爾、湖南、広東、浙江の各省も続々発見されたが、北方の鉱層は甚だ薄く採算價値なきも、福建、浙江、広東の各省は採算上比較的有望であるが、其埋藏量はタングステンに遠く及ぶ所でない。江西省は民国九年十六噸、十年十九噸の輸出をした程度である。其後、逐減してゐた。民国十七年では広東、江西の両省の産額は僅かに八噸弱であり、十九年広東省の産額は五噸に減少した。本鉱区は大体に於て重慶区に存する。

7、アルミニユウム鉱

之は民国初年、山東省の淄川、博山、章邱等に発見された。中央政府の調査に拠れば、鉱層は厚さ四米乃至六米に及び、色は白、灰、褐、黄、

四九九

黒で、細状又は豆状を為し、其含有量は最も多くのものは百分の五十五で、黒又は灰黄色のものは含有量稍少く、鉄分は比較的多く、鉱層の分布は極めて広く、西は章邱縣の危山（龍山停車場の東南、埠村の西北）より東は南定停車場附近の唐王山に達し、延長約百粁に及んでゐる。

民国廿二年二月、実業部は山東省淄川、博山、両縣内の本鉱を先づ（三万九千余噸を）国営鉱区に指定し、実業部の北平地質調査所及び工業試験所に於て採鉱の具体的研究を為さしめた。然し、この実施の成果を見ずして今次事変に入り、完全に我軍の占領下に帰した。

8、金鉱及び銀鉱

金及び銀鉱の開発は同時期に行はれてゐたが、共に年産額は僅少である。金鉱は四川、雲南、湖南、山東、河北、広東に散在してゐる。其中、山東、河北及び湖南の金鉱区は大体に於て皇軍占領区域に属するも、他は重慶区に帰してゐる。銀鉱は清朝順治以来、山東、山西、雲南の各省に銀鉱の採掘があつたが産額は僅少である。尚ほ中国では天然銀鉱の外

五〇〇

に鉛、亜鉛（鉾）鉱に含有する銀分より採取せらる。湖南省水口山の鉛、亜鉛鉱はその一例である。

9、錫　鉱

錫鉱の採掘も周代より行はれ、歴代相当の採掘があつた。民国成立以来、錫の年産額は平均八千噸、価格三千万元と称せられ、採錫公司八九十を算せられてゐる。錫鉱は雲南、広西、広東の西南各省に散在し、特に中国第一の錫鉱、雲南省の 旧は佛印に極めて近いが故に占領は極めて容易である。其他、江西、湖南にも錫は産出されるが、江西省の錫はタングステンの副産物として、産出されるもので近年約一、二百噸を生産してゐる。要するに中国の錫の埋蔵量は比較的豊富であるが、此等は総て重慶区にあり抗戦力に寄与してゐる。

10、鉛鉱及び亜鉛鉱

この両者は雲南の東川、湖南の水口山、四川の会理を以て著名とする。乳牛、山口山は銀分を含むが故に副産物に利を得てゐる。其亜鉛鉱は松

五〇一

柏煉鉾廠に、鉛鉱は長沙煉鉛廠に送付して採冶した、松柏煉鉾廠は民国三年頃では亜鉛年産約六百五十石、鉛年産約十五石であつた。第一次欧州大戦により飛躍的に増産されたが、其後の鉛、亜鉛生産は極めて不振情勢のまゝ今次事変に入つた。

五〇二

11、水銀鉱

水銀の発見は神農、黄帝の傳説時代に発し、古代は丹砂、硃砂、辰砂、と称されてゐた。水銀鉱は元、明、清及び現在を通じて貴州省を第一主産地とし、次に四川省、第三が湖南省となつてゐる。民国二十三年の調査報告によれば、貴州の省渓は年産一万二千斤、三合及び婺川は年産五千斤、紫江及び八寨は年産三千斤であり、四川は酉陽県の一隅に限られ爛泥壩、分水嶺、龍門廠、砂溪の四鉱廠（鉱夫約三、四百人）あり、湖南は西部の鳳凰、新寧、新化で、就中、鳳凰県の鉱石が優秀である。水銀鉱も亦主として辺境諸省に集中してゐる関係上、重慶区に存し、抗戦力の保持に寄与してゐる。

12、砒砿及び鉍鉱（Bismuth）

砒は中国の特産物の一で、湖南、雲南の両省を最着とし、四川、広東、貴州にも生産を見る。砒は大部分、輸出せられ、湖南の雄黄及び信石、雲南の鶏冠石（雌黄）の年産は約二千噸前後で、毎年の輸出は約千五百余噸に及んでゐる。現在の砒鉱区は湖南に十三区、雲南に四区設定されてゐる。

鉍鉱は概ねタングステンと共に産出される関係上、広東、江西、湖南の各省を主産地とする。この年産額は一万五千噸内外で、広東一省の年産は一万二千噸に及び殆ど総て輸出せらる。従而、タングステンと共に重慶の抗戦力の保持に大なる役割を演じてゐる。

Ⅱ、非金属鉱物

1、石炭鉱

民国廿四年十二月末現在の「全国煉鉱探採区数及其面積表」に拠れば全国の大小石炭鉱区の面積は一六、八五六、六〇二公畝に達してゐる。其の

五〇三

最大なる省は河北、山東、山西、河南の順序で、此四省だけで全国の十七分の十二を占めてゐる。此四省の石炭鉱区の面積から河南省の分、即ち一、六〇二、七一八公畝及び其他の非占領鉱区を除いても、大体に於て全中国の石炭鉱区は我皇軍の占領区域に存し、東亜共栄自給圏内に入つてゐる。

尚ほ之に陝西東部炭鉱地帯及び河南の鄭州より魯山に至る炭鉱地帯の占領を追加する必要がある。蓋し現下の切実なる問題は採炭よりも輸送能力の問題である。河北、山東の陸上輸送能力の増進は大いに困難なる問題ではないが、山西の石炭の輸送も簡単な問題ではなからう。しかし河北交通公司は此が陸上輸送能力の増大計画を実施し、東亜海運株式会社は可能の努力を以て海上輸送能力を造成発揮すべきである。

五〇四

最後にあつたが、石炭の全中国の埋蔵量は約二千五百億噸と推算せられてゐる(2)。

2、石油鉱

中国に於ける石油発見の歴史は相当に古い。甘粛の延寿縣、陝西及び四川の石油は古くより知られてゐた。清朝末以来現在に至り石油の需要の増大と共に軍需品としての重要性を加ふるに至り、幾度となく全国を探査した結果、陝西（日本、佐藤彌市郎技師により開鑿）、甘粛、毒海、四川、（独逸、米国等より技師招聘）等の各省に石油鉱を探究し、小規模の採掘が行はれてゐるが、成績は芳ばしくない。その中、最も中国の石炭は炭素含有量が六割以上のものが大部分を占めてゐるが故に含有量が僅少である。従而、中国の地質は一般に石油の埋蔵に不適当だと称せられてゐる。

要するに、現在の状態では、全面和平に成功したとするも、東亜共栄圏内には東亜防衛に不可欠の石油の自給を望み得ないことは明かである。故に石油問題の解決は北樺太、又は蘭印を東亜共栄圏に編入するか、然らざれば石油の代用燃料を科学の力で大量生産をするかの外はない。北樺太の埋蔵量は我国の需要量に遥かに及はないとせば蘭印の編入を強調

五〇五

すべきであらうが之は国際情勢を充分考慮に入れ、且つ北樺太と異なり日本内地との遠距離にある海路を鑑み相当の船腹の準備が肝要である。代用燃料の大量生産は俄かに実現は困難にせよ、また蘭印が東亜共栄圏に編入されたにせよ、我国は此代用燃料の大量生産を極力研究して実現すべきである。

3、硫黄鉱

天然硫黄は石油、銅と共に中国には極めて少い。これは中国鉱業の三大缺点である。硫黄は自然硫と各種金属の硫化物より産出する。前者は今の所、中国では望み得ない程度にあり、後者はその種類が頗る多いが硫化鉄以外からは期待し得ない現状にある。硫化鉱は普遍、黄鉄鉱と称せられ、中国には広く分布されてゐる。山西（八縣等）察哈爾（四箇處）河南（六箇處）、河北（二箇處）、陝西（七縣等）、甘粛（二縣等）、山東（三縣等）、湖南（十二縣等）、湖北（四縣等）、四川（四縣等）、浙江（十五縣等）、広東（三縣等）、広西（二縣等）、福建（六縣等）、

五〇六

貴州（五縣等）、雲南（七縣等）、安徽（三箇處）、西藏（二箇處）、等の省区は均しく黄鉄鉱を産出し、民国四年の全国の産額は二千二百十噸で、世界総産額の千分の廿五と称せられてゐる。現在では湖南の郴縣が年額最も多く、八百余噸を産出し、次が山西の陽曲と河南の新安、往口等で各約三百噸を産出する。

4、岩塩、硝及びカリウム塩鉱

中国の産塩は世界総産額の百分の十三を占め、その種類は海塩、井塩、池塩、岩塩に分かたる。海塩産地は早くも皇軍の占領下に属し、井塩は雲南、四川に、池塩（一名湖塩）は山西、陝西、甘粛、新疆、青海、外蒙古等に産せられる関係上、山西の一部を除いては我占領区域以外に存する。岩塩は屢々石膏層に夾雑するが故に石膏業の副産物である場合が多い。

硝には火硝（硝酸カリウム）と智利硝（硝酸ナトリウム）とがある。前者は火薬用に、後者は肥料に供せらる。山東省東昌の火硝、江蘇省徐

五〇七

海の塩硝、湖南省の白硝、貴州及び湖北両省の峒硝は品質よく、軍用火薬製造に用ひられ、政府の硝磺局により管理せらる。毎年の産額は約五千余噸である。就中、山東、江蘇両省は皇軍の支配し得ることが可能であり、湖北及び湖南の両省も作戦により占領し得るであらう。

カリウム塩（緑化カリウム）は四川省及び湖北省應城の塩鉱中に微量に存する。其用途は肥料及び硝酸カリウムの原料となるが故に需要は甚だ大なるに拘らず産額が少ない。

5、明礬鉱

明礬は南北朝頃発見せられ、浙江、福建両省の沿海地方に産出せらる。この外、人造明礬の生産も行はれてゐる。

6、蛍石鉱

蛍石は *Hydrogen fluoride* の原料で、第一次欧洲大戦に至り始めて其工業上の用途に注意されたが、それまでは装飾品又は文房玩具等に用ひられてゐた。実業部地質調査部、中央研究院地質研究所等の実地

五〇八

調査に依り、浙江省の石英斑岩、山東省青島の花崗岩の中に鉱床を発見し、河北、河南両省にも鉱脈があることが認められてゐる。但し鉱量は大資本を以て採掘する程に多くないと言はれてゐる。何れにせる、蛍石鉱は其大半が皇軍占領区域内に存することに注目すべきである。

7、石膏鉱

湖北省應城の石膏鉱は明の嘉靖年間に発見され、当時の年産約八万噸鉱区は南北五里、東北一里餘（日本里）と称せられる、本鉱区は民営より官営に移りたるも営業不振により民国十九年民営に復帰し、廿一年之を改組し、應城石膏股份有限公司（資本八十万元、専売権十五箇年）に依り採掘せられ、経営成績良好である。この外に、湖南省湘潭及び山西、四川、福建の各省にも産出するも、湘潭を除く外の産額は甚だ微細である。(3)

（1）馬場鍬太郎述「東亜経済新秩序の建設と支那資源」（「支那」第三二巻第六号第七〇頁）

（2）同前

（3）(二)「鉱物の分布」の所で述べた数字は特別に註した以外は総て「十年来之中国経済建設」第二章実業第四八—五六頁に拠った。

(三)　国営鉱区（A表参照）

国営鉱業権の設定は軍需上重要なる鉱物を保存シ且つ必要に應じて計劃的に採掘して営利の対象にせず、以て民族主義、民生主義を実現することを目的とする。事変直前に於ける国営鉱業権の各鉱区を次に収録することゝする。

以上の諸表により把握し得る如く、四川の僅少の鉄、石油鉱区及び江西のタングステン鉱区を除けば占領下又は占領容易の地域に中国の諸金属鉱鉱区及び石炭鉱鉱区が保存してゐる。

此の点が重慶政権の抗戦力を低下したのに反し、我長期戦に持久力を賦典する條件となつてゐる。此等の鉱区は既に我軍の管理に帰し、盛んに採掘されてゐるが、平和区の面への進展工作と東亜共栄圏（特に鉱区と我重工業地

国営鉱区表

鉱区所在地		鉱別	鉱区面積（単位公畝）	呈報設定年月（民国）	備考
安徽	繁昌県東郷長二区孤山	鉄	三五一四・一二	一九年一月	
〃	銅陵県葉山沖	〃	三、七九一・九三	〃	
〃	繁昌県西二区三四都漲棲冲著帽嶺善峯山野山金牛嘉湖稚山団山	〃	六四二〇・四八	〃	
〃	繁昌県孤山東三里長冬山	〃	二、一一四・七六	〃	
〃	繁昌県東郷孤山南七里甄山	〃	一、六六六・三五	〃	
〃	繁昌県東郷孤山西三里大小銅山	〃	一〇、三九・七六	〃	
〃	銅山県利国駅王家営	〃	六四二三・八〇	〃	
湖北	陽新県五湖鎮北部郷龍口湶鶏籠山鳳山保	〃	一〇、一四〇・〇〇	〃	
四川	綦江県土台場	〃	九一六・六七	〃	私人に讓渡
河北	磁県彭山東臨水至牛莊等處	石炭	一九、九六五・〇〇	二一年七月	
江蘇	江寧県鳳凰山	鉄	二、三八一・〇〇	二一年九月	
江西	萍郷県高坑	石炭	八〇、二九八・一二	二二年七月	三五年六月修正
河北	磁県西北郷彭城許風六條	〃	一四六、一二四・七二	二二年九月	
〃	磁県石崗南大峪運漕洞	〃	八七、七六八・六二	〃	
〃	磁県台寨南北賈沙苑至峪口崗	〃	九八、二〇八・〇〇	〃	
陝西	延長県張家園甫家灘	石油	二〇、九七〇・〇〇	二三年二月	
〃	〃	〃	二〇、〇四〇・〇〇	〃	
〃	延川県永平鎮一帯	〃	六六、八四四・八〇	〃	
江西	大余県西華山	タングステン	二〇、〇九〇・〇〇	二三年三月	該鉱区は民国九年二月設定に係る国営鉱業権設定に従ひ二〇年三月定むる鉱区は再修正して増大
〃	安遠県仁鳳墟	〃	三七、六二五・七五	〃	
〃	会昌県白鵝十六公山	〃	二二、八八〇・八〇	〃	
〃	大余県洪水寨一雑渡	〃	一〇八、六四五・七五	〃	
〃	大余県漂塘	〃	一三三、八一七・〇〇	〃	
〃	崇義県生龍口	〃	一七、五三二・〇〇	〃	
四川	富順県自流井、栄県貢井	石油ガス	一〇七、九一七・〇〇	二三年四月	
〃	達県大興場蘇家河巾街渠県天星場三滙鎮	〃	一〇、三五八、一〇八・〇〇	〃	
山東	淄川県刁山莊西四段地	石炭	八、二三五・三〇	二三年八月	
安徽	銅陵県銅官山小銅官山天鵝山寶山	鉄	二、九一八・五九	二四年四月	
湖北	陽新大冶県赤馬山李家山龍角山	銅	三二六、二四五・六二	二四年七月	
〃	大冶県銅綠山石山獅子山	〃	一五九、一五〇・〇〇	〃	
安徽	休寧県西郷三十二都東塵山村源山	アンチモニー	一〇五二・七五	二四年一〇月	
湖北	鄂城県西郷下野山獅子山王坪山小包山大包山黒家山赤霍高神山尖山剣盆山	鉄	二四五二一・二〇	二五年六月	
浙江	餘杭県東北郷閑林埠聖堤嶺	〃	三二九・〇〇	〃	

全国各省国営金属鉱鉱区及面積表　（民国廿五年六月末現在）

鉱別	省別	江蘇	浙江	安徽	江西	湖北	四川	合計
銅	区数					二		二
	面積					四五三、七〇二・六三		四五三、七〇二・六三
鉄	区数	二	一	七		二	一	一三
	面積	二四、八〇四・八〇	三二九・〇〇	七七、六五五・八六		三四、六六一・二〇	九一六・六七	一三八、三六七・五三
アンチモニー	区数			一				一
	面積			一〇五二・七五				一〇五二・七五
タングステン	区数				六			六
	面積				四九〇、五九一・三〇			四九〇、五九一・三〇
合計	区数	二	一	八	六	四	一	二二
	面積	二四、八〇四・八〇	三二九・〇〇	七八、七〇八・六一	四九〇、五九一・三〇	四七八、三六三・八二	九一六・六七	五三八、四七四・三三

全国各省国営非金属鉱鉱区及面積之分類総計　（廿五年六月末現在）　（面積単位 公畝）

鉱別	省別	江西	河北	山東	四川	陝西	合計
石炭	区数	一	四	一			六
	面積	八〇、二九八・一二	五三一、一六六・三四	八、二三五・三〇			六二九、六九九・七六
石油	区数				二	三	五
	面積				一一、四三〇、〇二五・〇〇	一〇七、八五四・八〇	一一、五三七、八七六・八〇
合計	区数	一	四	一	二	三	一一
	面積	八〇、二九八・一二	五三一、一六六・三四	八、二三五・三〇	一一、四三〇、〇二五・〇〇	一〇七、八五四・八〇	一二、一五七、五六九・五六

(B)

国家保留鑛區表

鑛区所在地		鑛別	鉱区面積	保留始期	備考
山東	博山淄川両縣黒山湖城独坡山等處	アルミニウム	三九〇〇、六四三公畝	三一年一月二四日	アルミニウム鉱と連続 火粘土鉱礬土鉱を含む
河南	禹縣全部	石炭	鉱業権未設定鉱区申請なき地区は本区に包括	二五年四月一七日	
江西	全省	タングステン	同右	二五年六月二〇日	錫を含むタングステン鉱を含む
湖南	安化縣梅塘田楊梅山白雲庵後山等處	鉄	四六公頃四八公畝	二五年一月三一日	該区の鉄鉱層近くの石鉱は民営不詳

域）を連ぐ海陸交通の整備の推行を急ぎ、上述の国営鉱区の開発を行ひ、東亜共栄自給体制の内容を拡充すべきである。

(四)　国家保留鉱区（B表参照）

既述の法定鉱物の一定鉱区につき一定時期より探採を禁じ、重要鉱区を国家的必要の為に保留し、以て民族主義と民生主義を実現せんとする制度が国家保留鉱区制度である。次に現在の留保鉱区を示すことゝする。

右の外に湖南省全省に亘るアンチモニー及びタングステンの鉱区は民国廿四年六月一日より廿六年五月三十一日まで国家保留鉱区に属してゐる。

(五)　民営鉱区

中国は古代より土地及び埋蔵鉱物は国有（官有）とし、鉱業は国（官）の独占に属するものとする思想が存し、また現実にその制度を採つて来た。然し清朝末より営業自由の思潮が一時中国を風靡するに至り、且外国人の投資の対象と成るに従ひ、鉱業の自由が認められるに至つた。国民政府成立するや、国民主権主義に基き土地及び鉱物の国有性を採るに

五〇九

至つた（訓政時期約法二條、建国大綱一一條、土地法七條、鉱業法一條、二條）。但し鉱業法は一定の鉱区につき一定期間、一定の手続に依り私人に鉱業権を附与する途を開いてゐる。この鉱業権の対象が此処に云ふ民営鉱区である、次に其鉱区区数及び面積を掲げることゝする（A表参照）。

次に民営非金属鉱鉱区数と面積を一瞥することゝする。この全国の鉱区数は一一七四で、面積は一六四六二、一一八・六九公畝であるが、其殆どを占むる鉱区は石炭鉱区である。全国の石岩鉱の鉱区数は九七九で、其面積は一五、六八五、九〇八・三三公畝である。(1)　而して、此鉱区の過半以上が皇軍の支那下又は支配可能の地域に存するが故に此に対する組織的対策が必要であることは既述した。

最後に民営小鉱区の組織的開発の重要なることは手工業が現段階に於て重要なると同様である。全国の民営金属小鉱区数は四五、其面積は二、九三〇米及び六八四三・六五公畝で(2)、その殆ど全部に近い数が皇軍の占領又は準占領内に存する。次に全国の民営非金属小鉱区数は四三六で、其面積は二五二、

五一〇

全國各省民営金属鑛採鑛區區数及面積分類表（廿五年六月末現在）

（面積単位 公畝）

省別	金 区数	金 面積	銀 区数	銀 面積	銅 区数	銅 面積	鉄 区数	鉄 面積	錫 区数	錫 面積	鉛 区数	鉛 面積	アンチモニー 区数	アンチモニー 面積	マンガン 区数	マンガン 面積	亜鉛 区数	亜鉛 面積	モリブデン 区数	モリブデン 面積	タングステン 区数	タングステン 面積	合計 区数	合計 面積
江蘇							一	六、〇五九・三三															一	六、〇五九・三三
浙江							三	七、六〇六・一五			二	六四〇・七七	五	六、〇〇二・八一	三	一、六五五・三七	二	六五四・三七	四	一六、六六四・八〇			一九	三三、一九八・三七
安徽	一	三、三八四米					一六	五五、三五三・六一					二	八、七〇四・三一									一九	三、三八四米 六四、〇五六・八三
江西	二	一、〇〇一・四七					五	三五、三六七・六八	一	一、三四三・四六			一	一、〇四九・四四	一	一三、三六六・〇〇							一〇	五二、〇二六・一二
湖南	二	三四、四八三米 三、七四四・六九					三	五、九五五・一〇	三七	一五、〇三七・三三	二	八、九二三・三〇	二六	三一、六〇三・九六	一五	四一、三七一・九〇	二	一〇、八〇七・三〇			五四	三〇四、三四八・九一	三四九	四八、四八三米 九九、一三九・八〇〇
湖北					二	一、〇六八・三八	五	三九、二〇五・五五							一	六、八三〇・六四							八	四七、一〇四・三七
河南							一	八九六・四一															一	八九六・四一
河北	六七	一一、一二九米 三五一、七五五・〇四					三	七、四五五・六四			二	二、九二一・八六			一	九、六三一・三三							七三	四四七、四四〇・五六
山東	一	一六、〇七六・八一									二	五、八二一・五六											三	二一、八九八・三七
山西											一	一六、五八八・八〇											一	一六、五八八・八〇
甘粛							八	五、三一〇・八七															八	五、三一〇・八七
四川	六	二三、三七五・〇四	一	五、一六一・六六	一	四、九〇九・〇六							二	三、一四八・八〇									一〇	三六、五九五・三七
福建																			三	四、三一一・三五			三	四、三一一・三五
廣東			一	八九二・四二			一	五、六五四・九二					三	六、四一七・六二	三	三、六一八・八二	一	八三五・五八					九	七四一九・四〇
廣西									六	三、三三三米 六、八四〇・五七			二	七、〇三一・三八	一	六、五八九・四四							九	三、三三三米 二〇、四三五・三九
雲南	二	一、七八一・六六			二	四、六〇七・六六	三	六、四三六・九二	一〇	三四、六六一・七〇	五	八、四四四・二九	七	一一、〇一三・一二			三	二〇、八四六・五九					三二	九七、八一一・一二
察哈爾							三	二四、一六九・九二			一	七、九四二・七二											四	一四九、五九二・六四
合計	九〇	一九、三四五米 六四一、七四三・四九	二	六、〇八四・一〇	五	一〇、五八四・七〇	五一	三八〇、九四九・九一	五四	三、三三三米 一九三、〇八五・七五	三四	一五〇、五三七・五四	二八	三五九、三九〇・三三	二五	八二、八六三・三九	八	三三、一四三・八四	七	二〇、九七六・一五	五四	三四〇、三四八・九一	五六七	一三、六七八米 二、三三七、九三二・三九

（C）

八三二・五三公畝であるが、其の中、石炭鉱区数が三六五で、其面積が二四三、一三八・五三公畝(3)であり、且其の殆ど全部に近い数が皇軍の占領又は準占領下に在る。

此小鉱区の開発は手工業の直接、間接の原料として手工業復興の基本條件を為すものであると共に家具の修理及び製造を通じて農村復興の條件となることを認むべきである。

（1）「全国各省民営非金属鉱採鉱区区数及面積分類表」廿五年六月末現在

（2）「全国各省民営金属小鉱区数及面積分類表」廿五年六月末現在

（3）「全国各省民営非金属小鉱区数及面積分類表」廿五年六月末現在

㈥　鉱業政策の重点

Ⅰ、東亜共栄鉱物自給体制の拡充

既述の如く四川・雲南、江西、其他、重慶区及び共産区に残存する小数の鉱区を除けば、中国の諸鉱区、特に鉄、石炭鉱は大分部、皇軍の占領又

五一三

は準占領区内に存するが故に東亜共栄圏内の諸国の鉱物及び鉱物を主要原料とする製品の輸出入につき工業品の貿易につき述べたると同様の調査を為し、東亜共同防衛の見地に立ち敵性国家への輸出を禁じ、既給統制を通じて鉱物及び鉱物を主要原料とする製品につき東亜共栄自給体制の確立拡充に努むべきである。

Ⅱ、東亜共栄自給体制の確立拡充の為に必要ある鉱区の占領

我皇軍は中国の主要鉱区の大半を占領又は準占領下に置いてゐるが、東亜共同防衛及び東亜共栄自給体制の確立拡充に必要なる非占領鉱区は之を占領し、遊撃戦区内の鉱区は之を確保し、治安工作の面への発展を計るべきである。遊撃隊の狙ふ所は鉱区の治安攪乱と鉱物輸送路の破壊はあるが故に、鉱業の東亜共栄化は特に軍の保護なくしては実現の可能を有しない。

Ⅲ　軍管理鉱区返還の方法と條件

鉱区は一應全部、我軍管理の下に置き、軍管理工場返還の方法及び條件に就き述べたると同様の方法と條件を以て中国側に返還すべきである。然

五一四

し鉱区は軍需上極めて重要であるが故に重工業と同様に最後の段階に於て返還すべきであり、重要鉱業は日中合弁国営として存続し、東亜共同防衛に鉱業的基礎を供ふべきである。但し小鉱業権の対象である小鉱区は軽工業工場返還の方法及び條件に依り続々返還し、中国側の鉱業行政権に復帰せしむべきである。

Ⅳ、鉱産物輸送能力の増大

現下の情勢に於て農産物、工業製品と共に問題となるのは輸送力の恢復と新設的発展である。鉱産物は採掘し得るが輸送能力の貧弱に因り中国の鉱産物が東亜共栄圏の確立拡充に寄与し得ない現状にある。此輸送能力の解決なき限り、中国鉱業を始め、工業、農業、商業の東亜共栄化は不可能である。即ちこの解決なき限り東亜諸国の産業は今次事変に依り封建時代に後退することゝなり、各国の特に中国の産業は各小地方に分立し、有機的組織を失ひ、一国の経済統制は意義を失ひ、小地方に自給自給圏が出現し、東亜共栄圏確立に逆行するに至ることは極めて明かである。

五一五

Ⅴ、鉱業発展補助政策

中国の重要鉱区を軍管理下に置く限り、中国側即ち国民政府の鉱業行政は僅かに小鉱業を対象とすることゝなり、当分、鉱業発展補助政策は国民政府にとつては殆ど必要としない。従而、国民政府は交通に於けると同様に当分の间は鉱業行政機関の整備を必要としないが、小鉱業の指導及び補助政策を実施すべきである。例へば技術指導、合作工作、奨励金及び補助金の下付等。

尚ほ、軍管理鉱区に於ても漸次、下級技術員より中国人を採用し、東亜共同防衛の基礎工作に従事せしむることを要する。技術員の養成は一朝に解決し得ざるにつき中等以上の鉱業学校の復興を国民政府に督励すべきである。

Ⅵ、労働力補給政策

労働者の不足は和平区、重慶区、共産区を向はず、全中国の共通問題である。また、鉱業、工業、交通事業を向はない共通の問題である。此は機

五一六

械、器具、運輸機関、其他の設備を整備し、労働力を節減すると同時に人事登記を拡充して労働統制を行ひ、労働の補給政策を実施すべきである。特に難民及び帰順軍隊を検査し、其適性と希望とを参酌して各種労働者と兵役者とを物色すべきである。難民の多くは老幼又は女性が過半であるが中には労働適格者もある。

七、交通政策

(一) 交通の重要性

中国国民党が中国を統一し、今日の抗戦力を造成したのは三民主義による思想統一と外資を利用して交通機関、特に鉄道、電政計画を拡張整備し且近代的公路を各地方に開設し、以つて思想上、政治上、経済上の有機的統一を実施したからである。

今次事変に因り各種交通機関は物理的に破壊せられ、又は一時機能を停止

五一七

したが、軍事上、産業上の必要により皇軍の統制下に急速なる復旧工作が進められた。この復旧工作は復旧の範囲を出でゝ新設までに進展してゐる地方もある。これは近く満洲に於ける交通政策に関する経験が、斯くの如く偉大な成功を成就せしめたものであらう。

中国の交通政策は軍事上、当面の重大問題として鉄道、バス及び無電に関しては調査の上切実に確立されてゐるからであるから、此等の点に於ては当面の重要問題につき対策を述べるに止めることゝする。

(二) 鉄道

I、軍事本位に復旧及び新設

鉄道計画は旧国民政府に於て計劃せられ、既に竣工又は工程半ばのものもあらうが、要するに華北及び蒙疆地方に於ては皇軍より見て、攻撃進軍に容易なる方面に整備し、若し将来、中国の辺疆又は奥地より我軍を攻撃する場合は不便なるが如く整備すべきである。

次に軍需資源開発のための鉄道も亦、皇軍本位に整序修正し、東亜共同

五一八

防衛の中心を日本に確立する方向に将来の計劃を立案すべきである。要するに皇軍に対し求心的に計画すべきことを要する。従而、散慢政策は之を戒むべきである。

II、鉄道返還の方法と条件

鉄道は重工業及び主要諸鉱区と共に最後まで、即ち我皇軍撤退後、少くとも一年以上は之を中国側に返還すべきではない。但軍事上、重要ならざるに至りたるときは部分的に適宜に返還することも可とする。

従来（鉄道部交通部合併以前）「一哩の鉄道さへ自由にならない鉄道部長（又は大臣）が世界の何処の国にありや」と言ふのが、鉄道部長を中心とする関係者の常識であった。此は一日も早く日本より海関（上海、南京間）鉄道を手始めとして鉄道を接収すべしと言ふ要請となった。これは、日本の内面指導の失敗である。即ち行政客体のない鉄道部を独立に設置したのが根本よりの誤謬であったのである。苟も、軍事行動の最中に於て鉄道の接収を考へる方が寧ろ非常識であると吾人は考へてある。

五一九

最後に鉄道を返還する場合に於て我国の採るべき方針は華北及び蒙疆地方の鉄道は中日合弁まで譲歩して可なるも、此以上の譲歩は絶対に拒絶し、華中及び華南の鉄道は鉱山附属鉄道を除いては東亜共栄防衛のときは共同防衛のために無条件を以て提供することを条件として返還すべきである。但鉱山附属鉱道は鉱区の処分に従拌すべきにつき此処で述べることを避ける。

III、鉄道運賃の低下

現在の鉄道運賃は甚だ高きに失する。元来、中国は鉄道運賃が諸物価に比して高きに過ぎてゐた。日本が中国鉄道を管理するやうになつてからは更に高価になつた。この高価は法幣の惨落により事変直後の約五倍（昭和十六年十一月十日頃の）となつた。何故ならば鉄道運賃は日本円建であるからである。現在の運賃の高きことは原価計算上、已むを得ない当然の値段であるか否やは、私の係つてゐる所でない。若し原価計算上当然の運賃が現在の運賃であるとせば、原価の合理的切下げのために

五二〇

全占領区域を通じて大鉈を加ふべきである。例へば冗員の整理、中国人にて充分なる職務には中国人を採用し、石炭の配給を合理化し、又は乗客及び荷物の多地方には列車数又は鉄道車数を増発すべきである。但し中国人は俸給は安いが能率がないことは一般である。故に中国人の採用の場合に於ける注意と採用後の訓練と監督が必要である。

要するに運賃が高きに失することは事変処理の速力が甚だ低下してゐることを物語るもので、交通機関の利用者を僅少ならしめ、物資の生産地に於ける価段と消費地に於ける価段との間の差額を巨大ならしめ、占領地域の有機性牽連性、統一性を薄弱化することゝなる。

斯くて中国の政治、経済、思想等の統制力の微弱化を継起し、それだけ東亜共栄圏の内容の低級性を意義することゝなる。故に私は鉄道運賃は極力低下すべきことに重大関心を有つものである。中国へは鉄道運賃の法幣建を要請してゐる。然し現在の如き惨落過程にある法幣を以て建値を定めることは鉄道経営上困難であるのみならず、軍票の裏付工作に悖るが故に、

五二一

当分運賃の法幣建は断行すべき情勢にない。従而、今の所は運賃の低下策に専心すべきである。然し、軍票の裏付工作として鉄道を利用するに及ばざる事情と新法幣を悪法幣より切離して安定せしめ得る客観的情勢にまで進展したるときは運賃の新法幣建を速かに断行すべきものである。

また鉄道運賃を速かに新法幣建として新法幣の流通領域を定め且つ新法幣を裏付すべきであるとの主張もあるが、之は新法幣が旧法幣と等價標準を採る限り許すべきでないと同時に、新法幣の流通領域は平和区の面への進展に伴ひ且旧法幣の信用の漸落により拡大し得るものであるから、必ずしも鉄道運賃を現在の情勢の下に新法幣建にすべしと要求する理由としては薄弱であると思料する。

要するに鉄道運賃は諸物價に比して高きことゝ、日本円建なるが故に法幣惨落の今日では中国人（法幣收入生活者）に採つては余りにも高きに失することゝの二重要素の上に立つ。故に鉄道運賃自体の高きことは上述の方法を以て合理的に切下げ、法幣の惨落は新法幣を旧法幣から分離し、旧

五二二

法幣の流通を禁止し、且配給統制を以て新法幣の購買力を裏付けて行ふべきである。即ち運賃の原價切下げと新法幣の安定との二工作を必要とする。

（三）電政

I、電政と綜合工作との結合

交通行政上、電政と言ふときは有線電信、無線電信、市区電話及び長途電話の四者の行政を指称する。今次事変前十年間の電政統一の発達は極めて顕著であつた。この発達は半封建的分権的不統一中国を中央集権化即是党化政策としての思想、政治、経済工作の発展の基礎條件となつたことを見逃してはならない。此意義に於て中国を東亜共栄圏の重要なる一環として育成するには電政行政を拡大整理してラヂオ、新聞、社会教育及び宣傳機関に結びつける計劃を実施すべきである。斯くて始めて興亜建国を目標とする思想、政治、経済の綜合工作の進展が容易となる。

普通行政官署の内部各機関及び各種につき許多の徴税機関がバラバラに分散してゐる情弊を一掃するために剿匪区内より立案された合署合公弁の要

五二三

請は電政機関にも存したるが故に、民国二十三年二、三月に部令を以て郵電合設弁法を江蘇、浙江、河北の三省及び平北、天津、上海の三市の三等及び三等以下の電報局と郵局とを一処に併合し、廿四年には全国の無電台を其地の電報局の管理に統合した。但し国際電台のみは独立を認めた。尚ほ各地の市内電話局も亦漸次電報局に併合されて来た。民国廿五年六月末現在に於ける交通部の所轄に属する全国の電報局所（包括、国内無線電台及電報電話営業処又は代弁処）は千三百余処、市区電話は廿六処、長途電話通話処約七百処、国際無線電報直達電線十五條、国際無線電話直達電線一條に達し(1)、国営電政事業は軌道に乗つて来た。

電政の最も発達した地域が今次事変の戦場と化し、電柱は殆ど切り採られて作戦用材と化し、電政機関の大半は破壊され、復旧の容易ならざるものを感ずるのであるが、鉄道に続いて其の復旧工作が進められつゝある。先般は第一期清郷区にも電話の復興が完成されたが、既述の如く電政の重大使命に鑑み、速かに組織的復興を計劃すべきである。

五二四

（１）「十年来之中国経済建設」第三章第一頁

Ⅱ、有線電信

有線電信設備の改善、拡充は局処、電線及び機械の三方面に向けられねばならない。

1、局処

民国廿四年末現在に於ては電報局七八八、営業処二七四、代弁処一二三、合計一一八五局処であった。此を民国十六年の其に比するときは二一四局処の増加であった。(1) 電報の利用者を増加せしむるためには軍事政治、商業等の需要に鑑み之等の局処と共に電報収発処（事変直前には全国に約二六〇の収発処があった）(2)を普通的に分布せしむることを要する。此の意義に於て此等の局処数を回復又は新設すべきである。この場合は利用者の便益と設備費、人件費の節減のために此等の局処は電話局と郵局との併合を徹底すべきである。

五二五

2．電線

民国廿四年末現在の全国の架空線は九八、八六五粁、地下線は二三一．五七粁、海底線は三、四三三粁で、十六年に比し架空線は国共内戦に因り六七八粁を減少し、地下線は二一四・八七粁を増加し、海底線は九七粁を増加した（含、満洲）。結局、合計に於て三六六粁を減少したが(3)、此間の発展は線でなく電政の統一、海底電線自主権の回収及び無線電報の発達にあった。

電線も亦、軍事、政治、商業の需要並に治安圏の拡大に応じて復旧又は新設を計画すべきである。電線鋼の発達は電報利用者の激増を効果づけるものとして注意すべきである。

3、機械

電報機械は国民政府成立以来殆ど改善の余力がなかった。従而、此方面の改善の余地が極めて大なるものがある。

4、業務の改善

五二六

技術、技術員の養成と訓練、収発の迅速性、料金等につき改善の余地あるものがあらう。

（１）「十年来之中国経済建設」第三章第三一四頁

（２）電報収発処大都市に集中されざるを得ないので、上海に廿五処、北平に廿七処、南京に二十処、漢口に十五処、天津に十四処が開設されてゐた（「十年来之中国経済建設」第三章第四頁）

（３）「十年来之中国経済建設」第三章第四頁

Ⅲ 無線電信

1、国内無線台

国内無線台は民国十六年十一月以降に発展したるもので、十八年九月に無　電台組織通則を制定し、全国を九區に分ち、各区に　台一座と分台若干座を設置することゝした。其年既に各地電台十八処、電機五十三座は交通部の管理に属してゐたが(1)、此等の中、重慶、万県を除いて

五二七

は総て我占領に帰し、其後、各地に続々と設置され、民国廿五年六月末現在では、電台五十八處、電機百二十九座に達したるも、その殆ど全部に近い数が我占領又は爆撃の対照となり、中国の無線電組織は破壊されて了つた。然し、彼我共に軍事上必要なるものは速かに復旧されたが、未だ組織的な計画の下に復興してゐない。蓋し、無線電の組織的復興は和平区の面への進展を俟たずして実施し得、有線電と異なり治安圏の拡大を俟たずして完成し能ふものである。要は軍事の外、政治、商業、思想工作の必要に応じて復旧又は新設すべきである。

2、国際電台

国際通信事業は殆ど外国への支配に属してゐたが、十七年の冬頃より対外通信自主権の回収に手を染め、続々之を回収した(1)、国際電台の大部は我軍の手中に帰し、其余のものも爆撃の目標となり、殆ど破壊された。国際政治上必要なるものは彼我共に帰復されてゐるが、一般の復旧は将来の問題として尚ほ取り残されてゐる。之も必要に応じて復興さる

五二八

べきことは言ふまでもない。

（エ）「十年来之中国経済建設」第三章第八頁、第一〇－一一二頁

Ⅳ　長途電話

長途電話網の発達してゐる地域は我占領に帰してゐる。長途電話は電報と共に隔地者間の連絡には其迅速性に於ては必要なる利器であるが故に治安圏の進展工作に応じて復興すべきもので、清郷工作の発展に随伴すべきである。従而、この復興は市区電話の復興に比し遅れることは已むを得ない。

Ⅴ　市区電話

民国廿五年六月末現在に於に於ける交通部所轄の市区電話は三六市（其電話局処数七二）、全国加入戸数五二、六一七戸（其電話器数六〇、一四六箇）の僅少に過ぎない。其の中、南京、上海、武漢、青島、天津、北京、呉縣（蘇州）、鎮江、蚌埠、威海衛、大同、宜昌、其他等（現在和平区）の加

五二九

入戸数は五万余に達し、全国の殆ど全部に近い数に及んでゐる。此等の和平区都市の市区電話は悉く皇軍の援助により復旧し、皇国日本の威力を示してゐる。市区電話にも改善拡充すべき余地が充分あるが、漸次必要に応じて中国側の自発的事業として置けば可なる問題である。

（１）「十年来之中国経済建設」第三章第十九頁

（四）郵政

Ⅰ　郵局及びポストの復旧

中国が懸案の郵便国営の統一に成功したのは民国廿四年末日であった。我占領区たる和平区は電政と共に郵政も最も発達したる地域である。和平区に治安圏が進展するに伴ひ速かに復興されてゐる。要は治安圏の拡大に随伴して郵局とポストの複旧が可能であるが故に、我方に於ては治安圏の拡大を極力援助し、皇軍管理運輸機関の支援により郵送の便を得しむべきである。

五三〇

Ⅱ、各級郵政人員行政の複興と訓練

各級郵政人員考試を復興し、郵政行政能力の増進を計るために人員の訓練、競技会等を実施すべきである。

（五）航政

Ⅰ　地方航政機関の復興

航政は航水行政を意義するも広義に於ては航空行政を包括されてゐる。此処では航水行政を意義する。航水行政は航路、航行標識、国営航業の管理、民営航業の監督、船舶登記、築港の計画、航路の疏濬、船員、船舶、造船の監督及び管理等に関する事項を内容とする。地方航政機関は其性質上、沿海沿江地域にあったが故に、殆ど全部今日の和平区にあった。従而国民政府は我海軍の援助に依り航政局、同弁事処、船舶登記所等を必要に應じて新設整備を要する。民国廿四年六月末現在の全国登記船舶は艘数三、九五九、噸数七一、九五二・八一一であった。

Ⅱ　航海技術員の養成と管理

五三一

技術員の養成は東亜共栄圏確立のための基礎條件であり、且一朝に完成し得ないが故に航海技術員の養成機関である呉淞商船専科学校を復興し且船員検定試験も之を復興すべきである。

Ⅲ　国営航業

同治十二年設立され招商局は巨額の負債に依り破産に瀕してゐた。国民政府が南京に成立するや直ちに招商局の整理に乗出し、廿一年十月之を国営事業として将来の権利義務の一切を継承し、業務の改善に努め、英国資本を吸収して廿三年末には海元、海亨、海利、海貞の四船を英国より購入し、旧所有船舶を修理し、合計廿四艘を擁してゐた。但新購船を除いては総へて老朽船であった。此等は今次事変は破壊され又は我軍の掌中に帰し（一部国籍変更？）全壊した。其他招商局の各地の不動産は敵産として我管理に属してゐる。

将来、招商局の財産を返還するときは船舶は不返還、動産は返還すべきであらうが、老朽小船を永久に確保するよりも之を返還して我内河航

五三二

航業公司名称	設立之年	資本	本店所在地	船舶艘、噸数	
三北輪埠股份有限公司	民国三年	二百万元	上海	六十艘	三万一千噸
政記輪船股份有限公司	光緒三十三年	一千万元	天津	廿五艘	三万一千三百噸
肇興輪船股份有限公司	宣統二年	百五十万元	上海	八艘	一万三百噸
北方航業股份有限公司	民国六年	三百万元	天津	六艘	一万七百余噸
寧紹商輪股份有限公司	宣統元年	百五十万元	上海	三艘	八千百余噸
鴻安商輪股份有限公司	民国八年英商より買収	四十五万元	上海	十三艘	一万六百余噸
民生実業股份有限公司	民国十四年	百万元	重慶	卅余艘	一万二千七百余噸
直東輪船股份有限公司	宣統三年	五十万元	天津	五艘	六千餘噸
大通仁記航業股份有限公司	民国十三年	四十万元	上海	四艘	五千六百余噸
大達輪船股份有限公司	光緒卅一年	六十万元	上海	七艘	五千余噸

(D)

行権の可決に資し、且東亜綜合航政統制に服することを條件に之を返還し、復興を援助すべきである。従来の船舶の買弁制及び各埠頭設備の包工制を廃止し、合理的経営を指導すべきである。

Ⅳ　民営航業

今次事変前の民営航業の概要を把握するために次の表を作成して掲げることゝする（D表参照）。

中国の民営航業の最大欠点は百余の航業者が小老朽船（合計約三百卅余艘、総噸数僅かに卅六万余噸）を以て互に小領域内に割拠競業し、対外競争力なきことゝ外国が内河航行権を有することである。この民営航業を振興するために民国廿三年三月、交通部は航業者及び航業同業公会代表者を召集し航業保集討論会及び航政討論会を開き、結局、航業合作、航業統制遠洋航路の開設を決議し、廿四年六月中国航業合作社を設立し、廿五年交通部は国営航業の整備に努めると同時に整理民営航業弁法綱要を制定し、(1)定期航路の整理　(2)航業合作の促進　(3)造船の奨励　(4)航行班期の調整

五三三

(5)運賃の監督　(6)業務監督等に手を入れることゝした。以上の政策を以て民需航業の振興を計つたが、その緒に着いたばかりで、今次事変となり、悉く壊滅に帰した。

事変に因り我軍管理に属する民営航業の不動産及び船舶は漸次之を整理して東亜綜合航業統制に服すべきことを條件として之を返還すべきものとする。返還後の民営航業に対する政策は、既述の事変前に検討された政策を興亜建国の原則により整序して実施すべきである。

Ⅴ、民用航空

今次事変前には米国及び独逸との合弁に依る次の航空公司がある。

（民国廿五年六月現在）

公司名称	設立年月	資本	拂込金額	出資割合
中国航空公司	民国十九年八月	一千万元	四百十六万元	交通部百分ノ五十五 米国側百分ノ四十五
欧亜航空公司	民国二十年二月	七百五十万元		交通部三分の二 独逸側三分の一

この両公司は全国主要都市に卅一の飛行場（両公司兼用四箇処、中国公司用十八箇場、欧亜公司用九箇場）を使用した、其中、十三箇場が軍用飛行場で、八箇場が水上飛行場で、七箇場が水陸両用飛行場で、陸上機専用飛行場は十七箇場である(ヱ)。

これ等の飛行場及び所有飛行機は我陸海荒鷲の爆撃又は射撃により相当の損害を受けてゐるが、英米を始め我敵性国家との唯一の交通機関として余命を抗戦に捧げてゐる。

現在の所では、日本側航空会社一本建とし、我軍撤退後は、東亜共同防衛の原則に依り、大体に於て中国航空公司の例に従ひ、中日合弁航空公司を設立し、華北及び蒙疆地方には日本側の航空会社を継続せしむべきである。

五三四

五三五

（１）「十年来之中国経済建設」第三章第三四－四〇頁

Ⅵ、内河小航路運輸の復興

この復興は言ふまでなく、治安圏の面への進展を前提條件とするが、内河航路の疏浚土木事業、木造小船舟の新造、海陸大交通機との連絡を主たる要素として遂行せられ得る。而して其重大性は南船北馬で表現されてゐる如く地域的には華中南にあり、且流通経済促進上、不可欠の運輸機関である。この点は日本内地に於ては想像し得ない程度に達し、華中南地方では道路運輸以上に重要役割を果してゐる。ガソリン其他燃料缺乏の今日に於ては更にその重要度を加へてゐる。

内河航路の疏浚土木事業は水利委員会の水利行政に依存すべきであり、木造小船舟の新造は日本側の諸会社に於て製造し、小航業会作社を設立し之に分期拂にて譲渡する外、国民政府は小船舟新造に対し奨励金を下付すべきである。我東亜海運株式会社が木製小船舟の製造に最近取りかゝつたことは時機を得たる政策と思料せらる。内河小航路運輸は鉄道会社、東亜海運株式会社、内河汽船株式会社、日本通運株式会社と連絡を更に緊密化し、運賃の低下政策を実施し、流通経済を円滑にして生産地と消費地との商品相場の差額を可成的に減殺し、物資の配給を調整すべきである。

Ⅶ、公路建設と公路交通運輸の促進

1、公路建設

国道建設は中国経済建設計劃中に於て最も重大視された。特に鉄道の開設なき中部、東南、西北の諸省には幹線公路の建設が重要であつた。全国経済委員会成立後は水利と共に統一的に促進された。斯く諸交通機関の発展に加ふるに公路建設の促進は軍事、政治、経済、思想の有機的統一化を促進せしめ、今日の抗戦力を造成した。然し之は我軍の対支攻撃にも亦意外の利益を與へた。

特に江蘇、浙江、安徽、江西、湖北、湖南、河南七省の各省連絡公路及び西蘭公路（西安蘭州間）、西漢公路（西安漢中間）等の大計劃の進展

は賞讃に値する。

事変後に於ても、興亜建国の具体的経済建設計劃として従来の国道計劃を参酌して日本より対支攻撃作戦に有利なる方向に公路建設を促進せしむると同時に我軍の機械化を促進する軍事政策を必要とする。公路建設に要する資金の捻出方法は旧国民政府の先例を検討し且工役を課し、難民及び雑軍を整理して作りたる予備軍を工事に使役することも一案である。

2、公路交通運輸の促進

現代の公路交通運輸の促進は地方都市を中心とする乗合バス及びトラック運輸網の建設並に公路の鉄道及び海運との連絡である。現在は日本側会社に於て乗合バス及びトラック運輸は独占されてゐるが、現在の情勢では直ちに中国側の経営に譲ることを得ないことは鉄道と同様の理由は甚く。然し此処に二大問題がある。其一は米英の資産凍結令の実施以来ガソリンが次第に激減して行くことを其二は運賃が鉄道運賃が同様の理由に因り極端に高きに失することである。其一は代用燃料使用車に速かに変更する計劃を実施し、其二は鉄道運賃につき述べた如く方法を実行する他がないであらう。其一は既に一部着手され、石炭燃料車に移りつゝあるが速かに全部に実施すべきである。重慶側では其能率は知悉し得ないが、桐油燃料車がその試験期を脱したと宣傳してゐる。

八、配給統制と消費統制の結合

（一）配給統制の推進原則

現地の配給統制は漸次良好に発展しつゝあるは、配給統制推進原則が未確定であるから総ての機関が東亜共栄自給経済圏の確立を目指してゐるにも拘らず統一的合理的計画に缺くる所が甚だ多い。

第一、配給統制には其れ相当の軍事上、経済上、政治上の識見を豊富に持つ人材を必要とするが、現地諸統制関係諸機関の構成者には殆ど其人を得て

五四〇

ゐない。軍事上の識見があつても経済上の識見なく、経済上の識見があつても軍事及び政治に理解がなく、政治上の識見があつても経済上の識見がない、現在の上海に於ける大会社の支店長級が参劃したとするも、彼等の多くは自由主義経済知識と経験としか持ち合してゐないが故に新しい国家目的遂行の為の統制経済を建設する識見と経験が缺けてゐる、故に人材の補給を必要とする。

第二、配給統制には東亜共栄自給圏の確立を必要とする。これには毎年生産統計、消費統計及び運輸能力統計が全東亜を通じて東亜綜合経済統制中央機関を設立して作成することを要する。各東亜経済統制圏（統制単位）毎に毎年最小最大輸出入物資予定表を作成せしめ、各統制圏に生産拡充と消費節約とを実施せしめて生産及び輸出割当てを行ひ且生産本位に消費統制を行ふべきである。現在に於ては中国を華北と華中南との二大経済統制圏に分たれてゐる。この二大統制圏に対して東亜共栄自給経済より欲せられたる物資の品目と数量が未だ予定してゐないと同時にこの二大統制圏が東亜共栄自給経済に対して欲する物資の品目と数量が未だに予定されてゐない。この予定なしに東亜共栄自給経済圏の確立を意欲することは猶ほ計劃性の貧弱な而も自由経済的な放任主義の強き性格を残存せしめて統制を行はんとするもので、東亜共栄自給経済圏の只掛声のみに終る可能性がある。故に其予定を確立し各東亜経済圏に東亜共栄自給経済圏に対する共同責任を分担せしむると同時に必需品の配給を保障すべきである。

第三、南京の我総司令部には東亜綜合経済統制中央機関の決定したる中国綜合経済統制圏割当予定表を各中国経済圏に再割当の実施を決定する中国綜合経済統制機関を設置し、我総司令官に隷属せしむべきである。この中国綜合統制機関の組織は我総司令官の独裁権を保留したる委員制を採り日本三、中国二の割合で委員を任命することゝすべきである。但し中国側委員の任命は新国民政府に委任して行ふことを可とする。我方の委員は参謀総長を始め在中国陸海軍首脳官（代理出席可能）を始め、興亜院、大使館の首脳（代理出席可能）及び民間有能の士——実業家、学者、政治家中より物色——（代

五四一

五四二

理出席不能）を以てすべきである。

而して委員の一部を以て常任委員とし、日本側及中国側の民間有能の士の一部は有給職常任委員とすることを可とする。但委員の定員は最少限度に止むべきである。

この中国綜合統制経済機関には常任委員の下に必要に應じて大規模の調査機関と企劃機関と指導機関とを設置すべきである。

以上の諸機関の諸費用は配給機関として配給手数料の一部として徴集し、我陸海軍の予算に計上せざることを要する。

第四、東亜共栄自給経済圏の確立には相互間の為替相場の安定を不可缺の要件とする。現在の如く軍票價値の引上げ工作一天張りでは最早や東亜共栄自給経済圏の確立は望み難い所である。例へば生産より投機に遊資は活発となり、生産消費は商業投機に攪乱せられて其の犠牲となる。資本主義的貿易の悪流を残存せしめて置いては生産統制と消費統制を継ぐ配給統制としての貿易統制を意義する東亜自給自給経済圏は遂に永久の彼方に存することゝなる。例へば先般の如く法幣の対軍票相場が事変直後の約六分の一に下落しては円建物資は欲しくとも中国民衆は其購買力を有しない。若し日本に対中国（法幣圏）輸出割当のために生産した商品が大量にあるとせば、之を庫倉に入れて法幣相場又は華中南の購買力の自然増加を待つか、然らずんば日満、華北のみの消費に流当して華中南の民生不安を傍観するの外かない。

若し、夫れ以外の方法ありとすれば、依然従来の為替相場本位の取引秩序を無視して華中南に物資を輸入することであらう。斯くは為替相場本位に成立してゐる取引秩序を前提とする我商社及び我在中国工場は中国の同業者と共に相当の損失を招く結果となる。反対に法幣が若し事変直後の相場に復帰したとせば——之は全くの仮定で、現在の客観的情勢ではない——我軍の現地購買力は減少し作戦に影響を與へることとなるから追加予算の編成となり僅かに日本国の負担を増大することゝなるのみならず、東亜共栄自給経済圏確立の名に於て我国が欲したる——中国から観れば東亜共栄自給経済確立のための共同責任遂行として生産したる——華中南の特産品は予定通り購入

五四三

五四四

（輸入）出来ず、結局、華中南の生産政策は破壊せられ、日本の信用は地に落つることとなり、物資は続々重慶区又は共産区へ流出することゝなる。

故に先づ東亜共栄自給経済圏を確立する為には法幣相場の安定が第一である。然し之は現在のまゝでは言ふべくして行ひ難き事情にある。何故ならば旧法幣と新法幣が等價関係の一連托生関係にあるからである。この関係を遮断すること即ち新法幣と旧法幣から切離すことが前提條件である。国民政府財政部長兼中央儲備銀行総裁、周沸海は昭和十六年十二月三日上海に於て「新旧法幣パー・リンク切離は政府の既定方針である。切離の一切の準備は漸次完成しつゝある。只、切離は時期の問題である」旨を述べた（1）。

第五、配給統制は生産統制と消費統制とを結合する統制であらねばならない。現地の生産及び消費統制と関係なき配給統制は東亜共栄自給経済圏を確立せしむるものではない。蓋し配給統制は現在の生産政策と結付き戦時生産力の拡充を支持し且つ消費統制と結合して民生の安定を計り、中国の全民衆を我方に把握する方向に執行せらるべきものであらう。然らざる配給統制は

一部中国富商のみに不当不合理にも巨利を得しめ、民生は愈々不安定を募り、民衆の恨みだけは完全に日本に向けられ、民衆は日本及び新国民政府が真剣に執行する他の諸政策の如何に最善に満ちてゐるにせよ配給統制の拙劣のため民生が犠牲に供されては日本及び新国民政府より離反せざるを得ざる結果となるであらう。斯くては既定方針の事変処理は永久に望み得ない結果となるであらう。

第六、配給統制は生産統制と消費統制とを結合する統制であるが故に配給統制には生産地と消費地とを結合する運輸能力を具有することを不可欠の要件とする。この能力なき限り、東亜共栄自給経済圏は絶対に成立せない。反対に中国経済の全部を有機的に結合する統制国民経済は名ばかりの題目に終り、中国経済はバラバラな地方的自給経済となり、有機的結合なき封建的経済に後退することは明らかであり、現にその方向に逆行してゐることが認められてゐる。これを打開し、東亜共栄自給経済圏を確立するためには運輸能の復興と新規計劃とを必要とすることに就ては既に交通政策の所で述べた。

五四五

五四六

第七、配給統制には其配給物資につき合目的的合理的價格決定の必要とする。然るに現地、中国に於ける配給物資には合目的的合理的價格決定の標準が確立されてゐない。例へば、日本よりの輸入物資は華中経済統制圏に於ては上海租界の卸値段が標準となり、華北統制経済圏に於ては恐らくは天津租界の卸値段が標準として採られて来たことであらう。この標準價格は買占め、賣惜み、一時的商品量不足、敵性国の不当買付、其他の事由により不当に暴騰しつゝある自由経済價格である。これを標準とする配給價は日本の輸出統制價格に貿易補償金を加へた金額と上海又は天津の自由経済價格との巨大なる差額を利得してゐる。この巨大なる差額利得こそ正当利潤を超えた戦時不当利得である。この不当利得は一方、日本国民が戦争目的完遂のために甘受してゐる統制経済の所産であり、他方消費者である中国民衆より暴利を吸収するものであるが故に、之を輸入業者（日本から見れば輸出業者）の利潤に帰せしむべきではない。斯かる不当利得を虎視耽々と狙ふ一群の存在を許すことは東亜共栄自給経済を喰ふ獅子身中の虫であると言はねばならない。反

対に中国の特産品を産地に於て此を買付し中国各地に移入又は東亜共栄自給圏内に輸出する過程に於ける最初の配給統制價格は生産費、運賃、課税其他の諸掛及び正当利益等を合算したるものであらねばならぬことを既に述べた所である。然し現在の特定特産品の買付は特定の商人（含、会社、公司）又は商品別組合の組合員のみが組合に於て定めた價格を以て下請負人（支那商人）を使用して行はれてゐる。この組合の定めた價格に就ても詳細に研究すれば問題もあらうが、それよりも放任しておくことの出来ない問題は下請負制度が不合理に行はれてゐることである。下請負人は組合員の指定した買付價格で買付くれば問題はないが、下請負人は生産者たる農民の窮状につけ込み指定されたる買付價格よりも出来るだけ安價に之を買付けて其間の差額を利得しやうとする。これは買付手数料の外に差額を利得することである。この差額利得は言ふまでもなく不当利得である。これは単に不当利得として見ることの出来ない不当利得で、それ自体は我現地統制経済の破壊である。中国農民は已むを得ざる限り、生産費以下で手放しすることを欲しないのみならず、

五四七

何故、日本人は法外な買付價格を以て吾人農民を搾取するかと言ふ疑義を抱き、遂に日本及び新国民政府から離れ、安く賣るより農村で之を消費するか、重慶区又は共産区に密賣する方法を選ぶであらう外に翌年度よりは生産統制又は生産奨励の如何に拘らず、任意な農作物を作付し、東亜共栄自給経済圏から離反することゝなる可能性が充分ある。例へば棉花は生産原價以下でなければ日本側は購入せないが故に棉花の作付畝数は必ず激減する自己防衛策を講じ、米作に集中することゝならう。故に各組合は常に下請負人を嚴重詳細に取締する外、地方行政機関と協力して不当買付を防止すべきである。

故に私は配給物資の價格は合目的的合理的に決定することを必要とすると共に之を徹底的に実施することを必要とすることを主張するものである。合目的的とは東亜共栄自給経済圏の確立目的を達成する意義の價格を決定すべきことを意義し、取引業者又は取扱業者のみが利潤を得ればよいと言ふ自由経済的目的を排除することを意義し、合理的とは取引業者又は取扱業者が手数料に多少の損失補償を得る程度の利益を目標として價格を決定すべきことを意義し、戦時と買付特権（独占的買付権）とを利用して暴利を貪るべきにあらざることを指して言ふのである。滅私報国は軍人と共に一般東亜民衆の職域奉公の理念であらねばならない。

(二)　中支那軍票交換物資配給組合

本組合は我軍の管理に屬し、軍票價値維持の目的を以て日本より物資を軍用物資（無税）として輸入し、之を軍票裏付物資として軍票と引換へに配給する機関である。この組織は之を棉業部、人絹部、穀肥部、砂糖部、毛糸毛織部、紙部、工業薬品部、染料部に分ち、各部は夫々商品別組合を組織し、各組合の組合員は組合成立前に既に相当の取引実績ある日本商社若干（在上海の大商社）に限定せられ、組合の運用資金は組合員に出資せしめ、各組合員にのみ物資を配給し、各組合員の配給物資販賣手数料は組合の配当價格の百分の三とせらる。

本組合は昭和十五年の初めに設立せられ、設立後直ちに活潑なる活動を開始し、祖国日本に於て配給統制に振り節約せしめた物資及び増産に因り浮び

出る物資を軍票裏付物資として華中南に輸入し、ぐんぐんと軍票相場を引上げ、所期の目的を充分に達し続けてゐる。其功績は実に賞讃に値する。而して其配給区域は最初は華中南の経済の中心地たる上海地方に限られてゐたが、今や次第に奥地に進展し、業務は多忙を極めてゐる。蓋し此処に中国の民生上、三大問題を内在してゐることは否定すべくもない所であらう。

其の問題の一は第二次配給機関である各組合員と消費者である中国民衆との間に買占め賣惜み手段を以て莫大なる暴利を搾取してゐる中間機関（中国巨商）が存在することである。故に日本が消費節約及び増産計画の実施に因り本組合を経て如何程、中国に輸入しても小賣相場は天井知らずに昂騰する一方で、輸入すればする程、中間機関である中国の巨離を肥やすのみで、中国の民生は物價の続高に困窮するのみである。例へばプロードの配給價格は一ヤール一円二拾銭乃至一円五十銭であるが上海の小賣相場は三円前後となってゐる。これは配給統制が消費統制と結合してゐないからである。否、未だ計劃的な消費統制が行はれてゐないからである。上海両租界は殆ど重慶と同一程度まで物價が高騰したので、やっと小賣公定價格を定め消費統制に乗出したのもこれが為である。蓋し本組合の使命は軍票相場さへ適度に高騰せしむればよい。中間機関である中国巨商が配給物價を如何に投機の対象としてゞ、中国民衆の民生不安定に如何なる危機が到来しても我に於て関係することなしと言ふ、純單なる態度を以て臨み得ないものがあらう。今日のやうに軍需工作に成功してゐる本組合は更に東亜共栄自給経済圏の合目的的合理的発展をも副次的目的として配給物資は合目的的合理的價格を以て中国民衆の消費に提供し、中国の民衆を日本及び新国民政府に帰向せしめねばならぬ、故に将来は漸次、消費統制と結合しつゝ、軍票工作を行ふことを必要とする。斯くて全東亜が共同の指導原則、東亜共栄圏の確立に奉仕することを得る途が拓かれるものと信ずる。

其問題の二は組合の決定しゐる配給價格に合目的的合理的標準がない。これに就ては配給統制の推進原則第七に於て述べた所である。

其問題の三は配給統制組合の剰余金の処分である。この剰余金は日本国民

五五二

の消費節約及び増産の所産即ち祖国の統制経済の賜物であり並に軍需品として無租の特典を受け、且不当に暴騰したる上海の自由経済価格即ち暴利に随伴する配給価格の所産である。

故にこの剰余金は各組合員に全部配当すべき利益金であってはならない。但出資金の銀行預金利息の三倍以下の配合員に対する配当は是とするも、其以外の剰余金は要するに我国民の戦時統制経済の所産であり、中国民衆の生計の犠牲により出来たものであるから、之を將来の軍需工作資金に充当すると共に東亜共栄自給経済建設のために之を全部保留し、各組合員には予金として会計上計算されてゐるやうであるが、今述べた方法により処分して可なるものである。

(三)　日本輸入配給組合聯合会

中支那日本輸入配給組合聯合会は昭和十五年十一月成立し、北支那にも、広東にも同様の団体がある。

この配給組合は商品別に組合を組織してゐる。此等の組合に就ても、(1)組合の決定する配給價格に就ても合目的的合理標準が成立してゐないこと、(2)配給統制と消費統制とが結合してゐないが故に中間機関たる一部中國巨商に暴利を與へ中國民衆の生計を不安定に導いてゐること、(3)相當に暴利を吸收してゐることは既述した例に漏れない。(1)及び(2)に就ての対策は既に中支那軍票交換物資配給組合につき述べた所であり、(3)に対する対策は(1)の対策中に含まるべきであると同時に在中國日本商人は居留民団課税又は租界工部務等に対する課即ち日本内地で就き言へば地方自治団体に対する地方税のみを納め、國税を負担してゐない。固より輸入に就ては中國関税で納税してゐるが、日本國内に於けるが如き國税の納付を免れてゐる。今後、日本政府は從來の例を破り、日本國民としての納税義務の公平なる負担を目的として新税法を制定すべきである。

此等の組合及び組合聯合會は自由経済の原則と経験しか持ち合せざる役員のみが組合業務を指導してゐる関係上、業務運用上に遺憾の点多きことを否定し得ない。言はゞ彼等は未だ利潤の追求を最高指導原則に仰ぎ、東亜共栄

五五三

圏の確立を最高指導原則とする精神に缺くる所が大である。徒らに中國に合作社の発展することを恐れること恰も日本都市に於ける商工業者が農村に産業組合が発展することを恐れ反産運動を起すが如きである。

五五四

(四)　中國特産物買付組合

中國特産物買付組合も商品別に組織せられ、若干の在中國、日本大商社を組合員として買付独占権を得しめてゐる。然し或種の商品に就ては中國籍の商社をも組合員に加入せしめてゐるが、これは寧ろ例外である。生糸は華中蚕糸有限股份公司に独占権を與へてゐる。

特産物買付は作戦第一本位に軍需優先は勿論であり、現に実行されてゐるから特に問題とするに當らないが、買付に就ては(1)買付價格の決定につき合目的的合理的標準を確立すべきこと、(2)下請負人の厳重なる監督を必要とすること既述した所である。將來、合作社が各地に成立したるときは下請負制を全廃して合作社を通して買付を行ふことに変更すべきである。これに就ても合作社政策につき述べた所である。而して此等の日本商社は総て國税を免れてゐる。之が対策は輸入組合につき述べたと同じ。

尚ほ中國特産物買付組合は今の所、統一ある全体としての強力組織となってゐない。これを強力化して東亜共栄自給経済圏の確立を計るべきである。

(五)　配給統制と消費統制との結合方策

配給統制と消費統制との結合には其前提として民中國民衆の再組織化を必要とする。これなくして此結合は成立するものでない。「配給統制と消費統制との結合と言ふが如きは学者の空論である。どう、この支配にそれが実現出來ると言ふのか。支那の実情を知らない机上の統制者論は困る」と言ふのが、自由経済原則と経験以外一歩も出來ることの出來ない上海大商社の支店長級の言である。蓋し統制経済は國家目的完遂のために奉仕するために合目的的に造らるべき経済である。固より現在のまゝの中國には東亜共栄自給経済を確立することは困難である。然し、中國に綜合工作を施し、之が確立の方向に向はしめねばならない。配給統制と消費統制との結合の直接の前提要件は今進展してゐる保甲制度の完成と合作社が全國に設立せらるゝことであ

五五五

る。特に前者の完成を必要とする。この二つの方法による民衆の再組織を通して人口と消費量及び生産量を確知し、配給量を決定し、合作社未成立の間は保甲制度を配給機関の末梢機関としての機能を果さしめ、合作者の成立したるときは之を合作者に移譲せしむることゝする、配給事務を合作社に移譲したる後と雖も甲保は物資の配給統制事務に協力せしむべきである。例へば各甲保長は各保甲の人に移動、消費量、生産量の報告又は調査、切符制実施のときは切符の配布等につき合作者に協力せしむべきである。保甲制度の編制完了の特典は現在では単に縣民證の下付に止まってゐるが、保甲制度を確立し合作社を設立するときは経済上の特典として必需品の安價配給及び生産物の有利販賣が保障せらるとせば、保甲制度の編制は極めて容易であり、合作者の設立と運営も真剣となり、民衆の再組織及び配給統制組織を通して中を日本及び新國民政府に帰向せしめ得ることが明かであらう。斯くて同時に中間機関として介在してゐた投機業者を配給機構から駆逐し、生産者を搾取してゐた買付下請負人を排除することを得る。

五五六

第七　教育政策

一、教育宗旨の修正

旧國民政府の教育宗旨は三民主義党化教育であった。中國々民党が建國の指導努力を把握する限り三民主義の実現を以て建國の大本とすることは「中國々民党總章前文」、「第一次全國代表大會宣言」、「建國方略」（心理建設）自序、「建國大綱」序文、「中華民國政府組織法」（一七年一〇月八日修正）前文、「訓政綱領」前文、「訓政時期約法」「五五憲法草案」前文、「抗戰建國綱領」甲、總則等に徴して極めて明らかである。民國十一年八月の陳烱明の背叛を契機とする清党運動以来、ボロデンの勧告に従ひ「以党治国」「以党建国」「党即是国」の実現を基本的指導原則に採択するに至つたことは周知のことに属する。斯くて三民主義党化を指導原則とする諸政策の実施となった。「党化教育」を以て中國教育の宗旨と為すべきことを唱へ初めたのは十五年國民政府教育行政

五五七

委員會の成立した時であった。(1)

次に十七年五月の第一次全國教育會議の議に於て「党化」の二字を改めて「三民主義」に置き換へ、同時に三民主義を以て教育の宗旨とすることを採択し(2)この大會の宣言に於て初めて三民主義実現の教育方針が具体化し、世界大同への道を宣示したが、党化教育を拋棄したのでなく此大會を契機として党化教育は組織化せらる運びに入つた。

之に継ぎ國民政府は各級増加党義課程暫行通則（一七年七月三〇日第二届中央執行委員会第一六〇次常務會議通過）を制定実施し、(1)各級学校の各課程内に党義精神を吹き込むと同時に(2)別に党義課程を独立に課することゝした（同通一條）。この党義課程は一週少くとも一時間とし（同八條）、左の内容を有すべきものとした（同二條、一〇條、一二條）。

1、小学校　(1)孫中山先生革命史実、(2)三民主義浅説　(3)民權初歩演習（同三條、四條）。

(2)　中等学校　(1)建國大綱浅説　(2)建國方略概要　(3)三民主義　(4)五權

五五八

憲法浅釈　(5)直接民権の運用（同五條、六條）

(3)　専科學校及び大學　(1)建國方略　(2)建國大綱　(3)三民主義の理論と実際　(4)本党及び重要宣言と決議案　(5)五權憲法の原理と其の運用（同七條）。

尚ほ第一次全國教育会議の議決案は十七年八月中央政治會議を通過し、翌年一月の中國々民党第三次全國代表大會に採択せられ「中華民國の教育は三民主義に根拠して、人民の生活を充実し、社會の生存を扶植し、國民の生計を発展し、民族の生命を延続することを以て目的と為し、務めて民族の独立、民權の普遍、民生の発展を期し、以て世界大同を促進す」ことを教育宗旨とし、其実施方針八箇條と共に議決せられた。(3)この宗旨及び実施方針は同年四月二十六日國民政府に依り「中華民國教育宗旨及其実施方針」と名称して公布せられ、此処に於て國民政府の教育宗旨の確立と成った。

この教育宗旨は十八年七月廿六日公布の大学組織法及び専科學校組織法の各第一條に大學、専科學校は「十八年四月廿六日國民政府公布の中華民國教育宗旨及其實施方針に遵ひ……人材を養成すべし」と個別化せられ、更に從つて廿

五五九

一年十二月廿四日公布の中學法及び小學法の各第一條にも亦中學、小學は「中華民國教育宗旨及其実施方針に遵ひ……」と個別化した。

更に廿年九月には三民主義実施原則（同年九月三日第三屆中央執行委員会第一五七次常務会議通過）が制定せられ、初等、中等、高等、師範、社会、蒙藏、華僑の教育及び留學生の八章に分ち、各章の第一節「目標」に於て夫々の程度に應じて三民主義党化教育の徹底を要請し、廿年十一月十七日了国々民党第四次全国代表大會も亦、第三次全國代表大會を通過した「教育宗旨及其実施方針」を再確認し「以党建国、以党治之根本大計」たらしめた[4]。

加ふるに清朝末以来、民國に入るに從ひ、澎湃として全國に瀕るに至つた民族運動として排外運動は華盛頓會議を契機として以白制日する排日運動に轉じ、中國々民党は排日感情を激化する政策を採り、「編輯小學校教科書注意入中東路修案材料令（十九年七月十四日令）、各級學校應加授日本帝国主義侵略中國史令（二〇年十月令）等の排日教育を実施し、次に満洲事変を契機として抗日統一政策を採り、抗日を以て国家統一政策と為し、失地恢復を目指せしめて党独裁権の確立を計るに至つた。

教育宗旨に排日抗日を取容れたことは直ち今次事変を勃発する主要原因となり且抗戰力維持に相当の效果を收めた。

惟ふに、領土廣大にして政治的統一未完成且半植民地と成つてゐる現狀（訓政時期）に於ては全体主義的权威國家の速成を企図して党化を教育宗旨とすることは已むを得ざることゝするも、そは常に必ず党義の嚴格なる妥當性が確立され、その政策が適正に立案実施されることを絶対要件とする。少くとも教育を当面の政争の具に供し、抗日亡亜に用ふることは盲国教育以外何ものでもない。のみならず既述の如く三民主義自体が再吟味せられ、修正さるべき時代に於てをやである。就中、民族主義のみは現実に資本主義国家群の重圧下にある中國人には理解され、政策も徹底してゐるが、民権主義及び民生主義は概ね資本主義文化の所産であるが現在の中国は之を直ちに実現し得る史的段階に達してゐないが故に殆どの中国人は之を理解する経済と智識を持つてゐない。

從而、憲法制定史三十有余年にして憲法を制定し得ず、国共の合作磨擦を重ねて民生は破局に瀕してゐる。加ふるに、民族主義は欧米の資本主義国家群に利用されて亜細亜の復興の阻止に頽落し、東亜の攪乱を誘致した。

今次事変までは中国人にして中国教育宗旨の過誤につき自覚を持つ者は殆ど皆無であつた。

廿七年三月廿九日中国々民党臨時代表大會の議決した「抗戰建国綱領」も三民主義的全体主義的抗戰体制の强化を企図し、其「庚 教育」の處で抗戰建国教育の指導原則を規定したが、同大會議決の「戰時各級教育実施方案綱要」と共に余りにも平凡であり非反省である。曩に述べた第一次及び第二次全国教育会議は国家、民族を忘れて国民党御用機関に頽落して、今次事変に入り廿八年三月（第二次会議より九年を経て）召集された第三次全国教育会議も亦、其訓詞（三月四日至）に於て旧態依然既決教育宗旨を金科玉條と仰ぎ「我們要認定教育上一定的目標、要以革命救国三民主義為我国教育的最高基準、実施抗戰建国綱領、創造現代国家的新生」と謂ひ、非常時期的覚悟として「我們要革命加速成功、要爭取勝利、至少要担負教育責任的同胞們、同心一德、為三民主義而努力」と固守して依然無反省である。

反共和平建国を最高指導原則として南京に還都した国民政府は教育方針を反共和平建国と規定し（国民政府政綱一〇條）、一文の大亜細亜主義の発展を意図すること、なつた。こゝに言ふ反共和平は既述の如く興亜の主要内容であり建国は更正三民主義革命を意義し、興亜は我国の提唱する東亜共栄圏確立を意義すべきであり、且つ興亜と建国を結びつけるものは孫文の遺教である大亜細亜主義である。

然るに從来の中国々民党は建国から直ちに世界大同へ飛躍し[5]、又は世界聯盟に高跳する所謂聯盟主義に陥り、若くは中国を永久に欧米の半植民地として先づ現狀維持を目的とする九箇国條約に依存し、以白制日を固守して建国と興亜との相関的発展を忘却した。

故に新国民政府の教育宗旨は既述の意義に於ける「興亜建国」であらねばならない。

注、(1) 陳青之著「中國教育史」下第七四七頁より。　太東は国民政府成立の翌年

（十五年）二月一日国民政府教育委員を主たる委員とする故、教育行政委員会が組織されて、中国最高教育行政機関が出現した。その委員の一人（広東教育庁長）である許崇清が同年八月「教育方針草案」を発布した。

この草案(2)を中国々民党の党教教育（三民主義教育）を最初に最も系統的に理論づけたものであつた。

次に国民政府が南京に移るや、本委員会の一人である韋愨は同年七月一日より三日に亘り、上海の各新聞紙に彼の起草に係り且教育行政委員会を通過した「国民政府教育方針草案」を公表し、党化教育を闡明した。

(2) 陳青之著前掲第七四八頁。「全国教育会議報告」（民国一七年五月）。江卓群著「党義教育ＡＢＣ」第一三頁

(3) 「教育公報」第一巻第五期

(4) 陳青之著前掲第七四九頁

(5) 胡漢民著「三民主義的連環性」第四〇頁

二、教育制度の改革

教育制度はあくまで教育宗旨実現の手段としての政策の表現であらねばならない。而してあくまでも現在支那の現実に即して定立せられねばならない。然るに、従来の教育制度は前二十年間は日本の模倣的であり、最近十年間はアメリカ合衆国の飜訳期であつた。其中間に蔡元培の立案に係る仏蘭西模倣期が一年余あつたが、要するに現在は大体に於てアメリカ合衆国の制度を採用し、上級学校を偏重し、下級学校、特に義務教育の普通は掛声は極めて大であるが農村の破局に因り甚だ徹底を欠く。私は現行制度を観て、此處に合衆国の学制自体の欠点を指摘しやうとするのではなく、只中国の現状は合衆国の現状でないことを指摘せば足る。東亜の半封建的農業国が高度資本主義国の学制を採用することは全面的に根本的に矛盾である。このことを今こゝで詳説するにおよばない。

何故なれば、此点に関する限り既に多くの中国教育家に依り認容され、主張

されてゐるからである。

陳青之は最も言を極めて「同現代海外列強的教育全是擁護資本主義的教育、受了這種教育的留学生、対於中国現代社会是毫無用處的」と叫んでゐる。中国が合衆国の制度に轉換したことは親日より親米の轉換であり、今次事変の思想的原因であり、米国依存抗戦力を強化した。

荘沢宣は「在這個時期裏面、美国化努力所以一天盛一天」と説き、米国化の弊害を挙げ、授業に於ける教師選択の自由、校務会議に学生参加要求、男女同学、宣傳と示威運動を学業以上に重要視すること等に及んでゐる(2)。この米国化は現代の廿四五歳以下の青年が性格となり、荘少官吏及び教育家の性格と化し、米国依存の親米派の一大努力を産み、東亜文化復興を防碍してゐる。故に竹洲は「支那近年教育措置の失当、実に日、支一切糾葛の主因なり」と断じ「是れ則ち東亜大局の安危全く支那将来の趨勢を視て断と為す。復た過去の事実を以て證と為さば日支両国、甲午戦争より後数十年中、両国の離合親疏、全く支那教育宗旨の変遷に從って轉移せざるなし。此れ固より往事の信にして徴あるものなり」と説き、新東亜建設に於ける教育の重大性を主張してゐる(3)。

以上の点に鑑み、現実の中国社会に即応して興亜建国の教育宗旨を最も能率的に実現し得るやう教育制度を改革すべきである。

(1) 陳青之著前掲第八〇四頁

(2) 荘沢宣著「如何使新育中国化」第一四頁―第一五頁。新城も米国式教育の弊害を羅挙し（同氏著「中国教育建設方針」の隨所）、陳青之も此点につき極力論及してゐるが彼は極端な三民主義者である（同氏著前掲第七九四頁以下）。国際聯盟教育視察団報告書にも此点を詳述してゐる。（「中国教育之改造」二一年一二月五版第一一頁、第一二頁―第二〇頁）

(3) 竹洲著小竹文夫訳「支那将来の教育と新東亜建設との関係」第二頁、第八頁、

三、教育権の回收

民族運動としての国権恢復運動は各方面（租界、租借地の回收、領事裁判権

五六八

の撤廃、関税、郵政、憲政等の自主权の回收）に個別化的に発展した。

在中国、外人又は外国法人の経営する学校は甚だ多く、此等の学校は中国人を欧米化し、半植民地的教育を実施することを其使命としたが故に民族運動は教育权の回收運動にまで発展した。

従而、中国々民党及び国民政府は三民主義。特に民族主義現実の妨碍として次第に粛清なる方針を採り、先づ、教会学校須添授三民主義等書並按時作紀念週令（一八年二月二日通令）を発して教会学校に於ても三民主義教育を行ひ、孫文紀念週日を設定すべきことを規定し、更に取締教会学校宣傳教義令（一九年一一月通令）を発して教会学校の取締に乗り出した。

然し、以白制日政策を採るに到り、満洲事変より教育权の回收問題は対外政策上、後日の問題として専ら抗日政策の強化に向った。

新国民政府は外人経営学校に対しては先づ興亜建国を教育宗旨とし、新国民政府新定の教科書及び認定の教科書を使用すべきことを強制すべきである。若しこれに反する外人経営学校の卒業生は全部上級学校に入学する資格、公務員考試の受験資格及び官吏任用資格を賦與せざることゝし、苟も排日教育を持続し、再三の要求にも拘らず改めざる学校はその閉鎖を命ずべきものとする。特に新国民政府不承認の敵性国家に属する外人経営学校に対しては厳格なる態度を持すべきものとする。

四、旧国民政府の中国への自覚

旧国民政府も自国教育の欠点に多少醒め初め民国廿六年内政部の呈請に従ひ「提唱道徳綱領令」なる指令を発し、政府及び党部の諸機関、学校及び地方団体事務所に「忠孝仁愛信義和平」の八字を横書した藍地白字の扁額を掲げしめ、蔣介石も廿一年十月廿一日湖南省長沙に於ける孫文紀念週に当り、地方党員会員の席上に於て「中国今や危急存亡の勢下に處す。之れ実に教育の失敗に原因す。之が為に民族性の堕落を来せり。今の時に当り、国家を救済すべき実際上の工作は、一は経済を発達せしめ一は教育を刷新するに存するのみ。古訓に十年生聚十年教訓と言へり。然らば此中国を救済せんとせば民族性の恢復を

五六九

図り、国民教育の職に在る者が青年学生を積極的に訓練し、現今の実情の如く教職に在る者が学生の人気の向背に随従するが如き弊風を除し、教鞭を取りて学生の思想修身の道を責訓警練し、以て中国固有の道徳たる礼儀廉恥の美徳を養はしむることを其真　と為すべし。之に因りてのみ中国は復興することを得べく……」と説き、同年十二月廿一日第四届中央執行委員会全体会議を通じたる「関於教育之決議案」には国民教育、生産教育、師範教育及び人才教育を主張した。

また蔣介石が廿三年江西省南昌に於て孫文紀念週に行ふた演説は孫文の思想が支那歴代の正統思想たる孔孟の教義、就中、中庸の道を継承したもので、三民主義と儒教との合致融合を説いた。

更に蔣介石は廿四年七月四川省成都に於ても学界及び政界の人士多数に対し、教育の通弊を指示し、礼楽射御書数の六藝を以て基本的教育と為し「礼儀廉節」を説いだ。

斯くて学生、青年の堕落、虚栄、放縦を排撃すると同時に三民主義党化政策

五七〇

の守護神に儒教をかつぎ出す辦法を採るに至った。

張元済は廿六年九月十二日上海戦酣なる時に大公報星期論文に「現在和将来教育的職責」と題し、「数十年来学校を設け新学を講求し、今日国内の大学は数千個所を数ふるに至り、幾多の新人材を養成し、数多き新事業を起し、国家に益せるところ少しとせず。

然れども、社会的見地より之を見れば、一面に於て驕奢、淫佚、貪汚、詐偽、鄙賎、頽惰、寡廉鮮恥の風気を蔓延せしめたり、国家をして今日の境地にあらしめたるは、実に又彼等に基因するところ大なりと云はざる能はず。四十年前より我等は新教育なるものを提唱し来たりしが、今日之を追想すれば良心上极た森厳なる譴責に堪えざるを覚ゆ。其の主張、唯新識の習得に偏重し、人格の扶植、徳性の涵養を全く閑却せしがため今日如斯結果を招致せるなり。」

張伯苓先生(1)曰く「我が国の教育（就中、大学教育）は、余りにも中国実際の環境に適せず。今日既に砲火は殲滅されつゝあるが、之を一大転期として既往教育上の錯誤を根本的に改革せざるべからず」と。是全く金玉の言なり」

五七一

と勇敢に警句を発した。猶は張東蓀の中小學校に対する発物製造工場論（三）は今猶は中国に妥當することは言ふまでもない。

更に廿八年三月四日の第三次全国教会議の訓詞に「教育上最も基本的任務は国民の人格の陶冶心にあり」と説き、先づ人格の陶冶は第一に教育界自身の問題であり、次に国民の人格の陶冶に及ぶべきことに醒め、「仁孝博愛信義和平」の八字を以て青年及び党員の守則なりと言ふ「礼儀廉恥」の四字を以て全国低級學級學校の共通の校訓と為すと中国伝統道徳を中国々民党の守護神にしようとする蔣介石に迎合した。

次に廿七年四月の中国々民党臨時全国代表大会を通過した戰時各級教育実施方案綱要を紹介して中国教育の欠点を矯正策に資することゝする。

「教育は立国の本とす。完全なる国力の構成は教育に頼るに在り、平時に於て然る如く戰時に於ても亦然り。国家教育にして平時に於て若し健全に充実せんか、戰時に於て直ちに其功能を著さん。若し欠点あらば則ち戰時に至り之等の欠点を直ちに全部曝露す。……戰時教育に貴ぶべき施設は直接教育上の欠点に対し、根本の挽救を謀るべきのみ。戰時教育の必ずしも平時と大異あるべきに非ず。

我等の古代教育は從来徳、智、体の三育を以て綱とし、礼、樂、射、御、書、数の六藝を以て目とせり。故に智徳並びに重くして偏廢せず。文武合一にして軒軽する所なし。文科と実科とを兼顧して克く社会と個人との需要に応じ家庭教育と學校教育とを一貫し、以て完全なる公民を造成せり。六藝の真義一たび失するに及び教育の基礎動揺せり。今試みに過去の吾国の所謂新教育なるものゝ病根を検討せば、大要左の数項を出せず。

學校は徒に教科書の講授を偏重し、徳行の指導を忽略にせり。斯るが故に修身公徳教育に付き未だ重視を加へざるは其一なり。

體育は全く誤解せられたるは其二なり。運動の目的を競争に置き、練習場の建築を点綴せり。斯るが故に修身護国の

本国の文學歴史を重んせず、郷土の教材を談せず、社会生活と學校の設備とは全く相件はず、経済組織と學校の課程とは截然として異れす。斯るが故に利

用厚生の智識遠く実際を離るゝこと其三なり。

この三者の病根を積みて社会は乃ち人々皆個人の事を謀る。事々皆他人の怪象を尋ぬる風充満し、国家も亦貪病乱愚の惨劇に充満し、以て国力の空虚薄弱を馴致し、平時に於て既に自立自存の基礎を失ひ、戰時に至り更に非常の需要に適応する能はず。之が挽救の道は更に教育に待つべきなり。

今後の教育の施設、其方針につき得て述ぶべきこと左の如し。

一、三道の並進

二、文武合一

三、農村の需要と工業の需要との並重

四、教育目的と政治目的との一貫

五、家庭教育と學校教育との密接なる聯繫

六、吾国固有文化精神の存する文學、歴史、哲學、藝術に対し科学的方法を以て整理発揚を加へ、以て民族の自信を立つ。

七、自然科學に対しては、需要に基き速に一々之を開拓し、以て国防と生産の急需に應ずべし。

八、社会科学に対しては人の長を取り己の短を補ひ、其の原則に対し整理し、制度に対し創造を謀り、以て一切国情に適合せんことを求むべし。

九、各級學校教育に対しては力めて目標の顕現を求め互各地平均の発展を謀り、義務教育に対しては既定の期限内に普及し、社会教育及び家庭教育に対しては力めて計劃に基く実施を求むべし。

上述の方針に基き教育の整理及び改善方法を起草し　以て今後実施の標準となす。其要点次の如し。

(一)　現行學制に対しては大体仍ほ現状を維持すべきも、他国の制度に模襲拘泥し劃一にすぎて施行に容易ならざるものは適宜変通し又は弾力性を有する規定を設け、努めて事に因りて宜を制し、之れに因りて教を施し、実際の効果を収得すべし。

(二)　全国各地各級學校の移転及び設置に対しては全般的に計画し、努めて政治経済の実施方針と相応呼することを要す。一校の設立及び一科系の設置に

対しては均しく共明確なる目標と研究対象とを規定し、努めて実用の學を授け人をして其才を盡さしむべし。廃残、地に付ては其利を盡し、物に付ては其用を盡し、貨財流通の效を暢し見られんことを。

(三)　師範の訓練に対しては特別に之を重視し速に実施を謀るべし。又各學校教師の資格審査と學術修得の系法につき速に規定し、以て中等學校の徳智体三育に要する教師を養成し且従前の高等師範の旧制を参酌して急に設置を計るべし。

(四)　各級學校の各科教材に対しては徹底的整理を加へ之をして一貫の体系を成さしめ、抗戦と建国との需要に応じ、就中　先づ、中小學校の公民、国文、地歴等の教科書及び各地の郷土教材を編輯し、以て愛国愛郷の観念を鞏固にすべし。

(五)　中小學校の教授科目に対しては整理を加へ其の繁重に過ぎ小學生の心身の健康に害を及ぼすが如きことなからしむべし。大學各院系（部科）に対しては経済及び需要の観点より法を設けて調整し、學校の授業をして力めて切実を求め外形をこと、せざるべきなり。

(六)　各級學校の訓育標準を定め且切実に導師制を施行し、各個學生の品格修養、生活指導及び公民道徳の訓練をして均しく、導師に其責を負はしめ同時に再び師道の尊厳を確すべし。

(七)　學校及び社会体育に対しては施設を普遍化し体育教材を整理し、軍事訓練、童子訓練と聯貫を取らしめ、以て過去の欠点を矯正すべし。課外運動を強制し、以て在學青年の体力気魄を鍛錬し且學生の衛生方法の指導及び食物栄養の充実に注意すべし。

(八)　管理に対しては厳格主義を採り、就中、中學段階の厳格管理に重きを置き、中等以上の學校に一律に軍事管理方法を採用し、清潔整斉、確実敏捷の美徳、労働服務の習慣及び責任を以て紀律を守る団体生活を養成すべし。

(九)　中央及び地方の教育経営に対しては一方に於て完全なる調達と整理方法とを講じ且法を設けて逐年増加し、一方に努めて使用其当を得しめ虚費を省くべし。

(十)　各級學校の建設に対しては質樸実用を求め其華美を求むべからず。但儀器及び実習用具の設備は極力充実し規定の標準に到達することを期すべし。

(十一)　各級の教育行政機構は法を設けて完密ならしめ、就中、各級督學工作の聯絡と能率に重きを置くべし。各級教育行政人員の人選に対しては徳行と學識とを並重し特別慎重に之を銓衡すべし。

(十二)　全国最高學術審議機関は速に之を設立し以て學術の標準を、昂揚すべし。

(十三)　留學制度の改革は務めて今後留學生の派遣をして国家の完全なる教育計画の一部分たらしむべし。私費留学に対しても亦相当の統制を加へ、過去の分散放任の積弊を策除すべし。

(十四)　中小學生中の女學生に対しては女子家事教育に重きを置き且法を設けて學校教育と家庭教育との相輔推行を期すべし。

(十五)　辺疆教育及び華僑教育の改善を促進し且夫々教材を編制し其教師を養成し実際の需要に因り着手すべし。

(十六)　社会教育制度を確定し且速に其機構を完成し一切の現在の組織及び工具を充分に利用し、務めて五箇年内に識字教育を普及し　文盲を一掃し、並に建国の需要に適応する基礎訓練を普及すべし。

(十七)　教育行政と国防及び生産建設事業の交流と合作を謀る為に建教合作辦法を実施し且極力職業補習教育を推行し、各種職業の各級幹部員を充分に供給と、生産機構を一日も早く完成すべし。

以上の数点は均しく国家社会の急迫せる需要に緊接に適合するものなるが故に努めて最短期間内に其使命の完成を期すべし。

(1)、張伯苓は当時、天津の南開大学々長であつたが、現在は重慶政权の国民参政会副議長の要職に在り盛んに活動してゐる

(2)　張東蓀稿「庸言」第二二号

五、各級教育の復興と整備

(一) 復興の標準

教育宗旨たる興亜建国を切実に実現するために新国民政府政綱に遵ひ浮華空泛の學風を掃除し（同一〇條末文）、今述べた戦時各級教育実施方案綱要を整序し、之を各級教育の復興標準として平和区の地方事情の許す限りに於て速に実施すべきである。

(二) 各級學校教科書の改定と其実施監督

各級學校の各科教科書に興亜建設の必然性及び精神を織込み、還都記念日は和平区に於て興亜建国精神の作興を行ふことを要する。教科書の改定は維新政府、臨時政府時代より我内面指導に基き大体完成を見たが、更に公民、訓練、常識、国文、地歴に興亜精神を徹底せしむることを期し、其実施（新定教科書の全面的採用、其教授に於ける取扱ひ方）を監督するために視察員（邦人）を各地に派遣することに努むべきである。現在では軍特務機関、連絡官事務所等に於て行はれてゐるが、専門家を設置して当分厳格に監督すべきである。外人経営學校も次第に新定教科書を採用してゐるやうであるが、地方に於ては之が

五八〇

採用を快く認容せざる學校ありと聞く。教科書問題で常に問題となつてゐるのは地理附図がないことである。

従来、學校の掛紙式大地図も児童學生用地理附図も満洲国の独立を認めない表現を採つてゐる。抗日意識から此等の地図を利用してゐる者よりも新地図がないから便利上之を使用してゐるものが多いと各地の連絡官事務所職員が語つてゐる（本年八月より九月上の実態調査に據る）。これは速に日本側に於て製作して実費支給又は無料下附を実施すべきである。

(三) 小學教師の整理及び補習

今次事変に於ける普遍的な根本問題は人材の不足である。地方教育の人材が流離星散し、地方教育の復興工作に支障を與へてゐる。縣立小學校教師の任用にさへ常に人材の欠乏を感じてゐる。他は押して知るべきのみであらう。従而定法標準により教師は物色し難い現状にある。甚だしきは、法定標準を余りにも遠く離れてゐる。その例を次に挙げることゝする。

1、小學卒業のみの校長あり、小學さへ卒業してゐない教任又は専科教師

五八一

が出現してゐる。

2、人選上、親戚、故旧の関係により商店の番頭が教育に従事する者があり。

3、教育と関係なき職業の失業者が教員に採用せられたる者も亦極めて尠しとせず。

4、私塾の老夫子が、學校教師を兼任し古老的教授法を実施してゐる。

尚ほ元来、地方教育の病弊は教師の待遇が悪く、且不当の別途収入も少いが故に、多くは官吏又は大公司に就職する段階として利用し、一生教育に身を捧げる教育家は中国に於ては極めて稀星の如くである。加之、今日の物価暴騰は小學教師の待遇を相対的に甚だしく低微化せしめ、一般に優秀なる人材は教育界に入ることを好まざる傾向を激化した。

斯くの如く今や和平区の地方教育は危機に瀕してゐる。然し縣政府所在地（縣治）省政府所在地（省会）は今年九月頃には法定標準の教師が大体に揃ひ得ると聞く。

五八二

今後は縣政府及び市政府は中央及び省政府の補助を求めて地方教育費予算を豊富にし、以て師範教育を復興し、教師の待遇と身分を保障し、學校設備を改善充実し、學術、思想、能力、経験等を各教師につき調査し、新時代の教師としての適格性を與へる為に之を指導訓練し、研究―研究会、教師進修会、學術討論会、暑期講習会等の開催・刊行物の発行―を盛に行ひ、訓練及び補習教育のためには訓練所を開設すべきである。特に劣等教師は整理を要する。

(四) 社会教育の促進

學校教育の効果は主として将来に期待を待つべきものであるが、學校教育と促進して行ふ社会教育は主として現在に其効果を期待し得るものである。故に現在の非常時期に於ては社会教育は極めて重大使命を有つものと言はねばならない。

社会教育の方法は消極的には従来の一切の抗日、排日レコード、出版物の発売を禁ずると同時に民衆館及び図書館より此等の文章、地図、表図、書籍を排除し、積極的には計画的に語文、健康衛生、生産、思想教育を実施すべきで

五八三

ある。

この具体的方法としては民衆教育館、民衆学校、民衆識字班の増設整備を謀る。新聞・レコード、ラヂオ、壁報、漫画ポスター、ビラ、巡回映画、巡回劇団、紙芝居、巡回講演、展覧会、民衆作品々評会等を利用すべきである。民衆は殆ど文盲であるが故に目と耳を通して民衆の把握に努むべきことは言ふまでもない。

第八、其他の政策

以上述べたる諸政策の外に水力電気の開発、民衆運動の再組織化、社会事業の促進、合作社の復興整備等がある。此處では後の四者につき概説するに止める。

一、民衆運動の再組織化

(一)　民衆運動再組織化の重要性

中国の復興の源泉は人の知る如く、民族運動に存する。此洪流として全国に瀕る民族運動に統一的指導原則を吹込み、中央集权を名として党化政策を極力実施したのは中国々民党であつた。中国々民党が成功した主たる原因の一は此民族運動に指導力を把握した所にあつた。

他方、今日まで欧洲大陸以上の領域に中国民族が曲りなりにも民族的統一を維持してゐたのは大陸の自然的條件（農業生産力、水流交通の便）に恵まれたるを以て四億の民を有し且早くも周代に中華南北結界東西成を自称する偉大なる民族文化を有したるが故であると私は深く信ずるものである。今日、重慶側の抗戰継続力もこの偉大なる自然的條件と人口の豊富と自己文化の自然力の上に低級ながら近代的加工が存するからである。日本はこの中国の偉大なる固有の伝統的統制力と近代的加功の効果を甚だしく過小に評価したのは甚だしき誤りであつた。

斯くの如く中国には偉大なる統制力を固有してゐるから歴代消長はあつたが、

中央政府は強大な政治力を必要とせなかつた。

従而中央政治力は地方に強く滲透する必要もなかつた。只、中央税の徴收と推挙の制度とを通じて人材を中央政府に吸收する程度で充分であつた。この中央の政治力に代るべき地方的权力が全国に遍的に発達した。

即ち、宗法団体、同郷団体、同業団体が地方政府の外に、地方的权力団体として出現した。これらの団体は中国の半植民地化するに伴ひ或は崩壊過程を辿り、或は新興労働団体の出現し、動揺しはじめたが、中国が尚は半封建的であるが故に今尚ほ之を整理することは不可能である。中国々民党等は此等の団体に統一的指導原則を賦与し、中央集权の名において党化政策を極力実施することゝした。

中国々民党は民族運動団体と固有の団体とに、今のべた如く、統一的指導原則を授け、之等を組織化して中央集权を急いだ。この外、民衆の組織化は一般の行政目的の為に保甲制度を編制し、経済目的のために合作社の推拡が行はれたことは既述した。

この民衆団体の統一的指導原則は三民主義党化政策を実施し党独裁制を確立にあつた。

而して満洲事変を契機として、之れに抗日人民統戦の統一を加へ、今次事変に入るや之を抗戰建国を以て統一的指導原則とした。

新国政府も過去の経験に徴し、民衆団体の組織を修正して再組織化の必要を感じ、この政策の実施に今やのり出しつゝある。この再組織における統一的指導原則はいふまでもなく興亜建国であらねばならない。

(二)　民衆運動再組織化政策

新国民政府は原則として民国廿六年十一月十九日までの国民政府法令を襲用してゐる結果、旧国民政府の民衆運動組織化政策より論じて新国民政府の民衆運動再組織化政策に及ばざるを得ない。

中国々民党は民国十八年六月、人民団体組織方案を公布（二二年六月修正）し、民衆団体の組織化を計画的に実施することゝした。中国々民党第三次全国代表大会は三民主義党化を目的として、(1)民衆生活の改善、(2)民衆智識の昂揚、(ろ)生産力と生産量との促進を計ることゝし、満洲事変により之れに抗日人民戦線を目的に加へ、同第四次全国代表大会は更に民衆の民族意識を昂揚して民族の自信力を増進し、政治経済の発展を期して対外自衛力を造成すべきことを議決した。

この組織方案の対象たる人民団体は農会、漁会、工会、商会、同業公会、学生会、婦女會、文化団体、宗教団体、公益団体、自由職業団体、其他中央の許可したる人民団の十二種団体である。これ等の団体は党部の指導と協助を受け、政府の監督を受く（同一節二節一條）。その組織は民主集権制に據ることゝした（同二節二條）。

要するに、党部は人民団体の扶植と指導とに努力し、政府は不法団体又は三民主義に違反する行為ある団体を科罰制裁を厳格に行ふことゝした（同四節）但し人民団体の組織につき党部と政府との意見一致せざるときは上級党部に於て裁定し、最後の裁定は中央民衆指導委員会之を行ふ（同三節一〇條）。この組織方案実施前の既成人民団体の組織が此組織方案と相容れないときは其地方の高級党部は之に改組を命じ又は政府は解散を命ずることを得る（同三節一一條）。但し既成の人民団体にして不健全又は紛糾を発生したるも未だ解散を命ずる程に至らざるときは人民団体整理弁法（二三年中央民衆指導委員会制定）により之を整理することゝした。

各人民団体に適用すべき各個団体の特別単行法は従来から存在してゐた。人民団体指導弁法（二三年四月二六日中央執行委員会通過）は各人民団体に適用すべき特別単行法は従来のものでも可なるとき指定してゐるが、宗教団体のみには固有の特別単行法なきために文化団体法規を準用することゝした（同弁法五條）。

次に南京に還都した国民政府は政治力を強化するために民衆運動を再組織化する政策を取らざるを得ないが故に従来の人民団体組織方案を国民政府政綱により之を修正し（二九年六月四日行政院通過、同年六月一三日中央政治会議　）、興亜建国を以て民衆運動の指導原則とした。而して従来はこの最高指導機関は中国々民党中央執行委員会民衆運動指導委員会であつたが、之を変更して行政院

社会運動指導委員に変更した（修正組織方案二條一條）。

而して、人民団体の種類も、教育団体、青年団体、慈善団体、幇会団体、同郷団体及び特種団体を新に加へ、其他社会運動指導委員会の許可したる人民団体と修正し（同二條）。抗日団体若しくは抗日排日傾向ある団体又は共産主義団体を徹底的に掃除すると同時に既成人民団体の指導原則を興亜建国たらしむるに人民団体整理弁法を廿九年八月廿一日社会運動指導委員会より修正公布した。

然し新国民政府の民衆運動の再組織化行政は消極的に抗日排日共産主義団体の取締を行ふ程度に出てゐない現状に存する。蓋し発足過程にある新国民政府としては已むを得ざるも、将来は積極的に此等の民衆運動を興亜建国の実施のために指導する計画ありと聞く。既述の如く民衆運動と建国との重大関係に鑑み我国は此民衆運動再組織化政策に対し速かに援助するために我総司令部に特設企画機関を設置し、我現在諸軍機関を動員して内面指導と援助とを謀るべきである。

二、社会事業の促進

(一) 社会事業の重点

中国は水旱虫災、兵災、共禍、匪災、農村の破局、其他の社会事情等により難民乃至乞食が極めて多く発生する事情にある。古来より今日に至るまで此救済制度は各地方に著しく発発してゐる。[1] 例へば常平倉、義倉、各種の慈善事業及び各級政府の振務機関は其であり、国民政府が南京に成立以来も難民救済立法に努め[2] 救済資金の大量取得のためには屡々公債さへ発行してゐる。

今次事変に入るや、直接戦禍に因る難民の激増の外、必需物資の価格の騰貴、特に食糧の不足、法幣の惨落等に因る難民の数増を益々加へ、茲に非常時難民対策及び一般人民に対する食糧統制、法幣の安定対策等が絶対に緊要となつて来た。

蓋し社会事業は単に飢ゆる者にパンを、凍ゆる者に衣を与ふるが如き消極的対策に止まらず一歩進んで積極的に難民の発生を防止し、生産能力を恢復

五九二

せしめて興亜建国に貢献せしむる方向に推行すべきである。然而、消極的対策の通弊に鑑み、消極的救済事業は最小限度に止め、積極的対策に重点をおくべきである。

（1）、鄧雲特著「中国救荒史」（「中国文化史叢書」）参照

（2）振済委員会組織法（民国一九年一月公布、二回修正）各省賑務会組織章程（一九年五月公布）賑務委員会各組弁事規程（一九年二月公布）賑務委員会各組聯席会議規則（一九年六月公布）賑務委員会收存賑款暫行弁法（二〇年一二月公布）賑務委員会撥付賑款暫行弁法（同上）、各賑務会賑款管理規則（一九年二月公布、一回修正）、各省賑務会及縣市賑務会会計規程（一九年七月公布）、救災準備金法（同年一〇月公布）、実施救災準備金暫行弁法（二四年六月公布、一回修正）、勘報災條例（二六年三月公布）、賑務委員会助賑給奬章程（二一年六月公布）、賑務委員会職員奬懲規則（一九年六月公布、一回修正）、弁賑団体及在入員奬励規則（二〇年一〇月公布、一回修正）弁賑人員懲罰條令（同上公布）、賑類給奬章程（一七年一一月公布）公務員捐助振弁法（二三年一〇月公布）、救済水害委員会章程（二〇年一一月公布）、黄河水災救済委員会章程（二二年九月公布）其他。

（3）民国十八年賑災公債千万元、民国二十年賑災公債八千万元、民廿二年華北救戦区短期公債四百万元、民国廿四年水災工振公債二千万元等

㈡　地方倉儲

内政部は民国十九年一月十五日備荒及び郷賃の目的を以て設立せられたる各地方の積穀倉を整備統一するために各地方倉儲管理規則を公布実施し、その種類を縣倉、市倉、區倉、郷倉、鎮倉、義倉の六種と為し、縣倉、郷倉、鎮倉は之を必設倉とし、市倉、區倉は民政广に於て其地方の事情に因り之を設置せしむることゝした（同規則一條）。

而して縣倉は縣政府、市倉は市政府、區倉は區公所、郷倉は郷公所、鎮倉は鎮公所之を設置管理し、義倉は私人の寄附に因り設立せらるゝものにて監督慈善団体法に依り管理する（同二條）。

五九三

五九四

各倉の積穀数量は縣倉、市倉に就ては民政广之を定め、區倉に就ては縣政府之を定め、鎮倉、郷倉は所轄区域内の戸数に應し一戸一石を標準とし（同三條）、各倉の收入、管理方法及び管理者につきても該規則は之を規定し、縣倉、市倉は平糶と散放（穀価調節の為の賣却と難民救済の為の給与）、區倉、郷倉、鎮倉及び義倉は貸與、平糶、散放とし、貸與は貯穀の三分の一以内とし收穫期に一分の利息を附して元本と共に弁済すべきものとした（同一一條一六條二〇條）。

以上の市倉は普通市であるが特別市も該規則に依り各倉を設置し得ることゝした（同二二條）。

尚ほ廿二年十月軍事委員会蔣委員長は南昌行営に江西、湖南、湖北、河南、安徽、河北、浙江、江蘇の八省政府及び上海市政府の代表を召集し糧食會議を開催し、倉儲創設案を議決し、行政院を経て内政部及び実業部に於て原案に依照して倉庫の種類、設置標準、組織方法及び経費の源泉の四原則を定め、各省市をして其原則及び各地方倉儲管理規則に依り速に處理せしむることゝした。この四原則に依り新に定められた点は国立儲備倉（国倉）及び省立儲備倉（省倉）を中央及び省に設置することゝし、従来の積穀倉はこを復興して現行法上の名称に改め、余力ある縣倉は農業倉庫を兼営することを得、縣倉の儲備数量は少くとも一万石以上、區倉の其は少くとも五百石以上とした

民国二十年に於ける江蘇、湖北、湖南、四川、山西、河南、河北、廣東、雲南、察哈爾、綏遠等十一省及び南京市の積穀合計は三百九十万一千余石に達し、二十二年に於ける江西、湖北、湖南、四川、山西、廣東、雲南、綏遠等八省及び南京市の積穀合計は五百五十五万七千余石であった（1）。

新国民政府も治安圏の擴大に從ひ、倉は固より、各地方の各種倉儲の建設拡充を急ぎ、糧食の管理、穀物価格の調節に資すべきである。

（1）、「内政年鑑」第一冊（B）第五五八頁―第六〇六頁参照

㈢　救済院及び慈善機関

内政部は民国十七年五月廿三日、地方各級政府に救済院を設立せしめ且従来の官公営慈善機関を整序して救済院に隷属せしむるため各地方救済院規則（二

五九五

二年四月修正）

救済院は建国大綱第十一條の規定に依り設立を計画したるもので、自治能力なき老、幼、残廃人を扶養教育し、貧民の健康を保護し、且貧民の生計を救済することを目的とする。その設立者は各省、特別行政区、市縣政府とし、郷鎮も人口多きときは之を設立し得る（同規則一條）。

救済院は養老所、孤児所、残廃所、育嬰所、施医所、貸款所の六に分るも、普通市及縣以下の設立に係る救済院は其地方の経済事情を斟酌して複数の所を合併して経営することを得る（同二條）。

以上六所の内、特に説明を要するものは孤児所と育嬰所の被収容者の年令の差異及び貸款所の機能であらう。孤児所は六才以上十三才の児童を（同二〇條三四條）、育嬰所は六才未満の小児を（同三一條、三四條）を収容する。貸款所は小規模の商工業又は農業経営につき資金なき男女（但十五歳以上）一人につき五元乃至二十元を貸与する。但貸与金を他に流用する目的を以て借受けたる者に対しては之が返還を強制し且公安局に於て相当の処分をする（同四四條―五〇條）。

救済院の組織及び所属各所の設備は該規則に之を規定し、既存の官公営慈善機関も其性質に応じて上述の六所の何れかに改称して救済院に統合隷属することゝした。

然し改称は実際上、甚だ不徹底のまゝで今日に及んでゐる。何故ならば、上述の六所の何れにも属しない慈善機関（例へば貧民に喪葬費又は葬棺を貸与、職業又は技藝を授くる機）あるのみならず各地方政府に既存の慈善機関を統合経営する予算なき場合が多いからであつた。

統計は稍々古いが江蘇、江西、湖北等十四省に就き救済院に改組したものと改組せざるものとの廿年十月末現在の統計総表によれば救済院に改組隷属した所数は四百六十一所、従来通りの慈善団体の所数は千五百十四所で、合計所数は二千七十五所であつた。而もその約半数余りは我皇軍の占領下にある。

各地方に相当の義倉があるが如く各地方には私人又は私的団体の経営に係る慈善機関が甚だ多い。(1)　故に此等の慈善機関に組織化の促進と監督とを通して中

央集权を実施することゝした。これが為に管理私立慈善機関規則（十七年五月公布）。監督慈善団体法（一八年六月公布同年一〇月修正）、同施行規則（一九年七月公布二一年六月修正）及び佛教寺廟興弁慈善公益事業規則（二四年一月公布）等を公布実施した。

今次事変に入り、益々各地方に救済院及び私立慈善機関の活発なる活動を要する切なるものあるに鑑み、従来の財源を整序し、新財源を開拓して消極的救済を行ふと同時に養老所、孤児所、残廃所と雖も職業教育、屋外屋内の工作を課し、生産能力の恢復を期し得るものには自活の途を授くべきである。

（1）「内政年鑑」第一冊(C)第三五七頁―第五五六頁参照

（四）振務機関

各罹災区の救済及び慈善に関する事項を管理するために民国十七年夏、国民政府に賑務処を設け、処長は内政部長之を兼任して処務を処理することゝしたが、廿年初夏に之を賑務委員会に改組拡大し、之を行政院に直隷せしめ、当然委員と特派委員より組織し、当然委員は内政、外交、財政、交通、鉄道、実業の各部部長し、特派委員は国民政府より十一人任命することゝした。本組織は廿六年六月廿日、廿五年十一月五日の修正を経、新国民政府は廿九年七月廿[illegible]日改めて組織法を制定実施することゝし、委員会は委員長と若干の委員より組織することゝした。本委員会は主管事項につき各地方最高級行政長官を指導監督する权限を有し、漸次、活発なる活動に移つてゐる。

尚ほ罹災省には省振務会を、其他市縣には市県振務分会を設置し得る。省振務会は各省振務会組織章程により組織せられ、市縣振務分会は各省振務会に於て之を制定することゝなつてゐる。振務のための金銭の管理及び会計につきては特別規程が存する。

今次事変の直接又は間接の影響により相当多くの、恐らく全中国で数千万人の難民が発生した。皇軍は事変初期に於ては宣撫班を組織して之が救済に当つたが、新国民政府成立後は国民政府を援助して、振務行政を行はしむべきことゝなつた。但軍政強化を要する地域に於ては皇軍自ら之を行はざるを得ない。

今年七月より開始された江蘇省の清郷工作に於ては振務委員会は郷民工作と

して清郷区の振務行政を支持すると同時に清郷工作区域外の江蘇省振務行政のために江蘇省振務会に補助金を交付した。

要するに振務行政は事変に必然的に随伴すべき人道上の行政であるのみならず、新国民政府の政治力の造成のための民衆把握の方法として絶対に緊要であるが故に、各省振務会及び各市振務分会を設置せしめ、罹災調査の結果に応じて振務行政を推行すべきである。但振務行政に於ける救済は現在の所では殆ど消極的に終ってゐるが如くである。これは依頼心を喚起し、救済を無限に必要とする結果と成る。この通弊に鑑み、救済は消極的対策を最少限度に止め、生産能力の恢復に主きをおき、難民を組織化して生産力と生産量の増進に向はしめねばならないことは最にのべた所である。重慶政权も難民を組織化して工業合作社、其他の生産、運銷等の工作社を組織せしめ軍需品又は民間必需品の生産、運送販賣に従業せしめてゐる。和平区に於ても、合作社を解放し、且一定の統制の下に合作社政策と振務政策とを結合して生産拡充工作を推進せしむべきである。但此振進は治安工作の後に接従すべきが故に、河南、湖北、湖南、江西等の諸省に於ける交戦区に直続する地域では困難であることは言ふまでもない。

三、合作社政策

(一) 今次事変直前の合作社概況

合作社政策の現史的段階に於ける意義に就ては農村金融の所で既述した。而してまた中国の信用合作社の欠点についても同所で述べた。その欠点は他の合作社に於ても亦共通であった。

事変前の合作社は其設立の動因に依り次の異った三類型の特質を有ってゐた。

第一類型　特殊災禍の救済事業として生れた合作社、例へば華北義賑救済総会の如く（民国九年）華北五省の大旱災の救済事業から組織された合作社。

第二類型　共産匪区の収復善後処置として組織された合作社、例へば剿匪区内各省の農村合作社委員会が組織した合作社

第三類型　農村の衰退を救済するために生れた合作社、例へば各省当局が

農村復興対策として組織した合作社。

以上の三類型の合作社の共通点は救済の性格を以て出したことである。それはやがて合作社の将来を制約し、社員は合作社を利己的に蚕食し、依頼心をもち、甚だしきに至っては乞食根性を醸成し、以て合作精神を忘却したことは中国合作社不振の最大原因となった。

第三類型の合作社は半植民地的半建設的運命より中国農村を解放すると同時に中央集权のための民衆の組織化を目的とした農村経済建設政策であった。ここには民族主義、民权主義及び民生主義の実現が強く要請された。それだけ積極的で活溌であった。中南部各省の合作社はこの使命を有って生れた。要するに政治的力量を以て民生主義的経済政策を速かに実現せんとするにあった。従而、形式上、合作社政策は極めて短期間に效果を收めたが、それは地方官僚の一時的な政治成績を飾る何物でもなかった。合作社は形式上、揃ったが、その経営は地方の劣紳士豪に操縦せられ、又は一部社員に独占せられ、或は社交倶楽部と化し、合作社の使命は推進されさうもなかった。

第一類型の合作社は地方官僚の行政成績を飾る野心なく推行されたから発展も緩慢であったが穏健であったが、極めて消極的で、自主的向上心がなく、農村経済建設政策の理想は弱かった。

次に事変前の合作社統計(1)を掲げることゝする。

種類	民国二〇年 社数	民国二〇年 百分率	民国二二年 社数	民国二二年 百分率	民国廿四年 社数	民国廿四年 百分率
信用	一、三七九	八七、五〇	二、四二三	七八、四九	一五、四二九	五八、八
生産	八五	五、四六	二八七	九、三〇	二、三二一	八、九
消費	五四	三、四三	一三六	四、四〇	—	—
運銷	一三	〇、八二	三六	一、一七	二、二九三	八、七
利用	九	〇、五七	一一八	三、八二	一、〇六九	四、一
購買	—	—	五七	一、八五	七三八	二、八
兼営	—	—	—	—	四、三七四	一六、七
其他	三五	二・二二	三〇	〇、九七	—	—
合計	一、五七六	一〇〇・〇〇	三、〇八七	一〇〇・〇〇	二六、二二四	一〇〇・〇

(1) 壽勉成、鄭厚傅合編（中国合作運動史）レ才一三六頁

二) 合作社の復興整備

Ⅰ、合作社政策の指導原則

合作社復興整備に於ける指導原則は云ふまでもなく興亜建国に存する。故に既述の如く合作社の復興が救済行政と結び付く場合にも救済は最少限度に止め、積極的に興亜建国の個別化政策として推進せしむべきである。要するに生産原価の低減、生産力と生産量の増進、金融及び運送販売、消費生活の節減と充実を実現し、以て更生民生主義の実施を促進すると共に合作社に生産、配給、消費統制に当らしめ、又は協力せしめ以て東亜共栄自給圏の確立につき共同責任を負はしむべきである。

Ⅱ、合作社政策の推進機関

1、中央政府機関

新国民政府は旧国民政府の先例に於ける長所を採り、之に興亜建国政策の一環としての合作社政策を後述の如く確立し、行政、訓練、金融及び其他につき特別の機関を設置し、敏速に活動を開始すべきである。然し将来、華中に於ては合作社は我軍特務機関の管理下におかれ、新国民政府は何等の支配权を有してゐない。現在も然りである。然し農村金融の所で述べたるが如き一定の統制权を東亜共同防衛圏及び東亜共栄自給圏の確立のために我軍に留留して合作社政策の推進权を新国民政府に返還すべきである。

然し交戦区に直続してゐる区域、例へば湖北、湖南、江西、河南等は我軍の直接管理に帰せしめ、特定物資の敵性区に流出することを防止しつゝ、我軍需品の現地取得に努むべきである。

(1) 行政　新国民政府には社会部があった時から合作司があった。然し、従来、合作行政は日本軍の掌中にあったので活動の余地がなかった。その掌管事項も既に法定されてゐる。故に之につき特に述ぶる必要がない。

(2) 指導、行政院に中央合作指導委員会を設置し、指導方針を決定し且合作社中央金庫の設立計画を立案すべきである。

(3) 訓練　中央合作指導人員訓練所及び合作学院を復興すべきである。後者は廿四年蔣介石が合作社政策を以て民衆を組織する高級指導人材を養成するために中央政治学校に設置したものであった。之は新国民政府に於ては中央大学に復興することを可とする。

(4) 金融　之に就ては農村金融の所で既述した。

(5) 其他　以上の四種の機関を外に合作社政策推行に密接なる関係を有する振務委員會、棉産改進会、中央農事試験場の協助を求める外、日本現地諸機関及び統制機関と緊密なる連絡を保ち東亜共栄自給政策に即應すべきである。

2、地方政府機関

合作社法施行細則（二四年八月一九日実業部公布）によれば、合作行政の主管地方機関を、縣では縣政府、普通市では市政府、特別市で社会局、省では主管廳と規定してゐる（同細則二條）が合作社は本細則公布前に二万六千余存在してゐた関係上、事変前の廿五年の末でも細則の規定通りに実施されず、農村合作社委員会が主管機関の地位ある省あり、縣に於ても特別の單独機関を設さしめるものがあった。

新国民政府は合作社法施行細則に従ひ、地方主管機関を系統づけ、且各主管機関には指導員を置くことを要する。

全国の人民は殆ど文盲で、合作社政策に対する理解力微弱なるを以て先づ合作者の機関構成者の訓練を行ふことを要する。即ち、各省には省合作社指導人員養成所を・縣には縣合作訓練班を常設する外、臨時に合作講習会を開催すべきである。

合作者の地方金融につきては農村金融の所で既述した。

3、地方私的機関

合作運動の初期は学者の啓蒙運動に起った。薛仙舟は民國九年合作同志社を組織し、十七年は彼の弟子や友人達が中国合作学社を上海に設立した。その創設宗旨は(1)合作同志の集中、(2)合作学説の研究、(3)合作事業の提唱、(4)合作社設立の指導、(5)経済調査で、會員は初め二十二人であったが廿四年末では約三

百名に達し、遍く各地に分散している。その事業には仙舟図書館（南京）、中国合作批発部（上海）、克福合作実験区（蘇州）「合作月刊」の出版、「合作年鑑」の編輯であつた(1)。

其他にも山東合作学会、湖南合作協会、浙江全省合作事業促進会があり、合作同志又は合作工作人員の親睦、合作事業の研究、促進を宗旨とした。此種の団体は漸次、復興せしむることゝすべきである。

華洋義賑救済総会、郷村建設運動団体ー中華平民教育促進会、鄒平郷村建設研究院、中華職業教育社、金陵大学烏江実験区、燕京大学清河実験区等ーの合作事業推進運動と協助して合作社政策が進められた(2)。事変後も、此種の団体の復興を促進して合作社政策の徹底を期すべきである。

(1)「十年来之中国経済建設」第二章第三五頁ー第三六頁

(二) 梁、黄、李編者「中国合作事業考察報告」（前掲）第二章第二節(二)参照

Ⅲ、合作社の種類と単位

1、合作社の種類

従来、合作社には信用、生産、消費、運銷、利用購売、兼営、其他の種別があつた。農民階級の最も切実なる問題は資金の枯渇であつたが故に現段会に於ける合作社は金融の活動を緊要とした。故にそれで廿年に於ては信用合作社は全国合作社総数の八七.五%を占めたが、信用貸付の失敗と兼営合作社の急激（廿三年より）により廿四年末までは五八.八%となつた。蓋し信用合作社は中国合作社の骨子を為すことだけは明瞭である。之と生産、配給、消費統制の緊要とに鑑み、合作社の種類を信用、生産、消費、運銷、利用、購売の大種とし、総て兼営主義を原則とすべきである。兼営は信用、生産、消費、購売の四種とし、地方の事情に依り利用、運銷をも兼営し得ることとし、且其地方に大量生産物あるときは特産合作社の独立を強制することゝすべきである。従来、中国に於ては理論上にも実際上にも単営と兼営との是非に就ての決定的な意見がない(1)。蓋し合作社政策は現段階においては上から下への政治上の必要によつて定立すべきが故に国家の必要に奉仕せしめるためには最も効果的に、機能本位に組織化すれば良い。換言すれば、生産、配給、消

費統制の能率を増進し得る如く合作社を組織化すればよい。その意義において上述の兼営主義が適当と思料する。特産合作社を独立せしむべき理由は地方の特産物の統制を鋭敏化し、且其取引上必要なる巨大なる設備費と取引上の危険を一般農民に負担せしめざるが故である。特産合作社は棉花、繭生糸、茶、桐油、麻、烟草等の生産、運銷の兼営合作社として設立せしむべきである。

2、合作社の単位

次に合作社の単位であるが（之が前提は保甲制度の確立を要する）之に就きても従来、中国には決定的な意見が纏つてゐないやうである(3)。私は十保乃至十五保に一合作社を設け、特産合作社は十保乃至十五保の特産物の量により設立することゝし、その量が一特産合作社を設立する程度に達せざるときは近隣の保を合併して設立すべきである。合作社の設立は総て許可制度を採り法人格は主管機関に設立登記を為すことに依り発生することゝ規定すべきである。

更に県には県合作研究社を、省には省合作聯合社を、中央に中央合作聯合社を設立することと我国の産業組合に於けると同様とし、各級聯合社の権限を明かに規定し、事変前の如く聯合社がその構成単位である下級聯合社又は合作社の業務を吸収する弊をさけしめねばならない。

尚は普通市は県に、特別市は省に準じて市合作聯合社を設立する。

(1) 梁、黄、李編者前掲第四章第六節(三)

(2) 同上第四章第六節(一)

Ⅳ　合作社の統制

合作社に下級経済統制の職能を賦與し、県政府より統制委員を巡回指導の任に当らしめ、各地の我軍連絡官事務所は側面より統済統制につき我現地各機関と連絡を保ち実施上の援助を與ふ。従来の合作社指導員（日本人）が此連絡援助事務を担当するを可とする。

合作社の手を経たる統制物資には百分の二乃至百分の〔　〕の手数料を合作社に支給する。

合作社の統制物資の搬出入許可権は我軍に於て従来の如く行使し、許可権は

之を新国民政府に移譲せしむることを要する。但許可手続は之を簡省にして圓滑を期すべきである。

V、合作社の運営

合作社の業務の運営は興亜建国を目標とし、統制に奉仕し、以て合作事業の発展を期し、事変前の如く経済的私利を全部とする弊に陥らず且農村金融の所で述べたるが如き合作社の欠点を掃除することに努むべきである。

以上

經研資料調第九一號

大東亞共榮圈の國防地政學

昭和十七年十二月
陸軍省主計課別班

大東亞共榮圈の國防地政學

例言

本研究は國防地政学の観点より大東亜共栄圏の特殊な性格とこれに包摂さるべき地域とを検討せるものである。

大東亜共栄圏が國防廣域圏として持つ性格は、欧洲廣域圏乃至米洲広域圏が大陸型であり、又曾つての大英帝國が海洋型であったのと異り、之等二つの型を止揚する点に存する。こゝに我國は世界最強の陸海軍國たることが要請されるのである。

更に大東亜共栄圏に包摂さるべき地域は、世界廣域圏の南北縦貫性形成の必然性より、當然、日・満・華、南方諸地域の外に更に濠洲が包摂せらる可きである。

斯かる構想の下に於ける大東亜共栄圏を建設せんが為には、更に國防地政学の観点よりすれば　今後如何なる陸海軍作戦を展開すべきかを暗示せるものとして、茲に参考の為配布するものである。

昭和十七年十二月

陸軍省主計課別班

『海上に参與せざるものは、世界の福祉からのけ者にされ、吾等が愛する神の継子となる。』

(Friedrich List)

『海のみが眞の世界的勢力を教へ得るのだ。』

(Friedrich Ratzel)

『如何なる一塊の人間と、如何なる一塊の大地をお互ひに一体として、融合せしめんと努力するかといふことが重要なることであり、而してこの理念はそれが地域並びに位置との要求と一致する場合に於てのみ、そこに恒久的なる生命力を有するのである』

(R. Sieger)

はしがき

大東亜戰争に入りてより、赫然たる戰果、皇軍將士の果敢なる苦闘の賜物はその攻略に向ふところ敵なからしめてはゐる。渺茫たる西太平洋から南太平洋にかけての波濤も、敵の反攻を擱きては堂々我が征圧の下にあると謂ふてい、大東亜共栄圏地政学的考察の対象となるべきは、先づ濠亜地中海であり、東亜南方圏であり、濠洲であるところの(水域、地域を含む)所謂「Australasia(濠亜)」ではあらうが。世紀の歴史に新しく登場する海洋民族の日本は、斯る現段階にありて「大陸性型」と「海洋性型」との両面を具有する民族的性格である点、等しく國民は地政学上の切実なるべき諸問題に對して、片時も無関心たり得ないのである。民族的性格としての右両者を如何に止揚して、より高次的な綜合的統一性が可能なり得るやと謂ふことに就いて、

いふまでもなく皇國民族は海洋の民であると同時に、縦横に走る火山脈([illegible])の國土の上に住んで居り、高い山岳から低い小盆地、河谷、海岸、平野に及んで区切られて生活し、複雑に形成せられてゐるといふことである。此の点同じ島國の英本土とは相違すること著しいと謂はねばならない。

西方、東亜大陸に接近しながらも、東方深い太平洋の水域を以て境界される自然地理的な位置にあり、又海の民、山の民、陸の民が形成されてゐると謂へる。その民族的性格は古くから通商交易をば外に求めやうとし、異種文化への同化吸收力に努め來ったものであると謂へる。一方家族制度の保守性と、他方發展的の智識をば外に求めやうとして止まなかった文化性とが、それ自体矛盾相反するやうな両面を有してゐる傾向である。此の二つの傾向を如何にして綜合的統一体として調和させ得るかゞ、大和民族の性格として不斷に運命づけられて來たところのものである。

全面的に印度洋から我が南方圏にまで及ぶところの大英國海軍力と制海權とが、後退を余儀なくせられるといふことは、この水域に於ける海洋制覇状態に大なる轉換を齎らされるわけである。七つの海の王者として、飄然と潮風に靡くユニオンジヤツクの國旗は、人は知る十九世紀初頭以來和蘭に代ってからの地位であり、それは今日に及んでゐたのである。Autarkieとしての欧阿廣域経済圏へと急ぐナチス独逸がその精鋭な空軍や優秀なUボートのみを主とする活躍を唯一の頼みとして、英國のBlockade des ganzen Europa(全欧洲封鎖)に對して脅かすべく、絶へざる猛攻を止めることなしに來った次第であったが、けれど兎にも斯くにも今日の戰況まで、英本土への大動脈を辛じて確保可能に努めたる所以は、一に英海軍力をバックとして、欧洲地中海、スエズ、アデン、セイロン、舊シンガポールへのルートは勿論のこと、南米諸國や西部阿弗利加へのルートのために、各基地を自國船舶を以てする連結が可能であったからであり、その半身不髄の状態にありながら、依然として英國制海權の辛じて確保出來得たといふ結果に外ならない。これ常識的に考へられる理の當然なことである。

半球から半球に跨る世界史的な轉換点！　大東亜の長期持久戰のその炎に傑るところのものは、或ひはドミニオンを含む太陽没することなしと豪語する大英國海軍力の、実に昔日の面影を失ひたる凋落の姿に於て、現実に見受けられ

ることになるのかも知れない。否　斯くあるべきであらう。然らば又米國海軍の動向如何を打診せんとすれば、吾人の眼は太平洋の海心へと轉じられて來る。大平洋、大西洋両洋の大艦隊が、パナマ地峡を経て合同するその以前の状態に於て、大爆破可能な襲想してゐる米國海軍當局としては、日頃よりそれが同時に亦頭痛の種たることも當然であり、従って一九四五年完成の例のスターク案の議會通過を見るに至ったのでもあるだらうが。主力艦二十六隻、巡洋艦八十五隻、驅逐艦四八五隻、Uボート一八五隻、航空母艦十八隻、合計七三二隻の新陣容プランの実現化に向ってスピードアップしようとしてゐる。このことは大東亜持久戦に於て虎視眈々として帝國に對する進攻への機會を狙ふ敵性大平洋第二戦線結成とは不可分的に考へねばならぬことだらう。米國海軍は云ふまでもなく北方進攻ルートとして濃霧と氷雪とのアリューシャン群島経由、中央よりのルートは西太平洋の海心を突かんとするハワイ、ミッドウエー諸島経由、南方ルートは南海の碧波に散布して浮ぶ島嶼を伝ふソロモン、ビスマルク諸島経由であるだらう。従って彼等は右の三つの進攻ルートの據点のために決

して新たなる装備を怠れる筈はない。一方、一八〇度の子午線を突破して、西太平洋に對して再三再四征圧を加へんと企図すると共に、他方その西太平洋を含む大東亜大陸が、自ら生活圏（Lebensraum）確保の生命線たり得る限り、それを断乎として防衛せんとし、万難を排し激しい世紀の攻防戦を演ずるであらう。海洋——就中南方圏を含む西太平洋は、皇國と大東亜との運命協同体（Schicksalsgemeinschaft）にとりて生活圏（Lebensraum）ならざるべからずとの命題を吾人に提供してゐるのであるし、又更に國防地理学的見地よりするならば戦略的なそれと大なる関聯を有するところの印度太平洋空間（Indo-Pazifischer Raum）なるものが、今や現実に歴史の上に動的に描かれつゝあると謂ふていゝ。

大東亜國防地政学的考察には——先づ何よりも主要なる研究対象として、東亜生活圏内に於ける諸民族の生活状態が如何なる様相をなし来つたかに就ての歴史的推移に眼をつけることが必要欠くべからざることであらうし、而して又それはかゝる圏内諸民族が成長発展せんとするのに、足場たるべき海洋の島嶼、

海岸線、地峡、半島、陸塊の意義並に近代立体戦の陸海空軍に役立ったのにはその基地、その要塞化の意義に就いて、又それ等と制海権との関係等に就いて出來得るだけ詳かに亘る深い究明を必要とされるのである。いざ鎌倉といふ場合の世紀の大攻防戦に備ふべく列強は日頃より秘策を練り來っては、その装備の完璧へと急いだのであるからして、建艦数量、等級備砲の増大は、勢ひ競って無敵艦隊の名実共に精鋭な威力を発揮することを可能となるに至ったわけでもある。空軍にあっても、軽、重爆撃機、戦闘機の行動半径は、その[illegible]さの増大と共に更に外方へと延び拡がる。従って従來までは僻遠の閑地として等閑に附されてもあった水域、地域や、又絶海の孤島として顧みられることなしに放置されてあった所の諸島嶼も、こゝに於て就中海空軍の作戦上、國防地理学的價値あるものとして問題に取上げられる至ったのであり、これに對する新たなる再認識なしには済まされなくなったのである。

今更ながらに引き出すやうになるのは、大体ナチスが主張するところの思想ではある。——「アウタルキー」は國家経済が常に民族の生活圏を基礎とする

ところから出発すべきものであり、断じて利潤追求の営利主義を根本思想となすべきではない。それは又過剰工業と殖民地産業との均衡化、経済的自足性を有する生産と消費との領域なり」と。それ故に此の点地政学的考察を深く進めるまでもなく、誰しも英國産業のこれまでの跛行性云々に就ては容易に肯かされることではある。蓋し資本は経済のために存在し、而して経済は民族の為に存在するのだといふことにのみ意義があると謂へるだらう。つまりこのことは経済的基礎は地球上に、不可分的に結合せられてゐるところの「生活形態としての國家——民族國家」たることを意味する。

大東亜共栄圏の國防的基礎をなすものは、その根本的なものとして先づ経済関係を上げねばならぬし、軍需民需の資源確保と、その自給自足性である。とりも直さず國防アウタルキーとしての廣域圏経済である。

近代戦は武力戦であると同時に思想戦であり、プロパガンダ戦であり、同時に何よりも先づ経済戦ならざるべからざることに對しては誰しも異存のあらう筈はない。近代戦は電撃的な決戦なると同時に、又反対に長期消耗持久戦たる

八

ことの覚悟を決めて戦はねばならない。就中後者にありては、実に莫大なる資源戦争とならねばならぬこと明かである。軽・重爆撃機、戦闘機、タンク、戦艦を始め、地上部隊の諸火器に至るまで一切のモダン兵器がこれ悉く立体的に空陸海に亘るところの戦闘行為に動員される時、資材の消費量は驚くべきほど物凄く甚大に上らねばならぬことも極めて明かな話である。内燃機関の基礎こそ、云はずしがな石油である。学者の発表に依れば、爆撃機一時間の飛翔するには百ガロンのガソリン、ナチス独逸の機械化部隊一ケ師団の一日の戦闘力には一五・三〇〇ガロン、米国の装甲師団なるものには一日七五・〇〇〇ガロンの燃料を必要とされると。今次独ソ戦争の当初にあつても、その石油消費量こそは一ケ月独軍の二百万乃至二百五十万噸に上つてゐると謂はれてゐる。

広域圏経済の世界経済に占めるところのもの、それは緯度的な南北に亘る縦貫性への動向、即ち「Austrasia（豪亜）」と「Eurafrica（欧阿）」と「Pan-amerika（南北アメリカ）」であるべきと謂はれてゐる。それも尖的必然性か。その所以なるものは畢竟するに、気候の変化に依る動植物性資源の多元化に求むることを目的としてゐるからである（就中、食料・生活資料等料に於て）。國防アウタルキーとしての大東亜の経済的基礎の完全を期する点からして、埋蔵資源の出来得るだけ広範囲に亘ることが要請されねばならない。地下資源は鉱産を主とする。動植物性のそれは我が大東亜は幸ひなるか南北に縦貫するといふ点、自然地理的條件を以て恵まれてもゐる。寒温熱の三地域水域に跨る所謂「Monsunländer（季節風地帯）」之れである。これがために動植物性資源は人工的増産が可能であるのに反して、地下埋蔵資源は緯度気候に殆んど影響されることなしに無関係ではある。尤も如何なる広域圏経済と雖も、それ自身で百パーセントの國防アウタルキーたるためには困難な話であり、事実それは考へ得られないことだらうが。

天然資源のそれ自体は地下埋蔵のまゝである限り、何等現実的には Strategic resource（戦略的資源）としては價値ありとは申されないし――例へば仮令タリムの金地やチベット高原や、タクラマンの砂漠地方の真中に[illegible]炭が豊富に埋もれてあると測定され得たとしても、それがそのまゝ[illegible]らされてあるならば……、それが又、唯、所謂亜細亜的退嬰性と停滞性のまゝに放置せられ、立ち遅れてしまふのであるならば……。謂ひかへればそれが急テンポを以てする「近代的技術の優秀性」といふものから全く切り離されて考へるのであるのであるならば……である。右の地域から高額ならざる資金と、短日月の歳月を以て太平洋岸まで輸送され供給され得ることの可能性如何といふことが、そこで問題なのであらうから。國防アウタルキーとしての広域圏経済は、従来の國民経済の如く、世界経済の一環として、それと関聯して存在するものではなくして、戦略資源のために、断じて世界経済より完全独立すべきものである。斯る原料の圏内存在は絶対必要條件である。勿論、國防に直接関係なき文化生活の為めの民需的なものは、或ひは世界経済に俟つもの多々あるでもあらうが。このことは又第二次世界大戦のその後に来るものの態勢でもあらうが。広域圏経済は、圏外に対しては、自足性の態勢に立つものでもあるけれども、圏内にありては、あくまで「圏内に於ける産業の再編成」の地位に立たねばならぬものと謂へるのである。而して右の高度化される「計画経済」こそは、唯國防國家の「政治力の強化」如何と相俟ちて、そこに於て実現化可能であるのだと謂ふていゝ。

昭和十七年十一月

一〇

目次

一　地政學の意義、概念、基礎

a　政治地政学と地政学

地政学は新興科学の一つにして、蓋し國防科学の体系確立のために無くてはならぬものであらう。けれどその地政学（Geopolitik）なるものの正体如何に對し明確な解答を直ちに與へることは困難である。そもそもこの用語は、ストックホルムの学者ルドルフ・チエーレン（Rudolf Kjellén）が、他の所謂経済地理学、政治地理学などと判然と区別して、始めて使用したところにあると謂はれてゐる。即ち、その所以は、彼の一九一六年刊行の「生活形態としての國家」（Der Staat als Lebensform）の中にあるところの Als Reich の点に存するものであらうし、とりも直さず、國家をば一つの有機体として考察せんとする科学であるといふことが出来る。けれどもこの地政学も、要するに独逸地理学者フリードリッヒ・ラッツエル（Friedrich Ratzel）の政治地理学を断然母体として発生したものであることは争けれぬであらう。学者は政治地理学とは、一般人文地理学中に包含せられべきものであり、地政学は、國家科学に属さしむべきを妥當とすると主張してゐるやうである。前者は國家を静態的に研究し、後者はそれを動態的に研究せんとする限り、前者をば存在の科学でありとし、後者をば當為の科学でありと、又地政学は政治事象を直接の對象とし、政治地理学は政治地域を對象とすると。

地政学は政治事象の土地に依る地的拘束性（Erdgebundenheit）に関する科学であり、政治的空間（Politische Raum）の有機体、並にその構想とに関するところの政治地理学の土台の上に立脚してゐなければならないのである。ミュンヘン大学教授カール・ハウスホファー（Karl Haushofer）少将は、生活圏を求めて止まない特定民族の政治活動こそ地政学の研究對象なりと解してゐるやうである。

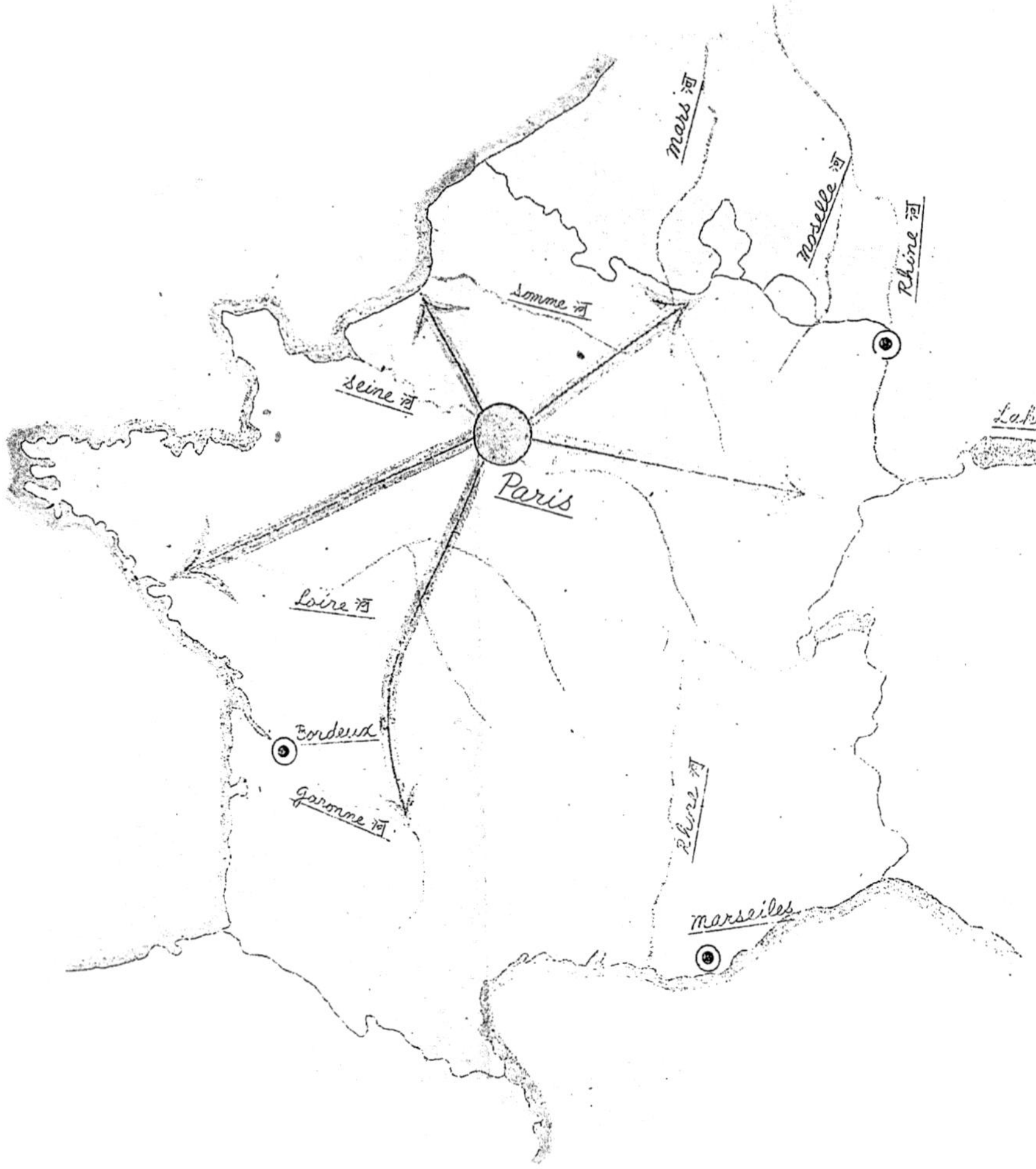
Meuse河
Moselle河
Rhine河
Somme河
Seine河
Paris
Lake Boden
Loire河
Bordeaux
Garonne河
Rhône河
Marseiles

第一図

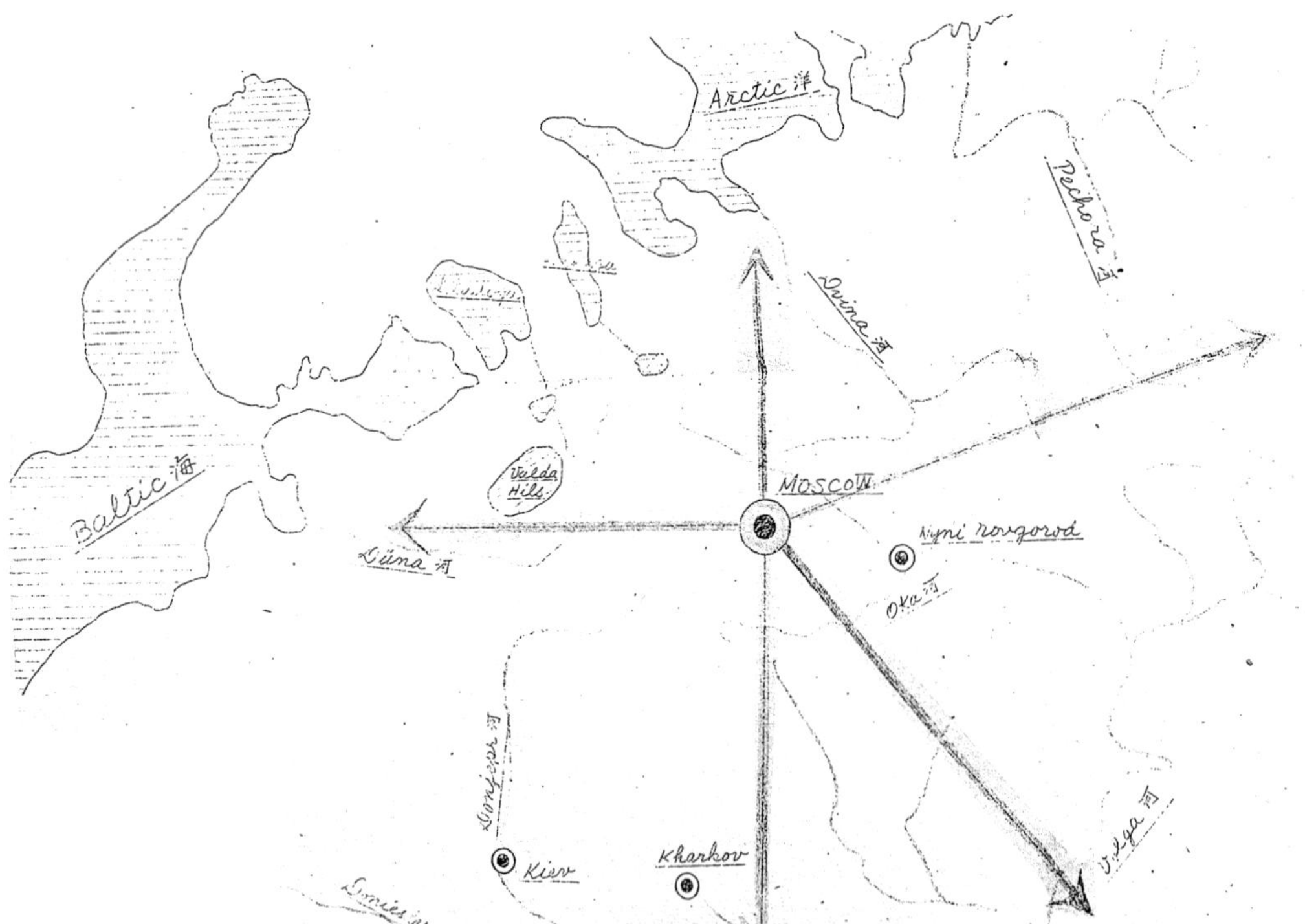
Arctic洋
Pechora河
Dvina河
Baltic海
Valda Hills
MOSCOW
Nijni novgorod
Oka河
Volga河
Kiev
Kharkov
Don河
Rostov
Caucasus山脈

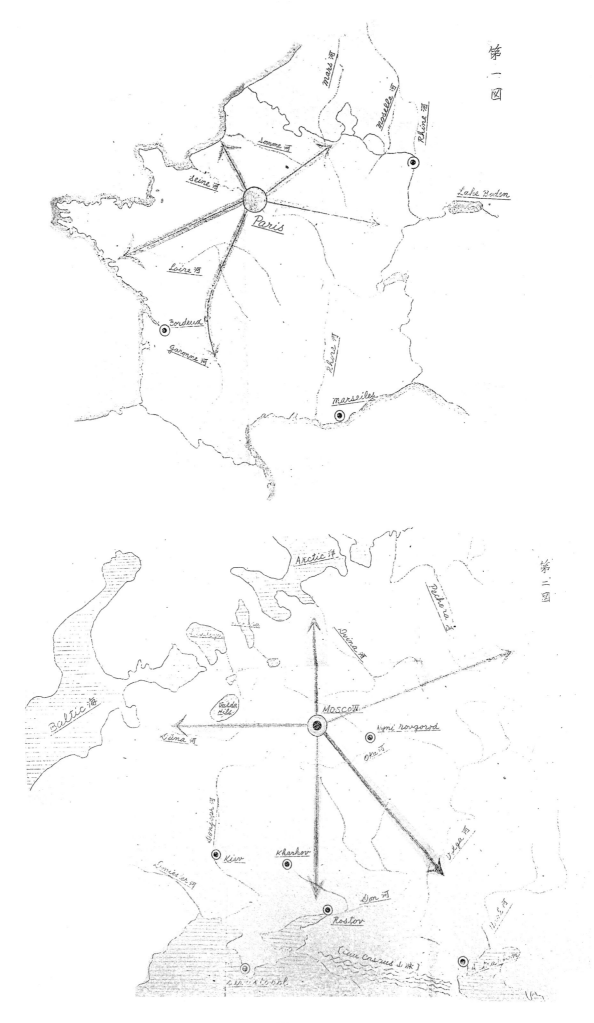

第二図

時局の流行でもあるかのやうに最近澎湃として日本朝野に勃興し、関心を持たせてゐるところの地政学研究熱。だが、やゝもすると、それが独逸地政学的傾向をそのまゝ受入れては、得意にすましてゐるやうなものさへ少くないのだとの感なしとはしない。

独逸地政学を以て直ちに大東亜共栄圏を理論的に裏付けることは出来得べきでないだらうし、又それは断じて許されない。土地と血の生命的結合を以てするところの民族共存共栄の運命協同体が大東亜の生活圏（[illegible]）の不動の妥当性を有してゐる点、云ふまでもなくそれが主眼となつて、こゝに大東亜共栄圏の地政学は、今や生れ出づる苦悩の体験を現実に嘗め乍らも、新たなる誕生を見るに至つたものであると謂ふてゐゝ。

四

b　生活圏と地形（河川海岸海洋）勢力線

地政学でいふ地的拘束性は自然地理学的なる山地・平原・海岸・気候の制約に加ふるに、廣汎に亘る民族の政治力が及ぶ地域、人口密度、交易、並に経済圏の資源を包含することを忘れてはならないことである。この意味に於て土地なる用語より寧ろ空間なる言葉を使用して空間的拘束性がより適切でもあらう。亦、フリードリツヒ・ラツツエルは、國家をば一団の人類と、一塊の土地との綜合であり、その特質に土地と國民との特殊性より組織せられたるものなりと考察してゐる。斯くして地政学が、空間への國家の政治的なる生活圏運動を問題として取り上げ、且つそれを研究對象とする限り、そこには歴史的考察を不可分的に結びつけねばならないことになる。此の運動がとりも直さず歴史的運動でもあるからである。地政学は政治地理学を母体として生れ出でたものではあるが、その應用ではなくして、それとは別個に独立したる科学であると学者は謂ふてゐるし、その限り、別個の認識対象を有つてゐるものと謂はねばならない。

領土が國家の生活基礎であり、それが生活地域と呼ばれてゐる所以である。國家の総力を傾注してゐる第二次世界大戦の現下のうちに、長期建設戦に謀りつゝある欧亜の両新秩序への動向は、正しく地政学的な運動でもある。吾人は生活圏の概念の単に自然科学のカテゴリーのみに止まらしめることではなくて、長き民族の歴史に聯関して把握さるべきことである。而して、國家の基礎たる生活圏とは、結局、生活の基礎に外ならぬのであるから、國家にとつては何はさておき國民経済的なる基礎にありとせられねばならない。生活圏は経済地域を意味する。生活圏は其の民族の居住地域のみならず、それと経済との密接なる関係のある地域を意味することである。各生活圏は民族能力の如何に依りて、発展の度合は違ふこととなり、指導民族は被指導民族の上に立つて、結局より高い地域秩序たる生活圏を創ることになるわけである。指導下にある各

五

六

民族の自主性を侵害することなしに、各自その求むるところを得さしめんとするものであり、それが相互の共存共栄を追求せんとする限り、帝國主義とは厳然と区別される。けれど生活圏の拡張は闘争とまで進められることがある。カール・ハウスホツファー少将は、地政学は、國家にとつての生存闘争の科学的基礎であり、時には戦争を惹起せしめることをも認めてゐるやうである。斯る空間への外延的運動をば、地域を大陸續きに求めるものと海洋を距てゝの海へ領土を拡げて行くものとの二つの類型に大別せられるとしてゐる。後者は云ふまでもなく大英帝國を意味する。

生活圏の拡張が進展する方向をば勢力線と稱せられる。云ふまでもなくコーカサス油田をめざして猛攻進軍する独軍の方向を伺ひ知るとき、ナチス勢力線は近東を経て、東方へ延び拡がらうとすることは明白であり、その意味から力イザー・ウイルヘルムの「東方進出」（Drang nach Osten）を変らずに受け嗣ぐものと云ふことが出来る。同様に、伊太利の勢力線は、地中海を越え

第三図

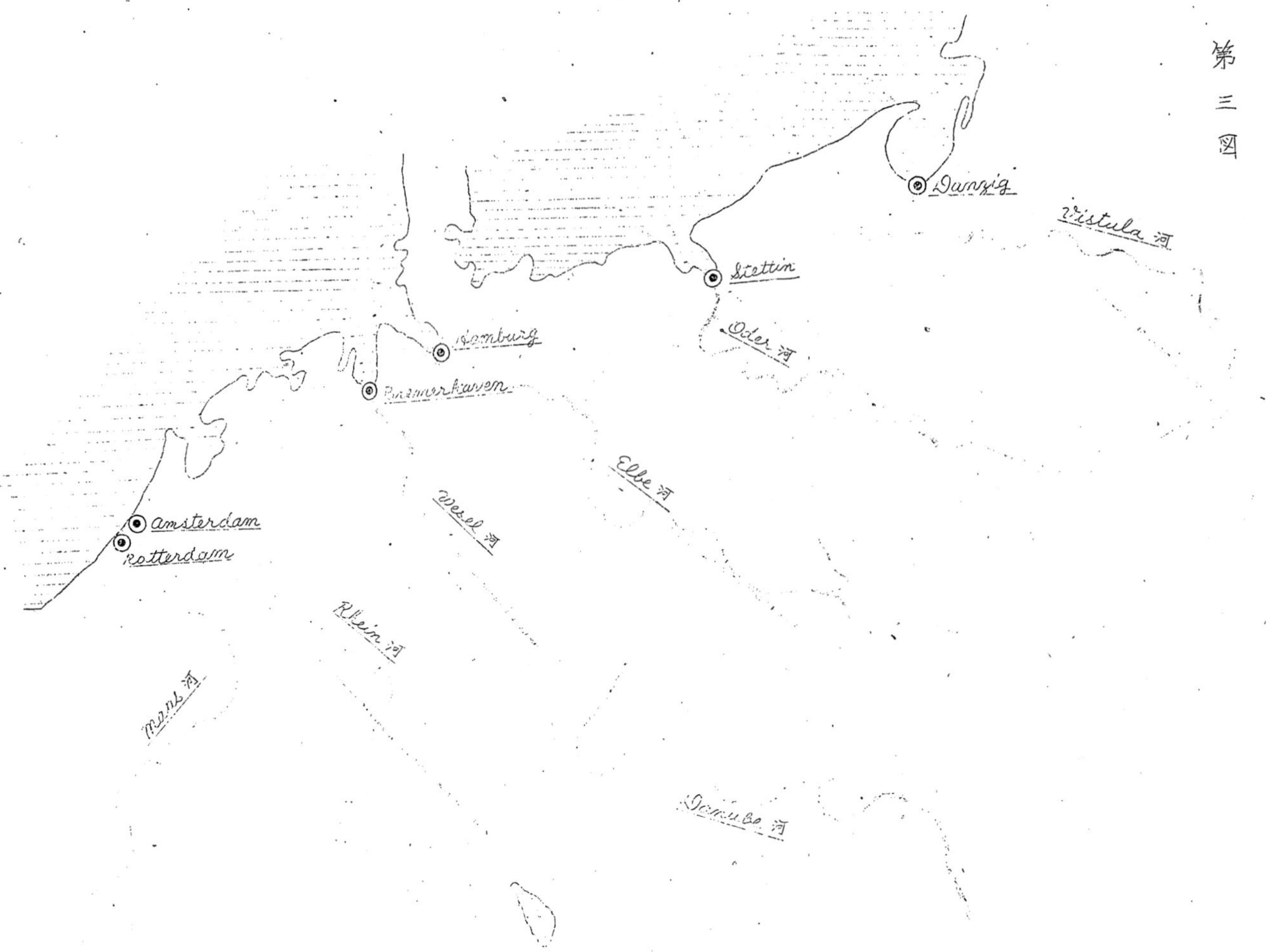
Danzig
Vistula 河
Stettin
Oder 河
Hamburg
Elbe 河
Weser 河
Amsterdam
Rotterdam
Rhein 河
Main 河
Danube 河

第四図

Irrawadi 河
Salwin 河
Menam 河
South China Sea
Mekong 河

ての北方阿弗利加であり、米國の汎亜米利加主義は、南へ南へと全ラテン・アメリカの諸國を包含せんとすることである。大平洋空間は、西南太平洋に於て日本帝國と米國との勢力線の交錯であり、蓋し我等の空間獲得への闘争ならば、東亜大戰争の今日に於て、それを実證してゐるものでもあらう。勢力線伸長の基点をば大陸の尖端或は飛び石を伝っての島嶼を獲得することを以て目的を達することである。就中、戰争にあっては、これが攻軍作戦のためには、進攻基地となり、反對に敵軍作戦のためには、防禦基地として、重大視せられる所以である。帝政ロシア時代の旅順、旧ドイツ領の南太平洋上マーシャル群島、云ふまでもなく大東亜戰争直前までのシンガポール、グワム、バタヴィア、香港、ラングーン、マニラ等……第二次世界大戰争中未だ敵の手にあるところのスエズ、ジブラルタル、ケープタウン、マダガスカル、パナマ、ダッチハーバー、セイロン、これであらう。

（第三図、第四図参照）

國家の興亡史の上から見ても、河川流域の豊沃な平原が展開されてゐる経済地域が、如何に人類の國家生活圏に良い條件を具備せしめてくれたかを実證してゐるのである。バビロンの昔、チグリス、ユーフラテス河や、埃及の昔ナイル河、今日の米國のミシシッピー河の例は、沃野の上に統一せられた國家の生活圏を意味する。政治的統一を容易ならしむるためには、河川の多数が放射状に流れてゐる大陸たることを條件とする。露國、佛國の例之なり。然れども河川の平行に流れて海に注ぐ場合は、政治地域は、地形上必然的に中央集權の強化を困難ならしむる缺陷を免がれ得ない。欧洲大陸の適切なる例としては独逸がこれである。東南亜細亜に於ては、これと同様な地政学的な所謂「河川の平行支配」の例がある。メナム、メコン、サルウイン、イラワジの各河川に依る佛印、泰、ビルマがこれであり、各々異りたる政治形態構成の誘因となってゐる。

海洋と陸地との接触点である海岸は、新しい生活圏への飛躍のために発足基地となるのであるが、大洋上の孤島の例は、新興國家の生活圏の伸長にと適しないことは明かである。

海洋は地球の約七一％の面積を占める。それは生活圏運動の世界へ進出するために、意義を有し、又、外敵の侵入を防止するに極めて有利であることは論争の限りでない。日本海、東南支那海の如きは、大洋との連絡の著しき自由なる出入関門になってゐる。濠亜地中海と云はれてゐる南海も斯る類に属しこれは而して、内海から関門のみを通じて、海洋に出入せられ得る欧洲地中海に臨む伊太利の如き例より見て、遥かに軍事上には有利なる立場に置かれてゐると云ふことが出来る。大陸から對岸に進出する目的のためには、如何に地峡運河、海峡の重要なる役目を果してゐるかは繰り返すまでもない。制海權は先づ、制海峡を前提とすべきであると。

海岸線を有する國家も、海洋に對してより高度なる支配權獲得に努力し、何れの國も海洋包囲の憧憬を抱いてゐる。だがこの達成は決して容易ではあり得ない。我が生活圏運動のめざす東亜共栄圏は、正しく海洋を包囲して居り、又米國のメキシコ湾、カリブ海（西印度諸島を含む）もこれに属し、大東亜戰前の英國の制海する印度洋空間も同様と云へる。制海權の掌握はたゞ只管に、その國の海軍力の強度如何にかゝるのであらうし、それは海洋に散在する兵站基地の地理的條件と相俟って、より大なる生活圏の拡大目的が達成されるわけである（嘗ての七つの海に君臨した英國）。

C　生活圏と氣候・風土

気温、風、雨量の要素よりなる気候帯は、それに應じて、異りたる生活態度、生活様式を作り上げると云ふ点、地政学的に重要なことである。カール・ハウスホッファー少将の強調するところは、――所謂モンスーン地帯とは地表部分に相似たる気候上の特殊性を区切るものであると。モンスーン気候の外に、大陸性気候型と海洋性気候型が存することは誰しも肯かれる。概して、大陸気候を有する大陸の乾燥地方には、強力國家は成立してゐない。蓋しムガル帝國や蒙古の如きは、斯る大陸の遊牧民であつたのに拘らず、たゞ只管に民族的な不撓的闘争の勇敢さに依存することに於てのみ、史上にありし日の燦然たる隆盛を偲ぶことが、吾人は出来得るでもあらうから。

生活圏と気候との関係は、他方に於て、それと動植物との関係でもある。熱帯又はモンスーン地帯に特有なる生ゴム、香料などは、地政学の研究対象として、亦大なる意義ありともせられる。羊毛の供給は、特定なる地表の気候帯に左右せられてゐるかを知り得る（オーストラリア）。毛皮を吾人に提供することは古代より今日に至るも、シベリア、アラスカにのみ期待されることの事実は、國家の生活圏運動の進展に對して、如何に意義を有することであるかを伺ひ知られる。

國家の強大は必ずしも、領土の大小には左右されないけれども、強國は廣大なる領土をば、生活圏の獲得のために必要とするとも云へる。何故なれば、蓋し國土の廣大さは、軍事的に國防上には、重大なる関係を有すると謂はざるを

一一

得ないから。外敵よりの一部侵入占領おかまひなしに、残余の地区をば、長期抗戦力の培養を如何様にも可能ならしめる兵站部として存在するからである。空間は武器なり。重慶政権地区、独ソ戦争に於けるウラル・シベリア・コーカサス地方はこの例である。

地政学では、國土の細長きもの、圓に近き形態を有するものとに分ちて示してゐる。領土の一部が他國の領土に深く突き出して居るまで細長く延びてゐるやうな場合は、國防上不利と云はねばならない。前チエッコ・スロバキア、満洲國内に喰込むソ聯沿海州等この例である。又、数多の空間的に分離せられたる陸地が、大いさを保ちながら独立してゐる場合の代表的なものとしては、大英帝國のドミニオン、建設黎明期の途上にある大東亜共栄圏これに屬するものであらう。

α　生活圏と資源

一二

生活圏運動の物的基本は、生産力としての資源である。従つて生活圏それ自身の面積の廣大、狭小は問題と為らず、資源量は生活圏の生産力如何を表示するものである。

資源は、自然科学的な概念ではないのだと解する限り、悠久の古代より地下の寶庫として眠り埋没してゐる地球の天然物それ自体としては、何等資源ではあり得ない。資源は人類に依りて、技術的可能性を通して、経済的價値の有つ天然物を意味する。斯くして國の生活圏を求める運動は、とりもなほさず、より豊富なる資源獲得へのそれであることに外ならない。資源は地球上に均等に分布してゐるわけではない。資源の存在量は、著しく、國によつて異つてゐる状態である。残念なことには、國家経済に必要欠くべからざる原料の大部分をば、國内に自ら供給すること不可能にして、海外に依存しなければならない場合も存在することになる。必要なる物資をなるべく自國内に於て調達可能でなければならないし、就中、総力戦の近代戦争が、長期性を帯びるとき、戦時経済

一三

に必要とする物資の國内での調達、即ち所謂アウタルキーこそ、決定的な要因とならざるを得ない。アウタルキーは関税政策の消極性に止まることなくして國内に於ける高度計画経済の強化を以て、輸入の必要を極度に不必要ならしめんとするものであるが、しかしそれは外國貿易の全面的遮断を意味しない。カール・ハウスホーファー少将は、自國の維持してゆく基礎は、民族的なる土地の維持能力と、國防諸資源の條件との二つをあげてゐる。

アウタルキーを確立するに必要なる生活圏は、廣大に亘る面積に及ぶ。地形的、気候的に單一では決してあり得ない。就中、熱帯を包含すべきである、と。何故なれば、其処にこそ、質的に、量的に、豊富な國防資源の包蔵せられてゐる生活圏が成立し得るからである。アウタルキーと地理的分布との関係を考察することの地政学的意味は、この点に於てゞある。

欧亜新秩序はとりも直さず、アウタルキーを有する生活圏運動なりとして、吾人は把握すべきことに、何の疑ひもない。概して、農業國は原料供給國であり、工業國は原料輸入國である限り、前者は後者に対して、生活圏の多くの部

一四

分を隷属せしめられてゐるやうな結果にならざるを得ない状態でもあるからである。又、欧洲に於ける豊かな鉄資源の、例へば今度の戦争前のルクセンブルグ鉄鉱採取一点張りの産業立國主義が、仮令世界経済に於ける自由主義体制のもとにあっても、余り香ばしいものとは云へない。まして、いざ鎌倉といふ國防経済体制に於ては如何に経済的基礎の脆弱性の暴露といふ危険が甚しいかと云ふことは明かである。

総ての産業を日本のみに集中的に立地して、大東亜全域の兵站を賄はんとするプランは、困難であるばかりでなく、効果的とは申されぬ。國土計画の正しい方向とは何か？　國家経済の進路自らはつきりとそこに積極性が要求されてゐるわけである。大東亜共栄圏の日本自体の立場は、資源ではなくして技術にあることを強調しなければならない。共栄圏内の地下埋もれる資源の動員工作こそ、この日本の技術の今後の如何に依りて決定されるのであるからである。これは存在の問題であると同時に當為の問題なりと謂はざるを得ない。豊富なる資源は又一定の年限を経ると共に消耗するも止むを得ないのである。一定の

資源の消耗に對するに常に不断のエネルギーの循環を以て置換せしむることに依り、問題の解決は迫られてゐる。独逸歴史学派國民経済学者フリードリッヒ・リストは、「資源と独占の上に、眠る民族は滅亡なり」との鋭い批判、実に頂門の一針である。

二、人口の民族的構成と民族的性格

生活圏運動の観点よりする産業立地の地政学的意義は、國防立地にとり、就中大なりと云はざるを得ない。防空の見地よりは不可避なりとするも少くとも野戦の場合を考慮しつゝ、外敵攻撃に對して備へるためにも、少くとも百五十粁以上の地域に重工業生産の立地を選ばねばならぬことである。人口密度の大なる國家は、より大なる生活圏を必要とするわけであり、生活圏運動の活発になるわけである。國家勢力線の方向と人口密度とは、少からぬ関係がある点に、地政学的考察の意義がある。又一國人口の民族構成は地政学的に意義を有する。複合民族國家は、對外的に國内政治的結束力が脆弱なため、生活圏生存を害するに多くの欠陥を残してゐる。就中、斯る國土内の民族分布が錯綜してゐるため。旧チエッコ・スロバキアのズデーテン独逸人は、現独逸保護領ボヘミア・モラビアの併合動機を促進せしめたものと断定するに憚らない。斯くの如く、人口の

如何は生活圏運動に深い関係を有することは、右の次第なれば、この点、大和民族、ゲルマン民族、伊太利民族、大露西亜民族、アングロサクソン民族の将来への伸長が如何に展開されるであらうことを卜することが出来得るのである。更に人口の如何は、民族が優秀な頭脳と、民族精神の所持者であり、同時に文化レベルの高度であるかどうかに関聯して、考察を進めることに、地政学的なるより大なる意義をば認めねばならない。

カール・ハウスホッファー少将は、地政学的基礎として　民族と其の生活領域（生活圏）との所産を照合することを忘れなかつたし、そこに地政学が常に政治事象に潜む民族精神、民族素質を把握しようと努めるのはそこにある。日本的地政学とは、先づ日本民族と國土との交渉に開始に溯つて血と土泥との生命的結合の所産を検討吟味し、日本民族の素質、性格を解明し、以て諸政治問題を分析することにあらねばならないと。

遊牧民族は、いつも遊牧民族として終るのである。遊牧民族が定着し、其処

に文化展開を見るのは、その特定民族としての性格にある。ナイル河の氾濫が文明を創出したのではなくして、氾濫と洪水とに拮抗し、定着苦闘した民族の賜物として、エジプトの文化の展開を見たのである。

そこに、民族としての根強い性格を考へねばならぬ。民族の生活圏運動を伸長せしめるために、強く生き抜いた性格の特殊性を無視することは出来ない。日本民族の斯る特殊性こそ、日本古典神話に溯る國史のうちに把み取らねばならぬ。上代の國史編纂は、大和民族の自覚、その血と土地の結合の所産と云はねばならぬ。世紀のナチス独逸は、古代ゲルマン民族の神話的精神の復活にありとして、ナチス党中央部外交部長アルフレッド・ローゼンベルグの強調するところを引用するまでもない話である。「まつろはざる種族をまつろはしめて」伸長し続けて来たところに、日本的な地政学的考察の意義を有つことでもあらう。

日本地政学の基調をなすものは、要するに生命的結合、血と土地との所産としての「結び」である。複雑と渾沌との中に、自ら統一を産み出さうとする一

一九

貫したる精神である。此の民族精神は、地理的な日本國土の影響の然らしむるところである。「蝦夷」「熊襲」も、天孫民族化される強い民族的性格である。自らの統一を求めて止まぬ性格は東亜共栄圏のうちに、生活圏運動を続けてゆかうとする動向でもある。東亜的モンスーン地帯として、亦、民族的共通な血を持つツラン民族系ではあるが、現実は餘りにも複雑多岐多様を極めてゐる。それはとりも直さず、これまでの東亜民族史の上にありては、何ら自覚なしに大陸部分、半島部、島嶼部分は、ばらばらになつて孤立的な立場を固守しながら、生命的には統一的な結びつきを見さうとしなかつたことである。東亜共栄圏内の廣域経済圏の如きは独逸のやうな大陸的性格一点張りではない大和民族特有の民族性格を発揮しなければならないことである。即ち「大陸性型」と「海洋性型」の結合が、こゝに含まれてゐることを強く認識しなければならないのである。

独逸経済史上に於ける、例のハンザ同盟の活動の十二世紀より十六世紀に亘つて欧洲経済の基礎をなしたかを想起する。倫敦、ノヴゴロド、諾威、瑞典、

二〇

佛國、クラカウ、レンベルグに、廣大な経済地域を活動圏としたハンザ精神は独逸民族意識の発露でもあつたが、

廣域経済圏の理念は、繰り返すまでもなく、生活圏活動運動をその基調とする。血と土地の地政学的考察からスタートするのである。此の意味からしては大陸性型の独逸や伊太利の、アフリカを含む欧阿圏（Eurafrika）空間との結合は、當然の當然として吾人をして肯定せしめるし、更に拡大して米國のラテン亜米利加諸國への伸長も認められ得る。要するに経済圏なるもの、地政学的考察からすれば、その圏内の各地域の國家的所属といふ問題に、意義が存するのだといふことになる。経済圏は先づ各独立國家から発生し、更に、独立の弱い國家領域より構成せられ、それによりて纏つた一つの国土といふやうな強力なる結びつきとなるのである。東亜共栄圏の問題は、決して単なる幻影ではないといふことは、アウタルキーの地政学的見解から當然である。血と土地とその上に立つ文化との連りを基礎として、所謂欧洲流の母國と植民地との関係は、相違すること大なるものと云はざるを得ないし、両者の分離隔絶といふもの

二一

のなしに、一つの纏つた空間を有することである。そこには有機的伸長がある。こゝに於て部分的地域のアウタルキーはより現実的な、広域経済圏の理念と提手するの運動となつた次第である。けれども、廣域経済圏内に於て、独立した経済を営んで互ひに侵し合ふ心配が全くなくなると云ふことは、実際には困難な相談である。何れの廣域圏も、完全には達しないからである。少くとも、印度、西亜細亜のやうな諸地方の形態は、避け得られないといふのが、欧亜圏の廣域経済圏の今日及び明日でもある。長期に亘るであらう大東亜戦争のその後に来るところの米國の立場である。それが西半球に於て、推しも推されもしない確固たる地盤の上に立つてゐる以上、海外への巨額の投資と、輸出國たることとの役割を演ずることを止めないであらう。その限り東亜共栄圏の市場の前途は、吾人に多事多難なる諸問題を提供して止まないのだと云はざるを得ない。

國防地政学——とは、一九三二年刊行のカール・ハウスホーファー少将に依る名称である。彼に依つて、一般的に國防地理学（Wehrgeographie）

二二

は政治的な内容を有つに至り、軍事的見地に立つては又、歴史性に着眼し乍ら、國防地理問題の解明に努めたのである。一九三五年新たにされたルーデンドルフ将軍の「國家總力戰」は新しい戰争理論として登場したものであり、國家總力戰の理念に即して、高度國防國家自体の重点形成に留意することとより、此の重点形成は、戰争形態が國家總力戰である以上、武力、外交、政治、思想、文化等の各種の戰闘部面の重点形成に関することは勿論、その上に更に綜合せられたものに於ける重点形成に及ぶものである。武力戰のみの地政学的な考察は、國防地政学（Wehrgeopolitik）としては適切なる概念ではない。國土計画、又政治組織を通しての教育凡ては、廣義國防地政学に外ならない。勿論その重点なる一分野は、當然武力戰問題を包含せられねばならないことではあるが……。唯、軍事科学中の作戰学、交通学、築城学、兵器学の應用は、地政学とは、土地に即するといふ方面から、その点区別さるべきことではあるだらうが。

國防地政学の上からして、空間の價値は、眞のアウタルキーと結合つ ひ

二三

出來ないもので、經濟戰略の軍需原料、即ち石油、ニッケル、鉄、石炭、銅、マンガン、鉛、錫、タングステン、クローム、ゴム、綿花に於ける自給自足問題を強調せざるを得ぬ点である。生活圏の境界線、國家構造の諸問題に答へるためには、一般地政学に於て、取扱はれてゐることは、前述の通りである。國防地政学は、戰略的に役立つものであつて、直接、作戰そのものに直ぐ役立つと云ふものではない。將來戰は決して武力戰のみでは、決戰をば解決してくれない。敵抗戰力の地理的基礎に集中すること、こゝに國防地政学の使命が與へられてゐる。政治と作戰とは、決して對立するものではなく、政治は作戰であり、戰争は即ち政治なのであり、兩者は不可分的でもある。戰争も政治も共に空間を念頭に着手しなければならない。國防政策は方法論的には地政学と全く一致するのである。國防地政学の対象は、とりも直さず國家であり、その政治組織を通じて盛り上る國民の力である。

ナチス國防國家の強化のための、大きい一翼としての政策はいふまでもなく、

二四

國土計画であり、それは準戰時体制の當時より、即ち一九三六年の國家國土計画局の創立以後、更に具体化されて發進途上に置かれたものと云ふていゝだらう。人口政策、食糧政策、財政整理、勤労奉仕（Arbeitsdienst）、重工業地帯分散を考慮しての立地問題の実践化の計画が、進められたものと云ふべきであらう。

天孫民族が「豊葦原千五百秋の瑞穂國は、是れ吾が子孫の……」神勅は、大和民族の國土の民として、血と土地との全き生命的結合から近代國家までの発展の基礎となつたものである。ハンザ同盟が独逸廣域國の精神となつてゐたことは、前述して來たことではあるが、生活圏への生命的活動力は、我國のそれが遥かにより根強いものと云はざるを得ぬ。通商主義國家の政策は云ふまでもなく、土地を軽視し、土地への確乎たる結びつきを示してゐない。燦然たるフェーニキア、ギリシヤの文化ではあつたが――斯る輝かしい地中海文化の昔も、一度母國の勢力が歴史の必然性に後退し、衰亡を余儀なくされるや、それは潰滅に瀕するに至つたのである。徳川初期の大和民族の発展は、南洋各地に

二五

於ける我が同胞の上に見受けられるけれども、それはその土地に生命的に結び付くべく活動する家族移民ではなくして、たゞ英雄的な武人としてゞあつたところに、何時の間にか血の名残りを失つてしまつた。そこに大きい損失があつたのである。我が鎖國主義のために、それも止むを得ざることでもあらうが。民族の血と、その生活圏との根強い結合なくして、生活圏運動の発展は、如何にしても期待出來ないといふ立證を示唆するものである。

戰争に依つて、國家が一時生活圏の全部を失つたからと云つて、直ちに其國家が消滅してしまふものとは、早合点出來ない。要素としての土地と血が失はれてゐない限り、仮令その何れか一つの活力が衰へても國家全部の滅亡にはならない。國土を失つても、血の有する限り、熾烈なる國家構成意慾を有する民族が存続することゝなるわけである。それは機の熟する將來への國家構成準備を忘れてゐないのだから。

第十六世紀の西欧諸國に於ける植民政策横行時代にありては、諸國はあげて

二六

新しい生活圏の経済價値に眩惑され、こゝに軋轢抗争は不可避でもあつた。現南方共栄圏に包含せられてゐる豊饒資源の熱帯地域への、我れ勝ちの競争はあさましくも展開された。そこには軍事的な意義をば、政治経済價値と共に考慮してゞもあつたが。ともあれ、その頃は発展する新興國家の経済充足力には、新しい経済價値を求めることを先づ第一となしたからである。第十九世紀末に至つて、この豊かなる空間は強國帝國主義勢力線の激化する政治地域へと、移り変つたのである。それは世界経済の独占化されてゆく資本主義の最高段階として、必然的運命でもあつたからである。母國にとつての斯る経済價値ありとする経済圏はより拡大される隣接地域へと政治力の強化作用を及ぼさずにはゐなかつた。地政学で重要視する所謂「勢力範囲」（Kraftfeld）の政治的圧力の集結され、強められる空間こそは即ち右のことを意味するに外ならない。

日本地政学は断じて独逸の「力の地政学」のやうな基礎の上に立つてはならないし、運命協同体の民族精神を土台とした地政学に於て、國家発展は相互的

二七

なもの、協同的なものでなければならない。島國日本民族の大陸への発展思想のうちには、亜細亜人種の運命協同体構成への意志の動向が、これまでも隣接圏を含めて進められてゐたことが、歴史の上に吾人は学びとることが容易である。

東亜の島嶼をなす日本の位置でありながら、その延長形態を以て亜細亜海岸を擁し、自ら太平洋に臨む亜細亜沿岸をなす好條件である。そこには「大陸型」と「海洋型」との両面の政策を行ふことの出来得る点である。だが支那は、相当の長い海岸線を有し乍ら、にもかゝはらず日本の陸地に依りて擁された縁海に臨むといふ有様であつた為に、南支那の一部を除いては、たゞ「大陸型」のみに終始したのだといふことが出来る。

カール・ハウスホーファー教授の見解に於ける「東亜共栄圏地政学」は、要するに彼は二つに大別して、印度太平洋圏（Indo-Pazifischer Raum）と大西洋圏（Atlantischer Raum）としてゐることは余りにも有名である。

二八

る。即ち地政学の対象としての太平洋圏の文化性格と、大西洋圏のそれとの比較考察である。大西洋地域は印度太平洋空間に比較して、もつと河川的（po-tamische）であることを強調してゐる（寧ろ、海洋的であるといふよりも）。之に対して印度太平洋空間は大洋を囲む陸地、而して大洋に流入する受水地域を含めての大洋的なものなりと。亜細亜大陸の分水界をなす高地までの海洋的要素が、強く作用してゐると。此の地域の人文地理学的な特色としての、多分の共通性であり、南方亜細亜までの地政学的運命共同体として考へられることである。更に端的に考察を進めるならば、オーロラと濃霧に明け暮れる北方ベーリング海峡より、南亜米利加西岸の細長き部分までに及ぶものなりとの見解を述べてゐる。フリードリッヒ・ラッツエル（Friedrich Ratzel）に依れば、廣大なる領域に活動した海洋遊牧の民は、南太平洋の島嶼をば、飛び石傳ひに南米の西岸に達してゐる痕跡さへ立証してゐるやうである。又、黒潮に便乗、北方への生活圏を求めたといふ大和民族の神話も。欧洲文化以前亜細亜文化の性格は、神話的形態の中に共通性を見出される時、馬来、ポリネ

二九

シアの漂流の民に就いて印度太平洋空間の拡大の歴史の跡が肯かれるのである。いふまでもなく、モンゴール人種の分布は、印度太平洋空間の受水地域に止まることなく、欧亜大陸に跨りて、遠く所謂大西洋空間に及んでゐる。印度太平洋空間の文化性格、古代日本、古代印度、古代支那、古代ペルー、又アングロサクソン文化侵入前のオーストラリア大陸、相互文化関係状態を吟味して見ることから、こゝに、大西洋圏文化性格と対立する印度太平洋空間の文化性格を認められるわけである。「複雑の中に絶えず統一を目指す」日本民族型の性格は、勢ひこの空間の上に強力に作用する。そこに印度太平洋空間を基礎として、亜細亜大陸深く分水界をなす高地に至るまでの、大陸型、海洋型両生活圏の確立のために、大日本帝國が乗り出すことは必然の運命ではある。大東亜共栄圏も、結局斯る印度太平洋空間の血と土地の合理的結合の前提であらう。地政学的意義はこの点に存する。

（第五図参照）

三〇

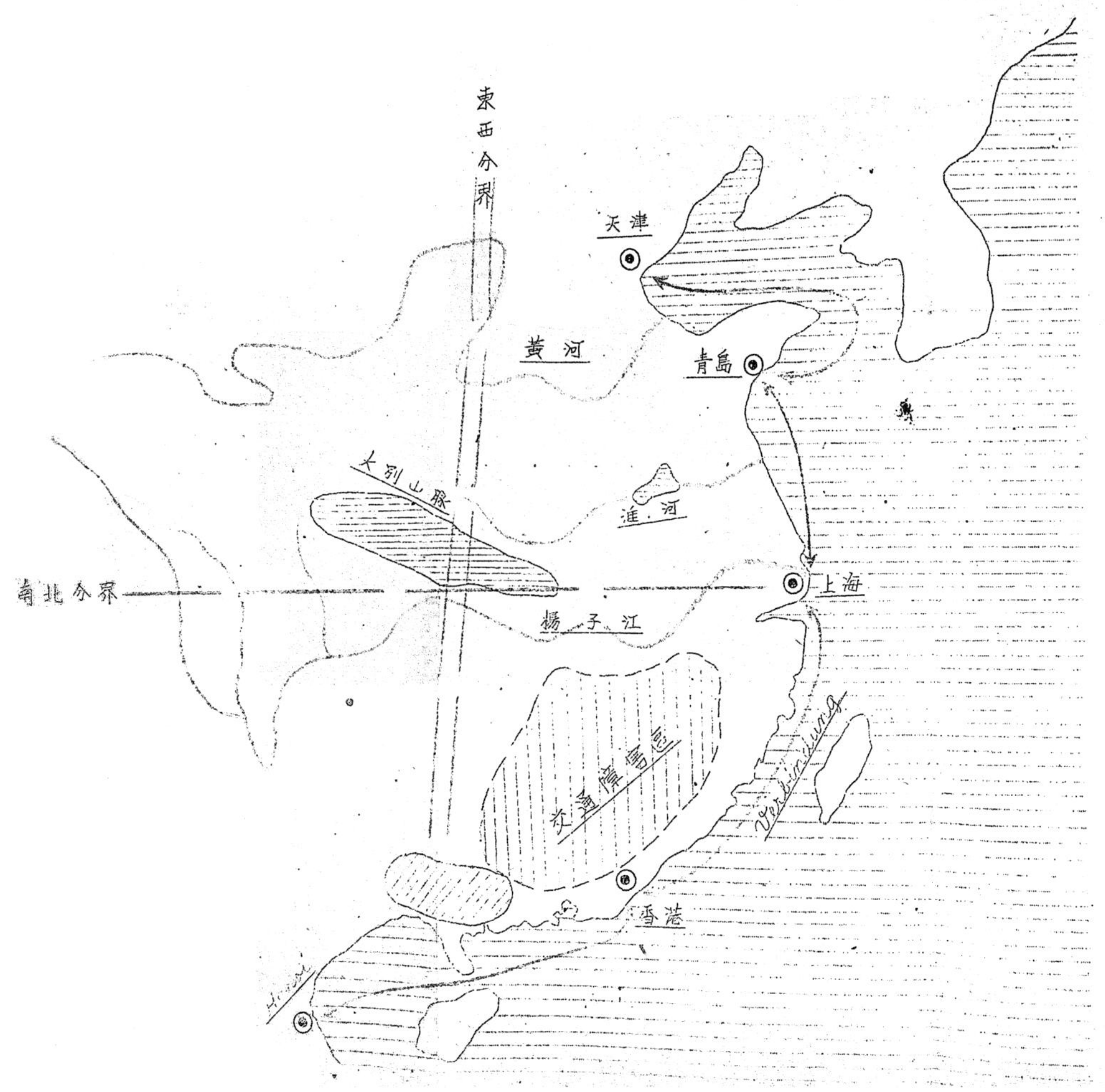

第五図

國家形態の地形的に円に近かんとする大陸への伸長は、その政治的統治、防衛の上に、有利であることは解り切ってゐる。満洲國と蒙疆自治政府地区建設は、日本との密接不離なる関係にある。

然らば今や不問に付され忘れ去られようとする、大東亜共栄圏のこの生命線を凝視せよ!! ソ聯シベリアの問題は、如何に取扱はれるか。こゝにも國家の生活圏運動の進展するところ大なる関心なしにはゐられない。

清朝康熙帝の時代の露西亜との條約、ネルチンスク（Nerchinsk）に於て締結されたことである（一六八九年）。帝政露西亜には當時、シベリアへの東方を目指して進出を続けるためには、黒龍江沿岸が何よりの條件であった。シベリア駐屯軍の糧食を支へるためには、帝政ロシアとしては、東方に豊かなる穀倉を発見するの必要に迫られたことも當然でもあったからである。清朝と帝政ロシアとの黒龍江岸の爭奪戦も、落ち着くところネルチンスク條約で収った。これはヤブロノイ（Yablonoi）分水嶺を境界とするところのものであ

三一

り、カール・ハウスホーファー少将の指摘する列の印度太平洋空間の見解よりすれば、境界線は、合理的にして正當なものではあった。黒龍江支流一帯の地域は、ソ聯の独ソ戦争前までの三ケ年計画経済の上に、如何に重要視してゐるかは容易に納得される点である。帝政ロシア當時と今日とのそのシベリアに対する地政学的意味を検討することに、吾人は関心を持たせられる。

三二

支那四千年の歴史、けれども漢民族にとつては、その廣大なる地域をもて余してゐる点、近代支那も何ら異らず。道路、鉄路、空路の発達の遅々とした歩みも、新省自治も、決定的な效果ある解決を齎らしてはくれない。近代國家の構成は、漢民族にとりては容易ならぬわけである。南北支那を分離する上に、地形的には、大別山脈を重要視してゐる。政治性をかゝる自然が如何に制約せしめたかといふ点を指摘するならば、北支は乾燥耕作であり、高梁、小麦の栽培であり、中・南支は云ふまでもなく稲作を主とする。この南北二大別しての地域に大きく影響するものは、黄河であり、揚子江でもあらう。

大行山脈や四川盆地、雲南高原も、自然地形上から政治的分割を齎したことは、三國時代の蜀の例と変らず、今日と雖も同様に重要な意義がある。就中、四川盆地は、西方高地中、政治形態に於ける独立性を認めないわけにはゆかない。又陝西、漢中盆地帯の南北に連る結合形態を認めたいのである。

地球の大陸塊を北より南への延長を以て、三つに分つことも出来る。

(1) 欧　洲　——　阿弗利加（一一八〇〇粁）
(2) 東亜細亜　——　濠　洲（一三三〇〇粁）
(3) 米　國　——　南　米（一五四〇〇粁）

右の三つの陸塊には、同様に欧洲地中海、濠亜地中海（珊瑚海、バンダ海）、亜米利加地中海（メキシコ湾、カリブ海）なる三つの海域が、陸地の中に深く入り込んでゐるのである。而してこれ等の三つは共通なる地政学的性格を有してゐることに着眼しなければならない。それは通商路の集中点である重要さである。而して又、尖鋭化する海洋強國の勢力線の焦点と稱され得るのであるか

ら。何れも三つの地中海を囲んで、豊饒な資源の有するところの経済圏にあるにかかはらず、政治的には強力民族國家が存在してゐなかつた為に、地政学的な所謂闘争場（Kraftfelder）の問題を吾人の前に提供してゐる。

東亜共栄圏の地政学、何よりも先づ、吾人の眼は濠亜地中海を囲むところの佛印、泰、馬來半島、ビルマ、馬來群島のヂヤバ、スマトラ、マラツカ、セレベス、そしてフイリツピンなる諸島の上に注がれねばならない。東南亜細亜とオーストラリアとの橋梁地帯であるからである。從つて又、この空間の資源の寳庫は、欧洲諸國帝國主義の虎視耽々たる對象とせられて來た。一五八〇年ポルトガル本國が、スペインに併合せられた為に、スペインはポルトガルに代つて、馬來諸島に活躍することになつたことは、周知のことである。然るに當時スペインに對して独立戦争を挑んでゐた和蘭は、濠亜地中海地域の資源並に交通上に眼を付けることを忘れなかつた。日頃の準備は、一六〇二年の所謂印度會社設立とならざるを得なかつた。それを以て、空間に於けるヘゲモニーを和蘭は掌握するに至つたのである。一七九五年、會社經營の失敗は、和蘭の濠亜

地中海よりの勢力の後退、一時的バタヴイア共和國出現。バンダ海群島、マラツカ海峡一帯の英國人の占有に始まつて、こゝにバタヴイア共和國は解散を見たわけである。

めまぐるしい列國帝國主義勢力線の尖端は、濠亜地中海に於て交叉し、激化されてゐることも右の軍事上、交通上重要性を併せて、無限に豊かなる生産資源であるに帰因することは、余りにも明白である。アジアの東南太平洋圏からオーストラリアの橋梁として、且つ忠実なる英國帝國主義の為の番犬として、保護領化した蘭印（東亜戦争前までの）地政学的推移に就て、今更吾人は認識を新にせしめられる。マラツカ群島こそ、大東亜戦争までは、実に、シンガポール防衛陣として、軍事的結合をなしてゐたのである。

フイリツピン、コーチ支那、澳門、東京、セレベス、ボルネオ島南部、スマトラ、ジヤバ島、馬來半島に於ける日本人町の出現は、如何に鎖國幕府時代のうちにありて、當時勇躍した日本人の活動を今更偲ぶのである。何等の國家的支持の激勵もなかつたのに拘はらず、當時の海外への日本人は、この濠亜地中

海へと宿命的な結びつきを求めてゐたわけである。蓋し天孫民族の所謂唐天竺、それは宿命的な運命協同体でもあらうから。

三　印度太平洋圏の地政学に於ける基本的性格（大陸性型と海洋性型）

印度太平洋空間の文化性格を有する位置にある日本、その日本人の世界観は他のモンスーン地帯との空間的統一体として、相互に感じ合ふことを先づ肯定してゐることである。而して長きに亘る欧洲帝國主義の攪乱から、今にこそ、長期建設を求めて、東亜をして一つの整然たる秩序の許に置かうとする覚悟を以て起ち上つたのも、こゝに當然と云はねばならぬ。大東亜戦争も地政学的必然性と云はざるを得ない。濠亜地中海の空間と、進展する長期建設戦（大東亜戦争）との関係は、前途に幾多の多事多難あれども、断じてそれを克服し、解決を自ら處理してゆかねばならない問題を、吾人の前に現実的に提供して止まないのである。吾人にはその重且つ大なる使命が残されてゐる。問題を再検討して見ても、先づ、この空間なるものの特性から、第一には資源の問題であり、

世界経済の幾つかに大別される廣域経済圏に於ける東亜共栄圏の有する役割如何といふことである。

群島の運命協同体は、血と土地の結合から。地政治学的見解は、世界に於て太平洋生活空間ほど、典型的な生活圏はない。民主主義と汎世界主義との世界観は、今やこれを契機として崩壊に瀕してゐる際時間と空間の上に、根を張るところの民族の伝統を無視しては、眞に人類を幸福へ導いてゆく新秩序を構想することは出来ないであらう。自然地理学的に解釈せられる三つの類型地帯、即ちモンスーンと砂漠と牧場との地帯である。季節風は亜細亜大陸と印度洋との特殊の関係から、夏は南西風が陸に向つて吹き播き、冬は北東風が海洋に向けられて吹く。夏の季節風は熱帯を渡るのであるから濕気が甚しい。それ故東亜細亜全体は独特の風土を構成してゐる所以である。日本や支那大陸は群島を含めて、所謂モンスーン地帯の風土性を有することになる。日本固有の建築様式も、衣裳様式も、農耕様式も、この風土性によりて規定される様式である。正倉院の御物が一千数百年後の今日も猶保存せられてゐるのは、その建築様式

の湿気を防ぐ工夫をしてゐると謂はれてゐる。夏季にありて、熱気と湿気が重なるといふことは、世界中には殆んどその類例がない。日本人の受容的性格、持久耐忍の性格の斯る点に存する所以である。

東亜共栄圏の目指すところ、所謂廣域経済の完成にある。それは國民経済の綜合統一体であり、國民経済と世界経済との中間に位する新しい概念である。これは、ブロック経済とは本質的に異る。それは一九三〇年の世界恐慌への対策に過ぎない消極的なものであるのに反し、廣域経済は数個の國民経済の綜合であり、生産・消費に亘っての経済単位である。ブロック経済は主として、消費と交易とのみに止まらうとするに反して、新興廣域経済は、広域内の諸國家が生産面に於て強く結合して行かねばならぬ関係に置かれてゐることである。生産、消費、交易の高度化された計画経済が條件である。ブロック経済は旧体制として、國家関係は便宜的な協定に過ぎない。太平洋の広域圏では、将来、通貨問題が重要な課題となつて来るであらう。大東亜共栄圏内の諸國の通貨は

いふまでもなく當然日本通貨の標準の一定比率で指導されるのではなかろうか。廣域圏内に於ける為替相場の発展、活発なるバーター制は必然であり、ニューヨークとロンドンとの支配した世界経済に於ける金本位制は、世紀の歴史の進行してゆくうちにありて、その崩壊を急ぐのでもあらう。

神話時代に誕生した若い日本は、万邦無比の輝かしい國体を創成し、国土建設確立の時代であつたが、世紀の新秩序を掲げて登場したナチスの「廿世紀の神話」の構想を有する第二の独逸神話時代に復活しようとするゲルマン民族に就いて、吾人は思ひ及ぶ。長期建設の為めの総力戦は、廣義文化戦の具体的表現であると謂ひ得る。この意味からして、日本文化が大東亜広域への指揮であり、又、独逸の所謂「欧洲アフリカ」的表現をば、独逸生活圏の理念であるとも云へるであらう。文化の本質とは、その決定的な要素として土台には、政治経済を指摘しなければならぬだらうし、その上に組織化された形態として、法律の、道徳の、宗教の、藝術の、言語の、それを挙げることが可能である。そ

れには風俗習慣もつき纒ぶてゐる。此等の上下構造の相互に、綜合的、弁証法的な関聯を以てするところに、文化の本質が存するのだと云はざるを得ない。大東亜共栄圏は、印度太平洋空間にまで拡大される合理性に就いて繰り返して来た次第であるが。文化的性格に於て、それは大西洋空間と著しき對位を有してゐる。広大なる海洋を克服しては、亜細亜文化がばら撒かれたと云ふにある。人種学、民族学、考古学の智識を通じて、確実なるものを把み、而して広域内の出来得るだけの結合の基準動向たらしめようとすることである。古代アジア人のアラスカへの進出、マレー、ポリネシア族の前太平洋を経て、南米海岸に漂移した跡を指摘しては、マヤ、インカ國の痕跡から右のことが立証され得る。太平洋國諸國の國旗などに、太陽、月、星に関する共通性、或は数に対する共感のアジア民族との関係である。但じ、偶数に對する観念は、大和民族に特有なるものであると、民族学者白鳥博士は述べてゐる。偶数を好み華人がといふ風習は、大和民族の容認、優雅の國民性を創ってゐることに大なる関係あることを指摘してゐるやうである。五重塔は佛教文化の影響であると。

四一

ウラル・アルタイ系のツラン民族のうち、*Shamanismus* の善神は東、悪神は西に位するとする考へ方は、特殊的風土から影響を受けた信仰であり、大なり小なりアジア原始民の間に蔓延したものと見ることも出来るのである。満蒙支那大陸、南方圏諸地方を通じて、等しく「天」と「太陽」との両神を信仰してゐたことはウラル・アルタイ系ツラン民族の生活する地域からする必然的な普遍性でもある。我が皇國の天照大神として、太陽の絶對性を有することは断然他の追從を許さぬことではあるが、琉球、台湾、フイリッピンの日の神信仰と呼應し、相通ずる東亜人独特のものと云へるのである。

印度太平洋空間と、大西洋空間の相違それは斯くして更に又アラスカのアメリカインディアンが、マッキンレイ（*Mckinley*）の最高峯を「太陽の家」として崇め尊び住んでゐたといふ素朴なる原始的信仰のうちに、そこにも、北欧民族文化圏の痕跡とは、判然と区別すべき、アジア的ツラン民族の *Shamanismus* の及びたるを伺ひ知られるのである。

（第六図参照）

四二

第六図

四　攻防戦略上より見たる國防地理概観

a　太平洋圏（諸島嶼を含む）からパナマ地峡並にアメリカ地中海まで

精鋭の質に於て、四海に冠絶する未曽有の大海軍、夫は、帝國に與ふるに百戰不敗の戰略的な態勢を以てした。新南群島を経て、大スンダ列島まで、今は北方千島列島よりは、蜿蜒三千哩の波濤である。亜細亜大陸の前衛線、東亜を護る西太平洋の生命線の背後には、ゆるやかに連り配列する日本列島の布陣こそ、東亜の名実共に盟主となるべき、國威を断じて失ふことなからしめんとする天然の万里の長城宛らの悌である。南方十字星の下、散在する諸島は、東より攻め入る敵に對する金剛不壊の備を有するものである。一聯の列島の海洋に散布する陣形ほど、太平洋の怒濤の上に、強力なる空軍を活躍せしめるに絶好

の條件をなさしめること少なからずとされるからである。東経百十度より百八十度にかけて、日本本土を定点として、渺茫果てなき海原の上に描く大扇形は圏内二千余の無数の珊瑚島群を抱いてゐる。吾人は「世紀の攻防戦」を、深く考慮しなければならなくなった今日の事態に至るまでは、これ等の珊瑚礁は顧みられることは殆んど無かったと謂ふてい丶位であったが、さて戦局の急迫は勢ひ海空軍の急速なる発達と相俟ちて、こゝに之等の島嶼は戦略的意義の如何に大なるかを見たわけである。日本列島の前面は、東方に沈まざる数千の航空母艦を恰も列ねたるにもさも似てゐる。蓋し、制空権の本体は、戦闘機の如何に存するのではあらうが。鳥も通はぬ絶海の孤島とは、世紀の今日の太平洋にふさはしくない。米亜両洲を距てゝゐるこの廣域も五千浬ではあるが、そこには点々として散布する横に結ぶ鎖の列を以てする三條の大小島嶼がある。其の進攻基地も、艦隊の、Uボートの、又空軍の――海洋作戦が、斯くして、自然地形に則して米國海軍作戦部に依って選ばれ来ったのである。

(1) サンフランシスコ――ハワイ（二千二百浬）
ハワイ――ミッドウェイ（一千百浬）

次いで、ウェイク島まで一千浬、更にグアム島まで一千三百六十浬。斯くて直ちに日本列島を指せば、一千三百浬、マニラに航をとれば一千五百浬である。最短距離北方アリューシャン列島経由に比べれば、これは天候に依って左右される作戦妨害の危険は少いとされる。大迂回のコースであるサモア諸島の経由に比べれば、二千浬の距離短縮の利がある。

けれどこの好條件の敵進攻路も、帝國海軍の鉄壁を誇る西太平洋の防禦陣に直面せざるを得ないのであるが。大小無数の珊瑚礁は、例外なく水上機の基地を形成してゐることは勿論、平地も殆んど陸上機の着陸地として顕はされ、海の國境に浮ぶ動かざる航空母艦の列としての役割を果してゐる「帝國の守り」に就いて、繰り返し指摘して来たのであるからである。無数の島嶼の一つ一つを中心として描く円周は、海鷲、その戦闘機の自由なる行動圏を描くところの距離であり、半径六百粁乃至千粁である。それらの円周は、左

右相重り合ひながら、日本列島の東方から南方にかけて、約二千浬の幅を以て太平洋の海心を蔽ふことが容易に可能である。

(2) アリューシャン列島経由の敵の進行路、ピュージェットサウンド（Puget Sound）よりシトカ（Sitka）アラスカまで九百浬、これよりカディアック（Kadiake）島まで六百五十浬、カディアック島よりダッチハーバーまで七百浬、更にこれよりアトカ（Atka）島まで百浬、これよりアメリア（Amelia）島まで百九十浬、而してアメリア島よりアダック（[illegible]）島まで二百五十浬である。最短距離の北進の進行路、然も米國の海軍にとっては、米領の領海に沿ひて進撃することが出来得るのであるから、艦隊が後方を敵の襲撃に依って脅かされる危険は少ない点を特徴とする。いふまでもなく缺点は冬季の主力作戦の期間と雖も、甚しく深い濃霧と、雨量とに悩まされる。これが就中空軍の行動を阻害する。而してこのルートの戦略的価値は偏へにソ聯との軍事的協力が前よりの前提條件となすことに於て可能なりと謂はざるを得ない。カムチャツカ半島のソ聯太平洋基地ペトロパウロフス

(3)

クの米國による利用度如何に依つてルートの價値は決定的であると謂ふていゝ。

然らば米國の殘る唯一の頼みとする第三の進行路に対する帝国海軍の鉄壁不敗の防備陣は、南海の碧波に浮ぶ数多の島嶼の上に布かれて居り、彼等の進攻路を断固として阻止してゐることは、大東亜戦争今日の現状が、明白にそれを立證してゐることである。ハワイよりサモア諸島を経てソロモン諸島(英領)を北方に戻り、濠洲大陸の北端トレス海峡、バンダ海、マラッカ水道、フイリッピン群島に達する全航程八千八百浬の中、バンダ海以北は、今や完全に我が海軍の手に入り、更にトレス海峡もその制空権が、帝国海軍の下、海鷲の羽搏きに脅威を受けて居るのは、それを事実に於て物語つてゐるのだと謂ふていい。

仮令、米國艦隊の大編成が、濠亜地中海に出現して、我が太平洋の防備の間隙を狙って、旧シンガポールまで入港可能との想定を以てしても、万里の波濤を遙々渡つて来た彼等の前途は悲惨なる帝国海軍の奇襲作戦によりて。彼等の

四七

本國との連絡は、完全に断たれ、孤立無援となるのは避け得られないのである。今日に至るまで、大東亜戦争の海戦は幸か不幸か斯る米國の作戦的表現をば旧シンガポール附近に見ることなくに終つたのであるが。我が帝國陸海軍協力に依りて「大スンダ列島」を境界線として、牢固として抜くあたはざる「南海の護り」東亜共栄圏の鉄壁不敗の防禦線が開戦後数ヶ月出でずして、吾人の前に現実に出現したのであつた。

四八

実に暫くこの戦略的な考察を離れて考へても、國防廣域経済的な見地よりしても、濠亜地中海を媒介して、東亜とオーストラリアとを連絡する溺沢地帯を放棄することは断じて長期持久戦の決定的エネルギーの損失を意味するのだと吾人は強調しなければならないのである。

マーシャル群島の東端ヤルート(Jaluit)島からサモア諸島、トトイラ(Tutuila)島嶼(パゴパゴ)の基地まで、僅かに千八百余浬に過ぎない。これはやがてパナマ地峡の攻略のための絶好の基点となるわけである。トトイ

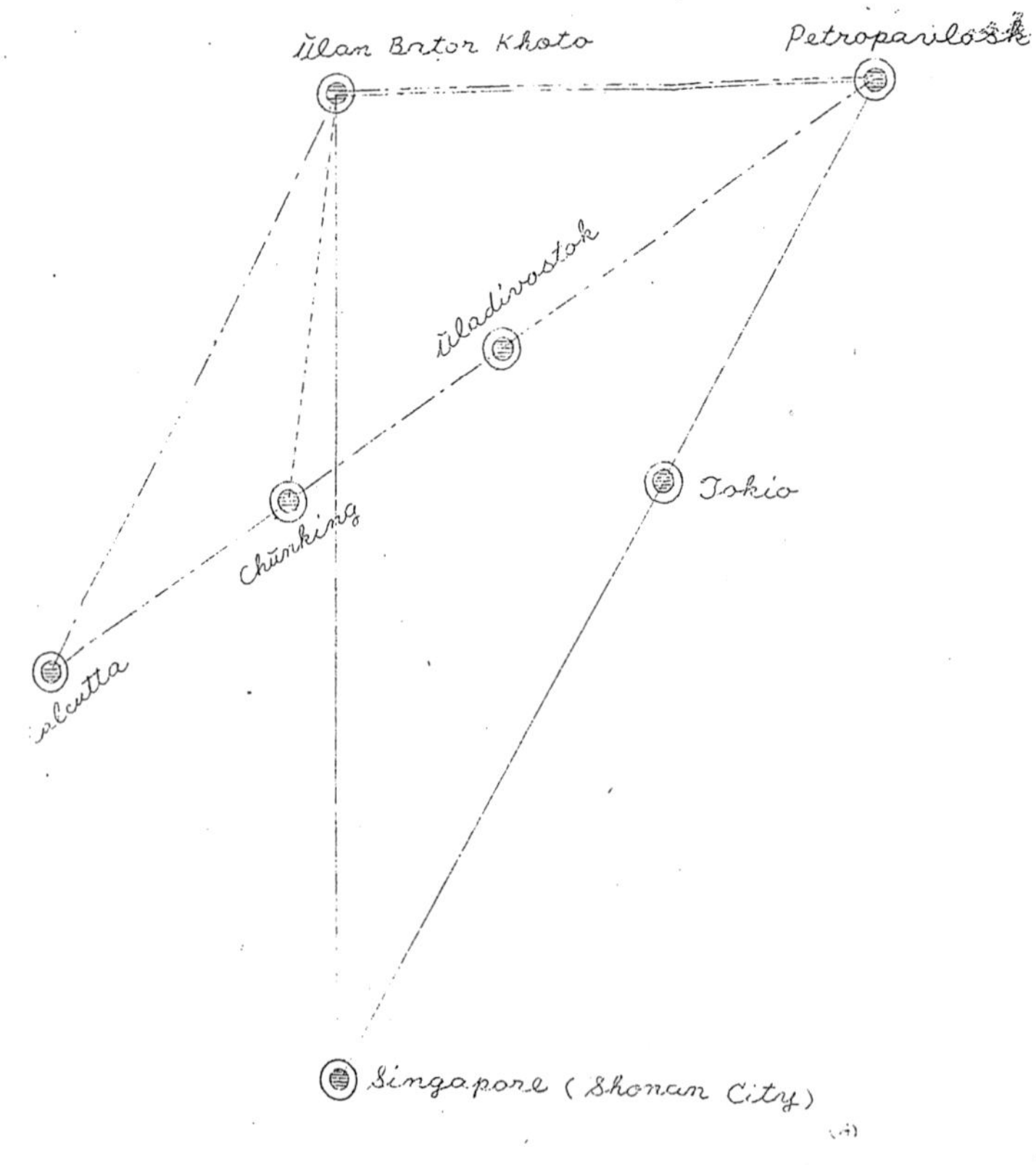

ラ島よりパナマ地峡までの距離は、六千五百浬であり、Paimotuに列島を僚び、断絶する海波の上の島々の点列の最終は、所謂パラパゴス（Palapagos）である。

実にパナマ運河なかりせば、米國海軍は同時に二つの海軍を維持することを余儀なくされるのは明白である。ヨーロッパ新秩序の形成その独伊枢軸側に對する攻防戦に必要なるべき海軍力の充実は、米國にとりて何はさて置き、焦眉の問題となつてゐるのも當然である。更に加へて太平洋の帝國海軍のそれに拮抗するに充分なる強力なる艦隊である。パナマといふ一條の人工水路が、第二次欧洲大戦、東亜戦争の進展するところ、米國大陸対大西、太平両洋と云ふ大攻防戦が更に大きい海戦の嵐となつて、荒れ荒ぶ将来が到来する時、米國全艦隊は、太平洋から大西洋へ、又大西洋から太平洋へかけて、一日半にして大移動完了可能なりと當局の豪語も実に宜なる哉である。従つてパナマ地峡を通過する全艦隊が、戦闘集結を完了した後であつたにせよ、万が一大爆破を見るの場合ありとせば、それは後方連絡の如何に大なる脅威を覚悟しなければならない

五。

ことも、米國としては勿論避け得られる筈はない。更に米國にとりて、戦慄すべき損失は、作戦上、太平洋、大西洋両艦隊が、両洋に分たれて活動してゐる場合、即ち未だ両者の合同せざる以前の状況に於て、この地峡を徹底的に破壊してしまふことである。その可能性如何である。斯る結果は、大西洋艦隊行動は遠く南半球を南下し、再び北上しなければならないところのマジエラン海峡経由の大迂回航海となるのであるからである。航程一万三千浬である。而してそこに海戦を有利に導く米國作戦計画の上に及ぼす影響の甚大なりと謂へるのである。

（第七図参照）

独ソ戦争の戦況は、ソ聯の對日態度に今や重大なる意義を有する著しき轉機を齎らしたものであると謂はざるを得ない。いふまでもなく日ソ中立條約は、依然として両國の間に、前松岡外相以来、何らの変更を加へらるることなしに厳守されてゐる。現谷外相によりても對ソ協調の方針は受け嗣がれた。斯かる

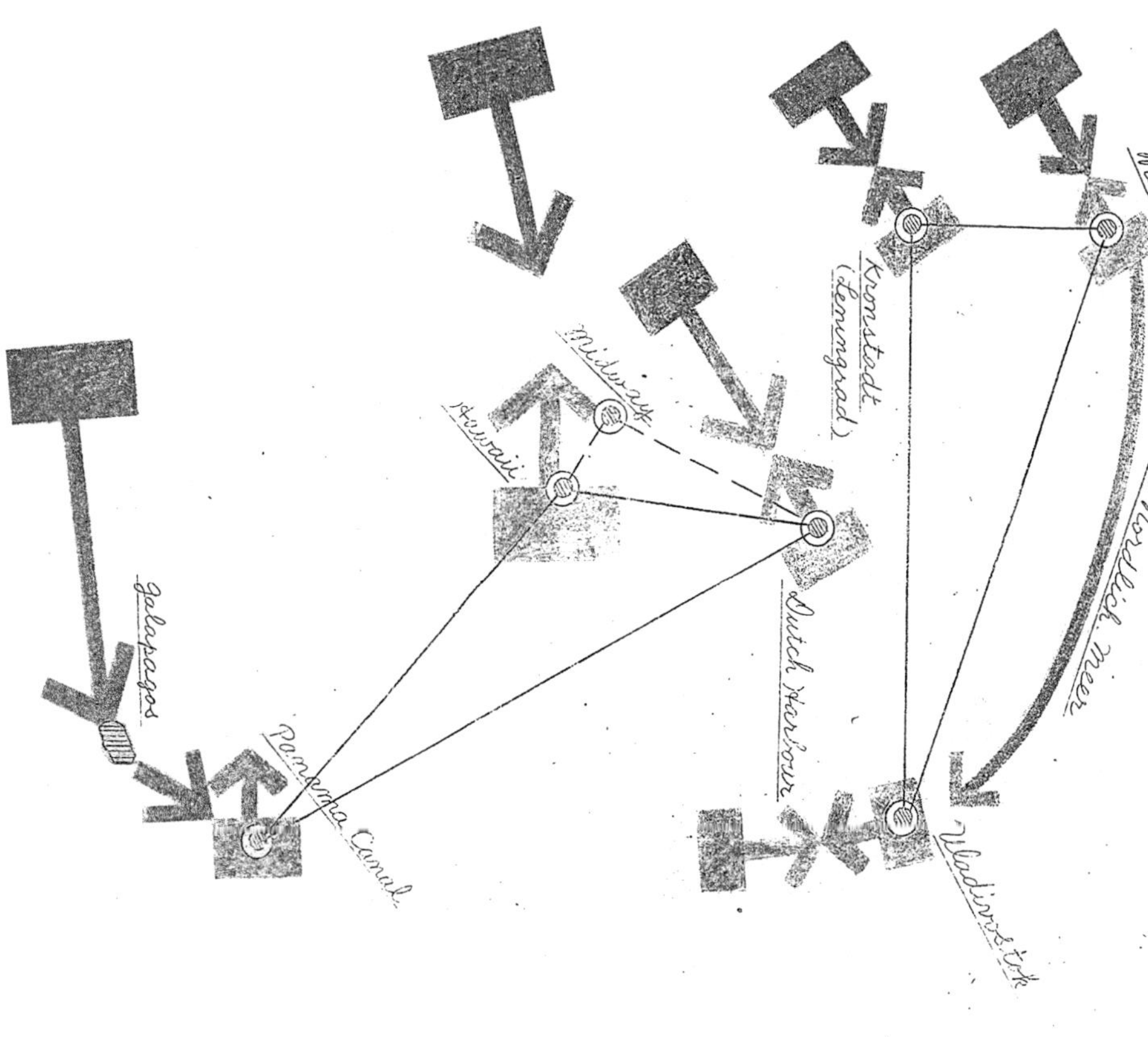

第七図

両國の現段階にとりて、必然的でもあらう政策の轉換こそ、非常に意味のあることであらねばならない。ソ領外蒙古と東亜共栄圏の北方地域に位置する現満洲帝國の存在とをば、両國は相互に認め尊重し合ふべき約束である。けれどもこれまで久しきに亘って解決し難き両國の國境紛争に乗じて、それを煽動し、挑発することによつて、この日ソ関係の好轉、北辺の安定を破壊する者は誰か。いふまでもなく、日ソ干戈を交へるの日の切掛けを惹起せしめやうとするのに手段を選ばざるの暴挙に出でようとするものは、英米敵性両國たることに変りない。然る限り日本はソ聯の今日及び明日の動きに對しても、拱手傍観の如何に愚の骨頂なることかは、小学生と雖も理解出來得る筈である。北満の守り堅く、近代装備の強化を以てする北支派遣軍と関東軍との駐屯、そのより大なる兵力集中も、こゝに於て忽せには出來得ないわけである。アラスカ——ペトロパブロフスク——ウラジオストック——カバロフスク——黒龍江——カルガン——蘭州、西安の線の國防地理的な重要性に就ては、今更説明するまでもない。ことである。如何程爆撃機の威力ありやは知らぬけれども、日ソ関係万が一の

五一

場合、いざ鎌倉といふ場合に對する日本國民の注意を怠ってはならぬことは勿論である。ウラジオストックの基地より敦賀に至る距離四百九十哩。これを例へば欧洲に於けるハムブルグ——ハル、三百八十六哩との比較考察を参考とすべきことも無意味ではないのである。この場合東京への空爆は、日本アルプスの高山地帯上空通過のため、敵機として相當の困難を伴ふでもあらうか。而して又日本にとりて、斯る場合は、それが進攻作戦ならざる防禦作戦たる限り、斯る決定的ならざる空中戦闘のみでは、何ら日本は脅威を感ぜずに済まされなか。

五二

ソロモン群島が皇軍に依りて実に完全に領有されるだらう暁には米國——オーストラリア間の敵性連絡路は、先づ遮断される状態になると謂ふてゐる。だが去る九月三十日大本営陸軍報道部長の講演（新聞に依る）は、——サンフランシスコ——ブリスベーン間一万二千粁を三十六時間を以て長距離無着陸飛行を敢行したと報じてゐる。或は、右に前述したところの(a)(b)米國進攻ルートは

即ち前者の九千粁、後者の八千八百粁ではあるが、敵側東京空襲作戦に對して深く考慮するならば、勝て兜の緒を締めるの大警戒を要するのだと云はざるを得ない。何故ならば世紀の空中戦には驚異すべき空軍兵器の出現を見るであらうし、実に大空中航空母艦が痴人の夢だと等閑に附してはならぬからである。

パナマ地峡

珈琲、バナナ、煙草、綿、金属、石油なる熱帯資源を有つこのパナマ地峡は更に米國の為に如何に軍事的に重要であるかに依り、彼の國に占有されてゐることは周知のことであり、カリブ海より太平洋に至る十数哩の間の地域の組帯を、米國は永久租借する権利を有つ。運河の経済的重要性こそ太平洋岸の諸國（現在までの東亜共栄圏諸國を含む）は、機械類の大部分、原料の廉價なる輸入、同時に米國東部と欧洲への食料品輸出への通路として、海上交易に於て重要性を有すること多言を要しない。パナマ運河の両端にある[illegible]はバルボア（[illegible]）、クリストバル（Christobal）の両港であり、運輸状況は

一九三八年　二七、三八六、〇〇〇噸
一九三九年　二八、七七九、〇〇〇〃

五四

國際貿易の今日までの高低を如何に敏感に反映してゐるかを立證して來た。而してこの地峡は、スエズ運河と共に、第二次世界大戦までの世界海運に於ける二大潮流の通過点であつたのである。地理的観点よりパナマに依りて分たれる両洋の通過方向を示す時

東向け——カルフオルニア、メキシコよりの五五%、南米よりの四五%の石油。これは産量中の五二%の米國へ、四八%のカナダと欧洲向けである。智利硝石は米國へ四五%、欧洲へ五五%、フイリッピンの砂糖もこゝを通過し、穀物の一切はこれを通過して欧洲へ、米國、カナダから送られると謂ふてゐる。

西向け——五七%の製品、二七%の原料品、残余は商品各種であり（一九三八年）工業國としての米國及び欧洲就中独逸はいふまでもなく、農業國の特徴を有する太平洋岸の南米諸國、東亜諸國への工業製品供給に、この運輸路を利用してゐたといふてゐるわけである。これまでの世界経済に占める自由貿易のルート

として、地政学的考察の意義は、この地峡の大西洋、太平洋の全体を含んでゐることに存するのである。欧洲と直接東亜との関係は、この運河利用はさほどでなくとも、濠洲、ニュージーランドとの貿易は、米國以上に欧洲にとりてパナマは重要視されて来た次第である。ラテン亜米利加から、英佛海峡向けの海運の三つの潮流ありとされる。ブエノスアイレス、サントス、リオデジヤネイロから渡るもの、紐育から渡るもの、而してこのパナマ地峡から渡るものである。スエズ地中海方面航行不可能になつてから、大東亜戦争勃発前までの間、特に重要であつた。原料と食料との貯蔵庫であるラテンアメリカへの列國の魅力は集中され、錫、銅、棉、石油、珈琲、木材の多量を輸入してゐるのである。だが、何といふても第二次世界大戦後に来るところの世界経済に於ける広域経済への最然たる動向は、勢ひ、南北アメリカをして、このパナマ地峡の軍事的價値、その近代的装備と相俟つて、全地域の汎アメリカとして、米國の生活圏の拡充に誘引せられゆくことを否定することは出来得ないのである。ラテン、アメリカの文化圏の本源をなすものは、欧洲であるが、米國の南方への勢力線

五五

の強力なる方向は、南米全域へと伸長し、拡大されること不可避的であるので、そこには欧洲から、或は東亜から分離せられねばならぬ太い線があるだらう。

米國の軍事的（作戦）基地としてのパナマ政治的就中作戦的観点に立つて見る時に、この運河の位置に對する吾人の関心は深められる。常識的に考へても、米國大艦隊が一方の海洋から他方の海洋へと速かに移動し得る点である。

扨て西向け潮流は

金属類	一九八七〇〇〇噸
冶金製品	一八五九〇〇〇〃
石油	九〇七〇〇〇〃
機械	三七四〇〇〇〃
セメント	三〇四〇〇〇〃
自動車	一一〇〇〇〇〃

五六

紐育—パルパライソ（パナマ経由）	八五〇〇粁
紐育—カリヤオ（〃）	六一〇〇〃
紐育—桑港（〃）	九九〇〇〃
パナマ—ハンブルグ	九〇〇〇〃
パナマ—ホノルル	四七〇〇〃

パナマ運河通過の品目

石油	二八七五〇〇〇噸
木材	二八五一〇〇〇
硝石	一四〇一〇〇〇
穀類	七〇五〇〇〇
鉱石	二一二七〇〇〇
砂糖	一四八七〇〇〇

五七

罐詰	九六一〇〇〇噸
金属類	六九八〇〇〇〃

この運河は到る處に見受けられるといふほど、近代的装備に要塞化されてゐるのである。蓋し、海空軍の水上機及びUボートの基地はクリストバル（Cristbal）であり、それはバルボア（Balboa）であり、艦隊の根據地はバルボア（Balboa）であり、それは半永久的である。海空軍は主として、遠距離の防禦負担であり、その中、コロン（Kolon）が中心地となつてゐる。ココ・ソロには陸戦隊とUボート、マンサニオ（Manzanillo）にも空軍が控へてゐる。運河口には、勿論重砲隊あり、カリブ海、大西洋側よりこの運河に通ずる主要航路は米國海軍よりの厳重なる監視下にある。

(a) キー・ウエスト（Key West）とバビアホンダ（Bahia Honda）の基地をもつキューバ島へはフロリダ海峡路。

(b) ガンタナモ（Guantanamo）基地を有するハイチとキユーバ間に

五八

存するウインドワアード水道（*Windward Passage*）。

(c)　サン・ジエアン（*San Juan*）基地を有するポルト・リコ（*Porto Rico*）島とサント・ドミンゴ（*Santo Domingo*）島間にあるモナ水道（*Mona Passage*）

(d)　セント・トーマス（*St. Thomas*）基地を有する *St. Thomas* と *Porto Rico* 間に存するアネガータ水道（*Anegata Passage*）

更に、作戰上地理的観点からグアデロープ（*Guadeloupe*）島、マルテニック（*Martinique*）島、トリニダード（*Trinidad*）島（西印度諸島）との基地は、佛領、英領であるけれども、第二次欧洲大戰、大東亜戰争を契機として、當然事実上この二つの島嶼よりアンテイレス（*Antilles*）諸島経由の航路は米國海軍のもとに置かれてゐるのである。

この他にはカリブ海岸、ニカラガには海軍基地を米國は更に英領ジヤマイカ島（キングストン港）、事実上欧洲大戰に入つて以来、枢軸國家群側よりのUボートの脅威に備へるために、米國海軍のもとに、これ亦利用されてゐると謂

五九

へる。欧洲戰乱に入るや英米両國間の協定成立は、米國海軍の旧式駆逐艦五〇隻が、その代りに英國に譲り渡された基地の租借を実現化した。老齢になつた駆逐艦五〇隻が、その代りに英國に譲り渡されたベルムダ（*Bermuda*）諸島、バハマ諸島、セントルシア（*St. Lucia*）諸島、トリニダツト（*Trinidad*）島嶼、アンテイグア（*Antigua*）島並に英領のギアナがこれである。云はずもがな米國の太平洋の防備は、ザンディーゴ、サンペドロ、桑港、ピユーゼツトサウンド、シトカ、マニラ、トトイラ島（サモア）などの主要根據地と更に極東方面、中央進攻基地として積極的な意味を有するものとしての眞珠湾（ハワイ）（眞珠湾は右の各軍港より均四千粁に近い）があるのだと謂へる。斯くの如く今日のパナマ、明日のパナマは、変らざる汎アメリカ広域経濟の強化の線に即して、東亜より、欧洲より、この地峡へ足を踏み入れることを断然認容する筈はない。政治的に又、軍事的に。米國貿易を身を以て防衛しようと努める海空軍の監視の眼は、遥かなる大西洋上に、而して遠距離の地アゾレス諸島、ジブラルタル海峡、ダカールとパナマとの間を結ぶ線をば凝視せざるを得ない事態に立ち至つたのである。又、サン

六〇

第十図

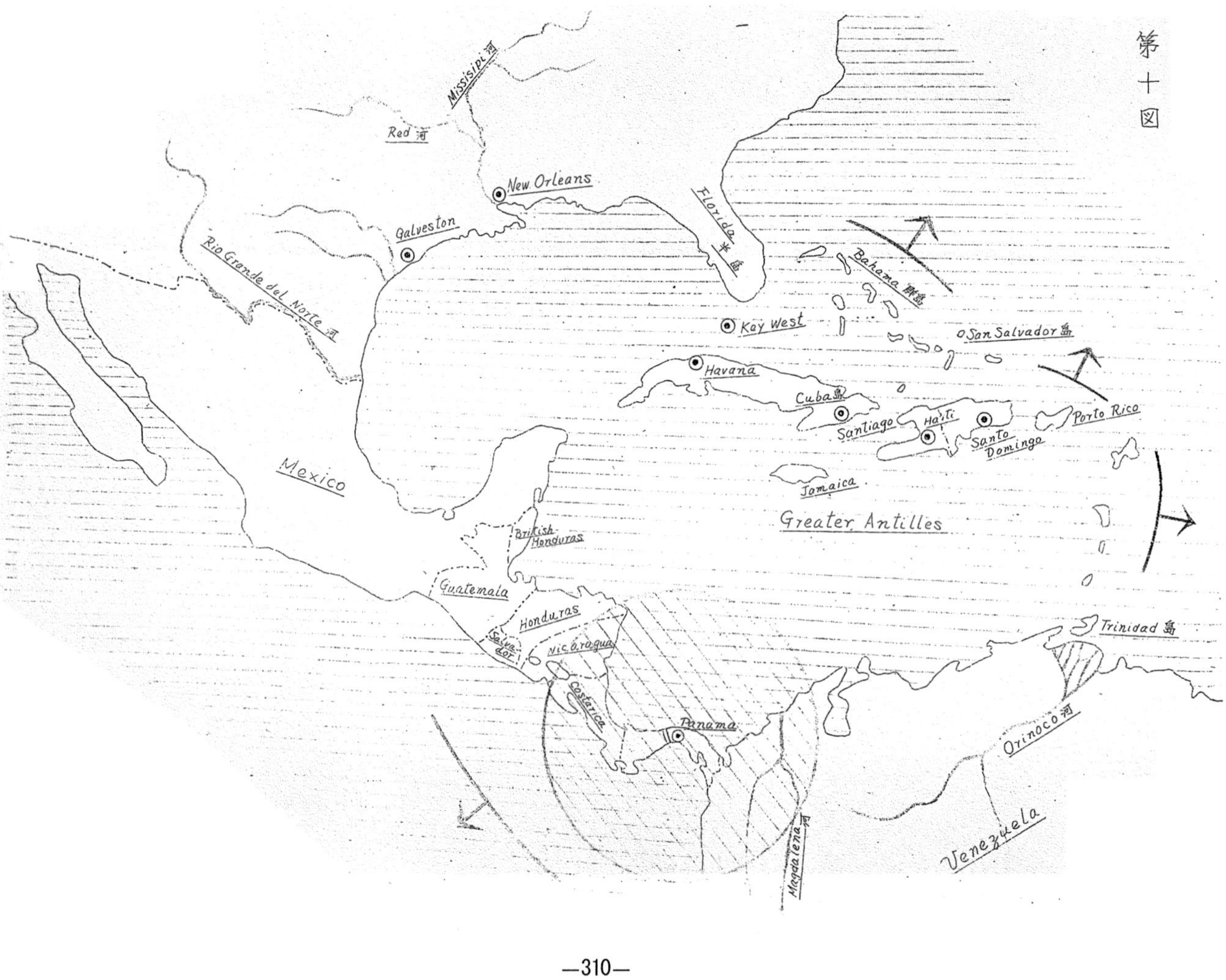

ジエアン河流とニカラガ湖を利用しての両洋横断の運河計画も米國年来の宿望でもあつた。全長二七三粁に對して、一九五粁に亘る部分の航行利用は、湖水（一六〇粁）とサンジエアン河の存在である。目下建設工事は、四四粁を残してゐると謂はれる。

南北戦争の動乱は、南方進出としての汎アメリカ主義の膨脹を暫し躊躇せしめたのであつたが、やがて、南北諸洲合併の治安を取り戻した米國にとつては一八八〇年頃、早くも具体的に着手せられた。有力な海軍建設のプランは、その時期に相呼應してゐる。工業生産力に必要なる弾性ゴム、石油、銅、護謨等の原料品や、珈琲、キユーバ砂糖、バナナの需要者としての米國は、同時に驚くべき機械工業の供給者としてラテンアメリカ大陸に對して登場したのである。大英帝國が欧洲地中海を経て、印度洋航路を確保するために一時に重る割々の領土は、英國を保護者として強力なる制海権の下に護られてゐたし、それは英海軍のために、作戦基地としての大なる役目を果して来たのである。正しく

六一

それと同様に、カリブ海やメキシコ湾、西印度諸島を含む所謂アメリカ地中海は、米國のために、その勢力線の地帯が創設せられたのであると謂ふてい〻。とりも直さず、中央アメリカ、ラテンアメリカ大陸に向つて、政治経済的発展を求める米國の支配圏獲得を意味するのである。

キユラソー（Curacao）島、これはアルバ島と相並んで、ベネズエラの石油精製の大規模なる点に於て重要視せられる。キユーバ島の砂糖は、一九四〇年二六、七〇〇、〇〇〇キンタル。煙草の世界的生産地を以て名高く、一九三九年二〇五、〇〇〇キンタル。その他こ〻には鉄鉱、珈琲の輸出多く、目指すは悉く米國である。サント・ドミンゴ、ハイチの両共和國相次ぎ、ポートリコ島然り、右の産出著しい。

史的考察を地政学上より今暫らく進めて見るに、この二つの地中海は、十九世紀よりスタート切つたところのパナマ、スエズ、両運河の開通であつた。

六二

欧洲地中海とアメリカ地中海とに對して著しく容易化された空間的拡張を続け来つたし、そしてそれは更に、印度太平洋空間を連結するところの航路と成る運命である限り、そこには政治と世界貿易との領域に於ける東亜共栄圏と印度太平洋空間との関係が復活する。又それを以て、問題は、所謂、濠亜的なるものとも関聯せざるを得ぬとも云へる。地政学的観点は要するに東亜並にアメリカ地中海に對するに、欧洲地中海を以てするといふ、その間には、はつきりした区劃線が存在するのだと謂へる。前者は辺境海洋に比して著しく開放的であり、それだけに又單一なる國家側からの近接支配を困難ならしめてゐる。欧洲地中海に於ては、生活條件としてよい気候に恵まれてゐる故、概して白色人種の一大舞台の振舞ありと看做されるに反して、アメリカ地中海は有色人種や混血民族が多いし、就中、長期建設されようとする大東亜共栄圏には、その濠亜地中海領域を経て、尚依然として亜細亜民族が数に於て絶対多数に上つてゐるといふことである。従つて今日までの植民史を繙くまでもなく、後者こそ、それ故に欧米強國側より加へられる重圧に呻吟し、隷属化され易い状態に置かれ

六三

るのも運命であつた。斯くの如く、それは著しく政治的性質を帯びてゐた空間であつたわけである。汎アメリカ主義の伸長けれども現実はこの世界秩序の変動期にあつても、依然米國のラテンアメリカへの吸収力を阻止してもゐる要因を、誰しも不問に付すことは出来ないだらう。南米諸國のうち、ブラジル（今は又枢軸國家を宣言したが）それから智利、アルゼンティン（依然枢軸國家に最近中立を聲明しつ〻あるところの）三國こそ、如何に見ても政治経済的に又、文化的に他の南米諸國と比べて進歩國として独立の体面を維持しつ〻ある事実を、吾人は重要視せざるを得ない。

斯る現在並に将来への容易ならぬ事態の空気をば、いの一番に敏感なるべき米國としては、自ら攻勢的に西印度群島を含むアーチ区域、アンティール（Antilles）海に於ける新たなる海岸基地の獲得に努め、以てメキシコ、カリブ海の周辺を結ぶ空間を完全に閉鎖せんとすることも必然であらう。とりも直さず、これは米國の政治的支配力の汎アメリカ主義的にならうとするのに對立する思想的動向を伺ひ知ることが出来得るのである。

六四

米國側から見た國防地理！

ベネズエラの北岸からアーチ方形を以て太西洋からカリブ海を区劃するところのものはアンティール列島であり、それは山勝ちで、水深い海峡を有するを特徴とし、投錨地が良好である。この熱帯地域は雨量が一月から三月頃までは乾季である。帆船時代から有名であるやうにカリブ海は北米貿易風帯に入る。今日でも島の西岸の港市は、風から保護せられてあることは作戦上多大参考に資すべき点でもあるだらう。

パナマ運河は列島から一〇〇〇浬乃至一、五〇〇浬の距離に位することであるから、従って大西洋方面からの空襲はかなり困難を伴ふのに反して、太平洋方面からは、母艦に爆撃機を搭載して、一定距離より攻撃を敢行するには、前者よりは容易であるといへる。大西洋方面からはアゾレス諸島よりも三、五〇〇浬、ダカールから約二、七〇〇浬も距ってゐるのであるから。従って、戦艦はホート、飛行機の大編隊が、遥かなる洋上を渡るのであるから、攻撃側は迎へ撃つ場合

六五

よりは困難なるは當然であり、それに加へて制海権把握を先づ何よりの前提條件とされねばならぬし、充分なる燃料補給可能なりやが、先決問題とならねばならぬからである。これが海軍國ならざる枢軸國家側から攻撃することの不利な所以である。アンティール列島、アメリカ海軍基地として役立つ限り、米國は敵の行動を容易に偵察しては、臨機應変にＵボートを防禦の為に出動させることが、何等の困難をも伴はないのである。又、ベルムダ（Bermida）島通過の進攻点をヨーロッパが求めることも（約一〇〇〇浬の距離）米國海軍の側面攻撃を余りにも容易ならしめるのである。又攻撃側は迂回してブラジル経由を以て、ラテン・アメリカの一角に、臨時基地を考慮する方法に望みは期待されなくないのであるが。我等は又、東亜共栄圏の長期建設戦の為めに、いつも絶えざる洋上遥かなる彼方に対する攻勢準備を作戦の上に計画せられねばならないことも條件として考慮すべきだ。

眼は太平洋に転ぜられる。パナマ横浜約八〇〇〇浬、距離は地球の三分の一の周である。最短距離は云ふまでもなくアリユーシャン列島とハワイ北方遥か

六六

なる海上との間を通過、メキシコ西岸を南下する所謂大圏ルートである。マーシャル、カロリン諸島経由は勿論存するが。又ミッドウエイ、ホノルル経由のルート然りであるが。けれども大圏ルートの最短距離も実際のところ、投錨地、燃料補給問題に関して至難ならざるを得ない。十二月八日、燦然たる不滅の戦果を収めては、帝國海軍が戦史の上に金字塔を刻みつけたのは忘れることの出来ない眞珠湾への空爆から、大東亜戦争がスタートしたことである。その後、米太平洋偵察艦が附近をうろつく基地ともなってゐる。日附変更線圏内英領ギルバート諸島並に米領のウエーキ、ジョンストン、ベイカー、カントン、パルミラの豆島嶼なども、大東亜戦争の進展と共に、少なからず我が陸戦隊の手に落ちたのではある。斯くの如く西太平洋の防備は我に有利なるも、米國海軍力の更なる劣勢を見ることの出来得ない限り、パナマ地峡への海洋遠征は容易とは謂へないことが肯かれる。然らば天然資源の豊富なるエクアドル、ベネズエラ、コロンビア、メキシコ、その他中米諸國を問題とするならばいざしらず、唯只管に、このパナマ地峡攻略のみの價値を認める点如何？それは云はずも

六七

がな、唯米國経済活動の急所を有する点に意義が存するのだと云ふに外ならない。それは、これが両洋に移動させようとする軍事地理的な意味に於て、價値を少くは見積られないからである。これには果敢なる敵前上陸の為に必要な、而して突入準備に用意された陸戦隊の為に、輸送船舶、長距離砲戦艦、満載された航空母艦よりなるところの、密接なる協力の下の大編成が必須の條件であることに、誰しも論議の余地なしである。それから燃料補給のタンカーが、友軍の好錨地まで帰航可能なりやが問題である。而して吾人は、これに答へるのに、先づ攻略の前提として、ガラパゴス（Galapagos）諸島を挙げねばならない。マルケサス（Marquesas）、イースター（Easter）は何れも三、〇〇〇乃至四、〇〇〇浬であるから、前者とは遥かなる相違である。大陸の一角コロンビア邊りまで、敵に對して絶對掩蔽輸送を決行して、攻撃地点を発見しなければならないのである。それには敵諜報から、完全なる遮断可能に依って目的は達成されるのであらう。

六八

軽艦船、高速度水雷艇、水上機に適する前進基地、これには相當の水深と季節風からの保護、魚雷攻撃からの保護が必要とされ、更に陸上機の為には、半永久的な格納庫、兵営燃料庫と着陸場が無くてはならない。以上の條件を先づ具備してゐると謂ふてゐるのは、前述の太平洋岸よりは寧ろ大西洋岸、而してパナマ地峡と、カリブ海即ちアンティール列島の弓形に於てあるわけである。繰り返すならば、最前衛基地のバーミユダであり、バハマ諸島の基地、マリグアナ（Mariguana）はウインドワラ（Windwara）を、セント・トーマスはアネガタ（Anegata）、モナ（Mona）を警備し、斯くの如く各海峡は固められてゐるのである。キユーバ島の南東岸のガンタナモ（Guantanamo）は、久しい以前より主要なる米國海軍基地であったが、良好な港湾は何を除いてもトリニダード港湾であると云はざるを得ない。深い港湾としては、ジヤマイカ島のポートランド・バイト（Portland Bight）とハイチのポート・オ・プリンス（Port au Prince）もあるが、対魚雷の保護が考慮するとき、それは不充分であると謂はれてゐる。サント・ドミンゴのサモア湾は、寧ろ

優れたるその資格を具へてゐるだらう。トリニダードの西方、パリア（Paria）湾こそ周囲陸地で深く囲まれた絶好の入江である。太平洋はこのアメリカ地中海とは余りにも相違する。防禦側への不利は、進攻側へも不利である。米國の防備大艦隊の良錨地は、パナマ沖のマラ（Mala）岬を廻ってデユルス（Dulce）、フオンセカ（Fonseca）、ニコヤ（Nicoya）の諸湾であるが、同時に之等はパナマ地峡攻略作戦上、重要視さるべき我の上陸目標地点でもある。何よりも軍事基地の位置を占めてゐるのは前述のガラパゴス諸島（パナマより一、〇〇〇浬）でなければならない。それは米國の防衛偵察の前衛点であることは、同時に我にとりては、パナマ地峡攻略の目的達成の為めの作戦的には、第一階梯であるべきと謂はざるを得ない。國防地理の特性が海鷲艦隊の一切の行動に對して、その攻防戦略の如何に拘らず、如何に大なるべき影響が避けられぬかは、誰しも納得出來る。自然地理的特殊性を最大限度に利用したところの作戦計画、これも理の當然である。即ち海洋に於ける攻防戦を有利に展開せしむるためには、より適切なる海軍基地を選ばねばならない。

b　印度洋圏（諸島嶼を含む）からマダガスカル島まで

印度太平洋空間に関してカール・ハウスホーファー少将により強調されつゝあったことは、決して昨今のことではなかったのであり、一方大東亜戦争に入るまでは、それ程まで印度洋それ自体を太平洋との関聯に於て把握するに、深い考慮をも拂はなかったのである。單に欧洲への通路たるの概念で済まされてゐたし、即ち印度洋の概念は、太平洋のそれとは孤立的に考へられ來った次第である。然るに、戰果の拡大、勢ひそこに印度太平洋空間を一つに包括される戦略的空間たるの点に、新たなる印度洋への吾人の再認識が必要缺くべからざるものとなって來た。地政学的考察は、東南アジア地中海、濠洲は必ず印度洋と不可分的に併せ考へねばならぬことは、既に述べ來った通りである。然も今やベンガル湾、東印度洋を突破して戦略は西方へと伸張して止まざる現実とな

り來った際、印度洋に對する從來の吾人の概念を初めてこゝに具体的ならしめたものと謂ふてゐる。現実の偽はらざる動向、それは東亜共栄圏の壮烈無比な構想として、戰局と共に地理的制限は許されずに、更に修正されずには置かないからである。印度洋は太平洋の日附変更線を中心に、その以西及び以東の海洋の上に、無数に散在する小島嶼を見られるのに比較すれば、たゞベンガル湾印度、阿弗利加両大陸に近く島嶼が散在してゐる。それは概して二〇〇〇浬以内、大陸より距たることに於てのみ散在する点、太平洋とは大いに相違してゐると謂ふてゐる。

(a) 季節風帯――ラカディーヴ（Laccadive）、マルディーヴ（Maldive）、アンダマン（Andaman）、ニコバル（Nicobar）の諸島

(b) 赤道無風帯――サイセレス（Seychelles）、チヤゴス（Chagos）の諸島

(c) 貿易風帯――マスカレーヌ（Mascarene）、ココス（Cocos）の諸島

(c) 西風帯ト ケルゲレン(Kerguelen) アムステルダム(Amsterdam)の諸島

ベンガル湾内のアンダマン諸島にあるポートブレア、ポートコーンウオリスは暴風からの有名な避難港と謂はれてゐる。東貿易風帯は、赤道海流と共に東印度よりマダガスカル島の東部に亘つて、マレー系統人種の分布が見られ、分布状態は、印度洋を横切つて東西に走つてゐることである。スエズ、アデン経由、或はケープタウン経由の印度洋航海の為に、云ふまでもなく燃料補給所、海底電線中継所としての大なる役目を有してゐるのは、大小島嶼である。南回帰線を遥かに南方に位置してゐるケルゲレン(Kerguelen)島は、単に南極探険に従来利用されて来ただけであらう。島嶼は勿論印度洋制海権に対して周囲大陸との関聯に於て、軍事的には著しく重要な意味を有すること亦、太平洋の場合と同様である。実に、大東亜戦争開始前には、米國が英國へ駆逐艦を譲り渡して、その代償として、租借した島嶼はニコバル、マルデイブ、ココスの三つであつた。蓋し空軍着陸地と海軍給油所とを其処に設立せんとの目

七三

的から出でたる挙動でもあつた。

(a) 二つの陸島(セイロン、マダガスカル)
(b) 珊瑚島(マルデイーヴ、ラカデイーヴ、ココス、チヤゴス)
(c) 火山島(アンダマン、マウリテユス、リユーニオン、ロードリゲーズ)

第十六世紀からの東亜に於ける各國の殖民史は、百年間の争奪戦として展開されてゐた。その政治的推移は、西、葡、蘭、佛、独、而して英の順であることは誰もが周知の事実である。イギリス帝國主義市場経済、それは三百年間の久しきに亘り、東亜よりの富を、印度洋を経て集め、倫敦に於ける蓄積過程を通して達成されたものと謂ふべきであらう。印度洋に散在する数多の島嶼は英領であると謂ふていゝ位であらうが、リユーニオン島、アムステルダム島、そして陸島マダガスカルは佛國に属するのである。東亜建設戦の拡大は、戦略圏をいやが上にも西方へと移動せしめる。スエズ―アデン―東南アジア―スンダ海峡―豪洲へ至る大動脈は、一つ一つ断ち切られ縮められる。蓋し辛うじての敵性ルートはケープタウン―セイロン島(イラク、イラン経由を含む)

七四

でもあらうし、残る他はケープタウン―アデレード直航の海路のみであらうから。此の際決定的に軍事地理的に重要の度を加へるのは、遥かな南半球の佛領アムステルダム島、セントポール島であり、而して亦、陸島マダガスカル島でなければならないことになるだらう。これ等は枢軸独伊側を支持するヴイシー政府にとつての、就中無敵帝國海軍のUボートの大活躍のために、暫時の基地とに役立つであらう。佛國駐屯軍の頑強なる抵抗と、ヴイシー政府の厳重なるプロテストにも拘らず、英國兵の奇襲、マダガスカル島首府タナナリボを目指して攻略開始、断然暴力を以て全島占領の軍事行動を起したるの所以は、右の点に存するに相違ない。今や印度洋にありては、皇軍の進軍するところ アンダマンやクリスマス島まで占領するところとなり、従つて全ベンガル湾の海面は、皇軍の制海権の支配の下に入つたと謂ふても敢へて過言でもないだらう。今やケープタウン―アデレード並にパレスチイナ、イラク、イラン、印度ケープタウンの海路に對して、帝國海軍力は、一大脅威を與へずには置かなくなつたのである。印度洋にありては、一島嶼をも海軍據点として獲得を急げば急

七五

ぐほど、直ちに制海権の確立を早めるのに、甚大なる影響を及ぼすこと太平洋の比ではない。それも両者の面積の相違からして、当然しからしむるところであるから。此点に印度太平洋空間に於ける印度洋の様相の地理学的意義も存するとせられる(第十一図、第十二図参照)。

マダガスカル島は、モザンビツク海峡を距てることによつて、阿弗利加大陸に接してゐる。面積六二〇、七〇〇平方粁、日本本土の約三倍余、世界第四の大島であると謂はれてゐる。マダガスカル島先住土着住民を含めて(佛人は二五、〇〇〇人)三八〇万なり。英國の不法占領は、遠く第十九世紀以来、この島を廻る英佛間の争奪戦展開を屡々見たのである。一八九五年遂に佛國の殖民地となつたのである。東岸は急斜断崖が多いが、西岸は低地となつて沼澤に富むのである。前者は湿熱の熱帯気候、後者は雨量多く、南西岸は稍砂漠をなす。中央高原は乾燥・冷涼な気候である。高山には、二、八〇〇米以上の高峰が聳え立つてゐる。動物として有名な狐猿の生棲を以て知られてゐる。猛獣の棲まぬ点

七六

第十一図

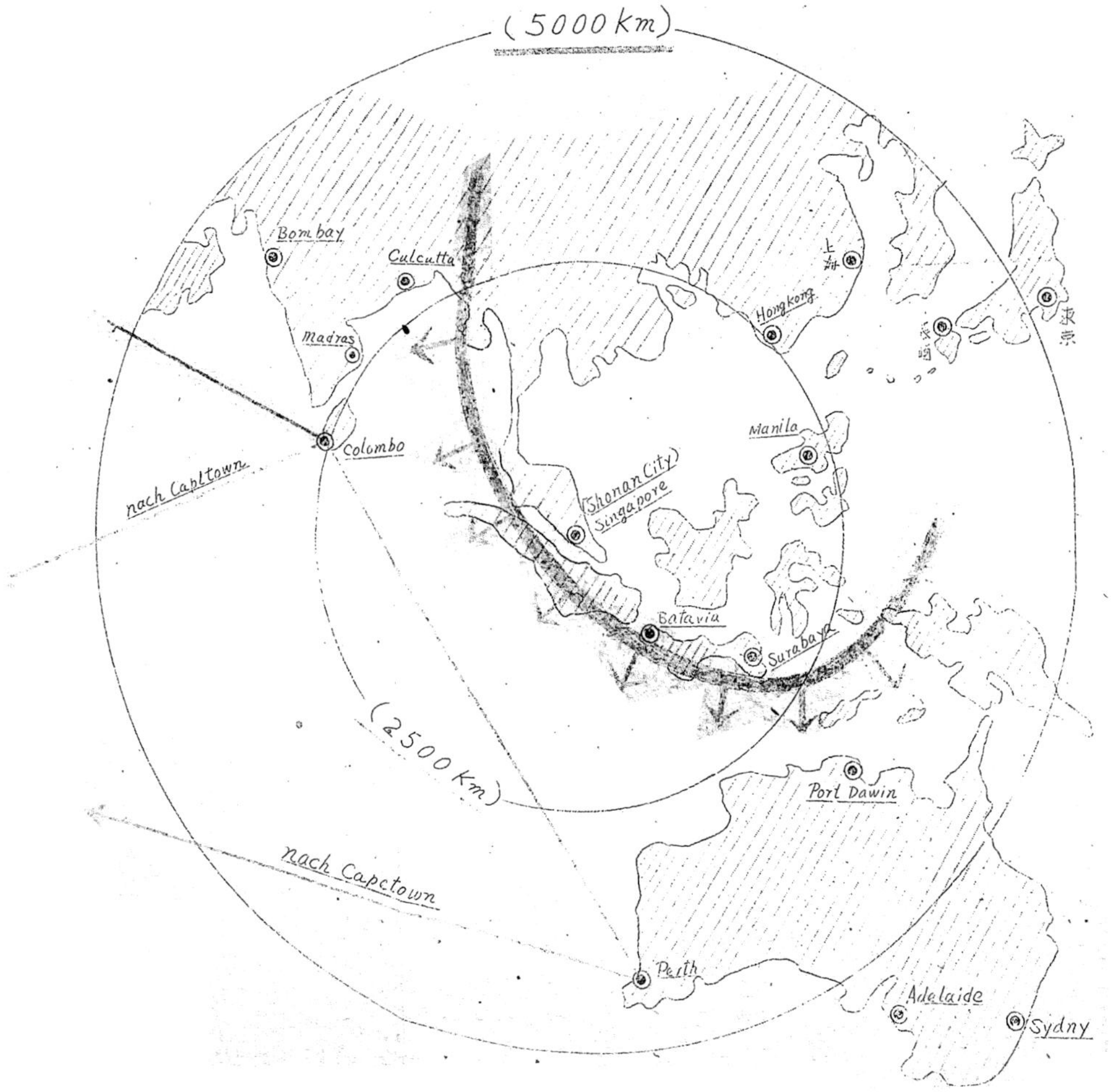
(5000 Km)
Bombay
Calcutta
Madras
Colombo
nach Captown
上海
Hongkong
東京
Manila
Shonan City
Singapore
Batavia
Surabaya
(2500 Km)
Port Dawin
nach Capetown
Perth
Adelaide
Sydny

第十二図

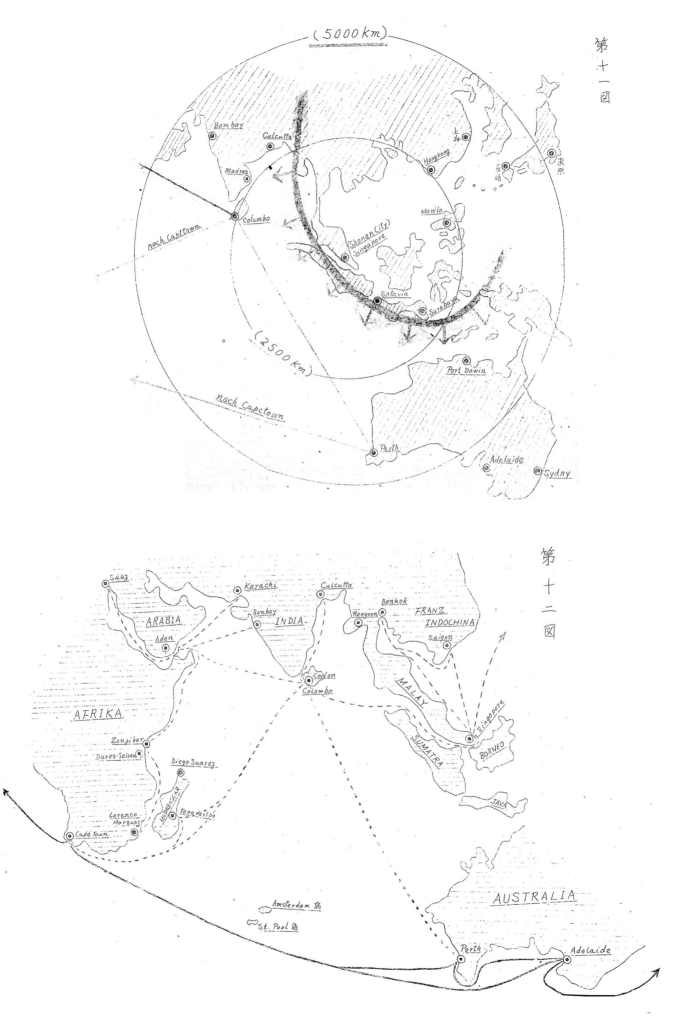

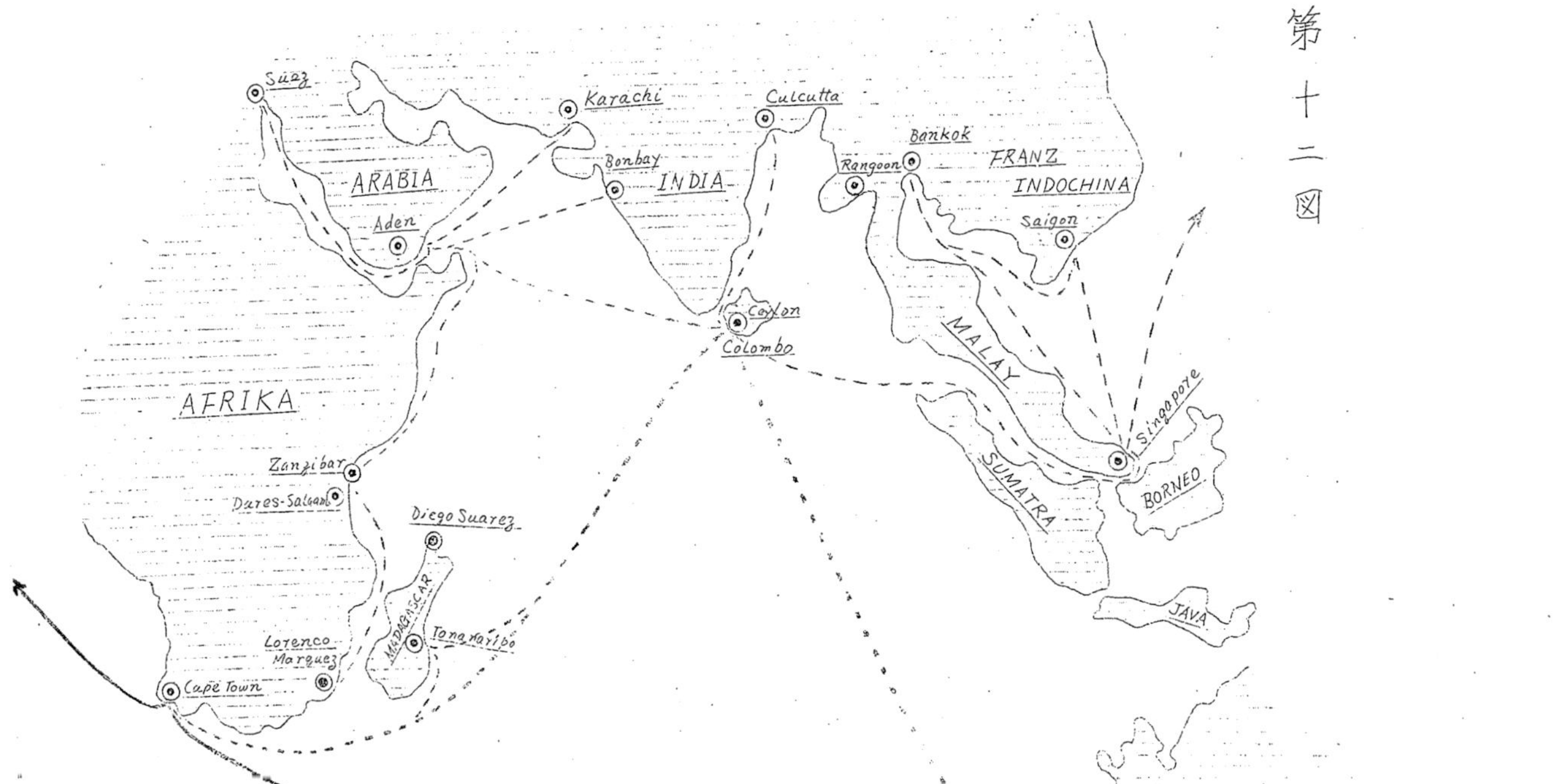
Süez
Karachi
Calcutta
Bankok
ARABIA
Bombay
INDIA
Rangoon
FRANZ
INDOCHINA
Aden
Saigon
Ceylon
Colombo
MALAY
AFRIKA
Singapore
SUMATRA
BORNEO
Zanzibar
Dares-Salsam
Diego Suarez
MADAGASCAR
JAVA
Lorenco Marquez
Tonarivo
Cape Town
AUSTRALIA
Amsterdam 島
St. Pool 島
Perth
Adelaide

阿弗利加大陸とは大いに異つてゐる。珈琲、バニラ、ゴム、葡萄、煙草、甘蔗、木綿を産物として居る。首府タナナリボは一二〇〇米の高燥な地に立つてゐる。印度洋のツーロンとして、海軍基地たる為めに、力瘤を入れるフランス海軍根據地はこの島の北端に位置してゐるディーゴ・スワレスの良港である。今は英國側の手に落ちてゐるが。

欧亜新秩序樹立を急ぐ大戰争が、いやが上にもこのマダガスカル島をば、作戰上重要視させ、それに對して新たなる認識を呼び起させること斯くの如き次第である。マダガスカル島への英軍出動に関して、當局の弁明は「独伊枢軸側就中、日本帝國海軍の同島の占領可能性を豫測せられ、其の危険に備へては、南印度洋（希望峰経由）のルートを安全に保証するため、止むなき自衛上の手段なり」と。

そこにも印度洋制海権掌握に対して、イギリス帝國の最後の断末魔的跪きを曝け出した悲劇を伺ひ知るに充分である。今や、セイロン島と共に印度洋に於て、正しく戦略的焦点となつたのは、この陸島マダガスカル（Madagascar）であると謂へる。

七八

一五、イギリス制海権の推移と南方圏を含む大東亜の構想

ゲルマニアは絶えずその発展を海辺に見出した。民族大移動の端初をなした東西両ゴート族、ブルグンド族は早くより海洋を渡つた種族である。更に北欧人、デンマーク人、ノルマン人、波蘭人、英国人、独逸人があるが、一体独逸人は、英国人よりもずつと早く大航海に乗出してゐた。英国人は永い間、航海術に大して見るべきものがなかつたし、北独逸ではその頃ハンザ都市の隆盛が頂点に達してゐた。海洋の英国として、海軍を以てクローズ・アップして来たのは、英国が一五八八年、所謂スペインの無敵艦隊を撃破して以来のことである。然もこれ等の時代を通じて、航海の患志の動因を作り出したものが、名高いノルマンの血であるといふ史的事実である。亦佛蘭西にあつても今猶ほ海洋人的な勇敢さはノルマンジー半島の住民中、即ちカレー、ダンケルクなどの英佛海峡に面する海岸線住民の中に、如何にゲルマンの血が混してゐるかを知らしめる。蓋しユニオンジャック旗の揚る所太陽没せずとする英本土住民をして壮大無比なる制海権と、世界貿易の覇者たらしめ、而して尚世界の富を掌握せし

七九

めた所以のものは何か？　云はずもがな、偉大なる商船隊とそれが海軍力をバックとしてゐたことの賜物に外ならない。世界海洋の十九世紀初頭以来は、和蘭に代つての支配者となるに至つたわけである。英海軍はこれまで単に母国の小さい英本土を防備すれば事足れりとする小範囲の制海権を意味しないことは解り切つてゐる。或る特別の地の海軍強国に見られない責任を荷はされてゐる。その海軍出動は伊太利のやうに半島周辺をうろついて波静かな地中海の一角ですまし込んでゐることではないし、又日本のやうな群島、列島、島嶼を含む南北に細長いところのこれまでの西太平洋と南支那海の警備と、その制海権とのみで止つてゐたことにも、大なる相違を有してゐたことである。又大英国海軍は、米国のやうに両海洋の間に介在するといふ特殊な位置にあるのでもない。英国海軍が若し万が一、その活動の広大なる領域に及ぼさないで、もつと小さな範囲に制限しなくてはならぬといふのであれば、それは大英帝国といふ概念の本質的一象徴を失はしめることになるのであらう。倫敦より七つの海へ通ずる海路、原料国より消費国へ通ずる航路を自ら手中に收めてゐないとする

八〇

ならば、消費国にとつては、最大可能限度のアウタルキーへの転換と云ふ大問題を惹起する事態をば、起さしめなかつたかも知れない。而も第二次欧洲戦争大東亜戦争の今日まで、誰しも英海軍の存在の牢固として抜き難いことは、歴史的事実として疑ひをさしはさむ余裕がなかつたといふのが普通である。このことは地面大英帝国それ自体、確実な地図との結合なしには、その存在を危ふからしむることを意味するのだと謂へる。英国は又仮令航空路の驚くべき高度の発達は、旅客機でさへ倫敦ーシドニー間、一週間の距離に短縮せられたりと云も、此の制海権確保の為に有する海軍力の意義は、増大するとも毫も減少せず、『海の王者』の地位をば微動だにしないことを確信して疑はなかつたと云ふていゝ。少くとも今度の世界戦乱に入るまではさうであつた。英本土の島の防衛、直轄植民地、広大なるドミニオンと富の運輸を確保するために、英政府は実にこれまで、毎日二〇〇〇以上の商船を動かさなければならなかつたし海洋ルートの長さことは八〇、〇〇〇浬以上に亘らねばならなかつたのである。欧洲地中海を通過するイギリス貿易航路は、如何にイランの石油に依存してあ

八一

るであらうか。更に北阿戦線の今后の進展、独伊爆撃機よりの不断なる攻勢、地中海よりのイギリスの全面的後退はイランの石油輸送要衝としてのハイフアパレスティナ、を失ふことになる。その代替は何処か。イギリスにとつての致命的な解決容易ならざる困難を提起しつゝあるといふていゝ。シンガポール、スンダ島の放棄、メキシコ、ベネズエラからの大西洋経由は不可能に近いと云ふていゝからである。輸送路護衛の保証が大問題なのである。これまでイギリス海軍の下にあるのは、南部イランにあるところの Anglo-Iranian Oil Co. の大活動を挙げねばならない。英国はイランの大陸より波斯湾に至る石油輸送管、及びイラクから地中海に至る石油輸送管の敷設に干渉をなし、ビルマの奥地からラングーン港に出る石油輸送管を自身で構築した。ベネズエラは米国の勢力下にあるか、二千万屯、四百五十万屯生産額に上ると謂はれる。メキシコの六百万屯に次ぐイラン油田は五百五〇万屯であると謂はれる。如斯この外に、蘭印の五百二十万屯を吾人は記憶すべきである。東南亜細亜、豪亜地中海を合せ日本の国防地政学の関心は、当然英国石油線の方向の上に集中されざるを得ない。

八二

それは印度太平洋空間に長き年月に亘り侵入して来た英国の海洋的地位と国防地理的に脱突問題として闡明することでもある。英国石油線の軸、本国ー地中海ー印度ーシンガポールの線に移ふて、戦略は東南亜細亜に迫ふてゐる。これは欧洲戦争の進展の動向、ナチス欧洲の東進の石油線、即ちカリチア、ルーマニア、コーカサスの新興国家群の線とイラク、イランに於て、英国の開へ隣近交叉せんとすることである。これは近き将来か解決せらるべき注目すべき課題でもある。この線はビルマ、スンダ島に於て合一されるであらうか。それは最早こゝは厳然として亜細亜民族の断固として護られねばならない東亜共栄圏の生存圏であらねばならないのである。英国海軍力の活動圏を小範囲に制限する事態に立ち至るならば、この時には最早大英帝国たる概念の本質的シンボルの喪失を余儀なくせしめられる秋である。その時は石油線と共に東南亜細亜に延びるスエズ航路の一つくが切断される日の到来したことを意味する。シンガポールは今や昭南港として明らかに日章旗の飜然たる下に、新らしく発足したからである。太平洋の風波は今日も高く、明日も静らぬ。[illegible]頻るき襲撃

八三

また進撃は、皇軍の向ふところ敵なく、今や豪亜の南部地帯豪亜地中海は、西太平洋とはつきりと到してその制覇下にある。『海の王者』の失墜の事実イギリス制海権の崩壊に大なる変革がやつて来て、新しい国防地理の頁に、印度太平洋は動的に描かれやうとする黎明期がやつて来た。昭南市、旧シンガポールは何れの英海軍根拠地よりも遥かに重要な意義をもつ位置を占めてゐたのであつた。豪洲の敵の基地ポートダーウィンまで三〇〇〇粁、四千万磅の投資、五〇、〇〇〇屯級の船舶を悠々と収容せらるる大規模ドックが一九三五年以来使用されてあつたものである。マルタ、ポーツマスと同様に新造予定の乾船渠はその[illegible]実現を見ることなしに、東亜戦争に入るの運命を見るに至つたのであつた。

二千名の常備軍しか有さない豪洲、三千五百名の国民軍しか持つてゐない従来のニユージランドとは、偏へにたゞ大英海軍力に依存してゐる守備以外の何ものでもなかつた。補充部隊の悉くは、海路に依存せずんば他に途なしと謂はざるを得なかつた。旧シンガポールの近代装備の要塞化は、ー所謂『英国極東

八四

の基点、『関門』の意味も実に必然であったと肯かれるのである。大英帝国の発[illegible]する経済に於ける所謂『国防三角形』のうち、一はポートダーウィンの一頂点を残し、それも南海の空を飛翔する間断なき我が海鷲の空襲の下に曝されてゐる。

古代フェニキアは、人も知る史上に於て、地中海の王者としての資格を発揮した。彼等は海洋民族としての特性を有してゐたが、やがて自らの植民地は、それが隆盛になり、競争国として台頭するやうになるや、母国を滅亡へと導かしめた。それ故に卓越せる造船技術と無比な進取の気象も、その恒久的海上支配力を充分に保持するには、余りにも脆かったのである。制海権には、経済活動と共に、不可分的に国家を泰山の安きに置くべき政治組織と科学との結びつきが必要な条件であらう。高度の科学性は航海技術を作り出すことは自然なれども、それのみでは艦

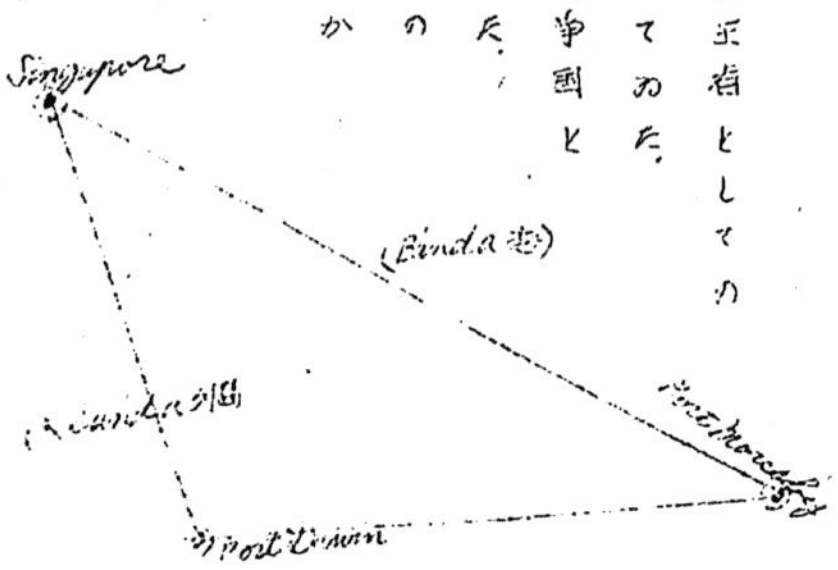

八五

隊と商船隊とを経営することは出来ず、植民地の広大な領域延原に対しての文化工作などの計画性が貧困なりと謂はざるを得ないのである。近代国家の典型的海洋支配こそ、先づイギリスに於て見ることに誰しも異存はない。蓋し海上支配に必要なる商業資本の円熟と、次の高い段階としての工業資本と、更に独占的な資本主義市場経済への発展段階が見られるといふのは、英国の十六世紀以来、海洋にスタートした興隆史の上に於て余りにも明白な事実である。『陸』と『海』に就いての地政学的な認識から出発する。そこには先づ英国流の分散的な陸地、そのドミニオンを含めての重要な課題が吾人に提供されるのである。そこには海洋支配の法則も畢竟するに動かざる陸地と固く密接に結びつけられる足点を深く考慮しなければならないことが理解されて来る。一塊の大地に深く依存性を有しなければならないことである。世界の転換期の昨今に、吾人に教示されることは、云はずもがな国民経済は充分なる地政学的な結合性の磐石の上に立ってゐるか否かと云ふことである。ここに大英国海洋性も新しく国防広域経済の動向、その現実的な重要なる課題の前に、甚だしい脆弱性を曝

八六

露しなければならないことに立ち至ったわけである。それは又欧州的な結合性を有する米国の汎アメリカ主義的広域経済、或はナチス的な欧州広域経済の確立の実体に対比すれば、脆弱性に於て劣勢さは否定出来得ないといふ点である。斯の如くして、所謂英国流海上支配観念は過去の存在として止揚される秋でもあらう。印度の独立運動その印度全民族の今后の動向如何。『久しきに亘る英国統治』が今日まで続いて来た限りに於て、世界的な大変動のない限り、先づ印度民族の民族意識に報ひる政治闘争の成功、それは容易ならざることであるだらうことは明らかである。一九〇二年敗れたブーア戦争のブーア人それも南阿土着民族として起ち上ることか、西方に見られるやうな形態が到来し、東方またインドネシアにビルマに土着民族が起ち上ることが具体的実現を見ることになればいざ知らず、外的な政治活動を與へることもなくして印度の将来も兵力に終らねばならぬかも知れない。ケープタウン議会には今日に於ても四六パーセントはフードア人の議席数が占めてゐることを知るとき、ナチス的な所謂欧阿圏の確立は労な彼等の解放戦への決意と自覚とを益々強固なも

八七

のになすことを可能にして、それが印度太平洋空間に関聯しつゝ、印度民族運動の今日と明日とに、強い反響を呼び起さずにはゐないに相違ないのである。印度と南阿との喪失は、英国の金権政治、殖民政策は云ふまでもなく Commonwealth から母国英本土への富の根源が涸渇せざるを得ないといふことを意味する。そこに争はれない政治的病源が内在することより、避け得られぬ政治的脆弱性も必然であらう。然らば所謂東亜共栄圏の構想や如何？　海洋国の日出づる国日本である。だが英国経済の占める海洋的なる生活圏とは断じて相違する。分散的にあらざる一つの結合性を有してゐるところの、大きい生活圏の中心に位置してゐるのか。日本であると云ふことが出来得るからであり、それはその点特殊的な優越性が現存してゐると云へるからである。それは一寸矛盾をそれ自体に於て包蔵してゐるやうにも見受けられるがさうではない。この広域こそは『海洋』を媒介となし、大陸により多くの依存性といふことを意味する。満洲国、中華民国、仏印、泰国何れもアジア大陸に存在しながら、海洋に一方は面してゐる。日本帝国は、四面海を繞らす島嶼たる点である。前述したる所謂『海洋』

八八

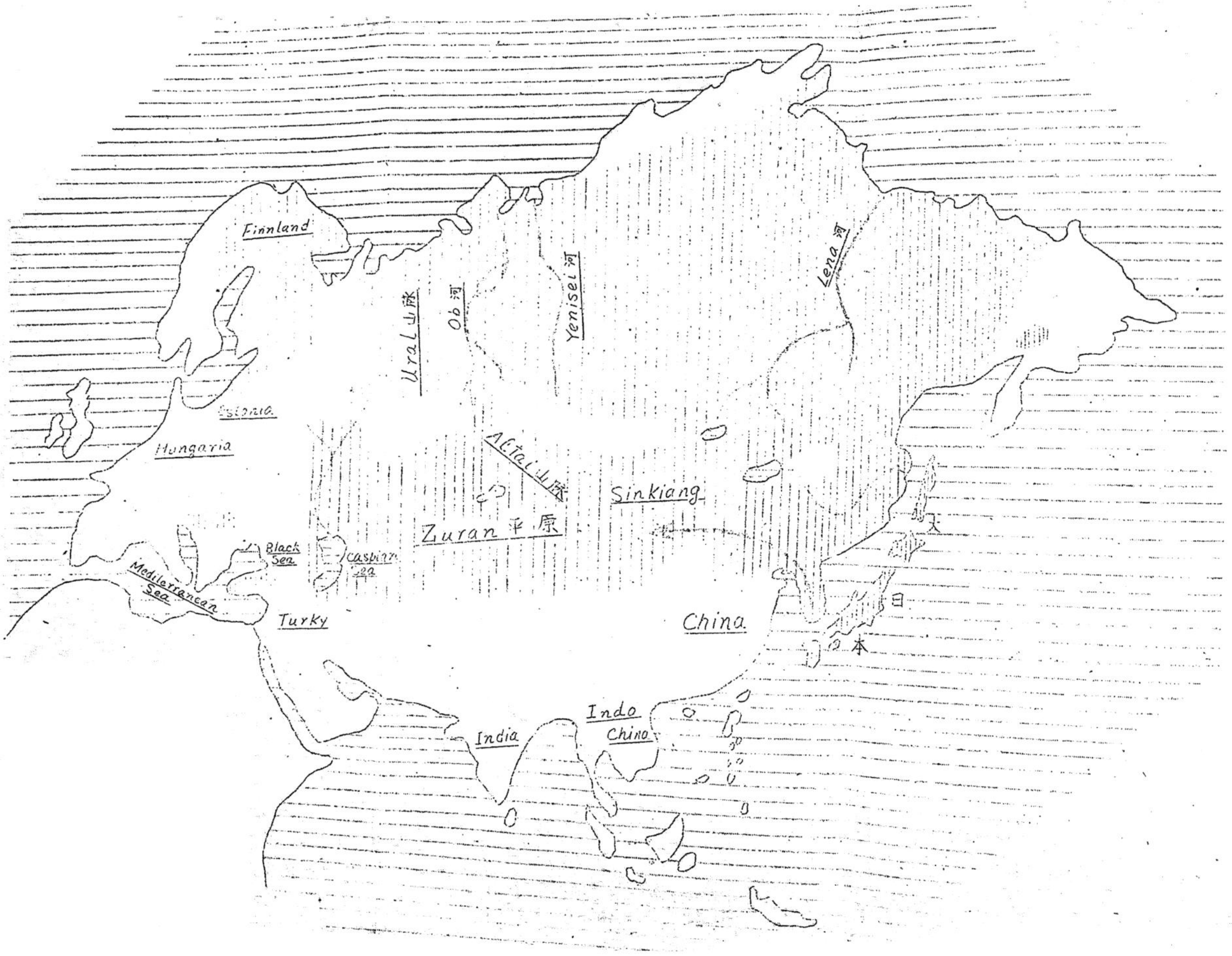

第十三図

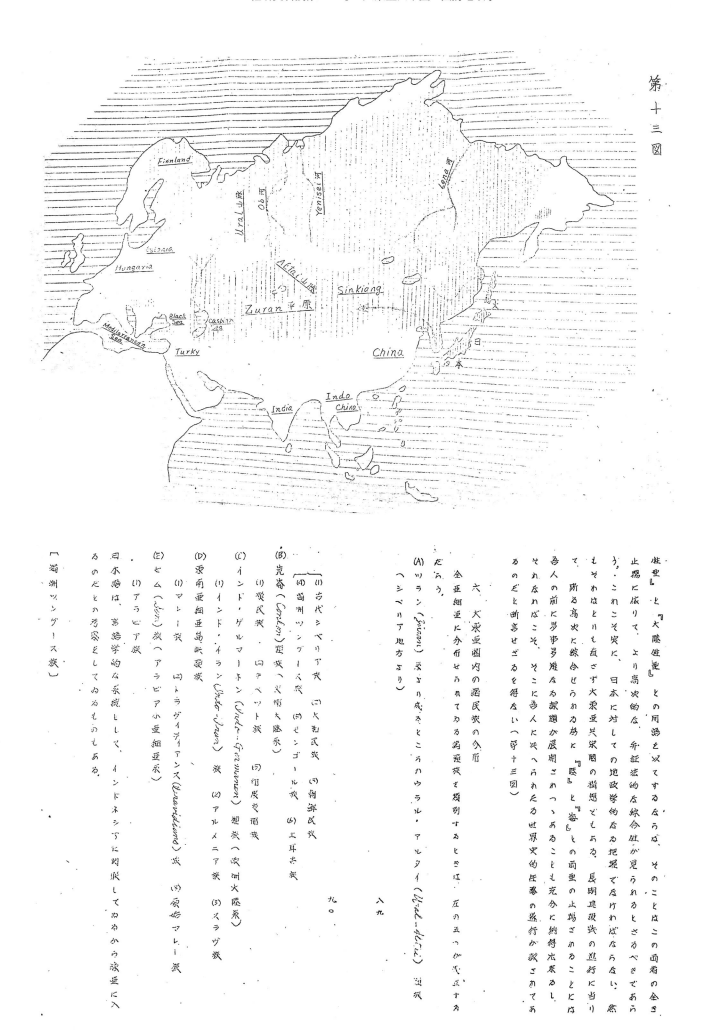

性型』と『大陸性型』との用語を以てするならば、そのことはこの両者の全き止揚に依りて、より高次的な、弁証法的な綜合性が見られるとさるべきであろう。これこそ実に、日本に対しての地政学的なる把握でなければならない。然もそれはとりも直さず大東亜共栄圏の構想でもある。長期建設戦の遂行に当りて、斯る高次に綜合せられる為に『陸』と『海』との両型の止揚さるることには吾人の前に多事多難なる課題が展開されつゝあることも充分に納得出来るし、それなればこそ、そこに吾人に与へられたる世界史的任務の遂行が課されてあるのだと断言せざるを得ない（第十三図）

六、大東亜圏内の諸民族の分析

全亜細亜に分布せられてゐる諸種族を類別するときは、左の五つが成立するだろう。

(A) ツラン（Turan）系より成るところのウラル・アルタイ（Ural-Altai）種族（シベリア地方より）

八九

(1) 古代シベリア族　(2) 大和民族　(3) 朝鮮民族
(4) 満洲ツングース族　(5) モンゴール族　(6) 土耳古族

九〇

(B) 漢蔵（Cerekim）種族（支那大陸系）
(1) 漢民族　(2) チベット族　(3) 印度支那族

(C) インド・ゲルマートン（Indo-Germanen）種族（欧洲大陸系）
(1) インド・イラン（Indo-Iran）族　(2) アルメニア族　(3) スラヴ族

(D) 東南亜細亜島嶼種族
(1) マレー族　(2) ドラヴィディアンス（Dravidiens）族　(3) 原始マレー族

(E) セム（Semit）族（アラビア小亜細亜系）
(1) アラビア族

日本語は、言語学的な系統として、インドネシアに関聯してゐるから決定に入るのだとの考察としてゐるものもある。

【満洲ツングース族】

濊貊、高句麗、渤海、契丹、金、それから満洲国家創立、輝かしい歴史を有する民族であったが、その隣接漢民族の同化力に吸収されて、今ではそれとの混血のみ残存すると謂はれてゐる。モンゴール族は勇猛獰悍な民族なれども文化的要素欠乏、大帝国「元」の建設、又英雄成吉思汗を擁へ得たれども、今はアジア乾燥地方での原始遊牧生活の夢を見るのみであり、唯国家の形態としてはシベリア、バイカル湖畔にソ聯ブリアート蒙古自治共和国が見られるのみ。

「土耳古」

匈奴の昔、小亜細亜から北阿弗利加に跨るオスマン土耳古大帝国を建て、数世紀に亘りて欧洲人の心胆を寒からしめ、その亜細亜進出を阻止した偉大なる歴史の姿を想起せしめられる。インド・イラン種族は、所謂白色人種系であることは明らかで、ウラル・アルタイと云ふのに対して、又欧洲アーリアン系と區別せられる。亜細亜ーアーリアン族と呼ばれるところのものである。ペルシヤ人、印度人、アフガニスタン人は之に属する。

「ドラヴィディアンス族」

九一

アーリアン族進入以前の印度先住民族にして、南印度からガンデス河流域に亘って（印度人口の約五分の一と謂はれてゐる）散在する。身長低い。色赤銅と云ふよりも更に濃る黒い。鼻扁平。混血したるものには蒙古・ドラヴィディアンス族あり。

「アラビア族」

アラビア族は燦然たるサラセンの文化と偉大なる宗教とを同時にもたらした。科学文明を有した古代アラビア人も今日は近代国家の形成も何のその、亜細亜的停滞性の中に、依然憐れなる遊牧生活を続けてゐる。それがアラビア人の人口半数であるを知っては只唖然たらざるを得ない。人種的にはアラビア半島からナイル河流域に亘って住む。セム・ハム族に属する。

「古代シベリア族」

ギリヤーク、亜細亜エスキモー、アレウート、コリヤーク、カムチャダール、オロテ、ラムウート、マグネル、ネギダル、オロツコ、アイヌの各人種に類別せられ、その基本人種たるべきツングース族との複雑な混交を以て構成せられ

九二

てゐると云ふのが、蓋し東部シベリアから太平洋岸にかけて住む民族の現状であるだらう。当て全シベリアに蔓延してゐたところのツングース族は、目下ソ聯領土内で合計してみても多くとも七万には足らぬと推定せられてゐる。「密林の主」と称せられてゐる。シベリア原始林に未だに半開な蒙昧生活を営み乍ら住んでゐるツングース族は、本質的にも、文化的にも、古代大和民族、古代朝鮮民族、古代満洲族とは不可分的に深い歴史的関聯を有してゐた。云ふ迄もなく此の種族の言語系統の総てがウラル・アルタイ系。即ちツラン民族系に属してゐる。

要するに大種族は、一定の空間の圏内にあって系統を成し集ってゐたと大体謂ふていゝ。即ち欧洲系アーリアン族スラブ族はヒマラヤ山脈を越へて、東側に及ばさず。アルタイは興安嶺山脈を越へて南側に及ばさぬと謂ふていゝ。印度人はアラカン山脈を越境してビルマに進入することを絶へず試みたるものなれども、頑強なビルマ人の抵抗は、闘争を以て之を排撃して来ったものである。土耳古族が地政的にアーリアン系族の移動を東南方に於て中断してゐると思は

九三

れるところの例としては、ソ聯領土内、現トルキスタンに於けるキルギース民、族共和国、ウズベツク民族共和国であり、トルコメン民族共和国であり、又現コーカサスに於けるアゼルバイジャン、アルメニア、グルジアの三民族共和国である。

大東亜共栄圏内の諸民族が、若し大和民族と同率の増殖をするならば、斯る原数は五十年后の西太平洋から東亜大陸にかけて、島嶼を含み総人口の十二億九千万となり、密度は一平方粁七四、五人に達するといふことになると謂はれてゐる。三民族の増殖率を現在に於けるものと見做し、日満増加率を一・四とすれば、五十年后の東亜共栄圏内総人口は十九億三千万人となり、人口密度は一〇・七人となると云はれてゐる。東亜共栄圏の空間は、現在世界中人口密度の甚だ高い生活圏に属して居り、将来へのこの傾向は益々加へられるとも少くならぬやうに運命づけられてゐると謂ふていゝ。人口過剰の重圧に窒息してしまふこ、とを宿命として諦めることは如何にしても愚の骨頂であり、沙汰の限りでない。

九四

これが長期建設戦の進行にありて、解決を迫られてゐる焦眉の問題でもある。濠亜地中海、羽搏く海鷲の基地、大スンダ列島の彼岸、面積七七〇万平方粁、だが人口密度〇・八九人の濠洲大陸が存する。幻滅濠洲は延長一万八九九〇粁、西岸のパース卑は東京時間より一時間遅いのに東岸ニドニーは一時間遠い。面積日本の十一倍。九九％の欧洲人、一％の日本人、華人、印度人、マレー人、ポリネシア人、その混血児であり、九九％の中九七％が英本国人、この白濠主義の濠洲大陸も人口密度は僅五十年后になっても、一五〇〇人に過ぎないといふのかが、貧らざる貧困である。資源に富むこの大陸も、面積と労働力とは欠乏してゐる。地下に死蔵してゐる資源。何故なれば亜細亜人種の移て来る労働力を拒否し拒絶して来つた、と三八年度の統計である。熱帯に属する二つの州は理想を除外しても、他ずと三一・五〇〇の万の人口を收容するに足るとされてゐる。[illegible]濠洲は、不毛荒涼原野は特有なカンガルーの動物は住めど、其他荒涼、寒虫は先づ育ることが無いと謂ふてもいゝかである。大東亜共栄圏の人口政策の問題に関して更に考察を進めるならば、当然そこには、ニューギニアとニューシラ

九五

ンドとの二大島嶼並びに東部シベリアの上にまで及ぼさねばならない。前者は南方圏にして、後者は北方圏である。

九六

	面積	人口密度
ニュージランド	二六・七八万方粁	六・〇
ニューギニア	二三、四五万方粁	一・一

	面積 万平方粁	人口	人口密度 平方粁
ババロフスク州	二五七・二〇	一四三・一	〇・五五
チタ州	七二・〇〇	一一五・九	一・六一
ブリアートモンゴール自治共和国	三三・一四	五四・二	一、六三
インクーツク州	九二・二四	一二八・七	一・三九
沿海州	二〇・六〇	九〇・七	四・三九

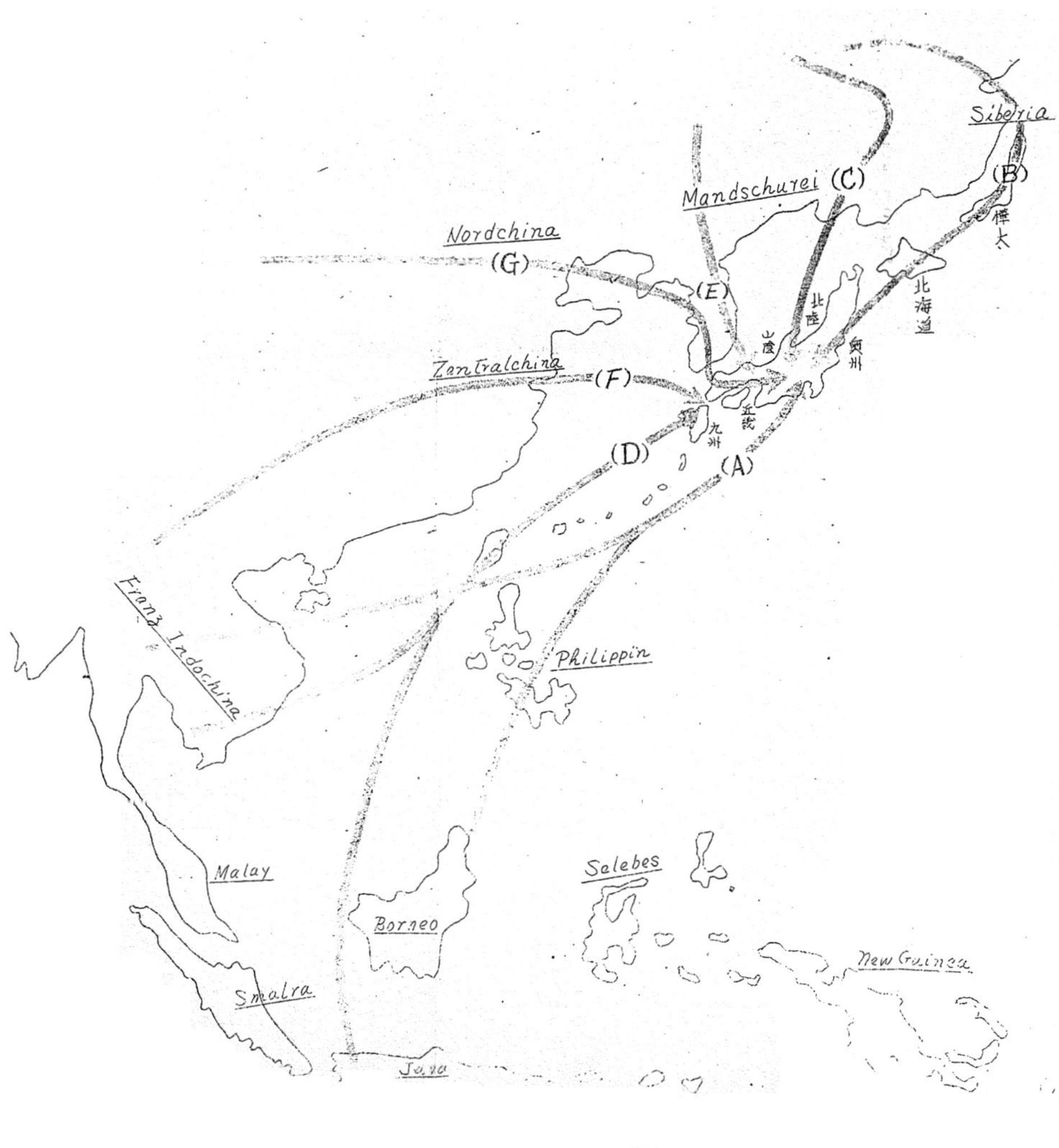

第十四図

スタノボイ山系に至る東部シベリアは、一應程度の人口收容力を有してゐると謂はれてゐる。（第十四図）

七、南方圏に於ける土着民族の生活状態（並びに華人と日本人住民を含む）

印度支那半島は、亜細亜大陸の東南部として大陸の終点に位してゐる。マレーはボルネオ、スマトラ、ジャバ、セレベス島を所謂「大スンダ列島」を形成する。面積は海上のみで八百十五万平方粁、実に欧洲の五分の四を占め、東南の延長は五千粁に亘り、これ欧洲に於けるリスボンより裏海岸迄に相当する南北の長さは三千四百粁以上、最大島はボルネオで七千五万平方粁であり、独逸と英国と併せたものより遥かに大なりと謂ふべきである。亜細亜大陸の東南区域亜地中海に於ける民族と人種との関係は、複雑したる黄色人類を以て構成せられてゐると謂ふて、、、印度支那に於て、就中マレー半島の山地には、原始的なニグロとヴエダー族とを以て代表せられる。東南民族は印度支那半島の山地に今尚住居してゐると謂はれてゐる。全く彼等は政治性に於て無価値である。

九七

マレー半島は先づマレー人種を以て占められてゐると謂ふてい、。マレー人種の言語は濠亜語であり、文化的にはヒンズー的な影響の下にある。モン族、クメール族、チャム族等がこれである。これらの民族は北方よりの暹羅、漢民族から支配せられるに至つた。この新しく侵入した佛教民族は現在のビルマ人で、あり、泰国人であり安南人であると謂はれてゐる。このはてしれにも、暹羅方面などで顕著ある跡を残してゐる。右の三つの中で、今日まで完全に独立的な政治性を保持して来たのは泰国のみであり、他の二つは殖民地化して来たと云ふわけである。東南亜細亜に於て重要な地位を占めるマレー人種の中にも、著しき差異あると云はれ、印度アリアン、ドラヴィディアンで、アラビア人、支那人、それからニユーギニア諸島のパプア人、或ひは欧洲人との混血を多分に包擁すると云ふのが現在の状態である。原始マレー人はヴエダー族と同族に新たなるマレー人の移殖に依り奥地に推し込められて、細々と経済生活を営んでゐた。獰悍なる性格を有するマレー人は印度洋までも進出するといふほど活躍を示し乗り切る船乗りに卓越してゐたのである。彼等は広範囲の沿岸地方から島嶼に

九八

亘る国家を発生せしめたか。既述の政治的統制力を欠如しての結果、それは『大陸性』と『海洋性』との止揚によりて、より高き統合に於て把握せらるべき、大和民族のやうにはとても出来得なかつたわけである。彼等の国家形成は峻則でなくして点の散在に過ぎなかつたのだとも謂へる。中世末期にはアラビア人は登場して大役を演じたと謂はれてゐる。宗教的な回教普及の影響の下に、彼等の航海への発展は、それをハツクとして目ざましかつたと云へる。当時の海軍国家葡萄牙は、マカツサール、アティーエ、テルナーテ、テイドレの如き港に於て見られるのである。けれども欧洲人の殖民発展に依つてやがて彼等の回教所領もその政治的自主性も殺害され権力を失はれるのみか利用するを余儀なくされたと云ふべきであらう。低級なる文化レベル、動物原群の如き宗教形態の国家のそれに代へたる影響は全く無価値であつた。亜細亜大陸、東亜は中世期には佛教と婆羅門教とか各地方に偏播せられてあつたのであるか、前者は後者より優勢となつて宗教文化の分野を占めたと謂はれてゐる。西欧と判然異なる点は宗教上の自由であり、勝らしき宗教戦争は史上に見られなかつたこと

九九

である。だがマレー半島は佛教ではなくして何と云ふても回教に帰依してゐるマレー人の範囲であり、それからフィリツピン人の大多数はローマ・カトリツクの影響の下にあつたことである。從來よりのスペイン殖民史と不可分に関係してそれは当然でもある。而して右のことは宗教地理学的考察でもあらう。亜細亜大陸の東南地域、全人口はビルマを除いて蘭領ニユーギニアを含み約一億二千万人。總面積を約四百万平方粁に見積れば、人口平均数は二九名であるけれども、その分布状態は甚だしく不均衡であることは注目すべき点である。と云ふのは人口は波行的に集中してあることは、一方に人口の過剰の不合理を不可避的ならしめたことこれである。水田耕作に適じ割合に生活条件に恵まれてゐる地域は限られておつたからである。人口稠密度は河川平野のもつ住民支那の地方（即ちメナム、メコン、ソンコイ河流域のみ）フィリツピンの火山堆積地方、スマトラ高地に見られるであらう。広大な原始林、不毛の地には全然に亘り住民無しと謂はれる。ジヤバは就中斯る人口分布不均衡を現はし、人口数は四千二百万人であり、それが亜細亜東南地域の総人口の三六・五%と云はれてゐる。

一〇〇

この地域は、而も殊十九世紀になつて出産率が高く人口増加を来した。これは特殊的な事実として唯人口稠密地域のみに起つた現象である。けれどマレー半島の人口増加は出産過剰に原因すると云ふよりむしろ英国殖民地に移動し来る支那及印度の労働者の結果であると謂はれてゐる。尤も白人の増加はジヤバの一九二〇年より三〇年に至るまでが六百五十万人の増加を以て、著しいとされねばならない。都市人口の集中を見るやうに至つたのは、云ふ迄もなく欧洲的殖民地支配に為果さるる都市の発達を得た以后であらう。従つてそれ以前の土着民族の住民は、それが農業を主とする限り農地移住を目的とするもののみであつた訳である。欧洲人は知識階級文化人や、商業資本家、支那人は多く小売商人であると云ふ存在であつた。原料生産と輸出とが終つて何かに移かであると云ふこととなり、戦中それは農産物であると云へる。欧洲的な殖民地本の精以外には、食料、衣服、家屋の必需品に於ける完全なる自給自足性であることである。そこには交換経済に於ける財貨問題は余り必要でなかつたとも云へる。欧洲的殖民地としての東南亜細亜の政治的重要性の又内方くは主として打ち経済

を基礎とする土着住民の自給自足的傾向の存在することである。経済的同族、農地の共同耕作、その収穫の共同消費を特宜としてゐたことである。ここには経済形態から求めるところの支配も無い。マラッカ海峡は米作以外に甘蔗、果実、香料の栽培を以て名高い。欧洲的殖民政策もこれ等に求めて来たのである。南亜細亜土着民族の自給自足性も自らの需要に対して生産することのみを目的としてゐた限り、世界市場経済に於ける需給関係に何等の依存性もなかつたのであるか、当初は経済が欧洲殖民政策としてスタートして以来、彼等の生産方法は、まづ原産地で行はれるものは自然に近かつたと云ふてい、ゴム、珈琲、椰子油、甘蔗の栽培が悉く大規模経営方法である故に、土着民族の日常生活に何等無関心であり、おかまひなしと云ふてもよかつたのである。自動車工業の発達は初期ゴムの限りなき需要を出現したのである。英領マレーやスマトラの殖民地に於ける第一なる栽培になつたことに外ならない。だが前大戦后になつてからの世界市場の疲弊は打つて変つて第一栽培はここに生産過剰に陥入らざるを得ない段階に立ち至つた。斯くて「欧洲への原料と欧洲からの生産品」

への需給なる交易は半身不随にならざるを得なくなつた訳である。大戦后の欧洲政治に於ける甚大なる疲弊の結果は啻にそこに東南亜細亜の世界経済恐慌を必然的ならしめたのである。土着住民の人口増加に伴つても彼等の富は少しも増さない。富んだものは華僑と欧洲人のみであり、剰へ人口増加は労働力の過剰状態といふ結果となつた。低賃金はいつも住民を脅かしたわけである。就中蘭領印度に於ては、過剰住民の農民離村を村落協同体への復帰なる現象の再現を見るに至つたものであると云ふていい。

先づフイリツピン島の経済は蘭印やマレー半島のやうに単一栽培になるやうな傾向を示してゐないといふことも云へる。殖民地大農企業など思はれない。砂糖、コプラ、椰子油に携るものは農民層の小地主階級であつて、彼等は世界恐慌の当時、複雑なる大経営よりは寧ろ遥かに交易に自らの再編成をすることが可能だつたと謂はれてゐる。要はフイリツピン島の経済機構は、残念なことには外国貿易は唯一方的な米国に依存してゐたことである。砂糖、麻類の僅少な自

国消費以外は偏へに米国であつたし、その七五%は米国への輸出であつたのである。斯る事実は、嘗ひ全島の決定的独立運動の促進を僅めに阻害してゐたと謂へるのである。無関税の米国への販路が輸入税の為に封じられるならば、フイリツピン独立共和国は直ちに経済に及ぼす影響は甚大であり、実に覿面にそれは危険の前に立たせられるのである。一九四五年以降の無税割当の撤廃、その善なる対策に行き悩み乍ら、幸なるかな大東亜共栄圏の広域経済に参加するの運命の今日が、やがてやつてきたのである。運命共同体としての全島経済の再編成をなすのが今日の課題である。

人口稠密なるジヤバ島にありては、全島の在留華僑は都市的性格を有すると謂へる。六十万人の華僑の中、十七万以上は大都市に集中してゐる。その他の十万人は中都市に住む。Bandung を始めとして、特産地には単身が多い。小売商仲介業者は断然経済的に有力なる地位にある。輸出業者が多くは彼等の手を経て行はれる。彼等はマレー語、和蘭語、英語を自由に話す。大商人、銀行家と

して活躍してゐるものも少くない。フイリッピン島に占める華僑の数は多くはないが久しく南支那とは活潑な通商関係にあった。スペイン人は強制的にも土着住民の女との結婚を奨励し、マレー人との混血児を生ませた。所謂 Caciques と称せられてゐるものである。勿論全体から云すれば政の上では問題ではない。彼等は独立運動、フイリッピンの政治生活に於て相当に幅を利かせたけれども華僑労働者にとりては、これとは事情は別であり、これまでのフイリッピン農業法案は移民禁止であり。それは米国政府の大干渉の結果でもあらう。けれど又他方、非合法にもぐり込んでくる華僑は勿論小売商、手工業、卸商の階級層を支配してゐたのである。今后の東亜共栄圏内に於けるフイリッピン政府は、この難題を如何に処理すべきかは注目せられ得る点であらう。土着フイリッピン住民の進歩的独立運動に対する反対論者がこれまで屡々強調する点は、要するにフイリッピンは最早「米国の経済植民地に化せられてしまって政治的独立の気運も無意味である」と。

一〇五

然らば戦争前始に至るまでの日本人の情況は如何？　支那人の三百七十万人に対して僅か四万に過ぎない。経済的に見ても華僑の地位は余りにも有名である。けれども戦争の開始されるまでに於ても、強化されるA、B、C、D包囲陣の只中に在って、日本人はその強力なる国家権力、就中軍備をバックとして、東南アジアに根強い活動力を求めてゐた。それは組織力を通して、移民関係、文化関係の諸問題を解決すべく機を見てそれを実現しやうと努め来ったことである。然も植民地農場としてのジャバ、東スマトラ、旧英領マレーに於ける日本の進出振りは、本植民地企業に対して大投資を見なかったのである。総べて華僑や欧洲人から締出されたやうな有様だった。にも拘らずそれに反して、日本よりの輸出は如何に増進されてあったかを考察して見るならば、日米のフイリッピン向綿布輸出の百分比率は、一九三三年以前は米国の七三%に対して日本の二一%であったのに、それ以后は正しく逆になって米国の三一%に対して日本は五八%であったのである。日本より東南アジアへの輸出品は主として金属品、ガラス品、セメントをあげることが出来得る。従って東南アジア市場から

一〇六

の欧米人の後退を見るに至った訳であった。又委任統治南洋諸島のマーシャルカロリン島嶼はニューギニアの産物の為に中間地瑞地として有利な位置にもあった。既にこの頃からボルネオの石油採掘、ニューギニア、濠亜諸島嶼の鉄業、濠洲北岸の木曜島の眞珠採取は漸く緒についたのだと云ふていゝ、就中一九四五年フイリッピン独立以后の日本の経済的進出は政治進出と相俟ち、更に強化されるであらうと考へられてゐた。時も時こゝに皇軍の堂々たる武歩と共に大東亜聖戦の赫々たる戦果をば、現実に見るに至ったのである。

八、国防アウタルキーとしての大東亜の広域圏経済

イ、国防資源状態

土地はそこから人間の労働が民族の富と呼ばれるところの物財を獲得する源泉なりと。而して重商主義者は貨幣の富から、重農学派は土地そのものからアダム・スミスは物財から、彼等の学説がスタートしたのであった。従って又多面性を有するアウタルキーの原理は先づ食糧アウタルキーから出発したのだ

一〇七

だとも云へる。穀物の生産国と消費国、けれど少くとも民族の生命を養ふ穀物供給は生活圏としての空間から獲得すべきであり、断然自由なるべき世界の市場経済から分離を宣言すべきものとされてゐる。世界経済を分つところの広域経済の形成も国防に基礎を置かねばならぬ限り、勢ひそこに国防資源確保の命題を吾人に提供して止まない訳である。云ひかへればアウタルキーの原理は吾人にとって先づ何よりも東亜共栄圏国防広域経済の重要如何と云ふより切実なるべきことに対し、深い関心を持たねばならないのである。東亜の文化的独立はその政治的独立なしには出来ないし、その政治的独立も経済的独立なしには望み得られない。圏外貿易は、圏内に住む民族の附加的な需要のためにのみなされるに過ぎない。継続し強調するまでもなく、戦時平時を通じての「国防」それは食糧と不可分的な工業原料資源を民族の生活圏に於て自ら生産確保することに努めることを意味するのである。所謂封鎖経済、協同経済なる用語も要するに共通性を有すると云ふていゝ点は、蓋し国防アウタルキーの理念であらう。四つの広域経済圏を設定して、重要鉱産資源と比較すれば

一〇八

（単位各々万瓲にして、昭和十三年度までの表）

	英米	大東亜	欧洲	ソ聯
鉄鉱	四八九〇・〇	二八〇・〇	五〇五〇・〇	一四〇〇・〇
石炭	八、八七〇〇・〇	八七〇〇・〇	六〇三〇〇・〇	一、二〇〇〇・〇
マンガン	一三三・四	六・九	五五・五	一三五・〇
銅	一八八・二	一〇・七	二八・二	九・六
錫	五・一	一四・八	一・〇	〇・〇一
亜鉛	一三一・一	三・五	四八・〇	七・〇
鉛	一五七・四	二・〇	三八・九	五・六
ニッケル	一〇・三	〇・〇	一・〇	〇・二
ボーキサイト	二八・一	二五・二	二二八・一	二五・〇
石油	二、四五〇・〇	八〇〇・〇	八〇〇・〇	二七〇〇・〇

一〇九

一一〇

京都帝国大学教授蜷川虎三博士の指摘する国防資源即ち持久戦を戦ひ抜くために欠くべからざる国防資源として価値あるものを左に示すならば次の如きものである。勿論これは又所謂戦略的資源と呼ばれるものである。

〔鉱産〕

鉄、銅、マンガン、ニッケル、クローム、タングステン、ヴァナヂウム、モリブデン、コバルト、コデイミウム、チタニューム、アルミニューム、アンチモン、水銀、錫、鉛、亜鉛、銅、銀、白金、金、石炭、石油、マグネシア、蛍石、硝酸塩、燐酸塩、雲母、加里、硫黄、

〔農産〕

米、小麦、砂糖、茶、煙草、綿花、生糸、人絹、麻、亜麻、マニラ麻、大麻、植物性油脂、

〔林産〕

木材、パルプ、樹脂、木炭、樟脳、規那皮

〔畜産〕

獣肉、動物性油脂、鶏卵、羊毛、皮革

〔水産〕

食用水産物、植物物魚油、鯨油、水産皮革、塩

〔大東亜共栄圏を含まざる昭和十一年度に於ける日本の基礎的軍需資源状態〕

	生産	輸入	輸出	需要	自給率	輸入先
鉄鉱	一、二四九	三、八二八	〇	五、〇七七	二五%	中華 南方圏
銑鉄	二、二二四	九八四	〇	三、二〇八	六九	満州国、印度
鋼	五三一〇	二二二	一二	五、五二〇	九六	欧州 U.S.A
石油	三六四	三、五九九	—	三、九六三	九	U.S.A 蘭印
石炭	四七、九〇四	四、八七四	一、二八四	五一、四九四	九一	満州 華北
銅	八三・八	五三・四	一二・四	一二四・八	六七	U.S.A カナダ
鉛	一一・六	九七・八	二・三	一〇七・一	一一	U.S.A カナダ
亜鉛	三九・一	六一・八	—	一〇〇・九	三九	U.S.A カナダ
錫	一・九	四・七	—	六・六	二九	南方圏

一一一

	生産	輸入	輸出	需要	自給率	輸入先
タングステン	一、七六三瓲	—	—	一、七六三瓲	—	
クローム	三九・〇	—	—	三九・〇	—	
ニッケル	—	二・五	—		—	U.S.A.カナダ
ボーキサイト	—	—	—		—	
アンチモン	〇・一一	三・七	—	四・八一	二	中華
樹脂	—	六四	一	六三	—	南方圏

鋼塊及鋳鋼の自給率は九六%となつてゐるが、生産には屑鉄に決定的に依存してゐたので、この屑鉄は東亜大戦争までは六%を主として米国に依存性を有してゐたものである。長期建設戦下、屑鉄の需要は更大なることは云ふまでもない。国内技術の確立、東亜広域圏を一丸とする綜合的計画性の要請、これ高度国防国家体制の基礎を形成するものであらう。

世界総産額に対する南方資源の比率

一一二

	昭和九年	昭和十一年
樹脂	九二%	九%
砂糖	五%	一二%
椰子油	四一%	四%
コプラ	七一%	七四%
規那	九八%	九七%
米	三〇%	三〇%
煙草	六%	五%
茶	一九%	—
タピオカ	七六%	八二%
硬質纖維	五五%	五四%
コーヒー	四・七%	五・二%
錫	五六%	五六%

錫鉱	五六%	六三%
石油	三%	三%
鉄鉱	三%	一三%
タングステン	一五%	一二%
亜鉛鉱	四%	三%
石炭	一%	一%

○印は輸出額に依るものである。

東亜共栄圏内昨年度の産油高一千九十三万五千噸あり、その中南方圏一千万屯余が産出された。

	一九三八	一九三九	一九四〇
スマトラ	四、六六二	五、三二〇	五、二〇九
ボルネオ	二、六三四	二、六一二	二、七八六

ジャバ	九三三	八四一	八四〇
ビルマ	一、〇五九	一、〇八七	一、〇九八

	生産高	消費高
米国	二〇二、三六二	一九一、九〇〇
欧洲（北阿並ソ聯ヲ含ム）	五〇、四九〇	四八、八二九
大東亜共栄圏	一〇、九二六	一四、六一〇
計	二六三、七七九	二五四、三三九

南方圏並びに日満華三国との物資自給度

	日満華（純輸入量）	南方圏（純輸出量）	（自給度）
アルミニューム	九四〇〇〇噸	一、〇〇〇〇	可能
銅	五、二二〇〇	一〇〇	不足
錫	四五〇〇	一〇、四九〇〇〇	過剰
鉄鉱	三四〇、〇〇〇〇	一六八、〇〇〇〇	不足
マンガン	二〇、〇〇〇〇	三、七五〇〇	不足
鉛	九、〇〇〇〇	三〇〇	不足
亜鉛鉱	四、〇〇〇〇	三一〇〇	不足
石炭	一〇、〇〇〇〇	一七〇、〇〇〇〇	可能
石油	三一五、五〇〇〇	二四、三〇〇〇	過不足相半ばす
ガソリン	四六、〇〇〇〇	一五九、〇〇〇〇	
燈油	八、五〇〇〇	五六、六〇〇〇	

植物油	魚油	燐酸塩	塩	樹脂	麻	黄麻	綿花	コプラ	綿実	皮革	胡麻	玉蜀黍
三、五〇〇〇	四、五〇〇〇	六五、八〇〇〇	一〇五、三〇〇〇	五、九三〇〇	八、七〇三〇	二、七〇〇〇	七二、一四〇〇	一、五六〇〇	九、九三〇〇	二、〇六〇〇	二、三〇〇〇	一〇、六〇〇〇
一、〇〇〇〇	二四六、四〇〇〇	一、〇〇〇〇	一七、〇〇〇〇	六六、五〇〇〇	三〇、〇〇〇〇	二〇〇	二五〇〇	八七、三七〇〇	三〇〇〇	五六〇〇	三五〇〇	四九、七〇〇〇
		不足	不足	過剰	過剰	不能	不能	不能	不能	不能	可能	

米	ココア	珈琲	砂糖
八五、九三〇〇	一七〇〇	三四〇〇	六〇〇〇
三一一、七〇〇〇	一六〇〇	八、一七〇〇	一五四、九〇〇〇
過剰	可能	過剰	過剰

自給可能なるもの　米、豆、砂糖、毛織物、人絹、鉄鉱、錫、石炭、ゴム、

八〇％以上自給力あるもの　小麦、銑鉄、鋼、鋼材、機械類

五〇％に自給力達せざるもの　綿花、羊毛、銅、鉛、亜鉛、

	米	小麦	大豆	砂糖	綿糸
圏内生産（万トン）	一四〇五一、〇〇〇〇	二七三一、四〇〇〇	五五九、四〇〇〇	三二五、四〇〇〇	七三、三一五二
圏内輸入（万トン）	三五、八〇〇〇	二五五、六〇〇〇	三、六〇〇〇	五、八〇〇〇	八五、二二三九
圏外輸出（万トン）	二八二、二〇〇〇	[illegible]〇〇〇〇	一一〇、九〇〇〇	一三九、九〇〇〇	一〇三一三
圏内消費	一、三八〇四、六〇〇〇	三九八七、〇〇〇〇	四五二、一〇〇〇	一九一、三〇〇〇	一、五七〇七、八〇〇〇

羊毛	毛織物	人絹	鉄鉱	銑鉄	屑鉄	銅	鋼	鉛	錫	亜鉛	アルミニウム	石炭
一、九二〇九	三三九八九、〇〇〇〇	三一〇五〇、二〇〇〇	三七九、一〇〇〇	三〇七、〇〇〇〇	〇、〇〇〇〇	四八三、三〇〇〇	七、四七六〇	一、〇八二六	九一、三三二〇	五、三三二〇	〇、〇〇〇〇	七〇〇四、八〇〇〇
一〇、九〇五三	一、八三四四	〇、八四八三	〇、〇〇〇〇	六六、一〇〇〇	六二、六三三三	七一二〇〇〇	九、六八〇三	九、七二三九	〇、七八八一	五、九四六八	四〇二四八	二七、九〇〇〇
一、七八四一	五一〇八、七〇〇〇	六四七五、〇〇〇〇	〇、〇〇〇〇	—	〇、〇三三	六〇〇〇	〇、五三六七	〇、〇四一六	一七、五三六〇	〇、〇九一六	〇〇二五二	七一、〇〇〇〇
一一〇四二一	三〇七一四、七〇〇〇	二五四二三、五〇〇〇	五七九、一〇〇〇	三七三、一〇〇〇	六二、五六九七	五五三、四〇〇〇	一六、六二〇一	一〇、七六五五	七四、五八七二	一一、一八七二	三、九九九六	六九六〇、七〇〇〇

機械	樹脂
一、六三〇四二、一〇〇〇	七九、一八〇一
二七五九〇、九〇〇〇	四五三一八
三五六五、八〇〇〇	八〇、二四七七
一九七〇六七、二〇〇〇	三四六四二

〔豪州の輸出先国別〕

	昭和十三年	昭和十四年
英領植民地	六八、七％	六九、五
大平洋沿岸諸国	二一、九	二二、五
東亜と近東諸国	一八、六	二〇、五
英国	五五、五	五四、五
ニュージーランド	五、〇	五、五
印度	〇、八	一、五
USA	二、四	三、〇
日本	四、二	四、〇

〔全輸入先国別〕

	昭和十三年	昭和十四年
英領植民地	五八、三%	五九、六%
大平洋沿岸諸国	四一、二	四一、〇
東亜及近東諸国	二一、二	二一、八
英国	四二、三	四一、六
ニユージランド	一、六	一、八
印度	二、八	三、〇
米国	一六、三	一五、一
日本	四、九	四、一

但しポリネシア海上にある仏領ニユーカレドニア島は世界に於けるニツケルの産地の一つたることは有名であり、自給性可能の将来性は重視と考へられた

豪州の日本向羊毛輸出高

一九三七年	二八六六〇〇
一九三八年	二三、七六〇〇
一九三九年	二四、二四〇〇

一二一

ニツケルに就いて今や注視せられるに至つたのである。ポリネシア海の制空海権は最早帝国海軍に握られてゐるからである。一九三六年の六千トンより一九三七年七三〇〇トンに増産を続けつゝあるからである。

乏しき石油産額、けれどもインドネシアの七九四、三万トン、ビルマの一一〇万トン、北部ボルネオの九三、九万トン、日本三四、七万トン、合計一〇三三万トンと評価され得る。液化石油、従来の蘭印より豪州へ輸出してゐたもの、停止将来の増産、油田開発など、相俟ちてどうやら自給の域に達したるものと云ふてい、のかも知れない。過剰物資の処理方法も長期建設戦下の不問には付し得ない問題たることは云ふまでもないことである。東南アジア自身の米産は余剰の約六〇%を以てアジア諸国人口を充分に養ひたる後に、他の四〇%を以てアジア以外の大陸諸国人口に支給してゐると云はれてゐる。メコン、メナムイラワジ、サルウインの四大デルタに於ける大平野の確保こそは、大東亜共栄圏食糧問題に関して後顧の憂ひなからしむるといふ解決の鍵を握つてゐるのだと云つてい、。

一二二

ソ聯東部シベリア森林の利用度

沿海州	八四九	六〇、七
アムール	六五、〇	三八、九
ハバロフスク	二〇〇、七	一九〇、九
チタ	五三、三	六三、七
ブリアートモンゴール	一三六、九	一四〇、七
其の他	一六六、七	一七四、四
計	六五七、五	六六九、三

カムチヤツカ海岸の漁獲高（万尾）

	ソ聯側	日本側
一九三四年	二五、七	八五三
一九三五年	五一、五	一三四、四

一二三

一九三六年	一〇六、〇	一八一、〇
一九三七年	一二〇、〇	一八一、〇
一九三八年	六四、八	一八九、〇

九、南方圏に於ける海運力の今日と明日

第一次世界大戦后、三百万トンに躍進したる世界第三位の海運国日本の発展振りは、今日に至るまでその地位の持続し来つたものだと謂ふてい、。これ迄の自国貿易の自国船舶に依るものゝ比率は次の如し。

米国の三六%、英国の六〇%、日本七〇%。海運の我が国を中心とする貿易に就いては有力であつたが、海外各地向の貿易に関しては必ずしも左様でなく、今次大東亜戦争前に於ては、南方圏、東南亜細亜水域上の船舶配置は、英国三五・一%、和蘭二一%、日本一二・三%を示してゐる。支那大陸沿岸にありては英国の四三%に対して残念作ら日本一三%に過ぎなかつたと云ふ実情では

一二四

あうた。けれども云ふ迄もなく、今后の大東亜共栄圏の海運力は、独り日本に依存してゐると云ふてい〻。然もそれは戦況の如何に左右されるし、又各地域資源開発の度合如何に依り、海運力、輸送量に消長があるわけである。戦争目的貫徹のためには、焦眉の急迫せる要求は、蓋し船舶就中貨物船であらう。優秀高速度なる貨客両用船舶を以て定期航路を開かねばならぬことは、朝野の等しく認めて止まないことであらう。門司―スラバヤ九日間を南方圏海運の将来こそ、一週間にて神戸―スラバヤを航海するに足る優秀船の配置が可能なり得るであらう。

世界の広域経済圏を、大東亜、阿弗利加を含む欧羅巴並びに南北亜米利加の三つとして、各圏内及圏外間の海運量を百分率で示すときは左の如し。

圏内海運は世界海上交通の六六、四％を占め、圏外海運は三三、六％である。対欧羅巴圏海運の半ばを占むるものは、これまで米国からの輸入であったことは注目に価する。而して大東亜共栄圏の海運は最低位にありて、欧羅巴圏が断然期に於てありとすれば、大東亜圏は発芽の域を脱したるに過ぎない。圏外海運

一二五

は欧羅巴を中心として行はれ、英国が牛耳ってゐたと謂ふてい〻。我が海運力の将来への努力に俟つことに依りて、この旧体制の大変換は唯時が解決するだらう。大東亜共栄圏からの海運に依る物資は加輸資源であり、又食料品である。而して欧羅巴圏の輸入は主として食料であり、原料であり、これは全海運の二〇%に該当する。

より＼向	大東亜	欧洲	南北亜米利加	輸入総計	輸入圏外海運
大東亜	九、九	三、六	二、八	一六、三	六、四
欧洲	六、九	四〇、九	一三、一	六〇、九	二〇、〇
南北亜米利加	一、五	五、七	一五、六	二二、八	七、二
輸出総計	一八、三	五〇、二	三一、五	一〇〇、〇	
輸出圏外海運	八、四	九、三	一五、九		三三、六

一二六

十（結び）　大東亜共栄圏成立と世界広域圏の南北縦貫性形成との史的必然性

国防の考察に当りて、その経済的基礎と不可分的なる作戦基礎を重視しなければならない。然らば作戦地理的意義如何？云ひかへれば大東亜共栄圏の防衛のためには作戦上如何なる範囲までの島嶼、海洋、大陸を含めての広域圏が要求されねばならぬか。而して日本はこの空間の任務を担当する為には、特色のある性格を有してゐることである。日本は常に強大なるべき陸軍、空軍、海軍との三軍を併せ保有しなければならないことである。強国の多くは国防の主力を陸軍に置くか、或ひは海軍におくか、或は空軍に置くか、何れか一方的に重点を求めてゐるのが普通である。けれどもこれに対して日本の地政学的特殊性は必然的に南進と同時に北進を不断に考慮に入れなければならないところの史的條件の下に、昨日から今日へ、そして明日へと躍動を続けつ〻あるこ

一二七

とである。大陸若くは海洋という何れか一方的に偏倚することの決して許されないことである。日本の国防にとりて、斯る運命づけられたる性格（海洋性型と大陸性型との）が逆に却って幸ひなるかな、現実的には北進と同時に南進をも可能ならしめてゐるのだと謂ふてい〻のかも知れない。

長期建設戦の目指すところ、高度国防国家の体制である限り、それは欠くべからざる軍需資源の確保に存するのだといふことは縷説し前述して来たところである。

鉄、石炭、石油、ボーキサイト、錫、鉛、マンガン、ニッケル、クローム、銅、硫黄、の鉱産物に加ふるに、樹脂、麻、規那、米、小麦、木材、綿花の農林産の獲得に於て国防政策は樹立されねばならないことに外ならない。然らば大東亜共栄圏に於て、大陸と海洋（その数多の島嶼を含む）との関係如何である。云ふ迄もなくこれは日満華を一体として南方圏を参加せしめたところの広域経済圏である。この際南方圏の有する資源は厖大なるを認識しながらも、他方吾人は南方圏資源

一二八

に強調されて大陸の重要性を片時も忘却してはならないことである。或る種の資源は南方圏に豊富なれども或る種のものは不足してゐるものも少いとせず。それ故に先づ綜合的な計画性が科学的な研究を通して日本の国防政策の上に具体化されることを要望して止まない所以である。満洲国、華北の鉄鉱、炭鉱小麦、綿花、湖南（湖南省）のタングステン、アンチモンなどは、斯る例でなければならない。南方圏を併せて東亜大陸を先づ吾人は深き考慮を怠ってはならぬことである。南方資源の軽視は断じていけないことも明白である。華北に如何に豊富な鉄鉱石が存在してゐても、産地は奥地で輸送上困難なるのであれば、マレーの鉄鉱のより遥かなる開発をその輸送関係上促進させねばならないわけである。その方が便利でもあるから。増産を充分に期待されるスマトラの石炭の如きも右の例である。南方圏の石炭は出来得るだけ南方圏それ自身の自給性が保証されるやうな状態に置くことが必要である。又大陸と南方圏の不可分的な関係、相互に呼応して、資源開発の決定が肝要なることは、石油問題が切実なる例として挙げねばならない。豊富なスマトラ、ボルネオの恵まれ

一二九

た石油の供給量ではあるが、満洲国、華北の液化石油の生産をば、生産費が高いからとて中止してもいゝとの早合点は断じて慎まねばならないと謂ふべきである。何故なれば、南方圏石油の量的な欠陥を補ふためには、却ってむしろ、並に液化石油の増産奨励を以てしなければならないからである。（燃料補給の為には第二次欧洲戦争前までナチス独逸の液化石油は年々四百万トンせと）。共栄圏経済は各地域の相互依存性にあり、物資の円滑なる交流と高度なる労働力の移動を意味する。蓋し将来に関はる船舶も少くとも一千五百万トン以上のものが動くであらう海運の輸送能力が、こゝに欠くべからざる条件ともなり得るであらうか。又食糧生産が南方圏のみに依存するやり方も喜ばしいことでない。極力内地、朝鮮、台湾は南の米の生産国に依頼せずに、自ら出来得るだけの集約的方法を以て、低下して行く増産量を喰ひ止め得るやうに万善を期すべきことである。要は綜合的な産業立地計画性を基調として国防政策を打ちたてることに外ならないのである。大東亜共栄圏の主要資源状態は米国と南米諸国とを一丸とする広域圏には遥かに及ばない劣性を認めるとしても、ナチス的又はソ

一三〇

ヴイエツト的の各々の経済圏と比較考察してみれば、彼の恵まれてゐる諸条件を有してゐるといふても敢て遜色ではないであらう。これに対して人或は云ふかも知れない。「東亜の生活圏なるものは、軍需資源といふよりは寧ろ日常生活の資源が少々より潤沢性が保たれてゐるやうな感がされるのみだ」と。けれどもこのことは、東亜共栄圏の厳然たる存在を再認識することからして、例へば南米諸国や阿弗利加や濠洲などが、それ自身では経済的自主性殆ど不可能であることと根本的に事情を異にしてゐるのだと吾人は敢て断言せざるを得ないのである。

北半球の陸地が、熱帯地方に拡がり又南半球の陸地が熱帯地を主としてゐる事実を思へば、勢ひ北半球に人口集中し、従って北半球に今日工業の殆んどが中心位置を有してゐるといふことに就いて納得せしめられるのである。これに対し南半球は、資源の供給地域として価値あるものが多いとも云へる。斯くの如く経済的には南北両半球が分業の役割を果してゐるといふ事実は勢ひそこに南北縦貫の広域圏の形成を必然的ならしめ、且つそれが却って統率的なもの

一三一

たらしめ得るのである。孤立的な封鎖経済の史的考察を敢て暫し試みやうとするならば――新重商主義とブロック経済とそして国防経済圏広域アウタルキーとに就いて。新重商主義は貿易奨励、資源自給獲得に加ふるに、全国民の生産力概念の把握を以てする経済の有機的統一を強調したことに存する。（フリードリッヒ・リスト）ブロック経済は云ふ迄もなく英国の前大戦後の世界経済恐慌対策がその生成の動機となつたものであり、英国の母国から、ドミニオンや直轄植民地との通商関係自体、国際貿易の一割をなしてゐたに止つた。これに対して国防的なる広域経済は何等前の二つとは大いに相違しなければならない。この点に関して地政学的考察を以て明白に強調し来つた所以でもある。自主貿易経済、ブロック経済が既に過去の経済政策段階のものになり、今や新たに大きな空間の単位が広域的必然性として吾人に要求せられてゐる。それは外ならず南北縦貫経済圏であるとりも直さずこのことは国防地域限界の妥当性如何の問題に関はる。大東亜共栄圏の国防的な限界の可能性、印度を含むか、濠洲を含むか、近東は除外すべきやの妥当性である。東亜民族の人口過剰の上からも

一三二

豪洲の人口稀薄性の有する自然からしても　正しく豪洲の広域経済に対する従属性の要求が立証される訳である。近東を含まざる東経六十度から東経百八十度に至る地表の三分の一乃至、大東亜共栄圏の範囲と決定するのが妥当であるとも云はれてゐる。就中、これは軍需、民需の大資源の広域アウタルキーの点に存するのだといふことを忘れざる得るからである。

一三三

参考文献

「地政治学入門」（阿部市五郎氏）
「地政学とは何か」（國松久彌氏）
朝日新講座38「地政学」（岩田孝三氏）
「アウタルキーと地政治学」（ヨハンネス・シュトイエ、渡辺義晴氏譯）
「海洋地政治学」（ローゼフ・メルツ、田間耕一氏譯）
「アメリカ地政治学」（エルネスト・アッシ、米澤卓司氏訳）
「東南アジア地政治学」（クルト・ヴイールスビッキー、井波越次氏訳）
「地政治学の基礎理論」（ハウスホーファー、マシル、玉城肇氏訳）
「印度洋の國防地理学的考察」（R・ガドッツ少将、陸軍省主計課別班訳）
「地政学的世界現勢地図」（金生喜造氏）
「大東亜地政治学」（松川二郎氏）

一三五

「東亜地政学序説」（米倉二郎氏）
「東亜地政学の構想」（川西正鑑博士）
「東亜政治経済、戦略図」（ハドソン・ライクマン、丸山進雄氏訳）
「地政学研究」（江沢譲爾教授）
「國防政治学」（ニーデルマイカー、大沢峯雄氏訳）
「太平洋戦略序論」（斎藤忠氏）
「廣域経済と全球経済」（楠崎敬雄博士）
「経済地理原論」（黒正巌博士）
「東亜廣域経済圏と独逸」（小関藤一郎氏訳）
「ツラン民族圏」（今岡十一郎氏）
「大東亜民族問題」（松岡壽八氏）
「戦争と世界経済」（E・ジアルガ、和泉仁氏訳）
「経済戦争史の研究」（寺田彌吉氏）
「東亜産業立地の研究」（坂入長太郎氏）

一三六

各月刊「地政学」（日本地政学協會）
各月刊「太平洋」（太平洋協會）
季刊「東亜共栄圏の諸問題」（中央公論社）
「東大経済学論叢」第十二巻八号（飯塚浩二氏）

Kar Haushofer: Geopolitik des Pazifischen Ozeans 1938.
K. Haushofer
G. Fochler Hauke: Probleme des Weltpolitik [illegible]
K. Wiersbistzky: Politische Geographie des Australasiatischen Mittelmeers 1936.
R. Kjellén: Der Staat als Lebensraum（昭和十一年 阿部市五郎氏訳）1924.
K. W. Wittfogell: Geopolitik, Geographischer Materialismus

und Marxismus (unter den Banner des Marxismus) 1929.
Walter Vogel: Geographisches Jahrbuch (49) 1934.
Haushofer, Obst.
Lautensach, Maull: Baustein zur Geopolitik 1928.
Friedrich Ratzel: Politische Geographie 1923.
Albrecht Haushofer: Zur Problematik des Raum-Begriffs (Zeitschrift für Geopolitik, Dez.) 1932.
E. Zimmerman: World Resources and Industry 1933.
Demangeon: Géographie Politique Annales de Géographie
Walter Vogel: Rudolf Kjellén und seine Bedeutung für die Deutsche Staatslehre (z. d. gesammten Staatswissenschaft) 1926.

R. Sieger: Die Geographie und der Staat (Rektorrede, Graz) 1925.
Haushofer: Japans Werdegang als Weltmacht und Empire 1933.
Haushofer: Erdekunde, Geopolitik, und Wehrwissenschaft (Münchener Universität) 1934.
Haushofer: Wehr-Geopolitik 1941.
Carl von Clausewitz: Vom Krieg 1832.
Erich Ludendolf: Kriegsführung und Politik 1922.
Oskar v. Niedermayer: Wehrgeographie und Wehrgeopolitik 1934.
Guido Fischer: Wehrwirtschaft (ihre Grundlagen und Theorien) 1936.
Otto Ernst Schüddekopf: Die Britische Marinepolitik

(1880-1918) 1938.
Walther Paul: Weltkampf um Rohstoffe
v. Valkenburg: Element of political Geography 1940.
Günter Schmölders und Walther Vogel: Wirtschaft und Raum 1937.
Hans Weigmann: Politische Raumordnung, Gedanken zur Neugestaltung des Deutschen Lebensraumes 1935.
Ellsworth Huntington: Principles of Economic Geography 1940.

經研資料調第三四號

戰爭指導と政治の關係研究

昭和十六年十二月
陸軍省主計課別班

戰爭指導と政治の關係研究

目　次

三

要　旨

満洲事変に発端した世界新旧両秩序間の死闘は、今や太平洋危機の爆発によつて、全面的世界戦争にまで昂められようとしてゐる、こゝに於いて、この全面的世界戦争にあつて主要なる役割を担當すべき日本としては、戦争指導体制の完璧なる整備といふことが、何よりも緊切の課題でなければならぬ。これは理論的に云へば即ち戦争と政治との関係の十全なる規定といふことである。

本研究は、かゝる當面の日本にとつての緊急課題たる戦争指導体制確立の理論的基礎たる、戦争と政治との本質的関係の規定を主要命題とするものである。而して、この主要命題の探究に入る前提として、戦争一般　特に現在戦はれつゝあり且つ将に戦ばれんとする戦争の有つ二つの意義、即ち戦争の歴史的意義並びにその民族的意義を闡明し、戦争の本質が「民族と民族との死闘」にあることを観、こゝより戦争の有つ二つの性格、即ち戦争の民族性と戦争の総力

一

性を抽象しその検討を試みた。そしてこれと関聯して諸家の戦争論の追及が試みられた。

かく全人類並びに諸民族にとつて重大なる意義を有つ戦争は、その本質に於いては不変であるが、それは時代によつて異なつた形態をとつて今日の総力戦形態に及んだ。かゝる戦争の歴史的形態を究明し、殊に現在の総力戦の形態及び意義を明かにし、その理論的裏付けとして、クラウゼウイッツの「國民戦争」以來の「総力戦理論」の展開の跡を尋ね、現在の総力戦理論に及び、総力戦の現段階的意義を闡明した。而して最後に結論として、かゝる現段階の総力戦に於ける戦争指導と政治との関係を規定し、その前提としてクラウゼウイッツ、ルーデンドルフ、モルトケ等の理論を追及し、政治及び戦争指導の意義並びに両者の関係に對し、結論を下し、総力的政治が総力戦を指導すべき所以を闡明したのである。

二

一　概　説

昭和六年（一九三一年）九月の満洲事変を契機として、世界は、旧秩序打破、新秩序建設の段階に入つたのであるが、この新旧両秩序の死活的闘争は、昭和十四年（一九三九年）九月に勃発した第二次欧洲大戦及びこれと不可分の関係を有する支那事変に於いて、最後の決着を付けやうとしてゐる。

総べて人類歴史の進展は「暴力」的争闘、即ち「戦争」に依つて推進せしめられる。かゝる意味に於いて、戦争は「社會進化の助産婦」である（註一）。勿論、人類の歴史が進展するには、この進展の基礎たる物質的進歩、この物質的進歩より将來さるゝ社會関係の変化、かゝる進歩及び変化を意識する思想的転移等々の諸現象が起るのであるが、かゝる諸変化の綜合的・統一的総決算として、社會体制の全体的進化、即ち人類歴史の進展を具現化するものは、即ち「戦争」である。旧秩序の墨守に於いて利益を有する國家は、旧秩序の打破に於いて利

一

益を感ずる國家に對して、実力を以て抑圧し來たる。かゝる実力的抑圧に對抗し、よくこれを破砕して、以て新秩序を建設するには、彼等も亦同様、実力を以て對抗するの外はない。かゝる新旧両秩序の對立は、終局的には、武力に依るの外、解決の途なく、かくの如き武力の行使過程が即ち戰争である。

支那事変及び第二次欧洲大戰は、かゝる歴史的意義に於て把握されなければならない。かゝる歴史的観点より戰争の有つ本質的意義――即ち戰争の世界史的意義をヨリ精密に且つヨリ確実に規定せんとすることが、先づ第一に必要である。

次ぎに、かゝる歴史的意義を有する戰争は、これを戰ふ個々の國家に對する関係に於いて、如何なる意義を有するか？　個々の國家の戰ふ戰争は、世界史的・客観的に見るときは、大きく全人類の歴史的進化のために戰つてゐるのであるが、個々の國家及び民族にとつては、當該國家及び民族の発展・生存が中心目的でなければならない。人類社會が自己の発展を区劃するとき、その方法が必ず戰争によつたと同様、個々の國家及び民族が自己の発展をなし遂げたの

二

も、同様に、戰争によつてである。かゝる意味に於いては「戰争は人類と共にあつた」。あゝ國家及び民族が興るのも戰争に於いてであり、それが滅びるのも亦、戰争に於いてである。かゝる点より見て、戰争の國家的＝民族的意義を究明することが必要不可缺である。かくの如く、戰争の世界史的並びに國家的両様の意義を闡明すること、これぞ即ち本論文の第一の課題でなければならぬ。

第二に、戰争は時代により特殊なる形態を有つ。古代には古代の戰争型があり、中世には中世特有の戰争型が存する。更に近代に至つては、時代の推移の急激を極はむるに伴ひて、所謂戰争型も、各段階に照應する特殊のヴァライティーを有するに至る。例へば、近代國家成立時代に於ける國民戰争型（十八世紀末より十九世紀中葉にかけて）、所謂帝國主義時代に於ける帝國主義戰争型（十九世紀末より二十世紀初頭、第一次世界大戰まで）等々の如き類型がさうである。而して現代に至つては総力戰型が現はれてゐるといはねばならぬ。かゝる現在の戰争型たる総力戰の形態及び内容並びにその歴史的意義、即ち総力戰の現段階的意義の究明が、本論文の第二の課題である。

三

最後に、かゝる総力戰に於いて、最高指導中枢は何處にこれを求むべきか？即ち、戰争指導と政治との関係如何の問題である。この問題は、古來、多くの將帥及び政治家を悩ませたる難問であり、軍事理論家の必ず當面する對象である。殊に現在の日本にありては、先般の東條内閣の出現を機として、この政治と戰争指導の問題、即ち所謂政戰両略の問題が具体的切実性を帯びて登場し來たつたのを見る。支那事変勃発以來、歴代の内閣は政戰両略の一致について苦悩し來たり、特に近衛内閣は、支那事変そのものゝ解決と同時に、この政戰両略の一致の達成を特別なる使命として取り上げさへしたのである。而も第三次近衛内閣は、本問題を満足に解決し得ずして退陣し、その後を承けたる東條内閣の首班東條首相が、特に現役に列せられて陸相及び更に内相を兼ね、政戰両略の一致をある程度まで首相一身に於いて如実に具現せんとしてゐる。これは從來の内閣に見得ざりし形態であり、對外的危局と睨み合はせて考へる時、吾々は、政略及び戰略の問題が、單に理念的意義に於いてのみならず、切実なる現実的意義に於いても、その明確なる解決乃至解釈を要請せられてゐるのを見

四

るのである。戰争と政治との関係の規定――これ即ち本論文の第三の、而して最終の課題たるものである。

（註一）　陸軍省新聞班が昭和九年十月刊行せる有名なる小冊子「國防の本義と其強化の提唱」は、その冒頭に「たたかひは創造の父、文化の母である」と云つてゐる。

またナチスの戰争理論家タイゼンは云ふ――「戰争は自然に對する矛盾ではなくして、むしろその最後の、運命的成就者なのである。如何なる民族も戰争から逃避することは出來ぬ。……戰争は破壊し、殲滅する。戰争は変化を來らせ、老衰者・生活無能力者を滅亡せしむる。しかし、戰争は同時に強力なる者・強健なる者の発展を促進させ、彼等の夢から生れ出た新生活への道を清める。かくて、戰争はその全体的構成乃至國家組織を決定的に左右する世界の形成者なのである」。（*Handbuch der neuzeitlichen Wehrwissenschaften, Vol. I. Wehrpolitik und Kriegsführung.* 邦訳「ナチスの戰争論」、上巻、第四頁）

五

二　戰爭の本質的意義

(一)　戰爭の世界史的意義

ナチスの戰爭理論家、タイゼンは、「戰爭は人類と共にあつた」といつてゐる(註一)。人類の歴史を見れば、戰爭時代と平和時代とが相交錯し、何れが常則であり、何れが非常則であるかを判断し兼ねるのである。筆者は曾て近代に於けるヨーロッパ及び東亜の歴史を案じて、戰爭によつて占められる年月の如何に長く、所謂平和時代といはれる時間の如何に短きかに一驚を喫したのであつたが、これは各人が少しく歴史書を繙けば直ちに看取し得るところであらう。

人類の歴史は戰爭によつて始まつた。即ち原始社會に於ける人類の接觸、即ち異種族の交渉は、戰爭といふ形を以て開始せられたのであつた。爾來、人類の進歩は、戰爭と共に、そして戰爭によつて実現せられた。單に物質的なる進

七

八

歩、單に政治的なる進展のみならず、実に精神的・宗教的なる轉化すら、戰爭といふ暴力的方法によつて遂行せられたのである(尤も、このことは、宗教戰爭といふ外被の下に、多くの物質的・経済的乃至政治的利害が潜在してゐた事実を否むものではない)。遠き昔のペルシャ戰爭(BC五〇〇－四四九年)、アレクサンドル大王の遠征(BC四世紀)、ポエニ戰爭(BC二六四－二四一、及び二一八－二〇一)は問はずとするも、中世のサラセンの侵略戰(六二二－七三二頃)、十字軍の遠征(一〇九六－一〇九九、一一四七－一一四九、一一八九－一一九二、一二〇二－一二〇四、一二一九－一二二一、一二二八－一二二九、一二四八－一二五二、一二七〇)、百年戰爭(一三三七－一四五三)、三十年戰爭(一六一八－一六四八)、七年戰爭(一七五六－一七六三)等々より、近世のフランス革命に續くナポレオン戰爭(一七八九－一八一五)、普墺及び普佛兩戰爭(一八六六－一八七一)、日清及び日露戰爭(明治二七－二八年及び三七－三八年)並びに第一次世界大戰(一九一四－一八)等々は、それぞれ人類社會(その全部乃至その一部たる諸國家)が、自己の進化・發展を達成せんとする脱皮作用であつたのである。今これらの戰爭の各々について、その歴史的意義を詳しく檢討してゐる暇はないが、人類は、これらの暴力作用によつて、全部的に、あるひは部分的に、次ぎのヨリ高き段階へ進んで行つたのであつた。

此のことは、現在の支那事変及び第二次大戰についてもいひ得る處である。第一次大戰及びその形式的結末たるヴエルサイユ條約によつて、英・米・佛を中心とせる所謂民主主義陣営、即ち自由主義的・個人主義的・金融財閥的・ユダヤ的努力は、全世界に亘つてその支配権を確立した。これ即ち、所謂旧秩序である。彼等は全世界の國土と資源とを壟断した。これに對して、日本・ドイツ・イタリー等々を中心とする新興國家群は、かゝる自由主義的・個人主義的・金融財閥的・ユダヤ的旧秩序を破砕して、非個人主義的・全体主義的・集団主義的・民族主義的新秩序を確立し、全世界の國土並びに資源の公平なる分配、及び被抑圧諸民族の解放を庶幾した。昭和六年(一九三一年)九月に勃発せる満洲事変は、実にかゝる新秩序形成の最初の烽火であつた。それは、必ずしも

九

満洲事変遂行の當事者が、かくも廣大なる歴史的見透しの上に立つて動いてゐたといふのではない。彼等の主観に於いては、あるひはそれは張学良の暴慢に對する膺懲であり、その背後たる欧米勢力に對する反撥であつたかも知れない。しかしながら、その客観的・世界史的意義を考へる時、我々はこれぞ世界的新秩序建設の最初の第一声であつたと断ぜざるを得ないのである。

英米佛を中心とする旧秩序勢力が、満洲事変を有效に阻止し得ずと見るや、イタリーが先づ之に倣つてエチオピア遠征を敢行した（一九三四年十二月）。旧秩序の集団、國際聯盟は経済制裁を以て臨んだが、イタリーの海・空軍はよく英を抑へ得た。次いでドイツが、ヴェルサイユ條約第五篇、軍備條項の一方的廃棄を断行し、再軍備を宣言した（一九三五年三月）。爾來、ラインランド進駐（一九三六年三月）、独墺合邦（一九三八年三月）、ミュンヘン會議＝ズデーテン地方割譲（一九三八年九月）、チエコ解消（一九三九年三月）と、ドイツの旧秩序打破の巨歩は着々として進められ、つひにポーランド進撃（一九三九年九月）に発端する今次の大戰となつたのである。

一方、支那事変は何うか？　東亜は由來、欧米諸國家の「植民地」として、十九世紀の中葉以來、彼等の飽くなき侵略の對象となつて來た。東亜幾億の民族中、眞に独立を保持せるは、漸く日本一國のみといふ情なき状態である。かくて日本は嫌應なく東亜諸民族解放戰の盟主たる地位を歴史によつて強要せられた。かゝる歴史的使命に奮ひ立つた日本の行動が、日清・日露の両役となり、満洲事変となり、而して今次の支那事変となつたのである（註三）。

（註一）　「ナチスの戰争論」、前掲、三頁。

（註二）　支那事変も、満洲事変と同様、その歴史的意義が主観的にも最初より正確に把握されたとはいひ難い。これ、事変勃発の當初に於いて、「現地解決」、「不拡大主義」、乃至「暴支膺懲」等々の言議が行はれた所以である。

人類と戰争とは、かくの如く密接なる関係を有してゐる。かくて西欧の一学者の如きは、「戰争は社會進化の助産婦である」といひ、フランスのジャン・

ロンゲの如き「戰争は革新の母である」とさへいつてゐる。「戰争は新旧両時代の区劃をなす」といふバンゼの意見の如き、この際、最も深く省みられねばならぬ處であらう（註一）。勿論、戰争は流血・殺人・破壊等々あらゆる種類の禍害を伴ふ。それは「絶えず生活を脅威し、國家或は國民を最も尖鋭な生存の試錬の中に投げ入れる暴力的の歴史的現象」（リンネバッハ）である（註二）。従つてそれは、古來、多くの思想家・哲人の批判の對象となり「戰争は人類の負債であるか、運命であるか、不可避的であるか？」等と論議する所謂「戰争哲学」なるものが存在したのである。旧き事をいへば、既に紀元前九世紀に、ギリシヤの有名なる詩聖ホメロスによつて、戰争を否とする辞句が吐かれ、同じくギリシヤ詩人、ユリピデスも戰争に反對し、平和を希望するの余り、戰争を以て「狂人の所為」と悪罵してゐる。下つてローマ時代に入りても、名詩人ヴィルジルは、戰争を神に恥づる意味の詩を歌ひ、マルクス・タユリウス・キケロの如き政論家すら、戰争は「野獣の常用手段」なりといつてゐる。更に近世に至り、この種の議論甚だ多く、フランスのサン・マルタン（一七四三ー一八〇三）、ドイツのマルチン・ルーテル等はその宗教的・キリスト教的立場より、「平和論」に於けるカントは哲学的・理想主義的立場より、「戰争と平和」に於けるトルストイは文学的・人道主義的立場より、それぐ戰争に對し批判的態度を示した。現在に於いても、英のバートランド・ラッセル（一八七二ー。*Principles of Social Reconstruction*, 1915; *Road to Freedom*, 1918）、佛のロマン・ローラン（一八六六ー。*Au-dessus de la Mêlée*, 1919; *Les Précurseurs*, 1919）、英のノーマン・エンジエル（一八七四ー。*The Great Illusion*, 1910）等々、熱心なる戰争反對者を数へることが出來るのである。

しかしながら、人類と戰争との不可分性を認め、戰争を是認乃至讃美するものも、古來少なくない。ギリシヤはイオニア派の哲人ヘレクライトス（BC五七六ー四八〇）は、ホメロスの戰争否認論を非とし「争ひは万物の父であり万物の王である」といひ、ドイツの詩人フリードリッヒ・シルレル（一七五九ー一八〇五）は、戰争は「社會の凝滞を防止するに必要である」といひ、ヘーゲル（一七七〇ー一八三一）は、歴史を以て旧き國家と新しき國家との闘争の連続となし、かゝる闘争を通じてイデーの戰ひが行はれると見、「戰爭は世界精神が小なる自由より大なる自由に向はんとする必然の形式である」としてゐる。更にドイツの政治学者ハインリツヒ・トライチュケ（一八三四―一八九六）に至つては、戰爭をば「神が人間に與へた防腐剤」となしてゐる。即ち、是等戰爭是認論者を以ていはしむれば、戰爭は如何に悲惨事を伴ふとも、人類の歴史は戰爭によらなければ進化し得ず、戰爭否認は、人類進化の否認に等しいとなすのである。現在のナチス・ドイツに於ける優れたる戰爭理論家として、多数の著書を以て聞えてゐるパウル・シユミツトヘンネルが、「戰爭は今日まで、社會発展の最も大なる文化推進力であつた。それは創生に於いて人類を創り上げ、集団・群族・鞏固なる家族形成の大きな刺戟となつた。……それは奴隷制と分業とを結びつけ、戰爭の影響の下に発展する國家形成に對して、強烈なる動力となつた。戰爭は人類の本質である。」といひ、又「戰爭は屢々改革者であつたし、又時代の解放者でもあつた。而して時代の発展を促進した。」といつてゐるのも、亦、吾人のいふ戰爭の世界史的意義を認めたものといはねばならない（註三）。

（註一）　ドイツの戰爭理論家バンゼ（*Ewald Banse*）は、その著「軍事科学論」（*Wehrwissenschaft, Raum und Volk im Welt-kriege*）に於いて、戰爭を定義して「戰爭とは歴史の二つの時代の過渡期を、即ち旧き時代の終末と新しき時代の開始とを劃するしるしである。」といひ、「それは破壊を目指すに非ずして、建設を意味する。それは時代精神を昂め、物質的手段の生産をその最高度に達せしむ。」といつてゐるのは、筆者のいふ戰爭の世界史的意義と最も明確に合致するものといはねばならない。（又、"*La nouvelle doctrine de guelle allemande, Analyse des ovorages du Professor Banse*," 1934, p. 5.; *Lieutenant-Colonel Henry Melot*, "*La guerre allemande, Analyse des ovorages du Dr. Banse*," 1934, pp. 21-22.）。

このバンゼ教授の「戰爭論」を指して、英國のバートレツトは、これ

をナチスの代表的戰爭論なりとなしてゐる（*Vernon Bartlet*, "*Nazi Germany Explained*," 1933, pp. 254-257）。

また、フランスのルネ・ジローは戰爭一般に反對し、その絶滅を信ずるものであるが、彼も歴史の大変動期には戰爭が必ず起つたことを認めてゐる（*René Giraud*, "*Vers une internationale économique*," 1931, p. 240）。

（註二）「ナチスの戰爭理論」、前掲邦訳二三頁。

（註三）*Paul Schmitthenner*,—"*Krieg und Kriegsführung im Wandel der Weltgeschichte*—「ナチスの戰爭論」、前掲、二六―二八頁。

ナチス戰爭理論に所謂、戰爭の「文化推進力」性、即ち、戰爭の文化的價値は、若干、筆者のいふ「戰爭の世界史的意義」に近からんか。

（二）　戰爭の國家的＝民族的意義

戰爭の本質的意義について考ふる時、吾々はそこに二つの面を見ることが出来る。一は右に述べたるが如き古典史的・全人類的観点よりする戰爭の意義である。二は、かゝる世界的・全人類的意義を有する戰爭が、これを戰ふそれぞれの國家乃至民族にとつて有する意義である。

個々の國家乃至民族が戰爭を行ふのは、決して、世界史の発展のためでもなければ、又全人類の進歩のためでもない。如何に彼等の戰ふ戰爭が世界史的・客観的に見て大なる價値を有しやうとも、彼等の主観に於いては、當該國家乃至民族の生存及び発展のために戰つてゐるのであり、その限りに於いて戰爭は極めて制限されたる利己主義的目的を有つものである。

元來、自然は争闘の世界である。ダーウインの理論を俟たずとも、優勝劣敗は自然界の鉄則である。人類固よりその例外であり得よう筈はなく、人類は、

この地球上に出現して以来、斗鬪を以てその歴史を創始した。彼等人類は、個人・家族・部族・種族・民族と、結合の各段階に於いて相爭鬪し来ったが、就中、彼等が最も苛烈なる爭鬪を示したのは、実に民族間の爭鬪、即ち戰爭であった（註一）。前述せし如く、原始社會に於ける人類集団、即ち種族乃至民族の接触の常態は戰爭であった。この戰爭に於いて、自己の優秀性・強力性を証し得た民族のみが――この民族の政治組織形態たる國家のみが繁栄し、劣弱なる民族乃至國家は滅亡し、乃至は屈服した。制約されたる宇宙、限られたる地球の上に、無限の発展と膨脹とを欲してやまぬ諸民族乃至諸國家が、最後の判決を求めたのは戰爭に於いてであった。それはシュミットヘンネルもいふ如く「控訴」を許さざる最終判決である（註二）。この裁判に敗れた國家・民族は、歴史から姿を隠さねばならない。かゝる意味に於いて、戰爭は「団体的自然陶汰」ともいへるのであった（註三）。戰爭に於いて、各國家・民族はその生死を賭ける。破壊し、流血する戰爭を通じて、強力なる、健全なる、年若き民族は、単に自己の生存を全うするのみならず、進んでその理想乃至目的に近づきそれを成就して、自己発展を完成する。之に反し、劣弱なる、不健全なる、年老ひたる民族は、優勝民族にその席を譲り、独立せる一民族としての自己の生存を完全に喪失するか、乃至はせいぐ隷属民族となり下って、自己の民族的発展を停止する。

かくの如く見来るとき、吾々は戰爭が民族にとって不可避的のものであり、戰爭に対する軽侮・嘲笑乃至無関心が、直ちに當該民族の死を意味することを知る。かゝる意味に於いて、今次戰爭に於けるフランスの敗北は、諸民族にとって頗る示唆に富むものである。長年第一流の強國としてヨーロッパ大陸に栄え、曽てナポレオン時代には全ヨーロッパを震撼せしめ、また一九一四―一八年の戰爭にはよくドイツを屈せしめて「陸軍國」たる名誉を保持したフランスが、ナチス・ドイツの僅か数ケ月の「電撃戰」によって脆くも敗北し「二十世紀の最大悲劇」を演ずるに至ったのは、その戰爭軽侮に基く準備不足と戰鬪心の缺如とに職由するといはねばならない（註四）。

かくの如く、戰爭の本質を以て民族と民族との死鬪であると定義する時、吾

々はそこに二つの性格を見ることが出来る。第一は、戰爭の民族性といふことであり、第二は戰爭の総力性といふことである。

前述の如く、人類の結合段階には種々のものを数へることが出来る。小は家族より、大は氏族・部族・民族に至るまで種々様々なる結合段階を、人類は示す。元来、孤立せる人間といふものは未だ曽て存在せず、人間は発生以来、集団生活を以て本領とした。「人間は社會的動物なり」とはかゝる属性に基いて下されたる定義であるが、現在までのところ、人類の結合の最高形態は、民族（及びその制度的表現たる國家）となってゐる。人類の世界的統一乃至世界的國家の実現は、一個の抽象的理念としては敢て排撃する要も見ないのであるが、それは現実を去ること未だ遙かなるものである。現実の世界に於いては、人類は、各民族・各國家に分れて相對抗してゐる。勿論、数國家・数民族の聯合、かゝる聯合の上に立つ戰爭といふ現象も見られるのであるが、かくの如き聯合は、その構成單位たる單一國家乃至民族の利害と一致する限りの暫定的・假定的のものに過ぎない。聯合の内部に於て主導するものは、尚依然として一國家の利害であり、一民族の自我である。

かくの如く、人類は戰爭に於いて、民族を單位として相戰ふ。民族の生存・民族の生命・民族の発展・民族の利益・民族の文化・民族の栄誉――これが、戰爭を通じて民族が追求せんとする目的である。そこでは、全人類的理想も、個人的幸福もその生存権を主張し得ず、あるものは、只管なる民族の繁栄である。戰爭に於いて追求さるゝものは、民族以上のものでもなく、また民族以下のものでもない。民族の生存及び発展の具現のためには、全人類の理想も、國民各個の利害も、悉く犠牲とされなければならぬ。換言すれば、人類は、戰爭に於いて、民族として生き、民族として滅びるのである。そこには苛烈なる民族的鬪爭のみがあり、各民族は戰爭に於いて食ふか食はれるかの鬪爭を行ふ。戰ふ民族にとっては、生か死か、そこには中間の途はないのである。これを戰爭の民族性といふ。

この第一の性格から、戰爭の総力性といふ第二の性格が導き出される。戰爭は民族間の死鬪である。死鬪である限り、各民族はその総力を挙げて鬪はねば

ならぬ。戰争に於いては、些かの怠慢、些かの息抜きも許されないのである。戰争に於いて怠慢し、息抜きし、その総力発動を惜しみたる民族は、敗北、即ち滅亡といふ罰を以て律せられねばならない。

最近、総力戰といふことが八釜しい問題となるに至つた。総力戰の現段階的意義については後段に於いて詳述する筈であるが、敢て端的に云ふならば、戰争は元來、総力的なるものである。原始時代及び古代にあつては、各民族は男子は勿論のこと、女子までも総動員し、あらゆる可能なる手段を盡して全体的闘争をやつたのである(註五)。そこには國際法もなく、人道主義的感傷もなく、宗敎的寛容もなかつた。あるものは唯、ひたむきなる敵愾心である。相手を打倒して之を文字通りに殲滅せんとする(註六)意欲のみであつた。中世に至つて、戰争はいはゞ「墮落し」、戰争は「政府の戰争」、「王の戰争」、「傭兵の戰争」となり、國民一般とは無関係な現象となつた(註七)。しかし、これとても、必ずしも戰争遂行者の道德的墮落にのみ原因を求むべきではなく、そこには戰争技術による総力戰への制約が存したのである(註八)。即ち、原始時代及び古代の戰争に比べ、中世へ(史学的には中世及び近古へ)と人類社會が発達するにつれ、各國家の占むる空間及び人口は著しく尨大化し、戰争の對象、戰はるべき戰場の廣袤は古代とは比較を絶するほど膨脹するに至つた。こゝに於いて、戰争によつて敵國民全部を殲滅することは技術的に不可能となり、從つて又、一國民はその全部を挙げて戰争に参加する必要も、またその技術的可能性も解消した。而して戰争は一部職業軍人及び傭兵の専門事業となり、國民は唯、租税の負担その他の方法により、間接的に戰争に関與するに過ぎなくなつたのである。これは、一面より云へば、戰争規模の拡大、戰争の技術化・専門化であると共に、他方よりいへば、かゝる戰争技術の進歩の不徹底性による総力戰の一時的中絶乃至その潜在化を意味するのである。

近世に至り、戰争は更に進化して、國民戰争の形をとり、戰争規模の一層の拡大化と同時に、戰争技術及び武器の劃期的進歩によつて、再び全國民對全國民の戰争といふ形態を恢復するに至つた。かくて戰争は「その本來の野蛮な原始形態を採り」(註九)「幾百万の人間が殆んど動物に近いやうな、生きんが為めの戰ひに向つて宿命的に進んで行つて、茲に原始時代の戰が文明の今日に再現される事となつた」(註一〇)のである。國家総力戰時代即ちそれである。戰争は、現代に至つて、技術的にも――又、後に述べる如く、精神的にも――その総力性を完全に恢復するに至つたのである。

今、吾々は、中世(及び近古)が、総力戰の潜在時代であるといつた。しかし、この時代とても戰争の総力性は完全に解消し去つたのではない(註一一)。何となれば、例へば三十年戰争後に於けるドイツ國民に見られる如く、たとへこの時代の戰争が「政府の戰争」であつたと假定しても、敗戰國の國民は、客観的に見ればなほ依然として、その全生存を戰争に賭けてゐたのであつて、彼等は「政府」の敗戰と共に、大なる困苦に陥れられたのである。從つて、國民は、「戰争する政府」を可能なる限り援助したのである。唯、観念的に見る場合、彼等は當時の戰争を以て「政府の戰争」と解した。しかし、現実的には彼等は、戰争の結果如何により死活的影響を受けたのである。その限りに於いて、戰争は、その総力性を完全に喪失したのではなかつたのである。かくの如く、吾々は、戰争の総力性について考へる時、この戰争に對する観念と現実との二面を区別せねばならぬのである(註一二)。

(註一)「國家の本能的争闘は、種族・生活地域及び生活條件を維持・改善することを目的とするものである。その争闘の最後の、決定的形態が戰争なのである」――タイゼン(「ナチスの戰争論」、前掲、三頁)。民族闘争の科学的研究をなし、人類社會の基本的性格を初めてそこに求めたのはグンプロヴィッツ(Ludwig Gumplowicz, 1838-1909)の「種族闘争論」(Der Rassenkampf, 1883)である。

(註二)　パウル・シュミットヘンネル、「戰争哲学」――「ナチスの戰争理論」、前掲、二八頁。

(註三)　同上。

なほ酒井鎬次「戰争指導の実際」、九〇―九一頁参照。

(註四)　Gabriel Trarieux d'Egmont, "Essai de prévisions sur la guerre," 1939, pp. 9-11; Edouard Daladier, "Défense du pays," 1939, pp. 19-20; Elie J. Bois, "Truth on the Tragedy of France," 1941, pp. 26-27; René de Chambrun, "I Saw France Fall," pp. 22-23. 212-214. etc.

（註五）　Paul Schmitthenner, "Politik und Kriegführung in der neueren Geschichte", 1937――邦訳、三二一頁。「ナチスの戦争理論」、前掲、邦訳、九、二七頁。クラウゼウイッツ「戦争論」、岩波文庫版邦訳、下巻、四六一、四六八頁、酒井鎬次「戦争指導の実際」、四頁。Friedrich Haselmayer, "Die Wehrmacht", 邦訳「新独逸國家体系」、第三巻、四二二、四五二頁。（序ながら、右シュミットヘンネル「近代史に於ける政治と戦争」邦訳に「シュミット・ヘンネル」とあり、「ナチス戦争理論」邦訳に「パウル・シュミッテナー」とあるは、何れもパウル・シュミットヘンネルを指すのである。なほこのシュミットヘンネルの邦訳は陸大依嘱によるとの事である。

（註六）　「文字通り」といふ意味は、原始社會の戦争に於いては、敗北者の運命は、戦死するか、捕虜となつて食用に供せられるかの何れかであつたのである。後、生産力の発達と共に、人々は捕虜を「食ふ」ことを止めて、奴隷とすることとなつた。かくて、奴隷制度は、食人習俗より見れば一個の進歩的段階を示すものであつた。

（註七）　Karl von Clausewitz "Vom Kriege", 岩波文庫版邦訳、下巻、四六三―四七二頁。「ナチスの戦争理論」、前掲、一〇頁。パウル・シュミットヘンネル、前掲、邦訳、一四一―五、一八〇。酒井鎬次、前掲。

（註八）　パウル・シュミットヘンネル、前掲、邦訳、三二一頁。
シュミットヘンネルは、殲滅戦の可能性といふ観点より戦争史を見て

古代 ―┬― 戦争技術＝幼稚 ―┬― 殲滅戦可能
　　　└― 戦争範囲＝狭小 ―┘

中世 ―┬― 戦争技術＝未熟 ―┬― 殲滅戦不可能
　　　└― 戦争範囲＝廣汎 ―┘

現代 ―┬― 戦争技術＝完成 ―┬― 殲滅戦可能
　　　└― 戦争範囲＝廣大 ―┘

と区劃付けしてゐる。これは、取りも直さず総力戦の可能性如何である。

（註九）　「ナチスの戦争理論」、前掲、九頁。酒井鎬次、「戦争指導の実際」、前掲、八七頁。

（註一〇）　パウル・シュミットヘンネル、前掲。

（註一一）　シュミットヘンネルは、中世の封建時代にも一種の客観的総力戦が行はれ（前掲、一五頁）、十七世紀のスウェーデン王グスタフ・アドルフが、総力戦を行つたことを指摘してゐる（前掲、二六頁）。

（註一二）　戦争は以上の如く、世界史的＝全人類的意義と國家的＝民族的意義との二面を有するものであるが、なほ、この上に、戦争の道徳的意義を認めんとする立場がある。即ち戦争が「人類の偉大なる教育者」となし、戦争によつて、個人及び民族が鍛へられ、堕落より救はれ、敵愾心・勇気等々の諸徳性を有たしめられる面を強調するものである。例へば、「ナチスの戦争理論」に於ける前掲タイゼン（四頁）、パウル・シュミットヘンネル（二六、二八頁）等々がさうであり、またクラウゼウイッツが、勇気・決断心・沈着等々の諸徳を「軍事上の天才」との聯関に於いて説きたるも、暗黙の裡に、戦争のかゝる道徳的意義を是認せしものに外ならない（「戦争論」前掲、上巻、一〇七―一一〇―一一三頁等々。かゝる点よりみて、クラウゼウイッツの「戦争論」は一種の修養の書ともいへるであらう）。イタリーのムッソリーニの戦争観も同様の見地に立つ（B. Mussolini, "Le Fascisme, Doctrine et Institutions," 1933, p. 35; Édition définitive des oeuvres et discours de Benito Mussolini. Tome IX, 1935, p. 79）。ムッソリーニに影響を與へたフランスのジョルジュ・ソレル（一八四七―一九二二）が所謂「暴力の倫理性」を認めたのも、同じ動向の上に立つものである（Georges Sorel, "Réflexions sur la violence," 1930 pp. 269 et suiv.）。

・なほ、クラウゼウィッツその他の戰爭理論家が「戰爭の形態は変つても、戰爭の本質は不変である」としば〳〵説いてゐるのは、吾人のいふ戰爭の民族性と総力性とがあらゆる歴史的段階を通じて戰爭と不可分的であることを意味するものに外ならない。

(四)　現在の戰爭論

戰爭は前述せし如く、人類の発生と同時に存在した。それは自然界に於ける闘爭の最高の且つ最も苛烈なる形態であつた。諸民族は戰爭によつて興り、また戰爭によつて滅びた。それは一方の側に於いて栄誉・武勇・物質的繁栄等々、あらゆる種類の精神的並びに物質的の美徳及び利点を示し、他方に於いて肉体的滅亡・物質的破壊・道義的頽廃等あらゆる種類の精神的並に物質的の悪徳及び損失を露呈する。従つて古来、戰爭は常に政治家・思想家・哲学者乃至文学者の最大関心の一つとなり来たり、そこには「戰爭の『解消』に對する平和的要求と戰爭の盲目的讃美との間に考へ得られる」（リンネバッハ）凡ゆるヴァライティーが有したのである。吾々は、古代以来の主要なる戰爭観を嚢きに示したのであるが、現在の思想家・政治家等々によつて、戰爭が如何に観念され如何なる評價を與へられてゐるかにつき、左に紹介することとする（註二）。

（註一）　ドイツのリンネバッハは戰爭観に関する古典として左の如き書を挙げてゐる（前掲、二二頁）

Martin Luther, "Ob Kriegsleute auch in seligem Stande sein können?"

I. Kant, "Zum ewigen Frieden."

J. G. Fichte, "Über den Begriff des Wahrhaften Krieges."

A. Lasson, "Das Kulturideal und Krieg."

M. Scheler, "Der Genius des Krieges und der deutschen Krieg."

またリンネバッハ及びダイゼンによれば、左の諸著も参考とす可きであるといふ。

H. Gomperz, "Philosophie des Krieges in Umrissen."

J. Binder, "Die sittlich Berichtigung des Krieges und die Idee des ewigen Friedens," 1930

R. Breust, "Ist Weltfrieden möglich?" 1922

なほ、宗教的に論じたるものとして、左の書も有名である。

R Regout, "La doctrine de la guerre juste de Saint-Augustin à nos jours d'après les théologiens et les canonistes catholiques", 1935

Georges Goyan, "L' Église et la guerre," 1934

(A)　戰爭肯定論

(1)　ドイツ・ナチスの戰爭論

古来、戰爭肯定論者として最も多くの輝かしい理論家を出したのはドイツである。ヘーゲルについては前に述べた。その他、意思説に於けるショーペンハウエル、生存競爭・優勝劣敗を説けるヘッケル、無條件的戰爭讃美論者のトライチユケ、ベルンハルデイ、「ドイツ精神の世界史的意義」を説けるオイケン等々、その例は枚挙に遑なき程である。現代に於いても、最も大膽且つ明確なる戰爭肯定論は、ナチス・ドイツにこれを見出すことが出來る。

ナチスの最高指導者たるアドルフ・ヒットラーは、余り露骨に戰爭そのものを讃美したことを聞かない。何となれば、ナチスは、第一次大戰の戰禍に悩みしドイツ國民大衆の心理を巧みに把握せし處に、その驚異的なる成功の秘密の一つが潜んでゐるのであるからである。即ちヒットラー総統が、第一次大戰の結晶たるヴェルサイユ体制打破、それよりのドイツ民族の解放を呼号して政権を獲得し、政権獲得後は、英佛の戰爭恐怖心を利用して「戰爭を伴はざる勝利」を着々として把握・実現して行つた。其處に、ドイツ國民のナチスに對する絶大なる信頼の基礎が横たはつてゐたのである。

しかし乍ら、ヒットラー総統は、絶對的に戰爭なくしてドイツ民族の解放が実現され得べしなどといふ幻影を描いたわけでは毛頭なかつた。ヒットラー総統の戰爭觀を端的に示すものは、次の彼の言葉である。――「……最も慘忍な兵器は、もしそれが速かな勝利に資するものならば、人道的である。……もし、余が敵對者を撃たんとしつゝあるとすれば……余は、豫め数ケ月間交渉を続け、長期にわたる準備を整へるだらう。だが――これまでの余の生涯を通じて常に為し來つた通りに――余は、暗夜の電光の如く、突如として、敵に躍りかゝるであらう。」（註二）と。ヒットラー総統の「マイン・カンプ」の「東方政策」は、確かに戰爭の必要に就いて語つてゐるし、その「正當防衛」の章は、ドイツ民族の解放にとつて、戰爭が不可避であることを強調してゐるのである（註二）。

前述の如くバートレットによつて「ナチスの代表的戰爭論」と見られてゐるバンゼ教授が、戰爭をば旧時代の終焉と新時代の開始とを劃するものであるとし、「一民族乃至一國家の意思及び偉業が表現される最も豊麗なる方途が即ち戰爭である」（註三）といつてゐるのは、ナチスの戰爭觀を簡潔に示すものといへよう。ドイツ國防軍の退役少将にして待命突撃隊師団長たりしフリードリッヒ・ハーゼルマイヤーは、その「國防軍論」に於いて、「歴史の敎ふる所によれば、國家は四周より受ける暴力行為に克く對抗することが出來て、はじめて、一般

に其の独立を保全し得る」として、戰爭及びこの戰爭担當者たる國防軍の使命を高く評價してゐるが（註四）、更にヘルマン・フランケ少将の主宰の下に編輯されたる「現代國防科学提要」に於いて、吾々は、パウル・シュミットヘンネル、リンネバッハ、タイゼン、ビンダー等々、優れたるナチス戰爭理論家の戰爭論に接することが出來るのである。

先づナチスは、戰爭の本質を一個の自然現象と見、生物の闘爭本能の現はれとする。「自然は闘爭であり、又淘汰である。強き者・優越する者が自己を貫徹するに引きかへ、生活力の薄弱なる者は下敷にされ、又押しつぶされるのは自然の理である。この永久不変の鉄則に對しては、人類も、又家族・同族・系族・民族の結合体に於ける各個人も亦同様に服從させられる。國家の本能的爭闘は、種族・生活地域及び生活條件を維持・改善することを目的とするものである。その爭闘の最後の、決定的形態が戰爭なのである。」（タイゼン）（註五）

第二に、ナチスは戰爭の民族性を高唱し、それが民族の生存維持のために不可避的手段であることを主張する。「戰爭は、人類と共にあつた。……人類にその自然的優越乃至劣等の差があり、又本能的・意識的努力が人類と共にある限り、戰爭も亦継続される。戰爭は自然に對する矛盾ではなくて、むしろその最後の、運命的成就者なのである。如何なる民族も、戰爭から逃避することは出來ぬ（傍点引用者）。戰爭は破壊し、殲滅する。戰爭は変化を來らせ、老衰者・生活無能者を滅亡せしめる。しかし、戰爭は同時に強力なる者・強健なる者の発展を促進させ、彼等の夢から生れ出た新生活への道を清める。かくて戰爭はその全体的構成乃至國家組織を決定的に左右する世界の形成者である。戰爭は又同時に、その價値と生命力に對する偉大な、英雄的な、且公平なる試験である。力強き、犠牲的な、常に準備せる國家、戰爭の凡ゆる脅威に関はらず、その種族の維持と発展に對し、最高の道徳的義務である名誉と自由のために、最後のものを投ずる國家、かゝる國家のみが自己を維持することが出來る」（タイゼン）（註六）。又、「ナチスの世界觀を以てすれば、戰爭は、人類生活の基礎條件として與へられた運命である。國民（民族）協同体の防衛としての戰爭は、それが不可避である限り肯定され、而かも尊厳なる價値を持つものであ

る。……戰争は人類の本質である。……それは全國民の價値を秤り、凡ゆる強者と弱者、又過去と現代とを秤量する。戰争は……或は敗北によつて、國民の開花を遅れさせた。戰争が持つ独特の意義は、団体的、自然陶汰としての、戰争の役割であつたし、又、今日でもさうであるのである。強き民族乃至國民は、発展するが、弱きものは没落する」（パウル・シュミットヘンネル）(註七)

第三に、戰争を以つて民族の死活的闘争とみる観念より、戰争のモラル、即ち戰争の道徳性が結論される。それは民族全体の生存を賭けしめることによつて、當該民族乃至その個々の成員たる國民の道徳的錬成を招來する。「戰争は運命であり、又人類の偉大なる教育者であつた。このうちに戰闘精神は生きて來たし、現に生きてゐる。それは各戰争の中核をなして來た。戰争を生むためには、種々の力が集まり、大衆の本能において――敵愾心・冒険心・勇猛心・支配欲・所有欲・缺乏・恐怖・安全感・惨酷・破壊心等が國民を戰争に立ち向はせる。政府はその目的に適應せしむるために、他面において國民大衆の感情・民族心・信念・自尊心・國民感情・楽天主義を増大せしめる。……かくして達

三八

成された戰闘精神は、過去において國民生活の根本的要素であり、又その形成過程であつたが、現在も亦同様である。……國家は戰争意思を通じてその國民大衆の生存権を維持する。……祖國愛は、人類最高の道徳であつて、此道徳は、各個人を超越して協同社會に導くものである。戰争は……一國民の最高の共同努力であり、各國家を秤り得る決定的標準である」（パウル・シュミットヘンネル）(註八)。又、「戰争の道徳性は……英雄的な精神のうちに、又一旦緩急に際會すれば、名誉のため、自由のため、生存のために最後のものを全民族のために投げ出す一死奉公の精神のうちに存する」。而して、かゝる戰争の道徳性を認めざる國家は滅亡する。「……若し、戰争の最も深い原因と目標とが道徳的に基礎付けられてゐるならば、その有意義な戰争はその國家に對し遂には祝福をもたらすものであるといふ古來の教訓を見落すべきでない。然らざれば、遅かれ早かれ、運命の振子は反對に振るであらう危険を自身に引き入れるに至るであらう。……その道徳的義務を意識した國家は、その天恵に値ひする限り、如何なる困難なる事情においても、遂には祝福・発展・新しき生活が與へられ

三九

得るのである」（タイゼン）(註九)。

第四に、戰争のモラル性を主張するナチスは、從つて當然平和主義に反對である。「平和主義は……戰争を以て單なる消耗或は衰頽と見なし、單に戰争の消極的・破壊的・恐怖的一面のみを見てゐる。この見地は人生、又は世俗的愉安、更に又平和に掻き集めた精神的・物質的の所有に對する利己的過重評價から生れ、又同時にそれは女々しい人生の把握――即ち民族の永続のために最後の犠牲を以て戰はんとする犠牲奉公と強烈なる意思に對して高き道徳的價値を感じもせず、又理解もせずして立てられた人生観――に根ざしてゐる。……安全第一主義は、如何に努力しても、遂には下降・没落・乃至は自由の喪失に終らねばならぬ、蓋しそれは種族保存の自然律に違反してゐるが故である」（タイゼン）(註一〇)。

ナチスの戰争論の大綱右の如し。今次大戰に於けるドイツ國防軍の赫々たる勝利は、實に右の如き明確なるイデオロギー的基礎の上に打ち立てられたものなのである。戰勝の第一要諦は、先づ戰争の明確なる理念的把握にあるといふ

四〇

のは、此の謂ひである。

（註一）　*A. Müller "Germany's War Machine," p.30*　*J.F.C. Fuller, "The First of the League War"* 1936.　邦訳「全体主義戰争論」、一九四頁。

（註二）　*A. Hitler, "Mein Kampf,"* SS. 755 *ff.* なほヒットラーの軍隊観については *Le Temps*, 29 *août* 1935 ― *Enquêtes du Temps. Armées étrangères, II.― L'armée allemande* をも参照。ヒットラー総統は、「マイン・カンプ」の最後の章に於いて、クラウゼウィッツの「卑怯なる降伏の汚点は永遠に消え去らず、子孫の血の中に毒液となつて入り込み、來たるべき時代の力を衰へしめ、滅すであらう。……たとへこの自由が没落するまで戰はうとも、この事はやがて民族の更生を確實にし、新しい生命の花を咲かしむるであらう」といふ言葉を引き、民族がその独立維持のために、死活的闘争に入ることを高唱してゐる。

（註三）　*"La doctrine nouvelle de guerre allemande. Ana-*

四一

lyse des orages du Professeur Banse," op. cit., p.5.

（註四）　Friedrich Haselmayer, "Die Wehrmacht." 邦訳、前掲、四二二頁。

（註五）　「ナチスの戰争理論」、前掲、三頁。

（註六）　同上、四頁。

（註七）　同上、二六、二八頁。

（註八）　同上、二六、二七－二八頁。

（註九）　同上、八頁。

（註一〇）　同上、四－五頁。

なほタイゼンは、平和主義の批判については左の参考書を挙げてゐる。

R. Breust, "Ist Weltfrieden möglich?", 1922.

E. Horneffer, "Pazifizismus. Eine philosophische Untersuchung," 1929

H. Rogge, "Nationale Friedenspolitik," 1934.

(2)　イタリー・ファシズムの戰争論

イタリー・ファシズムは、或る意味に於いては第一次大戰後、全イタリーを風靡せる反軍國主義――軍人侮蔑的風潮に對する反動の所産ともいひ得る。即ち、英佛米の陰険なる策謀にかゝり、參戰によつて何等の獲得物をも分け與へられなかつたイタリーは、大戰中に於けるイタリー軍人の努力を思はず、これに極度の忘恩的態度を示した。かゝるイタリー國民の忘恩的態度に反撥して多数の出征軍人がムッソリーニの下に來り投じたところに、イタリー・ファシズム運動成功の秘鍵が存するのである。

従つて、フランスのファシズム研究家ジャンチゾン（P. Gentizon）のいふ如く、「ファシズムが、その全力を挙げて反對した思想は、反軍國主義思想である」（註一）。イタリー・ファシズムは、一九二二年の政權獲得以來、殆んど「半宗教的」といつていゝほどの軍國主義教育を、イタリー青年に與へて來た

のである。

イタリー・ファシズムの戰争論は、先づ永久平和の否定に始まる。彼等によれば、永久平和なるものは、一種の空想に過ぎない。此の貪弱なる地球上においては、生活とは不断の闘ひを意味する。戰争は「偉大なる人類的現実」である。されば、國家としては絶えざる努力を以て闘争に備へねばならない。平和とは新たなる武力闘争の激成さるゝ過程中に於ける一休止、一休息に過ぎないのである。ムッソリーニはいつた。「戰争はヘレクライトスがいつた如く万物の母であり、それより二十五世紀後にプルードンの言つた如く神聖なる起源を有ち、ルナンがいはんと欲した如く人類の進歩の根源が存する要素であるが、事実として、余が一兵卒として參加せしことを誇るあの戰争は、決して最後の戰争ではない」と（Legionario 紙に引用）。また有名なるファシスト少年団たる「バリルラ」団の指導者たりしリッチ（Ricci）は、「戰争とは、諸民族にとつてその発展と偉大と未來とのために等しく必要とさるゝ生活の二態様である」といつてゐる。曽てファシスト党書記長たりしジウリアチ（Giuriati）は、「イタリア」誌（La Rassegna italiana）に於いて「平和は正義ではなく、暴力こそが勝利を占めるものである。平和とは新たなる戰争を準備するに必要なる時間にほかならない」といふ意見を発表した。更に、ムッソリーニは、青年に與ふべき「勇敢なる斥候」（Les Patrouilles héroïques）なる書の序文に於いて、「何らかの病気で倒れるよりは、攻撃に於いて死する方がむしろ望ましからずや？」と書いた（註二）。

イタリー・ファシズムの戰争観が、最も明確に表現せられてゐるのは、前に一言触れし、ムッソリーニの「ファシズムの理論」である。この書はもと「イタリー百科辞典」のために特にムッソリーニが書き下ろしたものであつて、イタリー・ファシズムの理論的聖典とされてゐるものであるが、この書に於いて、ムッソリーニは、「何よりも先づファシズムは永久平和を、その可能性をも亦その效用性をも信じない。ファシズムは、平和主義を排撃する。後者は、闘争の前に於ける逃避を、犠牲の前に於ける怯懦を隠蔽するものなのだ。たゞ戰争のみが人類の一切のエネルギーを最高限にまで発揮せしめ、戰争に敢然と當面

する勇気を有つ諸國民に、高貴の印しをつけるものである。そのほかのあらゆる試練は第二義的のものに過ぎない」と(註三)。彼は、戰争を以て「義務」と規定してゐる。老大イタリーを駆つて近代國家にまで「若返」らすためには、ムッソリーニのかくの如き戰争理論を必要としたのである。今やイタリーは盟邦ドイツと手を携へて、欧洲新秩序形成のための戰争を戰ひつゝある。ムッソリーニは、この戰争の鉄火に於いて、自己の戰争観(それは同時に彼の世界観である)の正しさを証明するであらう。

(註一)　P. Gentizon, "L'armée italienne", Le Temps, 17 août 1935

(註二)　Ibid.

(註三)　B. Mussolini, "Le Fascisme, Doctrine, Institution", op. cit., 1933, pp. 34-35; Édition définitive des œuvres et discours de Benito Mussolini, Tome IX. La Doctrine du fascisme etc. op. cit., p. 79. Le Temps, ibid.

(3)　フランスに於ける戰争論

フランスは、今次大戰に於いてドイツに屈服するまでは長年の間、ヨーロッパ大陸随一の大陸軍國としての存在を維持した。独のフリードリッヒ大王と並んで、近代戰争の天才と称せらるゝ大ナポレオンの祖國だけに、組織としての陸軍、体系としての戰争学は、夙に他國に比し、一段の進歩を示した國ではあつた。しかしながら、不思議にもその國民の多くは、理論としての戰争讃美論は、特に注意すべきものは見當らない様である。

先づ極右王党を見る。そこにはシャルル・モーラス(Charles Maurras, 1866-)の「アクシオン・フランセーズ」がある。愛國主義・王党主義・國民主義・反ユダヤ主義・反自由主義を信奉するこの団体が、戰争是認論であることとはいふまでもない。その理論的指導者たるモーラスは戰争が自然的不可避の産物たることを認める――「言葉でなく事物を見る人々にとつては、戰争の災

禍は、生命の力の自然的なる発動である。それは決して例外的なる状態ではなく、不可思議・稀有なる激発でもなく、反對に、緊迫せる情熱及び利害の殆んど恒常的なる、つねに起るべき結果である。これは自然のまゝ放任して置けば足りる。個人間に於いても、また國家間に於いても、相互は、遂には武力闘争に訴へるに至る」と(註一)。そして「戰争は必然的であり、武徳は全文明を生み出した。産業・藝術・政治等一切が戰争から生れた」とする(註二)。同じ「アクシオン・フランセーズ」に属するレオン・ドーデ(一八六九-)が、後述の如く「総力戰」(註三)の主張者であることは、人の知るところであらう。

その他の右翼愛國団体として、ド・ラ・ロック中佐(Lieutenant-Colonel de la Rocque, 1885-)が、出征軍人中「戰争十字章」(la Croix de guerre)なる最高勲章を佩用する者のみを集めて組織せる「クロア・ド・フウ」(la Croix de feu)が、當然戰争讃美者であり、「第一線に於ける愛情」、即ち「塹壕に於けるソリダリテ」を高唱せるは、同団体の有つ大なる強味として、他団体及び反對派に恐れられつゝあつたところであつた(註四)。ロック中佐は直接に戰争讃美論者としては現はれてゐず、むしろ時としては平和をさへ云々するが(註五)、戰争及び戰士=精鋭(エリト)の指導的役割を大きく評價し(註六)、國際聯盟及びヴェルサイユ條約の脆弱性を強く認識してフランス國民の武装國家たる必要を強調してゐる(註七)。

第一次大戰に於けるフランスの「救世主」たりし偉大なる戰術家フォッシュ元帥は、「戰争原理」(Des principes de guerre, 1903)の著者として有名であるが、そこには歴史的現象として戰争それ自体の叙述はない。あるものは、クラウゼウィッツと同じく、戰略・戰術に関する見解である。彼は、人によつては「平和主義者」であるともされるが(註八)、必ずしも然りでない。フォッシュの戰争論の特徴は、精神的方面の強調であるとされる。彼はいはゆる「精神的戰争理論家」に属すると見られ、その「戰争論」に於いても、フランスの國家主義哲学者ジョセフ・ド・メーストル(Joseph de Maistre, 1753-1821)の「敗戰とは敗れたりと意識せられたる戰闘である。何となれば、戰闘は物質的には敗北することはあり得ないから」を引用して戰争の精神面を説い

てゐる(註九)。事実、彼はいかなる場合に於いても、敗戰を承認しなかつたといはれるのであるが、國家の重きに任ぜんとするものは、かくの如き覚悟も必要であらう。かくの如く、戰爭の精神的方面を強調するフオツシユは、戰爭は第一に國民解放のために不可避的であること、第二に、戰爭は民族的統一達成のための手段であること、第三に、國民的利己主義・國民的偉大(物質的)さ達成のための、換言すれば、國民的致富のための手段でさへあることを認めてゐる(註一〇)。勿論、彼はアンベル・リコルフイのいふ如く、「リアリスト」ではあらうが(註一一)、國民的致富の手段としての戰爭を論ぜるは、戰爭の精神的方面強調の彼と比較して、ある意味に於いては幻滅的であり、又ある意味に於いてはフランス的である。

(註一)　Charles Maurras, "Mes idées politique," 1937, p. 139.

(註二)　Charles Maurras, "Quand les Francais ne s'aiment pas," pp. 236–237.

(註三)　Léon Daudet, "La guerre totale," 1918.

(註四)　Simon Arbelot, "Les Croix de feu" – Le Temps, 27 janvier 1935, – Les ligues et les groupements.

(註五)　Lt. Colonel de La Rocque, "Service public" 1934, p. 183.

(註六)　Ibid., p. 8.

(註七)　Ibid., p. 168.

(註八)　Humbert Ricolfi, "1919–1932 Profils de trois législateurs," 1932, p. 25.

(註九)　Ibid., p. 26, Marchal Foch, "The Principles of War," 1918, p. 286.

(註一〇)　Marchal Foch, op. cit., pp. 34–38.

(註一一)　Humbert Ricolfi, op. cit., p. 25.

(4)　イギリスに於ける全体主義的戰爭論

イギリスは、お國柄、戰爭讃美者は、極めて少ない。あるものは、滔々たる戰爭反對論者である。しかし、このことは勿論、イギリスが「力の信者」として東洋諸植民地を支配し、東亜諸民族に武力的圧伏を加へることを排除するものではない。又このことは、今次大戰に於いて、イギリスがイギリスなりにその全力を傾倒して戰爭遂行に努めつゝある事とも別問題である。吾々はこの事実を明瞭に認めねばならぬ。

イギリス人として、公然、戰爭を主張せるはモズレー(Oswald Moseley, 1896–)の「英國ファシスト聯盟」(British Unions of Fascists)であるが、この派に属する戰爭理論家としては、フラー將軍(J. F. C. Fuller)を挙げることが出來る。彼は少数機械化精兵主義の理論家として聞えてゐる。彼の精兵主義は、單に第一次大戰に英國の戰車兵団の組織者並びにその參謀長たりし体験から割り出された、純技術的なる機械化主義乃至少数精兵主義ではない。一方、彼は最も熱烈なるイギリス・ファシストの一人として、政治的なる國内治安維持の見地より、所謂大衆兵団主義・國民皆兵主義・國民総武装主義に反對し、警察的意味より武装を少数の精兵に限るべしといふのである。かゝるファシズム的政治的立場より、彼は無條件的なるドイツ全体主義の支持者であり、彼の戰爭理論は、ルーデンドルフの総力戰思想の継受にほかならないのである。従つて彼は、ルーデンドルフと同じく、戰爭が民族解放のための死闘であり、それが必然的に國家総力戰に導くことを認める。しかしながら、彼の戰爭論にあつて特異なる点は、來たるべき戰爭(即ち今次大戰)を以て、單に國民と國民、民族と民族との闘爭とのみ見ずして、二つの政治体制、二つの軍事思想、否、二つの宗教の闘爭と見、かゝる方面からするも、來たるべき戰爭が一種の苛烈なる総力戰たるべきことを予想せる点にある(註一)。即ち彼は、シユペングラーが「進歩せる文明時代に於ける人間の歴史は、政治權力の歴史である。かゝる歴史のとる形式は、戰爭であり、平和はその一節をなすのである。

それは、種々の意味における戰爭の連續である」といふ辞句（O. Spengler, "Jahre der Entscheidung," S. 24.）を引用しつゝ、「今日の戰爭が、西欧文明に於ける唯一の確乎たる原理であるやうに思はれる」と考へる（註三）。何となれば「これを一個の人間に譬へて見よう。最も強力な人間本能は自己保存であつて、これが生存闘爭の骨子をなしてゐる。人間は自己の生存が満足に続けられる間は、慣習や道徳を遵守するが、一度び生存が脅かされるならば、暴力によつて闘爭するであらう。國家間の戰爭についても、同じである。生存闘爭においては、平和と戰爭との本質的区別は存しない。生活そのものが闘爭なのである。また人間は、食物が不足して不満を覚えるときは、食物獲得のために相爭ふが、更に自己の属する種族保存のため、即ち理想的平和建設のためにも戰ふのである。」かくて彼は、戰爭の根本的原因として「(一)自己保存本能に基づく生活の安全、(二)饑餓に基づく生命維持、(三)性的本能に基づく生命（種族）の継続」を数へ、第一を戰爭の政治的（軍事的）原因、第二を戰爭の經濟的原因、第三を戰爭の道徳的原因とする。こゝから、彼の独自なる戰爭観が発展する。

即ち、右の三つの原因より導き出される戰爭の目的に三つの段階が生ずる。「軍事的（政治的）原因から生じた戰爭の目的は、敵國民に對して殆んど損害を與へずして、軍事的脅威を除くにある。また、経済的原因から生じた戰爭の目的は、敵國民を将来の商品購買者として保存するために、これを殺さずに、自國の政策の受容を納得せしむるにある。」こゝまでは、事は簡單である。しかるに、思想的性質に発する戰爭は、最も確然たる宗教戰となる。「ところが、道徳的（思想的）原因から発した戰爭は、一種の宗教戰爭であるから、その目的は、敵の堅持する反對思想を撲滅せんとするにある。それ故、この種の戰爭は、猛烈を極め、敵の一般住民に對しても、その惨禍が廣く及ぶのである。」これが即ち、今次大戰の本質なのである（註三）。

（註一）　J. F. C. Fuller, "The First of the League Wars," London, 1936, op. cit. 邦訳、「全体主義戰爭論」、一八八、二八二頁。

（註二）　前掲、邦訳、二〇〇頁。

（註三）　前掲、邦訳、二八一―二八三頁。

(B) 戰爭否定論

戰爭否定論は、特に英米佛に多く見られる戰論である。現存人物としては、さきに述べし如く The Great Illusion, 1910（本書は、戰爭により國家の致富を望むは「大幻想」であるとなし、國家は戰爭により利するものにあらず、諸國民がかゝる「大幻想」を抱く限り、戰爭は不可避的であるが、無效果であると説いた）を著したノーマン・エンジェルである。彼の戰爭観は、戰爭を以て絶えず人類社會を脅かし、これを荒廃せしめる「悪疫」（pestilence）となすにある（註二）。彼は戰爭を不可避とみなない。西欧社會にも無戰爭の時代があつたといふ。しかし諸國民が現在の如く貪婪なる欲望を有ち続ける時は、戰爭は不可避となり、しかも西欧には第一次大戰の如き、世界戰爭即ち聯合軍の戰爭（a war of alliances）が最も強く迫りつゝある。諸國民は仲裁裁判（arbitration）の受諾によりかゝる戰爭を避くべきであるといふ（註二）。彼は

かくの如き見地より「人類は爭闘を好むが故に國家も戰爭する」といふ意見に對しては、しかるが故にこそ國際的施設により戰爭を阻止すべしといひ、「戰爭を好む人性は改変し難し」といふ意見に對しては「人性を改変するに非ず、人間の行為を改変するなり」と答へ、「戰爭は生物学的根據を有し、食物、過剰人口の捌口たる領土を求めて戰爭をなすべし」といふ説に對しては、現在の文明社會の特徴は物質的缺乏に非ずして物質的過剰なり、関税・通商戰はその証左なり」といひ、「現状変更には戰爭の他なし」といふ説に對しては、「現状変更を戰爭なしに実現せる歴史上の実例あり」といひ、「戰爭は数多の美徳を生む」といふ意見に對しては、「天然痘も然り。それはかくかくの医学的副産物を生ぜり。しかれどもかゝる副産物ありとするも、人類は天然痘の流行を阻止せざるべからず」といつた。最後に、「戰爭は不可避的なり」といふ意見に對しては、「戰爭は不可避かも知れぬが、西欧に於いては曽てコレラ及びレプラも不可避的であつたが、今や全く跡を絶つ」といひ、戰爭を天然痘・コレラ乃至レプラに比し、人間の努力により結局戰爭は避け得べしといつてゐる（註三）。

イギリスには戦争反対論者が多いが、ギルバート・マーレー教授（*Prof. Gilbert Murray*）、ロイド（*M. Lloyd*）、バックストン（C.R. Buxton）、セシル子（*Viscount Cecil*）、アーノルド・フオスター（*W. Arnold-Foster*）、ハロルド・ラスキー教授（*Prof. Harold Laski*）、レオナード・ウルフ（*Leonard Woolf*）等々は、ノーマン・エンジエルと傾向を同じうする平和主義者である（註四）。

戦争を以て「悪疫」とみるのは、英國紳士の常套である。自由主義者として聞えたバーンズ（*Delisle Burns*）も、「戦争は病気である。それは部分的には精神異常であり、部分的には政治制度における癌である」と、漫罵してゐる（註五）。「それは、幾世紀もの間、諸國民の関係を変更する傳統的・合法的手段と認められてゐた」が、仲裁裁判その他の方法を以て戦争は避くべきである。戦争は「食人の習俗が消えし如く」消え去らねばならない。そのためには、人間の精神的変化と新社會秩序が必要であると（註六）。

英國に於ける一群の平和主義者が曽て「宗教による國際平和のための世界會議」（*The World Conference for International Peace through Religion*）といふ長たらしき機関を設けて、戦争問題に関する調査を行つたことがあつた（註七）。それは、戦争の原因を (一)宗教的、(二)王朝的、(三)政治的、(四)経済的、(五)種族的、(六)文化的その他に分けて考察した。しかし、彼等は、例へば、戦争の種族的原因の検討に際して、種族なるものゝ定義は困難なりとして、戦争の種族性を否定したり（註八）、文化的原因の調査に當っては「戦争と文化とは相反する関係にあり、戦争の文化的原因などといふのはパラドックスなり」などと毒付いてゐる（註九）。万事かういつた調子にて、いづれも、戦争の民族性・戦争の進歩性・戦争の不可避性・戦争の道徳性の否認に汲々としてゐる有様である。吾々は、彼等の見解の紹介に長く拘泥する必要を見ないであらう。

（註一）　*"The Intelligent Man's Way to Prevent War", Edited by Leonard Woolf*, 1933. (*by Sir Norman Angel, Professor Gilbert Murray, C.M. Lloyd, C.R. Buxton, Viscount Cecil, W. Arnold-Foster, Professor Harold Laski*) *p.* 19.

（註二）　*Ibid., pp.* 65-66.

（註三）　*Ibid., pp.* 484-486.

（註四）　前掲書に於いて、ノーマン・エンジエルは「國際的無政府」と「教育及び心理学的諸問題」を、マーレー教授は「平和條約の改訂」を、ロイドは「ソ聯問題」を、セシル子は「國際聯盟」を、アーノルド・フオスターは「仲裁裁判、安全保障、軍縮」を、ラスキ教授は「平和の経済的基礎」をそれぞれ論じ、ラスキ教授は、平和主義者の理論的根據必ずしも一致せずとして、帝國主義を論じ、帝國主義とデモクラシーの別物なることを主張してゐる。

（註五）　*C. Delisle Burns, "War and a Changing civilisation,"* 1934, *p.* 1.

（註六）　*Burns, op. cit., pp.* 104, 130

（註七）　調査の結果は、*Sir Arthur Salter, Sir J. Arther Thompson and others, "The Causes of War, Economic, Industrial, Racil, Religions, Scientific and Political"*, 1932 として公刊せられた。

（註八）　*Ibid., p.*63.

（註九）　*Ibid., p.* 131.

次ぎに、フランスに於ては、曽てギユスタヴ・エルヴエ（*Gustave Herve*, 1871－）、ジヤン・ジヨーレス（1859－1914）の如き熱烈なる反戦論者があつたが、前者は第一次大戦と共に、對蹠的なる熱烈極まる愛國主義者となり、後者は大戦に先立つて暗殺せられた（註一）。これらの遺鉢を継ぐ有名な反戦論者にアンリ・バルビユス（*Henri Barbusse*, 1873－）がある。その「クラルテ」（*Le Clarté*）及び「フウ」（銃火 *Le Feu*）は、彼の名を世界的にしたが、何れも明確なる反戦小説であり、論集としては「戦士の言葉」（*Paroles d'un Combattant*）がある。その戦争観は、極左的である（註二）。

（註一）　特異的なのは、ジヤン・ジヨーレスの戦争論であつて、彼は戦争を避けるについてその方法を考へた。その第一は、フランスに對し、一切の外敵が侵入を断念するほど強力なる軍事力を持たしむること、第二は、ヘーグ國際裁判所の仲裁裁判に訴へること、第三は無産者の國際的結合を図ることであつた。彼はこの三手段のうち、第一の手段を選んだ。これが彼の有名なる「新軍隊」論である（*Jean Jaurès, "L'Armée nouvelle," pp. 5-6.*）。

エルヴエは "*L'Internationalisme*," 1910 の著を以て有名であり、その戦争反對的機関紙を「社會戦」（*La Guerre sociale*）と名付けたが、第一次大戦勃発するや飜然として祖國愛に目覚め、その機関紙を「勝利」（*La Victoire*）と改めた。徹底的なる反ソ論者である。

（註二）　極左的反戦論については *L. Alfred, J. Dupont et Kurt Fischer,* "*L'antimilitarisme révolutionnaire*" が便利である。ヨリ一般的なものとしては *De Ligt, "La Paix créatrice,"* 1934 2 vols. がある。

三　総力戦の現段階的意義

(一)　戦争形態の諸段階

近代戦争学に於ける一等星たるクラウゼウィッツは、その「戦争論」に於いて、第一、「各時代の戦争には夫々独自の性質、之を制限する独自の條件があり、独自の制約を受けてゐた」事、第二、「各時代には夫々独自の戦争理論があるべき筈である」事を述べてゐる（註一）。此の戦争の形態及び戦争理論に時代的區別のあるべきことを明かにしたのは、クラウゼウィッツの炯眼の致すところであるとして、多くの人によつて称讃せられたのであつた（註二）。

今、斯くの如き見地より、人類発生以来の戦争形態の変遷の跡を尋ねる時、吾々はそこに五個の段階を区別することが出来る。第一は原始社會及び古代の原始戦時代であり、第二は中世の職業軍隊戦争時代であり、第三は近世初期の

國民戦争時代であり、第四は二十世紀初頭以来の帝國主義戦争時代である。第五の、而して最近の段階が、即ち、現在の國家総力戦時代なのである。

第一の原始社會及び古代は、各民族がその全部を挙げて文字通りその生死を賭けて戦争に突入せる時代にして、これを総力戦的観点よりすれば、素朴的総力戦時代と称する事を得るであらう。それは素朴的ではある。しかしこの時代に於いては、観念的にも、客観的にも彼等は総力戦を闘つたのであつた。第二の中世は即ち封建諸侯・領主・國王等々が職業軍隊＝傭兵を使用し、一個の企業として戦争を行へる時代にして、戦争のいはゞ堕落時代である。これを総力戦的観点よりすれば、総力戦に非ずして部分戦（若しくは単一武力戦）といひ得べきである。しかしながら、かゝる時代にあつても、企業者の貪婪が取引の相手方に対して不寛容なる場合があり、此の場合、敗者はその全部を挙げて勝者の征服せる処となつたのであるから、此の時代の戦争は、戦争者の主観に於いては、即ち観念に於いては部分戦であり、非総力戦であり、職業軍人の「企業」であつたが、客観的に見れば、各國民は戦争においてその全生存を賭

けてゐたのである。從つて、総力戦的観点に立つて敢ていへば、これを潜在的総力戦型時代とも称し得るであらう。

次ぎに、近世に至れば、狭義に於ける総力戦への動向が明示されるに至る。先づその初期の國民戦争時代にあつては、先づナポレオンのフランスが、次ぎにその相手國たるドイツその他が、その巨大なる國民全部を挙げて戦争に没入し、戦争は最早や中世に於けるが如く「政府の事業」たる事を止めて、全國民の事業となつた。これを制度的にみれば、國民皆兵制度の開始であり、近代的総力戦と意識する事なくして近代的総力戦を敢行した時代である。從つてこれは、総力戦的観点よりいへば、無意識的総力戦型時代といふ事を得るであらう。主観的には、未だ総力戦の観念明瞭ならざれ共、彼等の戦へる戦争を國民解放のための戦と信じて奮戦し、戦争を以て、中世紀に於けるが如く、「政府の事業」と見ることはなかつた。客観的・事実的にはそれは総力戦であつた。近世の第二期たる帝國主義戦争時代は独占的資本主義が世界市場及び世界資源を争つて戦争せし時代であり、一九一四―一八年の第一次世界大戦に於いてその最

六六

高形態に達せしものである。此の戦争は、一部の國民により依然として「政府の戦争」と目され、意識的なる戦争反対者を國民的並びに國際的に出した。しかし、武器の発達その他により戦争は、各交戦國政府が當初に予想し得ざりしほど廣範囲且つ長期に亘り、客観的・現実的には近代的総力戦の実を具備し来つたのである。而して、戦争指導者も、中途より、彼等の戦へる戦争が従来の型と異れる容易ならざる新しき型の戦争たることを自覚するに至つた。これを半意識的総力戦型時代といひ得るであらう。彼等は、完き意味に於いて総力戦を自覚したるに非ず、従つて、意識的には総力戦を完遂したりとはいひ難かつたが、語の完全なる意義に於ける總力戦理論の発展は、実に此の戦争に胚胎したのであつた。

第五の時代、即ち現在は、語の完全なる意義に於ける國家総力戦時代である。第一次大戦後、戦争技術はますく発達し、世界の民族的対立はますく苛烈となり、それは新秩序の建設者と舊秩序の墨守者とに二分さるゝに至つた。こゝに於いて、戦争は、その規模に於いても、その質に於いても、第一次大戦時代と比較にならぬほど深刻化するに至つた。これが現在の第二次大戦・支那事変である。各國民は、意識的・計画的に、國家総力戦を準備し且つこれを戦ひつゝある。それは観念的にも、現実的にも、百パーセントの総力戦となつた。かゝる意識的総力戦型時代、これが、総力戦的観点よりする現代の特徴である。以下各段階につき、之を詳述するであらう(註三)。

(註一)　Karl von Clausewitz, "Vom Kriege". 前掲、岩波文庫版邦訳、下巻、四七七頁。

(註二)　クラウゼウィッツ、「戦争論」、前掲、邦訳、下巻、五七七－五七八頁。ロシア版刊行者序言。多田督知、「日本戦争学」、四〇六－四一〇頁。

(註三)　古来の戦争の本質を、総力戦にありとする見解は、高嶋辰彦大佐「皇戦」にも若干示されてゐる(六九－七〇頁)。参謀本部高嶋班の所産と見らるゝ多田督知少佐「日本戦争学」は、総力戦に関する廣汎なる研究の集積であるが、「戦争形態の変革」として

六七

六八

欧洲大戦前より現在までの戦争を三段階に分け、「大戦前のもの」、「大戦中期以後のもの」、「最近のもの」となし、之を「単一武力戦争形態」、「國家総動員的戦争形態」、「総力戦的戦争形態」と名付けてゐる(三八二頁)。右の中、「國家総動員的戦争形態」は筆者のいふ「半意識的総力戦型」にほゞ當るのであるが、パウル・シュミットヘンネルも指摘する如く(三二二頁)、また多田少佐自らも若干認める如く(三八四頁)、「國家総動員」と「総力戦」とは対立的概念ではなく「総力戦」の技術的・外形的・制度的形態が「國家総動員」なのである。

なほ、多田少佐は、戦争史上の範疇として、

(一)　古代の民族戦争(総力戦)
(二)　中世的封建諸領主及び商業都府の戦争(職業的軍隊の戦争)
(三)　近世自由主義時代の國民戦争(武力偏重・械戦略偏傾)
(四)　帝國主義戦争(独占市場争奪戦)
(五)　マルキシズム戦争
(六)　ファシズム乃至ナチズムの戦争

及びこれとは別個の

(七)　東洋戦争

及びその中核たる

(八)　日本の戦争

といふ諸段階に分つてゐる(四四八－四五〇頁)。独自的なる面白き見解といはねばならぬ。但し同書の所謂「本將棋的戦争」なる見解(三五四－三五八頁)は、余りにも支那事変の経験に拘泥し過ぎたるものとして、批判さるべきものを有つであらう。

(A)　古代の戦争＝素朴的総力戦

原始時代より古代に至る間の人類は戦争に於いては、その全員・全力を挙げて、文字通りの総力戦を行つた。殊に原始時代にあつては、各人が、戦場に於

六九

いて戰死するか、捕虜となつて食はれるかの何づれかの運命しかなかつた事は、モルガンその他、古代社會の研究家の證明する処である。この時代の戰爭にあつては、「青少年として然るべき教育を受けた自由人（即ち非奴隷－引用者）たる成年男子は、其の儘、武士として通用するのを常としたもので、自由人男子全体で以て、武士階級を形成した」（註二）。否、啻に青少年男子のみならず、場合によつては、女子・子供をも含む、全民族を挙げて戰爭に從事したのである。クラウゼウィッツの指適する処に從へば、韃靼人の如きは「その遠征に際しては全人民が戰爭に參加し」（註三）た。即ち「韃靼人の群衆は新住地を求めて移動した。彼等は妻子を引具し、大挙して新住地に向ふ。從つてその数は莫大で、如何なる軍隊も之に比肩する事が出來ない程である。彼等の目標は敵の倒滅若しくは駆逐にある。彼等にして若し此の数の優勢に附加へて高度の文化状態を有してゐたならば、やがては自己の前にある一切のものを倒減し終つた事であらう」（註三）。

斯かる韃靼人の殲滅的攻擊を受けた他の民族が、対抗上、又その全力を挙げて闘爭するのは當然であり、原始時代並びに古代に於ける総力戰は、独り韃靼人の專有ではなかつたのである。但し此の時代の総力戰は、クラウゼウィッツやパウル・シユミツトヘンネルの指摘する如く、文化程度低く、武器の発達幼稚であり、唯、戰爭範囲の狹少なること、各民族成員の熾烈なる総力戰意識のみが、彼等の戰爭をして総力戰たらしめたのである。之を素朴的総力戰型と称し得る。しかし、この時代の総力戰は、主観と客観、即ち観念と現実との一致があつたためである。

（註一）　ハーゼルマイエル、前掲、邦訳、四二二頁。

（註二）　クラウビウイッツ、前掲、邦訳、下巻、四六八頁。

（註三）　同上、四六一－四六二頁。

酒井鎬次將軍は、その優れたる大戰史「戰爭指導の実際」に於いて、古代の総力戰を敍して次の如くいつてゐる。

「古代原始時代の國家に於いては、戰爭は家族や部落の全兵主義を以て行はれ、此等集団の機構の單純なる為め、戰爭に於いても、所有

集団の有形無形の全力を集めて行はれたことは、東西共に変りはない。即ち集団の総力戰であり、國家総動員戰たることに変りはないのだ。」（四頁）。

（B）　中世の戰爭＝潜在的総力戰型時代

古代より中世に及ぶに從つて、戰爭は漸次全民族の手より離れて、特殊の職業軍人の專有となり、戰爭は、封建領主の計算においてその私益のために戰はるゝに至つた。多くの封建諸侯は、金と物資とを用ひて傭兵を駆使した。本來嚴粛たるべき戰爭の本質よりすれば一の「墮落」である。ナチスの戰爭理論家タイゼンが、この時代の戰爭の本質を規定して、「自然法からの脱離」といつてゐるのは、正に適切なる言葉といふことを得るであらう。即ち、彼はいふ－「戰爭はなほ、いろいろな意味で種族・名誉・自由の保持のために戰はれたとしても、その原動力の多くは、例へば、王朝權力の無謀なる伸張、世襲家系の襲統、王室の特殊野心の達成、權力的野望等々の如く、比較的に暢気な動機にすぎないことが屡々であつた。國民は彼等の生活の必須性と殆んど関係を有しないか、或は全く共通する利害を有たぬところのかゝる戰爭に対して、心中、屡々冷酷に対立したことは何等不思議なことではない。彼等は王國の命令には從順に從つた。しかし、感激的思想への飛躍を缺いでゐた、……軍事思想の担當者は封建制度や傭兵制度から発展した職業的兵士であつた。彼等は武装を解いた國民に代つて、戰爭のための特殊階級として独特の生活を送つた。彼等は多少とも方法的に組立てられた戰闘法則に從ひ、且又、費用をかけて漸く募集した人材を出來るだけ大事にしながら戰爭を行つた。戰闘決定に対して屡々意識的に約束されるこの種戰爭は一つの人為的操作（戰爭）であつて、その根本的性質から判然すれば自然法からの脱離（以上の傍点何れも引用者）と云ふことができよう」といつてゐる（註一）。クラウゼウィッツも亦、此の時代の戰爭を敍していふ－「中世時代の大小の君主國は何れも封建的軍隊を以て戰爭を行つた。……概して國家の綱紀の弛廢や各國民の独断專行の範囲が此の時代程甚

七四

しかつたことはない。これらの事情が此の時代の戰爭をば一種独特のものたらしめた。……大商業都府及び小共和國は何れも傭兵を用ひてゐた。これは莫大なる費用を要し、從つてその兵数は著しく制限されてゐた。況んやその実力に至つては猶更貪弱なものであつた。かゝる軍隊に對してどうして激烈なる気力と激甚なる努力とが期待し得られようか？　勢ひ多くの場合戰爭は八百長戰爭とならざるを得なかつた。換言すれば、憎悪と敵愾心とが國家を刺戟して生死を賭する活動に奮起せしめるといふ様な事態はもはや見られず、万事は懸引で解決される事となり、戰爭はその危険性の大部分を喪失し、その性質を根本的に一変し、戰爭の性質より演繹し得らるべき一切の規則も：もはやこの種の戰爭には適せざるに到つた」(註二)。中世がいよ〳〵近世に近づくにつれ、軍隊の組織及び戰爭の様式に多少の変化が見られたが、しかし、総力戰的に見て戰爭が國民一般と無関係なる政府の事業となり下つたことは、ます〳〵甚だしくなつた。即ち封建主義より絶対主義へ近づくに従つて所謂「政府の戰爭」(Kabinets-Krieg)(註三)はいよ〳〵その缺陥を露呈するに至つたのである。「……

軍隊は國庫によつて扶養されてゐたのであるが、君主は國庫を以て半ば自分の私有財産であるかの如く看做し、さうでないまでも之を政府の財産であるかの如く看做し、國民に所屬するものとは考へなかつたのである。又他の諸國家との関係は、若干の商業問題を除くの外は、その多くは國庫又は政府の利害のみに関係し、國民の利害とは関係がなかつた。少くとも何處でもその様に考へられてゐた。かくて内閣は、自ら大財産の所有者兼管理者を以て任じ、常にその増殖に努めてゐたが、納税者たる國民は此の増殖によつて特別なる利益に與り得たわけではない。……人民は今や直接には何等の價値をも有せず、唯その国民的素質の優劣によつて戰爭に対して間接の影響を及ぼすに過ぎないことゝなつたのである。斯様にして戰爭は、政府が人民から離隔し、政府そのものを以つて国家と看做すに到りし以來、正にそれに対應して單に政府のみの仕事となり、政府は、その公金を支出し、自國及び隣國の浮浪の徒を駆り集めて、之を遂行したのであつた。その結果、各政府の用ひる事の出來た手段はかなり限定され、爰に於いて戰爭は、その最も危険なる方面、即ち無限界的な努力、及び

七五

七六

之と結びついてゐる様になる可能性の充分に測定し難き事等の性質を失ふ事となつた」(註四)。即ち「……戰爭はその本質に於いて全く、時間と偶然とによつて運命が決まるカルタ遊びにも比せらるべきものとなつた。又その意義よりいへば、それは幾分強硬なる外交、言ひ換へればやゝ頑強なる態度を以て行はれる樽俎折衝の類に過ぎず、……戰爭は充分にその本領を発揮せず、いはゞ萎縮した姿を呈し」(註五)、「かくして戰爭は啻にその手段にめてのみならず、その目標に於ても亦、愈々益々軍隊それ自体にのみ依存することゝなつた。軍隊・其の諸要塞及び若干の設備されたる陣地が一体をなして國家中の一國家を形成し、其の内部に於ては戰爭は戰爭本來の猛烈性は漸次に腐蝕して行つた」(註六)。かくて「戰爭は益々政府の一事務となり、國民の利害より愈々遠ざかつたものとなつた」(註七)のである。

以上の如き見地よりすれば、中世より近世直前にかけての戰爭は、凡そ総力戰とは縁遠い存在である。それは正に「政府の戰爭」であり、職業軍人乃至傭兵の「部分戰」であつた。戰闘者の主観に於いても、國民一般の主観に於いても然りであつたのである。

しかし乍ら、此の時代に於ても、戰爭は時々の隠くされたる本質を顯現して戰爭が一種の客観的総力戰に近似した事例もあつた。即ちシユミツトヘンネルの述ぶるところによれば中世紀末葉より近世の直前にかけて、「職業軍人」の行ひしある種の戰爭は、「無節制にして非道徳的なもの」であつて、「國家が弛緩の状態にあつた為に、一般的に未だ政治的・経済的・軍事的及精神的等の力を集めて主観的の意味での戰爭（総力戰―引用者）を行ふ事が出來ず」、戰爭は主として純軍事戰であつた。しかしこれらの戰爭は「固より何等の制限を受けずに行はれ、敵のあらゆる部分に対し、即ち敵の軍隊は勿論、一般國民や産業に対しても容捨なく攻撃を加へ、且つ軍用金賦課（軍税）の方式に依つて一種の殲滅的誅求を加へた。其の戰爭は即ち客観的意味では殆んど全体的（全面的）（総力的）であり、将軍及兵卒の致富の源泉となり、又國家の富の源泉ともなつた。」(註八)。これは敗者に対する関係――それも主として物質的関係よりみたる中世時代の総力戰である。シユミツトヘンネルは更に進んで、斯くの如

七七

七八

き、客観的総力戰が中世時代に存せしのみならず、主観的なる総力戰が中世紀に行はれた事例をも指摘してゐる。その第一は、十七世紀に於けるスウェーデン王、グスターフ・アドルフの行ひし戰争がそれである。彼は、同時代のシャルル十二世、フリードリッヒ大王と共に、クラウゼウイッツによつて「三人の新時代のアレクサンドル」といはれ、「ボナパルトの先駆者」と激賞された戰争の名手であり（註九）、殊に、グスタフ・アドルフは、戰争遂行と政治との統一を巧みに実現した稀れなる将帥の一人であつた。彼は多くの戰争に於て、政治及び軍事の統一的指導を巧みに行つたが、就中、対ポーランド戰に於いて最もその手腕を発揮し、この戰争は、「外交上の手段、軍事上の威力、経済的圧迫及精神的圧迫等の手段を以て、殆ど全面的の戰争（挙國的戰争）（即ち総力戰）として遂行された」（註一〇）のであつた。

第二の事例は、プロシヤのフリードリッヒ大王である。フリードリッヒ大王については、タイゼンも、王のプロシヤが中世の「政府の戰争時代」の唯一の例外であることを敢て認めてゐるが（註一一）、シユミットヘンネルの言ふところによれば、フリードリッヒ大王も、グスタフ・アドルフと同じく、政治と軍事との統一的指導の偉大なる天才であり、彼に於いて、國家の総ての力が十分に駆使せられた。工業・農業・商業等の経済組織は総て國家本位に運営せられ、軍隊は「國王の完全なる統帥権の下に立つ軍紀厳粛な國軍」であつた。そこでは、「将軍も一般将校も、亦政治家も外交官もプロシヤ流の國家観念を持ち、其の社會道徳を体得し、國王の忠烈無比な臣僚であつて、実際十八世紀に於て達し得べき極度の全的國家（全体主義國家）がプロシヤに於て実現し」たのである（註一二）。かくして、かゝる全的國家の上に立つてフリードリッヒ大王の行つた戰争は、當然、一種の全体戰、即ち総力戰たらざるを得なかつたのである（註一三）。

以上の諸事例に鑑み、又、戰争そのものゝ本質に顧みる時、吾々は、此の中世時代を総力戰的観点よりして、潜在的総力戰型時代といひ得るのである。別の言葉でいへば、此の時代の戰争は、少数の例外を除き、一般的にいへば、主観的・観念的には部分戰であり、時に客観的・事実的には総力戰も存したので

七九

ある。

（註一）　「ナチスの戰争理論」前掲、一〇頁。
「降つて封建制度の行はるゝや、武士又は傭兵なるものが現はれ、國家の機構と相俟つて、戰争は國民中の特殊階級により行はれ、其の規模も内容も、古代に於けるものとはおよそかけ離れたる変態を呈し、戰争本來の実体に遠ざかるやに見らるゝに至つたのは、実に面白い現象である」（酒井、前掲）。

（註二）　クラウゼウイッツ、「戰争論」、前掲、邦訳、下巻、四六三－四六四頁。

（註三）　「ナチスの戰争理論」、前掲。

（註四）　クラウゼウイッツ、前掲、邦譯、四六八－四六九頁。

（註五）　同上、四七〇頁。

（註六）　同上、四七一頁。

（註七）　同上、四七二頁。

八〇

（註八）　パウル・シユミットヘンネル、「近代史に於ける政治と戰争」、前掲、邦譯、一五一－一六頁。

（註九）　クラウゼウイッツ、前掲、邦訳、下巻、四六七頁。

（註一〇）　パウル・シユミットヘンネル、前掲、二六頁。

（註一一）　「ナチスの戰争理論」、前掲、一〇頁。

（註一二）　パウル・シユミットヘンネル、前掲、一八七頁。

（註一三）　クラウゼウイッツ、前掲、下巻、四五七頁。

（C）　近世の戰争の一　國民戰争＝無意識的総力戰型時代

右の如く、中世時代に入りて「墮落」せしめられ、戰争の「自然法から脱離し、「政府の戰争」に成り下つた戰争は、近世に入り、俄然、舊の威力を取り戻し、戰争は再び國民大衆のものとなるに至つた。その契機をなしたものは、

八一

一七九八年に勃発したフランス革命である。そしてこの「革命を通じて解放されたフランスの土地に強力なる指導者が甦った時、從來の戰争型は無用となり、意義を失はねばならなかった。融通の利かぬ制限を破棄した後には全大衆は感激に満ちた権力と同行することを理解した」（タイゼン）。吾々は、この間の歴史的事情を今少しくクラウゼウイッツに聞かう。——

「フランス革命爆発當時……オーストリーとプロシヤとは例の通り外交だか戰争だか分らない様な不得要領な態度を以て事態の解決を試みたのであるが、やがてそれが不十分である事がわかった。彼等が相変らず舊式の考へにとらはれて、非常に貧弱な軍事的力に期待を抱いてゐた間に、何ぞ計らん、一七九三年（ジャコバン党による所謂「恐怖時代」開始の年である——引用者註）には、彼等の夢想せざりし大兵力が出現したのだ。戰争は突如として再び民衆の、しかも何れも自ら公民を以て任じてゐた所の三千万の民衆の事業となった（傍点引用者）。……かくの如く民衆が戰争に参加することとなった結果、内閣や軍隊ではなく、実に全民衆が天秤の皿の上にドッカと坐り込む事となったのである」。

八二

かくて、戰争は、前の時代に於ては夢想だにし得なかったほど大規模のものとなった。「今や用ひ得られる所の手段、捧げられ得られるところの努力はもはや如何なる限界もなく、戰争それ自体を遂行せんが為に発揮し得られる所の剛力に対しては如何なる力も之に対抗するを得ず、爰に於て敵にとってその危険実に無制限のものとなった。」かゝる國民戰争の性質は、フランス革命の當事者にはなほ十分意識せられず、且つ技術も不完全であった。從って、敗戰もあった。「然るに、ボナパルトの手に於てそれらの一切が完成されるに及んで、全民衆力の上に立脚した此の軍事的勢力は非常に確実な、信頼の出來るものとなり、行く所、敵なき勢で全欧洲を席捲し、舊式の軍隊が之に對抗した限り、勝敗の数は常に定まり、寸厘の疑を挾む事が出來ない程であった。」「然しやがて之に対する反動が生じた。」即ち、フランスの敵側に於ても自衛上、自ら國民戰争の型をとらざるを得なくなったのである。先づスペインが、次いでオーストリー・ロシア・プロシヤ及びその他のドイツ諸國が。「かくて八ヶ月の後には戰場はオーデル河より、セーヌ河に移され、自負の念に酔ってゐたパリ

八三

ーは遂に始めてその膝を屈するを余儀なくされ、偉大なりしボナパルトも遂に捕はれの身となるに至った。かくて戰争は、ボナパルトの出現を機として、先づフランス側に於て、次いで列國側に於て再び全國民の事業となる事によって、全然その性質を一変する事となった、といふよりは寧ろその本來の性質、その絶対的完成（クラウゼウイッツの所謂絶対的戰争―引用者）に著しく接近したと云ひ得よう（傍点引用者）。用ひられる所の手段にはもはや如何なる制限もない。そんなものは政府及び國民の剛力と熱狂との中に消え失せてしまった。戰争遂行の剛力は手段の尨大なる事と、收め得らるべき成功の廣大なる事と、併せて又人心の強烈なる昂奮とによって、素晴らしく高められ、全軍事的動作は専ら敵の倒滅を目標とする事となり、一度戰端が開始された以上は、敵が完全に起つ能はざるに到った時でなければ、戰争の中止とか、媾和談判など、いふことは、問題とならなかった。」これは、クラウゼウイッツによれば、戰争が中世時代の歪曲されたる偽装をかなぐり捨て、その本然の姿に還ったものに他ならぬ。「かくの如くして戰争の本領は、あらゆる因習的な羈絆から解放さ

八四

れて、その本來の威力のある限りを発揮するに至ったのである。その原因を尋ねれば、畢竟するに民衆自身が此の大國家的事業に参加する（傍点引用者）に到ったが為に外ならず、而して此の参加たるや、一方に於てはフランス革命が諸國の内部に惹起せしめた諸事情に由來するが、他方に於てはフランス國民の為に諸國民がその存亡を脅されるに到った事に由來してゐる（註二）。ナポレオンの崇拝者、フランスのフオツシユ元帥も云ふ——「実際、新しい時代が始ったのだ。國民戰争の時代が。蓋しそれらの戰争は國民の一切の手段を戰鬪の中に投げ込むべく運命づけられてゐた。それらは、王朝的利害ではなく、一地方の占領乃至領有ではなく、先づ第一に哲学的理念の、その次ぎには独立・統一・其他種種々の非物質的利害の、防衛乃至宣傳を自らの目的とせねばならなかった。最後に、これらの戰争は各個人の利害及び財産を犠牲に供した。從って、從來、大抵の場合眠らされてゐた力の要素たる情熱の昂揚が、そこにあったのだ」と（註三）。この國民戰争に於て、戰争はその民族性を恢復し、巨大なる「國民の事業」

八五

となつた。國民は、戰爭を以て「政府の事業」とみることなく、殊にフランス国民にあつては、祖國の危急、フランスの國民生活の危急存亡の岐る丶處と、彼等の全力を挙げて、外國君主の「神聖同盟」軍と戰つた。ナポレオン軍の強さは、ナポレオン個人の戰術的天才によることは勿論とするも、その主たる物質的基礎は、フランス革命によつて土地を分配されたる農家がその土地を守らんとする強き生命力にあつたともいはれるほどである。フランス國民は、この戰爭に於て、彼等の有する物質は勿論、その人力の総てを挙げて戰つた。後、ナポレオンの戰爭が、防衛戰より侵略戰に移行するや、被侵略國民も同様の態度に出ることを余儀なくせられた。これは、制度的にみれば國民皆兵主義＝徴兵制度の開始であり、又、国民総動員の萠芽形態ですらある。これは、その本質に於て、著しく近代性を帯びたる総力戰である。たゞ、第一に、當時の戰爭當事者が――フランス軍の将卒ですら――これを新しき型の総力戰と意識せざりしこと、第二に武器の発達の未だ今日の如く十分ならざりしため総力戰の十分なる展開をみざりしこと、――この二点を顧みる時、此の時代の國民戰爭はこれを総力戰的觀点よりいへば無意識的総力戰型時代といひ得るであらう。主觀的には不充分なれ共、客観的・事実的には一種の総力戰であつたのである。

（註一）　クラウビウイッツ、前掲、下巻、四七三―四七六頁。

吾々はクラウビウイッツの國民戰爭論に就いては後になほ述べるところがあるであらうが、國民戰爭に関する彼の所説は、彼の戰爭論に於いて優れたる点の一つである。彼はなほこの個所のほか、三三九―三四〇頁、四四九頁、五一〇―五一二頁、その他に於ても、フランス革命並にその國民戰爭の意義につき述べてゐる。

（註二）　*Marshal Foch, op. cit.,* PP. 20-30.

フオッシユは、同じ個所で國民戰の「記録が先づフランス人によつて記され、後、吾々の諸敵國によつて書かれた」ことを述べてゐる（P. 30）。

（D）　近世の戰爭の二　帝國主義戰爭＝半意識的総力戰型時代

フランス革命により封建主義を投げ棄て、近代的資本主義の段階に入つた欧洲社會は、十九世紀の末葉（具体的には一八七〇年前後）より更らに高次の段階に到達した。即ち前期資本主義の自由主義を基調とせるに対し、これは独占を特徴とするに至つた段階である。普通にこれを独占資本主義乃至帝國主義時代と稱するが、人によつては高度資本主義（ゾンバルト）、あるひは證券資本主義（リーフマン）、又は金融資本主義（ヒルフアーディング）と呼ぶ。語を用ひるは学者の自由なれば、吾等はこゝに之等の用語の當否の穿鑿を敢て試みんとするものに非らず。たゞ、十九世紀末葉、特に二十世紀初頭より、世界資本主義が変質を遂げ、独占段階に入り、金融資本の支配、資本の輸出、世界市場の獲得及び資源の再分割競爭が起りたる事実をのみ指摘せんと欲する。此の競爭は、必然的に戰爭といふ武力闘爭にまで昂まる。斯かる世界市場の獲得及び世界資源再分割のための戰爭か帝國主義戰爭であり、それが最も大規模なる爆発をなしたのが一九一四―一八年の第一次世界大戰であつたのである。この戰爭の特徴は、左の諸点にあつたと考へることが出來る。

一、各交戰國の一部には、かゝる戰爭を以て新種の「政府の戰爭」なりとし、資本家階級の経済的欲望達成のための悪手段となすの觀念が存したこと（註一）。

二、然るに武器の発達は戰爭規模を空前なまで拡大せしめ、戰爭はひとり敵國の軍隊のみならず、その國民をまで相手に引摺り込んだこと。

三、世界経済の発達、交通機関の発達のため世界各國の距離が短縮され、地球が狹くなり、中立國の存在が困難となり（註二）、世界各國は遅かれ早かれ戰爭の渦中に捲き込まれたこと。従つて戰爭はかゝる点よりも拡大化し、長期戰化する必然性を有せしこと。

四、然し乍ら、各國の戰爭當事者は、新戰爭のかゝる性質を理解せず、最初は短期戰・部分戰（非総力戰）の觀念を以て戰爭に臨んだこと（註三）。

五、戰争は、しかし、客觀的には総力戰化せざるを得ず、戰争に勝つためにば、各交戰國當事者は客觀事物の圧力により総力戰態勢を採るべく余儀なくされたること。

六、戰争の中途より烱眼なる指導者の一部は、この戰争の本質の変化に気づき、近代的総力戰を理解し始めたこと。

七、この戰争は、理論的にも、事実的にも近代的國家総力戰への発展の基礎となりたること（註四）。

以上の諸点よりみて、帝國主義戰争時代は、觀念的には変種的「政府の戰争」觀に始まり、戰争の過程に於いて、客觀的には総力戰化し、そして當事者の一部がかゝる総力戰を総力戰として意識し始めたるものといふことが出來る。これ即ち総力戰的觀点よりして、吾々がこれを半意識的総力戰型時代と呼ぶ所である。なほこの点については後段に於いて詳述する処があるであらう。

（註一）　此の時代に於ける戰争と國民との乖離は「軍國主義の擡化」の如くみられたドイツに於いても甚しかった。暫らくパウル・シュミットヘンネルの言に聞かう――

「國民の運命は世界大戰前の二十年間は、一般の時勢の進展に依って作られた点よりも、寧ろ偉大なる指導者の缺乏に基因する所が多かった。……戰争に就ての觀察が誤ってゐた。欧羅巴に長い間平和が續いた為に……一層此の進展を促進した。一般に戰争をば極めて稀有な事で容易に起りさうもないものゝ様に考へ、又通常迅速に経過する特別な事態で数ケ月の中に自然の平和状態に復すべきものと思ひ、財政及び経済の点だけでも戰争を極めて短期間に終結する事を要求すと妄断して居た」。國民は優れたる軍人の警告にも拘はらずかゝる妄断を持ち続ける事を止めなかった。「……一般に戰争を特別の世界の如く考へてゐたので、次第に陸海軍は國家の中でも別々に離れて独立してゐる部分の如く見られ、殆んど有り得べからざる特別の場合に備へる為の訓練所とされた。……陸海軍は純然たる戰争技術の施設となり、純軍隊的の戰の準備を為す異分子となり、益々困難な防禦的立場に固く縮んで了ひ、……軍隊は戰争の場

合にのみ役に立つに過ぎぬと言ふので、終始政治家の攻撃の的となった。平和運動者は既に永久平和の時が到來したものと信じ、……所謂『軍國主義』に攻撃を加へた。此の平和運動が時代の風潮に投じて非常なる人氣を呼んだ。十九世紀に於ける戰争の破壊的作用の少なかった事実を根據とし、假令戰争が起るにしても、決して左程激しくならぬと妄信した人道的の考へから十九世紀の産業的・技術的・金融的及社會的の建設に固く執着した。……一般國民の考へが外國かぶれして平和主義の迷夢に耽り、戰争を道德問題として取扱ひ、軍事的要素をば國家及び國風から遠ざけようと努めた。……一九〇四年以來次々と危機が生じた場合にも各國の國民が軍備熱に冒された場合にも、尚ほ此の精神的分立が持続したのである」（Paul Schmitthenner, "Politik und Kriegsführung," 邦譯、前揭、三一八―三二〇頁）。

（註二）　"War in the Twentieth Century"- Edited by Willard Waller. 1940. PP. 21-22.

（註三）　Léon Daudet; "La guerre totale", 1918, P. 12. 元ドイツ内相、カール・ヘルフエリヒ、「世界戰争」、邦譯、三二六頁以下。

パウル・シュミットヘンネルもいふ――「其間に世界の形勢が変化し時代の精神が実際生活に反して居る事実を考へたものは極めて少数の人に止まった。全体戰争は國民的活動のあらゆる部分の全的動員を要求したが、何人も其事を豫想せず、概ね純軍事的活動を以て夫れを解決する考へで、眼前に迫った大災厄に臨んだ。……元來時と共に変化してゐる條件が戰争に及ぼす実際の影響をば平時に於て予想する事は何れの時代に於ても困難であった」。（前揭、三二〇―三二二頁）。

（註四）　近代的國家総力戰理論の唱導者と普通に稱せられるドイツのルーデンドルフ将軍はその「総力戰」に於ていふ――「……然るに世界大戰は過去百五十年（といふのは、プロシヤのフリードリッヒ大王の七年戰争に於ける総力戰以來といふ意味であらう――引用者）の総ての戰争とは全然異った性質を示した、即ち参戰諸國の軍隊が互に相手の殲滅に努

力したのみでなく、國民自身が戰爭実行の仕事に引入れられ、戰爭は又彼等自身にも向けられ、斯くして彼等自身も深刻にその苦痛を共にするに至った……」（Erich Ludendorff. "Der totale Krieg." 1935. 邦訳、「國家総力戰」、七一八頁）。

（E）　現代＝意識的國家総力戰型時代

前期の帝國主義戰爭時代が著しく現代の國家総力戰に近接したものであったことは右に述べた如くである。即ち武力戰に自信のなき聯合國側がとった経済封鎖＝飢餓封鎖なる作戰は、同盟國側をして一個の被包囲要塞の如くならしめ、國民をして、戰爭の起源及び性質に関する解釋の如何を問はず、挙げて之を戰爭に参加することを余儀なくさせた。双方の側の戰爭手段は單に軍事的に止まらず、経済的・政治的・思想的等々――一言にして云へば、全体的となり、独り軍隊のみならず、独り艦隊のみならず、國民と國民とが、民族と民族とが、戰爭の相手方として相對峙するに至った。しかしながら、未だその程度は充分でなく、総力戰は完全ではなかった（註二）。大戰終了後、かゝる無意識的総力戰の検討が開始せられた。その結果、結論は二つに分れた。一は、第一次大戰による戰爭規模の空前の拡大、その戰禍の劃期的深化に驚倒し、卒然として和平論を唱へ、國際聯盟による世界再組織、國際仲裁裁判による戰爭の絶滅等を夢みる一聯の空想的人道主義者の感傷論であり、何づれの戰爭の後の水溜にも必ず湧くところの孑孑的副産物である。他は、第一次大戰の傾向に鑑み、この傾向が、武器――殊に航空機・長距離砲・巨船等々の発達によってますく助長せられ、第一戰と銃後との區別がますく抹消せらるべきこと、第一次大戰の不自然なる政治的結果は、必ずや世界再編成の武力的強行を不可避ならしめ、戰爭は第一次大戰よりヨリ大規模に再爆発すべきこと、かゝる世界再編成（即ち、今日の言葉でいへば世界新秩序の形成）のための戰爭に於いて、民族と民族とは、喰ふか喰はれるかの死闘に入り、その総力を挙げて戰ひ、否、單に戰爭勃発を俟って総力的に戰ふのみにては足らず、戰爭勃発の以前より、意識的・

計劃的にかゝる総力戰を総力戰として準備しなければならぬこと、戰爭は、この現代的國家総力戰に於いて始めて戰爭の本質たる民族性と総力性とを恢復し、その本然の姿に立ち還ること、それは古代の総力戰の完成的復活であること（註三）等々を発見した総力戰理論である。この國家総力戰理論の正當さは、支那事変及び第二次大戰に於て剰すところなく立證せられた。吾々はかゝる総力戰の現段階的意義を次節に於て詳論する豫定であるが、こゝには、この現代が総力戰的観点よりして、意識的総力戰型時代と云ひ得べく、それは観念的にも事実的にも、完璧なる総力戰の時代であることを述べて置きたいのである。

（註一）　「しかし、戰爭時において、かく一丸となった大衆の力を絶えず吸收すると云ふ感想が最後的に実現されるまでには百年以上（ナポレオン戰爭から百年以上、即ち、第一次大戰頃である――引用者）の年月が経過した。世界大戰に於いても尚、これがすべての場合において充分に行はれたとは言へなかった。先づそれ以後における技術の物凄い発展の結果は、近代的に軍備を完了した諸國家にとって、戰爭は全体的な、國民戰爭（傍点は原著者）たるより以外の形態を考へることは出來なかった」（タイゼン、「ナチスの戰爭論」、前掲、邦訳、一〇一一一頁）。

（註二）　パウル・シュミットヘンネル、前掲、邦訳、三二一頁）。

タイゼンもいふ――「近代戰爭は單に武器によってゞなく、國家の全体によって戰はれる。凡ての戰闘能力者は兵士に召集され、労働能力者は、その性別の如何を問はず、肉体的労働により、或は頭脳により戰爭の目的に協力し、一切の國家生活はこの戰爭の目的に向って、單に政治上・軍事上だけでなく、経済上・財政上・商業政策上、――に於いて整備される。その結果、近代に於ける広汎な破壊手段は何人に対しても――たとひ僻遠の地においても――容赦しない。何人もその活動は安全を保ち得ない。全領土は戰場に化する。戰爭は全体的戰爭となり、その本來の野蠻な原始的形態を持つ（傍点引用者）、全体に対する全体の顧慮なき闘爭の性質を帯びるに至るであらう。かくて戰爭は絶対的戰爭の概念に接近して來る。その限りにおいて、戰爭には間断なき、暴力的な一切を包含する争闘手段が採用され、かゝる手段が最高度に使用される場合、相手國には悲劇的な崩壊と没落とがもたらされるであらう。かゝる戰争はその過程において敵國家に対して何等の寛容をも知らない。唯、捕虜・負傷者・降服せるもののみがこれから除外されるだけである」（「ナチスの戰争論」、前掲、九一―一〇頁）。

バンゼ博士もいふ――「來たるべき戰争は戰線の戰争ではなく、二つの民族全部を挙げての、即ち市民も軍人も、子供も老人も、家屋も工場も挙げての戰争であらう」と（"*La nouvelle doctrine allemande*" *op. cit.*, P. 23.）。

（二）「總力戰」理論の歴史的展開

以上の如く、現在は國家總力戰時代である。しかしながら、戰争がその本然の姿たる總力性と民族性とを回復して近代的總力戰となるためには、中世―近世に亘る「戰争の墮落」の破棄による國民戰争の生誕よりなほ約百五十年の長きを要したのと同様に、かゝる戰争の理論付けたる總力戰理論の発達及び完成にも、クラウゼウイッツの國民戰争論の発表以来約百二十年を要した。実にローマは一日にして成らずである。吾々は今こゝに、總力戰理論の発展の跡を尋ねると共に、總力線の現段階的意義に及びたいと考へるのである。

(A) クラウゼウイッツの「國民戰争」論

クラウゼウイッツの「戰争論」に於て、國民戰争に関する叙述は、その最も

光彩陸離たるものゝ一つである（註一）。彼は戰争の種類につき、抽象的戰争と具体的戰争、絶対的戰争と現実的戰争とを區別し、國民戰争を以て最も抽象的戰争及び絶対的戰争に近きもの――即ち、クラウゼウイッツの概念に於ける最も典型的なるものに近き戰争なりとする。彼は先づ、戰争を定義して、「戰争とは、敵を屈服せしめて自己の意志を実現せんが為に用ひられる暴力行為である」とする（註二）。この暴力の行使には制限はない（註三）。さて、彼によればかゝる暴力行為たる戰争にも数多の種類が存する。「戰争の動機大にして且つ強烈なればなる程、それが國民の全生存に影響する程度の著しい程、戰争に先立つ緊張が盛であればある程、それがその抽象的形態に接近する程度も亦大である、その結果敵の打倒といふことが愈々中心目標となり、戰争の目標と政治的目標とは愈々合一し、戰争は愈々戰争らしくなり、いよいよ政治らしからずなりゆく。之に反して戰争の動機と緊張弱きときは、戰争の自然の方向たる暴力は愈々政治の指定する線の上に落ち、戰争はその自然的方面から逸らされ、政治的目的と理念的戰争の目標とは相背離し、戰争は愈々政治らしくなりゆく」（註四）。

前者が所謂抽象的戰争である。次ぎに彼は、絶対的戰争に就いて述べ、「敵の倒滅こそが軍事的動作の自然的目標であり、……此の事は戰争を遂行してゐる彼我両軍に妥當すべきものであるが故に、……凡そ軍事的動作には中絶はあり得ない、どちらか一方が倒滅される迄は休止といふ事はあり得ない」といひ、かゝる絶対的戰争は長らく「大爆発を妨げ」られてゐたがそれがナポレオン時代の國民戰争に於て実現したことを説き「漸く現代に到つて現実の戰争がかの絶対的に完全なる姿に於て発現するに到つたが、若しさうでなかつたならば、絶対的戰争に就いての吾々の思想に幾分でも現実性があるか否かを疑ふ者があつても、必ずしも之を責めることが出来ない程であつた。然るにフランス革命によつて口火を切られて以来幾何もなくして猪突猛進的ボナパルトの出現するに及び、急速に戰争は此の絶対的な姿に迄引上げられたのである。彼の下に於て戰争は、敵の倒れる迄は、中絶なく遂行し、反撃も亦、同様に中絶なく遂行されるに到つた」と云ひ、そして「此の現象が吾々をして戰争の本来の概念に立ち帰らせ、それより出づるあらゆる結果の厳密なる追求に向はしめた」と、彼

は考へる（註五）。

　又別の個所に於て、クラウゼウイッツはいふ――「……彼等（反佛軍――引用者註）が相変らず旧式の考へ方にとらはれて、非常に貧弱な軍事的努力に期待を抱いてゐた間に、何ぞ計らん、一七九三年には、彼等の夢想だにせざりし大兵力が出現したのだ。戦争は突如として再び民衆の、しかも何れも自ら公民を以て任じてゐた所の三千万の民衆の事業となつた。……内閣や軍隊だけではなく、実に全民衆が天秤の皿の上にドッカと坐り込む事となつたのである。今や用ひ得る所の手段、捧げられ得る所の努力にはもはや如何なる限界もなく、戦争それ自体を遂行せんが為に発揮し得られる所の剛力に対しては如何なる力も之に対抗し得ず、茲に敵にとつてその危険実に無際限のものとなつた。……かくて戦争は、ボナパルトの出現を端として、先づフランス側に於て、次いで列國側に於て再び全國民の事業となることによつて、全然その性質を一変する事となつた、といふよりは寧ろ、その本来の性質、その絶対的完成に著しく接近したと云ひ得よう。用ひられる所の手段にはもはや如何なる制限もない……」

一〇二

それは、敵の殲滅を目的とし、敵が完全に再起不能となるまで軍事行動を中止しないのである。「かくの如く戦争の本領はあらゆる因習的な覊絆から解放されて、その本来の威力のある限りを発揮するに到つたのである」が、その原因は、先づ第一にフランス國民が、次に他の諸國民が、自己の存亡を脅かされたが為めにほかならない（註六）。

　かゝる國民戦争がフランス革命を契機として「大爆発」せる社会史的根拠如何？　それについて、クラウゼウイッツはいふ。――

　「前世紀（十八世紀――引用者註）の九十年時代にヨーロッパの兵術上にかの注目すべき変革（即ち國民戦争――引用者註）が行はれ、その結果最良の軍隊もその妙技の一部の無力となるを看取せざるを得ず、その規模の大なる事未だ嘗て前例なき軍事的成功（即ちナポレオンの成功――引用者註）の現はれるに及んで、実際人々は、一切の読まれる計算は兵術にとつて煩累の種であると考へるに到つた。明かに彼等は、従来久しい間狭隘なる世界に跼蹐してゐたので、新事情の威力に面して全くびつくりしてしまつたがだ。だが此の新事情た

一〇三

るや、成程従来の狭隘なる世界の外にはあつたが、万物自然の理の外にあつたわけではない。……フランス革命が外部に及ぼしたどえらい影響は明かに、フランスの用兵上に於ける新手段及び新見解の中に求めらるべきではなく、寧ろ完全に一変したる政治及び行政技術、政府の特質、國民の状態等との中に求めらるべきである。他の諸政府がそれらの事物を正しく認識せず、慣用の手段を以て、その勢ひ破竹の如き新兵力に対抗せんとした事――これらは何れも、政治の過失である。……成程戦争それ自身も亦、その本質に於て並びにその形態に於て少なからぬ変化を受けたのは事実である。然し此の変化たるや、フランス政府が所謂解放された結果生じたのではない、政治の覊絆を断ち切つてしまつた結果生じたのではない、それは、フランス革命がフランス及全ヨーロッパに惹起せしめた所の新政治の結果生じたものである（註七）。然り、此の政治は新なる手段、新なる力を生み出し、それによつて、従来夢想だにし得られなかつた程の猛烈果敢なる戦争を可能ならしめたのである」（註八）。

　かくの如く、クラウゼウイッツは國民戦争に於て、彼の意味する戦争の最高

一〇四

形態たる絶対的戦争の現実的なる姿を見た。中世――近世を通じて喪失されんとした戦争の本来の姿は、再びその完全なる形を以て現はれんとした。彼は、戦争がかゝる絶対性を保持し乃至はこれを押し進めるや否やに就いては若干の疑問を残しつゝも、その発展性を予見し、今日の総力戦への見透しを立てゝゐる。これは彼の歴史眼の秀れたる所以を立証するものといはねばならぬ。即ち彼はいふ。――「かゝる状勢が永久的なものであるか、ヨーロッパに於ける将来の戦争はすべて國家の全力を挙げて行はれるか、従つて國民と直接の関係ある大利害の為にのみ行はれるであらうか、或は又漸次に再び政府と民衆との疎隔状態が出現するであらうかに就ては、之を断言する事は困難であらう」と。彼は「かゝる断定を下さうなどといふ大それた考へを抱いてゐる者ではない」と陳辯する。しかし、彼は、國民戦争以前への逆行が困難であることを認める。蓋し「一体戦争の本性の発揮が覊束されてゐたのは、全くかゝる覊束なき場合の武力が覚られなかつたといふ事に原因してゐる、それ故に一度かゝる制限が切断された以上は、再び之を作り出すといふ事は容易なことではない、少くと

一〇五

一〇六

も戦争が重大なる利害問題に由来してゐる限り、相互の敵対は、必ず純正の戦争に於て見られた如き激烈なる爆発を見る事であらう」（註九）と。又いや——「戦争がその絶対的威力を発揮するに到った純近の時代は、普遍妥当的、必然的なもの（傍点引用者）に最も富んでゐる」と。しかしこゝでも、クラウゼウイッツはなほ若干の躊躇を示すことを忘れない、曰く——「然し今後の戦争がすべてか様に大仕掛な性質を帯びるであらうと考へる事は再びそれが狭隘なる限界内に閉ぢ込められてしまふであらうと考へることと同様に、蓋然性に乏しい」と（註一〇）。

以上がクラウゼウイッツの「國民戦争」論の概要である。所論未だ十分ならざるものありとは云へ、そこには、近代的總力戦理論の萌芽が脈々として躍動してゐるのが、看取されるではないか。

（註一）　Major Stewart & Murray, "Reality of War, from 'Vom Krieg by Clausewitz,'" op. cit., 邦訳六五頁以下。

（註二）　クラウゼウイッツ、前掲、上巻三二頁。

（註三）　同上。

（註四）　クラウゼウイッツ、前掲、七七—七八頁。

（註五）　クラウゼウイッツ、前掲、下巻、四四七—四四九頁。

（註六）　クラウゼウイッツ、前掲、下巻、四七三—四七六頁（前出）。

なほ、この國民戦争の技術的方面に関して、クラウゼウイッツはいふ。

——「國民戦争なるものは文明化したるヨーロッパに於ては第十九世紀の現象である。これには賛成者と反対者とがある、後者には又政治的理由から、反対する者と、軍事的理由から反対する者とがある。政治的理由から反対する者によれば、それは一の革命的手段である。無秩序状態に合法性を與へるものである。敵に対して危険であると同様に、國内の社会秩序にも危険を齎らす、といふのである。又軍事的理由から反対する者によれば、それは労多くして功之を償はぬ、といふのである。第一の缺点はこゝでは問題とならぬ、といふのは吾々は、國民戦争には、單に闘争手段として、従って敵に対する関係に於て、考察してゐるに過ぎ

一〇七

一〇八

ぬからだ。所で第二の観点だが、之に就いては吾々は次の事を指摘しておきたい、それは、元来國民戦争なるものは、最近戦争が従来の人為的な囲壁を脱してその本来の激烈性を発揮するに到った結果の産物と看做さるべきであるといふ事、つまり吾々が戦争と名づける所の全醗酵作用の拡大し強化したものと看做さるべきであると云ふ事だ。徴発制度、徴発及び國民皆兵義務の両手段による巨大軍隊の形成、後備兵の使用等、それらは何れも、嘗ての狭隘なる兵役制度が右の方向に発展した結果生じたものであるが、國民軍の召集即ち民衆の武装も亦同一方向中の一現象なのである、右の中最初に挙げた数個の新手段は、狭隘なる制限の破砕されたる事の自然的必然的結果であり、これらの手段を最初に適用した者の力を異常に強化し、かくてこれを目撃せる敵も亦之を採用せざるを得ざるに到ったのであるが、此の事は國民戦争に就いても亦同様であらう。大多数の場合に於ては賢明に之を使用したる國民は、之を賤み退けたる國民に比して優勢を握るのである、然りとすれば残る問題は、戦争の本来的激烈性を強化すべき此の手段が果たして一般に人類にとって有益なりや否や、といふにある——然るに此の問題たるや、戦争それ自体と人類との関係如何といふ問題に関聯するものであって、吾々はその解決を哲学者に委ねることゝする」とし、「その下に於てのみ國民戦争が効果を発揮し得る様な諸條件」として、左の項目を挙げてゐる——

一、戦争が國の内部に於て行はれること。

二、唯一面の破局によって戦局の決定される様な事のない事。

三、戦場が広大なる地域に亘る事。

四、國民の性格が好戦的なること。

五、山嶽、若しくは森林及び沼沢、若しくは農耕の性質等の関係から國土切断地に富み、接近甚だ困難なる事（「戦争論」下巻、二五八—二六〇頁）。

（註七）　序ながらこの順序は逆であり、「フランス革命がフランス及び全ヨーロッパに」新政治を惹起せしめたのではなく、フランス及び全ヨーロッ

一〇九

一一〇

パの物質的地盤に変化が生じ、この変化が、政治の変化及び戦争の変化となつて顕現したのである。

（註八）　クラウゼウイッツ、前掲、下巻、五〇九－五一二頁。
なほ、ルーデンドルフ、「國家總力戰」、前掲、邦訳六頁参照。

（註九）　クラウゼウイッツ、前掲、下巻、四七六頁。
又、彼が「戰爭の目的及び手段」に関聯して、戰爭の規模を論じ、「單に一軍隊と一軍隊とが対峙するのではなく、実に一國家と一國家とが、一國民と一國民とが対峙する所の全戰爭舞台」といつてゐるのは、将来の總力戰への彼の見透しを示すものといへよう。

（註一〇）　クラウゼウイッツ、前掲、下巻、四七七頁。

(B)　レオン・ドーデの「總力戰」論

「總力戰」と云へば直ちにルーデンドルフ（*Erich Ludendorff*, 1864－1937）の名を聯想するのが普通である。然るにルーデンドルフ将軍がその「總力戰」観念を把握する契機となつた第一次大戰に於て彼の相手國たりしフランスに、ルーデンドルフより以前に「總力戰」なる観念を把握、公表したものがある。それは、フランス王党「アクシオン・フランセーズ」（*L'Action française*）の指導者の一人、レオン・ドーデ（*Léon Daudet*, 1869－）であり、彼は一八一八年に「總力戰」（*La guerre totale*）なる書を公にしたのであつた。ルーデンドルフの「總力戰」（*Der total Krieg*, 1935）の公刊に先立つこと正に十七年である。

尤も説をなすものは、ルーデンドルフの「總力戰」理論は、その著「總力戰」公刊より以前に、その「わが大戰回想録」に示されてゐる（後出）が故に、「總力戰」論の先輩たる名誉は矢張りルーデンドルフのために留保さるべきであるといふかも知れないが、ルーデンドルフの「大戰回想録」の書かれしは、一九一八年十一月――一九一九年二月の事に属し、反之、レオン・ドーデの「總力戰」は一九一八年三月末に脱稿し、四月末印刷完了となつてをり、その起稿は

一一一

一一二

恐らく一九一七年中頃の事と推定せられる。否、それのみではない。ドーデが「總力戰」中で自ら語る處に依れば彼は、第一次欧洲大戰が勃発するや、早々「總力戰」なる観念に到達し、且つこの「總力戰」理念のために闘つて来たといふのである（註二）。また彼及び他の者の叙述に従へば、フランスの有名なる「虎（ティーグル）」ジヨルジユ・クレマンソー（*Georges Clemenceau*）も「總力戰」の観念を把握し、一九一七年七月二十二日にこれを議会（上院）に於て公表し、且つ間もなく首相として、かゝる「總力戰」をば身を以て実践し、祖國フランスを光輝ある勝利に導いたのであつた（註二）。かゝる点よりみる時は、ルーデンドルフの前に、既にフランスに於て「総力戰」論が一應の展開をみてゐたのである。従つて、時間的にみて、「總力戰」なる理念並に名称を始めて公表せしはフランスなりといふことを得るであらう（註三）。

ドーデは、一九一八年に、ルーデンドルフの一九三五年の書と同一名の書「總力戰」（*La guerre totale = Der totale Krieg*）を著はした。彼は先づ、第一次大戰が従来の戰爭と異りたる性質を有つことを聯合軍が理解し始めたことを述べていふ。――「吾々は今やヨーロッパ戰爭の第四年目に入つた。而して人々は、文明の保護者たる聯合國側の諸國民が野蛮独逸によつて仕向けられつゝある仮藉なき闘爭の本質を漸く理解し始めたといひ得る」と。「フランスも之に対抗し、「總力戰」に対しては「總力戰」を以てせねばならぬ。「勿論、今からでも遅過ぎるといふことはない。しかし、余の考ふる処によれば、もし、ドイツが吾々に対して行つてをり、而し吾々も亦彼等に対して行はねばならぬ總力戰（傍点ドーデ）の観念が吾が聯合各國政府によつて容認され次いで之が実践されてゐたならば、吾々は既に数ヶ月以前に勝利を占めてゐたであらう」（註四）と。

然らば、ドーデのいふ *la guerre totale* とは何を意味するか？

それは、「その短期的形相に於けると、長期的形相に於けるとを問はず、闘爭の政治的、経済的、通商的、工業的、知性的、法律的及び金融的諸領域への拡大」を意味する。「戰ふものは、独り軍隊のみではなく、諸々の傳統、制度、慣習、法典、精神、そして就中銀行が戰ふのだ」（註五）。かゝる意味の「總力戰」

一一三

は、ドイツによって先鞭を付けられた。「ドイツは之等のあらゆる面に於て、之等のあらゆる点に於て、動員を行った。ドイツは懸命になって宣傳を氾濫せしめた。この宣傳は常に熱烈であり、時としては知的なものであり、時としては愚劣なものであり、稀には無益なものもあった。ドイツは絶えず軍事的戰線を越えて、敵國民の物質的及び精神的解体を狙った。ドイツは、開戰中を通じで、この戰闘を激化しつゝ、戰前より行ひ来た、諜報及び賣國犯の利用といふプログラムを遂行した」。先づその犠牲となりしはロシアである。「今日となってはドイツ政府が巧みに宮廷及び政府の枢機に……並びに軍最高首脳部及び革命派陣営にまで諜報網を張り繞らせてゐたことが明かである」（註六）。かゝる広汎且つ深刻なる謀略の前にロシアは倒れた。「ロシアは、フランスの如く旧き統一性を有する國ではない。それは、フランスの如く、過去に於て幾世紀にも亘る王政的文明を有たない。従ってロシアが總力戰の必要性に対して無知であったのは、ロシアとしては、フランスよりも恕し得るしまた理解もされ得る」。然るに、このフランスに於ては「一九一四年八月三日（開戰の日——引用者）

以来相次いで成立せし諸内閣は　たゞ一つクレマンソー内閣を除き、現在の闘ひを以て多かれ少なかれ悲劇的なる一挿話と解し、その後に於ては事物はノルマルなるニュースを恢復すべしと考へてゐるかの如き印象を與へた。老年の、アカデミー会員の、従って経験深き筈である一大臣は、下院に於て、戰後に於ては『ドイツの自由なる経済的発展—』を尊重すべしなどといふ、かの宿命的且つ危険千万なる理念を表明さへするに至った。人々は、（ドイツの）かゝる自由なる発展が何を将来するかを知ってゐる。——それは、フランス國土の侵犯及び占領だ。これぞ恐るべき誤謬であり、かゝる誤謬を公言して憚らぬものは、彼が現在の争闘に就き絶対に何事をも理解し居らざる事を立証するものに外ならぬ。余は斯くの如き大臣の陳述を読んだ時、これは嘘ではないかと自らの目を擦り、『では、斯くも多大の英雄的犠牲は何の役に立つものぞ？』と自問したのであった。ドイツの野蛮を自由に放置し、かくの如き[illegible]行為を放任して置く！大國民がその自由とその将来とを賭しつゝある時、自由主義の[illegible]語は禍ひなる哉」（註七）。彼はかく慷慨する。次ぎに、ドーデは「總力戰」意

識に徹する事浅きフランス司法裁判所が、ドイツの國内攪乱謀略に対し寛大なる態度をとれる事を嘆き、轉じて対独包囲戰の效果的遂行と「總力戰」との関聯に及ぶ。——「聯合國各國民が十分正当なる権利を以てドイツを包囲しドイツを饑餓に陥れんとする封鎖なるものも、總力戰なくしては、畢竟一個の言葉であり、またそれ以上たり得ないのである。行政的、警察的、関税的無監視の緩き網の目を通りて、第一義的及び第二義的必要品が、ふんだんにとはいへないまでも十分にドイツへ送られつゝある」。これについては中立國の孔を塞がざれば、対独封鎖は不可能であり、ドイツはフランス國内にまで密輸の取引先きを有してゐるのである。ドーデは対敵通商の疑ひある人物を暴露する書簡を多数受け取ってゐるといふ。もし封鎖が完全であれば、ドイツは二年以上戰争に耐えることが不可能であったにも拘はらず、封鎖線の不完全なる為め、ドイツは既に三ヶ年以上も戰争に耐えてゐるのである（註八）。その理由は決して、フランスが短期戰の見透しを有ってゐたが故ではない。それはフランス國内にカイヨー、アルメレイダの如き、賣國的政治家が存在してゐたが故である（註九）。

「かゝる過失は短期戰の観念に責任があり、若し吾々にして長期戰の予想を有してゐたならば、吾々は別個の行動をとり居りしならんと反対する勿れ。ドイツも亦、短期戰を、『爽快なる』戰ひを予想してゐたのである。然るに春（一九一七年春——引用者）以来ドイツは、あらゆる方面に於て（傍点ドーデ）、戰争をば、これを遂行すべき当然の方向に沿って遂行して来た。吾々の戰線の背後に諜報的及び売國的攻勢をとるために、ドイツは長らく以前より措置を講じてゐた。このマルヌ線の敗北及び戰闘の膠着を見るや、ドイツは直ちに以前の後方攪乱工作を強化し始めた。ドイツは考へた、未だ万事休せるに非らず、かゝる工作を再開し忍耐強く以前の形勢の挽回に努めざるべからずと」（註一〇）。これ即ち、ドイツがその独自の「總力戰」を展開した所以である。然るに、フランスでは、「政界、産業界、殊に金融界の人々によって『独逸接近』といふ忘恩的な危険極まりなき仕事が始められた」のである（註一一）。

ドーデは、ドイツがフランス國内攪乱のために行ひし工作、及びそれに躍らされたる一聯の親独主義者及び平和主義者共の非愛國的行動を叙述して、敢て

結論を下していふ。――「一九一四―一五―一六―一七―一八年の戦争――人々は最初これを短期戦と見た――を以て、吾々は、全く新なる戦争形態に――即ち一八七〇年のそれとは極めて漠然たる類似点をしか有たず、而して一八七〇年のそれに対しては、超長距離砲即ちゴータ砲がフオン・モルトケの榴弾砲に対して有するが如き関係を有つ新しき戦争形態に当面するを見る」。而して此の「歴史上前例なき新しき戦争形態」の特徴として、ドーデは、左の如き点を挙げる。――

「(一)　この戦争は、極めて長き戦前の準備と、ドイツが闘ひ且つ支配せんと欲する諸國内に於けるドイツの根とを必要とする。……

(二)　この戦争は、かゝる準備に於ける細心性と秘密とを必要とする。一九一四年八月以前には、重砲に関するベトン陣地の利用、退却路の平時よりの組織、等々に関して察知せしめるものは何もなかった。敵は永年以前より、吾々を撃滅する事しか考へなかつたのだ。そのカードの一枚すら棄てなかつたのだ。それは憎悪のよく成功せる一例である。

(三)　この戦争は、敵國の士氣に対する強力にして定期的且つ組織的なる圧力を必要とする。これらの圧力は細心に選択せる人々の助けにより、又印刷文書を通じて行はれる。

(四)　この戦争は、金融、経済、通商、工業、知性並にその如何なる領域をも等閑視せず。

(五)　この戦争は、常に暗号その他を用ひて、その進行過程に注意を払ひ、戦敗國がそれを発見せる時は必ず、既に時遅きに失したりといふ様にする事。

(六)　この戦争は決してその仕事が完了せりとは考へなり。それは、完成及び発展を求めて休戦を知らざる戦争である」(註一三)。

以上がドーデのいふ「総力戦」理念の内容である。かゝる「総力戦」を始めて行ひしドイツは、「全体として見れば一個の猛獣であり、利用を以て才能の代りとなしうる手段を与へんと努めつゝある。その結果ドイツはその計劃の網の目の中で混乱し、溢れる許りの暴虐性によつてこを切り抜ける。ドイツは、思考も、配慮も、名誉も、人生の魅惑であり價値である如何なるものをも有たない。ドイツにとつては、一切のものが、唯一の目的――即ち暴力的支配に集中される。ドイツは自分自身の欠陥に対して無知であるが為めに、人々に好まれざるを見て呆然となる。吾々の愛すべき隣人とは、斯くの如きものである。吾々はこれをそのあるがまゝに受取らねばならない。ドイツが科学を語る時には、それは自己の科学のみを、極めて現実的ではあるが荒廃を意味する科学をしか考へない。ドイツが社会民主主義を語る時は、それは國際的假面の下にドイツ的宣傳を行ふ機関たる自國の社会民主党をしか考へない。ドイツが宗教を誇る時は、それは自己の神のみを、魚雷を以て婦人及び眠れる小児を殺害せるドイツの神をしか考へない……」(註一三)。

かくの如きドイツを相手としては、「此の度こそは、教訓を胆かさねばならない」。彼が「総力戦」を著はしたのは、同胞たちの眼を覚させんが為めである。此の為めに、彼は「不倶戴天の敵が吾々に対して用ひつゝある地下的にして陰険なる諸手段」を暴露したのである。敵は「フランス内の金融、恐喝、政治、責徳の入り混める界隈に、一種の泥棒組合（ベーグル）を有してゐる。ドイツはこれに手段を供し、補助金を與へた。ドイツはこれに奇怪なる新聞を有たしめた。ドイツはこの泥棒組合（ベーグル）に対してあらゆる途、あらゆる門を開放した。ドイツはこれを以て國家内の一國家たらしめ、これを告発しされと同時にドイツを告発した善良なる市民たちに危害を加へ死を以て彼等を脅迫し得る権力たらしめた」。ドイツの陰謀に対抗するためには、開戦と同時にフランスは、情報局を設けねばならなかつたが、フランスは此の点に於て立ち遅れた。善良なる人々には、ドーデの警告にも拘らず「左様な事はあるまい」といふ。斯かる呑気な譫語を発しつゝ、「人々は放火と暗殺とが協力的に行はれるのを放任してゐるのだ」。ドイツによつて、精神的暗殺が、士気（モラル）の暗殺が行はれるのである。それは「軍事的作戦と協力して行はれつゝある。アルメレイグ……の徒はヒンデンブルグとルーデンドルフとに強力なる援助を與へるものなのだ。彼等はドイツ参謀本部の中に彼等の小さきテーブルを有してゐる。彼等の同胞の死屍を以て掩はれたる戦場の前で、彼等は臆面もなく『余はそこにゐた』と云ひ得るのだ」。斯くてドーデは最後に云ふ――「余はかゝる新なる攻撃に対し、アクシオン・フランセーズ紙上に於て、余の出来る限り闘って来た。然るにフランス国家は、戦争の三年間を通じて余をして殆んど独りで闘はしめたのであった。フランス國家は、余の協力を得て、六ケ月間に後方の粛正を実行すべきであったのだ。吾々が総力戦に突入したのは、漸く一九一七年七月の事に過ぎない。今や事を急ぎ成功を展示する事が重大である」(註四)。

レオン・ドーデの「総力戦」論の要旨は、以上で盡きる。フランス王党の老政治家、――それも文学的活動を主とせる政治家の戦争理論は、軍人たるルーデンドルフのそれに比し、迫真性に於て一籌を輸する処あるは免れない。ルーデンドルフは、その「總力戦」に於て、國民士気の問題を特に重要視してこれを大きく取扱ってゐる。ドーデも亦、この問題を取上げてはゐるが、その所論を十分に展開しなかった憾みがある。当時のフランス社会は、ドイツの「第五列」政策に大いに悩まされ、カイヨー、アルメレイダの問題は、彼等にとって大問題であり、彼等の注意力を大きく奪ったが(註一五)、そのため、ドーデの「總力戦」論中の余りにも多くのページが、このドイツのスパイ政策の論議にのみ費されてゐるのは、遺憾とせねばならぬ。

然し乍ら、かゝる幾多の缺陥にも拘らず、近代的「總力戦」論の鼻祖と見られるルーデンドルフ将軍以前に、その敵國フランスに於て「總力戦」論が展開せられ、クレマンソーの手によってそれが然るものとして意識的に遂行せられたことは、「總力戦」論発展史上、特記されねばならぬところであらう。

(註一)　*Léon Daudet*, "*La guerre totale*", 1918, p. 8.

(註二)　*Ibid.* pp. 7-8.

フランス政治史研究家、英のシスリー・ハドルストンによれば、フランスが予期に反せる欧洲大戦の長期化に驚き、敗北主義、平和主義、親独主義等の軟論がフランス上下を掩はんとせしとき、クレマンソーが断呼として起って、「總力戦」(*The "guerre intégrale"*)を主張し、祖國を累卵の危きより救ったと(*Sisley Huddleston*, "*France*", 1926, p. 450)。

(註三)　固より「總力戦」の理念及び名称の公表の時間的前後が重大なのではない。問題は、何れが実践に於てかゝる「總力戦」をよく戦ひ得て戦争の勝者となったかといふ点に存する。ドーデの記述によっても明かなる如く、事実的に「總力戦」を先づ行ったのはドイツであり(尤も耕合国の封鎖がこれに先立ったが)、フランスはこれに倣ったのであった。しかし、第一次大戦に於けるドイツの「總力戦」指導は完全ならずして敗北し、「虎」のクレマンソーの指導するフランスが「總力戦」の意義の把握並びにその実践において一日の長を示し、つひに対独戦に勝利した。ルーデンドルフの「總力戦」論はかゝる苦き経験より生れし血涙の結晶であり、而してこのルーデンドルフと一度ひは血盟して所謂ミュンヘン一揆を企図せるアドルフ・ヒットラー總統の指導するドイツが第二次大戦によく電撃的成功を納め宿敵フランスをして城下の盟をなさしめたのは、ルーデンドルフの「總力戦」論によく学ぶところがあったが故である。

尚フランスと總力戦との関係に就いては、ルーデンドルフはその「總力戦」に於て「大戦前に於てフランスは、若し國家が意識して總力戦に奉仕する場合には、如何なることを為し遂げるかといふ範例を示した」(邦訳、一〇〇頁)といってゐる。

(註四)　*Ibid.*, p. 7.

(註五)　*Ibid.*, p. 8.

(註六)　*Ibid.*, p. 9.

(註七)　*Ibid.*, pp. 10-11.

(註八)　*Ibid.*, pp. 11-12.

(註九)　周知の如く、カイヨーは元首相たり、元蔵相たる身分にも拘らず國外追放に処され、戦後、左派聯合の勝利により、漸く故國に帰る事を赦された。アルメレイダは、投獄され、獄中に於て怪死を遂げた。

(註一〇)　*Léon Daudet*, *op. cit.*, pp. 12-

独・佛共に短期の見込が外れたことに就ては、酒井鎬次、前掲、二二六一二二七頁。
ドイツの誤算については前掲カール・ヘルフエリッヒ「世界戦争」三二六頁参照。
（註一一）*Ibid.*, pp. 19 *et suiv.*
（註一二）*Ibid.*, pp. 243-245.
（註一三）*Ibid.*, p. 245.
（註一四）*Ibid.*, pp. 246-251.
（註一五）酒井鎬次、前掲、二一八、二九二－二九三、四〇五－四〇九、四一二、四一四－四一五、四二二、四三一、五八八頁。

（C）　ルーデンドルフの「總力戰」論

近代的「總力戰」論の鼻祖は、通常ドイツのルーデンドルフと せられてゐる。それは彼の「總力戰」（*Der totale Krieg*, 1935）の公表に基づくのであるが、彼が「總力戰」理論を初めて公然の形に於て表明せるは、その「余の大戰回想錄」（*Meine Kriegserinnerungen* 1919）である。即ち彼は、この「回想錄」に於て云ふ。――「陸海軍はこの闘ひに於て、既知の方式を用ひた。たゞ兵力及び兵器が想像せられてゐた一切を超過したのみだ。しかし、この戰爭の眞實に独自的な性格は　即ち全國民をして彼等の軍隊の後方に詰め寄らしめ、軍隊の内部に入り込ましめた処にある。たゞフランスのみが、一八七〇－一八七一年（即ち普佛戰爭――引用者）に同様の光景を示したのみだ。此の戰爭に於ては、もはや陸海軍の力が何処から始まり、國民の力が何処で終るかと云ふ区別が付けられなかつた。軍隊と國民とは融合した。世界は文字通りの意義に於ける國民戰爭の光景に接した。地球上の最強諸國が、その集結せる全力を挙げて、相対立したのであつた。広大なる戰線と洋々たる海上に於ける敵軍に対する戰ひの上に、敵國民の精神及び生活力に対する戰ひが加はり、人々はこの敵國民の精神及び生活力を腐蝕させ、麻痺せしめやうと努力したのであつた」（註一）。ルーデンドルフとヒンデンブルグとはかゝる空前の大規

模戰爭に於て、祖國ドイツをして勝利を得しむべく必死の努力をした。そのためには、「吾々は、語の眞実の意味に於て、血と汗との最後の一滴まで闘ひ且つ労働し、戰闘に於ける吾々の士気を保持し、吾々の自信ある快活性を保持せねばならなかつた。これは酷薄なる法則である。然し敵によつて課せられた物質的諸困難に拘らず、不可避的なる法則であつた」。國民の全力を挙げての戰爭、そのためによる前線と後方、軍隊と國民との融合――それが、ルーデンドルフの見た第一次大戰の「独自性」であつたのだ。――「陸海軍側は祖國の中にその根を有つてゐる。あたかも樹がドイツの土地にその根を有つてゐる如く、彼等は國土によつて生存し、そこから自己の力を摘み取る。彼等は、その必要とするものを受取る得るが、これを生産し得ない。そして彼等は、國内から與へられる精神的、肉体的及び物質的の力を以て闘ふのである。これらの力が陸海軍をして勝利せしめ、忠誠なる献身を、日々の闘ひと戰爭の艱苦とに於ける人知れぬ犠牲とを可能ならしめるのである。たゞこれらの力のみが、ドイツに對して最後の勝利を保証し得た。これらの力を以てこそ、吾が祖國は全世界を相手に、この巨人の闘ひを遂行したのであつた。……

陸海軍は從つて、絶えず國内より精神的エネルギーを、兵員並びに資材を、受け、而して絶えずその生命の流入によつて若返らねばならなかつた。國内の士氣並びに戰闘意思を強化することが必要であつた。……戰爭が長引けば長引くほど、此の方面よりする危險はますます大となり、ますます多大の努力をなさねばならなかつた。それと同時に、陸海軍はますます多くの精神的増援を必要とした。祖國の肉体的及び物質的の力を極度にまで働かせ、一切の危害に対しこれを擁護せねばならなかつた。これは國にとつて大なる責務であつた。國内はたゞに吾が光輝ある國防を支へる礎石であつて些の毀傷も許さないものであるのみならず、それは実に吾が陸海軍の神経を強化し、その力を絶えず更新せしむるために、明澄にして純粋、而かもなほ力強くあらねばならぬ生命の源泉であつたのだ。國民は陸海軍を養ふために内的の力を必要とした。國内の力と吾が軍隊の力とは、しかく緊密に聯結せしめられてゐたので、両者を分つことは不可能であつた。吾々の戰士の勇気は、國内の士氣に緊密に繫つてゐた。國内は戰爭のために労働し生活した。未だ曾てかゝる光景が現出されたことはな

かったのだ」（註三）。ルーデンドルフが第一次大戦の鉄火の中から悟り得たことは、(一)クラウゼウイッツのいふ如く「戦争に数多の種類ある」時代は将に過ぎ去ったこと、(二)但しクラウゼウイッツが望見した国民戦争は、今日の新戦争型（總力戦）一の萌芽を示せること、(三)一八七〇－七一年の普佛戦争はフランス側に於て新戦争型を示したが、ドイツ側は未だこれを知覚するに至らなかったこと、(四)第一次大戦はこの新戦争型を全面的に顕現せること、(五)将来の戦争は、恐くこの新戦争型の上に立つべし、といふことであった。

即ち、ルーデンドルフよいふ――「佛蘭西革命は従来とは全然異なった國民軍を戦場に送り出したが、然しその戦争は未だ原則的にはクラウゼウイッツの所謂「抽象的」又は「絶対的」な型をとるに至らなかった。一八六六年及び一八七〇－七一年戦争も、この間佛國ではガンベッタによって強力なる戦争指導が行はれ、國民も深く戦争に関与せしめられ、全く新しい戦争形式の発生を見たこともあったが、依然として戦争の本質は瞭かにされなかった。実は一八七〇－七一年戦争当時独軍統帥部はこの新現象に当面して、全く施すべき策を知らなかったのである。結局、本戦争は独逸側にては、全く軍隊のみの仕事たるに止まって、それ以上には出でなかった。……然るに世界大戦は過去百五十年間の總ての戦争とは全然異なった性質を示した。即ち参戦諸國の軍隊が互に相手の殲滅に努力したのみでなく、國民自身が戦争実行の仕事に引入れられ、戦争は又彼等自身にも向けられ、斯くして彼等自身も深刻にその苦痛を共にするに至った」（註三）。

斯くの如く、總力戦の軍隊と國民とが一体となって、敵の軍隊及び國民と戦争するにあるのだが、第一次大戦以後の兵器の進歩は、更らに現在の「總力戦」を一層深刻化する。即ちルーデンドルフは云ふ。――「總力戦は啻に軍隊の仕事たるのみではなく、参戦國民の一人々々の生活及び精神に直接影響する所のものであって、之は単に政治の変化のみでなく、人口の増加に伴ふ一般兵役法の採用と、益々殲滅的威力を増して来た兵器の採用とに依って生じたものである。戦争に色々の種類の存したのは過去のことである。その後一般市民に各種の爆弾を投下し、且つ「ビラ」その他の宣傳材料を撒布する所の飛行機の進

歩や増加、敵に向って宣傳を送る放送施設の改良増加等により、總力戦は一層その深刻味を加へた。既に世界大戦中に於て、彼我軍隊は長延なる正面、深き戦闘地帯に於て交戦し、その地方の住民は直接自己に戦争の指向せられたると同様の甚しい影響を被ったのであるが、今日の戦場は文字通り交戦國民の全範囲に亘るのである。啻に軍隊のみでなく、一般國民も亦各部分により程度の差こそあれ、直接敵の戦闘行為の対象となり、又間接には食糧封鎖や宣傳等によって共に戦禍に苦む事は、恰も往時攻囲下の要塞地住民が、武力の圧迫と窮乏とにより開城を強要せられた例に似た所がある（傍点――引用者）。即ち總力戦は啻に軍隊のみでなく、直接國民に対しても指向せられるのである。この事は何等の仮借なき明白なる現実で、人智の及ぶ限りの戦争手段がこの現実の為に用ひられ、又用ひらるべきである。『お前がお前なら俺も俺だ』といふ俚言は、また總力戦に於て始めてぴったりと当て篏る。このことが總ての参戦國民に總力戦といふ強力な緊張を起させる」。では、總力戦は如何なる場合に起るか？ 即ち「總力戦はその本質上、國民全体がその生存を脅かされ、斯かる戦争を自ら引受けて立つ覚悟を定めた場合に於てのみ起り得る」。而して現在は總力戦時代であり、「政府の戦争が限定された政治目標を以てする戦争の時代は既に去った」。たゞ「國民死活の為に戦ふ總力戦」といふ「道義化権利」を有する戦争が現在の戦争である（註四）。

以上の如き總力戦の特質から、ルーデンドルフは「真に必然的に根本的な種々の結論」を抽き出す。――

(一) 政治と戦争指導との関係の変化

ルーデンドルフは「政治は總力戦と同様に、總力的な性格を持つべきである」とし、クラウゼウイッツとは反対に「政治は戦争指導に奉仕すべきものである」と主張する（註五）（なほこの点については後述）。

(二) 總力戦の基礎としての國民の精神的團結の強調

ルーデンドルフは、「軍隊は國民の中でその根をもつ。要するに國民を形成る一部である。従って總力戦に於ける軍の強弱は國民の肉体的、経済的及び精神的強弱に左右される」ことを認めるが、時に精神力の重大性を

認め、クラウゼウイッツが此の問題を看過せるを責める（然し、これは事実ではない。クラウゼウイッツも「戦争論」で精神力の重大性を強調してゐる）。「就中、精神力は非常な長期に亘る戦争に際し、國民維持の為の生存闘争に於て必要とする團結力を軍及び國民に與へるものであり、この團結は又國民存亡の為に行ふこの種戦争の最後の決を與へるものである……たゞ精神的團結のみが國民をして、戦時悪戦苦闘の中に在る軍に終始新たなる精神力を注入し、軍の為に盡し、自ら必勝の信念に燃え敢然として抵抗を継続させるのである」（註六）。「……總力戦は一歩も假借しない。總力戦は男にも女にもその極限を要求し、男子をその目標とするのみでなく、夫や子を危険の地に出してゐる婦人にも直接指向せられるのである（註七）。……

「總力戦の今日に於ては、國民と云ふ語と、國民其のものとが第一の地位を占める事になり、同時に日常生活に於て、特に危局に際して、國民存続の為の國民精神が如何に重大なるかが認識されるに至った。……總力戦に於て戦ふものは、結局國家でなくて『國民』である。國民中の各個人は戦場又は内地に於て自己の全力を傾注するを要する。それには、その戦争は専ら國民存続の為に戦ふのであると云ふことが、各個人にとって単に口先だけのことでなく、確乎不動の眞理である場合実現されることである。即ち總力戦の重点は『國民』に存するのである。總力戦の指導者は國民を相手としなければならぬ」（註八）。

(三) 總力戦は経済の方面に於ても軍と國民との強力な一体化、その總動員を要求する（註九）。

(四) 戦闘は總て敵の殲滅を目的とする（註一〇）。

(五) 總力戦は「頭脳と意志と勝力とを以て國民生存の為めに戦争指導を行ふべき統帥」を必要とする（註一一）。

近代的國家總力戦の唱導者ルーデンドルフ将軍の「總力戦」の梗概は右の如きものである。吾々は、政治と戦争指導とに関する彼の結論には賛成し難いが、近代的總力戦の本質を明快に抉り出したる彼の努力を多とせねばならぬ義務を感ぜざるを得ないのである。晩年ルーデンドルフはヒットラー總統と別れたが、

それでも猶ほナチス政権に対する唯一の許されたる批判者たる地位を保って得た所以の一般を、吾々は彼の總力戦理論の明快性の裡に求め得ることを看取するのである。

（註一）　*Erich Ludendorff, "Meine Kriegserinnerungen" – trad. fr. "Souvenirs de guerre (1914-1918)", Tome I, pp. 19-20.*

（註二）　*Ibid., pp. 20-21.*

（註三）　ルーデンドルフ「總力戦」、邦訳、前掲、六－七頁。

（註四）　同上、八－九頁。

（註五）　同上、一一－二一頁。

（註六）　同上、二三－二四頁。

（註七）　同上、四九頁。

（註八）　同上、五八－五九頁。

（註九）　同上、六〇頁以下。

（註一〇）　同上、一七〇頁以下。

（註一一）　同上、二〇八頁以下。

(D)　「總力戦」の現段階的意義

「總力戦」理論は、前述の如く、クラウゼウイッツの「國民戦争」論より、ドーデの「總力戦」論、及び就中、ルーデンドルフの「總力戦」論を経て現在に至った。かゝる「總力戦」理論の発展の基礎たるものは、クラウゼウイッツにあってはナポレオン戦争であり、ドーデ、ルーデンドルフにあっては、第一次世界大戦であった。第一次大戦は、その規模の雄大さに於ても、その期間の長さに於ても、亦その戦争性格の苛烈さに於ても交戦各國の最初の予想を遥かに懸絶する深刻無比なる大戦争となった。それは戦争本来の様相たる總力戦の質を取り戻したものであった。

然し乍ら、交戦國は、何づれの側に於ても、第一次大戦の特質、即ち新戦争

型の出現といふ事実に気がつかなかつた。即ち客観的には總力戦の條件が具備してをり、事実、總力戦が行はれたのであつたが、主観的、主体的には未だ總力戦の條件が十分備はつてゐたとはいへなかつた。即ちパウル・シュミットヘンネルの語を用ふれば、客観的總力戦はあつたが主観的總力戦はなかつたのである（註二）。

然るに第一次大戦の経験の攝取とその後に於ける武器――殊に長距離爆撃機及び戦車の異常なる発達、世界経済の複雑化、世界的秩序の転換期の切迫と、これを意識する理念的対立の激化、この対立を現実に闘ふ民族的闘争の熾烈化といふ一聯の原因によつて、現在の總力戦は第一次大戦とは比較にならぬ程深刻なるものとなり、従つてかゝる總力戦を意識し、これを理論付けんとする努力も、各所に見らるゝに至つたのである。以下これを詳述せん。

第一点、第一次世界大戦の経験の攝取に於ては、その最大の被害者たるドイツに於て最も活潑且つ效果的になされたのは理の当然であらう。これについて、先づルーデンドルフはいふ。――

「既に世界大戦闘当時の戦争の危局に際し、政治――政府、國民はこのやうな重大な任務（引用者註――總力戦遂行の任務）を果たすべきであつた。若し國民が当時の如く、單に食料封鎖及敵國の宣傳のみでなく、敵の戦争行為に依つて直接にその戦禍を被むる場合には、右の如き任務を達成する事は一層困難となるであらう。実際将来戦に於て、國民はその精神的、肉体的及び物質的の力を戦争遂行の為に提供するに際し、世界大戦當時とは全く異つた要求を受くるであらう。國防軍の國民に対する依存の程度は将来決して減少することなくそれの可能なる限り、一九一四―一八年の世界大戦時より遙かに大となるであらう。……總力戦はその本質上、一國民の總力に対して指向せらるゝを以て、それはまた文字通り國民の總力を要求するものである」（註三）。またいふ――「既に世界大戦中に於て、彼我軍隊は長延なる正面、深き戦闘地帯に於て交戦し、その地方の住民は直接自己に戦争の指向せられたると同様の甚だしい影響を被つたのであるが、今日の戦場は文字通り交戦國民の全範囲に亘るのである。啻に軍隊のみでなく、一般國民も亦各部分により程度の差こそあれ、直接敵の戦

闘行為の対象となり、又間接に食糧封鎖や宣傳等によつて共に戦禍に苦しむことは、恰も往時攻囲下の要塞地住民が、武力の圧迫と窮乏とにより開城を余儀なくせられた例に似た所がある」（註三）と。

次ぎにタイゼンもいふ。――

「戦争時において、かく一丸となつた大衆の力を絶えず吸收すると言ふ感想が最後的に実現されるまでには百年以上（ナポレオン戦争以後――引用者註）の年月が経過した。世界大戦に於ても尚、これが凡ての場合に於て充分に行はれたとは言へなかつた。先づそれ以後に於ける技術の物凄い発展の結果は近代的に軍備を完了した諸國家にとつて、戦争は全体的（總力的）な、國民戦争たるより以外の形態を考へることは出来なくなつた。戦争の目標は……敵軍隊だけでなく、全國民であり、單なる敵の陣地だけでなく、敵國の領土全部である。従つて奮戦に値する戦争の目標こそは、その國民の生ける精神となり、それは祖國擁護に全体的戦争意志を如何に強く結びつけ、且融和せしめるかを大戦の経験は如実に教へた」（註四）。

パウル・シュミットヘンネルも、第一次大戦に於ける客観と主観とのギャップを説いていふ。――

「其間（一九〇四―一九一四年――引用者註）に世界の形勢が変化し、時代の精神が実際生活に反してゐる事実を考へた者は極めて少数人に止まつた。技術化と機械とが一大飛躍を考し、地域と時間とを極度に短縮する力が生じた。技術の偉大なる進歩は火器の效力を増進し、迅速に決戦を求め難くし、且つ勝利の為の追撃を困難にした。國民は自ら自己の運命の開拓に当り、生きんが為に飽くまで戦ふと言ふ政策を堅持して、軍隊に無数の兵を送つた。幾百万の大軍となつてはカンネの戦の如き殲滅的勝利を収める事が不可能となつた。一國の國民は至大の抵抗力を発揮し得る故、夫れに対して迅速に勝利を収める事は中々容易でなくなつた。國家活動が歴史の始まつて以来曾て見ぬ様な深刻な所まで突き進み、幾百万の人間が殆ど動物に近いやうな、生きんが為めの戦に向つて宿命的に進んで行つて、茲に原始時代の戦が文明の今日に再現される事になつた。土地を得る為めの帝國主義戦争が、國民の生存の為めの戦となつたと

一四二

説かれるのであった。而かも各國民は莫大なる常備軍及び艦隊をば現代の恐るべき兵器を以て装備し、而かも偉大なる技術の力が待ち伏せて居る事を予想しなかったが、開戦と共に此の力が必然的に現はれて従来の制限を破るのである。……全体戦争は全的國家（全体主義國家）に於て物的及人的の厳重なる統一化を要求したが、何れの國にも夫れが実現されなかった。全体戦争（總力戦）は國民的活動の凡ゆる部門の全的動員（總動員）を要求したが、何れも其事を予想せずに、概ね純軍事的動員（経済的には相当に拡大されてゐたが）を以て夫れを解決する考へで、眼前に迫った大災危に臨んだ。元来時と共に変化して居る條件が戦争に及ぼす実際の影響をば平時に於て予想する事は何れの時代に於ても困難であった。戦術と同様に戦争実行の為めの政策も亦実際の進展変化の後をば跛行的に追ふて行くのを常とした。蓋し愈々戦争の起るまでは其真相を目撃する事が出来ぬので、或る程度までは戦争の変化の実際を知らずに戦争に臨むと云ふ事は止むを得ぬのである……」（註五）。

第二点、近代武器の発達は、現在の戦争をして、嫌應なしに總力戦たらしめる。長距離爆撃機（長距離砲も限られたる意味に於て同様の效果を有つ）の発達は、戦線と銃後、軍隊と國民との軍事的区別を殆ど抹殺した。又、戦車の発達は、國境防備線の無力化を招来した。かくて全國民は男女老若を問はず、戦争の當事者となり、一國は巨大なる要塞化し、國民全体が攻囲化要塞の住民と同様の立場に立たされるに至ったのである。戦争は、始めに述べたるが如く、元来總力的なるものであり、中世及び近世、二十世紀の始めまで戦争の總力戦化が阻まれてゐたのは、武器の発達が戦場の廣大さに並行し得なかった事実による。今や、近代科学の所産たる兵器の異常なる発達は、斯かる總力戦実現の物質的基礎を與へたのである。これに就いて、パウル・シュミットヘンネルはいふ。――「……従来は技術の力が足らずして敵の國民を圧迫することが出来なかったから、戦争中にも敵の國民をば容捨して来たのであるが、夫れを征服する手段が得られた以上は敵國民を殲滅さすべく努めるのは當然であった。斯く至大なる努と可能性とから生れた所の戦争は必ずや全体戦争（全的戦争……

一四三

一四四

總力戦）とならざるを得ぬのであった。今迄に成立した物質的、精神的及政治的の諸條件の下に客観的全体戦争及主観的全体戦争の基礎が既に据えられたのである。……現在は客観的意味でも又主観的意味でも完全なる全体戦争（總力戦）を始めて成立させて、実に恐るべき賜物を人類に與へたのである」（註六）。

第三点、世界経済の複雑化、各國民の経済的――従って政治的関係の交錯深化は、地球の一点に起る戦火をば必然的に他の地点に類焼せしめる。殊に強國間の戦争は必然的に他の強國及び諸小國を戦争の渦中に引摺り込み、中立國の存在は困難乃至不可能となり、戦争は不可避的に世界戦となり、総力戦となる。これについては今までに屡々説かれし処なる故詳述を省く。

第四点、世界秩序の轉換期の切迫せることは、満洲事変――支那事変、第二次大戦を通じて吾々の明かにした処である。満洲事変及びその継続たる支那事変が、東亜新秩序の建設を高く掲げたること、第二次世界大戦に於いてドイツのヒットラー總統が、世界新秩序建設を高唱せることは、現在の戦争の歴史的意義を示すものである。ヴェルサイユ体制にてその法的表現を見出した世界旧秩序は、社会体制的に見れば、個人主義、自由主義、民主主義を基調とせる政治、経済、文化体制であり、民族的に見ればアングロ・サクソン族を中心とする世界である。ヴェルサイユ條約締結の翌日から、かゝる旧体制に対する闘争は始まった。昭和六年（一九三一年）九月の満洲事変は、その第一声であり、支那事変はその第二声であり、又、ドイツ、イタリー等々の反聯盟闘争は第三の声たる可きものであった。今やかゝる世界旧秩序は、新しき秩序にその席を譲らねばならぬ段階に来てゐる。それは非個人主義、集團主義、全体主義に基礎を置く新しき政治経済、文化体制であらねばならぬ。

斯かる全世界の根本的轉換を招来するには戦争のほかに途がなく、且つ斯かる戦争は必然的に總力戦であらねばならぬ。

次ぎに、斯かる歴史的意義を有する世界的旧秩序の破壊と新秩序の建設とを目指す國家と、斯かる世界旧秩序を墨守し世界新秩序の必然性の認識を拒む國家との対立、即ち戦争は、二個の意識の戦争、二個の理念の闘争となる。フラーの言葉を借れば、これを二個の宗教の闘争を言ふことが出来よう。斯かる理

一四五

念と理念との闘争は、相手國民に対する些かの寛容をも許さゞるものであってそれは、古来宗教戦争なるものが最も惨酷なる戦争であった事例に鑑みれば、自ら明かとなるであらう（註七）。

第五に、而して最後に、かゝる世界史的意義を有し、一種の宗教戦争ともいひ得るほど熾烈なる理念的闘争の性質を帯びたる現在の戦争は、現実的には民族闘争の形体を採るのである。

現在の戦争は、右の如く全人類的なる歴史的意義を有し、世界新秩序と旧秩序との死活的闘争である。従って、それは一種の國際性を有つ。即ちそれは國家群対國家群の戦争といふ一面を所有する。然し、此の戦争の基礎単位は飽くまで一國家であり、一民族であり、各國家、各民族は、世界秩序に対する独自の理念を有ち、この世界のための闘争を闘ふべき独自の方法を有する。各民族は自己の世界観とそれのための闘争方法と合致する限り、他の民族との聯繫を否むものではないが、それは飽くまでナショナルなる一定の限度を有するものである。況んや、世界観を異にし、この世界観のための闘争方法を異にする民族に対しては、全身全力を挙げての戦争を行ふ。即ちこの戦争は最も苛烈なる民族闘争の形を採る。全民族と全民族とが、火の玉となって互に相戦ふ。たゞに両民族の軍隊のみならず、両國民そのものが、両民族の政治が、経済が、精神が、文化が、民族の全生存を賭けての死活的闘争を行ふのである。こゝに於て、最も広汎にして且つ最も惨酷なる總力戦が現出するのである。

以上に依って見れば、現在（及び将来）の戦争が空前の苛烈性を帯ぶる民族対民族の総力戦である事は明らかである。然らば現段階の総力戦は、戦争の本来性の回復として、単なる古代の総力戦の拡張的再生産に過ぎぬのであらうか？　換言すれば、総力戦の現段階的意義如何？

思ふに現代の総力戦の特徴は三点に要約し得る。第一は戦争指導に於ける意識性といふことであり、第二は戦争目標の至高性と云ふことであり、第三は戦争手段の無制限性といふことである。

戦争が本来、總力性を有するものであることは、前に縷述せし如くである。従って、現代戦争が単に總力戦であるといっても、たゞそれだけでは戦争が中

世の「堕落」を清算して本来の面目を回復したといふのみであって、特にその現代的意義として強調するに足らない処である。現代の総力戦の第一の——そして最も重要なる特徴は、それが総力戦として意識的に——換言すれば計画的に準備され、遂行されるといふ点にある。即ち、古代の素朴的、近世國民戦争時代の無意識的帝國主義時代の半意識的なるに反し、現代では意識的に総力戦が遂行されるのである。第一次大戦を頂点とする帝國主義戦争時代に於ては、戦争は、客観的には總力戦であるのだが、主観的には未だ十分に總力戦とはいひ得なかった。然るに現代の總力戦は、客観的に総力戦であることは勿論、総力戦のかゝる客観性を主体的に十分認識して、之が遂行せられるのである。換言すれば、總力戦の主体的条件と、客観的条件との一致といふことが、現代の総力戦に於て始めて実現せられたのである。

第二に現代の總力戦の目標は、単なる敵國領土の占領とか、敵國民の殲滅とかいふ以外に、至高なる全人類的目標を有してゐる。即ち、世界旧秩序を破壊して世界新秩序の建設を目指してゐることである。ナポレオン時代の國民戦争は客観的、歴史的に見れば、封建制の打破と近代市民社会の建設といふ高遠なる目標を有してゐたが、斯かる高遠なる目標も、主体的には十分に把握されてゐなかった。先づフランス國民は、——次いで、フランスの相手國の諸國民は、迫り来る外敵に対して本能的に無意識に闘争したに過ぎなかった。彼等の戦争目標は、國民的埒を超えなかった。然るに、現代の総力戦にあっては、全人類の旧秩序よりの解放といふ至高至大なる目標を意識的に、主体的に把握してゐる（或ひは之を現代総力戦の革新性といふも可なりであらう）。而かも、この全人類的、世界的理想が、民族戦の名に於て闘はれてゐるのである。斯かる全人類的理想を担當する民族は、之に反対し、之を妨害する民族と、死活的なる闘争を行ふ。即ち、斯かる民族は、自己民族の存亡と全人類的理想とを同じ戦ひに於て戦ふのである。換言すれば、前述せる戦争の世界史的意義と戦争の民族的意義との全き結合といふこと——こゝに現代総力戦の第二の特徴が存するのである。

第三の特徴たる戦争手段の無制限性は、第一の特徴より当然導出せられる特

徴である。現代の科学の発達は、兵器の無制限的進歩を齎らしつゝあるが、かゝる物的基礎の上に立つ現代総力戦は、その意識化により、單に物的手段たる兵器の利用の無限性を招来するに止まらず、可能なるあらゆる手段の利用を拒まない。狹義の軍事的手段のみならず、政治的、経済的、思想的、文化的、思想的、文化的……等々想像し得るあらゆる手段を惜みなく利用するのである。現代の總力戦の特徴を指してくは武力戦、政治戦、経済戦、文化戦等々の平面的併立を数へるが、問題はかゝる諸戦争型体の併立乃至羅列にあるのではなくまたそれの綜合的乃至有機的利用といふ点にあるのでもなく、実に意識的にあらゆる手段を利用し、利用すべき戦争手段に限界性を一切認めないといふ点に、現代総力戦の特徴があるのである。

従って現代の総力戦は、その戦争規模の広大性、深刻性を當然包含するのみならず、時間的にも平戦両時の区別を抹殺するものである。前に述べたる如く、戦争と平和とは表裏一体の関係にあり、平和は闘争準備時代であり、戦争はその闘争の発現形体にほかならないのであるが、現代の總力戦にあっては、かゝる平戦両時の関係を意識的、主体的に把握して、平時より総べての政治、経済、思想、文化等々を戦争遂行を中心として組織する。殊に平時の國民の政治的指導、この政治的組織化、この民族的錬成をば、総力戦目標に、意識的、計画的に行ふことにその大なる特徴が看取せられるのである(註八)。

(註一)　パウル・シュミットヘンネル、前掲、邦訳、三二一―三二二頁。

(註二)　ルーデンドルフ「総力戦」、前掲、邦訳、一九―二〇頁。

(註三)　同上、九頁。

(註四)　「ナチスの戦争理論」、前掲、邦訳、一〇―一一頁。

「プロシヤ第一の軍事評論家」といはれ、「政治と戦争指導」の著を以て有名なフォン・フライターク・ローリングホーフエンも第一次大戦が「國民戦争化」した奪きに就いて語ってゐる（Lieutenant-General Baron von Freytag-Loringhoven, "Deductions from the World War," 1918, pp. 18-19.）

(註五)　パウル・シュミットヘンネル、前掲、邦訳、三二〇―三二二頁。

(註六)　同上、三二一―三二二頁。

第一次大戦の「國民戦争化」に於ける航空気の役割に就いては、前掲、Freytag-Loringhoven, "Deductions from the World War," 1918, pp. 54-55.

(註七)　「……賢明な人は、経済に起因する戦争は、その目標によって制限されるが、之に反し、宗教的原因から起る戦争は、決してさういふ制限を受けない、といふことを認めるであらう。その理由は、一切の世俗的勝利は、戦争自体の性質上有限であるが、精神的な勝利は、総ての物質的な價値を包含し且つ之を超越するものであるから、無限である、といふ点にある。約言すれば、絶対的公正（ライト）又は絶対的正義（ジャスティス）は、無條件的であり、無制限であるが故に、その戦争は全体主義的（總力的）なのである。第二次國際聯盟戦争（第二次大戦――引用者註）は、かゝる節合のものと思はれる……それは一の絶対戦争であって、各國民の政治的生命が、抗争する二つの思潮、即ち、國際主義と國民主義との間の死闘に、賭けられるであらうし、何れか勝利する側が、西欧文明の上に自己の意思を押しつけるであらう。……かくの如き戦争に於ては、聯盟のために闘ふ國民も、独立自主國として闘ふ國民も、凡ゆる國民が、道徳とは無関係である。宗教又は定義を下し得ない或る原理、例へば世界正義といふが如き原理が、人心を支配するときには、徳性は消え失せ、血戦が行はれるのである」（フラー、前掲、邦訳、一九一―一九二頁）。「道徳的（思想的）原因から発した戦争は、一種の宗教戦争であるから、その目的は、敵の堅持する反対思想を撲滅せんとするにある。それ故、この種の戦争は、猛烈を極め、敵の一般住民に対しても、その惨禍が広く及ぶのである。これが今や展開せんとしつゝある第二次國際聯盟戦争の性質である」（同上、二八二頁）（因みにいふ、これは第二次大戦勃発前の著書である）。

(註八)　高島辰彦大佐の「皇戦」は、「欧洲大戦を契機として国家總力戦に対する意識的準備（傍点――引用者）は滔然として世界の大勢となつた」（六一頁）といひ、また「總力戰はこれを本質的に思索するとき、実は古来東西の戰争、又は両者間の競争行為の中に存してゐた……たゞこれを意識しなかつたことが（傍線——引用者）従来の戰争史をして、主として武力戰争史の形を……採らしめたるに過ぎぬ。近世に於ける總力戰意識は（傍点——引用者）……実践としての自覚は欧洲大戰を一の重大なる契機とする。大戰後半に於ける列強の交戰は正に明確なる意識的総力戰の（傍点——引用者）段階に迄発展したのであつた……」（七〇頁）として、いみじくも總力戰の歴史性、及び現代総力戰の意識性の特徴に着眼しながら、総力戰の「意義内容」を説く段に在つて、「總力戰といふ表現は、種々の意義に解せらるゝのである。即ちその第一は従来戰争に関する一般概念たる武力戰に対して、政治、経済、思想等の戰を綜合せる戰ひ（傍点同上）、即ち本全篇を通じて題材とせる解釈である。その第二は同じくこれ等の分野の戰ひに就いてもその總力、即ち全力を挙げて戰ふの意、謂はゞ分量、程度からの解釈である。第三は同じく全力を発動するにしても、民心、民力、事物の心底、内容に迄も立ち入つて凡そ実在する総力を最も能率的によく戰ひに参加させること、即ち本質内容からの解釈である。第四は、漠然と全体的有機的関聯（傍点同上）の意義を包蔵する。……総力戰の内容を考察するに当つて、反覆を厭はず注意すべきことは、それが元来渾然一体たる有機的結合状態（傍点引用者）より発する綜合作用であつて……」（八一—八二頁）、「武、政、経、心、等の各分野の戰ひの各々は……何れか一つがその主位を占め、他の分野が従位に在つて綜合される一の総力戰を形成するのである」（八四頁）といつて「綜合」「有機的」等に現代総力戰の特徴を求めてゐるらしく受取れるのは、惜しみても余りあることである。

また前掲、多田督知少佐の「日本戰争学」が総力戰を規定して「……武力戰を最後の止むなき決戰手段として（傍点引用者）重要視するものであるが、それと併行し（傍点同上）又それに前後して政治（外交・内政）・経済・思想・宗教・藝術・教育・学問など文化のあらゆる分野に

亘つて、それぞれ独自の交戰を認め（傍点原著者）、而かもかゝる各分野に亘る凡ての交戰が武力を以てする交戰と共に、統一的・帰一的に——有機的・一体的に結ばれて、一つの戰争といふ事象を展開する。斯く観るのが最新の戰争観の特異点であり、かゝる戰争形態が「総力戰」と呼ばれる今後の新しき戰争の様式である。尤も斯くの如き戰争観の変遷に先行して、戰争事実そのものは既に「総力戰」的形態の萌芽をもつてゐたといふことが出来る」（三八五頁）といひ、又「所謂総力戰形態」が「武力・経済・思想・政治等それぞれに独自なる戰ひを交ふる新たなる戰争形態」（三八八頁）であると認めてゐるのも、武力戰以外の諸手段の「併行」、「独自の交戰」「有機的」結合等を以て近代総力戰の特徴とし、総力戰の把握が並列的となれる嫌ひがあるものゝ如くである。

寺田弥吉著「総力戰教書」も「國家総力戰とは要するに、國家が有する全活力を傾注して行ふ戰といふ意味である。……独り武力のみならず経済力、科学力、教化力、宣傳力、政治力等、國家の有する活力の凡てを有機的に（傍点引用者）組織立てることによつて企てられる……それ等一の力のみに依らず、各その凡てが適宜にその処を得つゝ、統合される総力と云ふ点である」（九五頁）といひ「武力行為と政治力の発動が車の両輪の如く相補ひ相扶けつゝ進む」九六頁）としてゐる。矢張り「有機的」であり、「綜合」であり、「意識的」の重要性を看過してゐる。

なほ寺田弥吉著「総力戰教書」は、近代総力戰の意味を解釈して、(一)國家の全活力の傾注、(二)全國民の力、(三)全國土の働き、(四)全時間力（平戰両時）、(五)世界総力戰化の五号を挙げてゐる（九五—九九頁）。

四、戦争指導と政治

(一) 総力戦と政治の地位

現代は総力戦時代である。総力戦とは、単に軍隊のみならず、全國民が戦争に導入せられる。それは「全國民の他の全國民に対する全体戦争」(Dr. Guido Fischer: Wehrwirtschaft, 1936) である。それは単に武力戦のみならず、政治戦、経済戦、思想戦等々、國民生活のあらゆる場面も挙げての集中的、意識的戦ひである。

かくの如き全面的なる戦争に於いて、最も問題となるのは、戦争と政治との関係である。即ち、総力戦指導に於いて、軍事の優位性を認めるか、政治の優位性を認めるかの論である。

この問題は、古来、将帥及び政治家を最も多く悩ましたる難問であり、多く

の國の政治は、ある意味からいへば、政治、軍事の二勢力の指導権獲得の争ひであつたといつても必ずしも過言ではない。従つて、古来、軍事理論家は、純粋なる戦争指導の問題と共に、必ず此の政治と軍事との関係を研究対象として採り上げたのであつた。

思ふに、此の問題は、三個のテーマを含んでゐる。第一は、総力戦は何らか特別の政治を——換言すれば総力的政治を要求するか、といふことであり、第二は、総力戦に於ける武力戦の地位如何といふことであり、第三は、かゝる武力戦の指導と政治指導との関係如何といふことである。

第一点、総力戦は総力的政治を必要とするかといふことについては、吾々は積極的に答へざるを得ない。一般に近代総力戦論の鼻祖と看做されてゐるルーデンドルフ将軍は「政治は総力戦と同様に、総力的な性格を持つべきである」(「総力戦」邦訳、二〇頁)と喝破してゐるが、総力戦は、単に総力的政治のみならず、その制度的形態たる総力的國家、即ち全体主義國家をも要求するものである。これについて、パウル・シュミットヘンネルはいふ——「大戦中國家の権力及國民の力をば全体戦争の指導の為めに有意義に使用する事に就てルーデンドルフが頻りに努力したのに対して、独逸國民及其指導者が夫れを拒んだのであるが、今日に於ては此の事は総ての独立國家及國民の当然の目的とされる様になつた。……千九百十四年より十九年に至る世界大戦中に、始めて其恐るべき真面目を暴露した所の全体戦争(総力戦—引用者註)は新たな政治要求を提出し、其指導の為めには國家の公生活及私生活の全体を包括する所の具体的基礎を立てる事を強要した。而して此の基礎が出来ぬ場合には其の國民は没落の外はない。全体戦争(今日では夫れが主観的にも客観的にも全的である)は不動の事実として國民の生活を支配し、其生活は必然的に此の具体的條件に依つて律せられる。全体戦争は近世史中始めて戦争実行としての政治をして、政治的活動に絶大の努力と重要性とを持たす事にとなつた」(註二)。

第二点、総力戦に於ける狭義の軍事的指導即ち武力戦そのものの地位如何については、吾々は武力戦第一主義と、武力戦の地位低下論との二つに接する事が出来る。即ち、総力戦は、その前代の単一武力戦時代と異なり、武力戦の地

に政治戦、経済戦、思想戦等々、その戦野は全面的に亘る。武力戦の地位が、諸他の戦ひと同等または同等に近い地位にまで引下げられて観念さるゝ恐れがある。ジョリー・ド・メーズロア（Joly de Maizeroy）やマッセンバッハ（Massenbach）の所謂「戦闘なき戦闘」（war without battle）の如き極端なる議論（註二）とまでは行かずとも、或ひは「武力戦を最後の止むなき決戦手段として」これを重要視するが、しかし「それに前後して政治（外交、内政）経済・思想・宗教・藝術・教育・学問など文化の凡ゆる分野に亘つて、それぞれ独自の交戦を認め」たり（註三）「所謂総力戦形態に於いて、武力、経済、思想、政治等それぞれに独自なる戦を交ふる」ことも認めたり（註四）する議論甚だしきは、ゾルダン・カスパリの如く「(一)軍隊の決戦・戦闘そして一般的に武力戦は戦争決定要素としての従来の特有の意義を失つた。それ等は最早や戦争の勝敗を決定する第一の要素たる事は出来ぬ。(二)その代りに、経済戦及び思想戦が勝敗決定の第一の要素となつた」といふ論者さへ出づるに至つた。（註五）

然し乍ら之は、完全に誤謬であつて、戦争の基本的要素が「敵を屈服せしめて自分の意志を実現せんが為めに用ひられる暴力行為」（クラウゼヴィッツ、前掲、邦訳上巻、五二頁）である以上、武力戦が第一位にして、爾余の政治戦、経済戦、思想戦等々は、この武力戦の效果的遂行を容易ならしめんための補助的、従属的地位を有するに過ぎないのである（註六）。

第三点、かゝる武力戦の遂行即ち、所謂戦争指導と政治との関係は、然らば如何に規定さる可きか？

総力戦に於いて、武力戦が諸戦争手段の中、第一位に置かるべきであるといふことゝ、かゝる戦争遂行に対する政治の地位如何といふことは、全然、別個の問題である。こゝにいふ戦争指導とは、武力戦の指導、即ち純「軍事的戦争指導」を意味するのであるが、かゝる戦争指導は、戦争全般につきその最高指導の任に当るべき政治にその優位を譲り、後者の指導の下に立たねばならぬ。即ち、たゞに「軍事的戦争指導は、敵及び輿論の思想的・精神的打撃、全國民乃至経済力の総動員、同盟國の獲得、少なくとも中立諸國の好意等の如き非軍事的戦闘手段の利用を充分にするところの全体的戦争指導の一部をなす」（註七）

のみならず、かゝる戦争に於いて追及すべき國家的・民族的目的、かゝる戦争の開始及び終止をも決定すべき、一國の政治の中に包含され、その一部とならねばならぬのである。

以下、この点に関する諸家の理論の発展の跡を尋ね、戦争指導と政治との関係を確定し、以て、本研究の結論となすであらう。

（註一）パウル・シュミットヘンネル、前掲、邦訳二五〇－三五一頁。

（註二）Marshal Foch, Op. Cit, P. 27.

（註三）多田督知少佐、前掲、三八五頁。

（註四）同上 三八八頁

（註五）Karl Linnebach, "Über die Kriegsentscheidung," S. 6. in "Wehrgedanken" 1938. 多田、前掲、三八六－三八七頁。

（註六）寺田彌吉著「総力戦教書」が、総力戦に於ては武力戦の重大性を指摘してゐるのは（一四〇頁）、流石といはねばならぬ。但し、この説と矛盾する辞句は、諸所に散見するが（例へば二一一頁－「…教化力が充実して来れば、或場合には政治戦、経済戦、さては武力戦の代りをするだけの威力を有する……」－傍点引用者）。

（註八）「ナチスの戦争論」前掲、邦訳、二四八頁。

(二)　政治・軍事關係論

戦争指導と政治との関係──時代語を以てすれば、政戦両略の関係限定論は、多くの論者の研究の対象となつたが、吾々は二の問題について、四個のカテゴリーを区別することが出来る。第一は政治・軍事背反論（諸家）であり、第二は政治優位論（クラウゼウイッツ）であり、第三は軍事優位論（ルーデンドルフ）であり、第四は政治・軍事折衷論（モルトケ）である。

(A)　政治・軍事背反論（諸家）

一聯の戦争反対論者が、戦争否定──従つて政治と軍事との融和すべからざる所以を説くのは当然である。例へば、ラスキー教授は「戦争と文明とは互ひに相排撃する言葉である」となし（註一）またバーンズが「戦争とは疾病である」となし、それが「心理的異常性」たると同時に、また「政治制度の中に於ける癌種」であるとして（註二）「戦争の政治組織及び公共政策に対する」干渉（註三）を説いてゐるのは、軍事が彼等のいふ政治と一致し難きことを主張せるものに外ならない。之等の政治・軍事背反論に就いては詳述をなす要を見ないであらう（註四）。

（註一）"The Intelligent Man's Way to Prevent War," op. cit, P. 499.

（註二）C. Delisle Burns. "War and a Changing Civilisation," op. cit., P. 1.

（註三）Ibid., PP. 32-33.

（註四）然し乍ら、これらの論者と雖も、戦争がある種の政治（彼等の好ましからざる経済的帝國主義その他）の「手段」たることを認めてゐる。（"The Intelligent Man's Way of Prevent War" ibid. et P. 501. "The Causes of War" op. cit., PP. 163 ff.）

(B)　政治優位論（クラウゼウイッツ）

戦争指導と政治との関係に就いて、先づ明快なる定義を下したのは、クラウゼウイッツである。この点に関する彼の中心命題は「戦争とは他の諸手段を以てする政治の継続なり」（傍点クラウゼウイッツ）といふことである（註一）。この命題は、これを「常に固く把持しおく事によつて観察には一層の統一が齎らされ、一切の縺れは一層容易にほぐされる」ものであり、クラウゼウイッツは、その「戦争論」の随所にこれを繰返し述べてゐる（註三）。然り「戦争は真面目なる目的に対する真面目なる手段である……一協同社会の戦争、即ち全国民間の戦争、就中開明國民のそれは、必ず政治上の状態に胚胎し、政治的動機によつてのみ喚起される。故に戦争は一の政治的行為である。」戦争を政治から分離することは、絶対に誤りである。政治によつて惹起された戦争も一たん起れば、直ちに政治より完全に独立し、それを押しのけ、その独自の法則にのみ従ふべしといふのも「根本的に謬つてゐる」。政治は単に戦争を惹起するのみならず、絶えず、これに影響を及ぼす──「戦争は、その目的を達するに遅速の差ありとは云へ、常に必ず一定の期間連続し、その間に或は右へ或は左へ方向の変化が與へられる余地が残されてゐる。即ち戦争は之を嚮導すべき理智によつて左右されざるを得ないわけである。所で今戦争が政治的見地より出発したるものなりとすれば、戦争を惹起せしめた此の最初の動機が又戦争の指導に対しても最も重要なる働きを及ぼすべきは、いふ迄もない」。勿論「政治的目的は決して専制的立法者ではない。それは手段の性質に従はねばならぬ。屡々その為に全然その性質を変ぜしめることさへある」。しかし「それ（政治的目的）は第一に考慮されねばならない所の要素である。かくて政治は全軍事行動に貫通し、戦争に於て爆発する力の性質が許す限り、之に不断の影響を及ぼすのである」。（註三）

いふまでもなく、戦争は、独得の性質を有する手段である。しかし、それにも拘らず、戦争の手段たることには変りはないのだ。──「こゝに於てか吾々は知る。戦争が單に一の政治的行動であるのみならず、又実に一の政治的手段たり、政治的対外関係の一の継続たることを。然り、それは他の手段を以てするそれが実行に外ならないのである。戦争に固有なるものありとすれば、それはその手段の性質に基づくものに過ぎない。政治の方向及び意図をしてこれらの手段と矛盾せしめざらんとするは、一般に兵術が要求し得る権利であり、又個々の場合に将帥が要求し得る権利である。然し仮令個々の場合にそれが政治的意図に及ぼす反作用が如何に大であるにしても、その反作用は常に政治的意図の修正の範囲外に出るものではない。何故といふに政治的意図は目的であつて、戦争は手段である。そして未だ曾て目的なき手段といふものはあり得ないからである。」(註四)

　クラウゼウィッツは「戦争に幾多の種類あること」を認める。即ち「抽象的戦争」と然らざる戦争である。「抽象的戦争」とは「戦争の動機大にして、且つ猛烈……國民の全生存に影響する程度の著しく戦争に先立つ緊張がさかんである」ものをいひ、「その結果、敵の打倒といふことが愈々中心目標となり、

一七〇

戦争の目標と政治的目的とが愈々合一し……愈々戦争らしくなり、愈々政治らしからずなりゆく」戦争である。後者は「戦争の動機と緊張弱く……戦争の自然の方向たる暴力が愈々政治の指定する線の上に落ち」「その自然的方面から逸らされ、政治的目的と理念的戦争の目標とが相背離し、愈々政治らしくなりゆく」戦争である。かくの如く、「政治が全然埋没されてゐる様に見え」る戦争も「政治が甚だ顕著に顕はれてゐる」戦争もあるが、「その何れもが同様に政治的であるといふことは、疑ひなきところである」(註五)。クラウゼウィッツは、更らに「戦争は他の手段を以てする政治の継続なり」との命題を詳論していふ。

―「……戦争は政治的交渉の、(手段に過ぎず、それ故に決して独立なるものではない……(傍点クラウゼウィッツ)。勿論戦争が諸政府及び諸國民の政治的関係によつてのみ惹起されるといふ事は、誰もが知つてゐる事である。然し人は普通此の法則を次の様に考へてゐる。曰く、戦争の勃発と共にかの政治的関係は中絶し、独特の法則に従ふ所の全然異つた状態が成立するのであると。然し吾々は之に対して次の如く主張する。曰く、戦争は他の手段を用ひる所の、政

一七一

治的関係の継続に過ぎぬと」こゝに「他の手段を用ひる所」と彼がいつたのは、「此の政治的関係なるものは戦争によつて中絶してしまふものでも、全然異つた他のものに変つてしまふものでもない事、否、それが用ひる所の手段が何であれ、その本質は不変である事、継起する軍事上の諸事件を運載してゐる所の主要なる流れは畢竟するに戦争から講和に迄走つてゐる所の政治の姿に過ぎないといふ事」を意味するのである。「一体外交文書の往復が途絶えたからといつて、諸國民諸政府の政治的諸関係も亦途絶えてしまふものであらうか？戦争とは要するに政治的諸関係の内容を他の表現法を以て発表したに過ぎないのではないか？成程そこには特別な文法はある。然し特別な論理はないのだ」(傍点引用者)。戦争は「その独自の法則に従ふ事能はずして、他の全体の一部分と看做されねばならぬ……そして此の全体が即ち政治なのだ。」手段は目的に、部分は全体に従はねばならぬ。かくて「あらゆるものを破壊せずんば止まない猛烈無比を以て本領とする所の戦争も、政治の手裡に帰するや、單なる一手段となつてしまふ。会戦は恰かも恐るべき巨剣の如きものである……所がそれが政

一七二

治の手裡に帰するや、忽ち軽便自在の細剣となり……様々の妙手を以て敵手と技を争ふ手段となつてしまふ」。(註六)従つて、当然、戦争は政治によつて特徴づけられるのである。―「戦争が政治に所属するとすれば、それは当然政治の特質によつて特徴づけられる。政治が大規模でその威力が大であれば、戦争も亦さうなる。その程度には際限なく、かくて遂に戦争が絶対的な姿にまで達する事が可能である」(傍点クラウゼウィッツ)。といつても「騎哨の配置や斥候の派遣までもが、政治的顧慮によつて規定されるわけではない。」しかし「全戦争一戦役の作戦計劃、屡々又一会戦のそれを作製さるに当つてさへも、此の要素(政治的要素―引用者)の及ぼす影響はそれだけ屡々決定的なものとなるのである」(註七)。作戦計劃の作製に当つても政治的着眼点が他の一切の着眼点に優位せねばならぬ。何となれば「戦争といふものは……政治それ自体の表現に過ぎないのである。然りとすれば政治的着眼点を軍事的着眼点の下位に置くのは不條理であるといはねばならぬ。蓋し政治が戦争を生んだのであるからだ。政治が主宰者で、戦争は手段に過ぎない。その逆では決してない。」然らば軍事的

一七三

着眼点を政治的着眼点の下位に置く事のみが、可能なる唯一の方法である」(註八)。

從つて、もし政治が戦争指導に悪影響を及ぼす場合がありとすれば、それは、一般に、政府が戦争指導に影響を及ぼすといふ原則そのもの、罪ではなくて、か、る悪影響を及ぼす「悪しき政治」の罪でなければならない。この場合、非難さるべきは、政治と軍事との関係ではなくて政治そのものである。――「か、る立脚点に立つ時、政治的利害と軍事的利害との牴触は少なくとももはや事物の性質上存し得ざる事となり、從つてそれが生じたとすればそれは唯統一の不完全なりし事の罪にのみ帰せらるべきである。政治が戦争に対してその到底実行し得ない様な要求を提出するといふ事は全然あり得ない事である。…政治にして軍事的諸條件の経過を正しく評價し得るものとすれば、戦争の目標に達する為に最も適應した戦争の方針や事件を規定する事は、全然政治の仕事であり、又政治のみの仕事である。之を要するに、兵術は、最も高い見地より之を見る時政治となる、但し此の政治たるや、外交文書を往復する代りに、会戦を実行する所の政治である。…凡そ一戦争にとつて必要なる主要諸作戦はすべて政治的諸関係に対する洞察なくしては行はれ得ない。世人は屢々政治が戦争の遂行に有害なる影響を及ぼすといつて非難してゐるが、これは全く見当ちがひな考へ方である。か、る場合に非難しなければならないのは此の影響ではなくて実は政治それ自身なのだ。政治が正しければ、即ちそれがその目標に適合してゐれば、それは戦争に影響して有利なる結果を齎さざるを得ないのだ。若し此の影響が目標から逸れたものであれば、その原因は専ら間違つた政治の中に求めらるべきである」(註九)。か、る政治の誤りを匡救するためには、政治にある程度の軍事的知識が絶対に必要であるが、それは、必ずしも「良き軍人」が最良の宰相であるといふ意味ではない。歴史上の事実は、その反対であることをさへ示してゐる(註一〇)。

かくて、クラウゼウィッツは、「戦争をして完全に政治の目的に適應せしめ又政治をして、戦争の為の諸手段が許す以上の事を企図せしめない為に」政治家と軍人とが同一人中に結合されない限り、その救済方法として「最高の将帥を内閣の一員」たらしめることを主張する(註一一)。クラウゼウィッツは又

「兵術の実際の変化も亦、政治の一変したる事の結果である」ことを述べ、最後に「もう一度繰返して」、「戦争は政治の一手段である」といひ、「戦争は必然的に政治の特徴を帯びねばならぬ。その規模は政治のそれに対應しなければならぬ。それ故に戦争の実行は根本に於ては政治それ自体である。その場合政治はペンに代へるに剣を以てするが、然しそれが為にその固有の法則に從つて思考する事を中止するものではないのである」と結んでゐる(註一二)。

以上の如く、「軍事科学の一等星」たるクラウゼウィッツは、政治と戦争指導との関係論に於いては、徹底的なる政治優位論者である。

(註一) クラウゼウィッツ、前掲、邦訳、上巻、一一頁。Major Stewart L. Murray, "Reality of War, from Vom Krieg" by Klausewitz" 邦訳一二五頁以下参照。

(註二) 例へば同上、上巻、五五、七七頁、下巻五〇〇、五〇一、五〇二、五一二頁等々。

(註三) 同上、上巻、七五―七七頁。下巻五〇二頁。

(註四) 同上、上巻、七七頁。

(註五) 同上、七七―七九頁。

(註六) 同上、下巻、五〇一―五〇三頁。

(註七) 同上、五〇三―五〇四頁。

(註八) 同上、五〇四―五〇六頁。

(註九) 同上、五〇六―五〇八頁。

この点は頗る重大である。政治そのものをよくすること。こゝに全問題の眼目があるのだ。

(註一〇) クラウゼウィッツは、その一例として、フランスに於いて、「良き軍人」ベレイスル兄弟及びショアズール以下の時代ほど、政治的行動、軍事行動両つ乍ら拙劣なりし時代はないことを挙げてゐる。

(註一一) 同上、五〇八―九頁。

(註一二) 同上、五一二頁。

(C)　軍事優位論（ルーデンドルフ）

クラウゼウィッツの政治優位論に対して、真向から反対し、軍事の優位性を主張したのは、ルーデンドルフ将軍である。彼のクラウゼウィッツ批判――軍事優位論は、その「総力戦」論（一九三五年）中に改めて展開せしめたと普通見られるのであるが、彼はそれより先き「戦争指導と政治」（"*Kriegführung und Politik*," Berlin 1921）に於いて、や、整はざる形に於いてゞあるが、同様の見解を展示してゐるのである。

ルーデンドルフは其の著に一般の例の如き「政治と戦争指導」なる名称を附せずして、特に「戦争指導と政治」を選びたることを先づ陳弁する。それは、ドイツ人が「未だ十分に戦争指導の全重要性を認識せざるため」である。蓋し当時のドイツは、第一次大戦後の疲弊の絶頂にあり、ドイツ人は上下を挙げて平和論に陶酔してゐたのである。彼等は「政治と戦争との相互影響を認めるが、それはひとへに政治的考慮に従つて、否時としては党派的見地より、余りにも多大の排他心を以てするのみである……」彼等は、この政治と戦争との相互関係か、専ら「戦争の苛酷なる現実から、諸国民の生きんとする意志、その権力意志との関聯に於いて」考察されねばならぬことを忘れてゐる。ルーデンドルフは、「政治及び戦争指導が互ひに対立するを嘉しとするものではない。蓋しか、る対立は現実には存在せざるものであるし、少なくとも存在すべきものではないからである。政治と戦争指導、戦争指導と政治とは、クラウス将軍（*le général Krauss*）が明確にいひし如く、結局は同一物に過ぎない。」人々は単純に政治としては対外政治（外交政策）のことしか語らぬが、政治的には国内政治があり、経済政策があり、これらは共に戦争指導に服従せしめられねばならぬ。（註一）斯く冒頭しつゝ、ルーデンドルフは、クラウゼウィッツの有名なる「戦争は政治の一手段である」と述べた章句を引用しつゝ、これを批判しクラウゼウィッツが、彼の時代既に見られし、国内政治力及び経済政策と戦争との関係の問題に触れざりしを責める（註二）。そしてクラウゼウィッツの「戦争

は他の諸手段を以てする政治の連続である」とのテーゼは「戦争は他の諸手段を以てする対外政治の連続である」と読まれねばならぬこと、及びこれは、その上に「加之、全政治は戦争に奉仕せねばならぬ」なるテーゼを附加せられねばならぬと結論する（註三）。

ルーデンドルフが斯かる結論に到達したのは、大戦中、ドイツの政治権力が完全にその無力性を暴露したが故である。ルーデンドルフによれば、ヒンデンブルグ及びルーデンドルフより成る第三次（大本営）は、政治的経済的全領域に於いてクラウゼウィッツが将帥に要求せし如き高度の理解を有してゐた。ルーデンドルフの如き、屡々独裁的指導権の把握を要請せられた程である。然るに政府当局は「戦前と同様に大戦中も完全に無力」であつて、対内策に於いても、敵のロイド・ジョージ、クレマンソー、ウィルソン等の如き政治家が夫々自国の民衆に対せし如き手腕を発揮し得なかつた。ドイツ政府は「政治と戦争遂行」に関するクラウゼウィッツの見解を全然理解せず、戦争一般の本質、及び特殊的には第一次世界大戦の本質を理解しなかつた。政府の行動は従つて戦争遂行に対して宿命的に害毒を及ぼさゞるを得なかつた。彼等にとつては「戦争は他の諸手段を以てする対外政治である」といふ章句は、全然意味を有たなかつた。「政治権力は戦争に於いて主導的任務をとるべく要請せられてゐることを理解しなかつた。政治権力の義務は、戦線に於いて勝利するために国民の有するあらゆる力を軍最高首脳部へ提供し、それ自身も敵国民の士気に対する闘争を指導するにあつた。政治権力は、政治とは獲得し得るものを獲得する技術に非らずして、ひとへに国民及び国家に対しその必要とするものを齎らすべき意志であることを理解しなかつた。」「政府は、特に国民士気の決定的重要性とか、る士気と武勇との間に存する関係を認識しなかつた。」斯くして「政治はますく戦争指導に（悪しき――引用者）影響を及ぼし、つひに、この戦争指導を完全に麻痺せしめ、軍隊の後方に於て倒れ、軍隊及び国内を武装解除したのである。」（註四）。斯かる苦き経験に鑑み、ルーデンドルフは「戦争をば他の諸手段を以てする対外政治、乃至は力の概念に奉仕する対外政治の極端なる手段と看做し、国家にとつて必要なる事物の実行といふことが知性の最後の言葉で

あるとなす如き、一般政治が我々にとつて必要であること」を見出した。彼が斯くいふのは、決して「乱暴なる一軍人」としていふのではなくして、「運命によつて教訓せられた一個の人間」としていふのであり、そして彼は「國民とその指導者たちが、政治と戦争遂行との統一が戦争の真髄であることを明瞭に認識することが緊急必要であると考へる」のである。かくて彼は、「單にクラウゼウイッツの云ひし如く、政治の指導者が戦争に関する事物に対する若干の知識を有するのみにては足らず、國民そのものが斯かる知識を有つべきである。斯くして始めて吾々は救はれ得るであらう」といひ、斯かる民衆の上に立つ指導者が、戦争指導と政治との関係をよく認識し、民衆の政治教育を完全にして、國民と指導者とが渾然一致して、お互に信頼し合ふべきことを主張するのである。(註五)

以上は、一九二一年の「戦争指導と政治」とに現はれたルーデンドルフの見解であるが、一九三五年の「総力戦」に至つて、彼の意見は更らに明瞭となる。

彼は、前述の如く、「総力戦」論に於いては、クラウゼウィッツのいふ如く「戦争に数多の種類ある」時代は過ぎ去り、世は総力戦時代に移つたことを主張したが、それは、同時に、政治と戦争指導との関係に於いても根本的なる変化を招来したことを意味するのであるとする——

「総力戦の特質から眞に必然的に根本的な種々の結論を生ずる。クラウゼウイッツ以後即ち爾後約百年の間に戦争の本質が変化したと同様に政治と戦争指導との関係も変り従つて政治自体も亦変らざるを得なかつた筈である。私は前にクラウイッツの「戦争論」から再録して、政治と戦争指導の関係に就ての彼の意見を紹介したが彼はその際政治に就ては対外政治即ち各国民間の関係の調整と宣戦及び媾和の事に就てのみ考へたのである。そして他の方面の「政治」は全然考へに入れてなかつた。彼はこの対外政治の價値を戦争の價値よりも遥かに重視し戦争と戦争指導を強く対外政治に隷屬させた。だも彼は戦争指導即ち統帥の重んずべき事に関し、二、三言及する所はあつたが……クラウゼウイッツ自身も対外政治を斯く過重視する事に就いては幾らか考へさせられたと見え、勿論事柄の本質を逸してゐるとは謂へ……單に対外政治のみに就て言ふのみでなく、国家

の全体の政治が問題である事を断つてゐる。」(註六)

では、ルーデンドルフは「政治」に対して如何なる要求をなすか。

「元来政治の局に当る者は單に戦争指導の必要に應ずる如く外交を指導せんが為に、軍事に就ての理解を有するのみでなく、特に戦争がとりあげた事柄の本質を理解し、而して全國民の指導者、即ち政治が、國民生産維持の為めあらゆる領域に於て果すべき任務が、それから如何に形作られるかといふことを洞察し得なければならぬ。之が為に必要なのは單に政治家の或程度の理解に止まらない。更に幾世代を通じて注意深く養はれ、而して永く保持すべき全國民共有の傳統を欠くことは出来ないのである。」(註七)。然るに、前述の如く、第一次大戦前及び大戦中、ドイツの政治は—そして軍人までもが—その職務を盡さなかつたのであつた。——「世界大戦前及び大戦中に政府、官吏及び國民は勿論、多数の将校までもクラウゼウィッツの説に囚はれて、この極めて緊要な事実を看過した(但し、前述の如く「戦争指導と政治」に於ては、ルーデンドルフは、政治がクラウゼウィッツの言を理解しなかつたといつてゐる)。政府及び官吏は彼等、即ち政治に全然新たな任務が課せられて居ることを覚えず、又國民は戦争が自分達に如何なる要求を課するであらうか、否、既に課して居るかを知らなかつた。政治は遅蒔きながら大戦の経過中には國民の活動力を十分に発揮させ、且つその生活形式の為に盡すべきであつた。そして國民は一致團結して軍隊の為——即ち自分自身の為に——最後の一物をも捧ぐべきことを理解しなければならなかつた」(註八)即ち、大戦中、戦争はその性質を変じて総力戦となつたのに、政治はこれを認識しなかつたのである。もし政治にして総力戦を認識するなれば、政治もその本質を変へねばならぬ——

「総力戦はその本質上、一國民の総力に対して指向せらる、を以て、それはまた文字通り國民の総力を要求するものである。

斯くの如く不可欠還元し難い幾多の事実の影響下に、戦争の本質が変化したる如く、法制的に……政治の任務の範囲が拡大され、政治それ自体も変へられなければならぬであらう。即ち政治は総力戦を目標に、総力的な性格を持つべきである。(傍点引用者)。政治は総力戦に於て、國民をして最大能率を発揮せ

しめる事を顧慮し、断然その目標に順應した國民の生存維持の理論を実現し、且つ精神的領域は固よりのこと、凡ゆる領域に於て、國民がその生存の維持に必要とし、且つ要求する所に十分に考慮を拂ふべきである。抑々戦争は一國民がその生存維持の為に行ふ最高の緊張であるからには、総力的政治も亦既に平時より戦時に於ける國民の生存闘争の準備に卽し、且つこの生存闘争の為めの基礎を確立し、それが戦時の重大なる危局に遅滞し、齟齬し或は敵により全く破壊し去られることの無きやうにしなければならぬ」。

かくて、ルーデンドルフは結論していふ。——

「戦争の本質が変化し、政治の本質も変つた以上は、政治と戦争指導との関係も亦変らざるを得ない（傍点引用者）。クラウゼウィッツの立てた総ての理論は最早全然廃棄せられねばならぬ。戦争及び政治は共に國民の生存の為めに行はる丶ものであり、就中戦争は國民生活意志の最高の表現である。從つて政治は戦争指導に奉仕すべきものである」（註九）と。

斯くの如くにして、ルーデンドルフは、「政治は戦争指導に奉仕すべきものなり」といふ結論を得、軍事の優越性を高らかに叫ぶのである。

（註一）Erich Ludendorff, "Conduite de la guerre et politique"（Trad. française de "Kriegführung und Politik" par le Capitaine breveté L. Koeltz）. 1922 PP. 1-2.

（註二）Ibid., PP. 2-6.

（註三）Ibid., P 28.

（註四）Ibid., PP. 412-417.

（註五）Ibid., PP. 429-431.

（註六）ルーデンドルフ「國家総力戦」前掲、邦訳、一一一一四頁。

（註七）同上、一四頁。

（註八）同上、一五頁。

（註九）同上　一六一二一頁。

ルーデンドルフはなほ、新しき総力的政治を説明して、次ぎの如くいつてゐる——

「各國民が益々その民族意識に覚醒し、國民意識が彼等の間に愈々旺盛となり、國民的生存條件が各方面に於て層一層明確に認識され……るに從つて前述の如き政治、卽ち國民生存の維持に努め、且つ総力戦の要求に應ずべき覚悟を有する政治が自ら生れるであらう。斯くの如き政治は直ちに眞の國民的政治であり、又喜んで戦争指導の要望を充すであらう。蓋しこの両者は國民の維持といふ共通の目標を有するからである」（同上二一一二二頁）。

（D）政治・軍事折衷論（モルトケ）

近代ドイツ興隆の礎石を置いたものはウイルヘルム一世の下のプロシヤによるドイツ統一であつた。このウイルヘルム一世の偉業を助け——若くは実際上の主宰者として活動したのは、フオン・ビスマーク宰相である。この稀代の大政治家は優れたる軍指導者フオン・モルトケ將軍と相携へて、近代ドイツ興隆の第一の基礎を築いたのであつた。

ウイルヘルム一世の下に於けるビスマークとモルトケとの三位一体——世人はこの時代ほど政治と軍事との美事な統一がみられたことはないと卽断し勝ちであらう。然るに事実は、この時代ほど軍事と政治とが激しい対立、抗争を呈示した時代はなかつたともいへるのである。卽ち政治の執行者たる宰相ビスマークと、戦争指導の責任者たる総参謀長モルトケ將軍とが、猛烈なる抗争を演じたのであつた。

ビスマーク登場以前のプロシヤにあつては政府と議会、軍部、國民が互に対立して統一を欠いてゐた。シュミット ヘンネルによれば「政府と議会、國家と社会、軍人と一般社会國民とが対立し、軍事と立法との乖離は益々甚しくなつた」（前掲、二九九頁）のであつた。これについて、フオン・シュタイン男爵が、皇太子（後のウィルヘルム二世）に対し「終に軍隊と一般國民とが互ひに反対の立場を占める樣になつた」と報告した程であつた。ビスマークはか丶る不統一を打破せんと腐心し、一八六二—一八六六年に亘り、議会を相手として

一九〇

統一回復のための闘争を敢行した。そのために、プロシアの軍國的國家が再建され、プロシヤ軍隊をば、プロシヤ及びドイツの要求に相應はしく改革することが出来た。当時勃興しつゝあつた自由主義の時代精神に背馳して、ドイツ精神の発揚に努め、以て「政治及び戦争の典型的調和の下に」（シュミットヘンネル）第二帝國を建設すべき途を開いたのである。

然るに「平時に於けるビスマークの統一指導の圧倒的努力の下に於て、戦時の政治及軍事の両首脳部間に徒に摩擦が生じた」（註一）のであつた。ビスマークは、戦時に於けるかゝる政治と戦争指導との分裂を救はんと努力したが、モルトケの抬頭に遭つて、よくその目的を達し得なかつたのであつた。

元来、この時代のプロシヤに於ては、宰相の下に陸軍大臣あり、陸軍大臣の下に参謀総長ありという形で、軍統帥部首脳は陸軍大臣に隷属してゐたのであつた。然るに参謀総長にモルトケが就任するや、漸次にその地位を高め、遂に、宰相と同等の発言権を要求するに至つたのである。「千八百五十九年の動員以来、参謀長モルトケ（其頃には参謀長は独立的地位を占めてゐなかつた）が益々頭を抬げて来た。殊にモルトケの人物が優れて居た関係上、其職務には特別の内容を持つに至つた。従来陸軍の首脳部は政治的には下位に置かれたが、モルトケは次第に対等の地位に登つて来た（夫れには尚ほ以前に普魯西で外交官と軍人との間に対立を生じ、其争が次第に激しくなり其の結果首位に立つ軍人が首位に立つ外交官と対等の地位を占める様になつた事も影響を及ぼしたのである）」（註二）。

ビスマークが軍人の発言権を抑へ、全般的指導権と政治の手に収めんとしたのに対し、モルトケは折衷論を以てこれに應じた。即ち、彼は、(一)政治の軍事に対する優位を原則的に認める（殊に戦争の開始と終結とについて）、(二)だが、軍事行動自体に関しては（即ち戦争期間中は）政治の指導権を拒否するといふ建前を堅持したのである。それについて、シュミットヘンネルはいふ――「モルトケは確かに政治の指導者の優位を承認し、且つクラウゼウィッツの主張の如く軍事的行動は政治の為めに拘束を受くべきものである事を認めては居たが、夫れでも尚ほ政治が軍事行動を妨害する事を感じた。モルトケも此の世紀の分

一九一

一九二

立的精神に囚はれて、少なくとも戦闘行為自体に就ては全然政治の制肘を受けぬ事を要求した」（註三）。また同じ問題について「ナチスの戦争理論」はいふ――「モルトケの見解によれば、政治は戦争の開始と終結とに決定的に影響する。然し戦争期間においては、戦争は政治から『完全に独立的に取扱はれる』。戦略はその努力を新奨の手段によつて到達し得る最高目標に常に向けねばならぬ。政治はその成行に應じて　その要求を増し、或はその僅少なる結果に満足するに任せる。ブルメンタール将軍は一八七〇年に次の如く言つた『聯邦首相の政治は、吾々に何の役にも立たぬ』と」（註四）。

何故にモルトケが、斯かる折衷論を抱いたか。シュミットヘンネルによれば、それは「蓋し当時の軍事が多くの場合に単純であつたから、此の考へは無理もない要求である」ともいへたのであつた。

然しかゝる折衷論は今日如何なる意味を有つか？――「然し一度全的戦争（全体主義の戦争――総力戦）の多角性が現はれた場合」に就いて観察すれば、此の考は誤つてゐた」（註五）のである。又、実際に就いてみても、モルトケの折衷論は、事実的軍事優位論であり、そして政治と軍事とはしばしば激烈なる対立状態に陥つたのであつた（註六）。勿論「ビスマークが宰相就任の当初に既に必要な軍事上の知識を持ち、軍事の首脳部との協定にも夫れを十分に入れて居だ」ので、政治と軍事との対立は、事態を破局に導くことはなさず、ビスマークとモルトケとの「緊張」は「実際…ビスマークの政治的大手腕に依り、政治及戦争実行の統一が根本的に確保され、且つ戦争の場合に於て抗争の起る可能性が概ね除去され、又ウイルヘルム一世も戦争中統一の維持に努めた為めに…緩和されたのである」（註七）。

（註一）　パウル・シュミットヘンネル、前掲、邦訳、三〇二頁。

（註二）　同上、三〇三―三〇四頁。

（註三）　同上、三〇四頁。

（註四）　「ナチスの戦争理論」二五一―二五二頁。

（註五）　パウル・シュミットヘンネル、前掲、三〇四頁。

（註六）　ビスマークとモルトケとの対立は、一九六六年の普墺戦争に於け

一九三

るライン第八軍團の使用問題、ウイン前面のフロリスドルフ陣地突破問題、講和條件、一八七〇―七一年の普佛戰爭に於けるセダン會戰後の対佛軍事措置問題、パリ攻圍問題、講和條件決定問題等々に於いてみられる。殊に普佛戰爭に於いて、就中その末期に於いて、兩者の抗爭が激しかつた。（參照シユミットヘンネル、三〇四―三一四頁。「ナチス戰爭理論」二五〇―二五四頁）

（註七）　同上、三〇五頁。

これについて、「ナチスの戰爭理論」はいふ。――「モルトケの立場は、……今日既に顧みられなくなつてゐるが、當時既にビスマークによつて論難されてゐた。『思索と追憶』の中にビスマークは此問題の中に解明を與へて曰く、『目標の決定と制限は、戰爭を通じて達成さるべきものであり、それには、帝國の閣議が協力し、戰爭期間中と雖も平時の如く一つの政治的課題として存在する。その解決の方法は、戰爭指導の方法に影響を與へずにはおかない。後者の方法と手段とは、最後に得た結果を多少とも完成するか否か、又は國土の割讓を要求するか、或はそれを放棄するか、或はその租借權を如何に長く保持するか否かといふ事に常に依存するであらう』（二五二頁）。

（三）　總力戰と總力的政治の確立（結論）

政治と戰爭指導との關係の規定は、古來最も多くの政治家及び將帥を實踐的に悩まし、又政治学者及び軍事理論家の頭を理論的に悩ませて來た大問題である。今この問題を論ずるに当り、先づ二つの事項を明確にしなければならぬ。それは第一に政治とは何ぞやといふことであり、第二に戰爭指導とは何ぞやといふことである。

第一点、政治の意義に關しては古來及び現在に於いても、学者の主張が一致しない。今これを詳論することは、その場所ではない。政治と戰爭指導に關する定義を以て有名なクラウゼウィッツは、大体に於いて対外的意味に於ける政治を観念してゐたかの如く思はれるが、政治とは勿論、かゝる狹少なるものではない。クラウゼウィッツの批判者を以て任ずるルーデンドルフが、政治は対外政治に限らず、対内政治及び經濟政治（經濟政策）があるといつてゐるのも、未だなほ十分ではない。それから個々の政治の一切を包含し、その上に立つ至高なる政治それ自体が存するわけである。それは何か。こゝでは、簡単に「政治とは民族の生存及び發展のためにする其の全力の集中的表現である」として置きたい。

第二に戰爭指導といふ言葉である。こゝでは軍事的戰爭指導を、即ち「軍事的用兵」乃至「軍隊指導」（Heerführung）を意味することとしたい。それは、ナチス軍事理論家の言を借りれば「敵及び輿論の思想的・精神的打擊、全國民乃至經濟力の總動員、同盟國の獲得、少くとも中立諸國の好意等の如き、非軍事的戰鬪手段の利用を包含するところの全体的戰爭指導の一部をなすもの」（註一）である。

さて、政治及び戰爭指導の意義を右の如く決定して論を進める。ルーデンドルフが「政治は總力戰と同樣に、總力的な性格を持つべきである」（註三）といつたのは正しい。しかし「戰爭の本質が変化し、政治の本質も変つた以上は、政治と戰爭指導との關係も亦変らざるを得ない」（註三）といふのは、誤つてゐる。

吾々は依然として、「戦争は政治の一手段である」、「戦争は他の諸手段を以てする政治の継続である」といふクラウゼウィッツの立論をば多くの論者と共に支持せざるを得ないのである（註四）

勿論、この場合のクラウゼウィッツのいふ「政治」とは、ルーデンドルフの非難する如く「対外政治」即ち端的にいへば「外交政策」を主として指してゐる。しかし――これも同様にルーデンドルフの認める如く――クラウゼウィッツのいふ「政治」とは必ずしも「対外政治」のみに限られてはゐない。彼は、その「戦争論」の一部において、「政治とは擬人化された国家の智力なり」（註五）といふことをいつてゐるし、また「政治といふものは国内行政上のあらゆる利害、又個人生活のそれをも、その他哲学的思弁によつて考へ得られる種々なる利害を一にまとめ、之が調和をはかるものである」とか、あるひは又「政治を以て社会のあらゆる利害の代表者と看做し得る」（註六）などといつてゐる。これはその表現こそ素朴ではあるがルーデンドルフが「総力的政治に対して要求してゐる所（註七）と近いものであると云はねばならぬ。

一九八

それはさて措き、「政治」に関するクラウゼウィッツの把握が如何に不十分であるとはいへ、戦争を以て「他の全体」即ち政治の一部分となし、政治の一手段となす見解は正当であるとせねばならぬ。それは古代の素朴的総力戦時代に於いても然り。中世の潜在的総力戦時代に於いては特に然り。又、近世の無意識的乃至半意識的総力戦時代に於いては、益々然りなのである。この政治と戦争指導との関係は、右に述べた「政治」の定義自体からしても当然なものといひ得る。「政治」は（これを戦争指導に対し国家指導といつてもいゝが）「民族の生存及び発展のためにする総力の集中的表現」であるが故に、この総力は単に軍事力をのみ含まず、あらゆる力が、即ち全民族のあらゆるエネルギーが――その顕在的たると、潜在的たると、またその物質的たると精神的たると、形而下的たると形而上たるとを問はず――包括さるべきであるからである。民族の生存及び発展のための努力の最も強力的なる且つ最も端的なる表現は、戦争であり、且つ歴史的なるそれ、劃時代的なるそれは、前述の如く、戦争以外の形態をとり得ない。しかし繰り返していはねばならぬ。戦争が唯一の表現形

一九九

態ではないと。

殊に現在の総力戦時代にあつては、戦争は単に軍隊と軍隊、艦隊と艦隊との戦であるのみならず、国民と国民とが、民族と民族とが、その総力を挙げ、あらゆる場合に於ける戦ひを戦ふ。而かも、その全体的戦争は、狭義の戦時に限らず、所謂平時に於いても戦はれねばならぬ。かゝる全面的なる一大闘争の指導は、狭義の戦争指導のよくする処ではない。全面的なる政治が、総力的なる政治が、その指導に当らねばならぬ。

かゝる全面的政治は、クラウゼウィッツも指摘する如く、軍事的戦争指導に関する一般的なる知識を有たねばならぬ。それは、クラウゼウィッツが遠慮勝ちに要望せし程度以上の深き軍事智識を有たねばならぬ。このことは、特に戦争の開始及び終結について必要であるがそれのみならず、戦争遂行それ自体についていつても必要事であらねばならぬ。勿論、政治が個々の軍隊指導の末梢に至るまで顧慮乃至干渉するのは望ましい事ではない。それは、総司令官が、将校斥候の指揮にまで干與するのが妥当でないと同様である。しかし、大局的

二〇〇

なる戦略――及び戦術でさへ――に対しては、政治は一應の見透しと意見とを持たねばならない。よき政治家が、同時によき軍事指導者であらねばならぬし、またあり得ることは、遠き歴史を尋ねずとも、現在の第二次大戦に於けるドイツのヒットラー総統の政治と軍事指導とを見れば明かであらう。殷鑑は近きにあるのである（註八）。

多くの戦争理論家はかゝる高度の政治――換言すれば政治と戦争指導との統一的把握をなし得し歴史的先例として、クロムウエル、フリードリッヒ大王及びナポレオンを挙げるのが常である（註九）。彼等によれば、もしかゝる統一者がなければ、政治か、戦争指導か、その時適々何れか優秀な指導者を有ち得た方の比重が重くなり、そこに必ず摩擦が生じ、一方による他方の侵犯が起るといふ。即ち「軍司令官は、諸経験に基き、特に制限されざる独立性を要求し、上からの政治的指導の桎梏から自由に行動することを要求する。然し政治家も亦、事件の軍事的経過において、自己の政治的見地から、或は求めらるゝまゝに、或は目的的に、戦況に干渉することを自分の任務なりと考へる」（註一〇）

二〇一

政治及び戦争指導の統一的把握――これが最高の意味における政治であるが、かゝる高度政治の把握者は、しかしながら、戦争史家の多くが示唆する如く、軍人に限ることはない。その出身が軍人であれ、非軍人であれ、政治を高度に把握しこれを高度に運営する資質が問題なのである。例へば、クロムウェルは政治家であるが、軍事指導をよくし、フリードリッヒ大王も、帝王といふ政治的資格に於いて高度の戦争指導能力を示した。また反之、ナポレオン一世は、軍人より出でて政治をよくした実例である。現在のアドルフ・ヒットラー総統も政治家より出で、優れたる戦争指導能力を最高度に発揮せるよき例であるといはねばならぬ（註一）。

総力戦時代における総力的政治の完全なる把握――換言すれは政治と戦争指導との統一的把握、即ち、戦争指導をその一部分とする全体的政治の運営は、同一人に帰することが最も理想的なる形態である。しかし、「斯かる一等星は数世紀に唯一度現はれるに過ぎない」（註二）とするならば、かゝる「一等星」を制度的に顕現すべき國家体制が考へられなければならぬ（註三）。総力戦を遂行すべき総力的政治の第一の任務は、先づこの問題の効果的解決にあるのである。

（註一）「ナチスの戦争理論」、前掲、邦訳、二四八頁。

（註二）ルーデンドルフ「総力戦」、前掲、邦訳、二〇頁。

（註三）同上、二一頁。

なほ、ドイツが第一次大戦に当り、クラウゼウイッツのテーゼの運用を誤りたる実例については、カール・ヘルフェリッヒ「世界戦争」前掲、邦訳、三二三―三二五頁及び「最も優れたるプロシヤの軍事評論家」たる *Frhr. von Freytag Loringhoven* の "*Politik und Kriegführung*," 1918. S. 243-248参照。

（註四）「ナチスの代表的戦争観」を表明するといはれたバンゼ教授は、前述の如く、戦争を以て「一民族乃至一國家の意志及び偉業が表現される最も豊麗なる方途」といつてゐる。従つて教授によれば、主たる「全体」は、「一民族の意志及び偉業」そのものであつて、その一「方途」たる戦争は、「全体」の中の一「部分」であらねばならぬ。故に、教授

は「戦争は目的それ自体ではなくて一手段に過ぎない。それは、達成さるべき目的の有つ高度なる法則に従ふ。それは暴力的手段を以てする政治の継続であり、ヨリ効果的なる手段を行使するために政治に代るものである」としてゐる（"*La nouvelle doctrine*," *op. cit.*, P.6; *Henry Melot*, "*La guerre allemande*," *op. cit.*, P.23）。吾が渡辺錠太郎大将も「近代戦争ハ國民戦争ノ性質ヲ帯ブルニ至リタルヲ以テ、往昔ノ如ク單ニ軍人ノミニ依リテ、戦争ヲ遂行シ得サルハ周知ノ事ニ属ス。殊ニ政策ト統帥トノ一致融和ヲ必要ト為シ、而者相関スルコト頗ル大ニシテ、一方ノ欠陥ハ直ニ他方ニ害毒ヲ與フルモノナルコトハ歴史ノ証明スル所ナリ。是ヲ以テ将来ノ戦争モ亦日露戦争当時ノ如ク、政治家ト用兵者トノ間ニ相互調和ヲ保チ、能ク意志ヲ疎通シ、『クラウゼウイッツ』ノ所謂『戦争ハ他ノ手段ヲ以テスル國家政策ノ継続ニ外ナラス』トノ実ヲ挙ゲ、以テ光輝アル戦争ヲ獲得セザル可カラス」トナシ「戦争ハ國家政策ノ継続ナリ、従ツテ和戦ヲ決シ、戦争目的ヲ定メ其指導ノ大方針ヲ定ムルモノハ攻略ノ任ナリ、但シ此ノ決定ヲ為スニ当リ軍事上ノ情況ヲ詳ニシ、統帥当局ノ意見ヲ参考トシ、彼我ノ兵力ヲ算定評價シテ勝敗ノ数ヲ予断シ以テ判決ノ基礎トナスヲ要ス、而シテ戦略ハ政略ノ定メタル目的ニ従ヒテ行動ヲ律スルヲ本則ト為シ政戦両略各々其ノ分限ヲ守リテ相侵スコト無ケレバ茲ニ始メテ円滑ニ戦争ヲ遂行スルコトヲ得ベシ」としてゐる（軍事参議官陸軍大将武藤信義序、第七師團長陸軍中将渡辺錠太郎講述「近代ノ戦争ニ於ケル軍事ト政策トノ関係」二一三頁、及び五三頁）。

ナチスと反対の立場に立つ論者も、クラウゼウイッツに倣ひ軍事に対する政治の優位性を主張する点に於て奇しくも一致を示してゐる（*Général A. Hérops et Léon Thévenin*, "*L'Armée Rouge et la guerre sociale*," 1931, pp-22-28.）。

然し、フランス王党のドーデは、フランスに於ける政治の軍事に対する干渉の甚だしきに憤慨して「マルヌの勝利者ジョッフル元帥すら、戦

時に於いても軍事当局は政治家の前に屈せねばならないと考へてゐた」といつてをり（Léon Daudet, "La Stupide XIXe siècle." 1922, P.29.）。また同党の軍事評論家ヴィエドーは、断乎として「政治に対する軍事の優位性」を主張してゐる（Viedo, "L'Armée et la Politique" 1927, pp.28-29.）。

なほ、この問題と関聯して注意すべきは、第一に、政治の優位性といふことゝ、戦争手段としての武力戦の價値評價といふことは別問題であるといふことである。総力戦に於いては、政治が第一である。しかし、戦争手段としての地位からいへば、武力戦が第一であり、所謂政治戦、経済戦、思想戦、等々が武力戦と同等若しくはその上位に位置するものでは断じてないのである。両問題を混同することは絶対に慎まねばならぬ。

第二に、政治と軍事との関聯に於いて注意すべきことは、軍事に対し政治が優位にあるとしても、この優位性は戦争の開始及び終結に付いて強く認識され、戦争中はやゝこの優位性の感度が稀薄になると考へられ勝ちなる点である。例へば「ナチスの戦争理論」は「政治は主として戦争の端緒を決定し、その後仕末を行ふ。…戦争の過程に於て軍事的顧慮が優位を占めた。その軍事的成果が決定的であつた。然し、対外乃至対内政策は戦略と共に永く併行して進まねばならぬ。…政治的指導の最も尖鋭なる緊張を要する多くの諸問題の顧慮。…戦争が終末に近づく程、政治は前面に益々押し出されて来る」（二五七－二五八頁）といつてゐる。然し、戦争の全般的指導、即ち政治の指導性は、戦争中に於いてこそ最もその能力を発揮せねばならない。さう云ふ意味は、個々の戦術乃至作戦に、――クラウゼウィッツの言を以てすれば――「騎哨の配置や斥候の派遣」までもに――政治が干渉するといふのではない。国内状勢、國家の能力、世界状勢、相手國の國内事情及び國力等々に対する的配慮をなし、敵軍及び敵國の最大弱点を突き、以て自國軍の勝利を期することが総力的政治の任務であるといふのである。

第三に、注意すべきは、軍事に対する政治の優位性は、持久戦に於けると殲滅戦に於けるとは、自らその間に若干のニユアンスの有するあり、自然の成行として、持久戦に於いてはそれが強く、反之、殲滅戦に於てはやゝその強度を減ずる。といふことがあり得ることである。

然し、以上のことに拘はらず、軍事に対する政治の優位性は、原則として飽くまでも保持せられなければならないと結論されるのである。

（註五）クラウゼウィッツ、前掲、邦訳、上巻、七八頁。

（註六）同上、下巻、五〇五頁。

クラウゼウィッツは又、他の処で、「政治はその胎内に戦争を孕んでゐる母体である」とも規定してゐる（同上、上巻、二〇〇頁）。

（註七）ルーデンドルフ、前掲、邦訳、二〇一－二一一頁。

（註八）ナチス党と國防軍との統一はしかし一朝一夕になつたものではない。それは、長い間の対立抗争を経て、始めて達成されたのである。即ち、ドイツ國防軍は、ナチス政権出現前は勿論、その出現後も長らくナチス党に対して対立的地位を保持し、その先頭にはフォン・ブロンベルグ元帥（Werner von Blomberg, 1878－）が立つてゐた。例の「血の粛清」たる六・三〇事件（一九三四年六月卅日のレーム事件）は一般に、ナチス党に対する國防軍の勝利と解されてゐる。かゝる國防軍を制御しつゝ、その頭目たるフォン・ブロンベルグ元帥を斥け、ヒットラー總統が國防軍の指導権を握り、政治と軍事との――政治の指導下に於ける――統一を完成したのは一九三八年二月のことである。而してこの成功が、今日のドイツ軍の赫々たる勝利の一基石をなしたのである（Roger Shaw, "Blomberg Ide Tells Hitler" :－ Review of Reviews, August, 1935－PP.28－75.「新独逸國家体系」第三巻、前掲、一四一－二二頁。ヘルバート・ロジンスキー博士「独逸國防軍」、邦訳二一七－二三七頁）ロジンスキー博士曰く「一九三八年の二月四日は、一九三四年の六月三十日に対するヒットラーの復讐であつた」と（同上、二二七頁）。

しかし、一方において、このナチス党と國防軍との対立を否認し、その麗はしき統一を説くものがある。而かもそれがドイツの宿敵たりしフランスに於いてであるから奇妙であるといはねばならぬ（Cf. René Laulet "L'armée allemande" — Le Temps, 29 août 1935.）。

（註九）例へば、パウル・シュミットヘンネル、前掲、「ナチスの戦争理論」、前掲等々皆然り。

（註一〇）「ナチスの戦争理論」前掲、二五〇頁。

（註一一）政治と戦争指導との関係の研究は、抽象的・理念的に論じても不充分であり、吾々は、戦争の歴史の実例について、この関係を見ねばならない。「常に利用するならば最も善き教師である歴史は、政治と戦略、或は政府首脳と軍司令官の相互関係を規定する妥当なる決定的原則は歴史から引き出さねばならぬ事を示してゐる」（「ナチスの戦争理論」前掲、二五七頁）。斯かる意味に於いて、吾々はスウェーデンのグスタフ・アドルフ、ワーレンシュタイン、英のオリヴァー・クロムウェル、スウェーデンのシャルル十二世、独のフリードリッヒ大王、佛のナポレオン一世、独のビスマーク対モルトケの関係、第一次大戦中に於ける独英佛の政治史等々を究明すべきである。その際、時代的條件、制度的條件、個人的條件の三條件との関聯に於ける検討が要請されねばならぬ。この点に関し、前稿渡辺大将の「近代ノ戦争ニ於ケル軍事ト政策トノ関係」；Paul Schmitthenner, "Politik und Kriegführung in der neueren Geschichte"; Erich Ludendorff, "Kriegführung und Politik"; Frhr. von Freytag = Loringhoven, "Politik und Kriegführung" が参照されねばならぬであらう。

（註一二）同上、二五一頁。

ナチスの戦争理論家がヒットラー総統を有つことに誇りを有つてゐることは当然である。然し、彼等は、か丶る「天佑的」偶然に満足せずして、最高指導者の養成と國民的訓練との必要性を高唱する。か丶る意味に於いて、次ぎのシュミットヘンネルの言葉は味ふべきであらう ——

「…根本の事態は政治を適切ならしめると共に、指導者の養成と國民の國防的訓練も亦等しく大切である。…長く堪へ得る指導者は立派に訓練された國民の中へ求むる外はない…　から…全國民の國　的訓練は根本の仕事である。…最高指導者の養成は夫れと密接な関聯を持つてゐる。其最高目標は戦争の本質を完全に把握せる人、即ち戦争実行（指導）としての政治の必要を十分に認識せる人を養成するにある。其人は…自己が正当に認識した所をば仮令時代精神に反抗してまでも遂行するだけの膽力と気魄とを持つ必要がある。

又此の指導者が普通人（非軍人）ならば自己の高き専門的能力の外に尚ほ國務に就ての深き理解と軍事に関する広き理解とを有し、以て一般の政治の側から、自ら進んで軍事上の利益を考慮に入れ、且つ部分的の力たる軍事専門の戦争指導をば、大政治家の全般の指導の中に組み込む事が出来ねばならぬ。又指導者たる軍人は自己の高き専門的能力の外に、全般の政治に就て深き理解を有する所の良き意味での政治的軍人たるを要し、戦争の自律性をば軍事の範囲に制限し、夫れを政治に組入れ自ら進んで全体の政治の中に従属し、軍事的の戦争指導をば部分的の力として政治の全般の指導の用に供するを要する。

然し何れにしても一人が最高の指導に当らねばならぬ。夫れが軍部から出るか、政治家から出るかと言ふ事は、若し其人が前述の條件を備へてさへ居れば敢て問ふ所でない。其人は勿論斯かる関係を超越して殆んど超人的の力を有し、以て全般の指導の大任を達成せねばならぬ。斯かる天才を得る事は多くは天佑に属する。

吾々独逸人は吾々の有する軍人的感情を進めて國防の理解を深むべきである。吾々は…アドルフ・ヒットラーをば指導者に持つ事を誇りとし且つ幸福とする。吾々は今後も天佑を祈るが、然し國民として自己の力と意志と知識とに信頼するものである。

吾々の精神的團結の中に吾々の運命があるのである」（シュミットヘンネル、前掲、二五五—二五七頁。なほヒットラー総統に関しては、同上三四九頁参照）。

又、ヘルバート・ロジンスキー博士もいふ――「新らしい形式の『拡大された戦術』にあつては、全体の指揮は政治的指導者の手に委ねられてゐなければならぬ……この際、純粋に軍事的性質から行つた専門家の考慮が、実際的な重要さを以て、実行されるか何うかは、疑はしいものである。たゞ、政治的指導者が『超将軍』（ルーデンドルフの所謂『総帥』――引用者註）であつた場合だけ、この問題は容易に片づけられる。ヒツトラーよく『超将軍』たり得るかどうか。今やヨーロツパの大戦場で戦ひつゝあるドイツ第三帝國軍が、よくこの事を証明するであらう」と（前掲、二六六―二六七頁）。


（註一三）　政治と戦争指導との関係――換言すれば政戦両略の一致といふ問題に関しては、その國の憲法的組織が必ずしも絶対的重要性を有つものでないことを、シユミツトヘンネルは、第一次大戦の実際の経験に照らして主張してゐる。例へば、議会制度は政戦両略の一致につき、重大なる支障をなすと通常考へられてゐるのであるが、それが必ずしも常に消極的存在とならず、時には統一を助成する場合もあつたと彼は説いてゐる（例へば、前掲、三二三頁）。カイゼルの下に於けるドイツが、政戦両略の一致に絶対的に成功し、大統領若しくはこれに近いキングを頂く英佛米が然らずといふわけでもなかつた。後者に於いてロイド・ジヨージ、クレマンソー・ウイルソンといふ優れた政治家の全体的戦争指導宜しきを得たに対し、ウイルヘルム二世下のベートマン・ホルウエツヒ、ビユーローの徒は、政治的指導の責任を果し得ず、全体的戦争指導の責を軍部に転嫁して、つひに第一次大戦を喪つたのであつた（「ナチスの戦争理論」、二五四―二五七頁、シユミツトヘンネル、三二七―三四頁）。此の時、首相ベートマン・ホルウエツヒは「戦争の為めに政治上の指導は海陸の作戦に席を譲るのは自然の成行であつた。軍事の門外漢たる吾々が軍事上可能の程度を判断する事は困難であり、況んや軍事上の必要を判断する事は不可能であつた」といひ、ビユーローも……一般に軍事

は秘術であると誤認し、『軍事の門外漢』と言ふ言葉に眩惑されて軍事に関する事態の政治的根底に就いて認識を欠いてゐた」（シユミツトヘンネル、三三六頁）。ベートマン・ホルウエツヒ指導下のドイツが如何に政治及び戦争指導に失敗したかについては、フオン・ビユーロー「大戦の回顧」、皆川鐸彦訳　三三五―三三八頁、カール・ヘルフエリツヒ「世界戦争」、前掲邦訳、三二七―三三七頁、酒井鎬次「戦争指導の実際」前掲、四四八―四五四頁、等々参照。反之、英佛の戦争指導につき渡辺錠太郎大将の「近代ノ戦争ニ於ケル軍事ト政策トノ関係」「欧洲大戦ニ於ケル『ロイド・ジヨージ』ト『ヘーグ』」、『クレマンソート』『フオツシユ』『ペタン』等」がよく「両略ノ一致ヲ保ツ」た事を説いてゐる（五四頁）。フランスの敵ナチスの戦争理論家でさへ、「クレマンソーはフオツシユに向つて自己の主張を通すことが出来た。そして『お黙りなさい、私は國府を代表してゐます』といふことが出来た」と称揚してゐる（「ナチスの戦争理論」二五七頁）　しかし英佛―特にフランスに於けるかゝる政治の優位性を以て、軍事に対する政治の不当なる干渉なりとして、ドーデ等が論難してゐることは、前に述べた如くである。（*L. Daudet, le Stupide XIXe siècle*, P. 29.）。

右の如き留保がなさるべきであるとはいへ、原則論として、総力戦時代に於ける政治と戦争指導の問題を最も正しく解決し、政戦両略の完全なる一致を体現するには、それに最も適合せる政治体制があるのである。それは一言にしていへば、高度國防國家であり、正しき意味に於ける全体的（所謂全体主義的とは限らぬ）國家体制である。